Kurt Tucholsky

Gesamtausgabe

Texte und Briefe

Herausgegeben von
Antje Bonitz,
Dirk Grathoff †, Michael Hepp †,
Gerhard Kraiker

Rowohlt

Kurt Tucholsky

Gesamtausgabe

Band 11: Texte 1929

Herausgegeben von
Ute Maack, Viktor Otto

Rowohlt

Die Gesamtausgabe der Texte und Briefe
von Kurt Tucholsky erscheint mit Unterstützung durch
die Deutsche Forschungsgemeinschaft,
das Ministerium für Wissenschaft und Kultur
des Landes Niedersachsen,
die Senatsverwaltung für kulturelle Angelegenheiten
(Literaturreferat) des Landes Berlin,
die Kurt-Tucholsky-Stiftung, Hamburg,
das Deutsche Literaturarchiv, Marbach

1. Auflage Juli 2005

Lektorat Hans Georg Heepe
Umschlag- und Einbandgestaltung Walter Hellmann
Layout Joachim Düster
Gesetzt aus der Garamond und Frutiger (WinWord 6.0c)
Kurt Tucholsky-Forschungsstelle
Konvertierung und Belichtung
Clausen & Bosse, Leck
Druck und Bindung Clausen & Bosse, Leck
Printed in Germany
ISBN 3 498 06531 8

Inhalt

1

[Was erwarten Sie vom Neuen Jahr? Mitarbeiter der AIZ antworten]

Im kommenden Jahr werden die deutschen Militärs und die deutschen Wehrverbände weiter rüsten, und die deutschen Außenpolitiker werden es ableugnen.

Im kommenden Jahr werden sich die deutschen Richter einbilden, ein bestandenes Assessorexamen berechtige sie, den lieben Gott zu spielen und zu «strafen»; insbesondere in den kleinen unkontrollierten Provinzgerichten werden die Proletarier auf den Anklagebänken nichts zu lachen haben.

Im kommenden Jahr werden die Gefangenen in den Zuchthäusern, Gefängnissen und Arrestlokalen sinnlos leiden: unter der Sexualnot, unter schlecht bezahlten Aufsehern und unter der «Hausordnung» der Direktoren.

Im kommenden Jahr werden die Börsen mit Wertpapieren handeln, ohne daß sich auch nur einer der Spieler darüber Gedanken macht, womit er eigentlich spielt: mit der Arbeitskraft von Proletariern, die mit sechzig Jahren wenigstens wissen, wofür sie das ganze Leben hindurch geschuftet haben: für eine Tuberkulose.

Im kommenden Jahr wird die Allmacht des amoralischen Staats noch höher hinaus wollen als im vergangenen.

Ich erwarte also vom kommenden Jahr nichts Besonderes.

Ignaz Wrobel, AIZ Nr. 1, 1929

2

Ein Betrunkener in der Wilhelmstraße

– «Prost Neuahr! Prost Neuahr! … ze frieh. Da, wo meine Armbanduhr wah, is jetzt 'ne Beule – aber is ze frieh … 'ck wer doch woll hier noch langjehn kenn! Hö. Ick als Republikaner kann mir besaufen, wo ick will. Wie hat Adolf imma jesacht? «Det kann ick! Dafor bin ick Mutta!» – Iebahaupt – mein Mann is Waschfrau, un ick bin Soldat. Da kommt'n Mann. Wat is det fiern Mann –? Tach, Mann.

Der antwort nischt. Prost Neuahr! Ick wer ma nehm'n herjehn. Kann a ma nich vabietn, der. Den sein Jesicht kommt mir so bekannt vor ... den muß ick doch schon mah ... der sieht aus ... det is doch – Justav –!

Prost Neuahr, Justav! Nischt. Ick wern mah bejleiten, det ihn nischt zustoßt, den hohen Herrn. Dürf ick Ihnen eine Ssijarre anbietn, Herr Ecksellentz? Der sacht nischt. Ick ha auch jakeene Ssijarre – aba valleicht jibt er mir eene. Nee. Wenn et Sie nich steert – Prost Neuahr! Prost Neuahr! – wenn et Sie nich steert, denn kenn wir ja 'n bißchen üba Polletik redn, wa –? Ja, wat ick sahrn wollte:

Justav, du mußt nich mit die Fauste. Erschtens hast du jahkeene. Du hast sone kleene, dicke, mollige Hand – is ja janz scheen – aba: ball se nich, Justav. Jeballt is et nischt. Du bistn Koofmann – die annern sind et ooch – ick wer da sahrn: ihr mißt nich imma so dhun, als ob ihr – ihr seid et ja jahnich! Prost Neuahr! Is noch nich so weit! Ihr jeht vor, da driehm! Seh mah – wat die Engländer sind, det sinn ruhige Leute, die ham schon viel in ihrn Lehm jekloppt – aba uffn Tisch – nee, det kenn die nich. Na, und bei die Franzosen kommste da jahnich mit durch! Justav, wenn de Briang hättst in Mahrn kucken kenn, weeßte, wat der sich jedacht hat, wie du bist rot anjelaufen –? Er hat jedacht: I, sieh mal an, hat er jedacht, nu kommt der ooch schon! Det ham doch frieha bloß die Jenerale jemacht! Und denn hat a ne Ssijarette jeroocht, und wat Du jesacht hast, det is in Rauch aufjejangn ... Prost Neuahr!

Ja, nu ham die alle jeschriehm, det du hast einen forzüchlichen Eindruck jemacht. Ick wer da sahrn – Eindruck haste jemacht – weißte auf wen –?

Auf die Deutschen, Justav. All son Zimt macht imma bloß Eindruck bei uns ze Hause, un denn denken nachher die Leite, da denken die denn: die Welt is bewecht worn. Justav, hör zu: erschtens sind die Zeitungen nich die Welt, und die deutschen schon jahnich, un ick wer da sahrn: Du mußt nich imma na hintn kuckn, ob se da Beifall brülln oder dir den Stuhl untern Jesicht wechziehn – du mußt na vorne kucken! Denn seh mah:

Du sosst ja nich die Deutschen übazeujn – du sosst die annern überzeujn. Det deine eijenen Leite Bravo schrein, det wissen wir. Aba du mußt machen, det die annern Bravo schrein – un det is nemlich schwerer, werk dir mah sahrn ... ville schwerer is det! Aba det ham se bei uns nich raues. Die treten imma vor ihrn eijenen Lokalanzeijer auf, und den Jejner ham se inzwischen vajessn. Du hast se ja nich schlecht jejehm – se ham sich bloß nischt davon jenomm. Prost Neuahr! Mensch, du mußt die Belange nich so hochhalten – man sieht se auch so – Das janze Vataland – aps – wenn et dir recht is, denn jehn wa da mal hinter die Säule da austreten ... Wißte nich? Na – denn missn wa det vatahrn ... Ja, wat hast du bloß mit die Polen –?

Justav, wahn se valleicht nett zu die Pollackn jewesen, untern Kaiser? Von wejen – – Jeschundn ham se se und auf se rumjekloppt und schtatt daß ihr jesacht hapt: nu fängt sich hier mal wat Neues an, da habt ihr munter weiterjemacht. Nu wundert ihr euch! Seh mah, in Warschau ... Justav, ick muß mah janz schnell ehm – ick heer ein Brünnlein rauschern – Ick komme jleich nach ... lauf nich wech! Dunner – jetzt muß ick mir im Laufen zukneppen, ick bin doch nich Nurmi – da bin ick wieda.

Wat ick sahrn wollte: es is reine, als ob die Polen wern für eich der neue Erbfeind. Kaum, daß eena sacht: Poln – denn fangen se schon alle an zu schrein, un die Reichswehr sieht man ehm schnell nach die Kanon – da fiehlt ihr eich, wa? Wißte se herrliche Zeiten entjejenfiehrn, ja? Do, ssiss komisch: int Jeschefte un in Amt un ze Hause, da ham se nich viel zu melln – aba wenn so eena so recht kräftige Wochte finnt, denn jlaum se alle, se sinn Bismarck perseenlich. Ick wah neulich dabei, wie mein Schwahra, der is Zwischenmeister bei Lewin un Rosenthal, un da hat der seine Mäntels abjeliefert, un da hat der olle Lewin deine Rede vorjelesen, in Bühro, mitn Kneifer uff de Neese un denn hat a jesacht: «Et wücht wieda mit Deutschland!» hat er jesacht. Haps. Da hab ick jesacht: Jewiß doch, Herr Lewin – es is ja schon mal jeworn! Da ham se ma rausjeschmissn. Prost Neuahr! Prost Neuahr! Heer bloß mah, wie die brilln! Die Leite ham keene Bildung nich! Mensch, Justav, wat ham dir die Poln jetan? Wejn den Korrigidor – ? Justav, mach mir do nischt vor – hier, uff de Willemstraße kann icks Dir ja sahrn:

Wer denkt denn schon an den dämlichen Korridor, wenn ihr nich imma mecht son Jeschrei davon machn? Natierlich is a vakehrt – weil janz Europa vakehrt is! Aba meinste, det wird bessa, wenn ihr nehmt den Pollackn den Korridor wieda wech? Denn jeht doch allens wieda von vorne los; det janze Mallöhr und det Jeschrei un «Zujang zum Meere» – du wirst es sehn – und ick weeß jahnich, was du hast; Flaschenbier vajeht, aba Schönheit be –

Jahnich hack den Herrn belesticht! In keine Weise! Prost Neuahr, Herr Wachtmeesta! Frahrn Sie doch den Herrn, Herr Wachtmeesta, ob ick ihm … Wissen Sie denn überhaupt, wer das is –? Na, das is ja unahört! Justav! Sach selba! Justav! Herr Minista! Herr Staatsminista! Eia Ecksselentz! – – Wat sacht der –?

Er is et jahnich –?

Bumm – jetzt hack meine janze Weisheit ann Falschen vazappt! Da jeht er hin. Aba mächtich ähnlich sieht an. Sie! Von wejn Minister: Sie, Männecken! Varraten Se nich, wat ick Ihn jesacht habe – det sin Staatsjeheimnisse sind det! Staats – schupsen Se ma do nich, Herr Wachtmeesta – Staats – Staats … Prost Neuahr! Wo is meine Papiermitze? Herr Wachtmeesta, ohne Papiermitze is keen Neujahr – wa? Ick bin aus Bealin; wenn ick mir ma amuhsiere, denn muß man det heern, sost amuhsierck ma nich! Staatsjeheimnisse sind det – Besoffen? Wer is hier besoffen? Mir is bloß 'n bisken komisch – ick muß irjend wat jejessen ham –!

Prost Neuahr –! Prost Neu – Wat is –? Zu spät –? Nu is wieda zu spät. Herr Wachtmeesta, wir sinn inne Willemstraße: da komm se imma entweder ze frieh oda zu spät! Prost Neuahr –! Fröhliche Finxten! Auf Wiedersehn –!»

Kaspar Hauser, WB 1.1.1929

Lied fürs Grammophon

Gib mir deine Hand,
Lucindy!
Du, im fernen Land –
Lucindy!
Wie die Ätherwellen flitzen
über Drähte, wo die Raben sitzen,
saust meine Liebe dir zu –
du –
tu–tu–tu– mmm –

Wenn du mich liebst, so singt dein Blut,
Lucindy!
Ach, wenn du nicht da bist, bin ich dir so gut,
Lucindy!
Dein – dein Lächeln läßt mir keine Ruh …
Man kann von oben lächeln,
man kann von unten lächeln,
man kann daneben lächeln –
wie lächelst du –?
tu–tu–tu– mmm –

Meine, die will mich verlassen,
Lucindy!
Deiner, der will dich fassen,
Lucindy!
Kehr zu ihm zurück!
Vielleicht ist das das Glück …
Ich guck in den Mond immerzu –
oh so blue – mmm –

Wie man auch setzt im Leben,
Lucindy!
man tippt doch immer daneben,
Lucindy!

Wir sitzen mit unsern Gefühlen
meistens zwischen zwei Stühlen –
und was bleibt, ist des Herzens Ironie …
Lucindy!
Lucindy!
Lucindy –!

Theobald Tiger, WB 1.1.1929

4

Fabel

Da stand der Hund vor der Hundehütte, sein Fell war gesträubt wie die Borsten einer Bürste, er lauschte in die weite Nacht. Aus der Nacht ertönte ein Geheul.

Es begann hinter dem Wald, und es pflanzte sich zur Schlucht hinüber fort, sacht ansteigend, wenn es dort angekommen war, so antwortete eine heulende Stimme, die so jäh anstieg, daß der Hund zitternd in sich zusammenkroch. Dann begann er zu bellen.

Er bellte, gleich heiser einsetzend, so aufgeregt war er; Schaum troff ihm aus dem Maul, er bellte mit der Seele, seine Flanken flogen, obgleich er gar nicht gelaufen war, er stemmte alle vier Pfoten fest auf die Erde, um bessern Halt zu haben – und Geifer, rasende Tobsucht und Wut waren in seiner Stimme … Da erwachte sein Herr.

«Das sind die Wölfe», sagte der Mann hinter sich in die Hütte, band den Hund los, der ihm nicht von den Hacken wich; er schritt in die Hütte zurück, entsicherte das Gewehr, das an der Wand hing, legte sich zu seinem Weib … Das Herdfeuer glomm; der Hund träumte … Wenn das Geheul draußen von neuem einsetzte, richtete sich der Hund schnaufend auf, ein kurzer Ruf des Mannes zwang den Knurrenden in die Ruhestellung … Da lag er.

Da lag der Verräter.

Da lag der, der sich vor achttausend Jahren von den Wölfen losgemacht hatte: für Fressen, Sicherheit und einen warmen Platz in der Hütte. Sie hätten ihn zerrissen, wenn sie ihn bekommen hätten – in ihren Zähnen zerknirscht, zermalmt, zunichte gemacht. Er gab vor, sie zu verachten; aber er haßte sie, weil er sie fürchtete.

Der Herr nannte ihn treu und wachsam – es war ganz etwas andres. Um ganz etwas andres ging der ewig währende Kampf zwischen den wilden Hunden und dem gezähmten Hauswolf. Der Kampf ging um die Seele.

Anklage und Urteil war ihr Erscheinen; tiefster Vorwurf ihre Witterung; Donnerspruch ihre Stimme; Glanz des Himmels vor dem Sünder in der Hölle ihre Gestalt – er krümmte sich, wenn er nur an sie dachte. Er wand sich: denn sie hatten recht! sie hatten recht! sie hatten recht! Er war abgefallen, zum Feind übergegangen: aus Feigheit, aus Verfressenheit, aus Faulheit; aus hündischem Stolz, sich in der Gunst seines Herren sonnen zu dürfen, und womit war diese Gunst erkauft!

Er haßte sie um ihrer Freiheit willen – er war zu schwach, die noch zu wollen. Er ließ sie entgelten, was er nicht hatte werden können. Sie hatten die Freiheit, die herrliche Freiheit und ein hartes Leben – aber sie sollten gar nichts haben! Er haßte sie, weil sie nicht in der Wärme fressen wollten wie er, und er haßte sie, weil es ihm alles, alles nichts genutzt hatte: der Verrat nicht, die Wachsamkeit nicht, die gebratenen Fleischstücke nicht. Er war ein Verschnittener; was da draußen rief, war die Manneskraft, waren die Treue, der Wille und das Herz – was war ihm geblieben! Eine Hundehütte war ihm geblieben.

Ein besonders schriller Schrei drang in die warme Finsternis. Diesmal konnte der am halb verglommenen Feuer nicht an sich halten – laut bellend fuhr er in die Höhe. Mit einem jaulenden Schmerzenslaut duckte er sich nieder: ein Stück Holz war ihm krachend in die Weichteile gefahren. Der Wille des Herrn hatte gesprochen. In hohen Tönen wimmernd lag er gekauert und horchte auf die Stimme der Natur, auf die Stimme der ungebändigten Freiheit, auf die mahnende Stimme, anmahnend das verpfuschte Leben seiner Generationen. Da lag er: ein wohlgenährter Verräter. Ein in Sicherheit lebender Verräter. Ein zutiefst unglücklicher Verräter. Nun war es ganz still geworden. Der Hund schlief.

*

Zwischen Otto Wels und Lenin bestehen gewisse Gegensätze.

Ignaz Wrobel, WB 1.1.1929

5

Mit Geduld und Spucke

Was ist denn das heute morgen?!
Ich armes Schneiderlein …
Zu allen andern Sorgen
will die Nadel da nicht rein.

Schon zum achten Mal – verdammtes Malheur:
Ich komme hier in Bedrängnis –
Eher geht ein Kamel durch ein Nadelöhr
als ein Richter in ein Gefängnis.

Ich blinzele und kieke und kieke
ist das eine Näherei!
Das ist wie in der Republike:
da geht auch immer alles vorbei:
Schwarzer Zwirn, weißer Zwirn – nur die Kulör
des Fadens ist verschieden …
Eher geht ein Kamel durch ein Nadelöhr
als die Reichswehr zum ewigen Frieden!

Der Zeiger der Uhr, der rennt rum,
ich denke mir vieles noch;
S. P. D. oder Zentrum,
ich fadele, und – Loch ist Loch.
Manch Staatsanwalt wartet auf ein Verhör,
um den Proletarier zu knechten:
eher geht das Kamel durch ein Nadelöhr
als die Justiz den Weg des Gerechten –!

Theobald Tiger, AIZ Nr. 2, 1929

6

Einfahrt

Erst tauchen aus dem grüngrauen Land ein paar Baracken auf, dann Häuschen, dann Häuser, da steht die erste Fabrik. Ein Holzlager. Grau ist die Natur – immer sieht die Grenze zwischen der Stadt und dem flachen Land aus wie ein Müll- und Schuttplatz. Da ist eine Vorortbahn, viele Schornsteine; die erste Elektrische. Noch rollt der Zug glatt und mit unverminderter Geschwindigkeit; Straßenzüge begleiten uns, noch mit Bäumen besetzt, dann bleiben die Bäume zurück – Reklametafeln, Wagen, Menschen –

nun fährt der Zug langsamer und langsamer – nun rollt er im Schritt. Da – das sind die hohen Steinmauern der Einfahrt.

Schwarzgespült vom Rauch sind sie, rußig und trübe; hier schlagen die Wellen der Fremde an das heimische Gestade … Heimisch? Für wen? Wir sind Fremde. Wir kommen in die fremde Stadt.

Die ahnt nichts von denen, die hier ankommen. Heute kommen an: achtundvierzig Leute, die nur ihr Geld ausgeben wollen – (zum Hotelportier: «Sagen Sie mal, wo kann man denn hier mal –?»); zweiunddreißig Reisende in Tuchen, Eisenwaren und Glasstöpseln; ein Kranker, der hier einen Arzt konsultieren will; achtundsechzig Menschen, die in ihre Stadt zurückkommen, die zählen nicht; und Fremde, Fremde, Fremde: herangewanderte, arme Teufel, die hier ihr Glück versuchen wollen, das sie noch nie gehabt haben – Freudenmädchen mit Leid im Herzen – der berühmte junge Mann, der «mit nichts hier angekommen ist, und heute ist er …» Fremde, Fremde.

Unberührt von ihnen liegt die Stadt. Haus an Haus schleicht vorbei – wir sehen in die Kehrseiten der Häuser, wo schmutzige Wäsche hängt und rußige Kinder schreien, wo Achsen ächzen und Küchen klappern – die Stadt zeigt uns Fremden ein fremdes Gesicht. Innen sieht sie ganz anders aus.

Es gibt an einer bestimmten Stelle Schreibmaschinen billiger; morgens um halb elf müssen alle Leute, die zur feinen Gesellschaft gehören wollen, in einer bestimmten Allee ihr Auto einen Augenblick halten lassen; Mittag ißt man gut bei …, ja, das wissen wir nicht; Schuhe kauft man vorteilhaft – in welcher Straße? – im …-Theater ist eine herrliche Premiere mit einem wundervollen Krach zwischen dem Direktor und der Geliebten des Geldgebers. Ihre eigene Sprache hat die Stadt: statt «Geld» sagt man hier … ja, das wissen wir nicht; um den Witz in der Zeitung zu verstehen, die sich der ganze Zug eine Station vorher gekauft hat, muß man wissen, daß es sich um Frau H. handelt, die mit einer Mörderin zusammen eingesperrt ist und keine Männer liebt; auf dem Witzbild erkundigt sie sich nach ihrer Zellengenossin: «Ist sie blond –?» fragt sie den Schließer – das verstehen wir alles nicht. Wir wissen gar nichts. Für uns ist das eine fremde Stadt.

Und wir werden ihr einen Teil unseres Lebens geben; wir werden uns «einleben», die Stadt wird sich in uns einleben, und nach zwei Jahren gehören wir einander, ein bißchen. Wir sagen nicht mehr «gnädige Frau» zur Stadt – wir sagen dann einfach «Sie». Wir wissen schon, wo man vorteilhaft Regenschirme kaufen kann und das mit der schicken Allee, und wo man gut und billig zu Mittag ißt, das alles können wir den neuen Fremden, die nach uns kommen, schon ganz leichthin sagen, als seien wir damit aufgewachsen, und als sei das gar nichts. Aber: du – du sagen wir noch nicht zur Stadt.

Das sagen nur die, die hier groß geworden sind. Die, die ihre ersten Worte in ihren Gassen, in ihren Kinderzimmern und auf ihrem Rasen gestammelt haben; die ein bestimmtes Viertel der Stadt auf ewig mit einer bestimmten Vorstellung verbinden, denn dort haben sie zum ersten Male geküßt; die in den vorweihnachtlichen Tagen im Omnibus in die Hände gepatscht und sich die Nase an den Scheiben platt gedrückt haben: «Guck mal, Papa! Mama! sieh mal – da –!» und denen dort, im Omnibus, die Welt erklärt worden ist … die sagen du zur Stadt.

Die kümmert sich nicht um die Fremden, die täglich heranbrausen. Sie führt ihr Leben – wer will, darf's mitleben. Sie formt die Fremden langsam um, und wenn die Fremden Geduld haben, dann sind sie es nach zwanzig Jahren nicht mehr. Nicht mehr so ganz. Nur tief, im fremden Herzen, sind sie es noch: da frieren sie, die Fremden.

Da hält der Zug. Und alle steigen aus und suchen, die Wurzellosen, eine Heimat in der Heimat der Stadt, die schon eine Heimat ist: für die andern. In wieviel Städte werden wir noch einfahren –?

Peter Panter, Voss 6.1.1929

7

Das A-B-C des Angeklagten

Wenn der Deutsche grade keinen Verein gründet, umorganisiert oder auflöst, dann hat er einen Prozeß. Manchmal ist es ein Strafprozeß, und für die zahlreichen Angeklagten ist nun endlich das

Buch erschienen, das in Deutschland, gleich nach der Bibel, am meisten gebraucht wird: die Strafprozeßordnung, hergerichtet für den kleinen Mann, der nur deutsch und nicht juristisch kann. Das Ding heißt ‹Das A-B-C des Angeklagten› (erschienen im Linser-Verlag zu Berlin-Pankow).

Es ist ein gut gemeintes Werkchen, einer «Klatsche» nicht unähnlich, wie wir die verbotenen Übersetzungen auf der Schule genannt haben; es ist geduckt geschrieben: es will den Richtern nicht zu nahe treten, den Anwälten auch nicht – es hat, in ziemlich verständiger Form, die Paragraphen der Strafprozeßordnung in lesbare Absätzchen aufgelöst und wendet sich mit trautem «Du» an die Objekte dieser Justiz, die auf dem Volkskörper haftet wie ein chronischer Ausschlag. Das ist kein schönes Bild, es entspricht aber.

Nun wäre über das Bändchen, dem nicht die Bedeutung der Schrift Professor Halles: ‹Wie verteidigt sich der Proletarier vor Gericht› zukommt, nichts zu sagen, wenn nicht diese brave Darstellung ohne den Willen der Verfasser eine derart vernichtende Kritik an der hierzulande geltenden Art, zu richten, übte, daß es sich schon verlohnt, einmal hineinzusehen.

Die Verfasser haben, mit vollem Recht, so gedacht:

Wenn einer angeklagt wird, dann will er keine juristischen Feinheiten, sondern er will vor allem einmal wissen, woran er überhaupt ist; wie seine Rechte und wie die Befugnisse des Gerichts aussehen – wie also die Strafprozeßordnung nach Entfernung aller Feinheiten für den Angeklagten praktisch aussieht. Sie haben gewissermaßen der Justitia auf den Kopf geschlagen, um zu sehen, was unten herausfällt; man kann sich denken, wie das aussieht.

Das Vorwort prägt dem deutschen, fast hätte ich gesagt: Bürger, prägt also dem deutschen Justizuntertanen die Wichtigkeit und Notwendigkeit des Büchleins ein. «Frohlocke darum nicht, indem du sprichst: Ich bin so gefeit, mir kann nichts geschehen; bete ich auch nicht, so arbeite ich doch, und ehrliche Arbeit ist gewiß eine Handlung, die noch kein Gesetzgeber mit Strafe bedroht hat. Was kann mir also geschehn? – Mehr, als du ahnst! Es ist unmöglich, dir alle Fälle aufzuzählen, in denen du strafbar werden kannst, ohne dir dessen bewußt zu sein, denn wisse: von der gesetzlich strafbaren Übertretung angefangen, die auf der bloßen Nichtbeachtung eines polizeilichen Verkehrszeichens beruhen kann, bis zu dem Verbrechen …» Wem sagen Sie das!

In aller Ahnungslosigkeit haben die Verfasser, die bestimmt keine Justizkritik üben wollten, ins Schwarze des Talars getroffen:

«… den Prozeß, dessen unerhört komplizierter Gang dich als Angeklagten vor eine Aufgabe stellt, deren Lösung dir nur äußerst selten gelingen kann.»

Dem Jakubowski zum Beispiel ist sie fast gar nicht gelungen.

«Erfahrenheit, Gelehrsamkeit, Menschen- und Fachkenntnis des Strafrichters halten Verteidigungsmöglichkeiten sowie auch -fähigkeit des Angeklagten in Schranken, die in vielen Fällen nicht einmal dann durchbrochen werden, wenn dir als Angeklagtem ein Anwalt zur Seite steht.» Kürzer kann mans nicht sagen.

Hören wir, wie das im einzelnen aussieht:

Da ist, sachlich richtig, von der Verhängung der Todesstrafe durch Polizisten die Rede, ja, sogar Zivilpersonen dürfen nach dem Buch, wenn sie im Besitz einer Schußwaffe sind, auf Verbrecher, die sie auf frischer Tat festgenommen haben, schießen, wenn die einen Fluchtversuch wagen. Rechtlich ist das sicherlich falsch – juristisch ebenso sicher in Ordnung. Ganz herrlich sind aber die Winke, die das Buch, immer gutgemeint, dem Angeklagten für die Hauptverhandlung mit auf den Weg gibt. Treffender sind die völlige Ohnmacht auf der einen Seite und die Omnipotenz auf der andern noch kaum geschildert worden. Der Vorsitzende hat das Fragerecht.

«Nur eins beachte, bitte: Sieh in ihm nicht deinen Feind; komm ihm nicht dumm-frech; unterbrich ihn nicht, wenn er spricht … Vergiß es nie: Der Vorsitzende und überhaupt das ganze Gericht sind mit großer Machtvollkommenheit, besonders gegen dich, ausgestattet. Vergiß es nie: Oftmals wird der Angeklagte ein hartes Urteil nicht um der an sich zwar strafbaren, aber doch auch zu verzeihenden Tat empfangen, sondern um seiner Frechheit willen, mit der er seinen Richtern gegenübertritt.»

Diese Rechtsverletzung, deren sich deutsche Richter täglich schuldig machen, kann nicht besser charakterisiert werden. Es scheint also neben den im Strafgesetzbuch angeführten Handlungen noch ein Generaldelikt zu geben: Aufsässigkeit gegen Richter, ein Vergehen, das je nach den Umständen, mit langen Jahren Gefängnis oder Zuchthaus bestraft wird. Die Verfasser hätten in diesem Punkt ausführlicher sein sollen: es ist nicht nur das, was sie «Frechheit» nennen, es ist da noch etwas andres.

Es ist die Hundedemut, die der Richter verlangt, die Untertanenhaftigkeit, die Hände an der Hosennaht, die Unterwerfung. Das fängt schon bei den Zeugen an.

In Neustrelitz hat vor kurzem ein Untersuchungsrichter Weber auf Vorhalten des Verteidigers wörtlich gesagt: «Ich bin Zeugen gegenüber, die die Hände in den Hosentaschen halten, sehr empfindlich.» Nun war in diesem Fall der Zeuge eine Frau, die die Hände ... die Empfindlichkeit des Mannes war also verständlich. Aber diese vom Militär herrührende deutsche Geisteskrankheit, die einen Mann, der die Hände in der Hosentasche hält, für einen Kerl ansieht, der auf der Leiter: Flegel bis Rebell rangiert, hat besonders die Richter ergriffen, die am liebsten hätten, daß alles, was mit ihnen in Berührung tritt, zunächst einmal stramm steht. Und da die meisten der vor ihnen Erscheinenden Angst, Respekt und Verprügeltheit genug mitbringen, um es zu tun, so ist das Weltbild der Unabsetzbaren leicht verrutscht. Schade, daß die Leute die Hände in der Hosentasche behalten ...

Ja, also hier ist ein neues Delikt, von dem man uns seinerzeit auf der Universität nichts gesagt hat. Es gibt noch eines, das wir nicht gelernt haben. Wenn nämlich der Angeklagte leugnet und man ihm die Unwahrheit seiner Behauptungen nachweisen kann ...

«In solchem Fall wird man dich als hartnäckig Leugnenden brandmarken und schwer bestrafen.»

Und hier müssen denn doch einmal der Deutsche Richterverein, der sich vor Standesbewußtsein nicht zu lassen weiß, sowie der Justizminister gefragt werden, ob diese Schande dauern soll. Seit wann ist Leugnen ein Delikt –?

Ich besinne mich noch auf den Tadel, den ich einmal im Seminar von Franz von Liszt bekommen habe, als ich in einer strafrechtlichen Arbeit eine Analogie konstruieren wollte. Die langen Federstriche am Rande riefen mich laut zur Ordnung: im Strafrecht gäbe es keine Analogien, sondern nur ausdrücklich angeordnete und vom Gesetzgeber bestimmte Strafen, und wenn der Tatbestand nicht unter einen solchen Paragraphen zu subsummieren sei, so sei eben freizusprechen. Mangelhaft.

Mit Recht: mangelhaft. Und die Richter –?

Wir verbitten uns eine Groschenpsychologie, in der sich Gehirne gefallen, denen man gelegentlich der Mensuren den Satz «Wer lügt, stiehlt auch» in den Schädel gehackt haben muß. Es gibt tausend Gründe, aus denen einer lügen kann – die vor Gericht bezeigte «Reue», die jene feststellen können, ist nichts wert, und es ist das volle Recht jedes Angeklagten, zu leugnen, ohne daß deshalb seine Tat schwerer zu bewerten ist. Kirchliche Erziehung, Unbildung und sehr viel Bier mögen in den beteiligten Köpfen etwas andres herausgebildet haben – es ist falsch. Der Richter hat lediglich die Gesellschaftsschädlichkeit der ihm vorliegenden Handlung abzumessen und danach zu urteilen: der Rest ist seelische Pfuscharbeit, zu der die Herren keineswegs legitimiert und vor allem gar nicht vorgebildet sind.

Hören wir das Büchlein, das uns so schön durch den deutschen Strafprozeß führt, wie er wirklich ist.

«Die Ausführungen des Staatsanwalts mußt du hinnehmen wie ein Mensch, der ohne Schirm unterwegs ist und plötzlich von einem Platzregen überfallen wird. Der Platzregen hört einmal auf – der Staatsanwalt auch!»

Bravo! Aber das ist ja meisterhaft! Woher beziehen Sie Ihre Satire, Herr? Es ist nur ein kleiner Fehler anzumerken: Regen ist sauber.

Was den Angeklagten betrifft, so soll er, wenn er das «letzte Wort», das ihm die Strafprozeßordnung gewährt, und das viele Richter, die Klinke des Sitzungszimmers in der Hand, näselnd, wie eine unangenehme Formalität, erfragen, nicht zu lang ausdehnen. «Langatmige Erklärungen ermüden, Ermüdung aber lähmt die gesunde Urteilskraft, deren deine Richter so sehr bedürfen.» Hašek hätte das nicht besser sagen können – ach, wie müde müssen die Unabsetzbaren sein!

Das Büchlein wird seinen Zweck erfüllen. Verdienstvoll ist vor allem, daß es dem Angeklagten einmal klar sagt, daß er niemals verpflichtet ist, überhaupt Aussagen zu machen; denn so, wie die

Richter aus Faulheit das Delikt der «Lüge vor Gericht» erfunden haben, so imputieren sie auch stillschweigend die Pflicht zur Aussage. Man sollte ihnen was blasen, wenns nötig ist.

Ja, und dann hat da einer – ein Arzt? – in einem kleinen Anhang beschrieben, wie man sich verhalten soll, so man eingesperrt wird, ein dem Deutschen gewohnter Zustand. Das macht er so:

«Du, mein Bruder, hast nun gelesen, was wir dir als rein verstandesmäßiges Rüstzeug in die Hand geben konnten, damit du nichts versäumst, was deine Lage verbessern kann.»

O, Bruder, ich glaube, du bist ein Mittelding zwischen dem Naturmenschen gustaf nagel und einem Rechtsberater aus der Köpenicker Straße, und was hast du mir nun zu sagen, Bruder, für den vorkommenden Fall einer kleinen Haft?

Freiübungen soll ich in der Zelle machen? Gemacht. Und wie ist es denn mit der Kost?

«Sie ist sauber gekocht und steht unter strenger Aufsicht.» So schmeckt sie auch des öfteren; die Aufsicht ist meist so streng, daß sich das Fleisch aus dem Suppenkessel gar nicht heraustraut …

«Mache dir klar: du bist in keinem Luxusrestaurant. Auch würde dir zu reichliche und fettere Kost gar nicht bekommen, weil du als Gefangener zu wenig Bewegung hast.»

Also das finde ich nun wieder nett, Bruder; also in die Sache hätt ick von die Vawaltung jahnich so viel jutet Herz awacht – lasset uns die Gefängnisse preisen, bzw. loben!

Na, dank auch schön. Und wenn man das Büchlein gelesen hat, das in seiner Mischung von vernünftigen Winken und unbewußter schärfster Justizkritik einem weitgefühlten Bedürfnis entgegenkommt, dann wollen wir von dem verpesteten Gebiet der Unabsetzbaren scheiden, indem wir jenen schönen Satz auf Seite 105 immerdar beherzigen:

«Bedenke, wir leben in einem Rechtsstaat.»

Ignaz Wrobel, WB 8. 1. 1929

8

Herr und Frau Wichtig lassen zu Tisch bitten!

«Ein wahrhaft menschliches Dokument.
Höchst anziehend und frei von jeglicher Prüderie ist es der bemerkenswerteste Beitrag zur ernsten Literatur unserer Gegenwart.»

G. B. Shaw über Clare Sheridan

Die Motte ist ein bescheidenes Tier, denn sie frißt nur Löcher.

Kinderaufsatz

In den Tagen des Kapp-Putsches stießen wir auf einen Mann, der schon immer das Vergnügen S. J.'s gebildet hatte. Es war ein Arzt, aber er arztete wohl nur in seinen Mußestunden – in den Arbeitsstunden hatte er es mit der großen Politik. Einmal hatte er aus seiner Brusttasche ganz nonchalant einen Bogen Papier herausgezogen und so leicht dahingesagt: «Da schreibt mir der Lord Kilmarnock ...» und seitdem nannte ihn S. J. nur noch den Lord Kilmarnock. Als ich damals Siegfried Jacobsohn vormachte, wie der Lord, während Kapp Berlin besetzt hielt, Minister ab- und wieder einsetzte und einigen von uns beim Abschied nachrief: «Meine Herren, vergessen Sie mir nicht, daß Kühlmann Außenminister werden muß!» da lachte er so, wie nur er es konnte, aber lange nicht so, wie jener es verdiente. Der Lord ist keine Einzelerscheinung – er ist ein Typus.

Der Typus einer ganzen Gattung, der zum Beispiel Clare Sheridan angehört, von der ein dickes Büchlein vorliegt: ‹Ich, meine Kinder und die Großmächte der Welt› (erschienen bei Paul List in Leipzig). Carl von Ossietzky hat neulich davon gesprochen. Wollen wir auch mal –?

*

Die Frau entstammt der englischen Aristokratie, hat einen Börsianer geheiratet, der als Freiwilliger gefallen ist; sie hatte Kinder von ihm und konnte ein bißchen bildhauern, ein bißchen schreiben, ein bißchen reisen – und als es mit dem Geld nicht mehr so recht klappte, da warf sie diese drei Unfähigkeiten zusammen und begab sich als bildhauernde Reporterin auf die Wanderschaft. Soweit gut. Was aber aus diesem Buch herausspringt, ist ein Schulfall: die internationale Motte der Diplomatie.

Das Buch ist von einer ungeheuern Prätention – ich weiß aber nicht, um mich eines wiener Ausdrucks zu bedienen: «worauf herauf». Sein Humor scheint mir mehr unfreiwillig zu sein: «Es gab nur eine Lösung für mich, ein Kind zu haben, vielleicht auch mehrere, um so die Leere auszufüllen. Aber solche Dinge lassen sich leider nicht kommandieren; und was wir auch immer versuchten: unsere Bemühungen blieben erfolglos.» Hast du was gesagt? Ich habe nichts gesagt. Als der Mann gefallen ist, setzt sie sich mit ihm auf dem Wege des Tischrückens in Verbindung – und als es dem gequälten Geist zu dumm wird und er auf eine Bemerkung von ihr: «Das ist doch Blödsinn!» tischrückt, da ist sie böse – «eine Antwort, die mich, in Gegenwart von Dick, so beleidigte, daß ich niemals wieder zu einer Sitzung ging». So fein geht es in England zu, wo es die Geisterwelt nicht leicht hat.

Dabei ist ihr Gatte, der Kaufmann, ein anständiger und aufrechter Mann gewesen – sie deckt einmal blitzschnell das Verhältnis des Weibes zum Militär in diesem einen Satz auf: «So sehr ich auch den Militärberuf verabscheute, den Soldaten mochte ich gern» – und als er gefallen war, da fand sie in seinem Schreibtisch einen Brief, der zu dem Schönsten gehört, was ich als Äußerungen von Männern kenne, die ihren Tod vor Augen sehen. Sie hat ihn nie verstanden.

Sie geht also auf Reisen – zuerst auf Einladung von Krassin nach Rußland, dann nach den Staaten, dann nach Mexiko, dann nach dem aufständischen Irland, dann nach Smyrna, nach Thrazien, zu Mussolini, wieder nach Rußland … und hat keine Ahnung eines Schimmers einer Idee, was sie da zu sehen bekommt, weiß nicht, wo Gott wohnt, kennt nichts und hat nichts gelesen; ist ungebildet bis in die abgegriffenen Tauchnitzphrasen ihrer Schilderungen und bis in die Spitze ihres Füllfederhalters ein armes Luder. Sie ist die Gräfin Kilmarnock.

*

Was in diesen gänzlich inhaltlosen Schilderungen, die unfehlbar am Wichtigen vorbeischießen, sofort auffällt, ist der unablässig wiederholte Hinweis auf die «guten Beziehungen». Nun ergeben sich die zwanglos: die Frau ist ja keine Vertreterin der berliner «Mittelvolée», sondern eine englische Aristokratin, sie kennt die große Welt wirklich. Aber welcher Horizont!

Es ist auf der ganzen Erde ein Diplomatensnobismus ausgebrochen, der nur dadurch zu erklären ist, daß die Höfe heute nicht mehr die Rolle spielen wie ehemals, und daß die Eitelkeit der höheren Gesellschaftsklassen einen Kern haben muß, um den sie sich kristallisieren kann. Aus welchen Gründen sie sich grade die Diplomatie ausgesucht haben, ist schwer und leicht verständlich.

Schwer: Der Diplomat ist ein Beamter – genau wie der Leiter eines Finanzamtes, wie ein Oberpostdirektor, wie ein Studienrat. Seitdem Staatsmänner hier und da auch das Telephon benutzen, vor allem aber, seit es Genf gibt, ist die wirkliche Rolle der Botschafter auf ein Minimum reduziert; sie sind gar nicht mehr so sehr wichtig. Es sind, sieht man von ihrem Personalstunk ab, Briefträger finanzieller Beschlüsse – die Politik wird nicht mehr in den Botschaftssalons gemacht, sondern auf der Börse, bei der Schwerindustrie, in den Trusts, in den Winzer- und Grundbesitzerverbänden – unter der Begleitmusik der Presse; der Botschafter sagt meistens nur: «Papa läßt fragen, ob Herr Briand morgen zu Tisch kommen wollen –?» Und dann sagt Briand: «Ah – ces chancelleries!» und kommt, mit der Zigarette im Mundwinkel, und der Botschafter glaubt, er habe das alles gemacht und bewirkt, und sieht nichts und hört nichts und fühlt nichts. Denn sie spüren gar nicht das fremde Land – sie sehen nur sich. Es ist eine sehr geschäftige, eine sehr repräsentative Nichtstuerei.

Hier hinein platzt nun die Frau Sheridan. Das pompöse Dummchen kann es gar nicht fassen, daß sich ein «richtiger» Botschafter um sie bekümmert, und darin ist sie nicht allein: um Genf und um alle Gesandtschaften der Welt fliegen solche Motten, nur nicht so geräuschlos wie die braven, löcherfressenden Tiere. Denn den Diplomaten haftet noch immer die Reputation Talleyrands an, mit dem sie gewiß auch nicht mehr das Leiseste gemein haben – alle Welt aber lauscht ihren weisen Kalendersprüchen und überschätzt geschmeichelt die Kasperlerevuen, die jene aufführen. Alte Romanvorstellungen tauchen auf … «Der Graf schwieg diplomatisch.» Wenn aber ein Diplomat schweigt, so sagt er immer noch etwas mehr, als er über die Sache weiß, und was hier um die Diplomaten getrieben wird, ist eine fast religiöse Verehrung des Staats.

«Washington hatte für mich interveniert», schreibt Frau Sheridan einmal – darin erzittert der Respekt vor der Macht, vor den Kriegsschiffen, vor dem Volk «Amerika», dessen Millionen ihr dadurch anscheinend zu Füßen liegen. Und hier ist der Punkt, wo der gradezu lächerliche Götzendienst an der Diplomatie leicht verständlich wird.

Hätten die Diplomaten keinen Diplomatenpaß; wären sie denselben Zoll- und Paßschikanen ausgesetzt wie wir alle; wären sie nicht exterritorial und könnten sie nicht ihren Schützlingen manche Vorteile verschaffen, die jene nicht anzunehmen schön dumm wären –: der Nimbus legte sich rasch. Frau Sheridan aber ist allen Ernstes der Meinung, daß der sowieso bös strapazierte Apparat des Staates nur dazu da sei, ihre Reisen zu erleichtern. Und das tut er ja denn auch.

Im übrigen badet sie in einem Schaumbad geschmeichelter Eitelkeit. «Die Ratstagungen (in Genf) waren interessanter, weil sie die bedeutendsten Persönlichkeiten abseits der Herde zusammenführten.» Soweit eine aus der Herde. Nun ist Genf ein Kapitel für sich – wenn mir doch nur einmal einer sagen könnte, was es denn Ehrendes haben soll, mit Chamberlain oder Woldemaras oder Hermann Müller zu Abend zu essen …! Ja, da lachste – weil du Hermann Müllern kennst; bei Briand und Hoover aber geht ein Schauer durch das bürgerliche Gebein, und dieser fatale Snobismus schielt in Wahrheit immer auf den, der nicht dabei ist. «Das sind die, mein Lieber, von denen du jeden Morgen in deiner Zeitung liest! Ich aber speise mit ihnen!» Davon machen Sie sich einen Sonnabend, Herr. Es ist sicherlich viel aufschlußreicher, mit einem mittleren Beamten bekannt zu werden, der klug und gebildet ist, als mit Churchill, der sich schwer hüten wird, beim Tee etwas andres zu tun als zu sprechen – sagen wird er gewiß nichts. Und was ist denn das für eine Heroisierung kaufmännischer politischer Angestellter, die als Beamte vom Staat ihr Geld bekommen! Wer von denen führt denn wirklich? Vielleicht die Diktatoren – aber auch die sind doch gewiß so geölt, so routiniert, so in der Pose der halben Natürlichkeit erstarrt, daß es wahrscheinlich langweilig ist, sie zu sehen. Gewiß aber ist es nicht ehrend, wie uns das hundert und aber hundert kleine Schreiber, protzende Chefredakteure und die Vertreter jener Nebendiplomatie vormachen wollen, die nichts sind und daher etwas brauchen, woran sie sich emporranken, die sauren Weinstöcke. Die Zahl der Frauen, die in diesem Artikel reisen, ist sehr groß: sie schütteln den Federhalter, und, wenn das nichts fruchtet, das Köpfchen, und, wenn das nicht zieht, den Rest. Und dann schreiben sie – die nackte Wahrheit? Die Wahrheit im Pyjama.

Und je bürgerlicher und kleinbürgerlicher sie sind, um so toller überschlägt sich dieser Diplomatenfimmel, der den gerissenen, aber nicht sehr intelligenten Beamten eine Folie gibt, die in direktem Verhältnis zu ihrer Bedeutungslosigkeit steht. Sie sind nicht das Volk – will das Volk in Wahrheit von denen vertreten sein, die es vertreten –?

Herrgott, Frau Sheridan ist ja auch noch da. Sie dehnt sich also wohlig in den diplomatischen Salons, «elle se gobe» – schade, daß man das nicht übersetzen kann … sie frühstückt und lächelt und abendbrotet – allemal bei Vertretern einer Gattung, deren einer, ein Deutscher, einmal auf dem Balkan zu einer andern Engländerin gesagt hat: «Gnädige Frau, kommen Sie doch morgen zum Lunch! Wenn es Ihnen nichts ausmacht, so wird auch noch ein deutscher Schriftsteller da sein!» Und der Schriftsteller ist da gewesen und hat sich gewiß hoch geehrt gefühlt …

Frau Sheridan begann ihre Karriere damit, daß sie Lenin abkonterfeite. Ihre Schilderung Rußlands hat etwas Erschütterndes: ein Spatzengehirn, das uns einen Vortrag über die Relativitätstheorie hält, ahnungslos, ganz und gar borniert – sie fühlt nicht, wer da sitzt; ist neckisch, scherzt mit Trotzki, alle sind sehr höflich zu ihr, fressen sie nicht, von anderm zu schweigen – und als sie aus Rußland wieder zu den gesitteten Völkern heimkehrt, da merkt sie, welch Schauer sie plötzlich umgibt, Jeanne de Moscou, nun arbeitet sie mit diesem Schauer und sagt, daß Mussolini «die

Bolschewistin» empfangen habe. Dabei löst sich der ganze Bolschewismus sofort in Puder auf, als sie das zweite Mal nach Rußland fährt. Enttäuschung auf der ganzen Linie. «Worin bestanden nun eigentlich die seit meinem ersten Besuch eingetretenen Veränderungen?» Die Russen haben inzwischen erkannt, wen sie sich da eingeladen haben, sie sagen ihr das auch ziemlich unverblümt, und nun ist Rußland auf einmal kein Land mehr für anständige Korrespondenten. «Die Details der proletarischen Regierung, Statistiken, Wirtschaftliches interessierten mich herzlich wenig. Im Grunde war ich stets mehr Künstlerin als Politikerin gewesen: doch eingedenk meiner journalistischen Pflicht suchte ich den Dingen auf den Grund zu kommen. Aber alle Mühe war erfolglos.» Und der Grund lag doch so nah an der Oberfläche ...!

Das ist diese Sorte, die den Journalismus auf Grund einer gesellschaftlichen Stellung mißbraucht – das will den Verlagen imponieren und den Interviewten und den Lesern, eine parfümierte Schmutzkonkurrenz, auf die leider noch viel zu viel Leute hereinfallen. Nicht, daß es gut gepflegte Damen sind, ist das Unglück – das wäre ja sehr angenehm; daß sie aber zwei Dinge miteinander vermengen, die nichts miteinander zu tun haben: daß sie nämlich ihre Unfähigkeit mit ihren Pelzen zudecken, ist hart. Es ist jener Typus, der sich in weitem Umkreis mit allem Vorhandenen mausig macht – er gedeiht besonders in Österreich, wo die Superlative wild wachsen. «Mein Freund Jörn Knaag in Kopenhagen ...» «Mein Freund Realy Fuck in London» und «Herr Jean Branlon, der beste Pianist von Frankreich, ein sehr guter Freund von mir» – und es ist kein Freund, und er ist auch nicht der beste Pianist, und es ist alles nicht wahr. Schmock in Schlüpfern.

Frau Sheridan macht sich so niedlich, wie sie gar nicht sein kann. «A.P. Sinnett, mein alter Freund von der Theosophischen Gesellschaft ... behauptete, herausgefunden zu haben, daß ich in einem frühern Dasein einmal eine Bildhauerin gewesen wäre ...» Wie nüdlich! Am Schluß gibt es eine «Vision in der Wüste» – wo an der reizenden Künstlerin und an dem geplagten Leser die Gestalten ihres Lebens vorbeiziehen – da kannst du was erleben! Sie spricht zu ihnen – zu Lenin zum Beispiel so: «Du siehst» (sie duzen sich), «du siehst, ich war doch keine solche Bourgeoise wie du glaubtest!» Und Lenin? «Er wendet sich her und lächelt: ‹Verzeihen Sie, ich war so überarbeitet!›» Ein wohlerzogener Revolutionär.

Kommt hinzu, daß Frau Sheridan eine elende Journalistin ist, die auf ihren langen Reisen nicht einmal ihr Handwerk gelernt hat. Berlin während der Inflation: «Berlin war damals nahezu russisch. Ein von Bäumen gesäumter Kanal, in dessen Wasser sich nachts ... (geschenkt) –, bildete die Grenzlinie zwischen der deutschen und russischen Hälfte.» Das ist einfach falsch: die Grenadierstraße zum Beispiel liegt jenseits dieses Kanals, und sie stak voller russischer Juden, sie liegt, wenn man sich umwendet, diesseits, und Charlottenburg stak voller Russen – eine schlechte Journalistin, unaufmerksam wie Béraud.

Nein, es ist nichts mit ihr. Es gibt geniale Journalistinnen, wie Larissa Reissner, – Clare Sheridan ist keine von ihnen. Aber sie kann ein Verdienst für sich in Anspruch nehmen.

Sie zeigt uns einmal klar und deutlich, vor welcher Galerie sich das abspielt, was man «Diplomatie» nennt, und sie zeigt uns, ohne es zu wollen, wie maßlos es überschätzt wird. In allen Großstädten der Welt – und besonders in Berlin – wälzen sie sich vor Verzückung vor den «Regierungskreisen» auf dem Boden; sie lassen das Wort «revirement» auf der Zunge zergehen, sie kippen zwar nicht aus den Pantinen, aber sie gleiten aus den Pumps, und auf alle Fälle werfen sie sich voller Wonne vor den mächtig dahinrollenden Tank des Staates. Und wer sitzt darin –?

Darin sitzt eine Beamtenschaft, die ihre Arbeit mäßig tut, weil sie durch Äußerlichkeiten bis zur Faulheit abgelenkt ist. Wären diese Diplomaten, die Spitzen der Behörden, die Parlamentarier und die Leute von den Auswärtigen Ämtern nicht so mit Wichtigkeit geladen; hätte das nicht alles diesen fatalen Klang der großen, leider nicht komischen Oper; wäre diese Repräsentation nur ein Zusatz und nicht ein Ersatz der Arbeit, so wäre es nur lächerlich. Aber wie gefährlich ist das!

Der Zwang zur Repräsentation kostet Geld, und zwar sehr viel Geld. Der frühere Personalreferent des Auswärtigen Amts, der Graf Wedel, berechnete einmal, daß das für eine diplomatische Karriere nötige Vermögen etwa vierundzwanzigtausend Mark jährliche Renten abwerfen müsse, und damit mag er ungefähr das Richtige getroffen haben. Wer zahlt das –? Der Staat? Er denkt gar nicht daran; er weiß, daß es bei seinen Gehältern nicht möglich ist, «standesgemäß» aufzutreten – und so ist die Karriere fast allen jenen verschlossen, die nur Verstand, aber kein Kapital, keinen Grundbesitz und keine Eisenhütte hinter sich haben, verschlossen also allen jenen, für die nicht andere arbeiten. Und so sieht denn auch die Belegschaft aus.

Niemand wird verlangen, daß die Vertreter der Deutschen Republik (die sich übrigens fast niemals so zu nennen wagen) in einem sechstrangigen Hotel wohnen oder bei Aschinger Bockwurst essen sollen. Aber warum dieser Hofersatz? Wozu dieser Wetteifer, einen Pomp zu entwickeln, der den Industriekönigen abgeguckt ist und an Versailles erinnern soll, während er doch nur an Wallstreet gemahnt?

Drum herum glitzernde Augen, gebogene Rücken und eine Kohorte von «schönen Frauen», wie der Ballbericht sagt; alles ist geehrt und geschmeichelt, und nachher wundern sie sich, wenn die Diplomaten, in sanftem Größenwahn, sich und ihre Rolle derart sinnlos überschätzen, daß sie noch weniger arbeiten, als nötig wäre. Den Schaden trägt das Land.

Den Schaden tragen wir, die wir glauben, daß die Rolle eines tüchtigen Feuerwehrhauptmanns grade so wichtig ist wie die eines Attachés, an dem nicht viel zu bewundern bleibt, wenn man einmal von den Zwangsvorstellungen absieht, denen die Sheridans aller Welt unterliegen. Denen mögen jene den Kopf verdrehen und das andre. Wir aber lachen über den Versuch, die Hohlheit des Baal mit göttlicher Anbetung, Weihrauch und Feuilletons zu umnebeln. Diese internationale Konfektion verdient aufmerksamste Kontrolle, aber keinerlei Verehrung eines Parketts, das sich in der Bewunderung von mäßigen Beamten selbst bewundert, geblendet von sich selbst, eine Spiegelgalerie der Eitelkeiten.

Peter Panter, WB 8.1.1929

9

Chanson für eine Frankfurterin

Für Ida Wüst

Wenn die alte Herrn noch e mal Triebe ansetze –
des find ich goldisch!
Wenn se dann nix wie Dummheite schwätze –
des find ich goldisch!
Des hab ich von meim alte Herrn:
ich hab halt die Alt-Metalle so gern …
Wenn ich en Bub geworde wär, hätt ich auch Metallercher
verzollt –
Ja, Jaköbche …
Rede is Nickel, Schweige is Silber, und du bist mei Gold –!

Wenn se newe mir auf dem Diwan sitze –
des find ich goldisch!
wenn se sich ganz wie im Ernst erhitze –
des find ich goldisch!
E Angriffssignal is noch kein Siesch –
ich sag bloß: Manöver is doch kein Kriesch!
Wer will, hat schon fuffzig Prozent. No, un wer zweimal
gewollt …
En Floh is kei Roß,
un e Baiss is kei Hauss …
un Rede is Nickel, Schweige is Silber, un du bist mei Gold –!

Wenn se sich de Hut schief auf die Seite klemme –
des find ich goldisch!
Wenn se die Ärmcher wie Siescher in die Seite stemme –
des find ich goldisch!
am liebste nemm ich se dann auf den Schoß.
Aber mer hat sein Stolz. Es is kurios:
sei Mutter is net aus Frankfort. Er aach net. Und da hab
ich net gewollt …

Jetzt waan net, Klaaner –
Berlin ist Nickel, Wiesbaden ist Silber, awwer Frankfort is
Gold –!

Theobald Tiger, WB 8.1.1929

10

Ein nachdenklicher Zuschauer

Der alte Mann spricht:

Komisch – det machn die nu jedes Jahr!
Det se det nich iba wern …
Der sacht: «Du hast abar schönes Haar!»
un det wolln die Meechn ooch heern …
  Kuck mah – wat macht der für'n Betrieb!
  hach, un die is janz hinüba –
  die hat ihrn Emton ehm lieb –
  je länger –
      jelängerjelieber!

Wat denkt die sich nu –?
          Det der junge Mann
ihr Einziger is und ihr Alles –?
So fangt det Ding ja imma an
im Falle eines Falles.
  Nachher komm Kinda un Faltn un so;
  det scheenste is doch det Fieba
  am Anfang, wenn se sinn jlicklich un froh –
  je länger –
      jelängerjelieber.

Nu drickt er sie nommal, und denn jehn se los
int Kino oda bei Muttan –
heut is die Liebe noch mächtig jross,
die vajessn vor Liebe zu futtan.

So jeheert sich det auch. Det muß auch so sein!
Allein is richtich – aba allein zu zwein.
Von mir aus leben se dreimal hoch!
Ich denke mir demjejenieba:
Wenn eener un er muß mal, denn soll er ooch –:
Je länger –
jelängerjelieber –!

Theobald Tiger, AIZ Nr. 3, 1929

11

‹Weiße Schatten› in Paris

Anfrage der Redaktion:

«In einem Kino an der Madeleine läuft ein Tonfilm. Möchten Sie nicht mal …?»

Antwort:

«In einem Kino an der Madeleine läuft ein Tonfilm. Lassen Sie ihn laufen.»

Rückfrage:

«Die Leser des ‹Tempo› wollen aber wissen, wie sich ein Pariser Tonfilm anhört!»

Rückantwort:

Es war schauerlich.

Erst gab es einige kleinere Filme, Filmfetzen: eine Jazzband, einen dummen Tierfilm, einen besseren Negersänger … und dazu stand vorn ein großes klavierähnliches Gebäude und war alles in einem: Filmorchester und Geräuschnachahmer. Das Orchester war ein bißchen zu laut für den nicht sehr großen Raum, es orgelte, hatte etwas leicht Mechanisches, war aber immer noch besser als das durchschnittliche Pariser Filmorchester, das weit unter dem Berliner steht … und was die nachgeahmten Geräusche angeht, so war das einfach kindisch. Ein Hund bellte in die Musik; ein Pferd wieherte, und warum man nun gerade diese Töne hörte und nicht auch andere, blieb unerfindlich.

In dem darauffolgenden Film – ‹*Weiße Schatten*› – war das nicht besser.

Der Film, mit Zucker überstäubt, hat eine anständige Gesinnung: er zeigt, wie die «zivilisatorische» Arbeit der weißen Rasse den Farbigen zum Verderben gereicht – wie sie vieles bekommen, und alles hergeben. Das ist untermischt mit süßlichen Szenen, mit dummen Szenen – aber auch mit hübschen Photographien … und dazu orgelt die Musikmaschine, wogegen nichts einzuwenden wäre, wenn nicht manchmal – bei irgendwelchen Anlässen – das Ding auch Geräusche von sich gäbe: Wehegeschrei der Insulaner; Klopfen auf Holz; Trommeln; ein Schrei – und das alles ohne irgend welchen Sinn und Zusammenhang, nein so geht das gewiß nicht.

Das ist überhaupt noch nichts. Das ist noch die kindliche Freude an der Technik: «Wir haben eine Maschine, die kann einen Hund nachmachen!» Das heißt, das Kino auf sein Anfangsniveau herunterdrücken: Karlchen streicht ein Haus an und fällt – hihi, wie komisch! – von der Leiter, und man sieht es, und alle Leute haben sich gefreut, weil sich das Bild bewegt hat. Heute hören sie es, und freuen sich, weil sie es hören. Aber es bleibt eine Kinderei.

Ich sehe hier zwei Möglichkeiten.

Die eine zeigte der singende Neger: – es wäre denkbar, hier eine neue Art von Kunst zu schaffen, besonders im Monolog – aber die ist noch nicht geschaffen und noch nicht geschrieben. Die andere wäre eine neue «Photomontage» – von Laut und Bild – aber dazu wäre freilich nötig, daß man diese Erfindung den kenntnis- und bildungslosen Industriellen aus der Hand nimmt und sie Künstlern anvertraut. Wenn das so weitergeht, werden wir im Kino ziemlich Scheußliches erleben.

Siegt der Tonfilm, so verlieren wir eine große Kunst. Chaplin ist stumm.

Peter Panter, Tempo 10. 1. 1929

12

Remember! Remember!

Da liegt vor: ‹*K. P. Q. Geschichten und Bilder aus dem österreichischen Kriegspressequartier*›, von *Karl Hans Strobl* (Verlag der Heimatsöhne, Reichenberg, Brunnengasse 28).

Was das Wort «gaga» betrifft, so bedeutet es im Französischen soviel wie ein vor sich hinmümmelnder alter Mann, der nicht mehr ganz beisammen ist – aber immerhin noch so, daß er seine Umwelt zu langweilen imstande ist.

Das Büchlein über das Kriegs-Presse-Quartier der Österreicher ... also warum soll ich mir das Leben nicht leicht machen, und wozu hat uns Gott den Waschzettel beschert? «Es eröffnet den Blick in die Werkstatt der Kriegsberichterstatter, des Völkchens von der Presse Gnaden, ob es nun die Feder oder den Stift oder den Pinsel führte oder gar mit der Filmkamera zu Felde zog. Aber nichts vom unsagbar Schweren der Kriegszeit drängt sich auf und verstimmt. Die behaglich breite Sprache geht dauernd über ernste Tage hinweg und verweilt lieber bei der Kleinmalerei. Sprühender Humor –»

Vorne sprühte inzwischen etwas anderes, und das Stroblsche Buch wirkt heute, gegenüber der Fülle anständiger und wahrer Kriegsromane, gespenstisch. Aus dem ganzen Wust von Personalklatsch, pointenlosen und langatmig erzählten Geschichten und den traurigen Versuchen, den guten Willen und die Lammsgeduld von Millionen immer wieder zu mißbrauchen, habe ich nur ein kleines Bild behalten, das der Verfasser im Felde gesehen hat. Hier ist es:

«Ein kleiner Zug von Menschen. Ein Junge zog an einem Strick einen blinden Mann hinter sich her, an dessen Rock ein blindes Weib hing, dem wieder ein zweites blindes Weib an die Rockfalten gekrampft war.»

So ungefähr hat die Welt um 1915 ausgesehen. Möge es jedem vergönnt sein, sich die kleine herzige Allegorie so auszudeuten, daß keiner dabei zu kurz kommt.

Peter Panter, Voss 10. 1. 1929

13

Der Kriegsschauplatz

– «Hauser! Mensch! ... lange nich jesehn, was –? Na, wie jehts denn? Mir? Tahllos –! ... Ja, nu ... ich war ja auch lange wech! Ja, dreiviertel Jahr, nee, warten Se mal, zehn Monate, zehnenhalb Monate, jenau –! Ja, im Dezember bin ich wech – wissen Sie jahnich? Na, Mensch, lesen Sie denn keine Zeitungen? In Sibirien! Auf dem K.S.P.! Hauser, Sie leben auf dem Mond! Aufn Kriegsschauplatz –! Kenn Se jahnich? Na, das müssen Sie hörn! Komm Se, wir jehn da rüber in die Stampe und trinken 'n Schnaps! Das wissen Sie jahnich? Also passen Se auf:

Sie kenn doch den General Wrobel, was –? Son kleener Dicker, nich? Na, also der hat doch vor zwei Jahren auf der Fronttahrung in Dortmund den Vorschlag gemacht – mir ein Kührassao – nee, warten Se mal, 'n Kirsch – 'n großen Kirsch! ja, für den Herrn auch – oder nehmen Sie lieber ...? also in Dortmund den Vorschlag gemacht, es müßte für alle nationalen und wehrfähigen Elemente ein Kriegsschauplatz einjerichtet wern. Zur Übung, zur Ertüchtigung der Jugend ... Wie er auf den Gedanken gekommen ist –? Sehr einfach. Da hattn die radikalen Blätter doch geschrieben: «Wenn die Herren Krieg führen wollen, dann sollen sie sich ihren Kriegsschauplatz alleine aufmachen!» Ham wir jemacht! Prost! Burr, Donnerwetter, der hats in sich! Kenn Sie den Witz mit dem Bauer, der im Chausseegraben sitzt und grade einen nimmt und sich schüttelt, kommt der Pastor vorbei und sagt: «Na, Krischan, du saufst zwar; aber ich sehe, daß du dich schüttelst – das ist der erste Schritt zur Besserung –!» Sacht der Bauer: «Nee, Herr Pastor – det tu ick man bloß, damit er überall hinkommt –!» Ja, was ich sagen wollte: also einen Kriegsschauplatz zur Ertüchtigung der wehrkräftigen Jugend, der Volkskraft – na, Sie kennen ja die Sprüche. Also gut – mein Wrobel los, aufs Reichswehrministerium, zu den Russen, nach Genf, nach Paris – fein jelebt, der Mann – hats aber zustande bekommen. Da ham se uns nu also janz klamheimlich einen kullessalen Kriegsschauplatz in Sibirien hinjemacht! Den Franzosen haben wir jesacht, es wär jejen die Bolschewiken, Grumbach glaubt, was Breitscheid sagt, die informieren sich jejenseitich, ja, und den Engländern ham wir jesacht, es wär jejen die Franzosen, den Russen haben wir jesacht, wir würden ihr Heer orjanisiern, na, und die Reichswehr macht ja sowieso mit. Bon.

'n paar hundert Werst hinter Krasnojarsk, wissen Sie, wo diss is? Also – wenn das hier der Jenissei is un die Streichhölzer die obere Tunguska un Ihre Ziarettendose das Sajanische Jebürje, denn wah diss hier unser K.S.P. Na, 'ne Abkürzung muß det Ding doch ham – ham wa so jenannt. Prost! Sie, tahllos, sag ich Ihnen! Also einfach: feinknorke! Passen Se auf:

Det Janze wah mit Stacheldraht einjezäunt, det keener rin konnte und keener raus. Un alles da, Sie –: Schützenjrehm und Front und Achtilleriestellung und Beobachtungsstände und Feldtelephong und alles. Na, und eine Etappe! Lieber Hauser, da könn Sie jahnich mit! Also jeder Stab hatte ein mächtiches Haus, mit zwei Kasinos, Ia im wahrsten Sinne des Wochtes. Vapflejung wie sich diß jehört: wunderbare Weine, hat det Rote Kreuz gestiftet, die Leute sind ja sehr international – und Schnäpse, na, dagegen is dess hier das reine Bitterwasser, Ober! Herrr Ober! mir noch 'n doppelten Kirsch, ja, für den Herrn auch: – und Feldpastöre und Orrnanzen und Nachrichtenoffziere und Ballon-Abwehr-Kanonen und Flaks und Funk und alles. Ja, unne Flotte ham wah auch jehabt, die fuhr imma den Jenessei rauf und runter, un Exzellenz Ludendorff und Brüninghaus und Killinger – die wahn alle da. Alle. Da beißt keine Maus 'n Faden von ab – Prost –!

Ick wah Fellleutnant – erst Fellll – und denn Fellleutnant. Ja, 'n Feind hatten wir auch.

Die Herren hatten sich bei der konschtituierenden Jeneralversammlung so lange rumjezankt, bis da würklich zwei Jruppen waren, eine grüne und eine rote, und die eine war der Feind von der andern. Na, einmal is es auch zum Jefecht jekomm – sonst ham wa ja mehr orjanisiert, ja. Aber einmal is es zum Gefecht jekomm – vierhundert Tote, der Jasoffzier, diß wah 'n Jroßaktionär von Leverkusen, der war besoffen und hat nich aufjepaßt, un da hat seine Jaskanone funktioniert, und so is es denn passiert. Die Panjes?

Nee, die wahn nich da. Das heißt: die Mannschaft mußte doch wat ham – zum Requirieren un die Weiber un so. Da ham wa denn zweihundert Meechens reinjesetzt, mit ihre Kerls, das war die Bevölkerung, die machten die Einwohner, sozusagen. Na, un bei die jingen die, und wir auch manchmal, det heißt, wir ließen sie in Stab kommen – ein Budenzauber ham wa da valleicht jemacht! Doll. Prost –!

Wieso ich nu aber wieder da bin? Ja, Hauser, Sie wern lachen, es is ja auch sehr komisch … wie soll ich Ihn das erklären … Hörn Se zu. Es hat mir auf die Dauer keen Spaß jemacht.

Wir hatten doch alles, nicha? Kriechskorrespondenten – ich hab selber einen in Hintern jetreten – Feldrabbiner … die Korrespondenten und die Rabbiner, diß wahn die einzigen Juhn aufn K.S.P. – wir hatten doch wirklich alles – aber, wissen Sie: mir hat was jefehlt. Ich haa manchmal, wenn ich nachts die Posten revidiert habe, und wenn ich denn so mit meinen Gott und meinen Suff alleine war – denn hab ich so nachjedacht, warum mir diß kein Spaß macht. Was mir eijentlich fehlt. Denn mir hat was jefehlt, Hauser … Prost! Wissen Sie, was mir jefehlt hat?

Sie, deß wahn doch alles Freiwillje, die da wahn, nicha? Die wollten doch alle – vastehn Se?

Det machte keenen Spaß. Sie, ick habe doch jedient, vorn Krieje habe ich meine vierzehn Jahre runterjerissen, ich weeß doch, wies is. Sie, wenn sie denn so ankam, die Rekruten – in Zivil sind sie immer an ein vorbeijejangn, aber nu auf einmal wahn se jahnischt mehr. Sie – da wurn se janz kleen! Da kam se denn an, und die Kellner wollten kellnerieren, und die Schohspieler konnten auf einmal schreihm, in die Schreibstube, und die Herren Rechtsanwälte … und denn jing det Herr Feldwebel vorne und Herr Feldwebel hinten – wir hatten se doch, vastehn Se! und wat se konnten, det machten se denn vor, wie die kleenen dressierten Hundchen! Und janz nah ranjehn konnte man an se, und nicht mucksen durften se sich, janz still ham se jestanden und ham een bloß anjejlupscht! Ick wußte doch, was die dachten! Aber denken jabs nich. Immer denkt man, dacht ick. Disseplin muß sind! Det wah da nu alles nich. Die Bevölkerung kniff doch een Oohre zu, wenn wir jebrüllt ham un alles zerteppert ham – es war doch vorher alles bezahlt!

Wie in die Schmeißküche. Die Mannschaften, de wahn doch ooch bessahlt – Uns fehlte ehmt der, der nich wollte, vastehn Se? Da fehlte ehmt das Widerstrehm; der Widerstand, det unbotmäßje Element, sozusagen – ehmt die Sozis, nee, die nich, die wolln ja – aber die Kommenisten und die Pazifisten und die Weiber, die wirklich heulen, wissen Sie, wo det echt is – die Meechen, die einen anbeten, weil se an ein jlauben; die Lümmel auf der Straße, die sich vakriechen, wenn unsereiner kommt; die Beljier, die man konnte knuten – Sie! es war nicht echt – vastehn Se mich? Es war Falle.

Da bin ick denn abjehaun. Die kämpfen da noch – aber der richtige Frontjeist ist det nich mehr. Die meisten ham auch schon 'n kleinen Laden aufjemacht; Ludendorff is Maurer jeworn, der hat 'ne Maurerei – Tirpitz vakauft Bartwuchsmittel, und Noske zücht Bluthunde, die vadien schon janz hipsch. Hakenkreuz am Stehl … am Stahlhelm – wa doch 'ne schöne Zeit! Aber det richtche war et nich. Nu willch mich mah in Berlin umsehn – in die Autobranche oder bei die Industrie – die brauchen ja imma een zum Orjanisieren – denn orjanisiert muß sein. Jejen die Arbeiter, wissen Sie –! Ja, nu bin ich wieder da.

Na, un was ham Sie die janze Zeit jemacht –?

Kaspar Hauser, WB 15. 1. 1929

14

Die Herren Sachverständigen

Sie haben ja einen trüben Urin –
Machen Sie mal den Mund auf!
Ihre Großmutter litt an schweren Phobien?
Machen Sie mal den Schlund auf!
Uns können Sie nichts erzählen –
wir lesen in allen Seelen
und nehmens auf unsern Eid:

Wir sind die höchst notwendigen,
elendigen,
lebendigen
Sach-
Verständigen!
Vorne so hinten wie hoch,
wir wissen Bescheid –!

Sie besitzen eine Flinte?
Sie streicheln gern Katzenfell?
Sie trinken nur ungern Tinte?
Sie sind homosexuell –!
Sie schlafen mit dicken Frauen?
Die Tat ist Ihnen zuzutrauen –
unser Gutachten ist bereit:
Wir sind die sechzehnendigen,
elendigen,
notwendigen
Sach-
Verständigen!
Vorne so hinten wie hoch:
Wir wissen Bescheid –!

Sie dürfen uns nicht fluchen,
wir stehn in Amt und Pflicht.
Nur: uns selber untersuchen,
das dürfen Sie freilich nicht.
Wir haben zwar viel gelesen;
doch daß wir mal jung gewesen
auf Schulen und auf Pressen –:
das haben wir leider vergessen.
Wir haben geprügelt, gesoffen,
der Hosenlatz stand uns offen,
wir wollten im Traume morden –
und sind doch was Richtiges geworden:
nämlich ganz und gar verdammte
seelische Beamte –

ohne Scheu, ohne Scham,
ohne Sinn für die Zeit …
Wir sind die höchst notwendigen,
lebendigen,
elendigen
Sach-
Verständigen!
Vorne so hinten wie hoch:
Wir wissen Bescheid!
wir wissen Bescheid!
wir wissen Bescheid –!

Theobald Tiger, WB 15.1.1929

15

Das Kind, das nicht geboren ist

Der Gürtler Robert Soundso nimmt ein Kind an, das man in einem berliner Hause gefunden hat – die Mutter hatte es ausgesetzt.

Am Tage der Auffindung hat man das Kind ins Waisenhaus gebracht – der Arzt gibt an, es sei an diesem Tage «etwa sechs Wochen» alt gewesen; als Geburtstag würde danach der … sagen wir, 14. Februar 1928 anzunehmen sein.

Der Gürtler will sein angenommenes Kind nun polizeilich melden – das kann er aber nicht ohne Schwierigkeiten. Denn:

Wann ist dieses Kind in Wahrheit geboren? Am 14. Februar 1928? Das ist nur das vom Arzt angenommene Datum – sicher ist es nicht. Der Mann will, da es ja gänzlich gleichgültig ist, wenigstens dieses Datum eintragen – aber das darf er nicht. Er besteht auf seinem Standpunkt, der nicht etwa Pedanterie, sondern anständigste Fürsorge für das Kind ist. Schreibt er nämlich, wozu ihn die Polizei zwingen will, in die Rubrik des Geburtsdatums: «Gefunden», so haftet dem Kind der «Makel» dieser Herkunft

Zeit seines Lebens an, es erfährt auf diesem Wege etwas, was ihm die Eltern sicherlich verbergen wollen: nämlich, daß es nicht das eheliche Kind dieser Eltern ist ... Beschwerde.

Ganz besonders höfliche Antwort der Polizei – aber nichts zu machen. «Mit dem Ausdruck des aufrichtigsten Bedauerns, Ihnen nicht helfen zu können, verbinde ich die Hoffnung, daß sich in den spätern Lebensschicksalen Ihres Adoptivkindes Schwierigkeiten, die auf das Fehlen eines festen Geburtsdatums zurückzuführen wären, niemals ergeben mögen.» Soweit der Leiter eines Polizeiamts, dem man dafür die Hand drücken möchte. Darauf Eingabe an das preußische Ministerium des Innern.

Da sitzt ein sozialdemokratischer Ministerialdirigent – und nun siehts schon anders aus.

«... dem §24 des Personen-Stand-Gesetzes widersprechen würde, wenn bei der standesamtlichen Eintragung der Geburt eines Findlings etwas andres als dessen vermutliches Alter, das gegebenenfalls nach Anhörung von Sachverständigen zu ermitteln ist, eingetragen würde. Es ist somit nicht angängig –»

den Wunsch eines vernünftigen und aufopferungsbereiten Vaters zu erfüllen und dem Kind eine Peinlichkeit zu ersparen, die ihm vermutlich sehr bittre Stunden bereiten wird; man denke nur an die Abfragung des Alters durch den ersten Schullehrer – Kinder sind grausam, und es ist sehr leicht möglich, daß das Kind durch ein unbedachtes Scherzwort jahrelang gequält werden wird.

Man könnte einwenden: Der sozialdemokratische Ministerialdirigent ist an das Gesetz gebunden. Sicherlich ist er das. Er ist aber auch noch an seine kleine Seele gebunden – Gott segne diese Partei!

«Im übrigen geben mir die vorgebrachten Unzuträglichkeiten keinen Anlaß, eine Abänderung der vorerwähnten Gesetzesvorschriften in Anregung zu bringen.»

Da schwätzen sie nun so viel davon, wie wichtig es sei, daß sie in der Regierung sitzen. Eine Partei, die noch einen Funken Ehrgefühl und keinen Noske hätte, müßte diesen da sofort entfernen. Was! Man erzählt einem beamteten «Vertreter der arbeitenden Klassen», daß ein in kleinbürgerlichen Kreisen noch immer bestehendes Vorurteil möglichst wenig Nahrung bekommen soll; daß es sich darum handelt, eine Kinderjugend nicht zu vergiften; ein Menschenleben nicht unnütz und sinnlos zu belasten – und er sieht keinen Anlaß, ein solches Schundgesetz zu korrigieren! Auch nur den Versuch dazu zu machen! Auch nur den Finger zu krümmen – für seine Wähler. Soll solch ein Zentrums-Gesetz bleiben –?

Die mir vorgebrachten Beschwerden über die Fülle blutiger Witze gegen eine Partei, die alle Tage ihre Wähler und sich selbst verrät, geben mir keinen Anlaß, eine Abänderung der vorerwähnten Haltung in Anregung zu bringen. Die Führerschaft dieser Partei ist keinen Groschen wert.

Ignaz Wrobel, WB 15.1.1929

16

Köpfe

Daß in Deutschland gearbeitet wird, steht fest. Noch fester, daß stets daran gearbeitet wird, dieser Arbeit auch die nötige Beachtung zu sichern – «aus betriebstechnischen Gründen» entlädt sich diese Eitelkeit in Denkschriften, Geschichten, Erinnerungsheften und einem recht unbescheidnen Getue um eine Sache, die, dächten wir, dem Deutschen doch selbstverständlich sein …

Prüft man solche historischen Abrisse der Geschäftsunternehmen, so findet man darin gewöhnlich die Porträts der Inhaber, ab 1684 bis auf den heutigen Tag. Und dabei fällt etwas auf.

Betrachten wir die drei letzten Generationen; die Herren sind brav und sauber photographiert: nur so ist ja eine Vergleichung möglich, denn Zeichnungen können noch mehr abirren. Photos sind halbwegs zuverlässige Reportage. Wie sehen diese drei Generationen aus –?

August Friedrich Wilhelm Schulze (1821–1889). Ein bebarteter, alter, bescheidner Mann, mit Brille und schütterm weißen Haar;

die Arbeit hat ihn leicht geduckt und das Alter, aus seinen Augen blickt alles Mögliche, verglommene Herrschsucht, Traurigkeit, ein langes Leben – ein Mensch, mit dem man sprechen kann. In pace.

Hans Erich Schulze (1854–1915). Blanke Augen und der mächtige Schädel eines tatkräftigen Mannes; in diesen Augen ist vielerlei: ererbte Familienzüge, List, sicherlich Güte. Für den ist der deutsche Humanismus nicht umsonst gewesen – er hat eine Beziehung zu dem Besten gehabt, was Deutschland zu geben hatte. Aber schon nicht mehr so wie der Alte, sein Vater. In pace.

Dr. iur. Ernst Emil Schulze (geb. 1885). Donnerwetter!

Ein glatt rasierter Schweineschädel: zwei kleine Knopfaugen; ein erbarmungsloser Kragen; der kleine Zahnbürstenschnurrbart ... und um die Wein-Unterlippe jener erbarmungslose Zug von Kälte und Korrektheit, der die Hülle aller neudeutschen Herzlosigkeit ist. In pace? In bello. Und der Hermundure flüstert beklommen: «Gott, ist die Gegend runtergekommen ...»

Die gute alte Zeit hats nie gegeben. Die schlechte neue? Allemal. So, wie der alte Jahrgang der deutschen Strafrichter immer noch angeht, weil es doch oft noch einen winzigen Weg zum Herzen dieser Männer gibt und vor allem, weil sie eines haben, jedoch die Brutalität der neuen Jahrgänge unerträglich ist: so ist auch der Typus der deutschen Kaufleute des neunzehnten Jahrhunderts, das vielfach aus Neusilber gewesen ist, eitel Gold gegen das Nickel dieser Tage. Wie das blitzt! Wie hart das funkelt! Und wie gelb das einmal werden wird ...!

Gesichter, die in die Hose gehören. Aber wir zeigen sie der Welt – mit einem herausfordernden Ausruf aus dem Götz, und wundern uns, daß alle, alle dagegen sind.

Ignaz Wrobel, WB 22.1.1929

Auf die Mensur!

Wir stehn hier im Vereine
in diesem Lederflaus;
wie die abgestochenen Schweine
sehn wir aus.
    Wir fechten die Kreuz und die Quere
    mit Schlag und Hieb und Stoß –
    wir schlachten uns um die Ehre –
    Auf die Mensur!
                    Gebunden!
                            Fertig!
                                    Los –!

Der deutsche Geist? Hier steht er.
Wie unsere Tiefquart sitzt!
Wir machen Hackepeter,
daß die rote Suppe spritzt.
    Wir sind die Blüte der Arier
    und verachten kühl und grandios
    die verrohten Proletarier –
    Auf die Mensur!
                    Gebunden!
                            Fertig!
                                    Los –!

Wir sitzen in zwanzig Jahren
mit zerhacktem Angesicht
in Würde und Talaren
über euch zu Gericht.
    Dann werden wirs euch zeigen
    in Sprechstunden und Büros …
    ihr habt euch zu ducken, zu schweigen –
    Auf die Mensur!

46 **17 Auf die Mensur!**

Gebunden!
Fertig!
Los –!

*

Wie lange, Männer und Frauen,
seht ihr euch das mit an –?
Wenn sie sich heut selber verhauen:
Euch fallen sie morgen an!
Ihr seid das Volk und die Masse
von der Etsch bis an den Rhein:
soll *das* die herrschende Klasse,
sollen *das* unsere Führer sein –?

Reißt ihnen die Macht aus den Händen
mit Schlag und Hieb und Stoß –
Einmal muß diese Schande enden –
Deutsches Proletariat!
Fertig!
Los –!

Theobald Tiger, AIZ Nr. 5, 1929

18

Wenn der Henker Wohnung sucht

Herr Deibler, der «Monsieur de Paris», seines Zeichens Scharfrichter, hat eine Wohnungsklage auf dem Hals, und dabei erfuhr man dann, daß er eine Wohnung suche. Er hat zwar eine, aber die ist zu hoch gelegen; die alten Knochen wollen nicht mehr so … Und er hat auch ein Häuschen, und in das wolle er ziehen, könne aber nicht, müsse jedoch … eine so lange Geschichte! Die ist nicht wichtig.

Nur der Mann ist kurios. Der sehr anständig und adrett aussehende ältere Herr mit dem Vollbart ist eine durchaus offizielle, ja historische Persönlichkeit – und die ganze Sinnlosigkeit dieser Einrichtung, von der er lebt und andere sterben, wird offenbar, wenn man sich die kleinen Privatfreuden und -leiden des Mannes vorstellt. Dann ist auf einmal alles grauslich lächerlich.

Der darf. Andere dürfen nicht. Tun sie es, darf er. Dann drückt er auf einen Knopf, das Messer fällt, der Kopf auch, aus.

Die Franzosen, die in ihrem übergroßen Rationalismus ein ganz merkwürdiges, uns unbegreifliches Verhältnis zum Tode haben, haben schon ihre frechen Witze über den wohnungslosen Henker gerissen. Man sah auf einer Zeichnung einen Mann im Block liegen, darüber das Messer in der Luft, davor Deibler. «Und was ich Sie noch fragen wollte …» sagt Deibler. «Wo wohnen Sie –?»

Übrigens können sich Kriminalisten in Frankreich davon überzeugen, daß es mit der «abschreckenden Wirkung der Todesstrafe» nichts ist – sie bleibt ein tolpatschiger Behelf, wo das Denken versagt. Ich wünsche dem Henker von Paris drei Wohnungen mit einem Mal und möglichst wenig Spaziergänge am frühen Morgen.

Peter Panter, Tempo 23. 1. 1929

19

Für jene gewissen, stets schwierigen Leser …

Jeden Tag, den Gott und die Zeitung werden lassen, erscheint im Pariser ‹Œuvre› ein bezauberndes Feuilleton Georges de la Fouchardières. Der Mann ist ein Phänomen – da staunt der Schreiber, und der Leser amüsiert sich.

Frech; witzig; leicht und schaumig; gescheit – und schreibt über alles: über die Armee, also gegen die Armee; über die Geistlichkeit – da wackeln alle Kanzeln (bleiben aber stehen); über Paris und den Wein und die Mädchen und die Geschworenen und Börsianer, soweit sich die in Paris noch in Freiheit befinden … es lohnt schon, in diese Zeitung hineinzusehen.

Dieser de la Fouchardière hat nun einen lustigen Wettbewerb ausgeschrieben.

Die Leser sollen ihn nachahmen –!

Jeder Leser darf so viel Fouchardière-Artikel einsenden, wie er will; der richtige Fouchardière prüft sie und veröffentlicht die besten – unter seinem Namen. Und dann sollen wiederum die Leser raten, welche von ihm und welche von den Nachahmern gewesen sind. Er wird in Papier ersaufen.

Wieviel Mut zur Unfeierlichkeit gehört dazu! Wieviel Charme! Wieviel Nettigkeit auf allen Seiten! Der schreckliche Clément Vautel, das bürgerlich-spießige Gegenstück zu Fouchardière würde das in seinem ‹Journal› nicht können – obgleich doch alle Leser Vautels genau so schrieben wie er, wenn sie nur schreiben könnten. Nein, mit dem ginge das nicht.

Ich höre schon, wie einer sagt: «Sorgen haben die Leute –!» Doch, die Pariser haben Sorgen. Aber sie haben die große Religion der Wurstigkeit erfunden («le jemenfoutisme») – und mit der läßt sichs leben. Besser Sorgen haben als von der Sorge gehabt zu sein.

Peter Panter, Tempo 24.1.1929

20

[Die Berlinerin]

Die Berlinerin –?
Seit fünf Jahren wohne ich in Paris; aba wenn'ck mir mah richtich amüsüren will, denn fahr'ck nach Berlin.

Peter Panter, Die Berlinerin. Ball-Almanach des Vereins «Berliner Presse» 26.1.1929

21

Ich möchte Student sein

(– «Ich war damals ein blutjunger Referendar –» sagen manche Leute; das haben sie so in den Büchern gelesen ...)

Ich war damals gar kein blutjunger Referendar, doch besinne ich mich noch sehr genau, einmal, als das Studium schon vorbei war und die Examensbüffelei und alles, in der Universität gesessen zu haben, zu Füßen eines großen Lehrers, und ich schand sein Kolleg – – schund? schund sein Kolleg. Da ging mir manches auf.

Da verstand ich auf einmal alles, was vorher, noch vor drei Jahren, dunkel gewesen war; *da* sah ich Zusammenhänge und hörte mit Nutzen und schlief keinen Augenblick; *da* war ich ein aufmerksamer und brauchbarer Student. Da – als es zu spät war. Und darum möchte ich noch einmal Student sein.

Das Unheil ist, daß wir zwischen dreißig und vierzig keinen Augenblick Atem schöpfen. Das Unheil ist, daß es hopp-hopp geht, bergauf und bergab – und daß doch gerade diese Etappe so ziemlich die letzte ist, in der man noch aufnehmen kann; nachher gibt man nur noch und lebt vom Kapital, denn fünfzigjährige Studenten sind Ausnahmen. Schade ist es.

Halt machen können; einmal aussetzen; resumieren; nachlernen; neu lernen – es sind ja nicht nur die Schulweisheiten, die wir vergessen haben, was nicht bedauerlich ist, wenn wir nur die Denkmethoden behalten haben – wir laufen Gefahr, langsam zurückzubleiben … aber es ist nicht nur des Radios und des Autos wegen, daß ich Student sein möchte.

Ich möchte Student sein, um mir einmal an Hand einer Wissenschaft langsam klarzumachen, wie das so ist im menschlichen Leben. Denn was das geschlossene Weltbild anlangt, das uns in der Jugend versagt geblieben ist – «dazu komme ich nicht» sagen die Leute in den großen Städten gern, und da haben sie sehr recht. Und bleiben ewig draußen, die Zaungäste.

Wie schön aber müßte es sein, mit gesammelter Kraft und mit der ganzen Macht der Erfahrung zu studieren! Sich auf *eine* Denkaufgabe zu konzentrieren! Nicht von vorn anzufangen, sondern wirklich fortzufahren; *eine* Bahn zu befahren und nicht zwanzig; *ein* Ding zu tun und nicht dreiunddreißig. Niemand von uns scheint Zeit zu haben, und doch sollte man sie sich nehmen. Wenige haben dazu das Geld. Und wir laufen nur so schnell, weil sie uns stoßen, und manche auch, weil sie Angst haben, still zu stehen, aus Furcht, sie könnten in der Rast zusammenklappen – –

Student mit dreißig Jahren … auch dies wäre Tun und Arbeit und Kraft und Erfolg – nur nicht so schnell greifbar, nicht auf dem Teller, gleich, sofort, geschwind … Mit welchem Resultat könnte man studieren, wenn man nicht es mehr müßte! Wenn man es will! Wenn die Lehre durch weitgeöffnete Flügeltüren einzieht, anstatt durch widerwillig eingeklemmte Türchen, wie so oft in der Jugend!

Man muß nicht alles wissen … «Bemiß deine Lebenszeit», sagt Seneca, «für so vieles reicht sie nicht.» Und er spricht von Dingen, die man vergessen sollte, wenn man sie je gewußt hat. Aber von denen rede ich nicht. Sondern von der Lust des Lernens, das uns versagt ist, weil wir lehren sollen, ewig lehren; geben, wo wir noch nehmen möchten; am Ladentisch drängen sich die Leute, und ängstlich sieht die gute Kaufmannsfrau auf die Hintertür, wo denn der Lieferant bleibt …! Ja, wo bleibt er –?

Ich möchte Student sein. Aber wenn ich freilich daran denke, unter wie vielen «Ringen» und Original-Deutschen Studentenschaften ich dann zu wählen hätte, dann möchte ich es lieber nicht sein. Ad exercitium vitae parati estisne –?

Sumus.

Peter Panter, Voss 27.1.1929

22

Müssen Banknoten häßlich sein?

Die Franzosen haben neue Banknoten herausgebracht, die, wenn dies möglich wäre, noch dümmer aussehen als die alten. Viele Zeitungen drucken die neuen Zettel ab und machen sehr heitere Witze darüber … Aber es scheint wenig zu nützen.

Denn nach einem offenbar unabänderlichen Naturgesetz müssen Banknoten wohl häßlich sein. Immer sind sie von alten Akademikern gezeichnet, entsprechen genau dem Kunstideal jener Beamten, die über die Annahme der Entwürfe zu entscheiden haben, und immer geht es auf den Banknoten sehr allegorisch zu. Da reicht die Landwirtschaft der Wissenschaft den Kranz; da huldigt die Chemie der Göttin des Reichsbankdiskonts, und alle zusammen sind mehr oder minder vollbusige Damen, die an den Lenden edle Draperien tragen und aussehen wie die Primaballerina eines königlichen Opernhauses an ihrem siebzigsten Geburtstag. Warum ist das nur so –?

Weil die Herren Entwerfer von einem gänzlich unsinnigen Gedanken ausgehen. Sie wollen nämlich etwas darstellen, während sie doch in Wahrheit zwei ganz andere Aufgaben zu erfüllen hätten. Die Zeichnung einer Banknote nämlich soll den Fälschern die größtmöglichen Schwierigkeiten machen, und im übrigen soll der kleine Raum auf dem Blatt Papier nach graphischen Gesetzen ausgefüllt sein – er soll wohl ein Bild ergeben, aber keine Bildchen. Jene aber haben es mit der Allegorje.

Die deutschen Banknoten sind nach dem Kriege zweifellos besser geworden – obgleich mir der ständig wiederholte Rückgriff auf die Vergangenheit deutscher Malerei mehr ein Notbehelf als eine Lösung zu sein scheint. Die englischen hohen Werte sind eine Augenweide und sicherlich das schönste Bankpapier der Welt. Der Rest …

Der sieht eben aus wie die französischen Banknoten, trutzige Ambosse, geraffte Ähren, griechische Kehrseiten und ausdrucklose Gesichter …

Merkwürdig, wie leer, wie verblasen das alles aussieht. Die Banknoten der meisten Staaten sind die Makartsträuße der finanziellen guten Stube. Hinaus damit!

Peter Panter, Tempo 29.1.1929

23

Deutscher Sport

Tatsächlich begann nach der Tagesordnungsdebatte und Abstimmung die Diskussion über den jetzt gestellten Antrag des Vorstandes. Dieser besagte (wie schon kurz berichtet), daß Spiele mit Berufsfußballmannschaften vom DFB. doch genehmigt werden können, wenn sie Lehrzwecken, als repräsentative Spiele oder zur Aufrechterhaltung von internationalen Beziehungen dienen. Das Vorgehen des Vorstandes widersprach jeder parlamentarischen Gepflogenheit. Da der weitergehende Antrag abgelehnt worden war, war es schlechterdings unmöglich, jetzt einen weniger umfassenden neu zu stellen.

*

Den außerordentlichen und Körperschafts-Mitgliedern ist nicht das Recht eingeräumt, das Klubabzeichen des A.v.D. an ihren Wagen zu führen – für die ordentlichen Mitglieder gräbt man das «Traditionsschild» (das Schild des Kaiserlichen Automobilklubs) aus, das neben dem A.v.D.-Klubabzeichen geführt werden darf –, ihnen stehen auch wohl nicht die Klubräume des A.v.D. offen, es wird ihnen aber dadurch Einfluß auf die Führung der Organisation eingeräumt, daß das vom Repräsentanten-Ausschuß der ordentlichen Mitglieder gewählte und aus einem Präsidenten und drei Vizepräsidenten bestehende Präsidium sich aus den Reihen der außerordentlichen und Körperschafts-Mitglieder gemäß den mit diesen abgeschlossenen Verträgen um höchstens drei weitere Vizepräsidenten ergänzt. Diese müssen während der Dauer ihrer Amtszeit ordentliche Mitglieder des A.v.D. sein.

*

Der Deutsche Bob-Verband hat seinen Eintritt in die Fédération Internationale de Bobsleigh et Toboganning mit Sitz in Paris (F.I.B.T.) von der Erfüllung einiger Bedingungen, in erster Linie Sitz im Vorstand, abhängig gemacht. Diese Bedingungen glaubte er stellen zu können, da Deutschland ohne Zweifel weit an der Spitze der Bobsport treibenden Nationen steht. Die F.I.B.T. dagegen möchte Deutschland wohl gern aufnehmen, stößt sich aber an der Stellung von Bedingungen seitens des DBV. Es ist jedoch zu hoffen, daß die Vorstände der beiden Verbände, wenn sie sich in St. Moritz nähertreten, doch zu einem Arrangement kommen, damit auch im Bobsleighsport die Internationalität hergestellt wird. Im übrigen sah man in der Generalversammlung keinen Grund, warum Deutschland nicht an der Olympiade teilnehmen sollte, da sie ja nicht von der F.I.B.T., sondern von einem internationalen Olympischen Komitee veranstaltet wird.

*

Wie wir hören, ging vom Bayerischen Automobilklub, der in München sehr stark den steigenden Einfluß des ADAC. empfindet, die Anregung aus, durch einen engeren Zusammenschluß des Kartelles und mit anderen Klubs eine Positionsstärkung gegenüber dem unbequemen Rivalen zu erlangen.

*

Wie wir bereits in unsrer Kritik zum Städte-Fußballspiel Berlin-Hamburg andeuteten, hat der Gau Hamburg des deutschen Fußballbundes es für gut befunden, in letzter Stunde die bestehende Disqualifikation gegen die Spieler des HSV. aufzuheben, um diese in dem Kampf gegen Berlin mitwirken zu lassen. Uns liegen nun weitere Meldungen vor, die dieses Verhalten der verantwortlichen Sportbehörden in noch eigenartigerem Lichte erscheinen lassen, die aber gleichzeitig erkennen lassen, daß man dem HSV. nicht den Vorwurf machen kann, er oder der gastgebende Berliner Verein Preußen habe das Berliner Publikum bewußt geprellt.

Anonym, WB 29.1.1929

24

Eine leere Zelle

Sobald sie ihn herausgeholt haben, ist das erste, daß der Wärter das Fenster öffnet. In Gefängniszellen mufft es immer – aber die Luft dieser Zelle ist besonders übel. Sauer ist die Luft, Schweiß der Todesangst haftet an den Wänden, und die letzten Gebete, Wünsche, vaguen Bilder entfliehen durch das kleine vergitterte Fenster, während draußen die Armsünderglocke bimmelt. Die Tür bleibt offen – man kann vom Gang aus hineinsehen.

Es ist nicht viel im Raum: der Stuhl; das Bett, noch mit dem Abdruck eines Körpers, der nicht mehr zurückkehren wird; der Tisch, an dem er einen letzten Brief hat schreiben dürfen; die Wasserkanne, aus der er – wozu? – getrunken hat; der Kübel, in den sich die letzte Angst entleerte. Nun ist er nicht mehr da.

Alles steht still im Raum – Fenster und Tür sind offen, aber es wird nicht besser, zäh klebt es an den Wänden, geronnen steht die Luft. Es wird einem so eng, wenn man hier drinnen ist. Er hat noch Mensch gespielt, der da – hat geatmet, als ob das noch zu etwas nütze gewesen wäre, er hat geweint, hat sich ganz in sich selbst zusammengezogen, in dieser Minute hätte er kein Kind zeugen können, denn alle Drüsen waren in äußerster Alarmbereitschaft, zur Abwehr gekrampft, wie mit Alaun injiziert. Bitter rann die Todesangst aus den Poren.

Ja, er hat das verdient, wie –? Er hat mein Kind zerfetzt, es war so ein süßes, blondes Kind, es sah genau aus wie sie, hatte ihre runde Nase, wir hatten uns so darauf gefreut, einen Jungen zu haben, und nun war es ein Junge geworden, und das Schwein ist darüber hergefallen, im Stadtpark, wo sich der Kleine in den Gebüschen verlaufen hatte. Ich mag gar nicht sagen, was er mit dem Kind – Hund! Du Hund verfluchter! Recht ist dir geschehen, recht … man müßte dir den –

Ius ist dir geschehen. Ist mein Kind lebendig –? Sind die Schmerzen der Mutter verweht? Sie wird ein andres Kind gebären – aber nicht dieses. Vielleicht einen Knaben – aber nicht diesen. Wenn sie sich über die neue Wiege beugt, wird sie weinen. Was ist nun geschehen?

Sie haben mich nicht einmal gerächt. Denn meinen niedrigsten Instinkt zu befriedigen und sinnlos zu befriedigen – mir vielleicht noch einen Parkettplatz anzubieten, wenn der seinen Kopf in den Sack spuckt – was soll das? Ich mag es gar nicht sehen. Es ist etwas unwiderrufliches durch ihn geschehen, ein Teil meiner selbst ist dahin – und nichts ist dadurch erreicht, daß ein neuer Mord vollbracht wurde, mit allen Schrecken des ersten. Sichern? Ja. Uns Eltern sichern, daß nicht wieder ein kleiner Junge so gefunden wird wie … Du Hund! Nein: Du Stückwerk Gottes.

Nun ist die Zelle leer, der Todesschweiß ist kaum noch zu spüren, die Kanne ist geleert, an die er seine Lippen gehalten hat, das Bett ist gemacht, der Kübel gesäubert.

Die Zelle wartet. Auf den nächsten.

Kaspar Hauser, WB 29.1.1929

25

[Die Meinung der Kulturträger]

Die Ziffer 3 des §297 des «Entwurfs eines ‹Allgemeinen Deutschen Strafgesetzbuches›» ist ein Verbrechen; seine «Begründung» ist unzureichend und mit den Tatsachen also nicht im Einklang stehend zu bezeichnen.

Die sogenannte «Begründung» der einschlägigen Paragraphen

(296 und 297) gibt zunächst zu, daß die Gründe gegen diese Art von Gesetzgebung «ernst zu nehmen» sind. Die Begründung gibt ferner zu, daß diese Paragraphen geeignet sind, Unschuldige zu schädigen und zu vernichten. Trotzdem hält der Entwurf diese Paragraphen nicht nur aufrecht, sondern er bringt auch eine Verschärfung des geltenden Sexualrechts. Woran liegt das? –

Man muß zunächst wissen, *wer* eigentlich bei einem Entwurf für ein solches Gesetz gehört wird. Von allen Philosophen, Soziologen, Ärzten und Erziehern, die der Doktor Magnus Hirschfeld hier seit Jahren zu diesem Thema sprechen läßt, ist wohl der allerkleinste Teil auch nur einer Anfrage der beamteten Gesetzgeber gewürdigt worden. Diese Gesetze kommen zustande unter Hinzuziehung des finstersten Provinzmuffs: ehrgeiziger Kleinstädter, Vereinsvorsitzender, engstirniger Geistlicher, saurer Frauen, die in unglücklichen Ehen unbefriedigt leben – wie überhaupt das Motiv der *Rache* hier viel größer ist, als die Beteiligten selbst wissen. Sittliche Eiferer lassen sich leicht analysieren – ihre Untaten werden dadurch nicht kleiner.

Das so hergestellte Material gerät nunmehr in die Hände scholastisch verbildeter Juristen, die, kalt, gefühllos und ohne Kenntnis des Stoffes, deshalb sachlich zu sein glauben, weil sie von der Materie nichts verstehen. Rechnet man noch die militaristische Grundstimmung hinzu, die den Wert eines Volkes nach seiner Zahl mißt und achtzig Millionen schlecht genährter Individuen sechzig Millionen vorzieht, die in Menschenwürde aufwachsen, so ergeben sich aus diesem Brei von verklemmter Erotik, finsterstem Katholizismus und falscher Soziologie solche Phrasen.

«Dabei ist davon auszugehen, daß der deutschen Auffassung die geschlechtliche Beziehung von Mann zu Mann als eine Verirrung erscheint, die geeignet ist, den Charakter zu zerrütten und das sittliche Gefühl zu zerstören. Greift diese Verirrung weiter um sich, so führt sie zur Entartung des Volkes und zum Verfall seiner Kraft.»

Dieser Satz ist falsch.

Den Verfassern fehlt jede Legitimation, für das deutsche Volk zu sprechen – sie sprechen höchstens für einen unaufgeklärten und ungebildeten Teil. Vor allem aber ist es unstatthaft, ein Gefühl so zu überbetonen, daß die, die dieses Gefühl nicht teilen, als Verbrecher bestraft werden.

Mir ist die sexuelle Beziehung eines Mannes zu einem Mann schlecht vorstellbar – aber niemals wagte ich, dieses mein Sentiment zur Grundlehre einer Sittenlehre zu machen. Mit demselben Recht könnte man ein Gesetz gegen rothaarige Frauen entwerfen oder gegen Männer, die stark schwitzen. Solange die Spielarten der Sexualität die Gesellschaft nicht schädigen, solange hat die kein Recht einzugreifen.

Die Schädlichkeit der Homosexualität ist nicht nachgewiesen, sie wird von den Ministerialräten nur behauptet. Ein Strafgesetzbuch ist keine Sittenfibel, und die sittlichen Grundauffassungen der katholischen Kirche, die, bei ihren unbestreitbaren Verdiensten um die Gesellschaft, die Hauptschuld an dieser Gesetzesmacherei trägt, sind diskutierbar und *nicht* die Basis aller Dinge. Das ist Terror, den wir uns verbitten.

Die «Auslegung» der sachlich unfundierten Bestimmungen des geltenden Rechts hat zu einer Reichsgerichtsjudikatur geführt, die zu dem Widerwärtigsten gehört, was in deutscher Sprache gedruckt worden ist. Diese scholastische Pornographie unterscheidet zwischen «beischlafähnlichen Handlungen» und anderen Handlungen; der neue Entwurf baut diese Unsauberkeit noch weiter aus.

Der «gewöhnliche» Mann darf andere als «beischlafähnliche Handlungen» mit einem Mann ausführen; der Arbeitslose, der sich aus Verzweiflung prostituiert, darf nicht einmal das; die Begründung zeigt die ganze Hilflosigkeit der Gesetzesmacher einer hauptsächlich als sozial zu rubrizierenden Erscheinung gegenüber. Inwieweit männliche Prostituierte dem Verbrechertum näher stehen als andere Männer; inwieweit sie der Gesellschaft durch andere als geschlechtliche Handlungen mehr schaden als weibliche Prostituierte, das ist eine Polizeifrage, die keinesfalls dazu führen darf, unmotivierte und falsch begründete Gesetze anzufertigen.

Wenn man sich ferner überlegt, *wer* über die Gültigkeit solcher Bestimmungen zu beschließen hat, wenn man sieht, *wer* in den Reichstagskommissionen sitzt: welche Mediokrität der Lebensbildung, des Verstandes, des Herzens – so wird man die Schlauheit der Gesetzesfabrikanten nicht mehr so sehr bewundern. Vor diesem Gremium wären noch viel törichtere und gefährlichere Paragraphen durchzubringen.

Der Entwurf ist eine Schande.

Ignaz Wrobel, §297[3] «Unzucht zwischen Männern»?, 1929

26

Media in vita

Manchmal seh ich sie auf Kistenholz
starr ausgestreckt,
um die Lippen diesen gottverfluchten Stolz
eines, der ganz voller Verachtung steckt.

Eben hießen sie noch Friedrich Zeh;
was sie taten, war nicht gut;
sieh, wie nun auf ihnen das Klischee:
«Majestät des Todes» ruht.

Bei Besuchen denk ich an der Tür:
«Du, mein Junge, wirst, wenn tot, nicht schön sein!
Manche eignen sich nicht recht dafür –
du wirst nicht schön sein!»

In den Reden, Gegenreden bleibt auf einmal
ihr Gesicht stehn –
Ruhe ist darin, nach überstandener Qual –
Maske, würdig anzusehn.

Flüstern …

Dann trägt man Herrn Zeh hinunter vor sein Haus,
und zurück bleibt Frau und Stiefelknecht.

Horizontal sieht alles anders aus.
Tote haben immer recht.

Horch, wie vor der Geburt und nach dem Tod die Stille brüllt!
Die Pause wird durch die Lebenden ausgefüllt.

Theobald Tiger, WB 5.2.1929

27

Eine Blamage

Rudolf Arnheim ist mit dem Sachsen aus Paris, dem Herrn Georges-Anquetil, noch viel zu freundlich umgegangen. Der sitzt, während ich diese Zeilen schreibe, zur Zeit im Untersuchungsgefängnis zu Paris, weil er in den großen Finanzkrach der ‹Gazette du Franc› verwickelt ist, allwas einen Pleonasmus bedeutet – und im übrigen ediert der Sexualreformer ein Revolverblatt ‹La Rumeur›, bei dem wohl die nicht erscheinenden Artikel die kostbarsten genannt werden dürfen. Das weiß in Paris jeder Mensch; der Ruf des Herrn steht fest und schwankt zwischen Polizeispitzel, Pornograph und Revolverjournalist anmutig hin und her. Soweit gut.

Daß aber das spekulativ hingesudelte Zeug eines Mannes, dessen in Brillantine glänzender Bart auf eine größere Pornographiensammlung schließen läßt, bei deren Betrachtung er sicherlich schmatzt, in Deutschland übersetzt, ernst genommen und «Prominenzen» vorgelegt werden kann … das ist bitter. Von der Ankündigung: «In Frankreich siebenhunderttausend Exemplare abgesetzt» ist sicherlich jedes Wort eine Lüge: Zunächst hat das französische Exportbuch ein ungeheures Hinterland – Südamerika, die Levante – und zweitens ist die Ankündigung der Auflagezahlen auf französischen Buchdeckeln eine erlaubte Reklame, deren Ungenauigkeit nicht unter das Gesetz gegen den unlautern Wettbewerb fällt. Man muß also die Franzosen nicht für so dumm kaufen, wie das Buch ist.

Anquetil ist gleichgültig, ein Presseparasit, wie sie in Frankreich wild wachsen, nur grobes Kaliber, ein halb inoffiziöser Außenseiter, und daher von den feinen Leuten nicht geachtet. Aber der Fall Anquetil in Deutschland ist eine beschämende Sache.

Da ist es nun zwanzig Bahnstunden vom Bahnhof Friedrichstraße nach der Gare du Nord; aber keiner fragt. Da tun sie sich so dick mit dem rapprochement, aber kaum einer gibt sich die Mühe, mehr als Stippvisiten in Frankreich zu machen. Und dann kommt das da heraus.

Als man mich gebeten hat, mich zu dem Buch zu äußern, habe ich das abgelehnt, und ich habe die Ablehnung sehr genau begründet. Aber da war es schon zu spät. Immerhin muß für einen nach Berlin reisenden Franzosen die Vorstellung, daß das Gesudel dieses sechstrangigen Schmierers hohen und allerhöchsten Herrschaften vorgelegt wird, etwas ungemein Belustigendes haben und ihm zeigen, wie auch noch die Abfälle Frankreichs in der Welt voran sind. Siss komisch: vieles von dem, was wirklich gut ist, kommt nicht über Frankreichs Grenzen; der Exportdreck aber wird mikroskopiert, gedeutet und in feinen Schüsseln serviert.

Das Buch ist ein Schmarrn. Nicht etwa, weil es ein Franzose geschrieben hat oder obgleich es ein Franzose geschrieben hat. Sondern weil diese Nummer keine Nummer ist, mit der sich unsereiner unterhält. Wie kann man so blind sein!

Peter Panter, WB 5.2.1929

28

[Deutsche Dichter für den Deutschen Hilfsverein in Paris]

Den Deutschen muß man verstehen, um ihn zu lieben; den Franzosen muß man lieben, um ihn zu verstehen.

Peter Panter, Deutsche Dichter für den Deutschen Hilfsverein, Paris

29

Der Zauberkünstler

Neulich abends war ich bei Onkel Leopold eingeladen, woselbst sich, unter gebildeten und zivilisierten Menschen, auch ein Verleger befand. Ich tat so, als sei ich kein Autor, daher denn der Verleger nicht mich auffraß, sondern nur das sehr gute Abendessen, denn Onkel Leopold ist aus Würzburg und versteht viel von Weinen und sehr viel vom guten Essen. Nach Tisch kam das Gespräch fast unmerklich auf Kartenkunststücke, und erst nachher habe ich gemerkt, daß der Verleger das Gespräch leise auf die schiefe Ebene gebracht hatte, bis es dahin rollte, wohin er es haben wollte ... und schon wurde ein Spiel Karten gebracht, und schon hatte es der Verleger in den dicken, scheinbar ungeschickten Händen ... und los ging's.

Etwas altmodisch, diese Art Unterhaltung, wie –? Von gestern; – erinnert an ‹Dreihundert Originalscherze und Witze zum Totlachen› oder ‹Der beliebte Gesellschafter› – aber nach zwei Minuten machte ich mein dümmstes Gesicht und meine rundesten Kulleraugen und sah auf das, was der da trieb. Dergleichen hatte ich noch nie gesehen.

Ja, auf einer Bühne ... Aber hier saß ich zwei Meter, einen Meter, einen halben Meter von dem Mann entfernt, der auch gar nichts dagegen hatte; ich sah ihm auf die Finger, fast hinter die Finger, durch die Finger – und trotz alledem wirbelten die Asse durch die Luft, entwetzten heimtückisch die Damen; verschwanden alle Buben und erschienen plötzlich alle Neunen – mir wurde etwas unbehaglich. Der Verleger lächelte hold, als habe er mir meine Jahresabrechnung vorgelegt, was ja etwa in dieselbe Kategorie fällt ... er lächelte und fuhr fort mit Kunststücken, und wenn wir nur noch leise atmeten und uns ansahen, dann sagte er: «Aber bitte, ich mache es gern noch einmal», und dann fing er wieder von vorn an und versprach, es noch langsamer zu machen, und das tat er auch – und wir merkten nichts und merkten nichts. Als er aber vier Brotkügelchen unter einem auf den Boden gestülpten Teller unter einen andern praktiziert hatte, wurde es mir zu bunt, und ich fragte ihn geradezu. «Sind Sie so geschickt, oder sind wir so dumm?» fragte ich. «Beides», sagte er. Und erzählte. Und nun wurde es ernst.

Er erzählte von den «okkulten Séancen», die er mitgemacht hatte; wie er Medien entlarvt und Professoren angeschmiert hätte – ja, er gab vor, dem großen Professor R. bei einer vorherigen Untersuchung ein kleines Paketchen mit Werkzeugen, die er später benötigte, hinten an einen Knopf des Gehrocks gehängt zu haben, da soll das Päckchen friedlich gebaumelt haben, dann hakte es der Zaubermann wieder ab und begann nun viel Übersinnliches zu produzieren … Das ist vielleicht ein Witz. Wie aber ist es im Ernst? –

«Sie haben einen blinden Fleck im Auge», sagte er. «So haben Sie auch manchen blinden Fleck in Ihrer Aufmerksamkeit. Das nutze ich aus. Ich sehe das am Zwinkern Ihrer Lider: es gibt da eine Zehntelsekunde, wo Sie nicht aufpassen, und in dieser kurzen Zeitspanne liegt der Trick. Sie werden nie dahinter kommen.» – «Warum nicht?» fragte ich. «Weil Sie nicht sehen können», sagte er. Das wird's wohl sein.

Worauf ich mir auf dem Nachhausewege mancherlei überlegte. Zum Beispiel dieses:

Die meisten Kontrollen spiritistischer Sitzungen gehen von dem festen Glauben der Kontrollierenden aus: «Mit mir kann man das nicht machen!» Man kann es aber mit ihnen machen. Es beruht das wohl darauf, daß die wenigsten Menschen Selbsthasser sind, die, von der Unzulänglichkeit ihrer Gaben im tiefsten überzeugt, sich mißtrauen … im Gegenteil, die meisten Menschen sind auf das herrlichste von sich selber überzeugt und halten ihre nun einmal fest umgrenzte Intelligenz für das Maß aller Dinge. Das ist sie aber nicht.

Sie merken nicht, daß sie betrogen werden, weil sie nicht betrogen werden wollen. Sie geben sich keine Niederlagen zu – es gibt ja Leute, habe ich gehört, die haben noch nie in ihrem Leben unrecht gehabt … Und so gehen sie denn auch aus einer solchen Sitzung sieghaft, überlegen, ganz von sich durchdrungen und von oben bis unten begossen hervor – und ahnen das alles nicht einmal. Sie wissen nicht, ein wie schlechter Beobachter der Durchschnittsmensch ist.

Erst die Psychologie der Zeugenaussagen; die Experimente bei der Berufsberatung, so übertrieben da manches auch sein mag, geben den Leuten eine Vorstellung davon, wie schlecht ihr Registrierapparat arbeitet, wie unvollkommen sie sehen, wie mangelhaft sie hören, wie sie gar nicht fünf Sinne haben, sondern höchstens drei und einen halben ... Aber sie wollen das nicht wahr haben.

Hier soll nicht von dem sehr vorsichtigen, sehr skeptischen und grundgescheiten Professor Driesch gesprochen werden, sondern mehr von den populären Versuchen dieser Art; seit ich meinen Zaubermann habe arbeiten sehen, ist mir ganz bewußt geworden, daß unsereiner, der kein Jägerohr, kein besonders ausgebildetes Auge hat, eben nicht, wie sie alle glauben, in der Lage ist, Wahres vom Falschen zu unterscheiden. Wir sehen, aber wir sehen viel weniger, als wir sehen.

Woraus denn hervorgeht, daß Zauberkünstler, Verleger, Medien und Damen von acht Jahren aufwärts uns viele Kunststücke vormachen können, die wir für Geistererscheinungen, Jahresabrechnungen und Liebe nehmen, getäuscht in einer Zehntelsekunde.

Peter Panter, Voss 10.2.1929

30

Der französische Sortimenter

Natürlich hat sie auch Flecken, die pariser Sonne. Vom Telephon wollen wir gar nicht erst reden – denn das gibt es nicht. Es gibt Telephonkästen, Drähte, Telephonistinnen, auch merkwürdigerweise Leute, die telephonieren – aber ein Telephon gibt es nicht. (Mit Ausnahme eines einzigen guten automatischen Amts.) Die französische Nation eignet sich nicht zum Telephonieren. Gut. Aber ein wirklich schwarzer, schwerer, dicker Fleck in dieser Sonne –: das ist der französische Buchhändler.

Vorteil: Man kann in jeden Buchladen gehen und an den dort ausgestellten Büchern herumnaschen – meist stehen zu diesem Zweck Kästen vor der Tür, und es wird sehr wenig gestohlen. Eine hat einmal den Versuch gemacht, die stets offene Tür im Winter zu schließen – gleich kamen fünfzig Prozent Kunden weniger hinein. Aber mit diesem Vorteil ist es auch zu Ende.

Nachteile: – der ganze französische Sortimenter ist ein einziger Nachteil. Es gibt wunderbar ausgebildete Spezialisten, die alles wissen und noch mehr – die muß man aber finden. Es gibt Antiquare, die ihre Bücher lieben, wie man Frauen liebt. Wie der Rest seine Geschäfte macht, ist mir unerklärlich. Der Rest ist so:

Du gehst in den Laden und kaufst vom Ladentisch weg – du wirst ausgezeichnet bedient. In dem Augenblick aber, wo du ein Buch verlangst, das nicht am Lager ist oder das der mäßig unterrichtete, weil zu niedrig bezahlte Gehilfe nicht kennt, ist es ratzekahl aus. Der Chef weiß meist ebensowenig Bescheid. Kataloge kennt der französische Buchhändler nicht. Will er auch gar nicht kennen – er ist viel zu faul, um nachzusehen, um sich auch nur die kleine Mühe zu machen, nachzuschlagen, dir etwas Ähnliches zu empfehlen … «Ah ça …» Aus.

Die Franzosen sind ungewöhnlich höfliche Leute – Muffligkeit, Ungezogenheit, stumpfe Gleichgültigkeit habe ich nur bei manchen Behörden und in fast allen Buchhandlungen gefunden. Dieses Maß von Interesselosigkeit, das du in französischen Buchläden antriffst, kann nicht überboten werden. Unbekannt, daß der Buchhändler einem etwas besorgen könne; unbekannt die sachdienliche Empfehlung; unbekannt Wissen, Erfahrung, Kundenbehandlung, Höflichkeit und Sachkenntnis – es ist ein Kreuz …

Am deutschen Sortimenter hat niemand mehr auszusetzen als diejenigen Buchhändler, die ihren Stand lieben und vorwärts bringen wollen, und es ist zweifellos ein Streben zu erkennen, das Buch wirklich wie eine gute Ware in die Kundschaft dringen zu lassen. Die Franzosen, die im Grunde ihres Wesens alles andre sind als Kaufleute, wissen davon nichts. Gegen den deutschen Buchhändler gehalten ist der französische etwas, was neulich der Professor Arnould mit seinem charmantesten Lächeln so ausgedrückt hat: «Eine Papierwarenhandlung.»

Auch die Sonne hat Flecke.

Peter Panter, WB 12.2.1929

31

«Ganz Paris»

«Ganz Paris», steht in der Zeitung zu lesen, «freut sich auf den Abend des neuen Stars.» Schon nicht wahr – denn «ganz Paris» gibt es nur in sehr seltenen Fällen. Diese Stadt besteht aus vielen kleinen Städten.

Ganz abgesehen von der sozialen Schichtung, die Paris wie alle Großstädte aufweist, sind hier die gesellschaftlichen Zellen dichter, enger, kleiner. Es fängt mit den Arrondissements an, die ihrerseits wieder in die «quartiers» zerfallen – und einer, der nicht im Viertel wohnt, gehört einfach nicht dazu. Mag auch der Einwohner anderswohin zur Arbeit gehen –: sein eigentliches Leben spielt sich im Viertel ab; da kennt er jeden Stein und jede Ecke; da weiß er, wo man einkauft, und wo man besser nicht einkauft: er kennt die «tabacs», die kleinen Lokale, in denen der Monopol-Tabak verkauft wird und in denen man ein Gläschen nehmen kann und dabei erzählt, wie es so zugeht; jeder kennt genau den Charakter seines Viertels, und diese Viertel unterscheiden sich trotz ihrer Kleinheit eines vom andern wie Kleinstädte in Deutschland. Sie haben ihre eigenen kleinen Theater, die ein Jahr nach dem großen Boulevarderfolg das Stück, das damals Mode gewesen ist, nunmehr in geringerer Aufmachung herausbringen, und der sparsame Franzose wartet lieber ein bißchen, weil sie hier nicht solche Eile haben; das Viertel hat seine kleinen Kinos, seine Bäder, seine Delikateßwarenhandlungen und seinen ihm eigenen Geist, seine Farbe, seine Luft. Man könnte über jedes Arrondissement in Paris einen Roman schreiben und tatsächlich besteht eine Romanserie, in der dieser Versuch unternommen wird. So viel Arrondissements, so viel Kleinstädte: zwanzig.

Drängte die unselige und völlig verfehlte Baupolitik der Pariser die Leute nicht massenhaft in die «banlieue», in die Vororte, so sähe Groß-Paris organischer aus. Die nahen Vororte aber sind ein Scheul und ein Greul – ein wirrer Haufen verbauter und geschmackloser Häuser, sinnloser Straßenzüge und eine verfehlte Sache von vorn bis hinten.

Was aber «ganz Paris» angeht, so gibt es das nicht. Was die einen aufregt, davon wissen die andern nichts – und nach den französischen Zeitungen kann man gar nicht gehen, denn die spiegeln höchstens die Wesensart ihrer Besitzer wieder und ihrer Interessenten – mit dem wirklichen Leben haben sie weniger zu tun als man glaubt. «Ganz Paris» hält die Feiertage inne, und «ganz Paris» hat neulich eine Stromstörung gehabt, die von morgens acht bis abends um acht dauerte – ein Millionenausfall. Hier sind sich einmal alle zwanzig Arrondissements einig gewesen, und alle haben nicht schlecht geflucht. Es wird nicht viel helfen, übrigens. In fast allen andern Fällen aber ist, wenn einer «ganz Paris» sagt, immer zu fragen:

«Welches Paris –?»

Peter Panter, Tempo 18.2.1929

32

Erfolgreiche Leute

Der Neid geht gern auf Kostümfeste und zeigt sich selten in Zivil. Wenn ihm gelb zumut ist, gibt er sich manchmal national, manchmal hochmütig – erfolgreiche Leute haben es nicht leicht. Wir Schriftsteller wissen davon zu singen: ab hundert Auflagen ist man ein Schwein.

Von der faden Schmeichelei abgesehen, die jedem erfolgreichen Geschäftsmann, Theatermann, Techniker und Tänzer entgegengebracht wird, ließe sich mit dem Kandidaten Jobs sagen:

> Wenn die Leute auf die Erfolgshöhe kraxeln,
> erhebt sich ein allgemeines Zucken der Achseln.

Neulich ... was ich noch sagen wollte: es gibt natürlich keinen Dauererfolg ohne Verdienst. Du kannst nämlich deine tote Tante beerben, wenn es mit rechten Dingen zugeht, einmal – und dann kannst du noch einmal das große Los gewinnen – aber was dann kommt, ist kein Glück oder Unglück mehr, sondern das Zusammenstoßen deiner Eigenschaften mit der Welt, also Schicksal. Neulich bin ich bei einem so erfolgreichen Mann gewesen.

Eine Wohnung zum Längelanghinschlagen, im schönsten Viertel von Paris; eine Inneneinrichtung, die Stück für Stück geliebt gewesen sein muß, bevor sie gekauft worden war; eine Spur mehr als der Mensch zum Leben nötig hat, aber diese Spur schön und gediegen und mit einem bei Franzosen seltenen Gefühl für die Echtheit des Materials ... dieses Mal ging mein kleiner Neid nur mit einer dürftigen Badehose bekleidet umher. Da kam er.

Wir hatten immer unsere Witze über den Mann gerissen, meine Freunde und ich; wir hatten im Chor die fein gebildeten Achseln gehoben und gesenkt und ein still zuckendes Todesurteil gefällt, wenn von ihm die Rede gewesen war: «Gott, der –!» und rollsroyce-los waren wir Wilde doch bessere Menschen, denn einen Trost muß der Mensch doch haben. Das war er also! Guten Tag.

Eine ganz leise, kaum wahrnehmbare Kühle – man muß hier in Paris nicht sagen, daß man für die Zeitungen schreibt, das deklassiert, und man kann es den Franzosen leider nicht verdenken ... aber dann sagte ich noch einiges andere, und da verschwand das kalte Lüftchen, der Mann taute zwar noch nicht ganz auf, aber es war so etwas wie Eis mit heißer Vanillensauce, und dann ging es auf einmal sehr gut. Und da merkte ich:

Es war falsch gewesen, was wir über ihn gedacht haben. Besser: unvollkommen. Sein geistiges Bild hatten wir vielleicht richtig eingeschätzt, aber wir hatten vergessen, daß sein Erfolg erarbeitet war; daß er mit den anderen auf der Sorbonne herumgekrochen war wie jeder kleine Student; studiert, durchgefallen, noch einmal versucht; ein bißchen Geld, lange Jahre des Dunkels, Zähigkeit und sehr viel Kopf ... erarbeitet. Es wird einem nichts geschenkt – man muß bezahlen. Das alles hatten wir vergessen.

Wir hatten vergessen, daß er hundert- und tausendmal etwas richtig hatte machen müssen, um da zu sein, wo er jetzt war; wir hatten vergessen, daß gewiß nicht alle, aber viele genau dieselben Chancen gehabt hatten wie er – Zufall? Es gibt keinen Zufall, oder er sieht doch ganz, ganz anders aus als man gemeinhin denkt ... Dieses «Mit einem Schlage ist berühmt geworden» ist sehr selten; gewöhnlich ist es eine Kette von ganz winzigen Siegen, die einen hochbringen; Mut nach den Niederlagen; Kraft, die um ein Gran größer ist als die des Konkurrenten; eine Frage vom letzten Nervenendchen; er war doch immer wieder morgens aufgestanden, hatte sich mit dieser lächerlichen Attitüde, die Männern eigen ist, in die Hosen gestopft und war dann auf den Kriegspfad gegangen: er hatte den Lasso des Talents geschwungen, den Tomahawk der Lüge, die Schleuder der Fixigkeit – und schließlich hatte er einen winzigen Vorteil beim Wickel gehabt, den er ausnutzte, nun stand er einen viertel Meter höher als die anderen, schlug zu … und höher und höher – und da saß er nun. Er war oben.

Wir hatten das vergessen. Wir hatten ihn immer so genommen, wie er da heute war – aber wir hatten nicht gesehen oder nicht sehen wollen, daß auch er *geworden* war. Und wie schwer so etwas ist. Und wie es etwas gibt, das noch schwerer ist: es nämlich zu bewahren. Nach oben zu kommen, ist schon nicht leicht – aber oben zu bleiben! Da gibt es dann vielleicht keine Steigerungen mehr; die Leute gewöhnen sich an das hohe Niveau des Geldes, der Kraft, der Tüchtigkeit – nun wollen sie noch mehr, und wenn sich so einer nicht selbst überholt, dann sagen sie: «Es ist nicht mehr sehr doll mit ihm!» und dann kann es geschehen, daß er abrutscht … Er saß da und ließ sich und mich nichts merken.

Ich aber hatte gemerkt und bat ihm vieles innerlich ab.

Und wenn ich wieder meine Witze über den alten Knaben mache, dann will ich auf einer anderen Flöte pfeifen. Verspotten darf man ihn, aber anders. Mit jenem merkwürdigen Gefühl für den Erfolg nämlich, das Frauen so eigen ist, die gern das Anhängsel lieben, das am Ruhm hängt: den Vater dieses Ruhmes. Es soll vorkommen, daß der Papa kleiner ist als das Kind. Die Frauen aber sind für den Sieger, und wenn sie einmal für den Besiegten sind, dann hat der das Rennen um das Mitleid gemacht.

Man soll sich vor den Erfolgreichen nicht beugen. Aber verstehen … verstehen darf man sie schon.

Peter Panter, Voss 19. 2. 1929

33

Die lieben Kinder

«Moi, je suis le fils à papa!
le fils à papa!
le fils à papa!»

Wie wir hören, hat sich Benvenuto Hauptmann mit Klaus Mann verlobt. Die Hochzeit wird, wie üblich, auf Hiddensee stattfinden.

*

Pamela Wedekind, Erika Mann und Mops Sternheim treten am nächsten Dienstag in einer ‹Revue zu vieren› auf. Die Herren Eltern sind aus Österreich, München und Rührung nach Berlin geeilt.

*

Wie wir hören, hat Klaus Mann einen Roman in zwei Bänden sowie einen Reiseaphorismus begonnen. Die Veröffentlichung des Romans ist Ende des Jahres zu befürchten.

*

Erika Mann ist in Berlin zu ihrer Heirat, Scheidung, Wiederverheiratung und Beerdigung eingetroffen. Die junge Künstlerin wird in dem interessanten Experiment des Herrn Hilpert den Falstaff spielen.

*

Wie wir hören, haben sich Klaus Wedekind, Pamela Mann und Benvenuto Sternheim zusammengetan, um den ‹Siebzigsten Geburtstag› von Voß zu bearbeiten und ihn, gegebenenfalls, in Hiddensee vorzutanzen.

*

Benvenuto Hauptmann hat sich von Klaus Mann wieder scheiden lassen, weil ihm die normalen Neigungen seiner Frau Braut vor der Heirat nicht bekannt gewesen sind.

*

Carlhans Sternheim sowie das Geschwisterpaar Klaus Mann und Pamela Wedekind haben mit ihrer Schwippschwägerin Erika Mann eine Reise um die Welt angetreten, um von Rabindranath

Tagore endgültig ihre verwickelten Familienverhältnisse ordnen zu lassen.

*

General Nobile hat sich auf der Terrasse eines Cafés in Rom, als eine Portion Eis vorübergetragen wurde, erkältet. Wie wir hören, sind Pamela Wedekind, Klausa Mann und Benvenuto Hauptmann an sein Totenbett geeilt.

*

Nachtrag zu unsrer Meldung: Auch Erika Mann ist an das Totenbett geeilt. General Nobile befindet sich auf dem Wege der Besserung; Pamela Wedekind auf dem Wege zum nächsten Telegraphenamt.

*

Klaus Mann hat sich bei Verabfassung seiner hundertsten Reklamenotiz den rechten Arm verstaucht und ist daher für die nächsten Wochen am Reden verhindert.

*

Die lieben Kinder haben Siegfried Wagner zu ihrem Ehrenvorsitzenden gewählt. Der Gefeierte hob in seinem Dankwort hervor, daß die Tragik im Leben August von Goethes in ihm selbst lag sowie in der Unvollkommenheit des damaligen Zustandes der deutschen Presse.

Kaspar Hauser, WB 19. 2. 1929

34

Korrespondenten reisen

Da schicken nun die großen Zeitungen ihre Korrespondenten auf die Reise, und die sollen nach Hause berichten, wie es in Madagaskar, Island, Sibirien und Trans-Ozeanien aussieht. Wie machen sie das –?

Mir ist aufgefallen, daß sie uns mitnichten schreiben, wie es in den Ländern aussieht, die schon so fern sind, daß sie schon wieder gleichgültig sind, sondern sie schildern uns gar nicht das Land –: sie schildern uns bis zur Erschlaffung ihre Reisen und die Schwierigkeit dieses Reisens.

«Mein Kameltreiber hatte fünfzig Pfund …» – «Als wir in den Zug stiegen, erwarteten wir, daß er nun abginge – er ging aber noch lange nicht ab, sondern …» – «Die Zugverbindung nach Iskapara ist zur Zeit auf ein kleines Bähnchen angewiesen, das …» – «Alle Hotels besetzt. Was nun?»

Nun vor allem mal nach Hause fahren und Unterricht nehmen, wie man eigentlich Reisebeschreibungen macht. Das ist ja Zimt.

Es gibt zwei Möglichkeiten:

Die eine bessre ist die, sich einen Mann zu engagieren, der in dem fremden Lande wohnt und es wirklich kennt. Es ist nämlich viel wichtiger, was so einer sagt, der nur jung genug sein oder geblieben sein muß, um nicht alles selbstverständlich zu finden, was ihn da umgibt, und alt genug, um die Bedürfnisse des deutschen Publikums zu kennen; so einer kann, wenn die Zeitung und wir Glück haben, das Land wirklich von innen beschreiben.

Die andre Möglichkeit ist die, einen Künstler wie Arthur Holitscher, oder einen fixen und gewandten Journalisten auf Reisen zu schicken, der im Wirbelwind das fremde Land sieht, sich nicht im Wege steht und kleine Momentbilder entwickelt – das kann, wenn der Mann gut ist und gut schreibt, sehr lustig und manchmal auch aufschlußreich sein: es kommt vor, daß der Fremde tiefer sieht als der durch Gewohnheit Abgestumpfte.

Aber die Kursbuchplackerein sind die Druckerschwärze und unsre Zeit nicht wert. Als ob das heute noch etwas bedeute, um die Welt zu fahren! Das kann jeder Hammel. So einer bringt doch nur seine Koffer wieder nach Hause, die mit neunzig neuen Zetteln vollgepappt sind, und darauf ist er auch noch stolz – aber wir wollen diese Zettel gar nicht lesen. Und wollen auch nicht wissen, daß es in Smyrna üblich ist, dreißig Prozent Trinkgeld zu geben, und daß in San Francisko im Hotel morgens Whisky zum Kaffee serviert wird (in hohlen Bibeln), und daß man in Frankreich nicht mit jedem Zug beliebig weit fahren kann … dazu schicke ich euch für mein teures Geld auf Reisen?

Um die Deutsche Allgemeine Zeitung zu lesen, muß ich mir die Haare schneiden lassen; um die Elegante Welt zu lesen, gehe ich zum Zahnarzt, und wegen des berliner Lokal-Anzeigers in die kleinen Häuschen. Da wird man doch wohl als langer Abonnent verlangen können, daß die Herren Reisekorrespondenten … wie –?

Peter Panter, WB 19.2.1929

35

Pariser Gedenktafeln

In Paris haben sie beinahe am selben Tag zwei Gedenktafeln an zwei Häusern eingeweiht: eine für den großen Zeichner und Maler Honoré *Daumier* und eine für den Liedersänger der neunziger Jahre: Aristide *Bruant*. Jedesmal waren da Vertreter der Gemeinde der Stadt Paris, das wenigstens sehr oft so tut, als ob … wenn seine besten Söhne gefeiert werden, und jedesmal wurden diese braven und typischen Reden geschwungen, die wir auswendig wissen. Es ist das aber beide Male nicht so komisch, wie es auf Anhieb aussieht.

Daumier war ein Gigant; nach Goya wohl das Größte, was satirische Zeichenkunst des letzten Jahrhunderts aufzuweisen hat – er, der erblindet nach dem Kriege von siebzig starb, war nicht schlecht gegen das angelaufen, was man «Gesellschaft» nennt – aber er hat es nie parteipolitisch getan, sondern stets von einer Jahrhundertwarte herab, die ihm die Möglichkeit gab, das zu sehen, was an allen Epochen komisch gewesen ist und klein. Seine Zeit hat ihn anerkannt und bekämpft, und die Vorväter der Feiertagsredner von heute sind wohl nicht sehr gut auf ihn zu sprechen gewesen.

Bruant hat mit leichter Pose eine soziale Empörung herausgesungen, die ihm viel Geld eingebracht hat, was nicht gegen ihre Echtheit sprechen muß – nur ist diese Empörung weit vom Klassenkampf entfernt gewesen. Was da in den ersten Montmartre-Kabaretts ausklang, war noch echt (im Gegensatz zu heute) – und ein paar der Lieder werden für die nächsten Jahre bleiben – alle Franzosen kennen und lieben sie. Geändert hat sich das «Argot», der Straßendialekt der Pariser, geändert Anschauung und Arbeitsverdienst, sozialer Kampf und Arbeitsmethoden – geblieben aber ist das Streben der Großstädter nach Freiheit und Licht.

Ja, und nun haben beide ihre Gedenktafeln bekommen. «In diesem Hause lebte …» Die kleine Feier wird bald vorüber sein, die offiziellen Redner sind in ihr Auto gestiegen oder in die Untergrundbahn, die Eingeladenen und die Neugierigen, die die Ansammlung für das Straßenparkett einer Rauferei gehalten haben, haben sich zerstreut, und nun hängen da die Tafeln.

Niemand sieht sie mehr an. Grau und unscheinbar werden sie vom Regen und Wetter – nur die Kenner der Stadt bleiben vielleicht eines Tages vor dem Hause stehen und kontrollieren, ob dies auch das richtige Haus ist, in dem … und dann wird das alles vergessen.

Bleiben werden die kleinen Lieder und die großen Blätter der beiden: zweier Franzosen, die aufrührerisch gewesen sind und die doch von Bürgern gefeiert werden dürfen, weil tief in jedem Franzosen – auch in seinen Revolutionären – ein arbeitender Bürger schlummert.

Peter Panter, Tempo 20.2.1929

36

Die Schönheitskönigin

Neulich habe ich neben der «Schönheitskönigin» eines Landes gesessen, dessen Sprache mir einigermaßen geläufig ist, und es war, wie nicht anders zu erwarten, sehr schön. Mit Ministern ist unsereiner schon zusammengekommen, wobei eine Kleinigkeit weniger herauskommt, als beide Teile glauben – mit Zirkusausstellern und Satirikern, der Fall ist äußerst selten; mit Bindfadenfabrikdirektoren und Privatdozenten – mit Schönheitsköniginnen noch nie. Wie sieht es mit Verlaub zu sagen im Kopf einer Schönheitskönigin aus?

*

Verwirrend.

Was ist denn vor sich gegangen?

Da haben sie – der Reklame halber, aus Langerweile an einer Zeit, die man als Biedermeier mit Radio bezeichnen darf, aus Geltungsdrang und Freude am Klamauk – eine Schönheitskonkurrenz ausgeschrieben. Wer? Irgend wer. In Deutschland wird auch dieses wissenschaftlich betrieben – in andern Ländern sind einfach ein paar Männerchen gekommen, haben einige Maler und Akademieprofessoren zusammengetrommelt, und diesen Haufen würdiger Männer nennt man «Jury». Gut. Ungeheure Aufregung unter den Mädchen des Landes.

Hier liegt nun der erste Irrtum. Denn es ist ganz und gar ausgeschlossen, daß die europäische Durchschnittsbürgerin an solchen Konkurrenzen teilnimmt. So amerikanisch fühlen wir nicht. Das Verhältnis des Europäers zur Öffentlichkeit ist doch ein anderes als das des Amerikaners zum Publikum: so ganz und gar wohl ist dem Europäer im Ozean der Masse nicht, er ist ein geborener Privatmann. Der Amerikaner, scheint's, ist das nicht – ein soeben geborenes amerikanisches Baby, in den Riesenrund eines Zirkus getragen, wird sicherlich stolz sein Sternenbannerfähnchen schwenken und mit heller Stimme eine kurze, aber patriotische Ansprache an das Volk piepsen, wobei es Papachens Geschäft zu erwähnen sicherlich Gelegenheit nehmen wird. In Europa ist da noch so eine leise Scheu …

Es stürzen sich also auf diese Konkurrenz viele Mädchen, die beruflich oder seelisch unerlöst sind, lechzend nach dem Abenteuer, im Kino erschaut … endlich etwas Abwechslung im grauen Leben! Bin ich schön? Hunderte von Spiegeln erblinden in diesen Tagen.

Tag der Jury. Waffenstillstand zwischen den Geschlechtern – es wird zwar von den Damen scharf geschossen (Schiffe sind im Englischen weiblich) – aber es geschieht zu Manöverzwecken, und alle wissen das. Die männlichen Generale sitzen da, haben eine weiße Binde um den Arm und begutachten die Attacken, die keine sind und doch welche sind … Wahl.

Man kann dergleichen auch auswürfeln.

Denn wonach geht das? Lisa sieht nur gut aus, wenn sie geliebt, aber nicht zu viel geliebt wird; Musch braucht Licht, viel Licht, das von rechts fallen muß; Lottchen kann süß aussehen, das hängt von mancherlei Dingen ab, und die frommen Ratschläge («Nehm Sie jrien, det hebt Ihnen – rot macht dicke Beene!») nutzen da nicht so viel. Eine hat gerade an diesem Tag einen kleinen Fieberpickel; die andere hat vor Aufregung schlecht geschlafen; die dritte ist sehr schön, aber wenn sie vor Fremden steht, zuckt sie manchmal mit der Nase – – und weil in den urteilenden Männern die theoretisch erwogene Möglichkeit, mit den Damen zu schlafen, der sublimierte Trieb und die echte Freude am Schauen sich seltsam mischen, so wird irgendeine der Damen Schönheitskönigin – von der Qualifikation der Herren Kunstrichter ganz zu schweigen.

So – da ist sie nun.

Herausgerissen aus dem täglichen Trott; höchste Schmeichelei und scheinbar höchste Erwartung: die andern erwarten nun etwas von ihr, Karriere, Gunst und Photographien; der Neid der Freundinnen erwartet das nahe Ende, und sie erwartet das Wunder. Was für ein Wunder?

«Wissen Sie», sagte die oben angezogene Schönheitskönigin zu mir; «ich bin ja so gespannt, wie sich meine Zukunft gestalten wird!» Und da hätte ich sie auf den Schoß nehmen und streicheln können; ich habe es aber nicht getan, denn das ist ein weites Feld. Wie wird sich denn diese Zukunft gestalten?

Film. Sofortige Verfilmung für die Wochenschau; Warten in den Vorzimmern der Vorzimmer der Generalsekretäre der Generaldirektoren, schüchterne Probe und Kummer auf der ganzen Linie. Theater. Dasselbe. Revue … hier in Paris hat eine Schönheitskönigin einen dicken Prozeß mit einem noch dickeren Revuetheaterdirektor: das Mädchen will ihren Vertrag nicht halten, nach dem sie verpflichtet war, jeden Abend, fast nur mit ihrer Schönheit bekleidet, durchs Bild zu gehen. Nach dem vierten Male fiel ihr ihre Moral ein, vielleicht hatte ihr auch jemand gesagt, daß ihre dicken Beine sich nicht gar so heiter da oben ausnähmen – kurz: die Königin verkroch sich hinter die Königin-Mutter, sie spielte nicht mehr mit, und jetzt prozessieren sie. Ja, was für eine Zukunft also? Heirat? Die Heirat mit dem jungen Mann, der ein Lord ist, zugleich schön wie Douglas Keaton, zugleich reich wie Vanderbildt, zugleich kann er laufen wie Nurmi, fliegen wie … ach du lieber Gott. Kommt ja nie. Ist auch gar nicht so erstrebenswert. Die zur «Miß Europa» erwählte junge Ungarin hat aber hier in Paris erklärt, sie warte auf diesen jungen Mann. Und so warten sie denn alle.

Vorläufig haben sie den Eintagsruhm. Merkwürdig ist daran, daß der Urteilsspruch einer Gruppe, die kein Mensch kennt, und deren Legitimation sehr dahinsteht, von allen anerkannt wird, nur, weil er ein Urteilsspruch ist. Bei unserm kleinen Frühstück zum Beispiel warfen die anwesenden Frauen schnelle Blicke auf die Königin, ob sie wirklich *so* schön sei ... und sie stellten mit Befriedigung fest, daß dem sicherlich nicht so sei – aber da mischte sich doch eine ganz leise Beängstigung mit ein und vor allem die klare Anerkennung des Urteils jener Parisse, die den Apfel verteilt hatten. Ich kann ja nicht klagen – denn ich genoß hohes Ansehen an diesem Mittag, weil sie mich für den Prinzgemahl hielten.

Die schönste Frau Europas ... Da ging also die schönste Frau Europas durch die Straßen von Paris, und es muß eine groteske Sache gewesen sein: *sie* wußte doch nun, daß sie die schönste Frau Europas war – aber, ätsch, die andern wußten es nicht, die dummen Passanten und die Schutzleute, sie gingen und standen da herum, als ob nicht der Stern des Kontinents durch die Straße glitzerte ... Sie war inkognito schön. Ein seltsames Schauspiel.

Gewiß ist das ein harmloses Gesellschaftsspiel. Aber mir will es nicht recht scheinen, daß wir jeden amerikanischen Unfug nachahmen, ganz gleich, ob er herpaßt oder nicht, und ich kann mir denken, daß das auf einzelne der jungen Damen keine sehr heitere Wirkung ausübt – weniger vom Standpunkt der Tugend, als vom Standpunkt der Intelligenz: dergleichen verdummt. Miß Europa ...? Lasset uns, ein französisches Wort variierend, an eine denken, die einen Herrn auf der Straße anhält und spricht:

«Wie du mich hier siehst, Kleener – ich bin Miß Friedrichstraße –!»

Peter Panter, Voss 23.2.1929

37

Auf dem Nachttisch

Auf dem Nachttisch: Bücher – eine kippelnde Säule; auf dem Bett: Bücher; auf dem Rasiertisch: Bücher; hätte ich ein Töpfchen, so läge Eduard Engel darin – aber ich bin ein feiner Mann und habe kein Töpfchen und keinen Engel. Wer verlegt das nur alles? Wer druckt das? Wer kauft das? Wer liest das –? Warum wird grade dies verlegt und nicht irgend etwas andres? Wonach geht es, o unbegreifliche Lektoren! Da beklagen sie sich, daß die Buchgeschäfte nicht fest sind – verlegen aber pfundweise Bücher, die nicht gehen und nicht gehen können, weil sie mittelmäßig sind: Nichterfolge darf nur ein Genie haben, Talente haben Erfolg zu haben. Heute ist es noch früh, halb zehn Uhr, drei Premieren steigen ohne mich, Lieschen wartet an der Porte Majeure, das ist force Maillot, und der General Pinenlair, dem ich immer für schweres Geld die Grundrisse unserer Panzerkreuzer übergebe, beklopft in seinem Ministerium den Diplomatenschreibtisch mit nervösen Fingern. Alles in Ordnung – lasset uns lesen.

‹Redner der Revolution›, eine Serie kleiner Bändchen (im Neuen Deutschen Verlag zu Berlin). Robespierre und Saint-Just und Wilhelm Liebknecht und Karl Liebknecht und Bebel und Saint-Just und Thomas Münzer – jedes Mal ein kleines Bändchen mit ausgewählten Reden. Sehr lehrreich, sehr merkwürdig. Denn abgesehen von dem großen historischen Nutzen, den solche Rückblicke haben, zeigt es sich auch hier, daß eine Rede keine Schreibe ist. Wieviel ist verflogen! Wie muß man rekonstruieren, um zu begreifen, was die Zeitgenossen an diesen fast harmlos scheinenden Berichten so maßlos aufgeregt hat! Und hat man rekonstruiert, dann erkennt man – ist aber nicht erregt. Dies beiseite, darf gesagt werden, daß es fast unerläßlich erscheint, diese Serie sorgfältig zu lesen – die Wiederkehr des ewig Gleichen in wechselnder Terminologie: die reine Leidenschaft Karl Liebknechts und die getrübte Leidenschaft Dantons; das Bürgerpathos und der erwachende vierte Stand – das ist deshalb nützlich zu wissen, um unsere Leute besser zu verstehen. Mit dem, was geschehen ist, kann man nichts beweisen; mit dem, was geschehen ist, kann man sich vieles klar machen. Und das, was banal erscheint, war es nicht immer; wo jetzt Gemeinplätze sind, haben früher einmal Schlösser und Zwingburgen gestanden, und heute fluten die Menschen darüber hinweg und glauben, es sei immer so gewesen, und haben alles vergessen ... und bauen darauf manch neues Bollwerk.

Zum Beispiel Banken. Und wenn die groß geworden sind, so groß, daß sie ein Land überschatten, dann heißt das Land Amerika, und nun wollen wir einmal ein Amerika-Buch begucken, das eigentlich gar keines ist und doch eines ist. Es ist von jenem großen Prosaiker Franz Kafka, auf den immer wieder hinzuweisen das schönste Verdienst Max Brods ist – das Buch heißt ‹Amerika› (und ist bei Kurt Wolff in München erschienen). Das Werk stammt aus der Zeit vor dem Kriege, Brod sagt in seinem Nachwort, daß es schon viele zarte Lichter des Chaplinschen Humors enthält. Es ist etwas ganz und gar Wunderbares, an innerer Musik und dem Pianissimo der Töne nur noch mit Hamsun zu vergleichen.

Ich habe mich mit dem ‹Schloß› Kafkas nicht im gleichen Maße befreunden können – es ist das ein Buch, in dem eine «Deutung» der Vorgänge fast unumgänglich nötig erscheint, und weder hat mir die Deutung noch die Handlung gefallen. Hier in ‹Amerika› aber ist jeder Vorgang Selbstzweck, dichterische Frucht und Blüte schmerzlicher Erkenntnis. Es läuft da ein Band vom Dostojewskischen Idioten über Schwejk zu der Hauptfigur des kleinen Karl – sie wehren sich gegen das Leben nicht, aber sie sind so allein und siegen noch in den Niederlagen. Was immer wieder an Kafkas Werk zur größten Bewunderung zwingt, ist die Unwiderruflichkeit der Szenen und ihre traumhafte Eindringlichkeit ... Da nimmt der Nicht-Held eine Stellung in einem Hotel an, wo man ihn in eine Liftjungenuniform preßt. «Beim Hotelschneider wurde ihm die Liftjungenuniform anprobiert, die äußerlich sehr prächtig mit Goldknöpfen und Goldschnüren ausgestattet war, bei deren Anziehen es Karl aber doch ein wenig schauderte, denn besonders unter den Achseln war das Röckchen kalt, hart und dabei unaustrockenbar naß von dem Schweiß der Liftjungen, die es vor ihm getragen hatten.» Dieser unerschütterliche Glaube an die

Wahrheit des Geschilderten läßt nie fragen: «Woher wissen Sie das, Kafka?» – die Frage will nicht über die Lippen – es ist wie in der ‹Schönsten Geschichte der Welt› bei Kipling, wo der Banklehrling eben im Innern fest und sicher weiß, wie die Galeerensklaven einmal gelebt haben ... er ist vielleicht in einem früheren Leben einer gewesen.

Es wimmelt von Formulierungen, die unvergeßlich sind. Von der Justiz: «Die ganze Geschichte konnte er hier nicht erzählen, und wenn es auch möglich gewesen wäre, so schien es doch aussichtslos, ein drohendes Unrecht durch Erzählung eines erlittenen Unrechts abzuwehren.» Oder: «‹Und ohne Rock bist du entlassen worden?› fragte der Polizeimann. ‹Nun ja›, sagte Karl; also auch in Amerika gehörte es zur Art der Behörden, das, was sie sahen, noch eigens zu fragen.» So tausendmal.

Am schönsten an diesem großen Werk ist die tiefe Melancholie, die es durchzieht: hier ist der ganz seltene Fall, daß einer «das Leben nicht versteht» und recht hat. Niemals ist das, was da geschieht, ganz auszudeuten; schicksalhaft, wie im Traum, fallen die Bestimmungen, die Gesetze, die Gebräuche auf den Leidenden herunter, der auch nicht fragt; das machen die andern eben so – er also auch. Nie läßt sich der ganze Apparat völlig übersehen; in allen Büchern Kafkas gibt es solch einen ungeheuern, umständlichen, endlosen Apparat, der keine Allegorie ist, sondern Niederschlag des Lebens in einem sieghaft Wehrlosen. Daß Karl jemals den Hoteldirektor selbst erblicken könnte, ist unausdenkbar; es langt allenfalls bis zum Oberkellner, und das ist nun keineswegs komisch gedeutet, sondern tragisch: er weiß nicht ... Die leise, bescheidene Art, mit der er die Gesten der ernsten und werktätigen Menschen nachahmt, ohne eigentlich ihren Inhalt zu verstehen oder etwa zu bejahen, erinnert sehr stark an Chaplin; doch ist bei dem eine Ironie dabei, die hier fast ganz fehlt, und beide beschämen die Nachgeahmten. ‹Amerika› ist eines der schönsten Bücher, die die deutsche Prosa aufzuweisen hat; ich bin mit Max Brod der festen Meinung, daß die Zeit dieses wahren Klassikers der deutschen Prosa noch einmal kommen wird.

Sie meinen, das Buch sei schon vor langer Zeit erschienen? Ich meine, daß es eine Albernheit ist, nur «Neuerscheinungen» zu kaufen – als ob man der Literatur mit der Fixigkeit nahe käme! Wir wollen nicht das Neuste lesen – wir wollen das Beste, das Bunteste, das Amüsanteste lesen. Ja, also Amerika.

Das richtige Amerika sieht nun anders aus, als es bei Kafka visionär erscheint. Wie es aussieht, sagt uns Edgar Ansel Mowrer in seinem ‹Amerika, Vorbild und Warnung› (bei Ernst Rowohlt zu Berlin erschienen). Das Positive darin erscheint mir nicht so stark wie das andere – Mowrer ist eine helle Intelligenz, die sehr scharf brennt, nicht immer sehr weit leuchtet. Er ist ein europäisierter Amerikaner von höchster Kultur, ein Mann von einer selten umfassenden Bildung – und am besten ist er da, wo er Europa und Amerika vergleicht und Amerika schonungslos schildert. Da ist dieser Hohn, wie er nur unter Verwandten üblich ist – die Ironie der genauen Kenntnis, das Urteil von innen her. Der berliner Amerika-Taumel hat sich ja zum Glück etwas gelegt, und was in diesem Buch Europen an Provinzialismus vorgeworfen wird, sollten sich unsere Staatsmänner hinter die Ohren schreiben – wenn sie bis dahin nicht alle vor Wichtigkeit geplatzt sind. Die Beschreibungen amerikanischen Lebens sind allerersten Ranges – was fehlt, ist eine Synthese, aber dafür ist es sicherlich viel zu früh. Nicht bei Mowrer fehlt sie – das Land hat sie nicht. Ein Buch, aus dem man viel lernen kann.

Ob die Amerikaner mit ihm einverstanden sind, soll uns nicht kümmern – wir haben sowieso viel zu wenig europäisches Selbstbewußtsein, und ich habe noch nie gehört, daß einer einem Amerikaner einmal freundlich und bestimmt sagt: «Das mag sein, daß dies oder jenes bei Ihnen drüben so ist, wie Sie es sagen. Bei uns ist das eben anders.» Dazu gehörte Charakter – denn der Amerikaner will gelobt sein und steinigt seine Tadler. Wir nicht –?

In Deutschland hat sich seit dem wirtschaftlichen Scheinaufschwung ein Optimismus breit gemacht, der an die lärmendsten Ereignisse der Vorkriegszeit erinnert. Es ist schauerlich. Da kommt ein Buch über ‹Deutschland heute› von Alfons Goldschmidt grade zur rechten Zeit (bei Ernst Rowohlt, Berlin). Es ist das Beste, was über Deutschland seit langen Jahren erschienen ist.

Das Kapitel über Berlin sollte man vielen Journalisten täglich zum Abschreiben geben – denn so ist diese Stadt, Berlin im Schatten, Berlin im Modder, Berlin in Deutschland. Endlich, endlich sagt einmal einer, was wirklich ist: wie diese grauenerregende «Tüchtigkeit», auf die die Leute so stolz sind, peinlich ist und zum großen Teil unproduktiv – wie belastet die falsch hergerichtete Wirtschaft ist, und zwar nicht nur mit Steuern oder dem Dawesplan, wie sie immer klagen – sondern mit sich selbst; wie viel «getätigt» und wie wenig geschafft wird, und was die Seele dieser Stadt angeht, so hat sie wohl schon lange keiner so eingefangen, wie es hier geschieht. «Berlin ist nicht kühn – es ist eine kommandierte Stadt.» «Das laßt ihr euch gefallen, scharwenzelt, Großstädter, um den Portier, schreit nicht, fordert nicht. Hinter der zweiten Tür sitzt ein Herzkrampf, ein Trottel, den ihr größenwahnsinnig macht, weil ihr nicht fordert. Noch der Geschäftsführer eines Manschkinos, der gar keine Geschäfte führt, sondern ein armer Junge ist, ängstlich in der Tür steht, ob auch fünf Sesselsitzer kommen, ist Herr über euch. Aber er hat ein Direktionszimmer, er ist also Massenbeherrscher. So sieht der berliner Stolz aus. Das ist keine Disziplin mehr, kein Jachtern ums Brot, das ist Massenschwäche, Wollust des Gelenktseins, Brummeln; Würde ist das nicht.» Auch hat Goldschmidt das Unfrohe so gut getroffen, das Glücklose dieser Stadt, die eine Lokomobile ist, die Holz sägt; mit diesem Holz wird sie geheizt. Wunderschön die Schilderungen der deutschen Provinzen, die sich, soweit sie nicht Berlin faul nachahmen, mit Recht verbitten, als «Provinz» angelacht zu werden – wenn sie allerdings so fortfahren, werden sie aufhören, Landschaft zu sein und beginnen, Klein-Berlinchen zu spielen. Und Berlin spielt Klein-New York, und wenn auf dem Kurfürstendamm zwei Amerikaner ihren Koffer abgestellt haben, dann platzt die Stadt vor Stolz. Goldschmidt haßt aus Liebe – das ist der fruchtbarste Haß. Und wenn er sichs nicht manchmal etwas schwer machte mit seinem quellenden, quillenden, fast überreichlich strudelnden Stil, dann wärs noch besser. Ich kann mich nicht besinnen, in den großen Blättern auch nur den Versuch einer Widerlegung seiner Meinungen gefunden zu haben – die kleinen begnügen sich damit, höchst kindlich anzugeben, der Mann litte wohl an Magenverstimmung. Sie wollen in ihrem Juchhe-Optimismus nicht gestört werden. Das Buch ist eine mutige Tat – und wenn die Betroffenen maulen … schließlich hörts ja keiner gern, daß er krank ist, wofür jedoch der Arzt nichts kann. Goldschmidts ‹Deutschland heute› sagt das zu Ende, was hier oft angedeutet worden ist – es ist in ganzen Kapiteln etwas durchaus Vollkommenes.

Nun wollen wir die Flinte wieder aus dem Korn holen – es gibt auch noch Deutsche guter Prägung, sie heißen ja nicht alle Franz Seldte oder Aros Hugenberg – manche heißen auch Anna Siemsen. Die legt ein kleines Buch vor: ‹Daheim in Europa› (in der Urania-Verlags-Gesellschaft zu Jena erschienen), ein hübsches Reisebuch. So wohltuend wie ihr Bild dem Titel gegenüber ist der Text: eine gebildete, gütige Frau geht durch Europa, wo sie wirklich zu Hause ist, soweit einer da zu Hause sein kann, wo er nicht geboren ist – und das Allerschönste daran: wie die albernen Grenzen fortfallen. Es gibt voneinander sehr verschiedene Gebiete – aber heute noch an Souveränitätsstaaten zu glauben, dazu muß man wohl Minister sein. Das Buch sollte in keiner Arbeiterbibliothek fehlen – schon wegen der Illustrationen, die wunderhübsch präsentiert werden. Es sind Photos mit guten Unterschriften, die das Bild nicht nur benennen, sondern die es erklären. Es ist für uns nicht neu, aber immer wieder fesselnd, zu sehen, wie fremde Länder einen ganz andern Schein bekommen, wenn man sie marxistisch sieht. Das vertragen sie alle nicht sehr gut … Manches ist ein ganz klein wenig von außen gesehen, ich empfinde Frankreich etwas anders, aber jeder hat schließlich seine Augen. Was uns immer wieder fehlt, ist der Domela, der sich in fremde Kasten begibt und einen guten Bericht nach Hause bringt. Sehen genügt nicht – man muß eine Weile unter Fremden und mit ihnen leben. Ich weiß aber Anna Siemsen und ihrem Buch kein größeres Kompliment zu machen als das fast Unmögliche von ihr zu fordern. Ja, wenn sie alle so wären wie diese seltene Frau –!

Sind sie aber nicht. Was zum Beispiel die Leiter der Fürsorgeanstalten angeht, so gibt es dort neben Menschen unserer Zeit und Männern mit Herz und Verständnis für die Jugend immer noch alte und junge Majore, die: «Mal ordentlich die Hacken zusammenreißen!» durch den Saal brüllend sich nachher wundern, wenn der Junge vor die Hunde geht. Über diese Fürsorgeanstalten, die ebenso wie die Gefängnisse und Zuchthäuser einer regelmäßigen öffentlichen Kontrolle bedürfen, weil die der Vorgesetzten nie genügt, handelt ‹Jungen in Not›, Berichte von Fürsorgezöglingen, herausgegeben von Peter Martin Lampel (erschienen bei J.M. Spaeth zu Berlin). Das ist nun leider danebengegangen.

Die Berichte, die zum Teil erschütternd und fast immer sehr aufschlußreich sind, diese Berichte ohne Kommentar und Prüfung zu geben, genügt nicht. Das ist allenfalls ein Stück aus der Wirklichkeit, eine einseitige Reportage – aber nun hätte sich der Herausgeber, der doch unter den Jungen gelebt hat, dahinter setzen müssen, um uns zu sagen, was denn an diesen Beschwerden, diesen Klagen, diesen manchmal aufwühlenden Schreien wahr ist. Werden die Jungen geschlagen? Sicherlich. Von wem? Namen nennen! «Herr Lehrer C...» das ist überhaupt nichts. Welche Anstalten sind besonders schlimm? welche besser? welche gut? Kein Wort. Das Buch ist ein sehr fesselnder erster Teil eines Werkes, das uns fehlt. Als Material brauchbar. Der Text ist mit Bildern des Herausgebers geziert. Was, so sei zu fragen erlaubt, sagte wohl der Betrachter, wenn er ein soziales Werk über die Heimarbeiterinnen vorgelegt bekäme, das mit Bildern von Wennerberg versehen wäre? Damen mit prallen Busen? und gelenkigen Hüften? und blitzenden Schelmenäuglein? Er sagte, daß dem Herrn Zeichner seine Verliebtheit wohl zu gönnen, daß sie aber nicht ganz am Platze sei. Lackierte Not? Man mag das nicht.

Ein Uhr zehn. Die Premieren sind vorbei, und es sind gar keine Premieren gewesen, sondern «des générales», Generalproben; die pariser Kritiker haben ihre Inserate, padong, Kritiken geschrieben; Lieschen ist längst fluchend nach Hause gemacht und hat sich unterwegs, Rache und Spaßes halber, einen Italiener aufgelesen, dessen Haare wie seine Stiefel glänzen, und nun redet er ihr wohl ein Kind in den Bauch; der General hat sich zu Bett begeben und ist um den Panzerkreuzerplan gekommen, unsern täglichen Landesverrat gib uns heute – nun bin ich müde. Sherlock Holmes liegt noch da (bei Hugo Wille in Berlin erschienen) – der gute, alte Holmes! Seit der flinkere Wallace ihn verdrängt hat, führt er nur noch ein gar bescheidenes Leben – und ist doch so nett! Bei Wallace ist das Verbrechen nur ein Präludium, dann gehts erst richtig los, Falltüren klappen, Dynamitpatronen entzünden sich in dicken

Zigarren, Autos fliegen in die Luft und entfalten große Tragflächen besserer Flugzeuge – bei Holmes ist ein Verbrechen begangen, und er klärt es auf und uns mit. Eine trauliche Spannung; man möchte den guten, alten Holmes streicheln – ah, geh doch weg! Was will das gelbe Buch hier? Es ist ‹List und Leidenschaft› von Beradt (bei Ernst Rowohlt in Berlin erschienen). Da lerne ich vom Wegsehen, daß die Franzosen nach Tisch ihren Kaffee mit Milch trinken, und das Buch ist nix listig, sondern traurig, und was die Leidenschaft angeht, so bringe ich nicht so viel davon auf, um mich durch diesen Wergballen auf Stelzen hindurchzuwürgen halt die Hand vor wenn du gähnst und so kehren wir denn zu Holmessen zurück, dem guten. Ja, ich mach das Licht gleich aus, bloß noch den Schluß von der Geschichte.

«‹Watson, rufe Scotland Yard an! Wir werden dort nicht ganz unerwartet kommen.› Er ergriff den Telephonhörer, mußte aber zu seiner Überraschung feststellen – –»

Peter Panter, WB 26. 2. 1929

38

Johanna vom Bogen

Sie hieß Jeanne, also Jeanne d'Arc, also Johanna vom Bogen. Sie war aus Toulouse und machte mir die Zimmer rein. Sie war eine zweite heilige Johanna: sie hörte Stimmen.

Morgens, wenn die ersten Pariser Bankkrachs die Boulevards erschütterten und der zarte Morgenhimmel die zierlichen Kaminschornsteine … na, lassen wir das – morgens hantierte das Kind mit Besen und Schaufel und Bürste, heizte die Öfen – und dabei hörte sie Stimmen. Das war erweislich wahr, denn ich hörte sie auch.

In den ersten Tagen, als Johanna vom Bogen mir noch neu war, dachte ich, es sei Besuch da, oder sie hätte sich eine Schwester mitgebracht, oder ein kleiner Hund hätte sich eingeschlichen …

irgend etwas war da los. Man konnte sie leise sprechen hören; halb unterdrückte Lacher und kleine Aufschreie ... für wen? mit wem? zu wem sprach sie?

Sie sprach mit sich selbst.

Johanna vom Bogen hörte Stimmen, die unsterblichen Stimmen Frankreichs, die in den Lüften kreisen und die Kinder des Landes aufmuntern, wenn Not am Mann und an der Frau ist – Stimmen waren in meiner Wohnung, und es galt, dahinterzukommen, was die Stimmen sagten. Ich horchte an den Türen.

Es stellte sich heraus, daß Johanna vom Bogen mitnichten die Orléans wieder auf den Thron setzen wollte. Was da Morgen für Morgen durch die Gemächer tobte, war Schlacht, Aufstand und Guerillakrieg mit den aufsässigen Möbeln. Johanna betreute die ganze kleine Holz- und Teppichfamilie; sie sprach auf sie ein und tröstete sie; zankte und tadelte; lobte und begönnerte – und da war immer viel Geschrei und Schlachtgetöse. «Na –» und «Hop!» – und «Hé –» und «Là –» und was man so ruft. Es gab aber auch stürmische Morgen.

Es gab Morgen, an denen die gesamte Inneneinrichtung schlecht geschlafen hatte, der Ofen grunzte ärgerlich, wenn ihn einer weckte und schüttelte – und alle zusammen wollten einfach nicht, und dann war die heilige Johanna in ihrem Element! Sie schwang den Besen wie eine Fahne und die Müllschippe wie ein Schwert; sie durchraste zornig die Felder und wehklagte an der Badewanne, und, wenn sie merkte, daß sich alle gegen sie verschworen hatten, dann gab sie es allen, aber ordentlich; sie puffte und stieß und schlug und hieb und forchtete sich nit, und die abgeschlagenen Kanten liegen jetzt alle in einer kleinen Kiste und warten auf den Tischler, der, wie das Glück, nie kommt. Johanna hatte viele Feinde an solchen Tagen: der Lehnstuhl widersetzte sich und kam nicht, wenn man ihn rief; der Schreibtisch widersprach; die Sofakissen sagten nicht Guten Morgen, das Grammophon lachte sie aus, und der Gasherd zischte vor Verachtung. Umgeben von so viel Widerstand und böser Tücke schalt die Heilige und grollte dumpf, bald brach das Feuer der Wut aus ihr, und ich hörte sie durch die Wohnung kreischen, daß ich ängstlich, im Bademantel, scheußlich anzusehen, gelaufen kam und fragte, was es gäbe. Sie sah auf, wie jemand, der in einem wichtigen Telephongespräch gestört wird, und das war sie ja wohl auch. «Nichts –» sagte sie. Beschämt kroch ich ab. Und hinter mir erbrauste aufs neue die Schlacht mit den tückischen Objekten; wenn man genau hinhörte, konnte man die Pausen wahrnehmen, die sie einlegte – dann antwortete sie auf irgend etwas und protestierte spitz. Die heilige Johanna fragte, und die Schuhleisten antworteten, denn sie ließen sich nicht die Butter vom Brot nehmen; sie schimpfte, und die Bürsten hatten die Frechheit, eine Antwort zu finden und noch eine …

Als aber eines Morgens das Bidet in der Badestube der heiligen Johanna eine professionell ungehörige Antwort gab, da packte dieselbe ihre Klamotten zusammen, kündigte und ward nie mehr gesehen. Seitdem sind die Gegenstände in der Wohnung mucksmäuschenstill, mir ist unheimlich zumute, weil ich weiß, daß sie nicht stumm sind, sondern nur schweigen, und ich warte ängstlich, wer sie beleben wird.

Peter Panter, Voss 3.3.1929

39

Die Geldstrafe

Die deutschen vorläufig unabsetzbaren Richter werden zu hoch bezahlt; die Gehälter für Richter in Deutschland sind zu niedrig. Aber es dürfte nicht unangebracht sein, sich ein Mal zu überlegen, was diese Richter, die ein durchschnittliches Jahreseinkommen von acht- bis elftausend Mark haben, so für Geldstrafen verhängen.

Tausend Mark – zweitausend Mark – achthundert Mark – und das meist ohne die leiseste Prüfung, was der Verdonnerte eigentlich verdient. Die Herren haben, seit der Inflation, den Maßstab für den Wert der Strafgelder völlig verloren – sie verknacken drauf los, ohne sich auch nur im leisesten zu überlegen, was sie damit anrichten, auf diese Weise die verhängten Geldstrafen den Freiheitsstrafen auf das angenehmste annähernd.

Daß Leute, die ein Monatsgehalt von hundertundfünfundzwanzig Mark haben, zu zweihundert, zu dreihundert Mark Geldstrafe verurteilt werden, ist nichts Seltenes; die amüsante Wahl zwischen Haft und: «Richter – zahlen!» läßt ja den Objekten der Justiz immer noch die Möglichkeit offen, die Geldstrafe durch die Tätigkeit jenes Körperteils zu ersetzen, der der Themis wirklich würdig ist.

Es wäre aber nicht ganz abwegig, wenn die Justizminister sich ein Mal die Urteile, die über Geldstrafen ergehen, vorlegen ließen und ihre Beamten darauf aufmerksam machten, daß für die überragende Majorität der arbeitenden Massen hundert Mark etwa vierzehn Tage Arbeit bedeuten und daß kleinere Delikte, die nicht in der reinigenden Atmosphäre der Strafanstalten abgebüßt werden, nicht dazu da sind, die Finanzen der Angeklagten völlig durcheinander zu bringen.

Mit der Verhängung von Geldstrafen wird heute ein sträflicher Unfug getrieben, weil sich kaum einer der Richter überlegt, wie ihn selber solche Geldbuße treffen würde. Wofür werden diese Geldstrafen entrichtet? Für die juristische Belehrung, die der Angeklagte empfangen hat? Für die Erlaubnis, mit beamteten Juristen in Berührung getreten zu sein? Für die Strafverfahren? Dann normiere man die Geldstrafen und setze einen Einheitspreis fest: Eine Mark fünfundneunzig, mit Rabatt.

Meinen es die Richter aber mit der Verhängung der Geldstrafe so ernst wie mit ihren Diskussionen über das eigene Gehalt, dann mögen sie sie in sozialer Weise verhängen und nicht so lotteriemäßig und unüberlegt, wie es heute geschieht.

Ignaz Wrobel, WB 5.3.1929

40

Über den Dächern

Über den Dächern
schwebt Rauch
und ein sanftes Gebimmel
von den Türmen der Stadt.
Meine Sehnsucht fliegt in den Himmel.
    Wie es durch das Fenster zieht ...!

Wozu arbeiten?
Wozu tätig sein?
Wozu in die Versammlungen gehn?
Ich habe nur meine beiden Hände.

Was steht am Ende –?
Das habe ich an Vater gesehen …
    Wie es durch das Fenster zieht …!

Diese Dachkammer hat der alte Mann;
dafür fünfundfünfzig Jahre
Arbeit, keinen Tag Urlaub und
Sorgen und graue Haare.
    Meine Gedanken hängen am Horizont – –

Wo ist unser Glück …?
Und da kommen plötzlich alle meine Gedanken zurück.
Gleich springe ich auf die Beine
und werfe die Arme um den Leib,
weil mich friert …
    Ich bin nicht mehr alleine.

Wir sind stark, wenn wir zusammenhalten:
die Starken und Schwachen und die Jungen und Alten.
Wenn nur der Wille fest bleibt und unsere Partei.
Da bin ich dabei.
Noch einmal sehe ich über die Stadt
und die Dächer …
Schon mancher hat mit trocken Brot und armseligem Essen
in so einer zugigen Dachkammer gesessen –
    mancher, der nachher ein Reich erobert hat.

Theobald Tiger, AIZ Nr. 11, 1929

41

Ist das deutsche Buch zu teuer?

So habe ich einmal gefragt, und mein Verleger Rowohlt hat seine Rechnungen aufgemacht und hat geantwortet, Bücher könnten beim besten Willen nicht billiger sein; der Malik-Verlag hat das bestritten … Diese Frage kann man sicherlich auf verschiedene Weise beantworten. Nur auf eine nicht. Nämlich so:

«Es ist unverständlich, daß immer noch zahlreiche Buchhändler den Äußerungen des Publikums, daß die Bücher jetzt zu teuer seien, nicht energisch genug widersprechen, sondern in vielen Fällen gedankenlos oder um dem Kunden gefällig zu sein, dessen Ansicht beistimmen und dem Verlag die Schuld für den zu teuer erscheinenden Preis zuschieben. Erneut sei daher darauf hingewiesen, daß der Sortimenter in erster Linie sich selbst schädigt, wenn er der Kundschaft durch solche Urteile beweist, daß er Pessimist ist und daß ihm die Markt- und Warenkenntnis abgeht.

Daß Werke lebender oder noch geschützter Schriftsteller, besonders wenn sie einen verhältnismäßig kleinen oder schwer zu erfassenden Abnehmerkreis haben und gute Abbildungen enthalten, viel teurer sein müssen als die in großen Auflagen absetzbaren honorarfreien Klassikerausgaben, müßte jedem Buchhändler schon bei Beginn seiner Laufbahn in Fleisch und Blut übergegangen sein.

Ein Vergleich der Herstellungskosten und der Bücherpreise jetzt mit denen vor dem Kriege zeigt, daß unter sonst gleichen Verhältnissen sich die Papierpreise um 70 Prozent, die Buchdrucker- und Buchbinderpreise um rund 140 Prozent erhöht haben, während von 1908 bis 1927 die Ladenpreise um kaum 60 Prozent gestiegen sind.

Bücher sind also in der Tat billig und im Verhältnis weit billiger als vor dem Kriege, und jeder Buchhändler, der recht zu wirken weiß, wird diese Tatsache seinen Kunden immer wieder vor Augen führen und ihnen im Einzelfall auch beweisen können, daß der Verkaufspreis den innern Wert des Buches für den Käufer nie aufwiegt.

Wer als Kaufmann seine eigne Lage der Kundschaft gegenüber pessimistisch beurteilt und in ihren Augen gar seine Ware als nicht vollwertig herabsetzt, wird nie auf Erfolg rechnen können.

Die Geschäftsstelle
des Deutschen Verlegervereins»

Also lautet der Heeresbefehl im ‹Buchhändler-Börsenblatt›, und hier eben ist jene Denkungsart, die wir so sehr verabscheuen.

Miesmacher werden nicht geduldet – wer weiter denkt, wird erschossen.

Daran vor allen Dingen scheitert eine vernünftige Preisbildung: an der Sturheit der Produzenten, die dem Konsumenten mit Militärstiefeln auf die Zehen trampeln. Es gibt keinen klugen und vernünftigen Sortimenter, der nicht schon über die Frage der Preisbildung des Buches nachgedacht und sich nicht seine Meinung darüber gebildet hätte. Diese Meinung ist diskutierbar. Aber welche niedrige Militärstirn gehört dazu, die Frage mit einem Schnauzbefehl aus der Welt schaffen zu wollen! Der Konsument läßt sich nämlich nicht von irgend einer Statistik leiten, sondern von der realen Notwendigkeit seines Etats, und der muß doch wohl gegen den jetzigen Buchpreis entschieden haben.

In dieser Regimentsparole sind alle Elemente des Neu-Deutschen enthalten:

Unduldsamkeit; Dreistigkeit, wo sie nichts kostet; Unterschätzung des Partners, mit dem man Geschäfte machen will, und jener Zwangsoptimismus, der die große Schnauze mit der Weite des Horizonts verwechselt. Hört ihr den Ton dieser diktierenden Stimme –?

Ich höre ihn. Aus ihr spricht der vergangene Krieg und noch einer.

Peter Panter, WB 12. 3. 1929

42

Die Begründung

Vor mir liegt im Namen des Volkes die Begründung zu dem Urteilsspruch gegen George Grosz, angeklagt wegen Gotteslästerung im Jahre 1928 nach Christi Geburt. Landgerichtsdirektor Tölke als Vorsitzender, Landgerichtsrat Krüger als zweiter Richter, zwei Schöffen. Aus den Gründen:

> Nummer 10. Ein am Kreuz hängender, äußerst abgemagerter Christus ist in der allgemein gebräuchlichen Darstellung abgebildet, je-

doch mit folgenden Besonderheiten: Das Gesicht ist durch eine Gasmaske verdeckt. An den Füßen befinden sich Soldatenstiefel, durch die die Kreuzesnägel getrieben sind. Die linke Hand ist nicht ans Kreuz genagelt, sondern hält am erhobenen Unterarm ein Kreuz.
Unterschrift: Maul halten und weiterdienen.
Wenn nach alledem wegen der Bilder 2 und 9 eine Schuldfeststellung nicht getroffen werden konnte, so entbehren diese Zeichnungen doch nicht der Bedeutung für die Frage, wie weit in dem dritten der beanstandeten Bilder, nämlich der Christusdarstellung am Kreuz mit Gasmaske und Soldatenstiefeln, der Tatbestand des § 166 StGB. erfüllt ist. Die Anklage erblickt in dieser Abbildung einen Angriff auf eine Einrichtung der christlichen Kirche, nämlich die Christusverehrung. Daß diese als Einrichtung im Sinne des § 166 StGB. zu werten ist, unterliegt keinem Bedenken (vgl. Olshausen a. a. O. § 166 Anm. 12 RGE. 2, 429). Das Gericht erachtet aber auch als erwiesen, daß hier das Tatbestandsmerkmal einer Beschimpfung durch den Angeklagten Grosz vollendet ist. Das ergibt gerade der Zusammenhang mit den beiden Bildern 2 und 9 und die gesamte Tendenz der als «Hintergrund» betitelten Blätter. Denn richtete sich in den beiden vorgenannten Zeichnungen die Satire des Künstlers gegen einzelne Diener der christlichen Kirche und gegen den Gottesbegriff des «heiligen Geistes», so ist hier in Bild 10 unverkennbar Christus selbst als Träger und Symbol jenes christlichen Glaubens, der bereits in den Zeichnungen 2 und 9 ironisiert wurde, das Angriffsobjekt. Bei der Auslegung des in diesem Bilde und seiner Unterschrift verkörperten Gedankens hat das Gericht nach freier Überzeugung zu entscheiden. Es ist dabei als allgemein gültige Auslegungsregel auch der Grundsatz zu erachten, daß, soweit der Wortlaut einer Gedankenäußerung nicht durchaus eindeutig ist, der Sinn der Äußerung aus den Nebenumständen, insbesondere aus dem Zusammenhang, aus dem Zwecke und dergleichen zu erforschen ist (vgl. dazu die allgemeinen Ausführungen des Urteils des RG. vom 11. 1. 26, abgedr. in der Jur. Wochenschrift 1928, S. 1225 ff.). Bei Anwendung dieses Grundsatzes sieht sich das Gericht nicht in der Lage, der Auslegung zu folgen, die der Angeklagte Grosz seiner Darstellung gegeben hat. Nach der ganzen Anlage der Zeichnung müssen die Worte der Unterschrift «Maul halten und weiterdienen» nicht als an Christus gerichtet, sondern als von ihm gesprochen aufgefaßt werden. Die starke Wirkung des Bildes beruht zum großen Teil darauf, daß die Christusfigur allein abgebildet ist, ohne jedes Beiwerk von Personen und sonstigen Requisiten, mit

> denen der Angeklagte auf den beiden andern Bildern verhältnismäßig verschwenderisch umgeht. Neben der Gasmaske und den Soldatenstiefeln lenkt das erhobene Kreuz in der linken Hand des gekreuzigten Christus die Blicke auf sich, jenes Kreuz als Symbol des Glaubens, das in Bild 2 auf der Nase des Priesters balanciert und im Bild 9 ins Wanken geraten ist. Wären auf dem Bilde noch andre Personen gezeichnet oder wären die Gasmaske und die Soldatenstiefel die einzigen Besonderheiten, so würde die Behauptung des Angeklagten, er habe die ans Kreuz geschlagene Menschheit darstellen wollen, an die jene die Unterschrift bildenden Worte gerichtet wurden, noch eine gewisse Wahrscheinlichkeit für sich haben. Aber gerade die besonders ins Auge fallende Abweichung von der sonstigen Darstellung des gekreuzigten Christus, nämlich das stark und sichtbar gezeichnete Kreuz in der linken Hand, gibt dem Bild die Wirkung, die es nach der Ansicht des Gerichts auf den Beschauer haben muß: Christus, für seine Lehre ans Kreuz geschlagen, hat für die Menschheit im Kriege, mit dessen Symbolen Gasmaske und Kommißstiefel man ihn bekleidet hat, trotz seines eignen Opfers auch nur den Trost und die Worte «Maul halten und weiterdienen». Das Kreuz in seiner Hand gibt der ganzen Darstellung erst das typische; es wirkt in Verbindung mit den Worten der Unterschrift wie ein Ausrufungszeichen, Christus ruft diese Worte im Zeichen des Kreuzes der Menschheit zu. Es erscheint auch unverständlich, welchen Sinn diese Worte, wenn sie an den sterbenden Christus gerichtet würden, haben sollten. Gewiß verkörpert Christus, wie dem Angeklagten geglaubt werden mag, die ans Kreuz geschlagene Unschuld, die allerdings bei Grosz nicht viel Abweichendes von den Begriffen der Beschränktheit oder der Dummheit hat.

Die Worte «Maul halten und weiterdienen» werden selbstverständlich nicht von dem am Kreuze hängenden Christus gesprochen – wenn überhaupt diese oberlehrerhafte Feststellung von irgendwelchem Werte ist. Denn die Unterschrift, die sich die Richter nicht anders als eine Druckzeile aus den Meggendorfer Blättern vorstellen können (Handwerksbursche zur Wirtin, die ihm eine Wurst eingewickelt hat –), brauchen mit Notwendigkeit von gar niemandem gesprochen zu sein – der Zeichner gibt mit diesem Satz die Melodie des Blattes an, ohne daß ein Sprecher vorhanden zu sein braucht. Ist also schon die Suche nach dem Sprechenden jeder gescheiten Kunstdeutung zuwiderlaufend, so ist, nimmt man überhaupt einen Sprechenden an, Christus sicherlich nicht derjenige, der spricht.

Dem steht entgegen, daß er eine Gasmaske trägt, so daß also die Worte «Maul halten und weiterdienen» nur als dumpfes Gemurmel, nicht aber als artikulierte Wörter an das Ohr der Außenwelt zu dringen vermöchten, eine Überlegung, die vom seligen Nicolai stammen könnte, den überrationalistischen juristischen Kunstbetrachtern aber wohl recht sein wird. Es ist aber auch dem Sinn des Bildes widersprechend, wenn angenommen wird, Christus spräche. Die gebeugte, gefesselte, mit einer Gasmaske geknebelte Gestalt ist wohl zu allerletzt berufen, einen Befehl zu erteilen – ihre ganze Haltung drückt genau das Gegenteil aus.

Wenn das Gericht hinzufügt: «Es erscheint unverständlich, welchen Sinn diese Worte, wenn sie an den sterbenden Christus gerichtet würden, haben sollten», so begeht es einen doppelten Denkfehler. Es wird damit zunächst unterstellt, als müßten die Worte entweder von Christus gesprochen oder an ihn gerichtet sein, was falsch ist. Die Worte werden von niemand gesprochen und sind leiblich an niemand gerichtet – kein Mund und keine Ohren sind zu konstruieren. Es ist aber auch falsch, daß die Worte, an Christus gerichtet, keinen Sinn ergäben.

Der Sinn, den sie haben, ergibt sich aus der Tendenz der Bildermappe.

Die Worte sind vom Zeichner hinzugefügt, sie werden über den Christus hinweggesprochen, und zwar zur Menschheit, die in den Krieg getrieben wird – unter dem Zeichen des Kreuzes. Der Staats-Christus, dem auf dem Bild nur noch eine Fahne fehlt, damit er komplett ist, ist aufgerichtet, um die Herde der Gläubigen zur Raison, nämlich zur Staatsraison zu bringen – in seinem Namen wird befohlen «Maul halten und weiterdienen», und er selbst fällt unter den Befehl. Der Kriegs-Christus, dem sie auf einem französischen Schlachtfeld das Kreuz weggeschossen haben und der nun, flehend, mit erhobenen Armen und mit wenig Dank an preußische Richter, die ihn schützen, über das Gemorde hinwegschrie – dieser Christus ist

im Sinne des § 166

von der eignen Kirche geschändet worden.

Das und nur das hat George Grosz gezeichnet und empfunden.

Die «ans Kreuz geschlagene Unschuld, die nicht viel Abweichendes von den Begriffen der Beschränktheit oder der Dummheit hat» – das ist der Staatsbürger, der in den beiderseitigen Kirchen diesseits und jenseits der Grenzen für Mord betete – und man wird das fatale Gefühl nicht los, als sei es den Richtern viel mehr auf die Erhaltung dieser rührend dienenden Unschuld als auf den Schutz einer Kirche angekommen, die sich etwas schämen sollte.

Denn eine Landeskirche, die im Kriege so jämmerlich versagt hat, die die Jugend eines ganzen Landes in das Schlachten hineinsegnete; eine Kirche, die kein Wort gegen den Staatsmord fand, sondern ihn im Gegenteil noch propagierte: eine solche Institution hat allen Anlaß, still zu schweigen, wenn aufgezeigt werden soll, wer hier schändet.

Die Begründung der Richter ist unrichtig, ihr Urteilsspruch beruht auf einem Denkfehler. Sie haben das Bild Nummer 10 falsch gedeutet; und es ist nicht etwa «Auffassungssache», sondern diese richterliche Deutung entbehrt jeden Sinnes. Sie arbeiten nicht einmal in ihrer eignen Domäne sauber, wie es sich gehört.

Die Prätention der Kirche aber, die sich wieder heftig rührt, um durch richterlichen Schutz eine rechtens in die Binsen gegangene Autorität schützen zu lassen, ist fehl am Ort. Sie hat ihr Wort Gottes verraten. Uns kann das gleich sein. Sie ist aber am wenigsten von allen legitimiert, die Heiligkeit ihrer Lehre zu verteidigen, an die kein gesunder, zum Soldatendienst gepreßter Mensch glauben kann, wenn sie ihm nicht in der Jugend das Gehirn verbogen haben. Wir wollen auch keinem der Beteiligten den Gefallen tun, an seine sachlichen Absichten zu glauben. Was hier getrieben wird, ist Politik.

Die Kirche, die aus den Inquisitionsprozessen die ihr lieb gewordene Übung hat, den armen Sünder den staatlichen Henkern zuzustoßen und selbst im Hintergrund aufdringlich diskret zu beten, wirft die ihr unbequemen politischen Gegner den Richtern vor; die Justiz stürzt sich mit Wonne auf Leute, die sie sowieso als «Aufrührer» empfindet. Die Kirche hat nach ihren völlig negativen Leistungen im Kriege kein Recht:

uns ihre Feiertage aufzuzwingen;

unsern Kindern ihre Lehren aufzuzwingen;

sich mit Glockengeläute und Gesetzgebung eine Beachtung zu verschaffen, die ihr nicht zukommt;

sich in allen Bildungsfragen aufzudrängen und in alle Kinderhorte einzudrängen, denn sie repräsentiert nicht das einzige mögliche Weltbild, sondern nur eines, und das noch sehr unvollkommen. Sie versuche zu überzeugen – sie siege im Zeichen des Kreuzes, nicht im Zeichen des Landgerichtsdirektors. Sie schweige.

Wenn heute in allen Ländern mit Konkordaten und politischen Druckmitteln die katholische Kirche eine gradezu unheilvolle Rolle spielt, so ist das die Schuld ihrer Gegner. Die sind schwach; die haben ein schlechtes Gewissen und getrauen sich nie, klar und laut zuzugeben, daß sie vom Fegefeuer nichts mehr wissen wollen, sie demonstrieren nur leise gegen die Kirchensteuer – und wenn die Germanen, die so viel mit den Juden zu kakeln haben, wirklich wüßten, daß der Vatikan sie so nebenbei, mit der linken, rot behandschuhten Hand, regiert: sie wüßten, wo ihr Feind steht. Aber das haben sie nie gewußt.

Gegen eine solche unzureichende Begründung aber ist zu sagen, daß die Kirche unsre Gefühle verletzt; daß die aggressive Politik der Katholiken in Bayern und anderswo geeignet ist, unser Empfinden zu verletzen. Dieser Schutz der Kirche ist ein Angriff auf uns.

Ignaz Wrobel, WB 19.3.1929

43

«Polizei und ...»

Nach einer berliner Straßendemonstration.
Ein Mann: «Die verfluchten Grünen! Ihr habt mein Kind ermordet! Ihr habt mein Kind ermordet!»
Die Grünen: «Der Mann muß sofort festgestellt werden! Er hat Ihr zu uns gesagt – er hat Sie zu sagen!»

Wahre Geschichte

Als ich noch im Flügelkleide leider nicht in die Mädchenschule ging, da spielten die Kinderchen des öfteren auf Straßen, Höfen und Anlagen, in Tordurchgängen und in der Stube: «Polizist und Betrunkener». Das lehrreiche Spiel endete gewöhnlich damit, daß der Betrunkene, der hervorragend zu torkeln hatte, auf die «Wache» gebracht und dort mit wüsten Faustschlägen in den Arrest gestoßen wurde. Seltsam, was die kindliche Phantasie nicht alles ersinnt –!

Da hat sich nun also Verschiedenes geändert. Unsere Kleinen spielen dergleichen nicht mehr, das Spiel müßte auch heute anders heißen, etwa «Landespolizei in Sachsen» oder «Reichswehr in Thüringen» – aber die Kinder haben anderes zu tun, und der Ruf der Polizei hat sich wesentlich gebessert. Die Polizei auch –?

Sie will es uns glauben machen. Dazu hat sie vor allem einmal das Dunkel etwas gelichtet, das unter dem Seligen um sie gelagert hat – sie wußte damals, wie gut, wie nötig, wie wichtig dieses Dunkel gewesen ist. Heute weiß man schon ein wenig mehr über die Polizei; ja es soll sogar einige Republikaner geben, die ihre Rechte und Pflichten der Polizei gegenüber auch kennen. Daß die Polizei allerdings das Abzeichen der Kriminalbeamten den Leuten dauernd zur Kenntnis bringt, ist nicht bekannt geworden, wahrscheinlich tut sie so, damit es niemand fälscht ... Und daher weiß niemand, ob ein echter Kriminalbeamter in die Wohnung kommt oder ein nachgemachter ... doch, man merkts am feinen Ton. Kurz: es gibt heute etwas wie eine Propaganda für die Polizei, das Wort «Volkspolizei» ist gefallen, was sich wohl auf die Vorbereitungen der Polizei für den Bürgerkrieg bezieht – und um Interesse und Verständnis für die Aufgaben der Polizei zu vermehren, hat der Staatssekretär im preußischen Ministerium des Innern, Herr Abegg, eine Sammlung herausgegeben ‹Polizei in Einzeldarstellungen› (erschienen bei Gersbach & Sohn zu Berlin).

Mir liegen drei Bände vor: ‹Polizei und Politik›, ‹Polizei und Sitte›, ‹Polizei und Verbrechen›.

Herr Abegg ist ein vernünftiger und klar denkender Mann. Er hat immer wieder bewiesen, daß er das Gute will, er hat, natürlich vergeblich, gegen den grotesken Wahnsinn der polizeilichen Verordnungswut gekämpft, und er gibt sich, scheints, Mühe, die Polizei wenigstens einigermaßen dienen und nicht herrschen zu lassen. Daß er nicht für alles verantwortlich zu machen ist, was da geschieht, weiß jeder Kenner – es gibt eben Reformen, die auf dem Wege der Evolution niemals zu erreichen sind. Wenigstens nicht in Deutschland. Wenn aber die ganze Sammlung der Polizeibücher so sein sollte wie diese drei Bände, dann ist sie nicht sehr schön. Die sind so:

Das Kapitel ‹Polizei und Politik› hat Herr Weiß bearbeitet, der Vize-Polizeipräsident von Berlin. Ich weiß nicht, warum ich immer lachen muß, wenn ich an den Mann denke – aber ich muß. Also dieses Büchlein geht an. Es ist sehr sorgfältig gearbeitet, es hat ein ganz brillantes Illustrations-Material und hält sich politisch wenigstens einigermaßen neutral. Ganz ohne Schönheitsflecken geht ja so etwas nie ab. Jurowski heißt «der Mörder des Zaren» – aber es gibt nur einen «Feldwebel Klapproth». Nun, mir ists recht, wenn unter der bösesten Fresse, die wir seit langem gesehen haben, «Feldwebel» steht – es deckt sich. Manchmal geht die Neutralität Weißens etwas weit. «Karl Liebknecht und Rosa Luxemburg, die am 15. Januar 1919 in der Nähe des Eden-Hotels zu Berlin, dem damaligen Standquartier der Garde-Kavallerie-Schützen-Division, in viehischer Roheit niedergeschlagen wurden» – von wem, Herr Doktor? «Erst», schreiben Sie, «erst mordete man Arbeiterführer ...» wer, Herr Doktor? Justav mußte damals zwar bleiben – aber es wäre hübsch gewesen, wenn Sie ausführlich erzählt hätten, wie es alles gewesen ist. Es sind auch echt polizeiliche Schwupper in dem Buch. Ich finde es einfach unanständig, heute, wo die Strafprozeßreform vor der Tür droht, einem politischen Abenteurer, der sicherlich nichts taugt, seine Homosexualität aufs Konto zu setzen. «Mit einem Laufjungen, den er für sein Bureau annimmt, tritt er in geschlechtliche Beziehungen.» Wäre es ein Laufmädel gewesen, so hätten Sie das nicht geschrieben – denn ich lese nichts davon, daß der Mann seine Stellung als Arbeitgeber mißbraucht habe. Homosexualität ist kein Delikt, Herr Vizepräsident – das Strafgesetzbuch macht sie nur dazu. Und da sie hier nicht zur Sache gehört, hätten Sie es fortlassen dürfen. Was Sie aber nicht hätten fortlassen sollen, ist dieses: Da haben Sie im Jahre 1921 einen Spanier und eine Spanierin in Berlin erwischt, die den spanischen Ministerpräsidenten Dato ermordet haben, eine Tat, die einwandfrei, auch von Ihnen, als politisches Delikt bezeichnet wird. Seite 153: «Daß den politisch Verfolgten ein Asylrecht im Ausland gebührt, d.h. daß sie von dort nicht dem verfolgenden Staat ausgeliefert zu werden brauchen, diesen Grundsatz des modernen Völkerrechts ...» Ach? Und diese beiden spanischen Revolutionäre sind nach Spanien ausgeliefert worden! Natürlich nicht von der politischen Polizei, das weiß ich wohl – aber erstens ist nicht klar, welche Rolle die in dieser Sache dem Auswärtigen Amt gegenüber gespielt hat, und zweitens hätten Sie sagen müssen, daß man sie ausgeliefert hat. Darin ist Deutschland stets besonders schuftig gewesen.

Aus dem Buch geht hervor, was wir wußten, daß es schlimmere Einrichtungen gibt als die politische Polizei Preußens, wenn auch dort Dinge vorgekommen sind, wie die Erschießung des Arbeiterführers Sylt, die nicht zu den Ruhmesblättern dieser Institution gehören. An Schlauheit, Macht, Einfluß und gefährlicher Skrupellosigkeit ist diese Polizei mit der politischen Polizei der lateinischen Länder nicht zu vergleichen. Und das ist gut so.

Im ganzen also ist das Buch ein kleiner Fortschritt, aber so hört es auf: «Die heutige politische Polizei macht von solchen eigenen Nachrichtenorganen im Auslande keinen Gebrauch, da sie diese Einrichtung für entbehrlich hält. Der Grund für diese gewandelte Auffassung: Im gegenwärtigen Preußen wird den Staatsfeinden mit einem solchen Maß von Rechtlichkeit und Menschlichkeit begegnet, daß überhaupt nur selten ein politischer Verbrecher ins Ausland flüchtet.» Warum ich nur immer lachen muß, wenn ich an den Herrn Weiß denke ... aber ich muß.

Laß man. Er ist der Schlimmste nicht. Der Schlimmste kommt erst. Das ist der p. Heindl, auf den ich neulich hingewiesen habe: als auf einen Schädling der Kriminalistik. Der hat ‹Polizei und Verbrechen› geschrieben, und so ist es auch.

Hier hat er sich etwas gemäßigt – so roh wie in seinen großen Wälzern ist er dies Mal nicht. Aber es reicht auch so für sechs Personen und ein Kind. Ich bin gar kein Waschlappen, und ich kann mir sehr wohl vorstellen, daß man in der Berufsarbeit des kriminalistischen Alltags nicht grade in lyrischen Tönen von den Verbrechern spricht – auch ein sehr hartes Wort rutscht da wohl hinaus. Aber das schreibt man nicht. Ich halte den Hohn, die schnoddrige Tonart dieses Heindl für unerträglich – wer ist der Mann, daß er sich herausnehmen darf, über Leute, die gesellschaftsschädliche Handlungen begangen haben, zu witzeln? Wer er ist? Aber ein mittelmäßiges Gehirn; niemals hätte er an die Stelle rücken dürfen, an die er gekommen ist. Er ist der typische Subalterne, der gut Bescheid weiß, der weiß, wo alles liegt, und wie man es alles macht – und der auch nicht den Schimmer einer Ahnung von Kriminalistik hat. Diesmal ist er schlau zu Werke gegangen.

Das Buch enthält eine Menge Photographien von Ermordeten. Ein Teil der Aufnahmen ist instruktiv, bei einem andern Teil wird man ein etwas saures Gefühl nicht los. Soweit gut. An diese Photographien nun, die in bunter Reihenfolge Opfer von Morden, Totschlägen, Unglücksfällen und Selbstmorden zeigen, knüpft der Schädling der Kriminalistik erneut «die Bitte an unsere Leser, in diesem nahen Endkampf zwischen der sogenannten ‹klassischen Rechtsstrafe› und der von uns im ‹Berufsverbrecher› verfochtenen ‹Sicherungsstrafe› unsern Standpunkt zu unterstützen. Nur dann kann erreicht werden, daß auch ein anderer Kampf befriedigend endet: der Kampf zwischen Polizei und Verbrechen.»

Und hier darf Herr Abegg gefragt werden:

Das deckt er –? Diesen Mißbrauch amtlichen Materials zur Propagierung einer höchst umstrittenen, höchst gefährlichen Strafrechts- … sagen wir, Idee – deckt er? Ich habe Briefe von Strafrechtspraktikern bekommen, die mir die Hand gedrückt haben, weil ich über Heindl ausgesagt habe, was zu sagen war. Der Mann ist deshalb eine so immense Gefahr, weil er den guten Willen der anständigen Beamten, die in der Strafvollzugspflege arbeiten, sabotiert; weil sich der roheste, der letzte, der übelste Sadistenlümmel auf ihn berufen kann und sagen darf: «Seht ihr! Natürlich behandele ich diese Kerls schlecht! Der Ministerialrat Heindl sagts ja auch – und das ist gewiß ein großer Kriminalist!» Das ist er mitnichten. Sondern er ist das typische Beispiel dafür, daß Fachkenntnisse allein noch gar nichts sind und daß eben für eine höhere Stellung jene «universitas» nötig ist, die Heindl nicht einmal dem Namen nach kennt. Die Daktyloskopie – die kennt er. Und wenn wiederum ich die Fingerabdrücke dieses Schreibers auf einem Papier sehe, dann weiß ich Bescheid. Die Theorie von der Sicherheitsverwahrung ist ein Wahnsinn und eine ungeheure politische Gefahr, die auszuschalten ist, sobald sie auftaucht. Sie darf nicht im geheimen über das Land verhängt werden.

Lasset uns freundlichere Töne anschlagen, lieben Freunde, – da ist das dritte Bändchen ‹Polizei und Sitte›. Vom Geheimen Sanitätsrat Doktor Albert Moll.

Da muß etwas ganz Lustiges vor sich gegangen sein. «Nachwort. Leider sind einige Druckfehler durch die Schuld des Verlegers … stehen geblieben und ebenso einige Bilder hineingekommen, die ich nicht für unbedingt notwendig halte. Der Verlag hat zu meinem tiefsten Bedauern seinerzeit sich für berechtigt gehalten, das Buch ohne meine Imprimatur auszudrucken.» Abgesehen davon, daß «Imprimatur» kein Substantiv ist, sondern eine Verbalform, die also nur Neutrum sein kann: die Bilder sind allerdings finster. Ihr braucht euch das Ding nicht zu kaufen – das kennt ihr alles schon von Eduard Fuchs her; dies hier ist eine Sammlung von höchst kitschigen, dummen und albernen Halb-Pornographien, die deshalb so komisch wirken, weil sie für eine Geilheit berechnet sind, die Gott sei Dank immer mehr abstirbt. Der Sport tötet das – hier gespenstert noch der Mann durch die Seiten, der mit dem Operngucker das Damenbad beobachtet … Die Bildunterschriften sind noch schlimmer als bei Fuchs, der auch alles rational ausdeuten will, und hier haben sie auch glücklich wieder Beardsley hineingenommen, weil der doch so, verstehen Sie, also, nicht wahr … also so einer ist das! Ein paar Nutten werden «Moderne Demimondainen» genannt, es ist die Welt, wie sie sich in der Landsberger Straße spiegelt, ich habe das nicht gern. George Grosz hat ein paar Unterschriften hingedonnert bekommen, die schlicht albern zu nennen sind, und was an braver Bürgererotik zu sehen ist, steht eben nicht in Anführungsstrichen da, sondern höchst ernsthaft. Mit den Bildern ist kein Staat zu machen.

Mit dem Text aber auch nicht. Moll ist ein sehr kenntnisreicher Mann, er tritt auch an vielen Stellen des Buches für eine liberalere

Gestaltung des Sexual-Strafrechts ein – aber die richtige Liebe ist das nicht. Daß er so einen herrlichen preußischen Satz prägt wie: «Die gegenwärtige Strafbestimmung des § 175 ist für die Polizei selbst eine große Belästigung» soll ihm nicht angekreidet werden, niemand kann aus seiner Haut heraus, und nächstens werden wir noch den Henker bedauern, weil er immer so früh aufstehen muß. Aber trotzdem ich doch weiß, daß so ein kleines Büchlein nun nicht das Weiseste vom Weisesten sein kann –: ich werde ein peinliches Gefühl nicht los. Was ist es …? Ja … lassen Sie mich noch mal schmecken – also es schmeckt … jetzt hab ichs.

Es schmeckt nach 1890. Es ist eine Generationenfrage – aber das da ist nicht mehr unsre Sexualität, deren Form sich ja dauernd wandelt. Es ist ein Aberglaube der betreffenden Professoren, zu glauben, die jeweilige Epoche sei die letzte Formung der Geschlechtsbeziehungen – sie stellt immer nur eine Epoche dar, und in zwanzig oder fünfzig Jahren sieht das dann anders aus. In allem, was Moll schreibt und sagt und tut, ist noch so viel Schummer und Halbdunkel und eine ganz, ganz leise, fast unmerkliche Spekulation, ob wir das auch alles ja hübsch unheimlich finden – Kinder, ein Puff ist doch keine Prärie! Ein Bordell und der Masochismus und die Zuhälter und die Voyeure … das sind Erscheinungen, die man medizinisch ansehen kann und, was alle die Herren Einzeldarsteller der Polizei überhaupt nicht tun, soziologisch; aber romantisch? Moll schwafelt nicht, er schreibt sogar diesen recht trocknen Polizeistil, der da glaubt, er habe eine Sache eingefangen, wenn er sie mit der etwas verqueren Grammatik des Gerichtsprotokolls ins «Amtliche» übersetzt, ihm so den Ludergeruch der Sünde nehmend – Moll ist nicht Edschmid. Aber er ist eben doch von gestern; es ist nicht viel mit ihm. Ich weiß nicht, ob er gestern ein gar so großer Mann gewesen ist – heute ist er gewiß ein kleiner. «Man soll nicht etwa glauben, daß in der Ehe Aufrichtigkeit der beiden Gatten gegeneinander identisch ist mit vollkommener seelischer und körperlicher Entblößung. So ist es eine Tatsache, daß sich wohl die meisten Eheleute überhaupt niemals vollkommen nackend sehen, und daß selbst bei dem intimsten Liebesakt die Dunkelheit der Beleuchtung vorgezogen wird. Aber die Tatsache, daß heute die Sitten erheblich geändert sind, ist nicht zu bestreiten, und daß in der Unterhaltung junger Männer und Mädchen manches erlaubt ist, was früher vollkommen unzulässig war, ist nicht zu bestreiten.» Das ist Gesinnungsbier, helles Lagerbräu. Ich bin für Wein. Franz Blei hat einmal auf das schönste dargetan, daß der Mord unter den Menschen dann aufhören würde, wenn der Mörder ausgelacht wird! Das ist gar kein Paradoxon: er meinte natürlich die geistige Überwindung der Mordtat, die darin liegt, daß der, der einen Mord begehen will, einsieht: es ist ja in höherm Sinne sinnlos, was ich hier tun will – es ändert ja nichts, ob der lebt oder nicht! Und so etwas Ähnliches liegt auch hier vor. Diese durch die unendliche Schuld der Kirche anerzogene Fixierung der Geschlechtsteile … also grade das schaffen wir ab, indem wir den sportlichen Körper als ganzen sehen – ja, die Frau hat schöne Hüften – na und? Ja, sie hat einen zu dicken Popo – na und? Ich weiß, daß Moll wie alle Spezialisten sein Gebiet überwertig ansieht, sonst könnte ers nicht beackern; ich weiß, daß sich dieses Buch mit der «Sitte» befaßt, also nicht über den Anbau von Teltower Rübchen sprechen kann … und doch ist ein fataler Dunst darin von der alten Friedrichstraße, von gestern, von vorgestern … ein paar Bilder zeigen das deutlich, was ich meine. Es sind Photos aus einem Bordell: ein unendlich trauriges, mäßig möbliertes Zimmer, mit einem breiten Bett, darauf sitzt ein Teddybär, am Bett ist ein langer Spiegel – und man möchte weinen, wenn man das sieht! Es ist so melancholisch – aus so einem Topf sollte man trinken? So viel Durst kann es ja gar nicht geben.

Grade, weil das neue Strafgesetz drohend über unsern Köpfen hängt, brauchen wir andre Darstellungen dieser Materie. In der die Polizei übrigens fast immer wie der Ochse im Porzellanladen wirkt: mit tödlich sicherm Instinkt den Falschen erwischend, am Richtigen vorbeiwandelnd, plumpfingrig, ungeschickt, ahnungslos – es ist ein Kreuz. Die grauenhaften Folgen der Rechtsprechung des Reichsgerichtspräsidenten Herrn Joel, nein, nicht: Herr Simons! Herr Joel; die gradezu sträflich gemeinen Auffassungen von der «Unsittlichkeit des unehelichen Verkehrs»; der Hexenhammer-Wahnsinn, der in der Auslegung des § 175 waltet; die Dummheit, mit der der Gonorrhoe dadurch Vorschub geleistet wird, daß auch heute, nach dem neuen Gesetz, der Verkauf von Schutzmitteln sehr eingeschränkt bleibt, statt daß man überall Automaten mit Präservativs zuläßt, worüber nur jemand grinsen kann, der noch nie in einer Hautklinik gewesen ist –: alles das ist vom Zentrum ins Zentrum geschossen. Es wirft schon in diesem Buch seine Schatten vorauf; übrigens macht Moll fast immer auf die Doppelschneidigkeit dieser Gesetzesbestimmungen aufmerksam. Die öffentliche Anpreisung von Gummi also ist verboten; aber das neue Strafgesetz ist aus nichts anderm. Wie nun nicht mehr nötig sein soll, daß öffentliches Ärgernis erregt ist, sondern wie es schon genügen soll, daß die Handlung geeignet ist, öffentliches Ärgernis zu erregen – ihr kriegt ein schönes Strafgesetz! Aber jeder bekommt das Gesetz, das er verdient. Wenn ihr schweigt, haben die Dunkelmänner-Kommissionen mit Herrn Kahl an der Spitze recht, und ihr seid die Dummen.

Ja, nun habe ich also aus den Photographien von «Severing als Subjekt und Objekt der preußischen Polizei» und Fingerabdrükken und «Behördlich nicht beanstandete Aktaufnahme» gelernt, so viel ich daraus lernen konnte. Sehr viel wars nicht. Immerhin: die Polizei modernisiert sich.

Sie lasse sich gesagt sein:

Die besten Einzeldarstellungen der Polizei sind ihre Beamten.

Ignaz Wrobel, WB 26.3.1929

44

Anonyme Briefe

Lieber Rudolf Leonhard!

Ich habe keinen schlechten Schreck bekommen, als das dicke Paket angekommen ist: ein Stück! ich soll ein Stück lesen –! Wenn Sie wüßten, wie das ist … aber Sie wissen es, denn Sie sind jahrelang Lektor im Verlag der «Schmiede» gewesen, die Ihre Arbeit nie verdient hat. Die Beschwerlichkeit, zweihundert Schreibmaschinenseiten zu durchackern; die Langeweile; die Schwierigkeit, ein Land fremder Phantasie mit eignen Gedanken zu bevölkern – denn dies allein ist: lesen; die etwas resignierte Geste, mit der man das Ganze zuklappt – und dann der saugende Blick des Autors: wie hat es dir gefallen? wie ist es mit mir? bin ich nicht ein begabtes Kind? die fade Lüge, die man dann sagen muß … es ist nicht sehr heiter.

Sie haben ein ausgezeichnetes Theaterstück geschrieben, Rudolf Leonhard.

Es heißt ‹Anonyme Briefe› – und es zeigt, wie eine ganze Stadt unter den Hagelschauer jener kleinen gefalteten Zettel gerät, die, sobald sie der Postbote ins Haus bringt, keine Zettel mehr sind – sondern Briefe. Wie Firmen durch sie ins Wanken geraten; wie Bettgeheimnisse öffentlich werden, den Voyeurs einen kräftigen Sexualschauer nach dem andern über den Rücken jagend und Neid, Neid; wie sich die Spitzen der Gesellschaft waidwund in die Löcher des Privatlebens verkriechen, und wie sich nun endlich – als Krönung des Ganzen – das Gericht mit breitem Hintern auf den Unflat setzt. Der Verteidiger will Karriere machen, der Vorsitzende ersauft im Wust der §§, der Staatsanwalt donnert, die Polizei macht sich mausig – und richtig, ein Angeklagter ist auch noch da. Aber der wird so nebenbei freigesprochen, nachdem sich der Witz der Juristen an ihm geübt hat – und wenn er sich nachher umbringt, so ist dies allenfalls eine Aktennotiz und nicht einmal das. Ein Selbstmord? Z. d. A.

Sie zeigen uns den Schreiber dieser Briefe nicht – wir hören ihn nur; in drei wundervollen, filmischen Szenen hören wir seine Stimme und sehen nur einmal den Schatten seines Kopfes und sehen seine schreibende Hand.

Man wird Ihr Stück mit den ‹Verbrechern› vergleichen – aber ich halte es für bedeutend besser; Sie werden vielleicht in den Verdacht kommen, Herr Bruckner zu sein, und ich weiß nicht, ob Sie es sind. Daß aber diese wirbelnde Tragikomödie der ‹Anonymen Briefe› viele gute Aufführungen verdient, das weiß ich gewiß, und wenn Sie nach der hundertsten Ihren Freunden ein Abendessen geben, dann schreiben Sie ein weingeflecktes Kärtchen an

Ihren

Peter Panter

Peter Panter, WB 26. 3. 1929

Gut geschrieben! – Kritik an Freunden

I.
Schwarz auf Weiß

Gut geschrieben ist gut gedacht. Der Deutsche ist ein «Bruder Innerlich» und entschuldigte gern einen ungepflegten Stil mit der Tiefe des Gemüts, aus der es dumpf heraufkocht … Gott sieht aufs Herz, sagte er dann. Der Künstler sieht auch auf den Stil.

Seit Nietzsche dem Deutschen wieder eine Prosa gegeben hat, wissen zwar noch lange nicht alle Schriftsteller, was es heißt: «an einer Seite Prosa wie an einer Bildsäule zu arbeiten» – aber viele wissen es. Alfred Polgar zum Beispiel weiß es.

Was ich an diesem Mann neben der untadligen Reinheit der Gesinnung und dem Takt des Herzens so liebe, ist eben, daß er «gut schreibt» – das heißt: daß er zu Ende denkt, reinlich denkt, hell und klar denkt, und ein gepflegtes, durch alle Regeln der Grammatik mühelos schlüpfendes Deutsch schreibt. Ich liebe an der Literatur auch das Handwerk, das kein Ziel ist, aber eine Voraussetzung. Dieses Handwerk braucht vielerlei: Lehrzeit, Ruhe, Geduld und Gefühl für die Sprache.

«Alfred Polgar», hat Siegfried Jacobsohn einmal gesagt, «ist ein Kelterer.» Das ist wahr: er keltert den Wein der deutschen Sprache, die schön ist – aber diese Schönheit muß ihr abgerungen werden. Mit Arbeit soll man nicht prahlen – aber man darf sagen, daß es das nur in ganz seltenen Ausnahmefällen gibt: «aus dem Ärmel schütteln». Im Ärmel ist nicht viel: höchstens ein paar Staubfäserchen und Wollflocken … geschüttelt wird hier nicht: wir wollen arbeiten.

Die Frauen, für die dieses Blatt gemacht ist, werden Polgar noch mehr zu schätzen wissen, als ich es tun kann: er ist, neben vielem andern, ein im allerbesten Sinne homme de lettres à femmes; auch, wenn er gar nicht von den Frauen spricht, fühlt jede sofort: dieser weiß, wie ich bin, versteht mich, streichelt mich, fürchtet mich, liebt mich, ist für mich da. Vor dieser Zartheit kommt sich unsereiner vor wie der rauhe Jäger, der den Hirsch im wilden Forst jagt …

> Und dennoch hab' ich harter Mann
> die Liebe auch gefühlt …

Polgars neuer Auswahlband ‹Schwarz auf Weiß› (bei unserm gemeinsamen Verleger Ernst Rowohlt erschienen) enthält Kostbarkeiten über Kostbarkeiten. Und ist gut geschrieben. Ich kenne den Schaffensprozeß Polgars nicht und weiß nicht, ob er im Hirn korrigiert oder auf dem Papier, das soll uns auch nicht kümmern. Eine überwache Aufmerksamkeit verhindert auch den leisesten Schwupper; nie drängeln sich die Worte vor der Hirnpforte des Lesers, sie gleiten hinein, verbeugen sich artig voreinander und sind höflich und glatt wie die Japaner … Auch hat Polgar den innern Rhythmus der deutschen Prosa begriffen: es gibt stakkatone Stücke; Allegro und Scherzo wechseln miteinander ab, aber meist ist es ein bezauberndes Andante, darin die Spitzen der Ironie einer längst ins Heitere gewandelten Qual und einer nicht immer süßen Erkenntnis auffunkeln. Manchmal rührt sich die Trommel des Scherzes: «Es wäre peinlich, wenn Sie von diesem Abend sagten: Heute war ich zweimal bei einer Vorlesung Polgars: zum ersten- und zum letztenmal.» Von Arne Borg: «Er schwimmt nicht, was zu sagen ja wirklich nahe läge: wie ein Fisch. Nein, ein Fisch schlechtweg reicht nicht aus zum Bilde. Er schwimmt wie ein gehetzter Fisch, wie ein Eilfisch, poisson rapide, wie ein aus der Pistole geschossener Fisch.» Paukenschlag: «Tiere, außer man zwingt sie dazu, haben keinen Beruf.» Traum über das traurige Dasein eines Liftpagen – wenn man ihm das ganze Hotel schenkte …? Sollte man eigentlich … «wenn auch vielleicht eine seiner ersten Chef-Anordnungen wäre, Personal und Lieferanten die Benützung des Aufzugs zu verbieten.» Dann die bezaubernde Studie über den ‹Fensterplatz› – was so der Reisende im Zug denkt, nicht denkt, sanft dahindämmernd in den Wolken der Heniden und oft den Fensterplatz mit einem Gemeinplatz vertauschend. Schau, da pflügt ein Bauer seinen Acker –! «Sinnend blickst du, Stadtmann, dem Landmann nach, der dir sinnend nachblickt.»

Das wahre Kennzeichen eines guten Stils ist seine Gedrungenheit – es kann einer breit schreiben, aber er soll nicht auswalzen – die Kürze ist nicht nur die Würze des Witzes, sie ist die Würze jedes guten Stils. Auch ein Roman von sechshundert Seiten kann kurz sein.

Schneider Polgar, wir arbeiten in derselben Innung – ich habe es nicht leicht, Ihnen eine Liebeserklärung zu machen. Nicht nur, weil Sie mir überlegen sind – wackeln Sie nicht mit der Schere – Sie sind es, und warum soll sich ein Läufer nicht vor Nurmi beugen –? Ich beuge mich. Ich weiß, wie Sie manches nähen, welchen Zwirn Sie verwandt haben, bei wem Sie das Rohmaterial einkaufen … aber wenn es nachher fertig ist, dann ist es doch unbegreiflich und überraschend, und ich befühle die Nähte und die Knöpfe und den Besatz und frage mich: Wie macht er das –? Manchmal weiß ich es: so, wenn eine winzige Bosheit, scheinbar verkleidet und leise vor sich hinpfeifend, mit den andern Gedanken, als sei gar nichts geschehen, vorbeispaziert … Von Egon Friedell: «Er raucht lange Pfeife, schwimmt wie ein Meisterschwimmer, liebt die Geselligkeit und das Einschlafen im muntern Kreise …» Aber in tausend andern Fällen weiß ich nicht, wie Sie nähen.

Ich weiß nur, daß es «gut geschrieben» ist. Weil es sauber ist und gesinnungsvoll; voller Eleganz und Charme, weil die Fäden der Arbeit nicht mehr erkennbar sind, und weil Sie der deutschen Sprache nie etwas Böses tun. Sie haben ihr nur viele prächtige Kinder gemacht.

Peter Panter, Die losen Blätter, März 1929

46

Familienbande

Die Familienbande … also wir wollen höflich sein.

Was hält die Familie zusammen –? Die gemeinsame Abstammung? Die Stimme des Blutes? Das allein kann's nicht sein.

Wenn Onkel Edgar, der schon als junger Mann nach Madagaskar gegangen ist, weil er sich zu viel auf den Rennplätzen herumgetrieben hat, wieder zurückkommt, dann verkriechen sich die Kinder und sagen zu Mama: «Da ist ein fremder Herr im Salon –!» und auch in den vier Wochen, wo er in der Familie lebt, wird das nichts Rechtes. Da fehlt irgend etwas …

Es fehlt die Gemeinsamkeit der kleinen Hauserlebnisse. Und die sind es, die die Familie zu einer kompakten Einheit zusammenschweißen, mit Verlaub zu sagen. Familienmitglieder sind alte Kriegskameraden.

Denn die Vertraulichkeit zwischen den Angehörigen desselben Familienstammes, eine Vertraulichkeit, die dem andern noch die Haut abschält, um zu sehen, was darunter ist, stammt daher, daß alle Beteiligten, Schulter an Schulter und Unterhose an Unterhose den Stürmen des Lebens getrotzt haben.

Der Familienkalender hat seine eigene Einteilung und mit dem gregorianischen wenig zu tun. Das war im Jahre 1921? Nein: «Das war damals, als Tante Frida deine Stehlampe umgeworfen hat!» Vor zwei Jahren –? Nein: «Du weißt doch, Erich kam mit seiner Zensur, und da hat sich Papa noch so aufgeregt …» So war das.

Krach eint.

Der Gasometer läuft. Erst tropft er, niemand merkt's, dann tropft er stärker, immer noch merkt's keiner; dann drippelt er ganz rasch, ein kleiner See steht im Korridor – und nun laufen sie alle zusammen. Der Gasometer ist gar kein Gasometer mehr, sondern Prüfstein der Charaktere, Riff, an dem sich die Wogen der Temperamente brechen, Stein der Weisen und Stein der Dummen; Anlaß, Exposition und das Ding an sich. – «Hundertmal hab ich schon gesagt, ihr sollt besser auf den Gasometer aufpassen!» – «Vorhin, gnä' Frau, wie er noch nicht gelaufen hat, da hat er noch nicht gelaufen – und da hab' ich noch nachgesehen – –» – «Bring mal ein Wischtuch her – nein, das nicht – Gott, ist das ein Ochse! – den Scheuerlappen!» – «Mama, wo ist denn mein Schrankschlüssel?» – «Mama, es hat geklingelt!» – «Ich bin kein Ochse!» – «Widersprich nicht immer –!» – «Aua, Edith kneift mich!» – «Gnädige Frau, die Gasrechnung!» – «Der Gasmann soll mal herkommen –!» – «Mama, wo ist denn mein Schrankschlüssel?» – «Hier sehn Sie mal: der Gasometer läuft!» – «Ick bin bloß für die Rechnung – det er looft, det jeht mir jahnischt an!» – «Mama, wo ist denn mein Schrankschlüssel?» – «Emma, wenn Sie noch ein einziges Mal …» Krach eint.

Die Einigung wird um so stärker empfunden, je mehr sich die Mitglieder dieses Indianerstammes von einander zu entfernen wünschen. Das machen sie so:

«Papa, guck mal – unser neuer Teppich –!» – Papa: «Na, da habt Ihr euch ja schön bekauft –!» (Ihr – er gehört nicht dazu.) «Arthur, Tante Rosa kommt heute abend zum Abendbrot – sei pünktlich!» – «Kinder, Ihr müßt auch immer die ganze Verwandtschaft einladen. Das wird ja schön langweilig werden bei euch!» – Es ist der letzte schwache Versuch des Individuums, sich als solches zu behaupten – aber er mißlingt immer: denn der Mensch in der Familie ist gar kein Mensch, sondern nur Gruppenteil, Partikel einer Kollektivität und Glied in der Kette, die ihn sanft und unnachgiebig umschlingt. Und das eint.

Daher man denn nicht sagen sollte: Herr X. stammt aus der Familie der Henkeltopfs – sondern man sollte sagen: Er entstammt der Hausgemeinschaft Geisbergstraße 67, Maaßenstraße Nr. 11 und Haberlandstraße 5 – denn es sind nicht die Bande des Blutes, die einen – sondern die Bande des Krachs und der gemeinschaftlichen Erlebnisse.

Daher die grandiose Respektlosigkeit, die Familienmitglieder für einander haben. Kommt ein Fremder hinzu und bewundert die feingeschwungene Nase Gerties; den süßen Brustansatz Lieschens; das Pfeiftalent Fritzchens und den Witz Papas, dann gähnt die Familie und ist höchstens gelangweilt geschmeichelt. Eine Sensation ist das nicht mehr. Wegen des Geruchs im Korridor hat die feingeschwungene Nase Gerties zu oft sich selbst gerümpft; den süßen Brustansatz Lieschens haben sie bis da, Fritz pfeift und soll das nicht, und Papa macht immer dieselben Witze. Man ist kein Held in Unterhosen: vor seinem Kammerdiener nicht und vor der Familie schon gar nicht.

Man liebt sich auseinander, aber man zankt sich zusammen.

Und weil sich gleichnamige Pole abstoßen, so stoßen sich die Pole der Familie so lange ab, bis sie ganz rund geschliffen sind, auseinander können sie nicht, und sie kennen sich viel zu genau, um sich lieben zu können, obgleich jeder von sich behauptet, er sei ein unverstandenes Kind, und die in der Familie hätten auch nicht den Schimmer einer Ahnung, wer da unter ihnen weile – und wenn die Familie nicht wäre, so wäre jeder schon längst Napoleon und Ford und Josephine Baker in einem. Denn wer ist an allem schuld –? Die Familie.

Man kann sich fremde, große Männer und Frauen nur sehr schwer in ihrer Familie vorstellen: für uns schweben sie ewiglich in einer Wolke des Ruhmes und der Gloriole ihrer Werke ... In Wahrheit ist das aber ganz anders.

«Benito!» sagt Frau Mussolini zu Herrn Mussolini, «den Kragen kannst du nicht mehr umbinden – erstens ist er ausgefranst, und zweitens siehst du darin wirklich nicht gut aus. Ich habe mich neulich so über die Photographie im New York Herald geärgert, ausgerechnet an dem Tag mußt du diesen alten Kragen tragen!» – «Mach mich nicht nervös», sagt der Diktator. «Das ist ein schöner Kragen – eine gute italienische Marke, und das englische Zeug mag ich nicht, das du mir da gekauft hast ... Himmelherrgottdonnerwetter – jetzt ist das Knopfloch geplatzt –!» – «Beenchen ...» – «Porco dio!» sagt Italien und wirft den Kragen wütend auf den Boden; «Madonna! Verfl – –»

Ein guter Familienvater braucht den Krach; es ist wie mit dem Druck der Atmosphäre: ohne den zerplatzte er. Daher sich denn auch Junggesellen mit einer Geliebten zu umgeben pflegen, die ihnen tagtäglich denselben Zimt aufführt. Denn was eint die Familie –?

Blut ist dicker als Wasser; Krach ist dicker als Blut, und stärker als alle drei beide ist die Gewöhnung.

Peter Panter, Uhu, April 1929

47

Der liebe Gott in Frankreich

Wie verschieden ist es doch so im menschlichen Leben –! Bringt in Deutschland jemand die Gedankenvorstellungen der Kirche mit dem Humor in nähern Zusammenhang, dann finden sich nicht nur etliche Domdechanten, sondern noch mehr Richter, die aus einem politischen Diktaturparagraphen – dem 166 – herausinterpretieren, was man nur wünscht. In Frankreich gibt es doch immerhin dieselbe katholische Kirche, über den Erdkreis hinweg, aber da sieht es nun so aus:

In den «Deux-Anes» steigt eine der kleinen Revuen, über die wir uns schon manchmal unterhalten haben. Siebentes Bild: «Restaurant zum bekränzten Bürzel». Und weil ja in den feinen Hotels die Speisen feierlich dargebracht werden, dort also nicht gegessen, sondern ein Essen zelebriert wird, so sehen wir nunmehr ein ganzes Diner auf eine recht absonderliche Weise serviert.

Vor dem Altar der Office steht der Maître d'Hôtel, er macht viele kleine Verbeugungen und ruft mit modulierender Stimme die Speisen aus. «Le Potage de la Vierge Printanière» – und Frauenstimmen aus der Küche respondieren: «... printanière –!» die Gäste nehmen keine Abendmahlzeit ein, sondern ein Abendmahl, der zweite Kellner schwenkt den Salatkorb wie eine Räucherpfanne, die Musik spielt Gounod-Bach, und es ist – wie die Prospekte der Beerdigungsinstitute sagen – eine Mahlzeit erster Klasse. Der Ober nennt die Gäste «Nos fidèles», was gleichzeitig treu und gläubig heißt – alles geht sehr schnell, und wenn es vorbei ist, dann singt der Chor der Kellner:

«Avé – avé – avez-vous bien diné?»

und alles lacht und klatscht. In den Zeitungen kein böses Wort. Im Publikum kein fader Jude, dem plötzlich das böse Gewissen schlägt und der pogromängstlich «geschmakkkkklos» murmelt, denn es geht nichts über den Katholizismus gebildet aufgeklärter Juden – kein frommer Abgeordneter, der nun aber neue Gesetze gegen Schmutz und Schund fordert ... nichts.

Eine andre Rasse, gewiß. Damit ist noch nicht bewiesen, daß es in lateinischen Ländern mit dem Humor anders ist als bei uns, gewiß.

Aber glaubt doch ja nicht, daß es, alle Leichtigkeit des französischen Humors zugegeben, hier immer so gewesen ist. Die Kirche hat das Land einmal beherrscht. Und mit dem Patriotismus könnte man sich die gleiche Szene kaum ausdenken – da gäbe es Krach. Mit der Kirche aber ...

Die hat eben – trotz allem – in Frankreich zum mindesten nicht die Macht, das öffentliche Leben so zu knebeln, wie sie das lautlos in Deutschland tut, wo alles kuscht, wenn sie bimmelt, und wo kein Mensch auf unsre Empfindungen Rücksicht nimmt, auf uns, deren Gefühle verletzt werden, wenn ein Pfaffe von der Kanzel herunter zum Mord hetzt. «Avé-vous bien diné?» Wenn man die deutsche Zentrumsherrschaft mitansieht, kann man nur sagen: Mahlzeit!

Peter Panter, WB 2.4.1929

48

Am Rande des Reichtums

Am Rande des Reichtums, da, wo er über die immer mehr und mehr verschwindende Bürgerlichkeit in die Unversorgtheit übergeht, wohnt ein merkwürdiger Stamm. Da wohnen die Affen der reichen Leute.

Es wohnen dort jene Balzac-Figuren, die es auf der ganzen Erde gibt –: sie leben mit den Reichen, ein bißchen von den Reichen, unter den Reichen – aber sie selbst sind nicht reich. Niemand weiß ganz genau, wovon sie eigentlich leben; die Armen halten sie für reich, die Reichen für unbemittelt, sie selbst wissen nicht, was sie sind. Sie wissen nur, immer wieder, eines Morgens: «Es muß etwas geschehen. Noch diese Woche brauchen wir Geld.» Dann geschieht etwas.

Dann macht sich die Wanze des Reichtums auf und entriert, mit der Miene des Reichen, halb gesellschaftlich, scheinbar zum Privatvergnügen, ein Geschäft. Es ist mehr eine schlendernde, eine atemlos schlendernde Tätigkeit, bei der zufällig, wie ein Spielgewinn – etwas abfällt: eine Provision, ein Verdienst, ein Plus … sie warten so darauf und streichen es nachher lässig ein und, wenn sie klug sind, langsam. Diese Art von Geschäften wird mit den Mitteln der Reichen gemacht, mit entliehenen Mitteln und Formen, mit deren Sprache, Auftreten, Gesten und feinen Manieren. Dahinter grinsen der Hunger, die Demütigung, die Angst.

Sie wohnen am Rande des Reichtums und haben ihren Brot- und Kuchengebern genau abgesehen, wie die es machen. Sie wohnen in denselben Hotels und wissen nicht immer, wovon sie die nächste Rechnung bezahlen werden; sie spielen dieselben Spiele wie die Reichen, treiben dieselben kleinen Golfbälle wie jene vor sich hin, schlafen mit denselben Frauen und borgen dieselben Banken an … Sie selbst sind nicht reich. Aber sie spielen «reich» – sie wissen viel genauer als die wirklich Reichen, welche Krawatte unmöglich ist und welchen Maler man gerade trägt; worüber man noch lacht und worüber schon wieder; wo man im Februar zu sein hat und wo im Mai – sie sind erbarmungslos mondain …

Die reichen Leute lassen's hingehn. Sie zahlen, bewußt wenigstens, nicht viel dazu – niemand ist ja so geizig wie die reichen Leute. Wir andern bringen's zu nichts, weil wir das Geld nicht so hitzig lieben, und das Geld kommt nur zu dem, der es sich noch im Schlaf erstöhnt. Die reichen Leute lassen die am Rande des Reichtums gewähren – sie sind nett mit ihnen, solange sie nicht angeborgt werden, solange der Schwindel nicht beim Tee aufknallt, solange man die Fiktion aufrechterhalten kann: auch jene gehörten dazu. «Kommen Sie nach Venedig, dieses Jahr –?» Kommt er nicht, wird man ihn kaum vermissen; kommt er, wird er stürmisch begrüßt, mit jener Überschwänglichkeit, die kein Herz hat. «Nein! Sie auch hier –?»

Es wimmelt am Rande des Reichtums von solchen, die mit Härte heruntersehen, die Stufen hinunter, die sie gleich, um Gottes willen, hinunterfallen können, und dann wäre alles aus. Aber noch stehen sie oben. Noch gehen sie hinter den Reichen her, wie die Suite eines Generals, der die Front abschreitet – die Angehörigen des Stabes sind so froh, nicht in der Front stehen zu müssen, und sie machen alle ein hochmütiges Gesicht … Noch sind sie da und verachten maßlos ihre wahren Genossen der gleichen Steuerstufe, verkleidete Habenichtse … «Wie macht der Mann das bloß –?» Allgemeines Achselzucken. Solange er nichts von uns will … Ein bißchen viel eingeladen ist er, das ist wahr – auf seinen Reisen genießt er allerhand dunkle Vergünstigungen von Dampfergesellschaften, er gibt sich als Korrespondent aus, kennt – natürlich – den Direktor des Reisebüros, nimmt Ermäßigungen an, als erweise er dem andern noch eine Gefälligkeit … wie macht er es bloß –?

Wie macht sie es bloß –? Frauen sind in diesem Grenzbezirk des Reichtums häufig; nicht einmal Hochstaplerinnen, nicht bezahlte Frauen, so ist die Farbe ihrer Kostüme nicht; diese Farbe ist gestreift, changeant, schillernd … Sie vermitteln Ankäufe von Bildern und schmarotzen im Kunsthandel, welch Pleonasmus! – sie haben die Finger in mancherlei Autogeschäften und Buchsubskriptionen – sie sind immer sehr hübsch angezogen, kopiert das Modell, kopiert die Umgangsformen, kopiert ein Leben … wie macht die Frau das bloß –? Allgemeines Achselzucken.

Das hat's immer gegeben. Gesellschaftliche Übergänge sind niemals scharf – die Grenzen sind verwischt, es gibt zwischen Arm und Reich, zwischen Groß- und Klein-Bourgeoisie immer ein «Niemandsland», einen Korridor, bitter umkämpft, eine Grenzmark, die noch immer nicht und nicht mehr ist … gewöhnlich haben solche Grenzbewohner die schlechten Eigenschaften der beiden Volksstämme, zwischen denen sie wohnen. Diese hier, am Rande des Reichtums, sind hungrig wie die Armen und stolz wie die Reichen; skrupellos wie die, die nichts zu verlieren haben, und frech-gesättigt wie die, die nie hungerten – noch nicht und nicht mehr. Manche fallen endgültig herunter, wohin sie gehören – in die kleine Dreizimmerwohnung, an die sie sich nie mehr gewöhnen werden; manche fassen Fuß und bleiben oben und haben alles vergessen: Vater und Mutter und Herkunft und Mittel des Aufstiegs. «Man legt doch zum Lunch kein Bettlaken auf den Tisch …» Es sind sehr feine Leute.

Der Rest wimmelt zwischen den beiden Lagern. Viele Männer, noch mehr Frauen, lebend von den Prozenten, so von des Reichen Tische fallen, mit sehr viel Snobismus und einem noch größeren Debet auf dem Konto des befreundeten Bankiers – sind viel zu klug, um bei Lektüre dieses Artikels zu erkennen zu geben, daß sie sich getroffen fühlen.

Peter Panter, Voss 7.4.1929

49

Wie machen wir einander das Leben leichter? Klug sein!

Wir machen uns das Leben leichter, indem wir

a) nett zueinander sind. Es ist nämlich nicht nur anständiger, höflich und freundlich gegen seinen Nebenmenschen zu sein – es ist auch *unendlich praktischer*. Wenn jeder ein Stückchen nachgibt, geht alles viel leichter, geölter, glatter.

Wir machen uns das Leben leichter, indem wir

b) uns nicht einbilden, daß eine «Bestimmung», ein Paragraph, eine Verordnung für die Kleinigkeiten des Alltags auf jeden Fall bis zur endgültigen Niederlage des andern führen müsse. Das ist ein deutscher Aberglaube. Glatt durch die Straße fahren kann man nicht, wenn man immerzu «recht» haben will. In jedem Deutschen steckt so viel Schutzmann – man muß einmal erleben, mit welchen Luchsaugen eine ganze Straße aufpaßt, ob das Auto auch richtig rechts fährt, und wenn es gar eine Dame ist, die chauffiert, dann bekommen die Leute eine Temperatur von 37,9, wenn sie einen Fehler macht. Das merkwürdigste dabei ist, daß die Polizei, besonders in den kleinen und mittleren Städten, eine Menge gescheiter und vernünftiger, ruhiger Beamten aufweist, die sehr gut verstehen, daß man zwar den bösen Willen und die grobe Unachtsamkeit immer, die kleinen Fehler aber fast niemals zu bestrafen braucht – *das regelt sich von selbst.*

Wir machen uns das Leben leichter, indem wir

c) endlich einmal einsehen, was das ganze westliche Ausland längst eingesehen hat, *daß das Leben kein «Dienst» ist und wir keine Dienstmänner.*

Der Deutsche weiß nicht, wie unhöflich das ist, was er «sachlich» nennt. Niemand hat in einer großen Stadt Zeit, Kratzfüße zu machen und schönen Frauen – mitten auf dem Damm – die Reverenz zu erweisen, das ist klar. Aber der harte Kasernenhofton, den man noch überall in Deutschland antreffen kann; die Beziehungslosigkeit des Sprechenden zu seinem Gesprächspartner; die Kälte im Blick und die Kälte im Ton –: das Leben wird dadurch nur immer schwerer, und es ist gar nicht sachlich und gar nicht «dienstlich», sondern nur ungezogen und unerträglich.

Wir machen uns das Leben endlich leichter, indem wir

d) öfter fünf grade sein lassen, auch, wenn es einmal unser Geld kostet. Die Deutschen sind schlechte Verlierer – ihr kennt diesen Typus vom Skattisch her; da gibt es Leute, die können und können nicht verlieren, dann werden sie ungemütlich. Finden wir aber einmal eine Firma, die nach einem Einkauf sagt: «Wir wollen gar nicht untersuchen, ob das Ihre oder unsere Schuld ist, wir nehmen die Ware zurück, weil uns an Ihrer Kundschaft liegt!» – so wird sich das in fast allen Fällen rentieren; *Kulanz ist immer ein gutes Geschäft*. Aber davon sind wir noch weit entfernt …

Und kann man sich bei kleineren Schadenersatzansprüchen, wenn's nicht gleich an die Existenz geht, nicht in Güte einigen? «Recht muß Recht bleiben!» Dieses «Recht» aber ist bei der Kleinheit der Beträge fast immerböseste Prinzipienreiterei und bitterstes Unrecht, das nur zur Schikane wird. Ist denn das eine Niederlage, wenn ich mich mit einem andern einige: Jeder von uns beiden soll die Hälfte des Schadens tragen? Ist es wirklich eine Niederlage –?

Das Leben wird nicht leichter dadurch, daß sich jeder einbildet, er sei eine Ritterburg für sich – «reichsunmittelbar» ist ein altes deutsches Ideal und ein schlechtes dazu. *Subordiniert – das ist die schlechte Arbeit von gestern. Koordiniert – das ist die gute Arbeit von morgen.*

Peter Panter, Der Mittag 9.4.1929

50

Die Kinderstube

Ein neues Spiel ist aufgetan –
    das spielen die Kinder so gerne;
sie spielens im Alt und Tenor und Sopran,
    in Berlin und der bayrischen Ferne.
Krise!
    Krise der Intendanz!
und es umschlingt dich ein Höllentanz:

Der Kleiber und der Klemperer,
der Walter und die Kemperer;
der Knappertsbusch und der Richard Strauß,
der Jeßner, der Reinhardt, das Opernhaus –
gestern, morgen und heute –
sehr prominente Leute.

Bleibt Legal? Geht Tiedjen? Ist Ziegel bereit?
Wer inszeniert die Hose?
In Deutschland gibt es um diese Zeit
zwei Millionen Arbeitslose.
Krise?
Es wirtschaftet um dich her
der überschätzte Kommissionär:
Der Klemperer und der Kleiberer
und mindere Zeitvertreiberer;
der Walterer und der Doktor Klein –
Gott grüß die Kunst! Eine Krise muß sein!
Gestern, morgen und heute –:
sehr prominente Leute.

Das alles war schon einmal da –
im Märze, im vorigen Märze.
Da tanzte die Elßler den zierlichsten Pas,
und es schäumte die Druckerschwärze.
Der Horizont war lieblich verengt,
das Theater hat alle hübsch abgelenkt …
Und heute spielen sie grade so
Biedermeier mit Radio:
Der Kleiber und der Klemperer,
der Walterer und die Kemperer;
der Richard Strauß und der Knappertsbusch –
Und keiner sagt: Kusch! Und keiner sagt: Kusch!
Gestern, heute und morgen –
Gott segne die deutschen Sorgen!
Amen.

Theobald Tiger, WB 9.4.1929

51

Ist es denn nun wirklich wahr, was man hat vernommen –

daß sich die feindlichen Hauptquartiere im Kriege auf gegenseitige Vereinbarung geschont haben? Es galt nicht als «fair», die Oberste Heeresleitung und das GQG. mit Fliegerbomben zu belegen – das war gegen die Spielregeln.

Wenn das wahr ist, dann haben wir hier einen der zahllosen Beweise dafür, daß für die Militärkaste der Krieg Selbstzweck ist. Herr von Seeckt hat einmal in einem Vortrag auch uns Pazifisten Einiges erzählt – neu war es nicht, gescheit war es nicht, richtig war es nicht. Es zeigte aber, wie sich jeder Mensch eine Welt zu formen versucht, in der er den Mittelpunkt abgibt – daher denn ein Weltbild niemals etwas andres aufzeigt als die Beschaffenheit des Apostels. Seeckt braucht den Krieg – da liegen seine Fähigkeiten. Wir wollen den Frieden – da liegen die unsern.

Die Schonung des feindlichen Hauptquartiers wird von den Kriegshetzern sicherlich als «Ritterlichkeit» ausgelegt – sie ist aber grade von deren Standpunkt aus Landesverrat gewesen und persönliche Feigheit der Generalstabsoffiziere auf beiden Seiten. Der Krieg – das ist für sie so etwas wie ein blutiges Schachspiel gewesen; man wirft nicht das Brett um, man zieht. Um ungestörter ihre Mannschaften in einen Tod zu schicken, den sie niemals gekostet haben, erklärten sie ihre Blutzentren für tabu. Das ist nicht nur im nationalen Sinne ein Verbrechen, wie gleich könnte uns das sein! Es ist eine hundsgemeine inkonsequente Konsequenz von Anschauungen, die immer und unter allen Umständen als verbrecherisch anzusehen sind. Einbrecher, die ihr Werkzeug nicht rosten lassen wollen.

Wir wollen es ihnen schartig machen, wo wir nur können.

Ignaz Wrobel, WB 16.4.1929

Frommer Wunsch

Ich möchte einmal wohinkommen, wo nicht geklopft wird. Wenn ich später gefragt werde: «Wie war es auf Erden?» – ich müßte sagen: «Schön. Aber es wurde immerzu gehämmert; geklopft; gebosselt; gesägt; genagelt; ge- was weiß ich …» Die Erde ist ein Planet, der kaputt ist; das Ding ist in ewiger Reparatur.

Zunächst wird überall gebaut. Wohnungen haben sie nirgends so viel, wie sie brauchen – aber es wird furchtbar gebaut. Es muß wohl so etwas wie eine Aktivität aus Schwäche geben, von der bei Nietzsche einiges zu lesen steht – jene neurasthenische Unfähigkeit, nicht nichthandeln zu können, reagieren zu müssen – auf diese Weise entstehen Warenhäuser, Heiraten und Kriege. Es wird mächtig gebaut auf dieser Erde, geändert, umgestaltet, ganz neu organisiert – es ist eigentlich der Normalzustand, daß um alles, was uns lieb und teuer ist, ein Bauzaun steht.

Als Paul Graetz einmal in Halle ein Gastspiel gab, da fuhr er mit einem Kollegen durch die Stadt, und an einer Stelle, wo viel Kinder und sich als Erwachsene ausgebende Kinder herumstanden, ließen sie ihren Wagen halten und stiegen aus. Graetz kann recht auffallend aussehen, wenn er will, und gleich sammelten sich viele Leute um die beiden Fremden. «Das hier», sagte Paule recht laut und zeigte mit seinem Spazierstock durch die Gegend, ein ganzes Stadtviertel vague bezeichnend, «das hier kommt alles weg –!» Achtzig aufgerissene Augen richteten sich auf den Städtebaudiktator, und die ganze Straße stand auf dem Kopf, ein aufgerührter Ameisenhaufen. Und was das Schönste war: niemand zweifelte einen Augenblick daran, daß nun wirklich alles wegkäme – die Frage war nur noch, wann und warum und weswegen – aber das Schicksal selbst war nicht diskutierbar. Uns haben sie den Horizont mit einem Bauzaun vernagelt.

«Das ist eben das Leben, Herr Panter; das zeugende, sich ewig gebärende – –» Mensch, sahre selbst: ist es nicht sehr oft nur Nervosität? Wenn zum Beispiel die Berliner einen neuen Laden aufmachen, dann reißen sie erst einmal das ganze Lokal von oben bis unten ein und bauen eine neue Tür und streichen neu an und kleistern sich eine kleine Privatfassade zusammen – «sie ziehen den Häusern neue Hosen an», hat mir einmal ein Franzose gesagt; und der Kurfürstendamm ohne Bauzäune … das wäre beinah so wie mittlere deutsche Stadt ohne Intendantenkrise. Es muß «gänzlich neu renoviert» werden.

Wenn aber nicht gebaut wird, dann wird ausgebessert. Oh, wie unvollkommen ist doch des Menschen Werk! –

Der Himmel zum Beispiel ist zurzeit überfüllt –: da sitzen die Bauhandwerker. Die Hölle zum Beispiel ist zurzeit überfüllt –: da sitzen die Bauhandwerker. Der Himmel, weil sie uns die Badewanne wieder in Ordnung gebracht haben, die Klingelleitung repariert, das Ding mit der Sicherung befummelt … in der Hölle, weil sie ihr Werk taten wie Karl Valentin, wenn der den Handwerker macht: unendlich langsam, erst gar nicht kommend, dann – nach einem unfehlbaren Grundgesetz – sofort nach Beginn der Arbeit wieder weglaufend, um einen Hammer zu holen, sich so in ätherische Bestandteile auflösend … im Fegefeuer sitzt der Konsument.

Der sich über vielerlei wundert:

Warum die Bauhandwerker so mäßig ausgebildet sind; warum sie, in viele kleine Unternehmungen zersplittert, arbeiten, was auf eben die Ausbildung, das Handwerkszeug, die Zeitersparnis böse zurückwirkt – und wenn der Kunde klug ist, dann sieht er noch etwas.

Es gibt überall viel Komfort fürs Auge. Es ist viel Schein – nur sehr große Unternehmungen können sich erlauben, auch wirklich alles funktionieren zu lassen, was da an den Wänden angebracht ist, denn sie haben einen ganzen Installateurtrupp zu ihrer Verfügung, aber schon in den Hotels, von den Wohnhäusern ganz zu schweigen, ist das nicht so. Ich will dem Rundfunk Lessings gesammelte Werke schenken, wenn ich jemals in ein Hotel komme, wo alles funktioniert; die Frage ist immer nur, *was* entzwei ist: die Badewanne oder die Klingel oder eine Lampe oder der Ausguß oder die Tuhlette; Verfasser von Reisebüchern und Verfertiger von Koffern und die Bauhandwerker möchte man manchmal gern bei sich haben, um ihnen zu zeigen, was sie da gekocht … Für kranke Gegenstände sind wenig Ärzte da und viel Pfuscher.

Kennst du keinen Fleck Erde, wo nicht geklopft wird? Es gibt ihn nicht. Die Nachbarschaft hallt wider von den Schlägen eines hämmernden Mannes – ich frage … «Da kommt was hin!» sagen die Leute; Staub steigt auf und Balken prasseln, ich frage … «Da kommt was weg!» sagen die Leute; Niethämmer rattern, Schweißmaschinen zischen, Schienen werden verschleppt und Dämme werden aufgerissen; die Hamburger tun so und die Berliner und die Kölner und die Mannheimer; die Kisuaheli-Indianer reißen das Strohdach der Häuptlingshütte ein und decken es mit Pappe und neuerer deutscher Literatur wieder zu – sie haben alle so viel zu tun … Im Jahre 1983 liege ich in der Urne und träume. Da reißt jemand den Deckel herunter, ein hartes Gesicht beugt sich über die Öffnung, und eine scharfe Stimme sagt: «Jehn Se mah hier raus! Das kommt hier alles weg!»

Peter Panter, Voss 21.4.1929

53

Die Frau mit den Fähnchen

In einem großen Kaufhaus zu Stockholm sitzt eine charmante Dolmetscherin, eine ältere Dame, sie spricht das Deutsch mit jenem singenden, leicht schleifenden Akzent der Balten … Und plaudert englisch und französisch und russisch und hat demgemäß auf ihrem Kleid eine ganze kleine Galerie von Emaillefähnchen stecken: eine französische Fahne und eine englische und eine schwarz-weiß-rote, also keine deutsche … Ich frage. «Ja –» sagt die Dame …

«Ja, ich bin aus der guten, alten Zeit – ich trage noch die Fahne, die Deutschland geführt hat, als mein Mann da herüberkam … sehen Sie, mit den Fahnen, das ist nicht einfach.» Das ist nicht einfach, sage ich. «Da ist zum Beispiel die russische», sagt die Dolmetscherin. «Die alte kaiserliche Zarenfahne kann ich nicht führen – denn es verkehren hier die Mitglieder der Sowjet-Botschaft.

Nun, und eine rote Fahne mag ich nicht tragen – ja.» Es ist nicht einfach mit den Fahnen.

Denn was soll ich nun tun? Der Frau klarmachen, daß die einzig wahre Fahne Deutschlands die der Republik sei: schwarz-rot-gold? Das ist leider nicht ganz richtig. Was soll ich tun? Für die Republik kämpfen? Für welche? Für diese da –?

Die will das ja offenbar gar nicht. Die deckt ja ihre Anhänger nicht einmal. Sie wagt es ja nicht. Sie traut sich nicht, ihre Richter hinauszuwerfen, die sich offen über sie lustig machen, weil sie wissen, daß ihnen nichts geschehen kann, denn wir haben die Unabhängigkeit der Arbeit vom Verdienst – ja, was hätte ich tun sollen?

Der Frau sagen: «Dies ist nicht mehr die Flagge meiner Heimat? Diese Flagge gibt es nicht mehr, so wie es die dahinter flatternde Gesinnung nicht mehr gibt – wir haben uns gewandelt, weil wir gelernt haben?» Das soll ich sagen? Das wäre gelogen.

Sie haben sich gewandelt, aber sie sind dieselben geblieben. Die Form haben sie gewechselt – kaum mehr. Die Armee, ohne deren Wespentaille kein besserer Deutscher denkbar gewesen ist ... heute sind die Störenfriede, die unerwünschten Elemente, die Industriearbeiter und die paar Intellektuellen aus der Armee heraus, und Herren und Bauernknechte sind unter sich –: sie rüsten für den nächsten Frieden. Die Richter – das muß man gesehen haben. Die Beamten mehren sich wie die Sandflöhe am Meer – was soll ich hier verteidigen ...?

Vielleicht jene Republik, die ihr im Munde führt und deren Embleme nun überhaupt nichts mehr bedeuten? Was heißt denn das: «Ich bin Republikaner!» Damit kann man vielleicht einen amerikanischen Wahlkampf machen, eine jener Volksvergnügungen, an die kaum noch die Unbeteiligten glauben, ein Jahrmarktsfest der Politik!

«Republikanisch» – das heißt allein noch gar nichts. Portugal ist eine Republik, und die Vereinigten Staaten von Amerika sind eine, und Sowjet-Rußland ist eine, und Deutschland auch – «republikanisch» ist heute so wenig ein politisches Programm wie der Monarchismus noch eines ist. Das ist vorbei. Zeige mir deine Wirtschaftsform, und ich werde dir sagen, wer du bist – die fliegenbeschmutzten Bilder in den Stuben deiner lebenslänglichen Angestellten interessieren keinen Kenner.

Wißt ihr ganz genau und bestimmt, wodurch sich eigentlich Reichsbanner und Jungdo unterscheiden? Höchstens doch durch den Grad ihrer Energie: der redseligen Schlappheit von links steht der zielbewußte Kleinkampf von rechts gegenüber, der im Boykott ein wirksames Mittel sieht – die Weltpolitik dieser politischen Heilsarmee endet gewöhnlich in einem Stammtischcoup ... Was soll ich der Frau sagen –? Daß es zwei Deutschlands gebe – – liebe Frau!

Ich habe ihr gar nichts gesagt, denn man hat mich schließlich nicht ausgeschickt, um «Kulturpropaganda» zu machen; das mögen die Botschaften tun, die Hosen voller Taktik und die Dächer voller schwarz-weiß-roter Fahnen – was geht uns das noch an! Ich habe der Dolmetscherin nichts gesagt. Nicht einmal, daß es niedlich ist, wie sie Rußland ignorieren möchte, einem nicht unähnlich, der nicht an Eisenbahnen glaubt – ich habe ihr nichts gesagt.

Denn ich hätte ihr die Wahrheit sagen müssen, und die geht sie nichts an; ein Kaufhaus ist keine Volksversammlung. Die Wahrheit, daß es unsereinem ziemlich gleich sein kann, wer von diesen beiden die Oberhand gewinnt: der ohne Visier oder der mit Visier, der kostümierte oder der in Zivil, der offene oder der versteckte, der Herr der Untertanen oder der freigelassene Untertan, der eine oder der andre. Die Entwicklung wird über beide hinweggehen, und bestimmt nicht durch die sanft liberale Mitte.

Dies, im Jahre 1945 nachgelesen, wird sehr wahr sein.

Ignaz Wrobel, WB 30.4.1929

54

Die Verteidigung Berlins

Neulich habe ich hier von den Leuten erzählt, die am Rande des Reichtums wohnen.

«Man möchte wünschen», schreibt ein Leser, «Sie nähmen nicht nur die am Rande des Reichtums, sondern den Reichtum selber in seinen Eitelkeiten einmal unter die Lupe. Die Kreise, die sich blamiert vorkommen, wenn sie in irgendeiner kleinen Äußerlichkeit hinter dem zurückbleiben, was ‹man› tut, ... diese Typen gedeihen in Reinkultur ausschließlich in Berlin. Wenn wir in der vielgescholtenen Provinz uns weigern, uns diese Gesellschaft zum Vorbild zu nehmen, dann braucht sich kein Berliner zu wundern, daß er überall – außer in seiner Metropole – eine Karikatur ist und bleibt, und daß niemand aus den Kreisen zivilisierter Provinzler auf Reisen nichts mehr scheut als das Zusammentreffen mit Berlinern.» Da hastes.

*

Zunächst haben einmal beide Teile herrlich unrecht.

Berlin; wenn es auf die Provinz schilt. Denn diese Provinz ist gar nicht so provinziell, wie mancher Großstädter glaubt; Deutschland ist in der beneidenswerten Lage, ein dezentralisiertes Land zu sein, und während es in Frankreich kein Klein-Paris gibt, gibt es bei uns viele Kulturzentren, gerade in der Provinz. Eine «Provinz», wie sie im Schwank vorkommt, mag es geben – die Mehrzahl der deutschen großen Provinzstädte aber darf nicht einfach in den großen Topf geworfen werden, in dem schrullige Kleinstadtoriginale liegen. Das ist einfach falsch.

Unrecht hat die Provinz, wenn sie Berlin so verzerrt sieht.

Natürlich gibt es Parvenus und reiche Snobs überall; daß sie in einer Großstadt numerisch stärker sind als in Magdeburg ist kein Argument gegen die Großstadt. Was hat der Berliner nur dem Provinzler getan?

Der läßt ihn – wie oben – den sehnsüchtigen Ärger entgelten, nicht in Berlin leben zu können, und in dieser Sehnsucht ist – bei aller Bewunderung – so viel Irrtum!

«Das Theater!» – «Die geistige Anregung!» – «Da sieht man doch etwas ...!» Sehr freundlich. Aber diese Bewunderer vergessen, daß neben solchen Kreditkonten doch auch beträchtliche Debets stehen: die Abzappelei, die verzehnfachten Schwingungen der Nerven, dieses «Zunichtskommen» – woran nicht nur der Großstädter, sondern auch die große Stadt schuld ist. Berlin hat sicherlich das beste Theater des Reichs – aber davon allein kann man nicht leben. Und niemand ist so ungerecht gegen die Provinz wie der Provinzler.

Bernard Shaw hat einmal darauf hingewiesen, daß der Mann, der so herzbrechend über seine Familie stöhnt, dieser unrecht tut – «der Onkel Franz», sagt er ungefähr, «der so albern Briefmarken sammelt, den gibt es überall, nicht nur in deiner Familie; die eifersüchtige Hilde und das monotone Friedchen und die ehrsüchtige Eugenie und den kleinlich beschränkten Papa – aus solchen Menschen setzt sich eben die Welt zusammen, und du hast in deiner kleinen Welt die große – o klage nicht!» – «Bei uns», klagt es in der Provinz, «gibt es nur Kaffern und Mucker und kleine Leute und Geschäftemacher und Banausen –» Und in Berlin? Glaubt man wirklich in der Provinz, daß nicht jeder einzelne Kreis Berlins solche Erscheinungen aufweist? Sie verteilen sich nur mehr – ihnen stehen dann mehr wertvolle Kräfte gegenüber, und so ist das Gleichgewicht einigermaßen hergestellt. Berlin wird nicht von Engeln bewohnt.

Aber von Teufeln auch nicht.

Was die Hugenberg-Presse, gegen das bessere Wissen der beteiligten Redakteure, auf diesem Gebiet angerichtet hat, geht auf keine Gutsbesitzershaut. Die Leute wissen natürlich ganz genau, daß der Berliner nicht die ganze Nacht in der Bar hockt und sauft und mit einem geschminkten Personal tanzt, das niemand so intensiv beschäftigt wie die Herren der Grünen Woche; die Propagandisten gegen die vitalsten Interessen Berlins sind brave Familienväter, die genau wissen, daß und wieviel in Berlin gearbeitet wird – aber sie sind gezwungen, der erschauernden Provinz ein Berliner Luderleben vorzutäuschen, das sie nicht einmal gut an die Wand malen.

Denn, um auf Berlin schelten zu können, muß man es erst einmal richtig kennen. Was an den Berliner Reichen, Mittelreichen und Möchtegernreichen komisch ist –: wir wissen es. Und haben uns nie geschämt, es zu sagen. Aber schließlich ist Deutschland keine Schwarz-Weiß-Zeichnung: hier die gute Provinz und dort das böse Berlin, das geht nicht. Daß das Hugengebirge mehr verbockt hat, als ganze Fremdenverkehrs-Zentralen wieder gutmachen können, ist eine Sache, die die Beteiligten unter sich ausmachen mögen – aber der Ruf Berlins ist wirklich falsch. Es hat – wie jeder Menschenkreis – seine Fehler; aber ganz, ganz andere als die Provinz glaubt. Diese Propaganda gegen Berlin müßte mal ein tüchtiger Berliner in die Hand nehmen …

Der Mann, der vor dem Kölner Dom schnell und gottesfürchtig sagt: «Ham Se keenen jrößeren –?» kommt nicht nur aus Berlin; dieser Ausspruch entstammt einer *Geistesverfassung*, und die ist nicht nur in Berlin heimisch. Ich glaube, daß es zu gar nichts führt, die Provinz und Berlin gegeneinander auszuspielen. Denn darin steckt erst einmal die falsche Voraussetzung, die Provinz sei etwas Homogenes, während die niederbayerische Kreisstadt und ein Friesendorf nur das gemein haben, daß sie nicht Berlin sind – und das ist nicht genug, um sie zu einen.

Deutschland besteht aus Vereinen. Gibt es noch keinen «Reichsverband Deutscher Provinzler»? Warte nur, balde … Lasset uns den Berliner, der faule, weil schlechte Witze über die Provinz macht, die er nicht kennt, mit dem Provinzler, der Berlin nicht kennt, «zu Hagenbeck schicken», wie die Schweden so schön sagen – und versuchen wir, einander zu verstehen, Berlin und die Provinzler. Was aber den Berliner angeht, wenn er komisch ist und lächerlich und eine Schießbudenfigur –: ich besitze so viel Lokalpatriotismus, daß ich mich über ihn lustig machen will, daß es nur so hagelt. Aus Liebe, du guter Leser aus Bitterfeld.

Der nicht geschundene Berliner wird nicht erzogen.

Peter Panter, Voss 4. 5. 1929

55

Die «Welt»

Daß es «schönste Lokale des Kontinents» gibt, mag hingehen – dafür bekommt der Reklamemann bezahlt. Daß aber der Stil der großen kleinen Anzeige in die Literatur rutscht, ist minder heiter.

Bei uns machen sie das jetzt so, daß der große deutsche Buch-

oder Theatererfolg den Autor «weltberühmt» macht. «Der ohne Übertreibung weltberühmte Dichter ...» Mit Übertreibung. Denn wie groß ist das geistige Hinterland Deutschlands?

Österreich. Die deutschsprachige Schweiz. Hier stock ich schon; in den nordischen Ländern lesen viel weniger Leute deutsch als man denkt; bleiben für die Übersetzungen die Nachbarstaaten, England, Amerika ... und hier ist noch genau zu scheiden zwischen den technischen Gebrauchsanweisungen, die drüben adaptiert werden, und der schönen Literatur. Wer von den modernen Deutschen ist «weltberühmt»?

Jede geistige Wirkung aus einer fremden Sprachzone ist ein Wunder. Auf diesem Wege geht so viel verloren ... bei den mittleren Autoren alles, bis an den Gürtel steckt selbst noch der große Dichter im Wasser der heimischen Flüsse, selbst Tolstoi reichte die russische Sprache bis zum Bart, aber der Kopf ragte drüber hinaus. Man muß sehr groß oder sehr banal sein, um im andern Lande zu wirken.

Wir buchen die Tatsache, daß ein deutsches Werk in eine fremde Sprache übersetzt ist, falsch; das ist ein Anfang, kaum ein Symptom für etwas andres, als daß ein geschäftstüchtiger Übersetzer das Werk «angebracht» hat, daß ein fremder Verleger an die Wirksamkeit dieses deutschen Werks glaubt ... weiter ist zunächst noch gar nichts. Die meisten westlichen Völker sind nicht so neugierig wie die Deutschen, sie haben nicht jene herrliche Unruhe, die in ihrer obersten Spitze Romantik heißt und in ihrer untersten Stufe Nervosität – andre Völker ruhen viel mehr in sich selbst. Daß Herr X in Frankreich gelesen wird, sagt noch nichts aus – die Tiefenwirkung kennen wir zunächst nicht. Ich halte sie für klein; wir wollen uns gern von den Freunden in Amerika oder aus den Ländern des Kontinents belehren lassen, ob heute der deutsche Geist die Leute draußen wirklich maßgebend beeinflußt.

Mit Großfressigkeit ist das nicht zu beweisen, nur zu behaupten. Sind wir uns wieder selbst genug? Merkwürdig, wie isoliert sich der deutsche Geist gebärdet, er, dessen Stärke immer die Universalität gewesen ist. Nur imponieren – nur den Absatz fördern – unsere geistigen Stresemänner sind Reisevertreter eines großen Hauses mittlerer Qualität. Wilhelm muß wohl mehr gewesen sein als die dem Volk gesandte Geißel Gottes – sollte er vielleicht sein Exponent gewesen sein –?

Wahr ist vielmehr, daß das Hinterland der Deutschen nicht sehr groß ist. Was in Paris berühmt ist, ist in Südamerika berühmt, in der ganzen Levante, in Teilen Asiens. Was in New York gefällt, singt die englische Welt. Was in Berlin einen Erfolg hat, breitet sich langsam aus, kann ein Welterfolg werden, ist aber noch keiner. Chaplin ist weltberühmt. Homer. Ford. Sonst aber gilt die kleine Geschichte, wie André Lebey eines Nachts durch ein Telegramm aufgeschreckt wurde. Das kam von seinem Freunde Pierre Louys, der grade eine Weltreise machte. Und in dem Telegramm stand: «Jean Cocteau complètement inconnu à Tananarivo.» So ist es. Oder, wie es bei Walter Mehring einmal heißt:

«So klein – so klein –
so klein ist meine Stadt.»

Peter Panter, WB 14.5.1929

56

Die Weiße mit'm Schuß

Das war in den ersten vierzehn Tagen in Paris – da verlangte ich in einem für mich viel zu feinen Lokal einen «Claquesin». Ich hätte das nicht tun sollen. Der Claquesin ist ein Apéritif, der etwa schmeckt wie flüssige Teerseife, einen Schuß pikanter. Der Kellner sah mich väterlich-strafend an, ein bei französischen Kellnern nicht alltägliches Vorkommnis. «Pas de goudron», sagte er; wir haben keine Teergetränke, ich trank artig eine Zitronensache, und alles war gut.

Nun ist der «Claquesin» nicht gerade das Leib- und Magengetränk der Pariser. Aber haben Sie einmal in einem feinen Berliner Lokal eine Weiße mit'm Schuß bestellt –? Das wäre beinah so mutig, wie wenn wir beim Friseur durchzusetzen versuchten, er solle uns die Haare so schneiden, wie wir es wollen ... das gibt's nicht.

Und in einem feinen Berliner Lokal gibt es keine Weiße. Warum eigentlich nicht?

Die Berliner Weiße ist so recht das Getränk dieser Stadt, und zwar im allerbesten Sinne: angenehm säuerlich, erfrischend, die aufgepappte Süße des Himbeersaftes paßt nicht recht dazu, färbt die Sache aber angenehm rot – warum in aller Welt verleugnet Berlin sich selbst?

Aus Abscheu gegen den Alkohol? Das sind doch Sprüche; so vernünftig es ist, im Sommer keinen Alkohol zu trinken, hier liegt nicht der wahre Grund. Der wahre Grund ist: die Weiße gilt nicht als fein; vielleicht ist sie es auch nicht, aus Silberbechern kann man sie nicht trinken, auch hat sie für empfindliche Mägen eine laute Folgeerscheinung, die … pardong.

Jedoch müssen wir amerikanische Trinkstuben haben und ungarische Weinzimmer – aber Berlin verleugnet sich. Es ist sich nicht fein genug.

Nur einmal – so um den Februar herum – bindet sich der Kammergerichts-Referendar einen roten Schlips um, setzt sich eine alte Reisemütze auf und geht auf den Zille-Ball. Berlin ist nie unberlinischer, als wenn es berlinisch sein will. Das ist sehr schade.

Diese Kolonialstadt hat ein bißchen viel Österreich in sich aufgesogen und Prag, allerhand Landsleute aus dem Reiche, die ihm erzählen, wie es sich aufzuführen habe. So wird die Luft sachte verfälscht. Und wenn auch die Berliner Weiße nun grade kein Kulturobjekt ist, so ist sie doch die schöne Allegorie einer Stadt, die sich so selten zu sich selber traut. In Jahrhunderten hat der Deutsche immer nach dem Fremden geschielt und es als «fein» empfunden – nur weil es das Fremde ist. Na, wir brauchen uns wohl nicht zu erzählen, daß wir keine Chauvins sind … aber warum ist eigentlich der Begriff Berlin für so viele Menschen immer nur ein Ding dritter Klasse?

«Wie» New York wollen sie sein. Und «wie» Paris. Und wie ich weiß nicht was alles – statt erst einmal sie selber zu sein, wobei eine Menge zu gewinnen und wenig zu verlieren wäre. So ist die gute alte Berliner Familie vor die Hunde gegangen, genau wie so vieles andere, weil die Herren keine Zeit mehr gehabt haben – jede Überlieferung aber will Zeit und Muße und Geduld. Es ist merkwürdig: diese große Stadt hat viel weniger Ausdrucksmöglichkeiten ihrer selbst, als man annehmen sollte. Ihr Ausdruck wird verfälscht.

«Von Stadt wegen» ist überhaupt nichts zu spüren. Man muß sehen, wobei sich die Stadt vertreten läßt und von wem – es ist beschämend. Wenn sie irgendeine Summe «zur Förderung der schönen Künste» auswerfen, hat man immer das Gefühl, als habe sie jemand nach vorn gestulpst – sie wollen das eigentlich gar nicht. Für das Echte, das wirklich Berlinische, hat die Stadt wenig oder gar keinen Sinn. Was tut Berlin für unsen Vater Zille? Der eben erwähnte Kammergerichtsreferendar gibt ihm auf diesen dummen Bällen zu verdienen – und ich will gewiß für den großen Zeichner nicht betteln gehn – aber ist es zu glauben, daß die Stadt für diesen Mann, der die reinste Inkarnation Berlins verkörpert, nichts, aber auch nicht das leiseste, tut?

Was in Berlin wirklich berlinisch ist, ist kaum gekannt, und wenn es bekannt ist, wird es mit einem leisen Lächeln der Überlegenheit abgetan, weil wir doch gerade von der Riviera kommen … Wie unsicher ist das alles, wie ewig unfertig! Wie flau! Berlin liegt nicht an der Spree; es liegt am laufenden Band.

Die Stadt traut sich nicht zu sich selbst. Was da östlich vom Spittelmarkt liegt, ist dem Westen, der der Stadt den literarischen Ausdruck gibt, terra incognita, und bei denen, die den Begriff Berlin berufsmäßig darstellen, überwiegt auch noch der Nichtberliner in so starkem Maße, daß kein echtes Bild entstehen kann. Der Pariser bekennt sich zu Paris, der Londoner zu London – nur der Berliner rückt ab von seiner Stadt, weil sie ihm nicht fein genug ist, und er ist viel, viel weniger Berliner, als der Provinzler, der ihn bekämpft, ahnt.

Ick wer da sahrn: die markieren Weltstadt, det is ja janz scheen, is ja ooch 'ne jroße Stadt, ja doch – aber wat so richtig Berlin is, weißte, diß, wo ein warm wird, wenn man schon von hört, diß, wovon wir jesprochen ham, wie wir inn Untastand von zu Hause assehlt ham – da heerste nischt von. Wie oft ham wir inn Kriech jesacht: Mensch, noch einmal 'ne richtige Berliner Weiße, so eine, wot dir nachher in de Neese kribbelt, bis daß du kannst richtich aufstoßen … Frach mah den Obabürjermeesta Böß – 'ck jloobe, der hat noch nie in sein Lehm 'ne orntliche Berliner Weiße ausn richtijen Jlas jetrunken – na, denn Prost –!

Peter Panter, Voss 19. 5. 1929

57

Guter Neurath ist teuer

Ssiss kaum zu gloom:
Da haben wir einen in Rom,
aus ziemlich echtem Adelsmark,
kriegt pro Tag 500 Mark –
macht im Monat 15000 –
(dafür kann man schon mal).
Drum fragen wir brausend,
daß es bis in die Wilhelmstraße schallt:
Was tut der Mann für sein Gehalt –?
Wenn die Republik Geburtstag hat –:
ist er nicht zu Hause;
besucht Gerhart Hauptmann die ewige Stadt –:
ist er nicht zu Hause.
Unter den völkischen Belangen
liebt er Artur Dintern.
Kommt der Emil Ludwig gegangen –:
zeigt er ihm den Hintern.
Diese Aussicht lohnt sicher den Aufenthalt –
aber was tut der Mann für sein Gehalt –?
Laßt ihn ruhn.
Der tut, was sie alle tun:
Er nimmt das Geld von seinem Land
und spuckt dem Geber auf die Hand.
Gut leben. Mit Cliquen intriguieren.
Die Republikaner sabotieren.
Auf den Arbeiter pfeifen. Zum Rennen gehn.
Die Welt durch ein Monokel sehn.

Uns überall schaden, daß es so knallt –:
das tut jener für sein Gehalt.
Merke, zum Schlusse des Gedichts –:
Uns kostet das viel.
Ihn kostet das nichts.

Theobald Tiger, WB 21.5.1929

58

Die Anhängewagen

Ich sage: «Sagen Sie mal», sage ich, «was schreiben Sie denn jetzt so –?»
«I», sagt er, «wir schreiben doch heute nicht mehr», sagt er. «Wo die andern schon alles geschrieben haben – wozu sollen wir nochmal –?»

Es ist Bert Brecht nachgewiesen worden, daß er bei einer Übertragung aus dem Französischen einen Übersetzer bestohlen hat. Er hat darauf geantwortet: das beruhe auf seiner grundsätzlichen Laxheit in Fragen des geistigen Eigentums. Das soll sehr rebellisch klingen – es ist aber nur dumm.

Brecht, der es nicht nötig hat zu stehlen, weiß natürlich genau, daß auch andre so lax sein könnten wie er; wenn ihm ferner heute etwa bewiesen würde, daß seine schönsten Gedichte nicht von ihm, sondern von dem Gelegenheitsdichter Ewald Bornhacke aus der Großen Frankfurter Allee stammten, so wäre es aus mit der Laxheit. Es scheint da auf die Quantität anzukommen: als kleinen Entschuldigungsgrund führt Brecht an, er habe von 625 Versen nur 25 von Herrn Ammer übernommen, wobei denn zu fragen wäre, wo die Kriminalität anfängt.

Herr Brecht ist ein außerordentliches lyrisches Talent, wohl das stärkste, das die Deutschen nach Benn heute besitzen. Daneben ist er ein Schludrian, der sich mächtig amerikanisch vorkommt, wenn er die Unbildung seiner Kritiker dazu benutzt, um Geld zu machen. Ermöglicht wird ihm das durch die Überschätzung der Nachdichterei.

Wenn die Bäume alt werden, schlingt sich Efeu um die Äste. In besonders schlimmen Fällen sind es Moos oder andre Parasiten, die Saft und Kraft aus den alten Bäumen ziehen – die Schmarotzer vergingen ohne den Alten. Die halbe Literatur «bearbeitet», «überträgt», «richtet ein» – es gibt da eine schöne Terminologie, um die eigne Einfallslosigkeit zu übertünchen. Wenn man das so alles mit ansieht, kommt man sich reichlich töricht vor, daß man sich seinen Kram noch allein ausdenkt. «Die andern haben schon – wozu sollen wir nochmal?»

Die Technik dieser Nachfühler ist, in den guten Fällen, unmerklich raffiniert. Sie kriechen in das Vorbild, saugen es ganz auf – und schmücken sich mit fremder Kraft.

Das fängt bei den Biographien an. Der Biograph läßt fremde Muskeln schwellen. Und wenn er eine Weile damit herumgelaufen ist, dann macht er uns glauben, es seien seine eignen. Er beginnt, uns den großen Mann «verständlich» zu machen, was meistens auf Konto des Beschriebenen vor sich geht – und zum Schluß verwechselt der eingeschläferte Leser Beschriebenen und Beschreibenden. Damit es keine Mißverständnisse gibt: ich finde diesen Trick nicht in den Ludwigschen Biographien – aber in sehr vielen andern. Es ist da eine Schwäche, die sich als Stärke gibt – jener nicht unähnlich, die unfähige Dramatiker ihren Helden einen «genialen Maler» sein läßt, sie habens dann leichter. Aber dieser Fall ist noch harmlos gegen die «Bearbeiter».

Es ist sehr schwer zu kontrollieren, was bei der Bearbeitung eines alten Stücks vom Verfasser, was vom Bearbeiter stammt. Der Fall Shakespeare gehört nicht hierher; erstens waren damals die Auffassungen vom geistigen Eigentum nicht lax, sondern kaum ausgebildet, und zweitens hat der nun wirklich die alten Stoffe nur zum Anlaß genommen. Bei den Heutigen ist es Faulheit, Phantasielosigkeit, Wichtigtuerei und Abwälzung der Verantwortung auf einen, der sich nicht mehr wehren kann. «Was gut ist, stammt natürlich von mir – den Rest mußte ich übernehmen.»

Eine so maßlose Überschätzung etwa einer solchen Arbeit wie des Zweigschen ‹Volpone› beruht auf der Unkenntnis alter Literatur und auch jener Halbbildung, die sich nicht getraut zu kritisieren ... sie hat auch kaum noch ein Recht dazu. Diese Dünnblütler zecken sich an die alte, verschollene Kraft – vielleicht bearbeiten sie wirklich ganz gut – aber sie sollen sich doch erst einmal hinsetzen und selber so etwas erfinden! Sie können nicht.

Und wenn sie es können, so sind sie zu faul oder noch schlimmer: zu feige. Zuckmayer ist eine echte Kraft – wenn aber ein amerikanischer Film, der bereits nach einem Drama gearbeitet ist, Erfolg hat, so hängt er sich hinten an. Nächstens werden die Herren noch ihre eignen Stücke bearbeiten.

Ein Film nach einem Stück; ein Stück nach einem Roman; ein Roman nach einer Biographie ... der jämmerliche Lauf immer hinter der Konjunktur her verdirbt die Besten. Was Remarque kann, kann ich auch – und nun kommen sie alle gelaufen. Und weil man so schnell nicht «dichten» kann, wie die Verleger und Theaterdirektoren telephonieren, deshalb machen sie sich das Leben angenehm und dichten nach. Anhängewagen.

Brecht hat bereits seinen Fall Rimbaud hinter sich, wo die Sache ähnlich lag. Ich bin kein Plagiatschnüffler; ich weiß, wie halb verwehte Klänge haften, wie einem Erinnerungen aufsitzen, wie man unbewußt plagiieren kann ... aber weil ich es weiß, passe ich auf. Zu denken, daß sich unsereiner quält, wegläßt, weil vielleicht diese Zeile zu sehr an eine von Mehring erinnert – ich habe den größten Respekt vor geistigem Eigentum, und eine ebenso große Verachtung literarischer Einbrecher.

Wir sollten der Verschmutzung unsrer Literatur vorbeugen. Wenn Bert Brecht die Pose des literarischen Diebs annimmt, so muß er sich gefallen lassen, daß man ihn danach bewertet und bei jedem seiner nächsten Verse fragt: «Von wem ist das?» Es ist im tiefsten unehrlich, was er da treibt.

Auf den ersten Theaterzetteln der Dreigroschenoper hieß es noch, ganz hinten, da, wo Inszenierung und Dekoration standen: «Bearbeitung: Brecht.» Das war ein bißchen kokett, mochte aber angehen. Schließlich ist das Stück ja nicht von ihm. Das war, als man noch nicht wußte, ob es ein Erfolg werden würde.

Nun, da das alte englische Stück, aufgeputzt mit Versen, die gleichfalls nicht von Brecht stammen, ein Erfolg geworden ist, hat er die Kühnheit, ein Heft herauszugeben, auf dem zu lesen steht: ‹Brecht, Die Songs der Dreigroschen-Oper›. Auch diese sind nicht von ihm. Es ist mehr als eine Kühnheit – es ist eine literarische Lüge.

«Verfolgt das Unrecht nicht zu sehr. In Bälde erfriert es schon von selbst …» Das wollen wir hoffen. Und langsam wieder die alte Bezeichnung einführen, die um 1890 Mode war: «Originalroman von …»

Lasset uns in Zukunft Dichter loben, die sich ihr Werk allein schreiben.

Peter Panter, WB 21.5.1929

59

Der §45

der «Grundsätze für den Vollzug von Freiheitsstrafen» besagt:

«Gefangene, von denen ein schädlicher Einfluß auf Mitgefangene zu befürchten ist, sind nach Möglichkeit in Einzelhaft oder in Zellenhaft zu halten. Gefangene, die ihre Mitgefangenen erheblich belästigen, sind aus der Gemeinschaftshaft bei Nacht nach Möglichkeit fernzuhalten.»

Worauf es im §46 leider heißt:

«Angehörige der Wehrmacht sind nach Möglichkeit in Einzelhaft oder in Zellenhaft oder doch getrennt von andern Gefangenen unterzubringen.» Hier stutzt der Fachmann.

Steht zu befürchten, daß der Wehrmann von seinen mörderlichen Mitgefangenen in der Gemeinschaftshaft ungünstig könnte beeinflußt werden? Stecken sie ihn an –? Oder besteht die berechtigte Sorge, daß jener die Räuber nun auch noch zur Tötung von Menschen anreizen könnte? Steckt er sie an? Es ist gar nicht einfach im menschlichen Leben.

Immerhin ist diese Sorge für Angehörige der Wehrmacht rührend; die Kirche zum Beispiel genießt solches Vorrecht nicht, und wenn etwa ein Kaplan wegen Schändung seiner Beichtkinder ins Zuchthaus kommt, so steht nirgends geschrieben, daß er gesondert unterzubringen sei. Angehörige der Wehrmacht, scheints, müssen in allen Fällen bei Gold und Silber aufbewahrt werden – noch im Zuchthauskittel ist der ehemalige Soldat etwas höchst Zerbrechliches.

Es ist immerhin verwunderlich, daß bei dem ausgeprägten Gruppengeist dieses Volkes die andern Berufe und Stände nicht eine ähnliche Vergünstigung für sich beanspruchen, wie sie hier dem Soldaten dargeboten wird. Der Angehörige der Wehrmacht gehört in die Einzelhaft. Und die Technischen Nothelfer? Und die Juristen – Gerichtsvollzieher und Rechtsvollzieher – die gucken in den Mond? Das ist ein schweres Unrecht.

Immerhin wissen wir jetzt, warum die Angehörigen der schwimmenden und über den außerordentlichen Etat laufenden Wehrmacht sittlich so rein sind. Sie haben nie mit Gewohnheitsverbrechern in einer Zelle gesessen.

So unverdorben wie die bin ich noch alle Tage. Gehe ich nach Tegel, so will ich erbitten, daß man mich mit einem Angehörigen der Wehrmacht in eine Zelle lege. Für den Mann kann ich nicht garantieren. Aber ich will euch wieder herauskommen, derart vorn beziehungsweise hinten sittlich geläutert, daß es ein helles Vergnügen sein wird und meiner Einstellung in den höhern Justizdienst, etwa als Justizwachtmeister, demnach nichts mehr im Wege steht.

Ignaz Wrobel, WB 21.5.1929

60

Provinz

Wenn man eine Weile durch die Provinz trudelt, gerinnen bald die äußern Eindrücke zu einem bunten Knäuel, dessen Fäden immer wiederkommen: immer wieder ein Bahnhof, der aussieht wie eine gewaltige Stahlfabrik oder eine riesige Festung aus Stein; die Franzosen, deren Bahnhöfe Örtlichkeiten sind, die sie rasch durchschreiten, können sich gar nicht darüber beruhigen, was die Deutschen mit ihren Bahnhöfen treiben ... aber da sind sie nicht ganz im Recht – zu tadeln ist nur, was auf den deutschen Bahnhöfen fehlt: nämlich eine Apotheke und ein Postamt und ein Geschäft, das kleine Reparaturen an Koffern ausführt ... weil wir sonst keine Sorgen haben. Immer wieder der große Bahnhof also, dann ein Hotel mit kleinen Fehlern, auf die offenbar alle Mitglieder des Reichsverbandes Deutscher Hoteliers vereidigt sind: kein Schuhlappen, Waschschüssel unpraktisch, Bidet vacat, wenn nicht Badezimmer, dann große Preisfrage: Wo tut man sich die Beine waschen? – und so fort. Vom Nebenlärm zu schweigen – darin sind sie unbelehrbar; zum Nebenzimmer muß eine Tür führen, die nur selten eine Doppeltür ist, so daß wir mit der Schreiberin eines Zeitungsbriefkastens seufzen dürfen: «Die alleinstehende Frau des gebildeten Mittelstandes begibt sich doch nicht auf Reisen, um die heimischen Geräusche eines zähneputzenden Mannes zu hören.» Bravo! Und wenn du dir morgens unweigerlich, in allen Städten ohne Ausnahme, die Finger am zu heißen Griff der Teekanne verbrannt hast, begibst du dich in das brausende Leben der deutschen Provinz.

Also so schlimm ist es nun nicht. Nämlich so schlimm, wie es die Kritischen unter den Provinzlern selber machen. Der Reisende aus der großen Stadt begegnet einer leisen Bewunderung, die sich oft dahin begibt, woher sie kommt: nämlich in das Neidgefühl. «Ja, Sie da in Berlin –! Und wir hier in der Provinz –!» Ich weiß doch nicht.

Es gibt in allen deutschen Provinzstädten, die ich gesehen habe, nicht zu kleine Kreise, die Gesinnung haben und arbeiten. Schwer genug wirds ihnen gemacht. Die Überbetonung von Mittelmäßigkeiten findet sich in jeder kleineren Gruppe, das ist ein soziologisches Gesetz und keine Sondereigenschaft der deutschen Provinzstädte. Wir treten von außen in ihren Kreis etwa wie jemand, der ohne Vorbereitung an einen Tisch sich zankender Verwandtschaft kommt: da sagt einer «Onkel Paul», und ein gehässiges Rauschen geht durch die Runde, das kann sich der neue Mann gar nicht erklären, weil er die zehntausend Assoziationen nicht kennt, die hier bei der Namensnennung auftauchen – für jene ist Onkel Paul eine Welt, für uns nur ein etwas mäßiger Bürger. Sagt also einer in Stuttgart «Herr Klößli», so ist «Herr» tödlichste Ironie und «Klößli»: Schlachtruf, Fanfare, Feldgeschrei und Losung. Wenn wir Herrn Klößli nachher sehen, wundern wir uns ein wenig über so viel Lärm, denn wir haben nicht mit ihm und nicht neben ihm gelebt. Und ist das in Berlin etwa anders –?

Ich halte den Drang, um allen Preis «hier heraus» und nach Berlin zu gehen, für Fahnenflucht und für einen Fehler obendrein. Die berliner Zeitungen, die einen merkwürdigen Lokalpatriotismus treiben, der der Stadt ihr Bestes nimmt und fremde Zutaten aufplustert, merken voller Stolz an: «Auch Herr Mann hat jetzt in Berlin seinen Wohnsitz genommen.» Sehr bedauerlich – denn dies ist eine Flucht. Eine Flucht aus München, natürlich; eine Flucht aus Stuttgart, eine aus Königsberg – und so verödet die Provinz. Das ist durchaus kein Sieg unsrer Gedanken – in Berlin sind die Fliehenden recht ungefährlich, man läßt sie machen, sperrt sie bestenfalls nicht ein ... In Köln aber könnten drei solcher Kerle dem Stadtrat ordentlich zusetzen, sie könnten da eine Macht sein, wo heute die andern unumschränkt herrschen, und sie herrschen!

Ich bin in Süddeutschland gewesen, und was mir in allen Städten aufgefallen ist, ist das Rascheln der Soutanen, die du durch alle Rayons hindurch hörst. Die Herrschaft dieser Spießer ist vollkommen; man glaube doch ja nicht dem Kaplan Fahsel und dem Herrn Muckermann und sonstigen Figuren, die die Firma im Schaufenster hat – drin werden ganz andre Waren verkauft. Die Reaktion, soweit sie in Deutschland geistig ist, kopiert, hier noch schämig, den Fascismus: Kampf gegen die gemeingefährliche Kirchturmpolitik des Zentrums ist eine «peinliche Rückständigkeit», denn wenn einer Freiheit propagiert, antwortet ihm jenes neue, von der Rüstungsindustrie ausgehaltene Europa: «Was tragen Sie denn da noch für einen Schlips?» und es gibt genug Dummköpfe, die daraufhin ihre Fahne beschämt wieder einstecken ... Ein Kampf um die Kultur aber muß nicht Kulturkampf sein, und wenn die jetzige Führergeneration der Sozialdemokraten durch Krieg und Inflation korrumpiert ist, so heißt das noch nicht, daß die Arbeiter und freiheitliebenden Bürger wehrlos den Pfaffen ausgeliefert werden sollen. Ob die wissen, was sie wollen, steht dahin – aber sie wissen wenigstens sehr genau, was sie nicht wollen. Sie haben die Schule; sie haben die Universität – und sie üben einen Einfluß auf den Rundfunk aus, der traurig mitanzusehen ist. Beim Rundfunk habe ich Männer gesehen, darunter auch Leute unsrer Generation, die ihr Möglichstes tun, aber wie wenig ist das! Der Rundfunk, dessen Rolle und Einfluß in der Provinz noch viel größer sind als in dem ewig abgelenkten Berlin, besteht zu gut achtzig Teilen aus Angst – ist denn da keiner, der den pensionierten Obersten der alten Armee, den Nutznießern der neuen und den Kirchenmännern sagt: «Wenns euch nicht paßt, könnt ihr die Antenne erden»? Ernst Hardt in Köln hats ihnen gesagt – man muß ihm dafür Dank wissen. Die andern sind furchtsamer; denn sie fürchten ja nichts für sich, sie wollen nur nicht, daß die Wahrheit an die Massen herankommt, und nicht jeder hat so viel Charakter wie unser Ernst Glaeser, der im frankfurter Radio Briefe gefallner Studenten vorlesen ließ und einem ergrimmten Militär, der sich beschwerte, antwortete: «Wenden Sie sich bitte an den Briefschreiber. Er liegt bei Ypern.» Worauf keine Antwort mehr kam.

Im Theater ist das überall ähnlich. Die ästhetischen Streitereien haben mich nicht interessiert; ich ahne nicht, worum sie sich balgen. Speelt man god, habe ich mir gedacht. Aber die Herrschaft, die die Theaterkommissionen fast überall ausüben, ist katastrophal und eine Diktatur der Mittelmäßigkeit. Das wird noch dadurch verschlimmert, daß die meisten Vertreter der Sozialdemokratie nicht wissen, wo Gott wohnt, und daß die Kommunisten, in der falschen Erwartung, der große Tag trete morgen ein, sich kaum um diese Dinge kümmern. Der Rest steht unter einer Diktatur, die um so beschämender ist, als sie von einer wirtschaftlich nicht immer mächtigen Minderheit ausgeübt wird. Die Angst dieses Bürgertums vor den Mächten von gestern ist groß; es ist, als fühlten sie, es seien diese wiederum die Kräfte von morgen, und da von den Druckereibesitzern der kleineren Zeitungen nicht viel Charakter zu erwarten ist und ihre Redakteure kaum zählen, so kann man sich das Zittern und Zagen vorstellen, das da ausbricht, wenn der «Nationalverband Deutscher Offiziere» oder sonst irgend eine Emanation deutscher Stalluft und gottesfürchtiger Dreistigkeit protestiert. Bestenfalls ersticken solche Streitigkeiten im Kompromiß.

Hier kann etwas getan werden.

Berlin hat eine Schuld an die Provinz – wir sollten ans Werk gehen.

Es gibt so viel guten Willen in der Provinz, so viel junge Leute, die suchen, so viele, die dem ersten besten Rattenfänger auf den Leim gehen, weil kein andrer da ist. Laß einmal die fragenden Augen auf dich gerichtet sein, sei ehrlich genug, ihnen zu antworten: «Auch ich suche. Auch ich bin weder ein Prophet, der die fix und fertige Lösung der Lebensrätsel in der Tasche hat – unter der Bedingung, daß die Herren seine Terminologie benutzen und die Damen mit ihm schlafen – noch bin ich der Patent-Organisator, Zahlung des Mitgliedsbeitrages genügt, komme sofort, Angehörige unsrer Organisation leiden an keinerlei metaphysischen Beschwerden …» Hab Mut und sag das. Und hilf. Wie –?

Die jungen Leute der deutschen Linken, die in Berlin wohnen, sollten viel mehr in die Provinz fahren, als sie es heute tun. Es gibt Hunderte von Gruppen, Kreisen, Bünden und Vereinen, die gern für die Reisekosten aufkommen – am Geld kann das nicht scheitern. Sie sollten fahren: als Lernende, nicht etwa als Belehrende; als Nehmende und als Gebende, ohne Großstadt-Hochmut, als gute Kameraden. Sie werden, wenn es die richtigen Kerle sind, überall willkommen sein. Wo seid ihr –? Warum laßt ihr die Freunde im Lande allein? Warum läuft sich vieles tot, was ihr in Berlin macht, in Berlin, wo ihr immer dasselbe Publikum habt, eines, das viel, viel kleiner und ganz bedeutend einflußloser ist als ihr denkt? Wo bleibt ihr –? Wo seid ihr –?

Ihr könnt Einfluß haben; ihr könnt wirklich gefährlich sein – aber nicht in W 50. Ihr seid es im Augenblick, wenn ihr das, was unter euch schon selbstverständlich ist, in Bitterfeld aber eine Kühnheit, in die mittleren und kleinen Städte tragt – da ist eine Kampfbahn, deren Zuschauer auf euch warten, im guten wie im bösen. Die guten stehen zum Teil mutig auf verlorenem Posten; die bösen lassen euch das billige Vergnügen, in Berlin radikal zu sein («Bei uns in Greifswald gibts so etwas nicht!») – zeigt ihnen, daß es das auch in Greifswald, grade in Greifswald gibt. Dazu gehören Takt, Bescheidenheit den Freunden, Mut den Feinden gegenüber. Geht in die Provinz – stärkt die Freunde und seht etwa, was die Richter an den kleinen Amtsgerichten treiben, anonym, niemand kontrolliert sie, kaum einer widerspricht. Ihr, die ihr von den Provinzmächten nicht abhängt, könnt aussprechen, was denen verwehrt ist, weil sie finanziell abhängig sind; weil die Rücksicht auf die Eltern es erfordert; weil eine Stellung gewünscht wird, weil «man nicht immer so kann» … Ihr könnt immer so. Fahrt in die Provinz – kommt, seht und siegt. Ihr werdet Hunderte finden, die aufatmen, wenn ihr Wahrheiten sagt, die für uns simpel sind – Tausende denken so wie wir, können es aber nicht aussprechen. Sprecht es für sie aus! Und wenn ihr auch mitunter enttäuscht werdet – laßt euch nicht enttäuschen. Euer vierzehntägiges Wirken in einer mittlern Stadt klingt länger nach als alles, was ihr während eines halben Jahres in Berlin treibt.

Ein Sieg in der großstädtischen Zeitung ist keiner. Der Feind muß auf seinem Felde aufgesucht, angegriffen, geschlagen werden.

Peter Panter, WB 28.5.1929

61

Der Meineid

Dem Andenken Slings

Wenn denn Jeorjen seine Fauste
in Lottchen ihre Augen sauste,
denn freute sich det janze Haus.
Indem daß alle einich waren:
ne Frau von vierundreißig Jahren,
die sieht jefälligst anders aus.
Na, det will ick mein –!

Von wejen sich die Backen pudern
un nachts mit fremde Kerle ludern –
man weeß doch, wat det heißen soll!
Wer Ohren hat, kann manches hören …
«Det könn wa allesamt beschwörn –
er haut ihr nachts den Buckel voll!
Frau Grimkasch sacht auch.»

Frau Grimkasch hats von Frollein Klüber,
die wohnt Jeorjen jejenüber,
wer richtich kieken kann, der sieht.
Frau Grimkasch sacht noch uffn Flure:
«Na, wissen Se, die olle Hure …!»
denn jehn se alle nach Moabit.
Morjens ½ 10, II. Stock.

Da stehn se nu wie Orjelpfeifen;
die Weiba fangen an zu keifen,
der Richter ruft: «Immer eine nur!»
Det sind nu Fraun von Kommenisten,
von Jelben un von Sozialisten –
hier is det allens eine Tour.
Denn nischt jreift so det Herze an
wie die Sorje um den Nebenmann.

Nu wird man die Portiersche hören …
«Jawoll! Det kann ick jlatt beschwören!
Der kleene Horst stand ooch dabei!
Frau Grimkasch sacht, die Klübern hätte
die beiden überrascht int Bette –
und det Klosett wah auch nich frei!
So wahr mir Gott helfe.»

Der Richter schreibt det in die Biecher.
Der Staatsanwalt mit seinen Riecher …
Meineidsverfahren! Alle Mann.
Frau Grimkasch. Lottchen mit de Prüjel,
der janze linke Seitenflüjel –
die treten alle nochmah an …
Acht Jahre Zuchthaus.

Wat nehmlich unsa Staat ist heute –:
pisaken sone kleinen Leute –
det kann er nämlich meisterlich.
A seine Deutschen Arbeit jehm

un Licht un Luft un jutet Lehm ...
det kann er nich.
Det kann er nich.

Theobald Tiger, WB 28.5.1929

62

Kleine Erinnerungen

«Die Welt ahnt gar nicht, wie groß der diplomatische Tiergarten ist.»

K. v. S.

Da haben also neulich Gerhart Hauptmann und Emil Ludwig das geistige Deutschland in Rom repräsentiert, und der deutsche Botschafter hat sich sehr zurückgehalten, weil er sich als nicht dazu gehörig betrachtete. Nun, die Diplomaten, ihre Sitten und Gebräuche sind geheimnisvoll ...

Da war vor etwa sechzig Jahren ein Herr namens Hübner österreichischer Botschafter in Rom und ein von Arnim preußischer Gesandter. Worauf sich folgendes begab:

«Hübner leidet an einer furchtbaren Hochmutskrankheit, sobald Etikettenfragen aufs Tapet kommen. Als er hier von seiner Urlaubsreise vor etwa vierzehn Tagen eintraf, war Arnim bereits seit einer Woche wieder hier. Die Frage war nun die: wer von beiden soll den ersten Besuch machen? Hübner als der später Angekommene, oder Arnim als der dem Botschafter im Range Nachstehende? Sollte der letzte Umstand den Ausschlag geben, so könnte Arnim mit Recht verlangen, daß Hübner ihm seine Ankunft anzeigte, z.B. durch Zusendung einer Visitenkarte. Die verhängnisvolle Karte erschien aber nicht, weil Alexander Hübner die köstliche Theorie aufstellt, daß, da er im August auf Urlaub gegangen sei, ohne sich durch Zusendung von p.p.c.-Karten beim diplomatischen Korps zu verabschieden, er nun auch nicht nötig habe, seine Ankunft durch Kartenzusendung anzuzeigen, vielmehr sich so stellen könne, als sei er gar nicht verreist oder auf dem Lande gewesen. Nun laufen Arnim und Hübner schon seit vierzehn Tagen in Rom herum, ohne sich besucht und gesehen zu haben; und da sie bis jetzt auch noch nicht am dritten Ort zusammengetroffen sind, so will der gute Hohenlohe (Hohenlohe-Schillingsfürst, ein päpstlicher Großalmosenier) morgen eine Gelegenheit herbeiführen, damit Preußen und Österreich wieder zusammenkommen.» – «Es ist doch scherzhaft», fügt der Autor hinzu, «welch winzige Ideen während großer Weltfragen diese Diplomaten bewegen, von denen man noch so häufig wähnt, daß sie furchtbar wichtige Leute sind!»

Die große Weltfrage war die Auflösung des Kirchenstaates, der Brief ist im Jahre 1866 geschrieben, und sein Verfasser heißt *Kurd von Schlözer*, dessen ‹Römische Briefe› auf jeder Seite mindestens zwei Aktualitäten enthalten und eine höchst amüsante Lektüre sind. Ich weiß nicht, wie das Verhältnis der Neuraths zu den Schlözers in der heutigen Diplomatie ist, wenn ich aber einen Schlözer gefunden habe, will ich mich melden – bisher waren es alle Neuraths. Denn mit Schlözer wäre die Geschichte Hauptmann-Ludwig nicht geschehen; dazu hatte der zu viel Humor, zu viel Bildung … na, wir wollen uns das Herz nicht schwer machen. Immerhin kann ich mir kaum einen Herrn dieses Ressorts vorstellen, der so ehrlich zu sich selbst ist, daß er etwa Folgendes schriebe:

«Heute ist orthodoxes Neujahr. Um diese Stunde ist in Petersburg (wo Schlözer vorher war) die ganze vornehme Welt im Winterpalais versammelt, um dem Zaren Glück zu wünschen. Die Diplomaten stellen sich gegen zwölf Uhr im Saale Peters des Großen im Halbkreise auf … Hinter jedem Chef de Mission stehen seine Sekretäre … im Hintergrund gruppieren sich die Großfürsten und Großfürstinnen mit ihren Hofstaaten, um das welthistorische Schauspiel genau betrachten zu können und keinen Blick zu verlieren, der zwischen den Majestäten und den Angeredeten gewechselt wird.

In solchen Momenten kommt sich der Diplomat, vom Botschafter bis zum kleinsten Attaché, imponierend, gewaltig, als Ausdruck seines Jahrhunderts vor. Wenn dann die Szene abgespielt ist, die Schlitten und Karossen mit den galonierten Kutschern, Lakaien und Jägern vorfahren, die Wachen ins Gewehr treten, alle die Vertreter der Groß- und Kleinmächte sich in ihre dicken Pelze hüllen, ein jeder, in seinem Wagen oder Schlitten zusammengekauert, durch die zwanzig Grad Kälte nach Hause stürmt, in der warmen Stube angelangt, sich seiner Uniform und Orden entledigt, die Zigarre ansteckt, um noch einmal im Geist den jüngst durchlebten hehren Moment sich zu vergegenwärtigen – dann wird ihm wohl ums Herz, und mit der Rechten sich vor die Brust schlagend, stößt er den emphatischen Ruf aus: «Du bist doch ein ganz höllischer Kerl!» –

Ja, das sind sie denn wohl auch. Aber Schlözer war doch eine andere Nummer, von der Politik ganz abgesehen – welche Weite des Blicks! Wieviel Selbstironie – aber laßt uns nicht weich werden. Er sieht sich und seinen Laden immer im Spiegel – konvex, konkav und sehr oft scharf und richtig. «Am Sonntag war Palmenweihe. Das diplomatische Korps hat bei diesen Festen stets so hervorragende Tribünenplätze, daß es aussieht, als würden die Zeremonien und Feierlichkeiten eigens für die Diplomaten aufgeführt.» Wie ja überhaupt davon auszugehen ist: hätten die Diplomaten keine Paßfreiheit, keine Befreiung von den Zoll- und Grenzformalitäten – wahrlich, ich sage euch: die Welt sähe anders aus. Um auf Schlözern zurückzukommen: der kannte sein Metier. Ein Mann, der so über Talleyrand denkt, ragt denn doch über die nicht allzu hohen Häuser der Wilhelmstraße hinaus:

«Dieser alte Talleyrand, dieser mir verhaßte Abgott der diplomatischen Jüngerschaft Frankreichs, Rußlands und unseres guten Deutschlands, diese Inkarnation der Frivolität und Lüge, dessen blasierte, das Menschengeschlecht verhöhnende Aussprüche von jedem dummen Attaché wie Goldkörner eines politischen Evangeliums aufgepickt und, falsch verstanden, im Schnabel geführt werden, dieser Défroqué, an dem leider die Natur so viel Witz, Geist und Verstandesschärfe verschwendet hat –»

Nein, wer so denkt und urteilt, der ist wohl mehr als nur ein Diplomat.

Im übrigen lese man das Buch; es macht viel Freude. Mit den hohen Umzugskosten der Diplomaten, die die Gewerbesteuer der freien Berufe hoffentlich decken wird, muß es damals schon so gewesen sein wie heute: «Arnims», schreibt Schlözer von seinem Chef, «sind jetzt zur Hälfte eingerichtet; 134 große Kisten haben den Weg von München hierher gefunden ...» Na, herzlichen Glückwunsch. Und man erfährt auch sonst allerlei Lustiges – können Sie sich zum Beispiel Liszt, ja ganz recht: der über Papas Klavier hing, können Sie sich den berlinernd vorstellen? Er hat aber. «Wat ick mir dafor koofe», hat er einmal zu Schlözer gesagt. Das war kurz vor der Zeit, wo er die Soutane nahm ...

Was aber Gerhart Hauptmann und Emil Ludwig angeht – so mögen sie sich trösten. Es hätte noch viel schlimmer kommen können. Im österreichischen Botschaftsarchiv zu Rom fand sich ein Erlaß der Wiener Staatskanzlei aus dem Jahre 1786, darin wird dem österreichischen Botschafter mitgeteilt, daß sich ein junger Deutscher nach Rom begeben habe, der sehr gefährliche Tendenzen verfolge und daher zu beaufsichtigen sei.

Der junge Deutsche hieß: Wolfgang von Goethe.

Lasset uns die Diplomaten, groß und klein, in unser Nachtgebet einschließen.

Peter Panter, Voss 31.5.1929

63

Die Beleuchter der Volksbühne

Die Hauppsache bein Theater is, nur die Ruhe nich valieren! Wat wehrn die denn ohne uns?

Sehn Se, son Beleuchter kann nich jeder sein, det isn Beruf, der will jelernt sein. Wir missen die Lampen abmontieren und die Leitungen lejn und alles sowas – na ja, det is ja annerwo ooch ... aber sehn Se, n Theater det is manchmal die reine Verricktenanstalt.

Die Schauspieler sind ja sowet nette Leute – aber wissen Se, die Leite sind ja plem-plem. Mensch, wenn se denn schon komm uff de Probe, imma beleidicht sind die – wir frahren uns ofte: wat ham die bloß? Imma is wat. Mal is enn die Rolle zu klein und dennwieda zu groß und wenn der Regisseur sacht: Hier bei die da jehst Du hier rieba – denn macht der ein Heck-Meck! Er jeht nicht rieba, er bleibt hier sten, hier uff diesem Fleck! und er jeht bein Direkter, sich beschwern … nu sahrn Se mal: kann det den Mann nich janz jleich sein. Nee – es is wejn die Würkung.

Neilich, diss warn Feez! da hatte Otto ein jenomn, wir wahn vorher drüben bei Beetz jewesen, weil seine Olle hatte Jeburtstag und da hatte er een ausjejehm. Is jut. Ick kucke noch so uff die Uhr, ick sahre, Kinder sahre ick, es s hechste Eisenbahn – die fangen ja sonst drieben an ohne uns! Also wir rieba ich seh schon imma, wie mein Otto so janz leise schaukelt, na et war kaum zu merken … aber wir wußten doch Bescheid. Immerhin: der Mann is ein erfahrener Fachmann, den passiert nischt, da kann er jetroste ein jenomm ham. Is jut.

Indem kommt König uff die Biehne, Paul König, Sie wern ja von den Mann jeheert ham – er is sehr beriehmt, der Direktor hält jroße Stücke auf'n – und an den Ahmt machte er den Hamlet. Un an die Stelle, wo det Jespenst ascheint, wir müssen da imma mächtich aufpassen, un alles stand auch richtig in de Kulissen und bei die Schalter – da her ick pletzlich, wie Schaupieler König imma zu Otton rieba ruft: «Blau! Blau!» – Un Otto zeicht imma uff sich, wie wenn er meent: «Als wie icke?» – «Blau!! Blau!» ruft der imma weiter und nu heerten det ooch die anderen und nun fingen wir alle an zu lachen … Da schnappte aba Otto in, «Mein Sie mir?» wird er janz laut rufen – und der Inspizient macht schon: «Psst» und «Ruhe» und Otto imma weita: «Als wie mir? Meint der mir? Was fällt denn den ein?» und der Feiawehrmann guckt schon rieba, wat hier is – und auf enmal jeht König an die Kulissen und ruft – also wir dachten schon, det Publikum wird det heern: «Na wollt Ihr nich vielleicht in die Rampe blaues Licht geben!» Vor Angst hat Otto denn rot geschaltet, aber es hat keener jemerkt, und wie allens jlicklich vorbei war, da ham se sich denn vasöhnt und König hat nachher noch bei Beetz einen ausjejehm, und wie Otto is denn nach Hause jejangen – also – da wah a aba richttich blau!

Sehn Se, n Theater ohne Beleuchter, det is wie ne Weiße ohne Schuß. Et fehlt was.

Kurt Tucholski, Die Junge Volksbühne, Juni 1929

64

Das Märchen von Berlin

> «Die Verantwortung für den Tod der 23 trägt so jener stupide Aberglaube an die Gewalt, der … noch heute die Leitung der KPD. beherrscht.»
>
> *Heinrich Ströbel*

Das ‹Andere Deutschland› hat das Verdienst, das «Märchen von Dinant», jene sinn- und haltlosen Behauptungen deutscher Offiziersbestien durch Zeugenaussagen beteiligter deutscher Soldaten ad absurdum geführt zu haben. Was den Belgiern recht ist, soll den Berlinern billig sein. An dem Berliner Blutvergießen sind nicht nur die Kommunisten schuld.

Deren Schuld steht außer jedem Zweifel. Nach Lektüre der blutdürstigen Telegramme aus Moskau ist zu sagen:

Wenn die Herren in Moskau die Lage in Deutschland nicht sehen; wenn sie nicht wissen, wo der Kapitalismus hier wirklich steht; wenn sie, belogen oder blind, die deutsche Innenpolitik derart verkennen, dabei an heftigem Größenwahn noch die Kirche übertreffend – so ist das traurig genug. Daß die deutschen Arbeiter aus Moskau Geld und Weisungen bekommen, habe ich immer für gut und richtig gehalten – daß diese Weisungen in der letzten Zeit jämmerlich schlecht sind, haben wir zu bedauern.

Wenn aber Heinrich Ströbel in der Nr. 19 des ‹Andern Deutschland› den Kommunisten fast die alleinige Schuld an den empörenden Berliner Vorgängen gibt, so erlaube er mir, ihm ein klares Nein zu sagen. Die KPD. hat nicht die alleinige Schuld.

Damit wir uns recht verstehen: Heinrich Ströbel ist einer der wenigen Führer der SPD., die niemals umgekippt sind; einer, der immer nur die Wahrheit gesagt hat, kein «Taktiker» und kein Paktierer – es ist eine Ehre, mit ihm zu diskutieren. Das möchte ich tun.

Das «Märchen von Dinant» und das Märchen von Berlin sind einander gar nicht so unähnlich – sie sind beide aus ihrer Vorgeschichte zu erklären.

Was zunächst das Verbot der Maifeier angeht, so ist zu sagen, daß es ungerechtfertigt gewesen ist. Der Berliner Polizeipräsident hatte die Machtmittel, eine Maifeier, deren Teilnehmer über die Stränge schlagen, zu meistern – er hat das gar nicht erst versucht. Ob der Grund in der vorhandenen Furcht vor der kommunistischen Konkurrenz oder einfach im Machtkoller gelegen hat, der so vielen kleinen, zur Macht gekommenen Leuten der SPD. zu Kopf gestiegen ist, mag unentschieden bleiben: für die SPD. bleibt die beschämende Tatsache bestehen, daß unter ihrer Ägide in der Hauptstadt des Reiches jene Feier unterdrückt wurde, die der Arbeiter seit 40 Jahren als *seine* Feier anzusehen gewohnt ist. Und es ist eine Unterdrückung, wenn den Arbeitern die Straße verboten wird – die Straße, die nicht Herrn Zörgiebel, sondern dem Arbeiter gehört, der sie gebaut hat. Die Erregung der Kommunisten war echt und richtig.

Es geht auch nicht an, diese Maifeier mit jener im Jahre 1918 zu vergleichen, wie Ströbel das getan hat. Hier spüre ich – Heinrich Ströbel möge es mir verzeihen – eine Empfindung, die hinter der Zeit zurückbleibt. Aufstand gegen ein kaiserliches Verbot – ja; gegen ein sozialdemokratisches: nein? Ströbel fühlt nicht, worum es geht: daß damals die Ludendorffsche Frühjahrsoffensive bekämpft werden mußte, ist richtig; aber der Arbeiter fühlt heute die Provokation Zörgiebels, und die wog für viele sehr schwer. Das sind Gefühlswerte – keine realen. Es gibt eben Dinge, die tiefer gehen als die «Dreiklassenschmach», die wir heute noch hätten, wenn das kaiserliche System sich nicht selbst sein Grab geschaufelt hätte. Die SPD. hätte dieser Schmach kein Ende bereitet.

Aber der Hauptgrund, weswegen der schwere Irrtum Ströbels zu berichtigen ist, liegt gar nicht da. Viele Arbeiter haben friedlich in Sälen ihre kleine, gutbürgerliche Maidemonstration abgemacht – in Hamburg, einer Hochburg der Kommunisten, ging es *im Freien* hoch her, da hielten die Sozialdemokraten alle die Hände hoch und ließen die Partei hochleben, die ein paar Bahnstunden weiter jede Demonstration verboten hatte ... das Hauptstück der Zörgiebelschen Politik liegt anderswo, ganz und gar anderswo.

Es liegt in der militärischen Vorbereitung der Polizei.

Und hier frage ich Heinrich Ströbel, der ein ehrlicher Mann ist, der nicht im Parteikram verblödet ist wie so viele seiner Genossen – hier frage ich ihn auf Ehre und Gewissen:

Weiß er das oder weiß er es nicht –?

Weiß er, daß wir in der ‹Weltbühne› seit Jahr und Tag die Militarisierung der preußischen Polizei aufgezeigt haben – ja oder nein? Weiß er, daß es nicht möglich ist, unter Severing nicht, unter Grzesinski nicht, unter keinem Sozialdemokraten, der das Innenministerium gehabt hat – auch nur die winzigste Besserung zu erreichen? Weiß er, daß die Polizisten, und vor allem ihre Offiziere, seit Jahr und Tag auf den Bürgerkrieg gedrillt werden – genau, wie die uniformierten Verbrecher von Dinant auf den Staatenkrieg gedrillt worden sind? Weiß Ströbel, daß die Lehrbücher aller Polizeischulen den Straßenkampf rein militärisch lehren – ohne – und hier halte ich jeden braven SPD.-Mann fest am Wickel und lasse ihn nicht los – ohne, daß sich in den letzten Jahren auch nur einmal eine militärisch formierte Aufrührerrotte bemerkbar gemacht hätte? Weiß Herr Ströbel das, ja oder nein –? Es ist ja nicht wahr, daß der Rotfront-Bund militärisch so gefährlich ist – die Polizei weiß ganz genau, daß von den großfressigen «Plänen» und «Aufmarschparolen» und was sie da alles haben, auch noch nicht ein Viertel in die Praxis umgesetzt werden kann. Eine Polizei muß sich gewiß mit den neuen Methoden der Technik bekannt machen – aber aus allen im ‹Tagebuch› und in der ‹Weltbühne› und in großen Zeitungen veröffentlichten Zeugenaussagen geht eines klar hervor –:

Unter dem Kaiser ist die Achtung vor dem Menschenleben bei der Polizei größer gewesen als sie das heute unter der republikanischen, von Sozialdemokraten dirigierten Polizei ist –!

Das hat nicht der Krieg mit sich gebracht. Wer das behauptet, lügt der Partei ins Mitgliedbuch.

Denn die Gegenseite mordet ja nicht in demselben Umfange! Ein einziger Polizist in Berlin ist wirklich schwer verletzt – wo sind die «militärischen» Aufrührer? In den Telegrammen aus Moskau – gut. Aber wo sonst?

Ich werde es jenen Sozialdemokraten sagen, deren Horizont nicht über eine geschickt gedeichselte Funktionärversammlung hinausreicht:

Der Militarismus steckt nur in den Köpfen der Polizeioffiziere. Die können nicht anders. Die machen sich in ihren Lehrbüchern – um ihre Existenz aufzuplustern, aus politischen Gründen – einen Mummenschanz zurecht; die spielen Krieg; die bereiten Feldzüge gegen die eigenen Landsleute vor –

und der sozialdemokratische Polizeipräsident hat sie nicht in der Hand.

Es ist ein kleiner Mann, der Herr Zörgiebel – die Partei hat Pech mit ihren Funktionären, die sie in die Staatsstellungen schickt. Es sind fast alles kleine Leute gewesen, und wenn sie zur Macht kommen, werden sie bösartig. Und blind.

Die alleinige Schuld an dem vorher präparierten Auftreten der Polizei, die nicht nur – wie Heinrich Ströbel schreibt – übermüdet, sondern aufgehetzt war, trägt Zörgiebel. Das wäscht kein Schwamm von ihm ab.

Ignaz Wrobel, Das Andere Deutschland 1.6.1929

65

Der Fliegengott

Zu Pfingsten hat es geschneit. Am Wettersee hat es geschneit. Das kleine Haus liegt ganz allein, und man kann es alles sehen.

Die Birken waren furchtbar erschrocken; die vernünftigeren Laubbäume hatten überhaupt noch nicht geflaggt, wie Gerippe steckten sie ihre Arme in die Luft. Ihre Baumseele schlief.

Kalt ist das – hätten auch sollen lieber nach Lugano gehen oder nach … ja. Ich habe heizen lassen: Senta hat die weißen Kachelöfen in Betrieb gesetzt, die bullern, und jetzt spielen wir Winter. Die Öfen sind heiß. Senta, auf ihren dicken Beinen, ist dann zu Papa und Mama gefahren, ins Dorf; die Schweden sind wohl Zentauren des Fahrrads. Nun bin ich allein.

Winterdunkel ist es; während sich in Schildhorn die Leute mit dem Kellner herumzanken und mit dem Mann an der Billettsperre – «Hier, der Herr hat meine Fahrkarte gehabt! Ich habe doch … sei mal still … Sie halten überhaupt den Mund!» – ist es blau und winterdunkel. Spät, beinah zehn. Um diese Zeit gehen der Herr immer schlafen.

Gut, daß das keiner sieht: in der einen Hand den elektrischen Kochtopf, der Kamillentees wegen gebraucht wird; in der andern zwei dicke Bücher, zwecks Bildung; unter dem Arm die Zeitungen, im Schlafrock –: so stehen wir wohl vor der weißen Tür. Nur noch über den Flur – und dann ins Schlafzimmer … Mach die Tür nicht auf –! Mach die Tür nicht auf –!

Grotesk. Warum soll ich denn die Tür nicht aufmachen –?

Weil … setz mal den Kocher ab. Weil … wenn nun … ich sage nicht, daß es so ist … wenn nun draußen auf dem Treppenflur, hinter der Tür, der Fliegengott stände –?

Der wer –?

Der Fliegengott.

Was ist das –? Bist du närrisch –? Laß mich … ich will jetzt ins Bett, wo ist denn der Kocher …

Ich sage nicht, daß es so ist … Aber er steht da, eine schwarzdrahtige Sache, berührt nicht den Boden, hängt oder schwebt, weiß nicht. Oben hat er Käferzangen, und rechts und links, wie zwei schiefe, abgerutschte Turbane, Haarnetze von Augen. Weißt du, daß die Fliegen zweitausend Augen haben, oder viertausend –

Der Kaffee kann das nicht sein. Was für wirre Ideen – ich nehme jetzt den Kocher und …

Wart mal. Da steht er also – was tust du! (lauernd) Was tust du! Ich meine: wenn er da steht –?

Na, dumm …

Nein, sag mal: was tust du –? Schreist du –? Ich schrei.

Vielleicht schreie ich. Auf alle Fälle bekäme ich einen furchtbaren Schreck, so – mit Blutandrang nach dem Kopf, oder fließt das Blut dann ab, ich weiß nicht – dann das Gefühl unter den Haarwurzeln, die Luftbeklemmung … Himmeldonnerwetter, warum soll er denn da stehen, dein Gott? Dein lächerlicher Gott? Verflucht, wenn er nun wirklich …

Na, so. Damit die Sache einen rationalistischen Grund hat: wegen der hundert Fliegen, die du hier totgemacht hast. Sage mal, Mensch – warum klappst du eigentlich alle Fliegen tot, die an den Fenstern summen? Sie haben dir doch nichts getan? Aber nein, kaum siehst du eine, kaum hörst du eine, dann mußt du hingehen, und mit dem Notizbuch mußt du sie an die Scheiben kleben ... sehr ekelhaft, wie das aussieht ... so eine gequetschte ...

Lachhaft. Warum –? Weil sie jetzt voller Eier stecken; weil ich vielleicht Lust habe, hier nachher die ganze Brut im Zimmer zu haben! – Es ist ja –

Weißt du, daß tragendes Wild geschont wird –?

Du bist ein Happen dof. Sind Fliegen vielleicht Wild? So tief herunter reichen die ethischen Ideen nicht ... jetzt stehe ich also wahrhaftig hier im Schlafrock und philosophiere – laß mich endlich –

Momang. Wo hören deine ethischen Ideen auf, junger Herr? Bei den Mäusen? Darf man die noch nicht oder darf man die schon töten, wenn sie – Pst. Was war das?

Wart mal. Nichts. Manchmal knackt es so auf der Treppe.

Ja, also da steht er und rächt sie alle. Auch die, die du im Sommer an den langen Leimbändern verzappeln läßt – sage, wenn das nun Menschen wären, die da in deinem Zimmer ... na, das pazifistische Geschrei möchte ich ja nicht hören! Und dann signalisieren sie mit den kleinen Beinchen: S.O.S.! – Neulich hast du Hund mit deiner Petroleum-Abwehr-Spritze eine angespritzt, sie fiel gleich um, winkte: Erbarmen! – Aber du hast weiter gespritzt, bis sie starr da lag – er rächt sie.

Komisch, was in diesem Hause klopft. Es ist niemand da, und ich klopfe doch nicht. Er steht also da, dein Gott, und was macht er –?

Nichts. In den Sagen ist das dann so, daß du nie mehr lachen kannst. Das sind aber Störungen der Magensäfte, wenn einer nicht mehr lachen kann. Er stürzt sich auch nicht auf dich. Er hängt da – so ...

Metaphysik kommt aus dem Magen. Daran ist kein Zweifel. Etwas Natron ... aber das steht drüben, im Schlafzimmer – – na, vielleicht gehe ich jetzt über den Flur –?

Geh doch.

Ich will nur noch ... ich habe noch vergessen ...

Du hast Angst.

Ich habe keine Angst! Ich will nur das Hemd fortlegen.

Du hast Furcht. Er hängt, ein klein wenig rechts, gleich hinter der Tür und wartet auf dich. Wenn du die Tür aufmachst, sieht er dich an, einen Herzschlag lang, still; verläßt sich ganz auf seine Erscheinung; dann verschwindet er – Gespenster haben manchmal so etwas Erwischtes … und auf einmal siehst du die zehn Gebote im Querschnitt, wie sie nicht sehr tief hinunterreichen, wie das alles nur in einer schmalen Schicht gilt … etwa so breit, wie die, die wir ohne Apparate beherrschen: ein Meter achtzig über der Erde, drei Meter drunter. Das ist ihr Reich.

So – jetzt habe ich das Hemd fortgelegt, nur noch die Kanten einschlagen – ich gehe jetzt. Warum soll ich nicht nach vorn gehen? Vorn hat man keine Angst – Angst hat man nur im Rücken.

Du kannst auch gehen. Er ist weg. Wie weggeputzt, so, wie die Kinovisionen …

Außerdem habe ich nicht die Spur Angst, nicht die leiseste Spur … siehst du, ich drücke mit der Kocher-Hand die Klinke herunter … ist da im Dunkel? … Nein, da ist nichts. Licht! Deinen Fliegengott gibt es gar nicht. Morgen schlage ich sie alle tot – alle. Nicht eine soll mir an den Fenstern summen. Schmeißfliegen.

Der Herr sind etwas schnell über den Flur gegangen, wie …? Hast du die Tür abgeriegelt?

Der Riegel ist entzwei. Ich habe keine Angst. Hier hinein kommt er nicht.

Warum nicht?

Weil es ihn nicht gibt. Weil es ihn nicht gibt. Gibt keinen Fliegengott. Jetzt laß mich lesen.

*

(Das Gefühl, im Dunkel.) In mir wachsen und wimmeln Millionen Mikroben. Jeder Herzschlag klopft dem Grabe zu. Weiter und weiter – unaufhaltsam. In mir wächst der Tod.

Peter Panter, Voss 6.6.1929

Die Zeit schreit nach Satire

1.

Per Eilboten.

Sehr geehrter Herr!

In der Annahme, daß Sie für die Ausarbeitung einer literarischen Groß-Revue mit satirischem Einschlag Interesse haben, erlauben wir uns, uns mit der Bitte an Sie zu wenden, unserm Herrn Generaldirektor Bönheim – möglichst heute noch – Gelegenheit zu einer persönlichen Rücksprache mit Ihnen zu geben.

Wir erwarten Ihren Anruf zwischen 11 und ½ 12 Uhr.

Indem wir hoffen, von Ihnen *umgehend* eine zusagende Antwort zu erhalten, begrüßen wir Sie

mit vorzüglicher Hochachtung
Deutscher Literatur-Betrieb G. m. b. H.
Abteilung: Theater
Für den geschäftsführenden Direktor:
(gez.) Dr. Milbe.

2.

– «Hallo!»

– «Hier Deutscher Literatur-Betrieb!»

– «Hier Peter Panter. Sie hatten mir geschrieben; Ihr Herr Generaldirektor Bönheim möchte mich sprechen; es handelt sich um eine Revue …»

– «'n Augenblick mal. – – Ja –?»

– «Sie hatten mir geschrieben …»

– «Wer ist denn da?»

– «Hier Peter Panter. Sie hatten mir geschrieben: Ihr Herr Generaldirektor Bönheim möchte mich …»

– «Ich verbinde mit dem Generalsekretariat Generaldirektor Bönheim.»

– «Hier Generalsekretariat Generaldirektor Bönheim?»

– «Hier Peter Panter. Sie hatten mir geschrieben: Ihr Herr Generaldirektor Bönheim möchte mich sprechen – es handelt sich um eine Revue ...»

– «'n Augenblick mal ...! – – Ja, was gibt's denn –?»

– «Hier Peter Panter. Sie hatten mir geschrieben: Ihr Herr Direktor Bönheim möchte mich sprechen; es handelt sich um eine Revue ...»

– «Sie meinen Herrn *General*direktor Bönheim –! Herr Generaldirektor ist nicht zu sprechen, er ist verreist; wenn er hier wäre, wäre er in einer wichtigen Konferenz.»

– «Ja, aber ... in dem Brief stand, es wär eilig ... unterzeichnet hat ein Herr Doktor Milbe.»

– «Das ist Abteilung: Theater. Ich verbinde mit der Abteilung: Theater.»

(Schlaganfall)

Darauf: Verabredung mit Herrn Dr. Milbe.

3.

– «Also, sehn Se, ich hab mir das so gedacht –: wir machen eine Revue, verstehn Se, also eine Revue, so was hat Berlin überhaupt noch nicht gesehn! Scharf, verstehn Sie mich, witzig, spritzig – also es ist ja gar kein Zweifel: *diese Zeit schreit ja nach Satire!* – das wird eine ganz große Sache! Wir haben sofort an Sie gedacht – nehm Sie 'ne Zigarette? – kommt ja gar kein anderer in Frahre. Wir engagieren Pallenberg, die Valetti, Paul Graetz, Ilka Grüning, Otto Wallburg – – Hallo? 'tschuldjen 'n Momentchen ...! (Viertelstündiges Telephongespräch) – also, wo waren wir stehen geblieben – Ja! Engagieren also die Massary, Emil Jannings, Lucie Höflich – Nu ist da allerdings ein Haken: Ablieferungstermin des Manuskripts in acht Tagen. Ja, also das is nich anders. Warten ist zu teuer. Wir haben das Theater gepachtet – wir müssen mit der Sache raus. Na, Sie werden das schon machen! Regie? Piscator! Seffaständlich! Hat schon zugesagt; wenn er also nicht kann, dann Jeßner. Oder Haller. Auf alle Fälle: I a. Da können Sie sich auf uns verlassen. Und gehn Sie ran, besonders in den Couplets ... nein, halt, machen Sie keine Couplets – machen Sie Sonx – jetzt macht man Sonx – natürlich nicht zu literarisch, nicha, wir wenden uns ja an ein großes Publikum – also 'n bißchen allgemein-verständlich – wir haben so etwa gedacht: Dreigroschenoper mit'm Schuß Lehár. Komponisten? Na, wahrscheinlich Meisel und Kollo oder Weill und Nelson, ein bißchen einheitlich muß es ja schon sein. Das Geschäftliche – – besprechen wir noch – unser leitender Herr ist heut grade in Moabit, als Zeuge. Wissen Sie, ich war früher auch literarisch tätig; was meinen Sie, beneide ich Sie, wie gern würd ich wieder – Hallo? nein! gehn Sie noch nicht weg! – ich hab Ihnen noch was zu sagen! (Dreiviertelstündiges Telephongespräch) –

Also wir verbleiben dann so, nicht wahr: es bleibt dann dabei: am 18. liefern Sie ab, und am 19. fangen wir an mit den Proben! Hier geht's raus …»

4.

– «Doktor Milbe hat mich aber um halb elf bestellt.»

– «Tut mir sehr leid, Herr Doktor Milbe ist in einer wichtigen Konferenz.»

– «Da werd ich warten – – Nanu! Mehring? Was machen Sie denn hier? – und was – der Onkel Kästner!»

«Tag, Panter. Ja, wir kommen hierher, wir haben uns unten getroffen, wir wissen auch nicht … Mehring sagt mir, er arbeitet hier an einer Revue. Ich arbeite hier auch an einer Revue.»

– «Ich auch. Ganz ulkig – mir hat der Mann gar nichts gesagt, daß er noch andere auffordert – da hätten wir doch gut zusammenarbeiten können … so ein –»

– «Herr Doktor Milbe läßt die Herren bitten!»

(gezischt) – «Ich hab Ihnen doch gesagt, nicht alle drei zusammen –!

Also – sehr nett, daß Sie kommen: ich habe die Herren gleich zusammengebeten, nicht wahr, es ist einfacher – – es war ja auch so besprochen. Bitte nehmen Sie Platz … Tja … also wir haben Ihre Texte durchgesehen – durchgesehen – ja, also da muß ich Ihnen nun leider sagen: also so geht das nicht. Sehn Se mal – Hallo? 'tschuldjen 'n Momentchen … (Halbstündiges Telephongespräch) – Wo waren wir stehen geblieben – ja, also meine Herren, ich habe Ihnen das ja eben auseinandergesetzt, warum es so nicht geht. Herr Kästner, das ist ja viel zu fein, was Sie da gemacht haben –

das verstehen die Leute ja gar nicht – nee, die Revue soll natürlich gut sein, aber zu gut soll sie auch wieder nich sein! Herr Panter, das ist unmöglich, unmöglich, verstehen Sie mich – sehn Sie, hier das da, das ist gut, diese Szene mit dem Spreewaldkahn –»

– «Die hatte ich mir als Parodie gedacht; die Szene ist gar nicht ernst …»

– «Na, das ist ja ganz gleich – dann machen wir sie eben ernst. So müßte die ganze Revue sein – und hier, das da –:

Komm mal rüber –
komm mal rüber mit der Marie! –

Sie irren, wenn Sie glauben, daß unsere Besucher für Geld ‹Marie› sagen – na ja, *ich* versteh das ja, aber wir haben Smoking-Publikum – und dann hier, das mit der Reichswehr, das geht natürlich nicht, und das mit Zörgiebel muß weg … aber sonst ist es ganz – Hallo? 'tschuldjen mich … Zum Donnerwetter! Ich bin jetzt in einer wichtigen Konferenz, ich will jetzt nicht gestört werden! Nein! Ja! Weiß ich nicht! Hören Se mal – –! (Halbstündiges Telephongespräch) – Also wo – ja, Herr Mehring, nehmen Sie mir das nicht übel – ich habe das nicht verstanden! Also ich versteh das nicht! Na, dann bin ich eben literarisch nicht so gebildet wie Ihr – ich habe schließlich meine journalistischen Sporen verdient; ich trau mich gar nicht, das Herrn Generaldirektor Bönheim vorzulegen, der lacht uns ja glatt aus! Hier –:

Und weil der Eskimo anders als der Börseaner spricht:
Deswegen verstehen, verstehen wir alle, wir alle uns nicht!

Verstehn Sie das? Natürlich spricht er anders. Na, und das da:

Es liegt eine Leiche im Landwehrkanal.
Fischerin, du kleine –

also erstens ist das alt – und außerdem ist das unappetitlich; die Leute wollen doch nachher essen gehn. Nee, meine Herren – so geht das nicht. Also arbeiten Sie mir das um – verstehen Sie mich, pikant, witzig, spritzig, ich habe für heute nachmittag auch noch Herrn Polgar und Herrn Marcellus Schiffer und Herrn Roellinghoff gebeten – wir müssen das schaffen. Sonst wende ich mich eben an Herrn Ammer oder an Herrn Villon oder schlimmstenfalls an Herrn Brecht … also um vier Uhr, meine Herren, beim Regisseur – auf Wiedersehn –!»

5.

– «Ich habe ihm erklärt: ich übernehme die Inszenierung überhaupt nicht. Ich weiß gar nicht, warum er Sie hier alle zu mir herbestellt hat! Wenn ich das mache, dann mach ich es nur unter folgenden Bedingungen: Gesinnung! Gesinnung! Gesinnung! Es muß was rein von der Wohnungsnot; es muß was rein von der Aufhebung des § 194 der Strafprozeßordnung – das sind doch Probleme! Außerdem ist da natürlich der Film.»

– «Was für ein Film?»

– «Der Film, nach dem Stück von Bronnen.»

– «Was für ein Stück von Bronnen?»

– «Das Stück, nach dem Roman von Remarque. Also dieser Film nach dem Stück nach dem Roman – daraus mach ich einen Tonfilm, also es wird eigentlich kein Tonfilm, aber ich mach das so, mit einer laufenden Treppe, Jeßner hat … Guten Tag, Herr Doktor! Guten Tag, Herr Direktor Bönheim – sehr nett, daß Sie gekommen sind …»

– «Wo kann man bei Ihnen mal telephonieren –?»

– «Hier, bitte …» – –

– «So. Also jetzt kanns losgehen. Ja, also, meine Herren, wir fangen morgen an, mit den Proben, aber es müssen da noch einige Kleinigkeiten geändert werden. Das hier, geben Sie mal her, das hier geht nicht. Über die Justiz können wir uns so nicht lustig machen; das muß – bitte mal den Rotstift, danke! – das muß hier raus. Meine Herren, wenn Sie es nicht wissen sollten, wir sind mit Bosenstein & Klappholz liiert, und hinter denen stehn I.G. Farben, solche Witze über die Börse – nee, also Taktlosigkeiten, verzeihen Sie, aber das wolln wir nicht machen. Immer hübsch im Rahmen bleiben. Na, hier … das mit der Internationale … die können Sie ja singen lassen, wenn Sie durchaus meinen; das hören ja die Leute vorm Abendbrot immer ganz gerne. Also arbeiten Sie mir das um –»

– «Herr Generaldirektor Bönheim wird am Telephon verlangt!»

– «Ich? – ’tschuldjen einen Augenblick mal –!»

(Bängliche Pause. Geflüster)

– «Herr Doktor Milbe meint … mit der Massary!»

– «Na, das können Sie doch machen, Panter; Sie haben doch schon so oft für die Frau Couplets, danke, ich rauch jetzt nicht, machen wollen …»

– «So, da bin ich wieder. Ja, also ich höre eben, Emil Jannings hat abtelegraphiert und Otto Wallburg auch, das schadet aber nichts, das besetzen wir um, ich habe da ein paar sehr begabte junge Leute. (Milbe, ich dachte an … puschpuschpusch …) Ja, also wie weit sind Sie nu –? Mit den Streichungen. Ja. Herr Mehring, was hat Ihnen eigentlich der Reichskanzler getan? Lassen Sie doch den Mann in Frieden – wird auch kein leichtes Leben haben. Is nich wahr? Nein, sehn Se mal … zum Beispiel die Berliner Verkehrsregelung, *das* ist ein Skandal! Vorhin hat mein Wagen geschlagene fünf Minuten am Wittenbergplatz halten müssen – *da* müßtet Ihr mal was schreiben! Ja. Na, und der Titel?»

– «Ja, der Titel …?»

– «Herr Kästner, wie nennen Sie das Ding?»

– «Herz im Spiegel.»

– «Und Sie, Herr Panter?»

– «Schwedenpunsch.»

– «Und Sie, Herr Mehring?»

– «Nacht auf dem Blocksberg.»

– «Also schön – dann heißt die Revue: Jeder einmal in Berlin. Meine Herren, Herr Doktor Milbe wird Ihnen das weitere auseinandersetzen; ich habe noch eine wichtige Konferenz … Auf Wieder –!»

«Gewiß, Herr Generaldirektor. Famos, Herr Generaldirektor!

Also, meine Herren, wie ich Ihnen gesagt habe: die Revue steht. Nu arbeiten Sie sie um!»

6.

– «Halt!»

– «Warum Halt?»

– «Wie kommt der Alligator auf die Bühne?»

– «Ich hab das so angeordnet – Herr Klöpfer will das so …»

– «Das hat doch aber … hat doch aber gar keinen Bezug auf den Text –? Es ist ein Lied des Kuppelvaters … was soll um alles in der Welt …»

– «Ich schmeiße euch die Rrrolle hin, wenn Herr Panter hier immer stört! So kann ich nicht probieren! Da soll der Teufel probieren – ich nicht! Da –»

– «Aber, Herr Klöpfer … wir –»

– «Halten Sie Ihren Mund! Ich erwürrge Sie mit meinen nackten Händen! Wenn ich aus diesem Drecktext nicht was mache, dann lacht kein Aas, dann geht überhaupt keiner rein! Alle Nuancen sind von mir, alles von mir: hier, das mit dem Reifen, und beim zweiten Refrain mache ich falschen Abgang und komm mit 'ner Gasmaske wieder raus, und wenn ich hier nicht den Alligator auf den Arm nehmen kann, dann könnt ihr mich alle …»

– «Herr Panter, lassen Sie ihm schon den Alligator! Es ist vielleicht wirklich ganz gut. (piano): Am Abend geb ich dem Tier Rhizinus!»

7.

– «Das sing ich nicht.»

– «Ja, Kinder, wenn ihr nicht singt, was da steht – Ihr könnt doch da nicht eigene Verse reinmachen!»

– «Warum können wir das nicht! Das können wir sehr schön! Dann mußt du uns eben bessere Texte machen, Panterchen!»

– «Gnädige Frau, das geht wirklich nicht. Von mir aus kann ja hier gesungen werden, was will – aber mein Name steht auf dem Zettel – –»

– «Ich kann das nicht! Ich kann das nicht! Meine Nerven halten das nicht aus! Ich werf euch den ganzen Kram hin! Entweder ich singe hier, oder ich singe hier nicht! Sie gehn überhaupt raus, Sie alter Bock – den ganzen Tag ist der Kerl hinter der Kate her …

gearbeitet wird hier nichts ... ich wunder mich, daß Ihr die Betten nicht mit ins Theater bringt!»

– «Aber, Kindchen ... es ...»

– «Dieses Bordell ist ein Theater ... ich meine: dieses Theater ... ich geh überhaupt ab! Spielt euch euern Dreck alleine –!»

8.

– «Bühne frei –! Halt mal, nicht! noch nicht anfangen! Was ist, Herr Direktor –?»

– «Milbe, ändern Sie mir das um! Hier, das hier im vierten Bild. Unmöglich! Wie konnten Sie das stehen lassen! Stresemann verkehrt im Bühnenklub, so kann man nicht mit unserer Diplomatie umspringen! Herr Kommerzienrat Moosheimer hat mir überhaupt schon Vorwürfe gemacht, daß ich mich auf die Sache eingelassen habe – mir ist schon mies vor der ganzen Revue ... unntä – dann dürfen die Schupos im achten Bild keinesfalls wieder ihre Uniform anziehen; die müssen französische Uniformen nehmen, wir haben ja noch welche aus der vorigen Revue – lassen Sie Pichorek mal sofort nachsehen – und das Lied gegen den Reichstag wird gestrichen ... das ...»

– «Hat aber auf der Generalprobe sehr gewirkt, Herr Direktor!»

– «Das ist mir pipenegal! Wer ist hier Direktor, Sie oder ich? Diese revolutionären Texte, ich bin ein guter Republikaner – das Bild gegen den Kronprinzen in der Gerichtsszene kommt mir auch runter, es ist leicht, einem toten Löwen einen Fußtritt zu versetzen – außerdem hab ich nicht Lust, euretwegen meine ganzen Geschäftsverbindungen – –»

– «Bühne frei! Gong –!»

9.

(Deutsche Tageszeitung): – – Dieser rote Schund – –

(Vossische Zeitung): ... unser Freund Peter Panter wohl seinen matten Tag gehabt haben mag. Das kann jedem passieren. Aber an solchen Tagen dichtet man eben nicht. Nach der Reichstagsszene, die seltsam salzlos war, ging der Sprecher ab, und wir blieben zurück, ratlos, was das wohl zu bedeuten hätte; es schien dann, als wollte der Schauspieler, der den Reichstagspräsidenten darstellte, noch irgend etwas sagen, aber wahrscheinlich hat hier die Erfindungsgabe des Autoren nicht gereicht … was französische Polizisten in einem deutschen Versammlungssaal zu tun haben, wird wohl das ewige Geheimnis unseres Autors bleiben … es war kein guter Tag für ihn. Man werfe diesem Raubtier einen andern Braten vor und lasse es durch neue Reifen springen.

10.

(Frau Wendriner am Telephon; morgens halb elf) – «hat sie gesagt, wenn sie ein neues Mädchen für dich hat, wird sie mich anklingeln. Du kannst dich unbedingt auf sie verlassen; sie besorgt mir immer die Tassen nach, fürs Geschirr; sie ist durchaus zuverlässig. Gestern –? Im Majolika-Theater, zu der neuen Revue, Premiere. Nei-en – mäßig. Die Bois ganz nett, aber es war alles so durcheinander, wir haben gar nicht gelacht. Es hieß erst, das wär nu die ganz große Sache, aber wir wollten schon nach der Pause gehen. Oskar ist dann noch geblieben, weil er Paul nach der Vorstellung noch sprechen wollte, geschäftlich. Das einzige war noch Graetz und die Hesterberg, sonst gar nichts. Margot hat gestern angerufen; warum du denn gar nicht mal bei ihr anrufst, sie will mich morgen anklingeln, und du sollst doch auch mal Lina anklingeln, damit Lina Trudchen anruft, wegen dem Schleiflack, Käte ist sehr zufrie –»

11.

– «Sie sind schuld –!»

– «Ich? Das ist ja großartig! Sie sind schuld –!»

– «Wer hat es gleich gesagt? Wer hat es gleich gesagt?»

– «Macht hier nicht sonen Krach im Theaterbüro! Davon kommt das Geld auch nicht wieder! – Statt sich anständige Autoren zu holen! Presber! Remarque! Ferdinand Bruckner! Nein, da holen sie sich ihre guten Freunde ran …»

– «Das verbitte ich mir.»

– «Sie haben sich hier gar nichts zu verbitten – das ist mein Unternehmen, Herr Doktor Milbe –! Was steht ihr überhaupt hier alle rum? Wollt ihr vielleicht Geld von mir? Dafür wollt ihr noch

Geld? Wozu zahle ich meine Theaterpacht – Ich will euch mal was sagen –»

– «Was ist denn das für ein Ton –?»

– «Sie sind entlassen! Sie ehmfalls! Ich werde hier mit eisernem Besen –»

– «Sie mir auch! Diese Dreckbude von Theater – Mahlzeit!»

– «Raus hier! Hat einen Charakter wie ein Klosettdeckel –!»

– «Panter! Los! Ab!»

– «Sie hätten ...» – «Ich habe ...» – «Sie Riesenroß, wer hat gleich am ersten Tag ... aber auf mich hört ja keiner, in meinem eigenen Betrieb ... das wird mir von heute ab ... ich bin ein alter Theaterhase, und diese Lausejungen ... Ich verkaufe den Betrieb überhaupt, da könnt ihr sehen, wie ihr ohne mich fertig werdet! Ich geh ins Tonfilmsyndikat oder zurück zur Konfektion – –!»

*

– «Ihr kommt runter? Ich geh rauf – mein Geld holen.»

– «Da bemühen Sie sich gar nicht erst nach oben. Geld is nich. Aber Krach.»

– «Um Gottes willen – was ist da oben los? Man möcht ja meinen, es wär Mord und Totschlag – was ist denn das –?»

– «Das –? Das ist die Zeit. Sie schreit nach Satire –!»

Peter Panter, Voss 9. 6. 1929

67

Der Skatklub

Das machen sie alle Jahre so –
da halten sie ihren Parteitag
in Magdeburg oder Gütersloh
von Montag bis aufn Freitag.
    Der Hilferding lehrt; der Wels, der dröhnt;
    der Heilmann wird peinlich hitzig;
    Müller liest was vor, und Breitscheid klöhnt
    (für Gütersloh äußerst witzig).

Den Vorsitz führt ein redlicher Mann,
der mit der Geschäftsordnung gaukelt,
und dann setzt ein Kollege das Schlußwort an –
das ist alles schon eingeschaukelt.
  Es werden dieselben Bonzen gewählt,
  die alten Zirkuspferde;
  es werden dieselben Sprüche erzählt …
    Hat dafür Bebel gearbeitet –?

Es braust ein Land in Unmut und Not –
die bewilligen ganze Flotten;
die schießen den Mann auf der Straße tot
und hausen wie Hottentotten.
  Die werfen Milliarden zur Reichswehr hinaus
  und küssen dem Papst die Hände –
  die vertun unsere Zeit im Reichstagshaus –
    Habt ihr vergessen, daß ihr Arbeiter vertretet –?

Ihr Funktionäre in Gummischuhn!
Sieht man euch so parlamentieren,
dann frag ich mich: Was muß man tun,
um euer Vertraun zu verlieren?
  Verrat. Die Steuern. Reichswehrbetrug.
  Zörgiebel. Kreuzer. Noch nicht genug.
    Die Stunde rennt.
    Ihr pennt.
  Aber das machen sie alle Jahre so –
  da halten sie ihren Parteitag
  in Magdeburg oder Gütersloh
  von Montag bis aufn Freitag.
Und das kämpft für den Zukunftsstaat –!
Flaschen könnt ihr spüln. Aber nicht Skat.

Theobald Tiger, WB 11.6.1929

Endlich die Wahrheit über Remarque!

Seit Monaten heult die berliner Asphaltpresse Reklame für ein widerliches Machwerk von Erich Maria Remarque, dessen Titel ‹Im Westen nichts Neues› übrigens der Obersten Heeresleitung entlehnt ist (Herr Staatsanwalt?) – und das den Krieg so schildert, wie er sich eben nur in den Köpfen typischer Drückeberger malt.

In der nächsten Nummer der ‹Süddeutschen Monatshefte› wird über diesen Landesverräter endgültig die Wahrheit enthüllt; die Angaben sind von Herrn Professor Coßmann überprüft, daher fast zuverlässig. Durch die besondere Freundlichkeit des Verlages der Monatshefte sind wir in der Lage, unsern Lesern schon heute mit Aufklärung dienen zu können.

Erich Salomon Markus – so ist der Name dieses Judenknäbleins – war lange Zeit hindurch kleiner Synagogendiener der jüdischen Synagoge in der Oranienstraße zu Berlin (sogenannter «Salatschammes»). Geboren ist dieser Sproß Judas in Zinnentzitz in Schlesien, wo sein Vater, Abraham Markus, eine – koschere Schlächterei hatte (Merkst du was?). Die Jahre, in denen Tateleben Markus dort sein edles Gewerbe ausübte, sind dadurch gekennzeichnet, daß während dieser Zeit auffallend viel Christenkinder in der Umgegend verschwanden; sie wurden zwar bald nach ihrem Verschwinden immer wieder aufgefunden, aber es ist niemals (! die Red.) festgestellt, ob es auch dieselben Kinder waren!

Eine Mutter hat Erich Salomon Markus nie gehabt; es werden, wie das bei jüdischen Familien üblich ist, auf seinem Taufschein zwei Mütter vermerkt, eine gewisse Sarah Bienstock und eine unverehelichte (!!) Rosalie Himmelstoß (wir werden auf diesen Namen noch zurückkommen).

Im Alter von neun Jahren trat der kleine Markus seinen «Dienst» in der oben erwähnten Synagoge an; er hatte dort die Lichter anzuzünden, die Bibeln abzustauben und, was sehr wichtig für die Beurteilung seiner spätern Entwicklung ist, die Judenknäblein bei der Beschneidung festzuhalten. Bei dieser Gelegenheit soll durch seine Unachtsamkeit der Sohn eines bekannten berliner Warenhausbesitzers doppelt beschnitten worden sein, weswegen der Markus aus dem Synagogendienst entfernt wurde.

Salomon Markus trieb sich zunächst stellungslos in Berlin umher; er versuchte beim Theater unterzukommen und soll auch bei seinem Rassegenossen Reinhardt mehrere Male alle Titelrollen in den Brechtschen ‹Verbrechern› gespielt haben. Ferner war der junge Markus in Berlin als Bonbonhändler, Zuhälter, Hundehaarschneider und Redakteur tätig. Markus ist Freimaurer und Jesuit.

Es kam der Krieg.

Markus zog ins Feld; das heißt, er war der berittenen Armierungstruppe zugeteilt, konnte aber wegen einer Krankheit, die wir hier nicht näher bezeichnen wollen, keinen Dienst tun und wurde daher im Hinterland verwendet. Durch eine unbegreifliche Unachtsamkeit der Militärbehörden ist Markus als Schreiber im Hauptquartier Seiner Majestät des Kronprinzen beschäftigt worden; er hat also den Feind niemals auch nur von weitem gesehen.

Nach dem Kriege hat er sich in Osnabrück als Damenschneider niedergelassen, dann war er Hilfsbremser am jüdischen Leichenwagen in Breslau und ist später nach Hannover gegangen; Professor Coßmann läßt die Frage offen, ob Markus etwa Haarmann gekannt und vielleicht auch unterstützt hat …

Und dieser miese Baldower wagt es, für die Asphaltpresse einen Bericht zu verfassen, dem die Lüge an der Stirn geschrieben steht! Nicht nur, daß er den Namen seiner eigenen Mutter (Himmelstoß) in seinem Buch verwendet, um einen Vorgesetzten verächtlich zu machen (Herr Staatsanwalt?) – sondern er beschuldigt auch die deutschen Soldaten grausamer Handlungen, deren sie niemals fähig gewesen sind – denn der deutsche Soldat war bekannt für schmerzlosen Nahkampf und humanes Trommelfeuer. Davon weiß natürlich der Salomon Markus nichts; während vorn seine Kameraden mit dem Gesang «Deutschland, Deutschland über alles!» gen Paris zogen, um es zu besetzen, es aber leider schon besetzt fanden, hat der Jude Markus hinten geschlemmt und gepraßt; in der Umgebung des kronprinzlichen Hauptquartiers fanden sich bei Abmarsch der deutschen Truppen allein vierundachtzig uneheliche Kinder – und wer anders kann die gemacht haben als Markus –!

Gottseidank hat das Buch durchaus keinen ungeteilten Beifall gefunden.

Es sind insbesondere die deutschen Frauen, die wissen, was sich ziemt. Ihnen haben wir zu danken, daß sie die heldischen Deutschen von den unheldischen Undeutschen zu unterscheiden wissen; sie sind es, die zu Siegfried Hagen & Co. aufsehen und den andern Helden unsrer echt deutschen Sagen. Die deutsche Frau will – das haben wir erst neulich in Berlin auf einem Klubabend mit Freude und Begeisterung festgestellt – zu einem Helden aufblicken.

Der deutschen Frau kommt es, wie an jenem Abend ersichtlich war, nicht so sehr darauf an, daß ihr Mann lebt, sondern daß er als Held stirbt, und ist sie bereit, mit dem Ruf «Ich sterbe!» jedesmal mitzusterben, und wenn sie zehnmal heiraten müßte! An der Länge des Säbels erkennt man u.a. den Charakter des Mannes, und die deutsche Frau will, daß ihrem Mann der Sinn stehe, für und für, sein Vaterland zu verteidigen, und wenn es nicht angegriffen wird, dann werden wir dafür sorgen, daß es angegriffen wird! (Ein deutsches Wort! Die Schriftleitung.) «Für mich», sagte uns neulich eine edle deutsche Frau, die Gattin eines höhern Beamten, «gibt es keinen schönern Augenblick in unsrer Ehe, als wenn ich Männi die Uniform zuknöpfen sowie auch aufknöpfen kann. Dies Gefühl ist unbeschreiblich.»

Aus eigner Anschauung also hat die deutsche Frau einen hergelaufenen schlesischen Judenjungen belehrt, wie der Krieg wirklich gewesen ist – im Innern des Landes und im Innern der Frau!

Salomon Markus aber ist gerichtet. Sein Werk ist durch die unvergängliche Veröffentlichung der ‹Süddeutschen Monatshefte› als das gekennzeichnet, was es ist: als eine vom Feindbund und den Marxisten bezahlte Pechfackel, die dem blanken Panzer der deutschen Wehrhaftigkeit nicht das Wasser lassen kann –!

Kaspar Hauser, WB 11.6.1929

69

Kleiner Brief

Lieber Johannes Reimann,

in Ihrer Wallace-Parodie, von der wir hier eine schmackhafte Probe zu kosten bekommen haben, sagen Sie von den Kriminalromanen: «Man liest sie nicht zum wiederholten Mal. Wer es dennoch tut, begreift nicht, wie er an dem Bockmist Gefallen finden konnte.» Ausnahmen bestätigen die Regulatur. Hör zu.

Über Herrn Wallahtze sind wir uns einig. Ich will nicht undankbar sein: der Mann hat mir viele, viele Eisenbahnstunden weggezaubert, einmal habe ich den Gotthardt verlesen, oder war es der Simplon – als sie den Schurken hatten, war ich jedenfalls in Paris. Der autobiographische Band ‹Menschen› desselben Autors ist keine reine Freude – darin finden sich höchst betrübliche Dinge, es riecht nicht gut, dieses Gemüsegärtlein. Aber einmal, einmal, Johannes Reimann, hat ers geschafft – und den Roman habe ich schon mehrere Male beim Wickel gehabt – wie oft sage ich nicht, denn dann bekomme ich es aber nicht schlecht von jenen, die ich auf meinen Nachttisch legen sollte. Dieser Roman heißt ‹Die drei Gerechten›.

Oder sind es am Ende vier? Es gibt, wenn ich mich nicht irre, zwei verschiedene Ausgaben mit zwei verschiedenen Titeln (besiehe Professor Doktor Kaßpohl: ‹Bibliographie der angelsächsischen Afterliteratur›, Connewitz 1957). Es gibt also zwei Ausgaben, eine davon ist mit den Photos der «drei Gerechten» geziert, die fürchterliche Missetäter sind, und es geht die Sage, die Photos stellten – um keinem wehe zu tun – den Verleger Goldmann und seine beiden Prokuristen dar. So opfern sich deutsche Verleger für ihre Autoren.

Diese Erzählung, kudr Mann, die hats in sich. Das ist mit so viel Behagen erzählt, mit Humor, mit Spaß – durchaus folgerichtig, ohne Riß in der Kette, sauber, straff, glänzend in der Erfindung, herragend aneinandergeschweißt, Plättchen an Plättchen ... dadrgegen dürfen Sie nichts sagen.

Gott aber ist groß. Diesen Roman, der auch drüben einen ungeheuern Erfolg gehabt hat, grade den hat der gute Wallahtze für ein Fixum verkauft und ist nicht mehr beteiligt, die Tantiemen rinnen neben seinen Schoß … Es gibt keinen Gott außer Allah, hör auf mich.

Dies zur Steuer der Wahrheit. Nun bin ich aber sehr neugierig auf die «Männer, die im Keller husten», und wenn der grüne Frosch mit der Maske die gelbe Schlange in den blauen Smaragd gesteckt hat, dann wird ein Schälchen Heessen auf Ihr Wohl leeren

Ihr
Peter Panter
Vollständiger Wallace-Besitzer

Peter Panter, WB 11.6.1929

70

[Was soll mit den Zehn Geboten geschehen?]

Als die Rundfrage über die Zehn Gebote ankam, bekam ich keinen kleinen Schreck.

Nun wäre es gewiß sehr einfach, an das Bücherbrett zu gehen, die dicke Bibel vom Bord zu holen und eine feine Abhandlung in betreff jedes Gebots zu schreiben. Bitte, lassen Sie mich sitzenbleiben – wir wollen einmal sehen, was herauskommt, wenn ich nicht nachblättere.

Ich weiß die zehn Gebote gar nicht.

Ich weiß:

Du sollst nicht töten (das weiß wieder die Kirche nicht);
du sollst nicht stehlen;
du sollst nicht ehebrechen;
du sollst nicht begehren deines …

und dann einen Genitiv, den ich vergessen habe. Kurz: Ich bin in dieser Materie nicht bewandert. Das scheint mir kein Zufall zu sein.

Hat eine der Kirchen dem jugendlichen Gehirn die zehn Gebote nicht scharf genug eingetrommelt, dann sind sie im städtischen Proletariat, bei den meisten Intellektuellen, soweit die nicht katholisch sind, bei Hunderttausenden von Menschen unserer Generation vergessen. Wenn nicht hier und da ein Filmtitel auf sie hinweist –: das Leben tut's nicht. Man hängt sich heute keinen moralischen Speisezettel mehr an die Wand.

Das beweist noch nichts gegen diese Sittenlehre. «Ewige Werte» gibt es nicht, sie sind alle zeitlich bedingt oder lokal oder durch die Klasse, die sie geschaffen hat. Wer da schreit: «Dem Volke muß die Religion erhalten bleiben», lügt; gemeint ist: «Das Volk muß der Religion erhalten bleiben». Das Volk ist ihr in großen Teilen weggelaufen.

Unsere Welt ist nicht mehr homogen, also kann sie auch keine einheitliche Sittenlehre haben. Sie hat hundertundeine.

Dazu kommt, daß das gedruckte und überlieferte Wort nicht mehr jene Heiligkeit in Anspruch nehmen kann wie in den Jahrhunderten, wo die Bibel und der religiös gefärbte Kalender die einzigen Druckschriften gewesen sind, die der Bauer, der Handwerker, der Arbeiter im Hause gehabt haben. Eine von oben diktierte Moral hätte heute keine andere Wirkung als die Anpreisung eines Ford-Wagens; sie kann sich durchsetzen, wenn sie geschickt aufgemacht ist.

Die Zehn Gebote stellen keineswegs das sittliche Fundament weiter Volkskreise dar. Faßte man die jeweiligen Gebote zusammen, nach denen die einzelnen Klassen wirklich leben und deren Befolgung sie für lebensnotwendig halten –: die Formulierung sähe wesentlich anders aus. Nicht einmal ihre Ideologien fordern heute das, was in den zehn Geboten gefordert wird.

Man muß nur sehen, wie sich die Vertreter der Kirchen drehen und winden, wenn sie auf den schreienden Widerspruch zwischen ihrer Lehre (die einmal revolutionär gewesen ist) und der Kirchenpolitik hingewiesen werden – einen Geistlichen die Berechtigung der Kriege nachweisen zu hören, hat etwas Peinliches.

Diese Zehn Gebote sind nicht einmal sehr gut gemacht. Es ist gewiß viel einfacher, zehn Polizeitafeln zu errichten und mitzuteilen, was man *nicht* tun solle, anstatt uns Suchenden zu sagen – nun nicht, was wir tun sollen, sondern was ein sittlich hochstehender Mensch tut, um in seinen Himmel zu kommen. Eine solche Sittenlehre ist mir nicht eingegangen; ich suche sie – wie Ihr alle.

Soll man nicht töten? Das erste dieser zehn Gebote hätte zu heißen: «Tu, was du predigst.» Die Rolle der Kirchen im Kriege kann ihnen nicht verziehen werden – sie haben sich jedes Rechtes begeben, den Mord zu verbieten. Denn sie haben Die gesegnet, die Blut vergossen haben.

Soll man nicht stehlen? Was ist das, «stehlen»? Wegnehmen – so mit der Hand? Aus dem Safe der Diskonto-Gesellschaft? Und wie ist es mit der Arbeitskraft? Darf man sie stehlen? Ist das göttliche Ordnung?

Du sollst nicht ehebrechen ... aber wie ist das, wenn das Institut der Ehe von uns zerdacht ist, sich wirtschaftlich nicht mehr halten läßt, so daß auch die katholischen Länder den geängstigten Ehemäusen Löchlein offenlassen, durch die sie – am Sakrament vorbei – entwischen?

Und du sollst nicht begehren deines ... es schmeckt nach Duckmäusertum, was da gelehrt wird, nach Schafstall, nach Allem, was gute Untertanen macht. Nein, so geht es nicht.

Ich weiß: man trägt wieder katholisch. Statt geistiger Ehrfurcht vor dem ungeheuern Denkgebäude der katholischen Kirche haben wir einen fascistischen Snobismus, der die Schützengrabenangst in einen lieben Gott verwandelt, den man zur Unterdrückung von Streikunruhen gut ausnutzen kann. Die Anzüge vieler Geistiger haben einen leichten Soutanenschnitt; sie finden, daß er ihnen gut steht. Rom freut sich, und da bekanntlich die klügsten Juden im Vatikan sitzen, so wird die neue Mode gut verwertet. Lebten aber alle Diese nach ihren zehn Geboten, dann sähe die Kirche, die heute sogar beim Völkerbund abonniert hat, anders aus.

Recht, das zu einer Kodifizierung gerinnt, kann Unrecht werden. Wenn in den Sowjet-Staaten ein neues Kollektivgefühl unter den jungen Menschen entsteht, so wollen wir es loben und uns zu eigen machen; es werden neue Gebote entstehen, die alle zum Ziel haben werden: die dunklen Triebe des Menschen chemisch zu reinigen.

Bis dahin aber laßt uns auch weiterhin ohne die zehn Verbote auskommen.

Ignaz Wrobel, Die Literarische Welt 14.6.1929

71

Auf dem Nachttisch

Auf dem Nachttisch liegen große und kleine Bücher, weiße Druckbogen, ungeheftete, eine Flasche «Vichy-watten», so heißt das hier, Bobongs, und gar keine Zeitung, was das Leben wesentlich erleichtert. Die Bobongs schmecken nach Selterwasser, das Selterwasser nach Bonbons, die Bücher … wollen sehen.

Das dickste zuerst. Es ist der ‹Große Brockhaus› A-Ast. Ja, soll ich mir da einen lachen? Mich hat neulich in der ‹Neuen Bücherschau› Artur Rudolf rechtens darauf aufmerksam gemacht, ich solle meine Bücher lieber in Antiqua setzen lassen, obgleich doch diese Sammelbände nicht grade vom Ausland verschlungen werden, und in einem Brief hat mir Herr Rudolf meine alte Liebe zur Fraktur mit so kräftigen Argumenten erschüttert, daß ich sehr in mich gegangen bin. Die Fraktur deckt sich heute so recht mit der Reaktion, sagte er; sie will in der Welt und der Welt gegenüber etwas Besondres sein … wir benutzen doch auch keine Schreibmaschinen mit Frakturtypen … hat Brockhaus wirklich nötig, seine so große und gediegene Arbeit im Ausland selbst herabzusetzen? Ich denke: nein. Er schreibt mir: ja. «Der ‹Kleine Brockhaus›», schreibt er, «ist bereits in Fraktur gedruckt. Bei dem Großen Brockhaus, dem Handbuch des Wissens in zwanzig Bänden, konnte ich mich dagegen dazu nicht entschließen, da das Werk nach meinen bisherigen Erfahrungen infolge seines Umfangs für einen Vertrieb im Ausland kaum in Frage kommt.» Nun, das ist ein Argument – wenngleichen es meinen Augen so scheinen will, als lese sich die Fraktur eben doch schwieriger als eine glatte Antiqua.

Soweit ich die Arbeit sonst beurteilen kann, scheint sie mir sauber und – was man in Deutschland leider hinzusetzen muß – neutral. Ich habe die 780 Seiten nicht alle gelesen, aber an keiner Stelle habe ich so etwas wie «nationale Geschichtsschreibung» oder «völkische Geographie» gefunden. Die Abbildungen muten etwas dürftig an – die Bildtechnik ist so weit vorgeschritten, daß das Konversationslexikon nicht mehr das einzig gut illustrierte Werk des Haushalts ist. Es hat sich da überhaupt etwas geändert. Zwanzig Bände: ich glaube, die Zeit dieser Riesen-Nachschlage-Wälzer ist vorbei.

Ja, damals … Da sind wir denn also, wenn Papa nicht zu Hause war, hingegangen, haben uns den Schlüssel gemopst und reichlich bösen Gewissens nachgesehen, woher die Kinder kommen. Man mußte viele Bände nachschlagen; die kleinen Seidenpapierblättchen zwischen den Buntbildern fielen wie ein Hauch zu Boden, «Zeugung» enthielt «Wollust» (siehe diese), und es war gar nicht einfach; ein rechter Leitfaden ist das denn auch nicht gewesen. Aber abgesehen davon: das zwanzigbändige Nachschlagewerk fußt auf dem Bildungsideal des neunzehnten Jahrhunderts, und das ist dahin. Wir haben heute den Mut zu sagen, daß wir von einer Sache nichts verstehen, denn es gibt zu viel Sachen; und wollen wir uns länger und intensiver mit einem uns fremden Gebiet befassen, dann ist es das Speziallexikon, das den Sieg davonträgt. Für den Rest, mal schnell nachzusehen, was eine Akkomodationslähmung ist, genügt ein Vierbänder alle Tage. Das Postulat, alles zu wissen oder doch möglichst viel, ist heute ein Gesellschaftsspiel geworden und heißt «Frag mich was», aber niemandem fiele es ein, danach die Bildung eines Menschen zu bemessen. Das Wort «Lexikonsbildung» hat rechtens einen nicht guten Nebengeschmack, und wenn es nur eine Krücke sein soll, dann ist diese Form zu solid gebaut: eine Krücke aus Stahl, mit Silbereinlage und elektrischem Läutewerk … wir aber wollen laufen. Immerhin: wer es sich leisten kann, mags ja wohl kaufen.

«Angeklagter» steht noch in diesem Band. Ein ganzes Buch über ihn, über die ‹Justiz› liegt vor, hat zum Verfasser den wiener Advokaten Walther Rode (und ist bei Ernst Rowohlt zu Berlin erschienen). Das ist eine Herzerfrischung. Rode, dessen ‹Beamtenpyramide› ein Pamphlet großen Stils ist, nennt das Kind und alle Kinder der Justiz bei ihrem richtigen Namen; daran können sich deutsche Anwälte, die dergleichen nie wagten, ein Beispiel nehmen. Gewiß wird in Österreich nichts so heiß getan, wie es geschrieben wird, aber es ist doch schon viel, wenn ein Anwalt so über die Richter spricht wie dieser hier. Nie, niemals brächte ein deutscher Anwalt den innern Mut auf, über das Reichsgericht zu urteilen wie jener über den Obersten Gerichtshof – und wie müssen sich beide ähnlich sein! Nur ist das Reichsgericht offenbar noch gefährlicher, weil es besonders in den letzten Jahren seine Rechtspolitik macht, ohne Widerstand zu finden. Rode bröselt das Paragraphengewebe von innen auf; er sagt, «wies ist»: er kennt die Faulheit der Richter, ihre Anmaßung, ihre ungeheuerliche Unbildung und ihre völlige Herzlosigkeit.

Er spricht auf zwei Seiten, den beiden ersten, über die Prozesse, die der Selige aus Doorn gegen Piscator angestrengt hat; solche Laute sind bei uns zu Lande unerhört, wo man die steckengebliebene Untertanenhaftigkeit als Rechtsgefühl ausgibt, während Rode richtig dartut, daß einer, der sein Leben lang über dem Recht gestanden hat, nun nicht plötzlich wie eine Gemüsefrau klagen kann. «Man hat nicht das Amtsgericht anzurufen, wenn man beim Weltgericht sachfällig geworden ist.» Und: «Die Frage, ob man einen Exkaiser auf dem Theater spielen dürfe, wird umfaßt von der Frage, ob man einen Exkaiser aufhängen darf.» Kurz: der, der nie eine Rechtsperson im bürgerlichen Sinne gewesen ist, darf nun nicht auf einmal eine werden – er sei von nun ab rechtlos. Aber das bring du in deutsche Köpfe.

Das Kernstück des Buches – einen unaufgeklärten Todesfall – halte ich nicht für besonders glücklich. Es finden sich da Ansätze einer Psychologie, die der Verfasser den Richtern vorwirft; wie er zum Beispiel den Mann, den er für den Mörder hält, angreift, geht mir nicht ein. Da werden Indizien zusammengetragen, Bausteine einer Seelenkunde, die Rode, wendete sie ein Richter an, wahrscheinlich mit ebenso großem Temperament wie Geschick zerpflückte.

Aber warum sind Mut, Charakterstärke, Angriffsgeist und Einsicht in das Wesen der Justiz unter unsern Anwälten fast gar nicht zu finden?

Weil sie sich als «Organe der Rechtsprechung» betrachten und gnade Gott, wenn ein Deutscher einem Beamten nacheifern will! Der deutsche Anwalt unterliegt einer «Ehrengerichtsbarkeit», die, würde sie von stockreaktionären Richtern ausgeübt, nicht schlimmer sein könnte, als sie ist. So etwas von Verlogenheit, von falschem Amtscharakter, von gänzlich verkannter Standesehre war noch nicht da. Nehmt euch ein Beispiel an diesem Österreicher hier! eure heute klägliche Stellung vor den Gerichten wäre eine andre, eine ganz andre.

Wie kann sie aber anders werden, wenn sich manche Anwälte – wieviele! wieviele! – bei den Richtern mit den übelsten Mitteln anmeiern, für ihren Mandanten, gewiß, aber doch ist es kein schönes Schauspiel. Herr Kantorowicz aus Berlin verteidigt einen ehemaligen Kassierer des Verbandes für Freidenkertum, der 24000 Mark Verbandsgelder unterschlagen hat. Und führt als Entschuldigungsgrund an, «daß, wenn die von dem Angeklagten rechtswidrig entnommenen Beträge solchen Bestrebungen nicht zugute gekommen sind, dies nicht zum Schaden wahrhafter Kulturgüter geschehen sein kann». Wonach also künftighin Unterschlagungen bei der staatlichen Lotterie straflos sein dürften. Aber wie muß so ein Anwalt die Richter einschätzen, wenn er ein solches Argument auch nur vorzubringen wagt!

Es gibt Ausnahmen. Ein Arzt und ein Anwalt – Franz Alexander und Hugo Staub – haben (im Internationalen Psychoanalytischen Verlag in Wien) eine Keule gegen die Richter geschwungen, die nur deshalb nicht tödlich trifft, weil man Gummigötzen verbrennen muß. Das Buch heißt ‹Der Verbrecher und seine Richter› – und als ich es gelesen hatte, kam mir die ganze Schande, die in dem neuen Strafgesetzbuch und in seiner Entstehung steckt, noch einmal voll zum Bewußtsein.

Ob jede dieser Theorien richtig ist oder nicht, ist nicht von Belang. Von Belang allein ist dieses:

Das neue Strafgesetzbuch ist überhaupt nichts. Es ist eine lächerliche Ansammlung von Polizeiverordnungen, sinnlos erwürfelten Strafmaßen und – wie hier klar nachgewiesen ist – aufgebaut auf Tatbeständen, die es nicht gibt. Alles, ohne Ausnahme alles, was in diesem Strafgesetzbuch über «Vorsatz», «Fahrlässigkeit» und dergleichen zu lesen ist, existiert nicht; es sind Sumpfblasen, falsche Laien-Vorstellungen über die menschliche Seele, schlecht verhüllte politische Absichten. Wenn man weiß, wie so ein Entwurf zustande kommt; welch kleiner Kreis überhaupt daran hat mitarbeiten dürfen – wenn man ferner weiß, aus welchem geistigen Milieu sich dieser Kreis zusammensetzt, Leute, unter denen der alte Kahl noch wie ein Mauerwerk aus alter Zeit aufragt, und drum herum fast nichts als Schlingpflanzen ... dann hat man einen Begriff, was unsern Kindern und Kindeskindern als Recht über die Köpfe gehängt wird.

Es sind aber nicht nur die Untersuchungen über die Verbrechertypen, die in diesem Buch zu höchster Bewunderung hinreißen –: es ist vor allem eine Fundamentalwahrheit, der ich hier tausendmal Ausdruck gegeben habe, ohne sie jemals so exakt zu formulieren, wie diese beiden das tun.

«Der Kriminelle setzt seine natürlichen, unangepaßten Triebe, eben wie das Kind es möchte, wenn es nur könnte, in Handlungen um. Für die verdrängte, also unbewußte Kriminalität des Normalmenschen bleiben dagegen nur einige sozial harmlose Ventile, wie das Traum- und Phantasieleben, das neurotische Symptom und dann einige Übergangsformen bereits weniger harmloser Befriedigungsmöglichkeiten wie Duell, Boxsport, Gladiatoren- und Stierkämpfe bis zu dem freien Ausleben verdrängter Kriminalität im Kriege.» Und nun hör gut zu, deutscher Richter:

«Kein besserer Beweis für die allgemeine Kriminalität könnte erbracht werden als das gewagte Experiment, der spanischen Nation ihre Stierkämpfe, den Amerikanern ihren Box- und Rugbysport, dem alten Europa seine Soldatenspiele oder der Welt die Strafjustiz zu nehmen.»

Da ist es.

Es ist ja nicht wahr, daß sich diese Richter und Staatsanwälte «in den Dienst des Staates» stellen, so Arbeit und Leben der Allgemeinheit aufopfernd; es ist ebensowenig wahr, daß sie bewußte und reine Formen des Sadisten darstellen – sie wissen nicht, was sie tun. Aber sie tun. Wer einmal gesehen hat, wie die Spannung zwischen Vorsitzendem und Angeklagtem fast körperlich fühlbar wächst, wenn der auf der Anklagebank ein Mann bleibt, sich nicht beugt, das Gericht nicht provoziert, aber auch nicht anerkennt – der weiß genug. Der tiefe Trieb, mit dem verhaßten Neben-Ich zu spielen wie die Katze mit der Maus, es die Macht fühlen zu lassen, die herrliche, steigernde und nach Blut schmeckende Macht – die eine Seite der Selbstbehauptung heißt Coitus, die andre Quälen. «Dem Richter», steht dann im Nekrolog, «verschaffte seine Arbeit volle Befriedigung», und das ist viel wahrer, als der Schreiber ahnt. Was die da treiben, was sie auf allen Kasernenhöfen treiben, ist verdrängte, sublimierte, sozial unschädlich gemachte, ja sogar hier und da nützlich gemachte Kriminalität.

Das Buch ‹Der Verbrecher und seine Richter› verdient, von allen gelesen zu werden, denen neben der Rechtsprechung das Recht am Herzen liegt.

Diese staatlich approbierte Kriminalität kommt rein zum Ausdruck in dem Buch Max Hölzens ‹Vom Weißen Kreuz zur Roten Fahne› (im verdienstvollen Malik-Verlag zu Berlin erschienen). Ein Zeitdokument ersten Ranges.

Das Buch ist anständig geschrieben, worauf es gar nicht ankommt; eine demokratische Zeitung gab dem «Stil» Hölzens eine Note zwischen kaum genügend und schon mangelhaft, und es ist ja sicher, daß Furtwängler besser dirigiert als Hölz schreibt – «es geht eben nichts über die gedieschene Kultur in einem guten jüdischen Bürscherhaus –». Wir aber wollen etwas von der Zeit erfahren, in der wir leben, vor allem: von dem Land, in dem wir leben. Und das sagt uns Hölz.

Dem kriegsgetrauten Husaren mit Braut (auf der Rückseite des Bildes die taktisch geschickte Reproduktion einer Seite aus seinem Militärpaß) sieht man nicht an, daß dieser brave Soldat einmal die preußische Justiz durcheinander bringen würde. Seine revolutionären Taten wird er heute wahrscheinlich selber unter einem andern Lichte sehen; diese aufflackernden Aufstände konnten keine Revolution sein, weil die geistigen Vorbedingungen fehlten, die wirtschaftlichen waren fast überall vorhanden, doch die genügen eben nicht. Was Hölz aber da gemacht hat, war tapfer und anständig, mehr: es kam aus dem Herzen. An keiner Stelle hat man das Gefühl wie etwa bei der Lektüre von Generalsmemoiren: «Und du –?» Der Mann hat im Bürgerkrieg sein Leben riskiert.

Mehr noch nachher. Ich halte seine Verteidigungsrede vor Gericht, die keine gewesen ist, sondern eine der schärfsten Anklagen gegen diesen Staat und seine Justiz, für ein Meisterstück an Mut, an Charakter, an Temperament, an Mannhaftigkeit. Hölz hat um seinen Kopf gespielt: er konnte ja nicht wissen, ob sie ihn nicht hopp nehmen würden – er hat sie ausgelacht. Der Vorsitzende, der damals seinen Kopf verlor und in einem murksigen Wutanfall kläglich vor Hölz zusammenbrach – der hat den Prozeß verloren, seine Klasse hat ihn verloren. Hölz hat ihn gewonnen.

Er hat es bitter gebüßt. Ich werde auf die Einzelheiten dieses Buches noch einmal zurückkommen – so leicht wollen wir es dem Strafvollzug nicht machen. Was da dem Staat mit Peitschenhieben ins Gesicht geschrieben wird, ist nicht mit der Ankündigung von «Reformen für einen humanen Strafvollzug» gutzumachen; hier muß noch etwas andres geschehen. Ich habe mich geschämt, ein Deutscher zu sein, als ich das gelesen habe –: wie! ein paar Meilen vom Parlament, von der Wilhelmstraße, von den Premieren der feinen Leute, die vor Kultur bald zerplatzen, darf sich das abspielen!? Das? Eine solche klare sadistische Quälerei von Wehrlosen durch das unterkietigste Gesindel der Welt? Und schuld sind nicht etwa nur diese kleinen, schlechtbezahlten Wachtmeister mit dem gestörten Triebleben; schuld sind in weit größerem Ausmaß die «Kontrollorgane», die Direktoren, die Geistlichen und vor allem: die Ärzte. Wo sind eure Standeskammern? Wo eure Standesehre? Wo euer feierliches Getue, das ihr vor Kurpfuschern, also vor der Konkurrenz, aufführt – hier, hier solltet ihr euch die Kollegen langen und sie verhören und ausfragen und konfrontieren und aus euerm Stande ausstoßen, den sie beflecken! Die Martern, die man Max Hölz zugefügt hat, die man seinen gefangenen Kameraden zugefügt hat und noch heute zufügt – sie schreien zum Himmel. Und daß Max Hölz diesen Schreiern seinen Mund geliehen hat –: das ist sein großes Verdienst. Welche Rolle spielt er heute in der Partei? Ich glaube: er stört.

Es ist übrigens nicht unsre Aufgabe, zu prüfen, ob Max Hölz ein «großer Mann» ist – darauf kommt es gar nicht an. Er ist es nicht, und er will es gar nicht sein, und das ist eine traurige Geschichtsbetrachtung, die auf Aktschlüsse aus ist. (Euer Bülow war ja wohl ein großer Mann …) Und traurig genug, wenn sich ein Arbeiter seine Bildung stückweis nachts stehlen muß; wenn ihr ihn halb, viertel, ein achtel gebildet herumlaufen laßt. Was Hölz ist, ist er trotz der «Ordnung», in der er lebt, geworden. Seine Leiden aber gehen restlos auf ihr Konto.

*

Nun ist es spät, der Wind saust um das Haus, und obgleich ich nicht schwedisch kann, verstehe ich ihn ganz gut. Immer noch besser als das, was zur Zeit als Lyrik ausgeschrien wird – wer will denn das lesen! Große Generalausnahme, die nicht vom Nachttisch herunterkommt, die da wohnt, in der ich mich abends betrinke, eine ganze Bar voller Lyrik:

‹Die Gedichte, Lieder und Chansons des Walter Mehring› (erschienen bei S. Fischer in Berlin). 252 Seiten – mir viel zu dünn.

Ich schwöre, daß ich mit dem Angeklagten weder verwandt noch verschwägert bin – aber dies sind doch jene Seiten, bei denen es mich eben «hat». Es kann nicht nur die Musik sein, die mir bei vielen Chansons einfällt – jene wundervollen Musiken von Friedrich Hollaender und W.R. Heymann – die haben ja doch noch allerhand andre Lieder komponiert … die Musik allein kann es nicht sein. Mehring hat in seinen Versen einen völlig neuen Ton in die Literatur eingeführt; das ist an manchen Ecken vom Französischen beeinflußt, aber das erklärt den Ton nicht. Diese Verse sind seltsam irreal, gläsern, manchmal würgt einem eine Papierwendung, die ganz bewußt gesetzt ist, den Hals zu; manchmal reißt der Rhythmus – dieser Dichter kann noch den Herzschlag seiner Leser beeinflussen, wenn er will. Es ist ja immer ein gutes Kriterium, zu sehen, was herausgekommen ist, wenn der andre das gleiche Thema bearbeitet. Hier ist zum Beispiel so ein Fall. Wir haben einmal beide, zu verschiedenen Zeiten und ohne voneinander zu wissen, walzende Tippelkunden singen lassen. Ich machte einen spaßigen Klamauk; Mehring hat Verse, Rhythmen, Assoziationen gefunden, die alles weit übertreffen, was mir je dazu eingefallen wäre.

Der Weg ist weit – wir haben Zeit

und:

Hallélujah! Wir Kinder der Chausseen

und:

Und eh wir unters Joch den Nacken biegen
Und eh sie uns zu einer Arbeit kriegen:
Da fressen wir gestoßenen Paprika
Hallélujah! Hallélujah!

Man sieht schon aus diesem Beispiel: das hat mit Naturalismus nichts zu tun. So spricht kein Tippelkunde – aber es ist, sagen wir mal, die platonische Idee des Tippelkunden ... Mehring, lach nicht! Wie soll ich den Leuten erklären, wie zauberhaft das alles ist! Laß mich mal blättern.

Im ‹Ketzerbrevier› herrlich gereimte Lieder, von einem in Deutschland fast nie gesehnen Wortreichtum, und diese Worte fliegen dem nur so zu; dann die Lieder von der großen Stadt – da hat er übrigens etwas Schönes angerichtet. W.M. ist nämlich nicht nachzuahmen, wird aber dauernd kopiert, etwas ganz und gar Grausliches. Es gibt wohl kein modernes Cabaret mehr, das auf sich hält, wo nicht in abgehackten Rhythmen, zer-fetzt, die Stras-se schreit – der mo-der-ne Rhythmus der-Zeit ... na, es ist ganz furchtbar. Aber bei Mehring ist es neu und erstmalig und Ausdruck eines Kunstwillens. In den ‹Music-Hall-Balladen› das wie von Grosz gezeichnete ‹Oberammergau›, wohl die blutigste Satire, die je auf den wilden Vulksstamm der Bayern geschrieben worden ist, mit einer falschen Treuherzigkeit, mit der vollen Entlarvung dieses Betriebes ... das ist eine Pracht. Und in den ‹Legenden› überirdisch schöne Lieder. Unfaßbar die Technik, wie der Refrain an die Vorstrophe herangeflogen kommt – vom Himmel hoch, da kommt er her ...

Karin
trägt zwei rote Schuhe,
Karin
träumt von einem Kuß –

und dann die ‹Schaubude›, eine Köstlichkeit, die man auch ohne die Musik Hollaenders tief in sich eingehen läßt. Die ‹Schafherde› hingegen ... ja, warum wird das alles nicht gesungen? Warum nicht noch einmal und immer wieder ‹Die Kälte›, ich kenne allerdings niemand, der es so sagen könnte, wie ich es höre; und wer ‹Charité› sprechen kann, der muß wohl erst noch geboren werden. Ich habe vorher nie gewußt, daß es eine berlinische Trauer gibt. Aber es gibt eine. Warum nicht ‹Wiegenlied›? Mit diesen spiralförmig angedrehten Versen:

> Es liegt eine Leiche im Landwehrkanal,
> Fischerin du kleine –,

aber wer kann mit diesen bunt kolorierten Zeilen tragisch wirken? Wer? Paule Graetz hats einmal in ‹Heimat Berlin› getroffen, dem berlinischsten Gedicht, das mir bekannt ist:

> Denn wer nu mal mit Spree jetooft,
> Durch alle Länder Weje looft,
> Der fährt
> immer mal wieder
> Mit der Hand übern Alexanderplatz –

Das ist Berlin. Ob die Pariser Chansons Paris sind, kann ich nicht beurteilen. Ich sehe Paris so völlig anders, daß wir in diesem Punkt, wie Karl Valentin sagt, «eine andre Weltanschauung haben» – diese Lieder sind mir nicht eingegangen. Aber die andern, aber die andern: warum führt das keiner auf?

«Sein Se witzig.» Weil die Cabarets von dem merkwürdigen Ehrgeiz gepackt sind, aggressiv sein zu wollen, ohne anzustoßen; und weil das Publikum das angeblich nicht will; und vor allem, weil keine Leute da sind, die das sprechen können. Ihr habt das Publikum nicht nur auf diese fatalen Poängten dressiert – ihr habt es auch verdorben. Da kommt irgend so eine bleichgesichtige Nutte heraus und drängt sich, uninteressant wie sie ist, zwischen Text und Hörer; da benutzt Herr Schauspieler Krachke den Text als Sprungbrett, um aufzufallen – er soll gar nicht auffallen, er soll erst einmal verstehen, was er singt, fühlen, was er bringt, begreifen, was da steht … keine Ahnung. «An der Stelle werde ich niesen – passen Sie mal auf: das wirkt.» Sicher: zum Abführen. Wenn aber Granowski so ein Ding wie die ‹Jiddische Schweiz› in die

Finger kriegte – ist denn das so schwer? Liegt nicht alles klar zu Tage? Ein richtiger Berliner Junge hätte die Vorstrophe zu singen, mit sonen eingebeulten Hut:

> Sonntachs mit'm neien Schlipps,
> Jehn wa an de Ecke «Jipps»

und

> Juhn abend allerseits!
> – Draußen schneits!

und dann, aus dem Hintergrund vortobend, drei total irrsinnig gewordene Judenjungens, die den Berliner spottend umgröhlen:

> As de Levone
> De treifne Melone
> Schaint in de jiddische Schweiz!

Und das dreimal, mit allen Varianten, mit einem vokalreich klagenden Chor, und ihr sollt mal sehen –.

Ich verliere mich. Wir haben kaum Ansätze zu einem Cabaret. Mehring steht im Buch – diese große Begabung verbleibt im Buch und auf dem Papier, wo in Deutschland alles steht. Grund genug, diese besten Chansons, die nicht von Kipling sind und nicht von Villon und nicht von Herrn Lax ... Grund genug, diese Chansons doppelt zu lieben.

Peter Panter, WB 18. 6. 1929

72

Im Tunnel

Im Tunnel küßten sich früher die Hochzeitspaare, das ist schon so lange her, und jene Geschichte («Adolf! Es küßt – bist du das?») ist kaum noch wahr. Die Romantik des ius primarum noctium ist glücklicherweise dahin. Aber etwas anderes gibt's im Tunnel.

Vor Stockholm ist ein langer Eisenbahntunnel. Und den bin ich neulich durchbraust, und vorher hatte ich mir meine neue Dunhill-Pfeife angesteckt, die mir Musch in einem Anfall von Größenwahn geschenkt hat, oben auf dem schwarzen Lauf trägt sie jenen kleinen weißen Perlmuttfleck, der da sagt: Hier raucht ein feiner Mann. Gut. Der feine Mann raucht eine Mischung aus französischem Scaferlati Levant und deutschem nikotinfreien Tabak, das Ganze schmeckt etwa wie getrockneter Schafdung. Raucht also und fährt in den Tunnel ein. Ist die Pfeife ausgegangen? Seit wann geht eine Dunhill aus, wenn ein feiner Mann sie raucht? Schließlich kann ich nicht mit dem Finger in den Tabak fahren … ich will's mal probieren … das ist heiß! Die Pfeife brennt. Ich schmecke nichts.

Tunnel aus; heraus ans Licht; da liegt Stockholm und der Hafen und die bekannten Gebäude … die Pfeife brennt. Warum habe ich nichts geschmeckt?

Und dann fährt der Zug nachmittags wieder zurück, aufs Land, und schon bevor er abfährt, stecke ich die Pfeife an und qualme wie ein alter Seemannsmaat, und dann kommt der Tunnel … (ich kann noch nicht so schön auf schwedisch fluchen, es ist irgend etwas mit «Ta mig fan!») – ich schmecke wieder nichts. Und als wir ans Tageslicht kommen, brennt die Pfeife. Dies hat mich zu wunderbaren Versuchen geführt. Resultat:

Man schmeckt im Dunkel weder die Qualität eines Tabaks noch spürt man überhaupt, ob man raucht oder nicht! Schrei nicht, wart ab: du spürst es nicht, wenn du keinen Lungenzug machst und wenn du den Rauch nicht durch die Nase gehen läßt. Probier's.

Daß du aber im Dunkel die Qualität des Tabaks nicht spürst, den du rauchst, das ist einmal ganz sicher. Da haben sie jüngst in Amerika – wo auch sonst! – solche Versuche angestellt, und es hat sich ergeben, daß die abgefeimtesten Raucher eine Zwei-Cent-Zigarre nicht von einer Importe unterscheiden konnten, keiner konnte es. Sie schnüffelten und pusteten und rauchten … aber sie rieten allemal daneben. Denn sie sahen die Zigarre nicht, sie tasteten sie nicht vorher zärtlich mit den Augen ab, sie konnten nicht an ihr riechen, nicht die Farbe des Deckblatts sehen – und da war es auf einmal aus. Das ist ein sehr tiefsinniger Versuch.

Man hat ja ähnliches mit den Weinen probiert, wobei denn einmal einem alten Küfer aus der Bourgogne Wasser vorgesetzt wurde; er erklärte tiefbeleidigt, das kenne er nicht; und es gibt auch Leute, die mit verbundenen Augen am Geräusch eines Motors die Fabrikmarke erkennen können – worauf wieder ein Pariser Chansonnier erzählt hat, man habe, um den zu prüfenden Ingenieur zu täuschen, an einer Wasserspülung gezogen, und er habe sofort ausgerufen: «Ça – c'est un Citroën!» – «was», wie der Chansonnier hinzufügte – «nicht fein war – für die Wasserspülung.» Aber die Geschichte mit dem Rauchen hat mich doch tief beunruhigt.

Ist es also nur der alte schöne Satz: «Keine Qualität – nur Ausstattung»? Liegts nur an der Verpackung?

In Deutschland arten ja solche Fragen gleich in wilde Kämpfe mit den betreffenden Interessenten aus – aber die Sache liegt viel tiefer. Bedarf es vielleicht, um einen vollständigen Sinneneindruck zu haben, nicht nur der, sagen wir, eindimensionalen Funktion eines Sinnes – benötigen wir vielmehr eine Raumwirkung der Sinne? Müssen sich also zwei oder drei Sinneswahrnehmungen in die Höhe und Breite erstrecken, damit ein vollendetes Gebilde zustandekommt? Das ist eine Frage an die Experimental-Psychologen – Gott segne ihre Versuchsreihen.

Um aber auf die Hochzeitsreisenden zurückzukommen:

Kann man auch im Dunkel küssen? Spürt man dann, ob man überhaupt küßt? Und was die Qualität angeht – – es ist gar nicht so einfach im menschlichen Leben.

Peter Panter, Voss 23.6.1929

73

Ein besserer Herr

«Dies ist Wirklichkeitsdichtung. Und zugleich Tendenz, die Tendenz, die Bronnen selbst einmal in die Worte zusammengefaßt hat: Revolutionäre Umgestaltung unsres Daseins nach rechts, nach Nation, Kampf, Risiko, Ideenherrschaft und Reinheit.»

Waschzettel

Da laßt mich mal ran. Dieses Buch will besprochen sein.

Dieses Buch ist: ‹O.S.›, verfaßt von Arnolt Bronnen (erschienen bei Ernst Rowohlt zu Berlin); «O.S.» heißt: Oberschlesien. Ausgezeichneter Einband: eine graue Generalstabskarte der Gegend, die Demarkationslinie zwischen Polen und Deutschland blutrot eingezeichnet, der Titel gleichfalls rot, das ist sehr gut gemacht. Die vierhundertzehn Seiten aber sind der Abschied eines Literaten von der Literatur.

*

Vor der Abstimmung in Oberschlesien versuchten beide Teile, die Entscheidung der Alliierten und die Haltung der Entente-Kommissionen mit Waffengewalt zu beeinflussen. In Polen taten das Patrioten und bezahltes Gesindel; in Deutschland waren es Patrioten und bezahltes Gesindel; die Atmosphäre dort unten roch nicht gut. Es spielten sehr gewichtige Interessen der Großindustrie mit, von denen die Freikorps, die mit unerhörter Brutalität eingriffen, nicht viel ahnten – in dem einzig lichten Augenblick seines Buches nennt Bronnen die Anfänge der Schwarzen Reichswehr rechtens ein «Gemisch aus Arbeitslosigkeit und Patriotismus». Der Erfolg dieses Bandenkrieges ist negativ gewesen – die Festsetzung der Grenzlinie, die heute läuft, ist kaum durch ihn beeinflußt worden. Wesentlich ist dann doch die Abstimmung gewesen; von beiden Seiten wurden damals große Fonds in den korrumpierten Volkskörper hineingepumpt wie später in die Ruhr – ich selbst habe die Hände in diesem Bottich gehabt, ich hätte es nicht tun dürfen, und ich bereue, was ich getan habe. Das ist keine pazifistische Propaganda gewesen. Auf beiden Seiten ist gemordet und spioniert worden, verraten und gekauft und verkauft; bestialische Untaten sind verübt worden und ungesühnt geblieben … und schließlich hat es alles nichts genutzt.

Davon erzählt Bronnen. Kein Zweifel, daß es nicht nur das Recht, sondern beinah die Pflicht des Dichters ist, ein Zeitdichter zu sein – und hier ist sorgfältig zu untersuchen: wird ästhetisch berichtet, gleichmütig, unpolitisch, oder steht der Erzähler auf einer Seite der Linie? Bronnen steht auf einer Seite: nicht auf der polnischen. Auf der deutschen? Nein, er steht nicht auf der deutschen – er steht auf der Seite der Freikorps, und diese Freikorps verfochten zum großen Teil ihre Sache, nicht die der Deutschen, von denen sie nicht beauftragt waren, die sie nicht gefragt hatten … aus Bayern zogen sie nach Oberschlesien, Landsknechte, die überall waren, wo es etwas zu prügeln gab. Hier gab es Krieg, Divisionsstab, Mord, Geld, Krach, ein freies Leben führen wir …!

Das kann man bejahen.

Ich spiele dieses Spiel nicht mit, das darin besteht, jedem Schriftsteller der Gegenseite die Begabung abzusprechen. Unsereiner ist ja für die Rechten ein analphabetischer Botokude; wir aber wissen, wie groß Gottes Tiergarten ist – warum soll es nicht einen guten, einen achtbaren, einen prägnant schreibenden nationalen Schriftsteller geben?

Jedoch hat jede heroische Bewegung ihre Affen; der Fascismus hat einen neuen Typus in Europa gezüchtet: den fascistischen Kellner. Bitte sehr, bitte gleich … es ist eine Tragik dieser Gruppen, daß dort offenbar unsre alten Hosen aufgetragen werden; da gibt es falsche Hamsuns und nachgemachte Kerrs und Epigonen von Epigonen … Die Herren irren. Fascisten –? Ein dreckiges Hemd ist noch kein Schwarzhemd.

Echtheit der Gesinnung riecht man. Der verstorbene Friedrich Lienhard ist echt gewesen. Hans Grimm ist ein durchaus ehrlicher Mann. Die Kreise um den «Vormarsch» sind saubere Männer, mit denen man, trotz der schärfsten Gegnerschaft, jederzeit diskutieren kann. Sie sind auf Bronnen hereingefallen; die Freundschaft wird nicht lange dauern. Bronnen ist nicht echt.

Sage mir, wie du schreibst … da gibt es kein Versteckspiel – wir alle sind, mit unsern Stärken und unsern Unarten, in unserm Stil; es ist wie mit dem Gesicht: hier gibt es keine Verstellung. Wie sieht der Stil des Freikorpsbarden aus?

Wenn ihr in den Ecken eurer Bibliothek nachstöbert, wo die alten, ganz alten Reklambändchen stehen, dann werdet ihr sicherlich auch so etwas wie ‹Militärhumoresken› finden (Theo von Torn …), und da fischt euch einmal eine heraus. Ihr werdet sehen, wie der höchst zweifelhafte Humor dieser kindlichen Albernheiten darin besteht, daß gewöhnliche Hergänge bombastisch beschrieben werden. «Fritz, der treue Bursche, ergriff zu diesem Zwecke das keinem Vaterlandsverteidiger fehlende Schwert und ging mit dieser furchterregenden Waffe der Büchse zu Leibe, die der Aufbewahrung jener mit Recht so geschätzten Erbswurst diente …», also dumm. Diese Technik geht durch alle Bändchen – sie feiert hier bei Bronnen ihre fröhliche Urständ. Dieses Deutsch ist eine Affenschande.

«Herr von Heydenbreck saß eben, es war halb drei Uhr, im Osten flimmerte schon der bekannte Silberstreif …» Diesen Satz kann man sich unmöglich anders als genäselt gesprochen denken – «der bekannte Silberstreif» … hähä – sehr jeistreich, hat doch der olle Pachulke, der Stresemann, mal jesacht … Prösterchen! Und das ist nun nicht etwa eine Ausnahme; das soll keineswegs dazu dienen, eine Figur zu charakterisieren, sondern Herr Bronnen findet das komisch, und in seinen Kreisen wird es das ja wohl auch sein. Wo es ganz besonders komisch hergeht, schreibt der hochgemute Dichter «Neese» statt «Nase», ohne jeden ersichtlichen Zweck … wenn da die Leute nicht lachen! Bevor ich berlinere, überlege ich es mir dreimal, und zweimal tue ichs nicht.

Es gibt in diesen deutschen Büchern ein Wort, das nie fehlt, weil es so recht zeigt, wie sich die Verfasser einen deutschen Mann vorstellen. Es ist das Wort «kurz». «Herr Pfarrer Ulitzka gab ihm kurz zur Antwort» … die Fakultäten, die so schöne Preisaufgaben stellen, sollten einmal als Thema geben: «Kurz und Knapp in ihrer Beziehung zum patriotischen Schundroman des zwanzigsten Jahrhunderts.» Denn dies ist ein deutsches Ideal: jemand kurz anzufahren; nehmen Sie herrisch, dergleichen hebt immer. Bronnen spricht auch im ruhigen Prosatext genau so, wie seine uniformierten Jungen gesprochen haben – ich will den Putsch-Killinger, der eines der rohesten Bücher der deutschen Sprache geschrieben hat, nicht beleidigen: aber beinah so schön kanns Herr Bronnen auch. Dies ist sein Deutsch: «Nun stand da, allein in einer offnen, relativ behaglichen Wohnung ein einsames Mädchen …» man fühle, wie gewöhnlich, wie aus dem Rinnstein geklaubt dieses ausgespuckte und törichte Fremdwort «relativ» hier ist; man höre so etwas, von einem Überfall auf Geschäftsleute durch die Freikorpsverbrecher: «Die ungeladenen Pistolen auf der schwitzenden Stirn gaben die Koofmichs mit Eifer ihr Geld», und man ermesse daran den Stil.

Die Freikorpsknaben, für die das Buch geschrieben ist, werden diesen Stil loben, es haltend wie Schalom Asch, der «Jiddish» für die schönste Sprache der Welt erklärte. Und als er gefragt wurde, warum: «Man versteht jedes Wort.» Bei Bronnen versteht man jedes Wort – wissen Se, es is so natürlich jeschriehm – ehm so, wie man ehm spricht. Zum Wohl.

Bronnen beschuldigt, ohne den Schimmer einer Ahnung, die Reichs-Regierung, nichts für Oberschlesien getan zu haben. Nun bin ich gewiß kein begeisterter Republikaner – aber die Regierung saß damals im Druck einer ungeheuern Zange: sie hatte, was der Verfasser übersieht, einen Krieg verloren, sie hatte ein halbverhungertes Volk im Lande, fremde Soldaten auf der heimischen Erde … «Na, da hätte man eben … man hätte eben … also: einfach feste druff …», so ungefähr geht, unausgesprochen, das politische «Programm» durch die hingesudelten Seiten. Die Roheit, die Dummheit, die Blindheit dieses Autors sind beispiellos.

Er schreibt das Eigenschaftswort «deutsch» allemal groß und «polnisch» allemal klein, auch dann, wenn er die Polen etwas von «den Deutschen Schweinen» sagen läßt – wohl, um anzudeuten, daß, waren die Deutschen einmal Schweine, sie dann eben recht große gewesen sind. Und wenn es ganz groß hergeht, dann schreibt Herr Bronnen alles groß – so am Schluß, wenn Banalitäten über den endgültigen Sieg eines nebulosen Zieles in den Wind geschmettert werden, wo die Fahnen sich bauschend im Winde … wie gehabt. Das Minderwertige wird klein geschrieben? Dann aber wollen wir von arnolt bronnen sprechen, bei dem dieser Deutsche Rechtschreibungssieg nicht nur eine gesuchte Äußerlichkeit ist wie die, alle zusammengesetzten Wörter auseinanderzureißen und die Teile ohne Bindestrich hinzusetzen: welch ein Bock Mist. Nein, seine nationale Orthographie hat ihre tiefere Bedeutung.

Denn tatsächlich gibt es in diesem Buch keinen anständigen Polen. Es sind kleine, verschmierte, tückische, bezahlte Leute; auf der andern Seite aber ragen die trutzigen Helden rank und hehr und sonst noch was in den falben Morgenhimmel. Wo sind die polnischen Schlageters? Wenn die Polen einen Nationalfehler haben, so ist es ihr übergroßer Nationalismus, der sich aus der Geschichte ihres Staates und aus der hundsgemeinen Behandlung herleiten läßt, die sie jahrhundertelang von den Deutschen zu erdulden gehabt haben – glaubt Bronnen, daß nicht auch ein Pole aus echter Liebe zu seinem Vaterland in diesen oberschlesischen Kampf gegangen ist? Er verschweigt es. Bei ihm sind die Polen, was in den Indianerbüchern «der schurkische Mestize». Er delektiert sich aber an den Gewalttaten, die erzählt werden, in einer beinah peinlichen Weise. Es ist da beim Sturm auf den Annaberg von einem bayerischen Raufbold die Rede, der in polnische sich flüchtende Soldaten hineinschießt, Männer, die genau so viel und so wenig Soldaten sind wie er selber – und das ist mit einem solch viehischen Behagen erzählt, so feige-grinsend … was dem einen seine Anna, ist dem andern sein Annaberg.

Und man wird das Gefühl nicht los: Warum arbeiten denn alle diese feinen Herren nicht? Es gab nichts zu arbeiten? In Deutschland ist ein Ödland, so groß wie der Freistaat Oldenburg – warum betätigen sie an dem nicht ihre brennend-heiße Vaterlandsliebe? Aber das ist freilich nicht so romantisch, auch verschafft es weitaus weniger Lustgefühle. Für die hat der feinsinnige Verfasser drei Elemente parat, die immer ziehen.

«Eine gute Nachricht», heißt es in einem unsterblichen Wort des Lord Northcliffe, «enthält dreierlei: Blut, Vagina und Nationalflagge». Zur Stelle, sagt Bronnen.

Blut hat er. Es wird gedroschen und geschossen und gemordet, daß es einem nur so warm über den Rücken säuselt.

Nationalflagge hat er auch. Man entsinnt sich jenes famosen ersten Aktschlusses im ‹Cyrano de Bergerac› – wenn da die Szene zu zerlaufen droht, setzt sich der Zug der Schauspieler in Bewegung, der Hintergrund öffnet sich … «und vor uns liegt Paris!» Es gibt kein Publikum der Welt, auf das dergleichen nicht wirkte. Bei Bronnen wird, wenn er Pathos braucht, der Hintergrund aufgezogen, und da liegt: Deutschland.

Und nun muß einmal gesagt werden, daß es nur ganz seltene Fälle gibt, wo diese Zusammenfassung der sechzig Millionen überhaupt noch einen Sinn und eine künstlerische Berechtigung hat. Über den Begriff Rasse wollen wir gar nicht erst reden. Da steht zum Beispiel gegen die englische Politik: «Und so ereignete es sich, daß in diesen schweren Stunden des germanischen Stammlandes plötzlich eine Welle teutonischer Solidarität gegen die Kreide Felsen der Insel schlug ...» Was! Diese Promenadenmischung wild gewordener Kaschuben wird uns als Block teutonischer Solidarität geschildert; es ist ja nicht wahr, daß die sechzig Millionen immer ein einziges Ding sind; gespalten sind sie, durch den Klassenkampf zerrissen, in ihren Anschauungen, ihrem Herkommen, ihrer Abstammung so weit voneinander unterschieden, daß man schon auf das Heimatgefühl, das ganz und gar unpolitisch ist, zurückgreifen muß, um wirklich sagen zu dürfen: Deutschland. Aber wenn es doch einen so schönen Aktschluß ergibt!

«Wir waren da einige Leute», sagt einer der Raufbolde, «verstreut, privat, in läppischer Beschäftigung; und plötzlich überfiel uns dies, Nation, wie eine Krankheit. Wir wurden, rätselhaft und beglückend zugleich, Instrumente der Nation ...» Hier ist der Fehlschluß in nuce: Instrumente der Nation? Gegen den Willen dieser Nation, ja ohne ihr Wissen, unter ihrer gänzlichen Gleichgültigkeit, Instrumente der Nation? Das hat man immer gesagt, wenn «ganz große Schweinereien exerziert» wurden, um im Stil des Buches zu bleiben – denn nichts ist so verantwortungslos wie die staatliche Kollektivität.

Ein Mal, ein einziges Mal, drückt sich der fascistische Pikkolo deutlicher aus, und da ist er zu schlagen. «Die meisten sagen, Vaterland ist Blödsinn. Ich meine, das kann ernsthaft nur jemand glauben, der von seinem eignen, jämmerlichen Leben keine Ahnung hat. Das Leben eines Menschen ist nicht besser, nicht schlechter, nicht tiefer, nicht gescheiter als das Leben eines Hundes, eines Grases. Das Volk kann es besser, schlechter, tiefer, gescheiter machen. Das war in mir, als ich nach Wyssoka ging.» Jeder muß sein eignes Leben am besten kennen. Aber hier ist klar und eindeutig gezeigt, wie an die Stelle des alten Religionsbegriffes, der angeblich den Menschen erst über das Tier hinaushebt, dieser Vaterlandsbegriff getreten ist, der mit seinem falschen Mystizismus auch bessere Gehirne vernebelt hat als das des Herrn Bronnen. Ohne Heroismus ist noch keine Sache auf dieser Erde zu gutem Ende geführt worden – aber dann ist mir die Terminologie des Klassenkampfes lieber. Sie ist ehrlicher.

Soweit das Blut und die Nationalflagge. Was das dritte der

Northcliffschen Postulate: die Frau anlangt, so werden wir reichlich bedient. Ich muß gestehen, seit langem nichts so Unappetitliches gelesen zu haben wie das Kapitel, das in gar keiner Beziehung zum sonstigen Inhalt steht – man fühlt förmlich, wie sich der Dichter gesagt hat: ja, und nun mußt du den Freikorpslesern doch noch was fürs Herz bieten. Fürs Herz …? so hoch gehen seine Aspirationen gar nicht. Es wird da ein trübes Feuerwerk der Schmutzerei abgebrannt … aber was dieser von allen guten Geistern verlassne Patriotenclown nicht weiß: es gehört Kraft dazu, so etwas zu schreiben. Um eine erotische Situation bis in die medizinischen Einzelheiten zu gestalten, muß man die Stärke etwa von James Joyce besitzen …, was aber Bronnen gemacht hat, ist blanke Pornographie. Wenn dies Literatur ist, dann ist das ‹Tagebuch der Josefine Mutzenbacher› ganz ausgezeichnete Literatur.

Aber alles das: die Sauerei, der ungeistige Patriotismus, der schlechte Stil könnten mich nicht bewegen, diese Sorte so leidenschaftlich abzulehnen, wie ich es tue. Da ist noch etwas andres.

Bronnen weiß nichts über die deutsche Wirtschaft – gut, mag hingehn. (Drei Sätze von Morus geben uns mehr Aufklärung über Oberschlesien als dieses nationalistische Gerümpel.) Bronnens Material ist mehr als kümmerlich; im Vorwort werden einmal die berüchtigten Cossmannschen Monatshefte angeführt, deren Materialforschung und Dokumentenzusammenstellung bekannt sind, und auch die hat der Verfasser noch «aus dem Gedächtnis» zitiert; so, mit der linken Hand, wer hat denn Zeit, alles zu lesen! Dabei spielt Bronnen «neue Sachlichkeit» – der Innenumschlag des Buches enthält die Generalstabskarte noch einmal, mit allen Zeichenerklärungen … wir sind ja so nüchtern! und kalt! und wirklichkeitsnah – und haben auch noch nicht die allereinfachste Statistik über dieses sehr verwickelte Oberschlesien gelesen, wo die größten Industrie- und Ackerbarone leben und wo das Elend der Landarbeiter zum Himmel schreit. Mag alles noch hingehen.

Daß Bronnen von der getarnten Reichswehr sagt: «Unter den Augen und Nasen zahlloser Spitzel, neben den Ohren von hundert Entente Kommissionen gelang es, in den schwierigsten und gefährlichsten Zeiten diese Geheimsoldaten wirklich geheim zu halten» und mit keinem Wort auch nur andeutet, daß noch heute

Leute in den Kerkern sitzen, weil sie diese Reichswehr ans Licht zerrten, die Geßler wider besseres Wissen abgeleugnet hat – das ist schon schlimmer.

Daß er aber solche Sätze schreibt wie: «… durch soviel Abenteuer gegangen, er hatte unverwundet drei Offensiven und den großen Argonnen Rückzug überstanden, die Revolution hatte ihn auf den Barrikaden vieler großer Städte gesehen, er hatte in München Herrn Toller pensionieren geholfen und in Pest Herrn Kun» – daß in dieser mit einem Syntax-Fehler gezierten Stelle wiederum nichts von den sinnlosen und empörenden Grausamkeiten dieser Ordnungsgardisten und nichts von den Leiden der Revolutionäre ausgesagt ist; daß Arnolt Bronnen sich über die Million Volksgenossen, die keine Arbeit haben, lustig macht: «Krenek konnte Holz und Dachpappe fressen, was sein Magen, durch Arbeitslosen Kost verweichlicht, vorderhand noch ablehnte»; daß Arnolt Bronnen diese Stelle hier (von der als geil und verdorben geschilderten Pornographie-Figur) hinsetzt:

«Ihr Vater hatte ein Album von George Grosz, es war groß, schwer, auch eine gute Waffe. Sie zeigte es dem Franzosen, sie lachten gemeinsam über diese Gesichter der Deutschen Bürger und der Deutschen Huren. ‹Ein schönes Volk, Tinet›, sagte sie, ‹und das ist meine Mutter›, zeigte sie, Bertin schüttelte den Kopf. ‹Ich habe kein Gefühl für sie›, meinte Toinette, ‹für meine Mutter nicht, und nicht für ihr ganzes Volk. Sie sind so ordinär, dumm, gierig, außer fressen und flicken kennen sie nichts, und das kennen sie nur in der gemeinsten und niedrigsten Weise›» – daß er das geschrieben hat:

das darf denn doch wohl eine Perfidie genannt werden.

Bronnen muß wissen, daß diese Bilder aus tiefstem Schmerz geboren sind; daß Grosz, wie wir alle, unter seinem eignen Volk gelitten hat; daß die Gefahr, solche Bilder könnten derart sinnlos und idiotisch mißbraucht werden, unendlich geringer ist als der moralische Nutzen, den sie gestiftet haben – und Bronnen weiß das. Er hat mit «Vatermord» eine Konjunktur benutzt, wie er das immer getan hat; er weiß, wer George Grosz ist. Er hat bei uns Linken, für die er einmal geschrieben hat, schon lange keinen Erfolg mehr – er rächt sich. Er rächt sich auf die infamste Weise. Er weiß, welche Gegner Grosz hat; er läßt sich von einem Richter wie Siegert in der Erkenntnis dessen beschämen, was da gezeichnet wird – er weiß es.

Aber George Grosz hat aufs Haar genau das dargestellt, was dieser hier geschrieben hat; nur von der andern Seite:

Ein Freiwilliger bei Bronnen hockt allein unter den gefallenen Kameraden, er sieht auf die Leichen von polnischen Gefangenen, die die Deutschen Helden mit dem Maschinengewehr zusammengeschossen haben, weil sie sie nicht mehr mitführen konnten. «Sie waren bewundernswert getroffen, präzis, wie Ochsen im Schlachthaus. Er betrachtete sie gefühllos, ohne Bedauern, ohne Bedacht auf die Gerechtigkeit, die er nicht anerkannte; es war mehr eine Erwägung, ob dies vereinbar mit den Spielregeln war. Aber konnte diese Frage entschieden werden, hier und von ihm?»

Das hat Grosz gezeichnet. Das Blatt heißt: Angelus: der Klotz einer zerhackten Leiche ist an das Isarufer angeschwemmt, davor steht ein Ordnungssoldat, ein sturer, stumpfer Unteroffizier mit einem Bullenkopf, einem gemeinen Nacken, mit versoffnen Augen. Wie ein Tier sieht er auf den Kadaver. Er erkennt die Gerechtigkeit nicht an. In der Ferne verschwimmen die Türme der Frauenkirche …

So sind sie gewesen. Schmach ihrem Andenken. Fluch ihren Auftraggebern.

*

Daß aber dieser Friseur, von dem sich Mussolini nicht barbieren ließe, eine falsche Grausamkeit plakatiert, zu der er wahrscheinlich nicht einmal fähig ist; eine Tapferkeit, die sich nur betätigt, wenn die Partie zehn zu eins steht oder der Täter hinter dem Opfer, das zeigt die Verlogenheit dieses Salonfascismus, des Bruders der amerikanischen und der russischen Snobs, kurz, aller jener, die, zu klein und zu faul, sich ein Weltbild zu machen, in die Garderobe gehen, wo die Großen abgelegt haben. Dieser hat ein Hemd erwischt, das ihm vier Nummern zu groß ist: doch oben guckt der Kopf heraus, und vom Rest wollen wir gar nicht reden. Wenn dieses Buch einen der unsern zum Verfasser hätte –: ich schwiege es tot und schämte mich, daß so einer meiner Meinung wäre.

Ernst Rowohlt glaubt an Bronnen, und Verlegertreue ist selten. Er hat ihm die Treue durch alle Konjunkturmißerfolge gehalten: ‹Reparationen› und ‹Rheinische Rebellen› und wie dieses Zeug heißt, wo sich einer atemlos an die Zeit anbiedert, die nichts von ihm wissen will. Aber Ernst Rowohlt hat durch seine Publikationen Verpflichtungen; er ist kein politischer Verlag mit einem Dogma, aber er ist ein anständiger Verlag. Dieses Buch ist eine im Tiefsten gesinnungslose Pfuscherei, und man darf sagen, daß es für alles Grenzen nach unten gibt. Der da hat sie überschritten, ein durchgefallner Linker, als Fascist verkleidet.

Was aber die Buchpropaganda angeht, so ist es üblich, auch die ungünstigen Urteile in sie aufzunehmen, und dafür gibt es ein feststehendes Klischeewort: umstritten. Nun, wenn ein Hundewürstchen auf der Straße umstritten ist, weil es die Hundchen zwar fröhlich beriechen, die Menschen aber dem Ding aus dem Wege gehen –: dann ist dies ein umstrittenes Buch.

Ignaz Wrobel, WB 25.6.1929

74

Herr Wendriner läßt sich massieren

Für Emil Ludwig

– «Na, wie is denn heute mit dem Gewicht –? Hundertfümmfunneunzich, sehn Se mal an – das kommt davon! Wir warn gestern ahmt unten in Dresden, ich hab mich verleiten lassen, ’ne Flasche Sekt ze trinken … soll man nicht, was? Na, einmal ist keinmal. Ich wers hier im Sanatorium aufholen. Warten Se mal, das Badetuch … so. Öwwf.

Wissen Sie, man sollte hier vorn sonen kleinen Hahn haben, wo man sich das Fett abzapfen kann, meinen Sie nicht auch? Sonen kleinen silbernen Hahn, und da brauchen Sie gar nicht erst massieren – jeden Morgen kommt einer und dreht einfach den Hahn auf, und das Fett läuft ab. Die Technik ist noch nicht fortgeschritten, verstehn Sie mich? Aua, nich so doll! Das ist doch die Stelle

… Haben die andern Herren schon geturnt? Ich habe heute nich geturnt, mir is ze kalt. Ich war auch zu müde. Generaldirektor Bronzheimer ist noch nich unten, wie? Der ist noch dicker wie ich, was? Komisch, der Mann mit seiner Arbeit – ein sehr beschäftigter Mann, kommt ausm Schlafwagen gar nich raus, da oben am Hals könn Sie ruhig 'n bißchen stärker, das macht nichts. Aehhh – Was Neues in der Zeitung? Ich hab sie noch nich gelesen, ich les sie immer nachher, beim Frühstück. Die in Paris sind noch nich fertig, was? Das ist auch eine Sache … na, ich sage immer: laßt mich mit der Politik zefrieden – wenn nur die Geschäfte gut gehen; ich meine, es sollen alle verdienen, jeder, was ihm zukommt … nicha? Puuuuh – Sie sind natürlich organisiert, was? Sozialdemokratisch, wie? Nein? So, ich dachte; Gott, wissen Sie, die Sozialdemokraten sind gar nicht so schlecht, haben auch schon Wasser in ihren Wein gegossen, die Leute sehen ehm, daß man mit dem Kopf ehm nicht durch die Wand … autsch! Da müssen Sie nich so drücken … Mal gleich nachher die Zeitung holen … wissen Sie, ohne Zeitung bin ich ein halber Mensch. Auch in Berlin, gleich morgens das erste ist die Zeitung. Ahms? Abends auch. Ich lese 'n Börsenkurier, und dann kauf ichs Achtuhrahmblatt, Gott, 's steht immer was drin. Das geb ich dann meiner Frau, und dann hab ich meine Ruhe. Mohjn, Herr Pniower! Na, ma los, los! Ma ran an Speck! Sie solln auch was Gutes ham! Gut geschlafen? Ich habe ganz gut geschlafen, nur um sechs bin ich aufgewacht, da schläft neben mir 'n Ehepaar, aber es war nichts – ich bin dann auch nochmal eingeschlafen … Jaa, lieber Freund! Massieren is keine Kleinichkeit! Für nichts is nichts! Kneten Sie man ornntlich, Herräm … der Mann kann das gebrauchen, mit seinem dicken Bauch! Aua! hier bei mir nicht so doll! Pwwww – Ham Sie gelesen, von der Fusionierung? Mit K? Na, ich wer Ihn mah was sagen: Sie wissen doch, wer das Aktienpaket hat, von dem da die Rede ist? Ach, keine Spur. Hagen hat es, was sagen Sie nu? Louis Hagen. Ich hab mich gestern informiert. Hat man mir gestern aus Köln telephoniert. Ich hab da meine Verbindungen – Pniower, Ihr Bauch und dann Rothschilds Geld … mein Bauch? Na, wenn ich meinen Bauch neben Ihren Bauch halte, den Unterschied möcht ich … Rumdrehen? gleich – hopps! so. Sagen Sie mal, wer is eigentlich die große Dame mit dem roten Haar? Eine Frau Markgraf, Marbach, Marhahn, so was … kenn Sie auch nich, was? Hm … Man soll ja hier strenge Diät leben … Ja, ich bin beim Chefarzt in Behandlung, natürlich. Ich geh jedes Jahr her. Mir bekommt es großartig – man kann nachher dreimal so viel essen. Und auch so – ich sage immer: Freie Bahn dem Seitensprung! Was sagen Sie? Ach, gar keine Rede. Ja, ich bekomm leichte Diät, strenge Diät hab ich schon gehabt. Ich bekomm jetzt leichte Diät. Haben Sie diesen Gemüseauflauf gestern mittag gegessen? Ich hab das nicht gegessen – Sie, das schmeckt so … äh. Dabei kochen die Leute sonst gut. Schrecklich, heute is Rohkost – Sie, Rohkost mag ich nicht, Sie auch nicht, was? Donnerwetter, hat das jeklatscht, das schallt ja ornntlich …! Ja, Massieren ist 'ne Kunst – wissen Sie, ich hatte mal als junger Mensch 'ne Freundin, die massierte son bißchen, nebenbei … die hat mich immer massiert. Wah ganz nett. Na, reden wir von was anderm. Sahn Se mah – ham Sie gehört, der Direktor Bratsch ist gestorben? Ja, der war doch immer hier, son kleiner Dicker … war immer mächtich hinter den Weibern her, der ging glaub ich jeden Ahmt nach Dresden runter … nu is er tot. Soll schrecklich ausgehalten haben, der Mann, Leber oder so – nee, wissen Se, ich sage immer: Son Tod – denn lieber gar keiner! Was? Hier noch'n bißchen. Ja, da. Wieviel Herren massieren Sie nu so am Tag? Sechzehn? Donnerwetter. Strengt sehr an, was? Na ja, is Gewohnheit, alles ist Gewohnheit. Nachmittag auch? Sehn Se mal an. Und die Damen oben, haben die auch Masseure – nein, die haben natürlich Masseusen, seffaständlich, ja. Ach Gott, man gewöhnt sich an alles, wissen Sie, ich meine, es is wie in der Ehe, nachher guckt man gar nich mehr hin, was? Sie! kitzeln Se nich! Da bin ich kitzlich! Ffff – gestern abend wurde drüben erzählt, da is doch die Frau Doktor Sinsheimer, die hat 'ne – aua! – die hat 'ne Freundin, und die war sehr krank. Wie der Arzt kommt und sie untersucht, sacht er: Ja, also diese Nacht, da is die Krisis. Geht raus, aufn Korridor, der Arzt, und kaum is er raus, kommt das Dienstmädchen ins Zimmer, die muß wohl was gehört ham und sacht: «Also, das wollt ich nur sagen – bei 'ner Leiche bleib ich nich im Haus!» Finden Sie das? Doll, was? Wissen Se, es gibt Leute … ich meine, es gibt so Leute, die denken nur an sich.

Natürlich muß man auch an sich denken, aber nachher muß man doch auch an andre denken, nicha? Aber es gibt Leute, die denken nur an sich. Ham Sie das gelesen, von den Festspielen in Berlin? Fabelhaft. Berlin wird Weltstadt, da gibts ja nichts. Solln ja mächtich viele Amerikaner da gewesen sein; meine Frau hat einen auf dem Kurfürstendamm getroffen, schreibt sie mir, den Vetter von ihrem jüngsten Neffen, einen Mister Fischel aus Chicago. 'ne Weltstadt. Ich fahr diesen Herbst nach Paris. Wissen Sie, die Welt ist überhaupt mächtig international in der letzten Zeit. Schsch, das is 'ne empfindliche Stelle … Hopla. Sind Sie schon fertig? Sie hams gut, ich wer noch massiert. Ach so, Sie bekommen nur Halbmassage – ich bekomm Ganzmassage! Hat der Chefarzt persönlich angeordnet. Pniower! Wenn Sie nachher die Frau Ruschinsky sehen – sagen Sie ihr doch, ich bring ihr das Buch nachher runter, sie hat mir ein Buch geliehen – ja, ganz nett – mit der Kameradschaftsehe … na, wissen Sie, ich geh von dem Standpunkt aus, Kameradschaft is eine Sache, und Ehe is eine an… Pniower! Sie verlieren Ihren Pantoffel! – Dauert die Verbindung nach Berlin eintlich lange? Nö, dauert nich lange, was? Neulich hats nur zehn Minuten gedauert, war sie schon da. Man muß doch ab und zu mal sehen, was los ist, ich hab ja im Geschäft meinen Sozius, aber besser is besser. Sie – heute meinen Sies aber zu gut mit mir! Uwwwf – – Wissen Se, ich begreif nich, wie einer immerzu nichts tun kann. Ich muß was ze tun haben. Was is man denn ohne Geschäft, nicha? Ich wer nochmal in den Sielen sterben. Ich brauch Betrieb. Fertig –? Pffff.

Naa? is doch aber schon besser. Gehn Se mah weg, ich will mich mal in Spiegel sehn. Sie! ich wer dünn. Ich seh mir gar nich mehr ähnlich. Wenn ich mir – is da einer? nein – wenn ich mir hier das Badetuch hinhalte, könnt man mich glatt fürn junges Mädchen halten … hähähä! Na ja – außer das. Na, werch mah brausen gehn. Mohjn –!

Bademeister! Brause! Brause! Pschschschsch – aaaaah –! Gehm Se mah das Badetuch her! Fffffuuuuhhh – So. – Aah, der Herr Generaldirektor Bronzheimer! Mojn, Herr Generaldirektor, Mojn! Na, gut geschlafen? Sehn ja ausgezeichnet aus! Geturnt? Auch? Sehn Se mal an … (Ach! – ich hab gar nicht gewußt, daß der

Mann 'n Jude is ... ach so – –!) Mohjn, Herr Bronzheimer. Auch e Mensch. Und nu gehn wir schlafn –!»

Kaspar Hauser, WB 25.6.1929

75

Ein schönes Bild

Die Sache ist die, und der Umstand der: Der Reichsarbeitsminister Rudolf Wissel, «der verdienstvolle Schlichter des Streiks im Mitteldeutschen und Rheinisch-Westfälischen Industrie-Gebiet», feiert seinen 60. Geburtstag und wird, wie er es nicht anders verdient hat, von der juristischen Fakultät der Universität Kiel zum Ehrendoktor ernannt.

Nun muß man das nicht so feierlich nehmen: Ludendorff ist auch Ehrendoktor, Mackensen auch – also man sieht: Verdienste gehören nicht dazu. Aber das Bild ist nicht von schlechten Eltern. Beschreibung:

Von links der zweite: der Jubilar. Daneben die Professores – was sie da auf dem Kopf haben, ist ein Barett; es sieht aus, als habe ihnen der Mützenvogel eins auf den Kopf gekackt; der treue Uhu in der Mitte hält Wisseln an der Hand, damit er nicht entlaufe, sowie auch, um sich festzuhalten. Der Professor rechts strahlt für das Geburtstagskind … und der einzig Vernünftige ist noch der junge Herr, der sich das so ansieht, was die alten Herren da treiben.

Warum erstarrt eigentlich alles in Deutschland in Bratenrockwürde, wenns feierlich wird? Warum kann man das nicht auch graziös, nett und leicht machen? Es muß doch wohl tief in der Nation liegen, ich weiß keinen andern Grund.

Lehrreich aber ist, zu sehen, wie die Hosen aus den Talaren herausgucken. Ein weiser Mann hat einmal gesagt: «Wer zuerst ein Gericht so gesetzt hat, daß man die Beine nicht sehen kann, der hat ein treffliches Werk vollbracht.» Ich bin dafür, daß man die Beine sieht – und ich bin gegen die Talare, die sich auf den Männeranzügen unserer Zeit nicht gut machen. Doch liegt der Verkleidungstrieb in der menschlichen Natur verankert, sie entstellen sich bis zur Groteske, nur, um feiertags anders auszusehen als alltags. «Hüten Sie sich», sagte einst eine alte, kluge Französin, «hüten Sie sich vor Leuten, die ein Kostüm tragen.»

Sie meinte: die Pfaffen, die Militärs und die Richter.

Kurt Tucholsky, AIZ Nr. 27, 1929

76

Die Kunst, falsch zu reisen

Wem Gott will rechte Gunst erweisen, den schickt er in die –
«Alice! Peter! Sonja! Legt mal die Tasche hier in das Gepäcknetz, nein, da! Gott, ob einem die Kinder wohl mal helfen! Fritz, iß jetzt nicht alle Brötchen auf! Du hast eben gegessen!»
in die weite Welt!

Wenn du reisen willst, verlange von der Gegend, in die du reist, *alles*: schöne Natur, den Komfort der Großstadt, kunstgeschichtliche Altertümer, billige Preise, Meer, Gebirge – also: vorn die Ostsee und hinten die Leipziger Straße. Ist das nicht vorhanden, dann schimpfe.

Wenn du reist, nimm um Gottes willen keine Rücksicht auf deine Mitreisenden – sie legen es dir als Schwäche aus. Du hast bezahlt – die andern fahren alle umsonst. Bedenke, daß es von ungeheurer Wichtigkeit ist, ob du einen Fensterplatz hast oder nicht; daß im Nichtraucher-Abteil einer raucht, muß sofort und in den schärfsten Ausdrücken gerügt werden – ist der Schaffner nicht da, dann vertritt ihn einstweilen und sei Polizei, Staat und rächende Nemesis in einem. Das verschönt die Reise. Sei überhaupt unliebenswürdig – daran erkennt man den *Mann*.

Im Hotel bestellst du am besten ein Zimmer und fährst dann anderswohin. Bestell das Zimmer nicht ab; das hast du nicht nötig – nur nicht weich werden.

Bist du im Hotel angekommen, so schreib deinen Namen mit allen Titeln ein ... Hast du keinen Titel ... Verzeihung ... ich meine: wenn einer keinen Titel hat, dann erfinde er sich einen. Schreib nicht: «Kaufmann», schreib: «Generaldirektor». Das hebt sehr. Geh sodann unter heftigem Türenschlagen in dein Zimmer, gib um Gottes willen dem Stubenmädchen, von dem du ein paar Kleinigkeiten extra verlangst, kein Trinkgeld, das verdirbt das Volk; reinige deine staubigen Stiefel mit dem Handtuch, wirf ein Glas entzwei (sag es aber keinem, der Hotelier hat so viele Gläser!), und begib dich sodann auf die Wanderung durch die fremde Stadt.

In der fremden Stadt mußt du zuerst einmal alles genau so haben wollen, wie es bei dir zu Hause ist – hat die Stadt das nicht, dann taugt sie nichts. Die Leute müssen also rechts fahren, dasselbe Telephon haben wie du, dieselbe Anordnung der Speisekarte und dieselben Retiraden. Im übrigen sieh dir *nur* die Sehenswürdigkeiten an, die im Baedeker stehen. Treibe die deinen erbarmungslos an alles heran, was im Reisehandbuch einen Stern hat – lauf blind an allem andern vorüber, und vor allem: rüste dich richtig aus. Bei Spaziergängen durch fremde Städte trägt man am besten kurze Gebirgshosen, einen kleinen grünen Hut (mit Rasierpinsel), schwere Nagelschuhe (für Museen sehr geeignet), und einen derben Knotenstock. Anseilen nur in Städten von 500000 Einwohnern aufwärts.

Wenn deine Frau vor Müdigkeit umfällt, ist der richtige Augenblick gekommen, auf einen Aussichtsturm oder auf das Rathaus zu steigen; wenn man schon mal in der Fremde ist, muß man alles mitnehmen, was sie einem bietet. Verschwimmen dir zum Schluß die Einzelheiten vor Augen, so kannst du voller Stolz sagen: ich hab's geschafft.

Mach dir einen Kostenvoranschlag, bevor du reist, und zwar auf den Pfennig genau, möglichst um hundert Mark zu gering – man kann das immer einsparen. Dadurch nämlich, daß man überall handelt; dergleichen macht beliebt und heitert überhaupt die Reise auf. Fahr lieber noch ein Endchen weiter, als es dein Geldbeutel gestattet, und bring den Rest dadurch ein, daß du zu Fuß gehst, wo die Wagenfahrt angenehmer ist; daß du zu wenig Trinkgelder gibst; und daß du überhaupt in jedem Fremden einen Aasgeier siehst. Vergiß dabei nie die Hauptregel jeder gesunden Reise:

Ärgere dich!

Sprich mit deiner Frau nur von den kleinen Sorgen des Alltags. Koch noch einmal allen Kummer auf, den du zu Hause im Büro gehabt hast; vergiß überhaupt nie, daß du einen Beruf hast.

Wenn du reisest, so sei das erste, was du nach jeder Ankunft in einem fremden Ort zu tun hast: Ansichtskarten zu schreiben. Die Ansichtskarten brauchst du nicht zu bestellen: der Kellner sieht schon, daß du welche haben willst. Schreib unleserlich – das läßt auf gute Laune schließen. Schreib überall Ansichtskarten: auf der Bahn, in der Tropfsteingrotte, auf den Bergesgipfeln und im schwankenden Kahn. Brich dabei den Füllbleistift ab und gieß Tinte aus dem Federhalter. Dann schimpfe.

Das Grundgesetz jeder richtigen Reise ist: *es muß was los sein* – und du mußt etwas «vorhaben». Sonst ist die Reise keine Reise. Jede Ausspannung von Beruf und Arbeit beruht darin, daß man sich ein genaues Programm macht, es aber nicht innehält – hast du es nicht innegehalten, gib deiner Frau die Schuld.

Verlang überall ländliche Stille; ist sie da, schimpfe, daß nichts los ist. Eine anständige Sommerfrische besteht in einer Anhäufung derselben Menschen, die du bei dir zu Hause siehst, sowie in einer Gebirgsbar, einem Oceandancing und einer Weinabteilung. Besuche dergleichen – halte dich dabei aber an deine gute, bewährte Tracht: kurze Hose, kleiner Hut (siehe oben). Sieh dich sodann im Raume um und sprich: «Na, elegant ist es hier gerade nicht!» Haben die andern einen Smoking an, so sagst du am besten: «Fatzkerei, auf die Reise einen Smoking mitzunehmen!» – hast *du* einen an, die andern aber nicht, mach mit deiner Frau Krach. Mach überhaupt mit deiner Frau Krach.

Durcheile die fremden Städte und Dörfer – wenn dir die Zunge nicht heraushängt, hast du falsch disponiert; außerdem ist der Zug, den du noch erreichen mußt, wichtiger als eine stille Abendstunde. Stille Abendstunden sind Mumpitz; dazu reist man nicht.

Auf der Reise muß alles etwas besser sein, als du es zu Hause hast. Schieb dem Kellner die nicht gut eingekühlte Flasche Wein mit einer Miene zurück, in der geschrieben steht: «Wenn mir mein Haushofmeister den Wein so aus dem Keller bringt, ist er entlassen!» Tu immer so, als seist du aufgewachsen bei …

Mit den lächerlichen Einheimischen sprich auf alle Fälle gleich von Politik, Religion und dem Krieg. Halte mit deiner Meinung nicht hinterm Berg, sag alles frei heraus! Immer gib ihm! Sprich laut, damit man dich hört – viele fremde Völker sind ohnehin schwerhörig. Wenn du dich amüsierst, dann lach, aber so laut, daß sich die andern ärgern, die in ihrer Dummheit nicht wissen, worüber du lachst. Sprichst du fremde Sprachen nicht sehr gut, dann schrei: man versteht dich dann besser.

Laß dir nicht imponieren.

Seid ihr mehrere Männer, so ist es gut, wenn ihr an hohen Aussichtspunkten etwas im Vierfarbendruck singt. Die Natur hat das gerne.

Handele. Schimpfe. Ärgere dich. Und mach Betrieb.

Die Kunst, richtig zu reisen.

Entwirf deinen Reiseplan im großen – und laß dich im einzelnen von der bunten Stunde treiben.

Die größte Sehenswürdigkeit, die es gibt, ist die Welt – sieh sie dir an.

Niemand hat heute ein so vollkommenes Weltbild, daß er alles verstehen und würdigen kann: hab den Mut, zu sagen, daß du von einer Sache nichts verstehst.

Nimm die kleinen Schwierigkeiten der Reise nicht so wichtig; bleibst du einmal auf einer Zwischenstation sitzen, dann freu dich, daß du am Leben bist, sieh dir die Hühner an und die ernsthaften Ziegen, und mach einen kleinen Schwatz mit dem Mann im Zigarrenladen.

Entspanne dich. Laß das Steuer los. Trudele durch die Welt. Sie ist so schön: gib dich ihr hin, und sie wird sich dir geben.

Peter Panter, Uhu, Juli 1929

77

Die Inseln

> Deutschland ist Vereinsland, nicht vereintes Land … Versammlungen der Hunde- und Kaninchenzüchter, Berufsversammlungen, Amateurversammlungen, Versammlungen der Okkultisten, der Paragraphenbekämpfer, tausend Versammlungen jede Nacht, um Brot, um Freiheit, um Lebenswesentliches und um Dummheiten, Raucherversammlungen, Nichtraucherversammlungen, Versammlungen der Sexualnormalen und der Anormalen, Versammlungen, Versammlungen, Versammlungen.
>
> Aber alle diese Versammlungen, getrennt voneinander, ohne Kenntnis voneinander … Versammlungsdurcheinander, Vereinsgequirl …
>
> *Alfons Goldschmidt: ‹Deutschland heute›*

Die Deutschen leben auf den Sporaden, jeder auf seiner, und wenns gut geht, sitzen auf einer hundert, auf einer tausend Mann. Getrennt sind diese Inseln und Inselchen voneinander, kein Ruf hallt über die Meeresfläche, keine Brücke überquert den Flußarm; nur manchmal saust ein Pfeil hinüber und herüber, knallt ein Schuß, hallen ein paar scheltende Stimmen von Eiland zu Eiland, wo hinter wohlgebauten Wehren die Männerchen sitzen und nur dem lieben Gott unterstellt sind; denn das Wesentliche an einem guten Menschen ist der Zaun.

Auch der Krieg hat da nichts geholfen. Da sind sie nun zusammengekommen, das ganze Volk, die Telegraphenbausekretäre und die Hühneraugenoperateure und die Schriftsteller und die Buchhalter und die Fräser – aber es ist unheimlich gewesen, wie außerhalb der Gefahrenzone, also nicht da, wo dem Schützengrabengott auf dem Altar der Angst geopfert wurde, sich gleich wieder zu gleich gesellte: der Arbeiter zum Arbeiter, der Schreiber zum Schreiber, der Angestellte zum Angestellten ... nichts hat es geholfen. Manchmal zage Ansätze, kleine Ausnahmen – und dann, nach 1918, wieder dieselbe Inselbevölkerung.

Vielleicht ist das in andern Ländern auch so – bei uns jedenfalls geht es folgendermaßen her:

Herr Puschke und Herr Pochhammer kriegen das große Krachen miteinander. Dann diskutieren sie kaum – denn wo sollten sie das tun? In ihrem Verein? Da wird um die Geschäftsordnung diskutiert; um Sachen wird dort nicht diskutiert. Man kann sich dann noch über den Hausflur einiges erzählen, vielleicht auch im Geschäft, aber nach etwa vierzehn Sätzen auf jeder Seite beginnt sofort der große Exodus, der Ausmarsch auf den heiligen Berg, die Secessio. Denn:

Es ist viel bequemer so. Herr Pochhammer tut sich selber einen kleinen Laden auf, Herr Puschke macht sich selbständig, und nun siegt jeder vor sich hin, vor lauter Leuten, die es schon wissen, vor solchen, die schon Bravo! rufen, bevor der Sieger noch den Mund aufgemacht hat – es ist so schön leicht. «Denn was soll man ... also mit diesem Kerl da drüben kann man ja nicht reden ...», und so haben wir den Typus eines Siegers ohne Besiegten. Er macht ihn hin – und jener lebt und wirkt friedlich weiter. Er «erledigt» ihn – und der andre weiß es gar nicht. Er ist tot, aber weil es ihm keiner amtlich mitgeteilt hat, mißachtet er seinen eignen Tod und ist quietschvergnügt. Es sind seltsame Siege, diese deutschen Siege.

Nun liegt das tief im Menschen begründet: ohne Achtung seiner selbst kann er kaum leben, ohne Verachtung eines andern nie. Die gibt ihm erst das nötige Relief. «Ich grüße ihn nicht mehr ...»

das gibts allerdings in keiner andern Sprache. Ausgelöscht ist der andre und tot, «in meinen Augen» – er ist also eine subjektive Leiche; wir sind allesamt solche Opfer von irgendeinem Sieger, den wir vielleicht gar nicht kennen. Der Sieger macht das so, daß er das feindliche Milieu nicht nur nicht achtet – er erkennt es überhaupt nicht an; es gibt das nicht mehr; es wird nicht in den Listen geführt – item: ist es nicht da.

In der Politik sehen wir das alle Tage.

Ein deutschnationaler Reichswehr-Major sieht allenfalls bis zu den Demokraten, und da hat er auch was Rechtes zu sehen, die Sozialisten und was nun gar gottbehüte noch weiter links davon steht, verschwimmen ihm zu einer nebulosen schwarz-rot-goldenen Wolke, mehr rot als gold; die deutsche Volkspartei ist ihm gelinde verdächtig, sie duftet schon ein wenig nach Knoblauch … Und er ignoriert alles das; die Kerls sitzen ja nicht an seinem Stammtisch, also existieren sie für ihn nicht, leben nicht, sind nicht vorhanden, aus, tot, auf Wiedersehn.

Die Kommunisten sehen gemeinhin bis zu den rechten Sozialisten; was dann kommt, gibt es nicht; es darf allenfalls warten, bis es die Weltrevolution (die wir ansagen und kein anderer!) zerstört; fragen Sie einmal einen waschechten KPD-Mann, wie es in Richterkreisen aussieht – er hat keinen Schimmer.

Beide Teile machen sich vom Gegner zu Hause Schießbudenfiguren; die stellen sie in der Kneipe auf, und danach schießen sie. Da sich die Figur nicht bewegt, so treffen sie immer. Jeder siegt abends von halb acht bis zwölf, bis zum Umfallen. Oder wie Polgar einmal gesagt hat: «Leg an, drück ab. Und wo der Pfeil stekken geblieben ist, dort male, um seine haftende Spitze als Mittelpunkt, eine Scheibe. So werden dir lauter Kernschüsse gelungen sein.» So treiben sie es.

Ist das in unserm Fach anders?

Kraus hat Harden umgebracht und Harden Kerr und Kerr Kraus; für jeden ist der andre geistig tot. Herr Panter «vernichtet» Herrn Keyserling … dabei muß Herr Keyserling mit Gewichten angebunden werden, damit ihn das Gas des Hochmuts nicht in die Lüfte entführe – er weiß gar nicht, daß es eine Weltbühne gibt, denn die ist in der Schule der Weisheit nicht vorgesehen. Die nationalen Knaben töten Herrn Panter – nebenbei: ein Jammer, wie talentlos das gemacht wird! Es juckt mich immer, wenn ich es sehe, zu sagen: Kinder, laßt mich mal mit dem Jungen antreten, ich kann das viel schöner – ich weiß nämlich, wo er wirklich verletzlich ist … sie töten ihn also, und der Getötete lebt, wie zu hoffen steht, vergnügt weiter. Und so siegen wir denn allesamt aneinander vorbei. Sombart wandelt gewiß in einem Clan von Bewunderern, für die er der ganz große Mann ist; Villon gilt in der Brecht-Gemeinde als ein guter Dichter, und in den kleinen süddeutschen Universitäten haben sie «Kreise» mit einem Durchmesser von etwa acht Zentimetern; da geht es so hochgebildet her, daß es gar nicht auszuhalten ist. Lauter Sieger, lauter Sieger.

Die Wirkung nach außen ist denn auch recht dünn. Der Gegner umgibt sich mit einem Panzer von Verachtung; so tief kann er überhaupt nicht gucken, daß er diesen Knirps, diesen Zwerg da noch sieht … wer ist schon Herr Müller! Die Unbeteiligten sind auch nicht restlos begeistert, denn sie kennen sehr oft den Gegner gar nicht, sie glauben blind dem Wort des Meisters, sehr häufig aber bleiben sie indifferent und sehen kaum auf, wenn die Platzpatronen in der Luft zerknallen. So wirken wir nebeneinander her – wenn ein Fremder unter uns wandelt, muß er den Eindruck eines riesigen Jahrmarkts haben, wo vor jeder Bude ein Ausrufer steht, der sich heiser brüllt: «Hier noch die Original-Weltanschauung! Garantiert rasserein! Kaufen Sie nicht beim Juden!» – «Wer seine Kinder liebt, der läßt sie in das katholische Zelt eintreten; das kostet nicht fünfundzwanzig Pfennig, das kostet nicht zwanzig Pfennig, das kostet nur …» So ein Lärm ist das.

Es sind Wettläufer, die den Solo-Start erfunden haben: dabei kommt man immer zuerst an.

Aber woran liegt es? Was ist es? Kann man sie nicht bessern, ändern, zusammenbringen …?

Wenn ich mich nicht irre, liegt es vor allem daran, daß wir keine Diskussions-Kultur haben. Wir können knapp mit den eignen Leuten anständig umgehen – aber was wir mit dem Gegner treiben, das ist nicht zum Blasen. Wir sollten von den Engländern lernen.

Es gilt in Deutschland ja schon als charakterlos, sich mit dem

Feind überhaupt an einen Tisch zu setzen. Aber das ist es nur dann, wenn man den Kampf auch persönlich mit den schärfsten Waffen führt. Dergleichen Fälle gibt es. Schließlich hat alles seine Grenzen: ich kann mir kaum denken, daß ich mit Herrn Sozialdemokraten Noske eine Unterhaltung hätte, so englisch bin ich nun wieder nicht. Aber in fast allen andern Fällen erscheint mir eine Diskussion mit einem Reichsgerichtsrat, mit einem Reichswehrkommandeur, mit einem verbohrten Gymnasialdirektor zwar nicht sehr ersprießlich – aber sie ist vorstellbar.

Ferne sei es von mir, unter der Vorgabe der «guten Manieren» in den Meinungskampf jenes flaue Kompromiß einzuführen, das da sagt: «Menschen sind wir doch alle!» und: «Sehn Sie mal, wenn man so gemütlich bei einer Flasche Wein zusammensitzt, dann merkt man erst: soweit voneinander sind wir ja gar nicht …» das ist fauler Zauber; dabei hat in Deutschland immer, immer der Rechtsmann recht, weil der andere seine Feigheit und Unsicherheit als gute Erziehung ausgibt und kuscht. Geht man die feinen Herrn von der Rechten scharf an, fallen sie gewöhnlich aus den Pantinen und werden unangenehm. Hinausgesetzt wird in solchem Falle der Linke.

So kommt man nicht von einer Insel zur andern – dergleichen heißt dann, wenns fertig ist, «Deutsche Gesellschaft» und ist eine neue Insel. Man müßte es einmal anders versuchen.

Warum versucht man es nicht mit kleinen Arbeitsgemeinschaften?

In einer Massenversammlung öffentlich mit dem Gegner zu diskutieren, ist ein Unfug; es behält immer die brüllende Majorität recht, Massen sind niemals sehr ritterlich, und außerdem überwiegen die demagogischen Gründe; die dröhnenden Worte «Mutter» und «Vaterland» und «Klassenkampf» sind ja schließlich noch keine Argumente. In einer kleinen Arbeitsgemeinschaft sähe das schon anders aus.

Da gelten – in einem Saal, wo zwanzig Männerchen sitzen – nur der klare Gedankengang, die Logik, die Tatsachen. Ich weiß schon: man kann keinen überzeugen, der seine Überzeugung fest in sich trägt, er müßte sich ja dann nachher totschießen (Schnitzler) … das ist auch gar nicht der Zweck dieser geistigen Übungen. Aber ich kann mir da eine Art ersprießlicher Gegeneinanderarbeit denken, einen wirklichen Kampf, bei dem die Schilde aufeinanderkrachen, daß die Funken stieben; man lernt den Gegner kennen, der Gegner lernt uns kennen, es ist wirklich eine Schlacht. Und nicht dieser Privatsieg vor einem Parkett der Eigenen.

Das ist schwer. Nicht nur, weil eben jede Gruppe mit Verachtung geladen ist bis an den Hals; nicht nur, weil sich die meisten dieser kleinen Zusammenkünfte in ein wüstes Gezänk mit «Geschäftsordnungsdebatten» auflösten; weil es die Eitelkeit und der Stolz beider Gruppen nicht oft vertrügen, daß die andern – natürlich – nach Hause gehen und sagen: «Na, unser Führer hats diesen dammligen Hunden aber ordentlich gegeben» – nicht nur, weil wieder beide siegen könnten, statt sich zu erkennen. Die Schwierigkeit liegt in einer grandiosen Unkultur unsrer Sprache.

Ist Ihnen schon einmal aufgefallen, daß die meisten Menschen nicht zuhören können? Daß sie nur warten, bis sie dran sind – und daß sie dann, ohne Sinn und Zusammenhang, «ihrs» aufsagen, ganz gleich, was der Vorredner gesagt hat? Selten kommt das zustande, was Bahr einmal so glücklich das «Kind des Gesprächs» genannt hat, fast nie.

Schriftsteller und Politiker sind darin ein Scheul und ein Greul. Ich habe mir oft die Frage vorgelegt: «Mache ich das eigentlich auch? Plage ich auch jeden Menschen, den ich am Rockknopf zu fassen bekomme, mit einem langen Kolleg –?» Gott vergebe mir meine Sünden – ich will, wenn ich so getan habe, es nie wieder tun. Denn es ist schrecklich. Ich komme gewöhnlich einmal im Jahr nach Berlin; zum Schluß gehen mir die Mühlräder im Kopf herum … was ist das nur? Interesse? Liebe? Geistiger Gedankenaustausch? Dies ist es auch, bei einigen Freunden; nun ist man so lange fort gewesen, und da wollen sie es einem dann alles schnell erzählen. Dank. Aber in den meisten Fällen ist es einfach die Ungezogenheit, den andern wie eine Publikumspuppe in die Ecke zu leimen und nun loszureden, immer weiter, ohn' Ermatten … alle ungedruckten Aufsätze, alle nicht gehaltenen Reden, alle je versäumten Antworten … alles brodelt hier ans Licht. Der Zuhörer ist eigentlich nur eine Attrappe; der Rhetor stellt ihn vor sich hin wie einen Watschenpepi, er hat das beruhigende Gefühl, daß einer zuhört – und das genügt ihm. Jacob Burckhardt: «Jedenfalls haben die Griechen am Dialoge Vergnügen gefunden. Daß unsre Zeit, nachdem ihn noch die Renaissance eifrig gepflegt, davon abgekommen ist, könnte seinen Grund darin haben, daß man überhaupt nicht mehr so gerne hört, wie man vor Zeiten den Leuten zugehört hat. Plutarch hat eine besondere Schrift geschrieben, ‹de recta ratione audiendi›.»

Hier ist eine der Hauptschwierigkeiten, mit dem Gegner zusammenzukommen. Als ob man nicht auch beim Zuhören ungeheuer viel profitieren kann! grade beim Zuhören! Das aber rechtens sofort aussetzt, wenn es mißbraucht wird. Wer mehr spricht, hat nicht immer recht; das haben die Kaufleute in die Gesellschaft eingeführt. – «Nu lassen Sie mich mal … ich wer Ihn mal was sagen … alaum Se mal … nein, padong …!» und so in infinitum. Vielleicht sehr schön, wenn man einen Bankkredit aushandelt. Aber unsre Diskussionen sollten doch auf einer andern Basis laufen. Warum schaffen wir die Basis nicht –?

Es ist wirklich schade. Dies ist kein Kandidatenvorschlag; ich bin selten genug im Lande, und ich bin kein guter Debatter. Aber es gibt doch auf allen Seiten – auf der unsern und auf denen der Gegner, die wir uns so selten, so selten von Mann zu Mann gegenüberstehen – ausgezeichnete und scharf denkende Männer, junge und alte, die ihr System vor einander aufbauen könnten; es verteidigen, wenn man es berennt; die ausbrechen, um auf unserm Feld zu jagen, sich stellen, sich zum Kampf stellen!

Es sind kaum Ansätze solcher Haltung da. An erster Stelle zeigt das Parlament, wie man es nicht machen darf: da wird nicht gesprochen, da wird gelesen; da wird wieder zu den eignen Leuten zum Fenster hinaus gesprochen, und keiner hört zu; die fruchtbarere Arbeit in den Ausschüssen wird – wie übrigens jeder Parlamentsbericht – parteiisch kolportiert. Was sich mit einem Schlage abstellen ließe: man brauchte nur jeder Zeitung einen in drei Größen vorhandenen, von den Parteien gemeinsam redigierten Sitzungsbericht gesetzlich aufzuzwingen, und der kommunistische Leser erführe, daß auch der nationale Redner nicht nur Dummheiten gesagt hat. Es lohnt sich aber wohl kaum: denn was da, nach dem Listenwahlsystem, sein Sprüchlein aufsagt, ist fast immer im Niveau belanglos. Die «überparteilichen» Disputationen im Rundfunk sind ohne Wert; man nimmt dazu meist zahme Mittelparteien, die sich viel weniger voneinander unterscheiden, als ihre Generalsekretäre glauben, und auch denen wird noch jeder Satz fromm zensiert. Das ist nichts.

Es gibt aber solche Ansätze. Das sind die überparteilichen Jugendtreffen. Aber ob das nun die mangelnde Schulung ist oder diese verdammte deutsche Unsitte, nicht über die Tür des eignen Ladens hinauszusehen –: sehr viel ist dabei bisher nicht herausgekommen. Aber es sind Ansätze da – es gibt Versuche, einen Kampf auch einmal mit geistigen Mitteln auszutragen – es gibt doch junge Leute, die den ersten Schritt überhaupt getan haben. Neulich hats wieder die Gruppe Revolutionärer Pazifisten versucht.

Auf Inseln leben wir, auf Inselchen. Auf jeder wohnt ein Häuptling, ein Halbgott, ein Obergott. Allah il Allah, und der jeweilige Interessent ist sein Prophet. Die von den Nebeninseln, die verfluchten Heiden, wissen nichts von ihm. Das ist auch nicht nötig – denn sie werden jeden Morgen besiegt, in Stücke geschlagen, vernichtet, zerhauen, ins Wasser getaucht, in den Flammen gebraten – in effigie. Das verleiht viel Lebensmut und ist gut für die Verdauung. Wir aber brauchen Brückenbauer. Denn sollte da nicht doch noch eine Sache sein über den kämpfenden Gruppen der tausend Inseln –?

Peter Panter, WB 2.7.1929

78

Junge Autoren

Was sie nur wollen –!
Da schimpfen sie auf die Ollen,
und die sind stieke
und überlassen die ganze Musike
den Jungen.
    Und die machen ein Geschrei!
Und es sind alle dabei:

Da sieht man ältere Knaben,
die schon ihre fünfzig auf dem Buckel haben,
in kurzen Hosen umeinanderlaufen;
wenn sie schnell gehen, kriegen sie das Schnaufen –
aber bloß nicht hinten bleiben!
Modern! modern müssen Sie schreiben!
Nur nicht sein Leben zu Ende leben –
jung! jung mußt du dich geben!
Bei uns haben sie sonen Bart, der von alleine steht –
oder sie kommen gar nicht raus aus der Pubertät.

Was sie nur haben –!
Hindert denn einer die jungen Knaben?
Hört doch bloß mal: Die junge Generation!
Na, da macht doch schon!
Es hält euch ja keiner. Als ob uns das nicht frommt,
wenn ein neues Talent geloffen kommt.
Neunzehn Jahre! Was ist denn das schon?
Das ist keine Qualifikation.
Ludendorff war auch mal neunzehn Jahr.
Jung sein ist gar nichts. Es fragt sich, wers war.
Es gibt alte Esel und junge Talente –
Geburtsscheine sind keine Argumente.
Und wenns nicht klappt: es liegt nicht am Paß.
Dann liegts an euch. Könnt ihr was –?

Noch nie hat man sich so um Jugend gerissen.
Direktoren, Verleger warten servil …
jeder lauert auf einen fetten Bissen –
Speelt man god. Und schreit nicht so viel.
Wer was kann, der sei willkommen.
Der Rest hat die Jugend zum Vorwand genommen;
das sind – wir wollen uns da nicht streiten –
verhinderte Talentlosigkeiten.

Theobald Tiger, WB 2.7.1929

79

Deutsch für Amerikaner

Dem Gast der Berliner Fremden-Ssiehsn in Züchten

Ankunft

Eingang verboten.

Ausgang verboten.

Durchgang verboten.

Herr Gepäckträger, tun Sie diese Koffer auf die leichte Schulter nehmen?

Ich werde mir einen Sonnabend daraus machen, mein Herr.

Ist jene Automobildroschke ledig?

Warten Sie, wir haben noch einen Golfhauer sowie zwei Hüteschächtel.

Dies hier ist Ihr Getränkegeld, ist es nicht?

Bezüglich dessen scheint es mir ein wenig wenig. (Sprich: «krieje noch fummssich Fennje!»)

Autotreiber! Geh an! Ich ziehe das Christliche Hospiz vor!

Rauchen verboten.

Parken verboten.

Durchfahrt verboten.

Begrüßungen

Guten Tag, wie fühlen Sie?

Heute ist ein wahrlich feiner Tag, ist es nicht?

Sie sehen aus wie Ihre eigne Großmutter, gnädige Frau!

Darf ich Ihnen meinen lieben Mann vorstellen; nein, dieser hier!

Ich bin sehr froh, Sie zu sehen; wie geht es Ihrem Herrn Stiefzwilling?

Werfen Sie das häßliche Kind weg, gnädige Frau; ich mache Ihnen ein neues, ein viel schöneres.

Guten Morgen! (sprich: Mahlzeit!)

Guten Tag! (sprich: Mahlzeit!)

Guten Abend! (sprich: Mahlzeit!)

Danke, es geht uns gut – wir leben von der Differenz.

Im Restaurant

Bringen Sie mir eine Portion Zahnstocher sowie das Adressenbuch.

Das ist nicht mein Revier.

Meine Frau wünscht einen Wiener Schnitzer; ich habe Zitronenschleim gewählt.

Das ist nicht mein Revier.

Bringen Sie mir einen kokainfreien Kaffee.

Wir haben in Amerika die Verhinderung; bringen Sie mir daher eine Flasche eisgekühlten Burgunders, auch drei Gläser Whisky mit Gin sowie kein Selterwasser.

Das ist nicht mein Revier.

Auf dem Postamt

Dieser Schalter ist geschlossen.

Sie müssen sich auf den Hintern anstellen.

Ich erwarte schon seit Jahren eine größere Geldsendung.

Wo ist die Schaltung für freie Marken?

Wollen Sie so kindlich sein, hinten meine Marke anzulecken?

In dieser Telephonzelle riecht man nicht gut.

Hallo! Ich wünsche eine Nummer zu haben, aber der Telephonfräulein gewährt sie mir nicht.

Meine Näm ist Patterson; ich bin keine Deutsch; hier ist mein Paßhafen.

Im Theater

Geben Sie mir einen guten Platz.

Wir haben keine guten Plätze; wir haben nur Orchesterfauteuils.

Wird Ernst Deutsch diesen Abend spielen?

Wie Sie sehen, haben wir Festspiele; infolgedaher wird er nicht vorhanden sein.

Dies ist ein guter Platz; man hört nicht viel.

Von wem ist dieses Stück?

Dieses Stück ist von Brecht.

Von wem ist also dieses Stück?

Zeigen Sie mir die blaue Bluse der Romantik.

Des Nachts

Sie sind ein Süßherz, mein Liebling, tun Sie so?

Das ist mir zu teuer.

Ei, mein Fräulein, könnten Sie sich dazu verstehen, mich durch den Abend zu streifen?

In Paris gibt es solche Häuser; sie sind sehr praktisch.

Hätten Sie wohl die Gewogenheit, auch die Strümpfe abzulegen?

In Amerika tun wir so etwas nicht.

Dies ist wahrlich teuer; Sie sind ein Vamp.

Danke, meine Dame, ich habe schon eine Beziehung; sie (er) hat meine gänzliche Liebe.

Konversation

Er ist ein Stockchinese.

Du bist ein Wahlsachse.

Mangels einer Wäschemangel können jene Kragen nicht gewaschen werden.

Meinen Frau Gräfin nicht auch, daß dies ein rechtes Scheißwetter sein dürfte?

Die berliner Festspiele sind gute Festspiele; aber bei uns in Amerika haben wir die größte Tomatenexportehschn von der Welt.

Leihen Sie mir bitte Ihren linken Gummischuh!

Ich habe einen guten Charakter zuzüglich eines Bandwurmes.

Jener Funkturm ist niedlich.

Bitte zeigen Sie mir den berliner Verkehr.

So habe ich es nicht gemeint.

Dieser Löwe macht einen so zusammengeschmetterten Eindruck.

Ich spreche schon geflossen deutsch; nur manchesmal breche ich noch etwas Rad.

Nach Börlin besuchen wir noch Europa, Persien und Heidelberg, aber am 4. September, acht Uhr erste Minute werden wir New York anfahren. Good-bye –!

Kaspar Hauser, WB 2.7.1929

80

Kintopp, Glaube oder Kurpfuscherei
Der Wallfahrtsort Lourdes in Frankreich

«Schwindel –!» – «Ein Wunder! Die Heilige Jungfrau hat ein Wunder getan –!» – «Schwindel! Bluff! Unfug!» – «Unsere heilige Kirche …» Was ist es nun –?

Die Wahrheit liegt nicht in der Mitte, weil eine Wahrheit niemals in der Mitte liegt – die Wahrheit liegt darüber.

Der französische Wallfahrtsort *Lourdes* macht zunächst einen etwas rummligen Eindruck. Es ist ein häßlicher Ort, landschaftlich ganz hübsch gelegen; im Sommer, zur Zeit der großen Pilgerzüge stets überfüllt; sein Hauptpunkt ist eine moderne, architektonisch schlechte Kirche, davor ein riesiger, langgestreckter Platz, darum herum viele Krankenhäuser für die Kranken, die dorthin kommen, um in den Quellen, die neben der Wundergrotte in einem Felsen sprudeln, Heilung zu suchen. In dieser Grotte soll der Sage nach im Jahre 1858 die Mutter Gottes einem kleinen Bauernmädchen aus Lourdes, der Bernadette Soubirous, von der noch Angehörige leben, erschienen sein. Das Kind will vierzehn Erscheinungen gehabt haben; die Kirche, die in solchen Dingen äußerst vorsichtig ist, glaubte erst nicht an das Wunder, die Bevölkerung geriet in Erregung; die Kleine hatte im Felsen eine Quelle entdeckt, die vorher nicht dagewesen war, und nun setzte der Wunderglaube ein. Die «Heilungen» begannen. Heute gehen jährlich über eine Million Menschen nach Lourdes.

Gleich neben der großen Kirche ist ein ärztliches Bureau eingerichtet; wenn Leute behaupten, geheilt zu sein, so werden sie von den dortigen Ärzten, die durchaus ehrbare Männer sind (und nicht etwa von der Kirche bestochen), genau untersucht. Die Untersuchung ist null und nichtig: denn die Ärzte kennen die Kranken nicht aus eigener Anschauung *vor* der angeblichen Heilung; sie sind auf Atteste angewiesen, können also niemals aussagen, wie sich der Kranke vorher wirklich befunden hat. Es werden etwa zwanzig Heilungen im Jahr von ihnen auf diese unzureichende Weise festgestellt. Die Kirche selbst, sehr klug wie immer, benimmt sich äußerst zurückhaltend; sie verlegt alle Verantwortung auf die Ärzte, und die wieder zucken die Achseln und verweisen bei diesen «Heilungen», die sie sich nicht erklären können, auf das Wunder.

Das vollzieht sich folgendermaßen:

Die Kranken kommen in langen Zügen an: die Eisenbahn, eine Privatgesellschaft, die durch Lourdes ein glänzendes Geschäft macht, gibt ermäßigte Karten aus. In Lourdes selbst werden die Kranken nur von katholischen Schwestern gepflegt, aber nicht ärztlich behandelt, wenn nicht Not am Mann ist. Nun gehen die Kranken an die Grotte, beten dort, dann begeben sie sich zur Wunderquelle (die dem großen Publikum verschlossen ist) und dort werden sie, immer unter den Gebeten der Menge, die man von draußen hört, gebadet. Ich habe das mitansehen dürfen – es ist unsagbar unappetitlich. Das schmutzige Wasser, in das täglich hunderte von Personen getaucht werden, wird nur ein Mal am Tag erneuert; man kann sich denken, wie diese fettige Brühe aussieht. (Daß wenig Ansteckungen vorkommen, schreibt die Kirche gleichfalls der Mutter Maria aufs Konto.) Gottesdienste in der Kirche und unter freiem Himmel wechseln miteinander ab; das Ganze dauert für jeden Pilgerzug etwa drei Tage, den Abschluß bildet eine große Fackelprozession am Abend, dann ziehen die Pilgerscharen wieder ab. Man hört alle Völker: Franzosen, Engländer, sehr viel Slawen, auch Deutsche.

Wunder oder nicht –?

Nach sorgfältiger Lektüre der sehr großen Literatur darf ich sagen: Wenn überhaupt von wirklichen Heilungen gesprochen werden kann, so liegt hier eine raffinierte Ausnutzung der *Suggestion* vor. Es gibt Krankheitsbilder, besonders unter den Hysterischen, wo die Einwirkung des Willens zweifellos organische Veränderungen hervorruft. Natürlich wächst keinem ein Arm nach; es gibt aber, wie die Psychoanalyse festgestellt hat, eine Flucht in die Krankheit: der Kranke wird mit dem Leben nicht mehr fertig und flüchtet sich in die Krankheit, weil er zu schwach ist, noch gesund zu sein. Es gibt auch solche Kranke, die mit ihrem Leiden eine Beachtung erzwingen wollen, die ihnen sonst nicht zuteil wird … jeder kennt diese Fälle. Damit verbunden ist sehr oft eine wirkliche Veranlagung zur Krankheit; die Krankheit ist nicht etwa – wie beim Versicherungsschwindel – vorgetäuscht, sondern durchaus echt. Nur sind ihre Keime rein seelischer Natur. Daher besteht die Möglichkeit, auf die Krankheitsursache seelisch einzuwirken, und das geschieht in Lourdes.

Es ist unsäglich viel gelogen worden um diese Heilungen. Die Heilerfolge hat man maßlos übertrieben; man hat Besserungen, die nur tagelang angehalten haben, für dauernd ausgegeben; Krankheitsbilder sind verfälscht worden, die Untersuchungen haben sich auf höchst zweifelhafte Zeugnisse und nicht auf den Augenschein gestützt, was ja auch gar nicht anders möglich ist: dazu müßte man jeden einzelnen Kranken vor und nach der Quellenwaschung untersuchen.

Im übrigen gibt es zwei untrügliche Zeichen dafür, daß hier eine Naturkraft und kein Wunder am Werk ist:

Es gibt erstens keinen Geheilten, der aus Lourdes selbst stammt. Auf die Einwohner dieser Stadt wirkt nämlich der Zauber der Stätte nicht mehr; sie kennen das alles schon, sie sehen den Apparat jeden Tag schnurren – und es ist außerordentlich bezeichnend, daß Kranke aus Lourdes tagelange Reisen zu einem französischen Wunderdoktor gemacht haben, aber nicht an ihre Quelle gegangen sind.

Das zweite Zeichen: es gibt keine Heilungen im Winter. Im Winter kommen nämlich die großen Prozessionen nicht nach Lourdes, sondern nur einige Einzelpilger; diese einzelnen Leute nun unterliegen nicht der Beeinflussung durch die brodelnden Massen, keine Gebete schwingen sich zum Himmel empor, die eindrucksvollen Kulissen fehlen, die große Geistlichkeit im Ornat ist nicht da … es fehlt das große Theater von Lourdes. Die Wahrheit ist: es werden keine Wunder in Lourdes getan.

Lourdes, das für viele Kranke wegen der Ansteckungsgefahr und der Anstrengungen auf dem Transport eine Gefahrenquelle ist, Lourdes zu schließen, kann die französische Regierung nicht wagen; dazu ist die Macht der Kirche in Frankreich zu groß.

Die Kirche, dieses Warenhaus der Metaphysik, liefert auch hier nur Massenware. Das äußere Bild ist würdig; man sieht keine Betrunkenen, die Geistlichen benehmen sich ruhig, im Vollgefühl ihrer Macht … aber was da geboten wird, wirkt doch nur auf

Leute, die niemals aus ihrem Kaff herausgekommen sind: auf kleine Fischer, Handwerker aus kleinen Städten, auf die Bauern vom Lande, die Mund und Nase vor so viel Pracht aufsperren ... Wir nennen diese Pracht: Kitsch – es ist unfaßlich, wie man so viel Geschmacklosigkeiten nebeneinander dulden kann. Und das nicht nur in den Ansichtskartenläden, wo man die schauerlichsten Erinnerungen aufgebaut findet – nein, in den Kirchen selbst gleißt es von Gold und Silber und schreienden Farben, Fahnen hängen dort und – wie auch an der Grotte – die Krücken der angeblich Geheilten ... es ist ein böser Jahrmarkt.

Unsere Ärzte haben manche Fehler gemacht, das ist wahr. Ein Teil von ihnen ist rein darwinistisch erzogen: die ältere Schule lehnt alles Seelische ab und will die Krankheiten mechanistisch heilen, so, wie man einen nicht funktionierenden Motor wieder in Ordnung bringt ... was falsch ist. Aber immer noch lieber einen guten deutschen Arzt als diesen Rummelplatz des buntesten Aberglaubens. Mit echter Religion hat das nur noch wenig zu tun. Der aufgeklärte Arbeiter wird, um die Welt kennen zu lernen, auch dieses zur Kenntnis nehmen, es studieren und sich bessern Dingen zuwenden.

Ignaz Wrobel, AIZ Nr. 28, 1929

Kintopp, Glaube oder Kurpfuscherei
von Ignaz Wrobel
DER WALLFAHRTSORT LOURDES IN FRANKREICH

81

Mauserzeit in geflügelten Worten

Neulich ist mir beim Packen der Büchmann auf die Füße gefallen.

Ich liebe dicke Bücher; man kann sie als Briefbeschwerer benutzen, damit einem im Zugwind nicht die Bogen wegfliegen; man kann andere, kleinere Bücher gegen sie stellen, sie behüten wie Großväter die jungen Kinder … dicke Bücher sind schön. Manchmal kann man auch in ihnen blättern. Im Büchmann habe ich geblättert.

Geflügelte Worte, steht da … ja, sind sie denn noch geflügelt –? Oder liegen nicht Hunderte von ihnen flügellahm, ohne Flügel, in der Mauser am Boden und piepen uns nur noch kläglich an? Wer sagt denn das alles noch …? Es ist eine Wandlung mit ihnen vor sich gegangen.

Da stehen sie nun, Seite auf Seite, und viele stammen aus den klassischen Werken der Deutschen. Aber sind die noch so klassisch? Vor allem: beherrscht die junge Generation diese Dramen, Romane, Lustspiele … sind die um Remarque noch damit aufgewachsen? Oder ist ihnen ein gut Teil der klassischen Literatur nur noch Schulspuk, Hekuba, wie der Dichter so schön sagt – vage Erinnerungen an eine Zeit, an die sie nicht mehr denken wollen, an langweilige Schulaufsätze – und nicht einmal mehr das?

Bei den Schreibenden wird man mit Bestimmtheit feststellen können, daß es die Älteren sind, die in ihre gepflegte Prosa einen Vers einflechten, und den meist ohne Quellenangabe, so verschämt-nebenbei … Dieses Spiel spielt man nicht mehr so intensiv, wie man dies früher getan hat.

Die Sprache ist – Gott sei Dank – kälter geworden, härter, sachlicher – man lese etwa die Reden aus der Zeit der Paulskirche, und man wird einen merkwürdig blumigen Stil finden, allerdings einen, der nach vertrockneten Herbariums-Blumen duftet, es regnet Vergleiche, lange, gewundene Sätze … Man findet das heute noch: wenn die Regierungsvertreter die Zweckessen der Verbände beehren, geht es meist hoch her. Aber das sind alte, gewendete Fräcke.

Der Fürst Bülow – o Jahrgang 1902, das war vor deiner Zeit! – der wurde ja mit dem «Büchmann» fast so geneckt wie mit seinen zwei Pudeln; alle drei umwedelten ihn und waren ihm gefällig und zu Diensten, wann er sie nur brauchte. Er hatte nur zu pfeifen … «Mohrchen!» und: «Büchmann!» und schon waren sie da und machten schön.

Aber ein rollendes Zitat in einer Rede hat heute, zwanzig Jahre später, etwas vom kleinen Mann; es schmeckt so abgestanden … ist nicht mehr recht vorhanden … die Jungen hören es und fragen sich: «Warum sagt er das nicht in vernünftiger Prosa?» Es verpufft. Flügellahm sind sie, die geflügelten Worte.

Und während sich die alten Adler, wenn auch ausgestopft, erhalten – auch Patroklus ist gestorben und war mehr als du – sind die jungen gar nicht erst alt geworden. Wie der Dichter so schön sagt: Wen die Götter lieben, der stirbt jung … Wie hat sich Büchmann da geirrt! Wie seine Nachfolger! Wie wenig ist geblieben von dem, was als «Geflügelte Worte aus der Geschichte» verzeichnet steht; und nun gar die aus der neueren Geschichte! «Volldampf voraus!» und «Wir müssen aus dem Turm heraus!» und «die Klinke zur Gesetzgebung» und «The germans to the front!» – dahin, dahin. Von den geflügelten Kriegsworten gar nicht erst zu reden. Denn die fallen schon in eine andere Kategorie; in die – jetzt will ich auch einmal ein geflügeltes Wort prägen –: in die *fliegenden Worte*.

Die «fliegenden Worte» – das sind die, die alle Jahr aufflattern und im nächsten Jahr kennt sie kaum einer noch, husch, vorbei. Es sind nicht eigentlich Modewörter – es sind jene «scies», wie der Franzose das nennt, Redensarten, die es immer gegeben hat, die aber heute, wie mir scheint, die echten geflügelten Worte abgelöst haben. In Frankreich hieß das früher eine ganze Weile: «A la gare» und «Ça fait riche» und nach dem Kriege: «Sans blague» (großer Erfolg von Grock, der dieses Wort lang aus dem Munde zog, wie Gummibonbon) und das haben wir natürlich in Deutschland auch.

Bei uns haben die Revuen davon gelebt; nach einem merkwürdigen Naturgesetz lachen die Leute, wenn solche Worte gesagt werden, auch wenn sie gar nicht komisch angewandt sind. «Sei sparsam, Brigitte!» ist einmal auf alle Fälle ein «Lacher» – morgen wird da eine neue Brigitte sein. Manchmal sind es Fachausdrücke der Technik, der Ämter, manchmal ist es ein Reklamewort, aufgeschnappt aus dem Wirrwarr der Anzeigen, abgelesen aus den leuchtenden Zeilen der Dachreklamen … manchmal ein Coupletrefrain, die Zeile eines «Song», wie Herr *Lax* das nennt, besonders die, die nicht von ihm sind. Wie Aesop (6. Jahrhundert v. Chr.) so schön sagt: «Sich mit fremden Federn schmücken.»

Aber geflügelte Worte – wo seid ihr hin? Es wenden sie immer weniger Leute an; und wer sie anwendet, weiß meist nicht, was er da sagt; und wer es weiß, der sagt's nicht, weil er Angst hat, nicht verstanden zu werden … wenn ich mich nicht irre, so kriechen immer neue fliegende Worte aus dem Ei. Denn das geistige Gut eines Volkes ist stets im Wandel begriffen, es versinken ganze Gesteinsschichten, die man für «ewig» gehalten hat, ewig sind aber u.a. nur die Dummheit und die Bücherlaus, der Rest hält sich nicht so gut.

Und so kommt es denn, daß ich meinen dicken Büchmann ganz brav auf die Abmagerungskur schicken kann, denn mindestens hundert Seiten sind überflüssig geworden, und wenn die Neuausgabe die gerade fluktuierenden fliegenden Worte aufnähme, so sind die schon hinüber, wenn das Buch erscheint – das geht, wie es im Kriege 1866 so richtig hieß, mit «affenartiger Geschwindigkeit».

Geflügelte Worte sind wie verdeckte Töpfe, die man sich, mit geschlossenem Deckel, weiterreicht – der andere wird schon wissen, was drin ist.

Arme geflügelte Worte – die Volière wird immer leerer. Noch vor zwanzig Jahren … war das ein Gekreisch und Geflatter! Heute sitzt wohl dieser und jener Vogel noch auf dem Ast und putzt sich die armseligen Federn … wie der Dichter so schön sagt: «Lenchen hatte einen Piepmatz.»

Was aber die Klassikeraufführungen ohne die richtigen geflügelten Worte anfangen, das ahnt allein der Regisseur, der ihnen durch überraschende Gestaltung die Klassik schon austreiben wird. Wie der Dichter so wahr sagt:

Regie wird oft nicht schön empfunden,
weil sie stets mit Klamauk verbunden;
doch jeder Jüngling hat nun mal
'n Hang zum Bühnenpersonal.
Drum, Künstler, ziehe frisch vom Leder –
die Kunst ist schwer. Regie kann jeder.

Peter Panter, Voss 3.7.1929

82

Bänkelbuch

Das Genre ist nicht groß. Es sind immer wieder dieselben sechs oder acht, die diese leichten Verse machen, dieselben, die Spaß am Spaß haben und Freude an der Ironie. Dergleichen ist bei uns nicht so übermäßig beliebt. Darüber ragt steil die Hornbrille einer verstandesmäßig kühlen Lyrik, die keine ist, darunter riecht es nach dem Humor des Bieres, dem Jargon der Ställe und der Klampfe des Freikorps, dem Jeist der Reichswehr – und ganz zu unterst nach Arnolt Bronnen. Wir andern stehen in der Mitte.

Da steht denn also auch ein niedliches Büchlein, das ‹Bänkelbuch› (erschienen bei E.P. Tal in Wien); herausgegeben hat es Erich Singer, der in dem Büchlein auch mit hübschen Versen vertreten ist. Das Buch ist eine Anthologie. Weil wir grade bei der Vorrede sind: da hat der Herausgeber, wie ich meine, einen kleinen Schwupper gemacht. «Er bedauert es sehr, daß es keinen Verführungskünsten gelang, den prinzipiellen Widerstand der Herren Joachim Ringelnatz und Bert Brecht zu beseitigen.» In dem Bedauern ist ein Unterton, der mir nicht gefällt. Er hat sagen wollen: «Ich habe sie aufgefordert – sie gehören hier hinein», aber es klingt anders. Nicht die Herren Ringelnatz und Brecht waren eingeladen, sondern in Wahrheit ist immer der Herausgeber einer Anthologie bei uns zu Gast; was also hier – mit einem leichten Seitenblick auf den Leser: «Wie finden Sie diese Leute?» – geschieht, ist etwa so, wie wenn jemand Krach macht, daß er dort und dort nicht eingeladen ist. Ich verstehe den Widerstand der beiden sehr gut. Erstens ist er durchaus ihre Sache; zweitens geht das häufig so, daß die Leser nur die Anthologie, nicht aber die Bücher der vertretenen Autoren kaufen … und es ist das Recht Brechts und Ringelnatzens, die bänkelbedürftigen Leser auf ihre zu diesem Zweck angefertigten Bücher zu verweisen. Dies nebenbei.

A wie Adler, Hans Adler. Ist das lange her … Da habe ich hier, noch vor dem Kriege, den Simplicissimus gefragt, warum er denn nicht diese reizenden kleinen Verslein, die öfter in ihm zu finden waren, gesammelt herausgäbe. In der Tat ist das geschehen; das Buch heißt ‹Affentheater›, die Verse sind noch dieselben, aber inzwischen muß etwas passiert sein. Ist ja wohl auch. Es stimmt mächtig melancholisch, das zu lesen. Immerhin: ein paar Verse bleiben haften – wenn auch der große Feuerwerksschein jenes Vierzeilers:

> Wem es bestimmt, der endet auf dem Mist
> Mit seinem edelsten Bestreben …
> Ich bin zum Beispiel immer noch Jurist.
> So ist das Leben.

nicht mehr den abendlichen Garten erhellt – die Entfernung von Mist und Jurist hat sich inzwischen leicht vermindert. Aber es sind doch hübsche Gedichtchen.

Dann hätten wir da Hermann Hesse, aus jener Zeit, da er noch nicht jeden Morgen ein Täßchen Galle trank, so den nicht sehr heiteren Anblick eines bejahrten Primaners bietend, der im Alter von fünfzig Jahren die Nutte entdeckt. Auch er hat schöne Gedichte in diesem Buch; seine Prosa steht weit darüber – so etwas wie ‹Ohne dich› gibt es nun bei dem alten Liliencron viel, viel besser (‹Stammelverse nach durchwachter Nacht›).

K wie Kästner. Brillant. Da ist ‹Jahrgang 1899›, ein kleines Gedicht, in dem eigentlich alles über diesen Fall ausgesagt ist – mehr kann man darüber gar nicht sagen:

> Man hat unsern Körper und unsern Geist
> ein wenig zu wenig gekräftigt.
> Man hat uns zu viel, zu früh und zumeist
> in der Weltgeschichte beschäftigt!

Das ist Nummer eins. Es sind einige sehr gute, wenn nicht die besten Gedichte aus seinen Bänden (‹Herz auf Taille› und ‹Lärm im Spiegel›, bei C. Weller & Co. in Leipzig) ausgewählt.

Aus der Gesamterscheinung dieses Mannes kann ich nicht ganz klug werden. Die Verse sind wunderbar gearbeitet, mit der Hand genäht, kein Zweifel – aber irgend etwas ist da nicht in Ordnung. Es geht mir manchmal zu glatt, das sollte man einem deutschen Schriftsteller nicht sagen, dieses Formtalent ist so selten! – also sagen wir lieber: die Rechnung geht zu gut auf; sechsunddreißig geteilt durch sechs ist sechs, gewiß, na und? Ich kenne kaum ein einzelnes Gedicht, gegen das ich Einwände zu machen hätte … Ist es die Jugend? Aber grade das, was mir auffällt, ist kein Anzeichen von Jugend: es ist so etwas wie mangelnde Kraft; der dahinter steht, ist mitunter selber «Jahrgang 1899». Ich will mich gern getäuscht haben: so einer verdient Förderung, Ei-Ei und Weitermachen.

Einige alte, schöne Verse Kerrs. Einige alte, schöne Verse Klabunds – darunter jenes Gedicht, das, soweit ich mich erinnere, den Stil Blandine Ebingers bestimmt hat. ‹Und ick baumle mit die Beene, mit die Beene hin und her …› Blandinchen, du hast bei mir auf dem Tisch gesessen und hast es vorgemacht, und der kluge Friedrich Hollaender hat es gleich gesagt: «Sie hat ihren Stil gefunden.»

Alfred Lichtenstein, in Klammern Wilmersdorf; getötet im Jahre 1914. ‹Der Türke› und ‹Der Fall in den Fluß› – diesen Fall von Lenchen Levi in den tiefen Fluß höre ich und sehe ich immer so, wie Kate Kühl ihn einmal gestaltet hat.

M wie Mehring – die stärksten Verse des Buches. Darüber haben wir uns neulich schon unterhalten.

Schickele … ja, wäre in Deutschland die «kleine Form» nicht so verachtet: wer weiß, ob dieser nicht unser bester deutscher Journalist geworden wäre. ‹Schreie auf dem Boulevard› ist heute noch das weitaus überragendste, was in den letzten zwanzig Jahren über Paris geschrieben worden ist, und unter diesen Versen hier ist zum Beispiel ‹Tragödie› – das ist Form, Kraft, Stärke, was ihr wollt.

Am Nebentisch im Café Anglais:
«Ich kann bloß leben in deiner Näh!»
  – Det versteh ick nich.
«Für mich ist dein ältester Anzug neu.
Du gehst mit andern, ich bin dir treu.»
  – Det versteh ick nich.

Schade, daß das nicht von mir ist.

T wie Tiger; darunter einige Jugendsünden, aber wir wollen sie lassen stahn.

Gleich dahinter das schönste ernste Gedicht des Bändchens: ‹Einsam› von Berthold Viertel (zuerst veröffentlicht in der ‹Fackel›).

Wenn der Tag zu Ende gebrannt ist,
ist es schwer, nach Hause zu gehn,
wo viermal die starre Wand ist
und die leeren Stühle stehn.

W wie Wedekind ... wie sag ichs meinem älteren Abonnenten? Die Hälfte ist mausetot. Wer hats gleich gesagt? Franz Blei. Ja, aber Dunnerkiel, es hat doch Jugendgedichte von ihm gegeben, Gedichte, bei denen man das Blut in den Ohren rauschen hörte – ... wenn aber dies hier einer liest, der nichts weiß von Herodes, der liest es nicht. Es liegt auch an der Auswahl. Es gibt stärkere Liköre auf dieser Schnapsorgel – wie kann man so etwas auslassen:

In der Esse fliegt der Hammer
im Cylinder auf und ab;
Gottfried in der Mädchenkammer
fliegt nicht minder auf und ab –

wenn einer ein Bänkelbuch macht: dies ist ein Bänkelsang.

W wie Weichberger, ein Dichter, den A.R. Meyer entdeckt hat, und daran hat er recht getan. Es gibt von ihm unter den alten ‹Lyrischen Flugschriften› erschütternd komische Dinge; hier ist mein allerliebstes Lieblingsgedicht, eines, darin die deutsche Sprache selber dichtet, man hört ihr Herz puppern; das ist überhaupt nicht auf Papier geschrieben, das ist in den Blumentöpfen eines Balkons gewachsen …

Laß du doch das Klavier in Ruhe;
es hat dir nichts getan;
nimm lieber deine Gummischuhe
und bring mich an die Bahn –

Das wärs. Ein hübsches Buch.

Das Genre ist nicht groß. Daher denn auch alle Kritiker, die uns in die Finger bekommen, jeden, aber auch ausnahmslos jeden von uns mit Heine vergleichen. Das stimmt, für die Art – das stimmt gar nicht, im Größenverhältnis. Man tut Herrn Kästner oder Herrn Tiger auch keinen Gefallen damit. Denn es ist nicht mal ein Kompliment, sie mit Heine zu vergleichen – es ist einfach ein Zeichen literarischer Unbildung. Herr Kästner und Herr Tiger sind Talente; Heinrich Heine aber ist ein Jahrhundertkerl gewesen. Einer, dessen Liebes-Lyrik – mit Ausnahme der letzten Lieder – dahin ist; aber einer, der das Schwert und die Flamme gewesen ist, eine Flamme, die bis zu Nietzsche hinaufloderte. Wie schwach entwickelt muß der Bänkelsang bei den Deutschen sein, daß sie die Gesellen mit dem Meister vergleichen, der den Schmerz und die Todesahnung, die Wut und den Haß, die Liebe zur Heimat und den Abscheu vor dem Vaterland in Versen gesagt hat, die wie Flaumfedern flogen und wie schwere Minen einschlugen – nein, wie Verse! Die Zahl der deutschen Kriegerdenkmäler zur Zahl der deutschen Heine-Denkmäler verhält sich hierzulande wie die Macht zum Geist.

Peter Panter, WB 9.7.1929

83

Befürchtung

Werde ich sterben können –? Manchmal fürchte ich, ich werde es nicht können.

Da denke ich so: wie wirst du dich dabei aufführen? Ah, nicht die Haltung – nicht das an der Mauer, der Ruf «Es lebe –» nun irgend etwas, während man selber stirbt; nicht die Minute vor dem Gasangriff, die Hosen voller Mut und das heldenhaft verzerrte Angesicht dem Feinde zugewandt ... nicht so. Nein, einfach der sinnlose Vorgang im Bett, müde, Schmerzen und nun eben das. Wirst du es können?

Zum Beispiel, ich habe jahrelang nicht richtig niesen können. Ich habe geniest wie ein kleiner Hund, der den Schluckauf hat. Und, verzeihen Sie, bis zu meinem achtundzwanzigsten Jahre konnte ich nicht aufstoßen – da lernte ich Karlchen kennen, einen alten Korpsstudenten, und der hat es mir beigebracht. Wer aber wird mir das mit dem Sterben beibringen –?

Ja, ich habe es gesehen. Ich habe eine Hinrichtung gesehen, und ich habe Kranke sterben sehen – es schien, daß sie sich sehr damit plagten, es zu tun. Wie aber, wenn ich mich nun dabei so dumm anstelle, daß es nichts wird? Es wäre doch immerhin denkbar.

«Keine Sorge, guter Mann. Es wird sich auf Sie herabsenken, das Schwere – Sie haben eine falsche Vorstellung vom Tod ... es wird ...» – Spricht da jemand aus Erfahrung? Dies ist die allein wahre Demokratie – die Demokratie des Todes. Daher die ungeheure Überlegenheit der Priester, die so tun, als wären sie alle schon hundertmal gestorben, als hätten sie ihre Nachrichten von drüben – und nun spielen sie unter den Lebenden Botschafter des Todes.

Vielleicht wird es nicht so schwer sein. Ein Arzt wird mir helfen zu sterben. Und wenn ich nicht gar zu große Schmerzen habe, werde ich verlegen und bescheiden lächeln: «Bitte, entschuldigen Sie ... es ist das erste Mal ...»

Kaspar Hauser, WB 9.7.1929

84

Der Gruß

Hierorts, den heutigen.

An

den Herrn Leser der ‹Vossischen Zeitung›

Dort.

Sehr geehrter Herr!

Hier stock ich schon … Ist das richtig? Anrede? Anrede mit Titel? Ohne Titel? Einige industrielle Verbände haben beschlossen, alle Höflichkeitsfloskeln in Briefen überhaupt fortzulassen – aber wenn man nun nicht auf sie verzichtet … Wie man beginnt, ist noch allenfalls zu eruieren – aber wie hört man auf? Da gibt es tolle Sachen.

In vorzüglicher Hochachtung
Ihr sehr ergebener

Krach! Protest! Glocke des Präsidenten! Wir sind nicht ergeben! Gut: nicht ergeben:

In vorzüglicher Hochachtung
mit den besten Empfehlungen

Schon ähnlicher – aber was ist das: «Hochachtung»? Was heißt überhaupt: Hochachtung? Achten Sie den Mann? Und hoch? Wie hoch? – Bon:

Mit der Ihnen gebührenden Achtung …

Das ist eine Beleidigung! Schön:

– – – – – (gar nichts)

Das ist erst recht eine Beleidigung! Das Reichsgericht hat …

Sagen Sie selbst: Deutsch ist keine leichte Sprache, wie?

Woraufhin sich die Deutschen etwas Neues ausgedacht haben. Nicht genug damit, daß jeder Deutsche eine Original-Weltanschauung besitzt, deren wahre Qualität darin besteht, daß die andern sie eben nicht haben; nicht genug damit, daß er aus dem Kochen, dem Tanz, der Stenographie und dem weichen Kragen je eine prima Weltanschauung gemacht hat (welches Wort nicht leicht in fremde Sprachen zu übersetzen sein dürfte), packt er nun auch noch diese seine Weltanschauung in die Schlußformel seiner Briefe. Denn wohin gehört sie auch sonst! Da liest man denn:

Mit Frontheil!

Mitten im Frieden. (Vater Seldte soll sogar einmal signiert haben: «Mit Frontschweingruß» …) Und da gibt es die allerherrlichsten Abwandlungen, und sie sind alle echt:

Mit deutschem Seglergruß!
Mit Keglergruß!
Mit katholischem Gesellengruß!

– sind das nun besondere Arten Grüße? So, wie ein bayerischer Gruß, den man sich oft entbietet …? Und wie, wenn sie nun durcheinanderkommen, die Grüße, und einer schreibt als Geburtshelfer versehentlich:

Mit Korkzieher-Fabrikanten-Gruß

es ist nicht auszudenken.

Wenn ich nicht irre, findet sich zum Beispiel das bergmännische «Glückauf!» als Schlußfloskel auch dann, wenn die Herren mit Kohlen handeln, und so einer in der Baisse spekuliert, wird es ihm nicht lieblich in den Ohren klingen …

Aber abgesehen von:

Mit deutschem Dobermanngruß

ist da noch ein andres. Was setzt man unter den Gruß? Seinen Namen, natürlich. Ja, aber so einfach ist das nicht. Der Deutsche hat zwei Namen (drei: «Doktor» ist ein Vorname) – zwei Namen: einen Geburtsnamen, mit dem man ihm pfeift, und einen Titel, mit dem man ihn ehrt. Und den Titel setzt man unter den Namen.

Mahrenzeller,
Abteilungsleiter.

oder:

Plofitzke,
Königl. Bayerischer Gesandter in Berlin

und so fort.

Ein Titel muß sein. Ich bekam eine Zeitlang Briefe, die waren unterzeichnet:

Schulze,
Mitglied des Reichsverbandes

und das wird schon gestimmt haben. Was aber die ganz feinen

Leute sind, die haben zwei Titel. Das stammt aus dem Kriege – da unterschrieben die Öppersten mit dem Dienstgrad und der Funktion, die sie gerade ausübten.

Ich bestrafe den Gefreiten Max König 5/II mit drei Tagen mittlerem Arrest, weil er den Kriegsschauplatz in Pantoffeln betreten hat.

v. Massow,
Oberstleutnant und Transportführer.

Und das hat sich gehalten, es klingt ja auch sehr pompös. Nun kann man also lesen:

Wallich,
Ministerialrat und Umstandskommissar

in beliebig heitern Varianten. Das hat sich sogar in die Kaufmannswelt hineingefressen: wenn in Amerika einer einen Schuhtrust kontrolliert, ist er der «president» – bei uns heißt das «Generaldirektor». Es ist wahr, man kann auch nicht so nackt herumlaufen, wie Adam (Geheimer Paradiesrat und Evabesitzer) – einen Titel braucht der Mensch, weil das andeutet: er ist nicht allein; umhüllt von der Kollektivität geht er umher und ist geschützt ... Ich auch! Ich auch einen Titel! Pfui. Wer wird sein Herz an Äußerlichkeiten hängen. Ein geistiger Mensch tut so etwas nicht. Gott sieht nicht auf den Brustlatz und die Visitenkarte; er sieht vielmehr auf den Charakter und das Einkommen. In dem ich dasselbe auch von Ihnen erhoffe, bin ich

mit deutschem Hip-Hep-Hurra
Peter Panter,
2. Kassenwart im Reichsverband Deutscher Wilddiebe.

Peter Panter, Voss 12.7.1929

85

Über die Nennung von Frauennamen

«... die Dunhillpfeife, die mir Muschi in einem Anfall von Größenwahn geschenkt hat ...»

Manchmal braucht unsereiner einen Frauennamen.

«Eine Dame», «ein Mädchen», das hört sich so abstrakt an, so falsch-geheimnisvoll; da sagen wir schon lieber: Grete oder Margot oder Charlottchen … da weiß man doch. Aber welche Namen sind da zu nennen?

Das richtet sich in erster Linie nach dem Rhythmus des Satzes. Manchmal paßt «Hilde» besser als «Marie» – das kann man kaum begründen, man muß es wittern. Das ist leicht auszuprobieren. Aber –: seien die Namen irgendwelche Namen, oder dürfen es Namen aus dem Leben des Herrn Verfassers sein? Dies ist ein weites Feld.

Sind es Namen von nahestehenden Frauen, so sieht es für die Freunde immer aus, als wolle man den kühnen Edschmied kopieren, was schwerfallen dürfte – der Mann ist eine Original-Imitation. Sind die Namen also Anspielungen, so schmeckt dergleichen leicht nach: «Ich kann es gar nicht aushalten vor lauter Harem!» und das ist doch nicht der Zweck der Übung. Auch hat die Namensnennung noch mannigfache andere Nachteile.

Sage ich zum Beispiel «Musch» – dann macht Lottchen Krach. Sie hätte auch geschenkt, und von ihr stände überhaupt nichts in der ‹Vossischen Zeitung› (was ja sichtlich deren einziger Daseinszweck ist) – und was mir einfiele, und überhaupt. Ja … nun … sie hat geschenkt, das ist wahr. Mir schenken sie nicht viel – man muß wohl dazu geboren sein. Was zum Beispiel mein Freund Karlchen ist, der lebt, glaube ich, von dem, was sie ihm so schenken. Daß der Mann noch keinen Wandergewerbeschein hat, liegt nur daran, daß er bei der Polizei ist und sie selber ausstellt; und da er sich kennt, so ist er sich nicht vertrauenswürdig genug. Gut. Also mir schenken sie nur das Nötigste. Lottchen hat geschenkt:

1 Papierkragen
3 Stück Seidenstrümpfe
1 Schachtel Grammophonnadeln
2 bezaubernde Manschettenknöpfe (zum Glück umtauschbar) – u. a.

Wofür sich ein Troubadour erkenntlich zu zeigen hat – früher durch Verabfassung und Aufführung einer kleinen Nachtmusik, unter gleichzeitiger Gestellung einer Laute – heute durch die Nennung des Namens. «Ich saß gerade mit Fanny beim Lunch …» und dann eine Geschichte, die auch nicht das leiseste mit Fanny zu tun hat, aber genannt ist sie, und zärtlich streicht sie dem Literasten über die hoffentlich hohe Stirn. «Frauen», hat jener Franzose gesagt, «inspirieren den Mann zu großen Taten und hindern ihn, sie auszuführen.»

Frauen dienen gern als Modell. Aber sie nehmen es übel, wenn der Herr Künstler andere Frauen als Modell benutzt; das soll er nicht. Wobei sie sehr oft übersehen, daß dieses sanfte Spiel ein schwacher Liebesersatz ist; wenn's gar nicht geht –: ein Gedicht kann man noch immer auf die Dame machen. Und das befriedigt, schmeichelt der Eitelkeit, ist überhaupt nett … und manchmal hilft's auch. Trotzdem erscheint mir die Eifersucht der Frauen übertrieben, wenn sie jeder die Augen auskratzen wollen, die im Roman, auf den Bildern, in den Opern des Mannes erkennbar vorkommt. Von einem sehr bekannten Zeichner der Vorkriegszeit erzählte man sich, seine Frau habe ihm die Modelle überhaupt verboten, und es wird nicht gemeldet, ob er nun immer nach dem Gedächtnis oder nur noch nach ihr zeichnen durfte. Es ist mitunter nicht leicht …

Es ist sogar sehr schwer, wenn sie alle voneinander wissen. Wie macht ihr das –? Bei mir wissen immer alle meine Bräute voneinander, weil ich ein feiner Psychologe bin. Da habe ich also in der berühmten Kriminalnovelle E. A. Poes gelernt, wenn man eine Sache ganz besonders gut verstecken will, dann soll man sie mitten ins Zimmer legen, da sucht sie keiner. Das ist richtig; da sucht sie keiner. Aber da findet sie jeder. Und so liegen denn Briefe, Bilder und was so ist, mitten in der Landschaft herum, und nachher verfluche ich meinen sträflichen Leichtsinn, und ich habe auch nicht jene Geistesgegenwart Pallenbergs, dem einmal in einer Posse seine dortige Frau einen Schlüpfer aus der Manteltasche zog, mit dem Donnerruf: «Was ist das?» – «Das ist ein Papagei!» sagte er. Ja, er ist eben «ein alter Casanovian» (wobei dieser geniale Sprachzerstörer und Schöpfer mit einem einzigen Buchstaben einen Namen getötet hat).

Du aber sollst keine andern Göttinnen haben, neben ihr. Du sollst nur sie und dann sie und dann noch einmal sie abmalen; als Ergänzung: sie – und vielleicht auch noch: sie. Welch eine Diktatur! Ja, Lottchen, du wirst genannt. Ja, Lottchen, es soll nie mehr ein Feuilleton erscheinen, in dem ich dich nicht durch die Presse ziehe; ja, Lottchen. Und dann platzt Kiki. Und dann gibt es einen sehr lustigen, einen sehr rasiermessrigen, einen sehr eigenwürdigen und merktümlichen Briefwechsel mit Putty. Und nun möchte ich so gern Ninon de Lenclos zitieren, aber ich traue mich nicht; denn dann rufen sie alle drei: «Wer ist das? Ach, erzähl' mir doch nichts …!» Und so bleibt mir nur übrig, diese Ausführungen mit dem abschließenden Wort Alfred Polgars zu beenden, der, aufgefordert, eine Monographie der Frau zu schreiben, antwortete, bisher sei ihm dazu nur ein einziger Satz eingefallen:

«Alle zu wenig – und eine zu viel.»

Peter Panter, Voss 14.7.1929

86

Die Sonne, hoch zwei

«Du mußt es dreimal sagen!»
Goethe (später: Brecht)

Am 28. Juli jenes Jahres saßen Friedchen Bönheim und Alfred Kaktus auf zwei Sitzplätzen einer Bank des Treptower Parks zu Berlin und lasen gemeinsam die deutsche Verfassung. Gibt es doch für arbeitsreiche Liebesleute in den Mußestunden nichts Schöneres, als sich an Märchengeschichten zu erbauen! Die Sonne war fast untergegangen, und das kleine Buch, das der liebende Bräutigam in Händen hielt, wurde gerade noch sanft bestrahlt. Sie lasen von der Freiheit der Person und davon, daß die Wissenschaft und ihre Lehre frei sei; sie lasen von der Zensur, die es in jenem märchenhaften Land nicht gäbe, und als Alfred mit lauter Stimme ansagte: «Alle Herrschaft geht vom Volke aus!» da lachte das harmlose Friedchen und klatschte in die Händchen. A. Kaktus war nun gerade im Zuge, den Artikel 48 anzuschneiden, mit dem die großen Politiker am liebsten regieren, wenn ihnen nichts mehr einfällt, also immer – – – da wurde er durch einen kleinen Aufschrei seines Friedchens aufgeschreckt. «Da – da!» rief sie und deutete mit dem Finger ins Geäst.

A. Kaktus drehte sich um und sah in den Treptower Bäumen einen roten Schein. An eine Feuersbrunst glaubend, erhob er sich und zog sein Mädchen mit sich fort; sie schritten auf den roten Schein zu … und sahen zu ihrer grenzenlosen Überraschung, wie sich hinter dem Bahnviadukt eine neue Sonne erhob. Friedchen, nachmalige Kakta, blickte zurück – die alte Original-Sonne vergoldete mit ihren letzten Strahlen die abendlichen Wipfel der Bäume – und die neue Sonne versilberte mit ihren aufgehenden Strahlen die aufgerührte Welt.

Es war halb acht Uhr abends; nun hatten auch andere Leute die zweite Sonne bemerkt; ein Schrei stieg auf, und von allen Seiten kamen die Menschen angelaufen – es war kein Zweifel mehr –: es gab zwei Sonnen.

Die neue erhob sich, nachdem die andere untergegangen war – und nach einer schlaflos verbrachten, durchaus hellen Nacht konnte das fiebernde Deutschland feststellen, daß die zweite Sonne unterging und am Horizont die alte Sonne wieder auftauchte. Es gab keine Nacht mehr –! Die Folgen waren katastrophal.

*

Hatten die Deutschen bisher an jedem Achtstundentag zwölf Stunden gearbeitet, so mußte nun Rats geschaffen werden, was man in der Nacht … also, was man in jener Zeit zu tun hätte, in der es früher einmal Nacht gewesen war. Eine Kabinettssitzung entschied sofort: es muß doppelt gearbeitet werden.

Weil man aber kaum verlangen konnte, daß dieselben Leute, die den ersten Sonnentag über bereits tätig gewesen waren, nun wiederum schufteten, beschloß man, alle Stellen und überhaupt alles, was in Deutschland auf den Beinen war, zu verdoppeln. Die Frage der Arbeitslosen war gelöst:

Da gab es nunmehr: Zwei Reichspräsidenten; man suchte lange, bis man jemand gefunden hatte, der aussah wie Hindenburg, aber das war nicht so schwer. Schwerer war es schon, alle Minister zu verdoppeln – denn wenn es auch Leute gab, die so aussahen wie Herr Hilferding, so wollten sie doch dergleichen nicht wahr haben und drückten sich von dieser Arbeit wo sie nur konnten. Im Amt merkte man nichts.

Verdoppelt wurden die Steuern und die Vorfreudenmädchen,

was allgemein auffiel; verdoppelt wurde der Reichswehretat, was gar nicht auffiel, und verdoppelt wurden ferner die Länder, von denen es nunmehr sechsunddreißig gab. Nur die Bayern wollten sich nicht aufs Verdoppeln einlassen: sie sagten, so ein Land wie das ihre gäbe es nicht noch einmal.

Tiefer griff die Doppelei schon in das Privatleben des einzelnen hinein.

Ältere Frauen schafften sich zu Beginn dieser Epoche zwei bis sechzehn Liebhaber an; das Zentrum verlangte, daß, wer nur einen Illing bekäme, wegen Abtreibung bestraft werden sollte, und so geschah's. Es gab zwei Gertrud Bäumers sowie zwei Theodor Heußens – aber schon hier machte sich ein merkwürdiges Phänomen bemerkbar: die Duplikate, die sich zum erstenmal in ihrem Leben leibhaftig von außen sahen, konnten sich auf den Tod nicht besehen. Besonders die Herren Hitler und Hitler waren zwei, also vier Tage lang nicht zu beruhigen und strengten denn auch sofort einen Prozeß gegeneinander an.

Die Theater machten ausgezeichnete Geschäfte – es wurde doppelte Regie eingeführt, so daß jedes Stück in zwei Auffassungen herauskam; an den Aktschlüssen wurde entweder die Internationale oder das Stahlhelmlied gesungen, und in einem Berliner Theater gab es eines schönen Abends, pardon, Morgens ein Duett, doch fiel das weiter nicht auf. Jeder Literat hatte von jetzt ab zwei Gesinnungen, mit Ausnahme des Schriftstellers Arnolt Bronnen. Der berüchtigte Ignaz Wrobel hatte nunmehr deren acht.

In Magnus Hirschfelds Institut für angewandte Bibelforschung herrschte ein ungeheurer Andrang: scharenweise eilten die Männer herbei, um sich diesbezüglich verdoppeln zu lassen, was auch bei fast allen gelang: einige baten um Vervierfachung, was ihnen aber – mangels Material – nicht gewährt werden konnte.

Am 10. Oktober entbrannte das Land in einem wilden Bürgerkrieg:

Mit den Waffen sollte entschieden werden, ob sich eine doppelte Negation aufhöbe oder aber sich verstärkte. Die Frage war wichtig genug: auf den Richterstühlen wurde ja nunmehr doppelt Unrecht gesprochen, was – wie die einen behaupteten – Recht ergab; die andern aber hielten das Resultat für verstärktes Unrecht und wurden erst durch die von den Polizeipräsidenten Jagow-Zörgiebel arrangierten Berliner Fremdenfestspiele überzeugt, daß sie unrecht hätten.

In strahlendem Licht ging das neue Leben dahin. Die Menschen waren moralischer geworden: Vierdeutigkeiten wurden nicht geduldet, und sechseckige Verhältnisse gab es nur noch ganz wenige. Als man die Dolly-Dolly-Sisters in ihrem vierschläfrigen Bett mit zwei Niggern antraf, die dort gemächlich einen Vierback knabberten, wurden diese Personen sofort der Länder verwiesen.

Es gab nach wie vor einen republikanischen Reichsgerichtsrat; doch blieb selber ein Singulare tantum.

Und die Nacht –? Wann schliefen-schliefen diese Leute-Leute –?

In der Nähe des Treptower Parks, da, wo A. Kaktus und sein Friedchen die zwei Sonnen zuerst hatten aufgehen sehen, lag der Eingang zu einer ungeheuren Höhle:

EINGANG ZUR NACHT

stand dort zu lesen. Dort war die Nacht.

Zwei künstliche Prima-Monde hatte man aufgehängt, zwei Milchstraßen gab es, und alle Kellner hatten eine Logarithmentafel um den Leib baumeln, mit der sie die Preise berechneten. Waren die Leute so recht aus Herzensgrund besoffen, dann sagten sie jeden Satz nur einmal, was ungeheure Heiterkeit hervorrief – und die Stotterer hatten einen guten Tag.

So ging das bis zum 25. Januar. An diesem Tage spalteten sich zwei neue Sonnen ab, so daß es nunmehr vier gab. Am 3. Februar waren es acht; am 22. März sechzehn, die Menschen vervielfachten sich entsprechend; am 28. September gab es fünfhundertundzwölf Völkerbünde und zweihundertundvierundzwanzig Päpste, jedoch nur eine deutsche Verfassung, weil man die ohnehin auslegen konnte, wie man wollte.

Lassen Sie mich ergriffen abbrechen –: mit meinen armseligen zweihundertundsechsundfünfzig Händen bin ich nicht imstande, zu schildern, was weiter geschah.

Leben Sie wohl – hoch zweiunddreißig.

Peter Panter, Simplicissimus 15.7.1929

87

Lehrgedicht

Wenn du mal gar nicht weiter weißt,
dann sag: Mythos.
Wenn dir der Faden der Logik reißt,
dann sag: Logos.
Und hast du nichts in deiner Tasse,
dann erzähl was vom tiefen Geheimnis der Rasse.
So erreichst du, daß keiner, wie er auch giert,
dich je kontrolliert.

Willst du diskret die Leute angeilen,
dann sag: Eros.
Sehr viel Bildung verleiht deinen Zeilen:
Dionysos.
Aber am meisten tun dir bieten
die katholischen Requisiten.
Tu fromm – du brauchst es nicht zu sein.
Sie fallen drauf rein.

Machs wie die Literatur-Attachés:
nimm ein Diarium.
Die Hauptsache eines guten Essais
ist das Vokabularium.
Eros und Mythos hats immer gegeben,
doch noch nie so viele, die von ihnen leben …
So kommst du spielend – immer schmuse du nur! –
in die feinere deutsche Literatur.

Theobald Tiger, WB 16.7.1929

88

Später

Eine Eiche überschattet mich; wenn sie wüßte, wer ich bin, täte sie es sicherlich nicht, aber es ist eine schwedische Eiche, also ist sie nicht organisiert … die Hummeln besuchen die Blumenbureaus, trinken in jeder Blüte einen kleinen Schnaps und machen ein ungeheuerliches Gesumm … wenn sie nachher nach Hause kommen, werden sie wahrscheinlich erzählen, wie furchtbar sie an diesem Mittag-Morgen zu tun gehabt haben … die Zigarre setzt schöne, weiße Asche an. Das macht immer sehr nachdenklich; so nach Tisch hat man die vernünftigsten und unfruchtbarsten Gedanken.

Da erzählt uns Emil Ludwig von Bismarck, wie er sich in Göttingen als Student und in Berlin als Auskultator und in Aachen als Regierungsreferendar – nein, in allen drei Städten als Mann heiter durch die Gegend geliebt hat. (Da diese Zeitschrift in Deutschland erscheint, muß ich hinzusetzen: «Bravo! Hurra! Nochmal lieben!») Bismarck war damals um die Zwanzig.

Das geht uns gar nichts an. Aber nun war da im Jahre 1870 sein großer Tag, das Werk seines Lebens stand aufgebaut, sein Name ging über die Welt. Die kleinen Damen, die er damals geliebt hat, waren um diese historische Zeitenwende etwa Mitte Fünfzig, soweit sie noch lebten. Wenn sie, was zu hoffen steht, nicht untergegangen waren, so hatten sie vielleicht geheiratet oder waren ältere Fräulein geblieben … Und nun lasen sie seinen Namen in der Zeitung, sahen sein Bild, überall … was denken sich Frauen in solchen Augenblicken –?

Otto … Blicken sie träumerisch in den Kamin? Wenn sie aber keinen haben: schreiben sie einen Brief? Nicht anzunehmen, wenn der Klassenunterschied schon in Aachen bestand, und um wieviel ist er nun gewachsen! Was denken sie? Denken sie an Einzelheiten? Sind sie stolz? Lesen sie: «… in den erblichen Fürstenstand erhoben …», und denken sie: er hatte solche geringelten Socken an, die mochte ich immer so gern … was denken sie –?

Das werden wir nie wissen. Sie denken auch nicht den hundertsten Teil dessen, was ein Mann denkt, sie dächten es – und der hundertste Teil sieht auch noch ganz anders aus. Jetzt läßt sich von der unorganisierten Eiche eine Made an einem Faden herunter und will sich auf die Zigarre setzen – die Hummeln – Bismarck – «Typisch zersetzender Gedanke! Kulturbolschewismus! Am Heros nur die irdischen Leidenschaften sehen … Bismarck als Mensch … ihm eben der reine Gedankenflug versagt … klassenbewußte Arbeiter sieht, daß der Adlige die Mädchen des unterdrückten Volkes aussaugt … vom theosophischen Standpunkt … schon vom rein sportlichen Standpunkt … zersetzender berliner Geist … Kulturbolschewismus dieser Epoche …» Antenne geerdet, aus.

Was mögen sie aber wirklich gedacht haben –?

Peter Panter, WB 16.7.1929

89

Juli 14

«Lassen Sie mich in Ruh. Der Krieg langweilt mich schon lange.»

Leopold Graf Berchtold

Dies ist das stärkste Buch Emil Ludwigs – eine journalistische Leistung ersten Ranges. (‹Juli 14›, im Verlag Ernst Rowohlt zu Berlin.)

Journalistisch deshalb, weil Geschehnisse plastisch wiedergegeben werden; hier wird historische Reportage gemacht, und mit den besten Mitteln. Dieses Werk verdient die Auflage von Domela und Remarque zusammen.

*

Das Buch gibt eine Kette von Großaufnahmen: nämlich die der europäischen Kabinette, deren immense Kriegsschuld klargelegt wird. Dies ist die These des Buches:

Die Völker haben keinen Krieg gewollt, kein Volk hat ihn gewollt; durch die Borniertheit, Fahrlässigkeit und Böswilligkeit der Diplomaten ist es zu diesem «dümmsten aller Kriege» gekommen.

Diese These, über die zu reden sein wird, wird folgendermaßen belegt:

In Serajewo wird der österreichische Thronfolger ermordet. Der deutsche Kaiser entscheidet so: Österreich zunächst allein handeln lassen; Rumänien nicht vor den Kopf stoßen; Bulgarien heranziehen, Streit nach Möglichkeit lokalisieren – im ernsten Augenblick Bundespflicht. Die Wiener haben freie Hand.

Das nutzen sie aus. Sie unterschlagen sorgfältig das erste Ergebnis der Untersuchung: daß die Mitschuld der serbischen Regierung an diesem politischen Mord keineswegs feststeht. Sie stellen Serbien ein Ultimatum von äußerster Schärfe, von dem sie nicht nur wissen, daß es den Krieg bedeutet – von dem sie das auch eingestandenermaßen wollen. Selbst Franz Joseph, dieser böse, alte Mann, weiß das. Die Serben nehmen beinah uneingeschränkt an; der österreichische Botschafter in Belgrad prüft diese Annahme nicht mehr, sondern reist ab. Alles das macht Österreich auf eigene Faust.

Die Rolle der andern Großmächte ist noch niemals so klar, so formvollendet dargestellt worden wie hier. Die Regierungen Frankreichs und Englands vor allem tragen eine ziemlich schwere Kriegsschuld auf dem Buckel; nicht so groß wie die Wiens und Berlins, aber schwer genug.

London: Lord Grey hatte jahrelang mit der «Entente cordiale» gespielt; dieser in den Formen strengster Ministerverantwortung vor dem Parlament aufgezogene englische Politiker wußte wohl, was er da tat; aber weil keine «Verträge» vorlagen, so verschwieg er seine Arbeit vor dem Unterhaus, er ließ sie durchblicken, aber ratifiziert wurde nichts. Es waren «moralische Verpflichtungen», «faktische Verpflichtungen» – Staatsverträge waren es, leider, nicht. Die Situation blieb bis zum letzten Augenblick unklar, so lange, bis sie durch die maßlose Verblendung und den schlechten Willen der Deutschen geklärt wurde.

Paris: Hier hatte der russische Botschafter, Iswolski, ein echter böser Geist aus dem Bilderbuch der Politik, hervorragend gearbeitet. Ganz Frankreich war auf das Schärfste an Rußland interessiert: es hatte nämlich Milliarden in russischen Werten investiert. Poincaré, aus seiner lothringischen Jugend mit Ressentiment gegen Deutschland erfüllt, fürchtete Deutschland mit Recht, haßte es damals also. Es hatte sich reichlich verhaßt gemacht. In den entscheidenden Tagen schritt er in Petersburg die Fronten russischer Regimenter ab; in Petersburg, wo man nicht ganz fest entschlossen war, dem slawischen Bruder zu Hilfe zu kommen ... man wartete lange, lange.

Die Engländer griffen zuerst ein – sie wollten vermitteln. Grey: «Ich rechne mit Bestimmtheit darauf, daß der österreichischen Mobilisierung die russische folgen wird. Dann scheint mir der Augenblick gekommen, im Verein mit Ihnen (Deutschland), Frankreich und Italien eine Vermittlung zwischen Österreich und Rußland eintreten zu lassen. Ohne Ihre Mitwirkung ist jede Vermittlung aussichtslos.» Grey stak in einer bösen Zwickmühle: durfte er dem Gegner drohen? Doch nur mit Berufung auf Bündnisverträge, die nicht offiziell waren; durfte er den Freund bestärken? Doch nur, indem er diese Verpflichtungen nun auch laut anerkannte ... er durfte es nicht, er konnte es nicht, er tat es nicht.

Inzwischen lügt Wien munter weiter, Berchtold verschweigt den Deutschen, daß er bei einem Konflikt Gebietszuwachs für Österreich haben wolle; die Deutschen fahren fort, zu vertrauen – in ihrem bierseligen Glauben an das Prestige, an Nibelungentreue und an ähnliche Kinovorstellungen. Wien bricht mit Serbien die Beziehungen ab.

Ganz Europa fällt vergeblich Berchtold in den Arm. Rußland hat gebeten, das Ultimatum an Serbien zu verlängern; Grey will eine Konferenz; Rußland bittet um erneute Unterhandlungen – alles fällt ins Wasser: Berchtold will den Krieg, seinen Krieg, den Krieg der Offiziere, vor allem Hötzendorfs. Nun spult sich alles schnell ab – das ist im Buch herrlich wiedergegeben.

Ein paar Mal spricht Ludwig von den «ungelüfteten Räumen» dieser Kabinette; das ist das Wort. Nichts geschieht direkt, alles auf Umwegen – und auf was für welchen! Allen gemeinsam ist eine Vorsicht, die keine Umsicht, eine Ängstlichkeit, die nicht etwa Verantwortungsgefühl ist, denn vor wem hätten sich diese je zu verantworten gehabt! – es ist Diplomatie als Kunst um ihrer selbst willen. Aber es waren Stümper. Dazu fahrlässige Stümper. Pourtalès, der in Rußland Kaiser & Reich vertrat, gab in der Aufregung, für deren Vermeidung er hätte trainiert sein sollen, ein Konzept der deutschen Kriegserklärung ab, das – in Klammern – einen doppelten Wortlaut enthielt; so, wie in den Liebesbriefstellern «er (sie)» zu lesen ist, standen hier zwei Modalitäten, und Rußland konnte sich aussuchen, wegen welcher das Deutsche Reich «die Herausforderung annahm». Dann, am späten Abend, ruft Sasonow noch einmal in der deutschen Botschaft an: «Hier ist eben ein Telegramm des deutschen Kaisers angekommen – der suspendiert die Kriegserklärung! Was nun?» – Pourtalès: «Darüber bedaure ich keine Auskunft geben zu können. Vielleicht ist das Telegramm älter als das, in dem ich angewiesen wurde, die fragliche Erklärung abzugeben. Im übrigen muß ich bitten, sich an den amerikanischen Geschäftsträger zu wenden, der unsere Interessen übernommen hat. In vier Stunden reisen wir ab.» Ludwig fügt hinzu, und man sollte diesen Passus wie so viele andre des Buches rot drucken: «Aber nach verlornem Kriege wird der Herr Graf von der Nation weder wegen doppelter Kriegserklärung lächerlich, noch wegen Ablehnung der Kaiserdepesche verantwortlich gemacht werden.»

Und dann erschien die Verlustliste Nr. 1.

Dieses alles kann nicht mehr verdunkelt werden: schuld sind alle gewesen; die Verantwortung Österreichs und Deutschlands war besonders groß.

Emil Ludwig hat es seinen nationalen Kritikern gegenüber nicht leicht; hier werden sie ihre beiden Methoden anwenden: das Dokumentarische zuerst und das Philosophische hinterdrein anzuzweifeln. Erst werden die Philologen und die Historiker angerückt kommen, und wenn die die Jacke voll bekommen haben, dann sagt die zweite Schlachtreihe: Ja, aber der Kerl kennt das Magische im Germanen nicht ... auf welchem Gebiet freilich jeder unschlagbar ist.

Diese grandiose Darstellung ist gespickt mit den buntesten und lehrreichsten Einzelheiten. Die ungeheure Schuld der Diplomaten liegt vor allem in ihrem grenzenlosen Hochmut. Sie wissen, daß sie nur auf den Knopf zu drücken brauchen ... Sasonow: «Uns vorzuwerfen, daß wir Österreich nicht lieben!» Uns – wir – Österreich … aber die Angestellten, die Bauern und der Mann auf der Straße, sie wußten ja gar nichts davon; sie liebten weder noch haßten sie – sie kannten das fremde Land überhaupt nicht.

Jener prophetische Artikel aus der ‹Berliner Morgenpost›, der nicht mehr gebracht werden konnte, weil statt der Vernunft die Generalität regierte, wird zitiert: Der berliner Arzt Arthur Bernstein ist sein Verfasser – und darin steht alles, alles, wie es gekommen ist. Das war die Ausnahme. Wie es denn überhaupt für jeden, der aus der Geschichte lernen will, äußerst dienlich ist, einmal in die Bibliothek zu gehen und sich aus diesem Jahr 1914 die Monate Juli und August einer beliebigen deutschen Zeitung geben zu lassen – da könnt ihr aber was erleben! Die Ahnungslosigkeit vorher; die prompte Bereitwilligkeit umzufallen nachher – lest das und seht euch auch die Autorensignaturen genau an: ihr werdet sehen, daß es zum Teil noch dieselben Publizisten sind, und Ihr schenkt ihnen immer noch Glauben? Dann verdient ihrs nicht besser.

Gut erkannt ist auch das allgemeine, auf allen Seiten vorhandene Bestreben, als der Angegriffene zu erscheinen. Alle, alle waren sie angegriffen; alle, alle verteidigten nur ihr Vaterland. (Zu Ende gesagt bei Karl Kraus: «Deutschland, die verfolgende Unschuld.» Gilt aber beinah für jedes Land.) Auch vom Kriegsverbrechen des berliner Lokalanzeigers ist die Rede, von dem einzigen wahren Kriegsverbrechen, das es für ein Strafgesetzbuch geben kann: von dem nämlich, die Menschen in den Krieg zu treiben. Es handelt sich um die Falschmeldung der deutschen Mobilmachung, die damals in Berlin verbreitet wurde; sie hat nicht wenig dazu beigetragen, die Nachricht verfrüht in die Hauptstädte Europas zu tragen … hier klebt viel Blut an den Druckmaschinen.

Es ehrt übrigens Emil Ludwig, daß er das grauenvolle Schicksal Gabriele Princips nicht vergessen hat –: dieser politische Attentäter ist schauervoll, in mehr als vierjähriger Dunkelhaft, zu Tode gefoltert worden; er ist an Tuberkulose gestorben und hat nie mehr das Licht gesehen.

Das Buch vermeidet im übrigen auf das erfreulichste die chronologische Untersuchung, wer um wieviel Minuten bei den Mobilmachungen schneller gewesen ist – ein Moment, auf das es nicht ankommt. Im ganzen bestätigt es die Kannerschen Schuldthesen, besonders diese:

> Im Jahre 1909 haben Deutschland und Österreich-Ungarn – in Form eines auf Befehl der beiden Kaiser und mit Zustimmung des österreichisch-ungarischen Ministers des Äußern und des deutschen Reichskanzlers geführten und bis zum Ausbruch des Weltkrieges immer wieder ergänzten und bekräftigten amtlichen Briefwechsels der beiden Generalstabschefs v. Moltke und Conrad v. Hötzendorf – ihrem defensiven Bündnis vom Jahre 1879 einen neuen, offensiven casus belli angefügt, in dem Deutschland Österreich-Ungarn mit seiner gesamten Heeresmacht zu Hilfe zu kommen versprach, für den Fall, daß Österreich-Ungarn durch ein militärisches Einschreiten gegen Serbien einen Krieg mit Rußland oder auch einen allgemeinen europäischen Krieg herbeiführen sollte, und für diesen Fall auch einen gemeinsamen Kriegsplan vereinbart (deutsch-österreichisch-ungarische Militärkonvention).
> Nach dem Attentat von Serajewo hat die österreichisch-ungarische Regierung der deutschen angezeigt, daß sie nunmehr gegen Serbien militärisch einzuschreiten, also von dem neuen casus foederis Gebrauch zu machen beabsichtige. Deutschland hat dazu seine Zustimmung gegeben und in den Monaten Juli und August 1914 die ihm aus dem neuen casus foederis erwachsene Pflicht erfüllt.
> Die von der deutschen Regierung am 28. Juli 1914 bei der österreichisch-ungarischen Regierung eingeleitete Vermittlungsaktion war nicht darauf angelegt, unter allen Umständen den Frieden zu sichern, sondern vielmehr für den Fall des Ausbruchs des Krieges zwischen den Mittelmächten und Rußland-Frankreich die Kriegsschuld Rußland zuzuschieben.

*

Die Schuld der Diplomaten, ihre Fahrlässigkeit, ihr Dolus und ihre Dummheit stehen fest. Hier gibt es nichts zu deuteln.

Ist aber dieser grandiose Film, in einem atemraubenden Tempo abgedreht, vor uns abgelaufen, dann entdecken wir, daß es tatsächlich Großaufnahmen sind, die hier rollen. Großaufnahmen sind Ausschnitte. Die These, daß die Diplomaten am Schicksal Europas schuld gewesen sind, steht unumstößlich fest. Die These: «Die Gesamtschuld lag in den Kabinetten, die Gesamtunschuld auf den Straßen Europas» sichert dem Buch seinen begrüßenswerten Erfolg – denn sie schmeichelt dem Leser, macht sie ihn doch von jeder Verantwortung überhaupt frei; «sie» haben das mit uns gemacht, und frohgestärkt gehen die Herren Wendriner und Kulicke ins Bureau. Die These ist aber nicht ganz richtig.

Es fehlt zunächst der Hinweis auf die Machenschaften der Staaten in den Staaten: der Rüstungsindustrie. Dies ist kein Petroleumkrieg gewesen – es ging anfangs noch nicht um die Absatzgebiete; die Industrien hingen sich erst später an die Uniformknöpfe der Generäle, um dem Konkurrenten die Erzlager und die Weinberge abzujagen ... im Frieden hat die Rüstungsindustrie gearbeitet und gearbeitet, wie Morus uns das in seinem Basil Zaharoff gezeigt hat. Es ist nicht wahr, wenn diese da behaupten, sie täten das zur Aufrechterhaltung des Friedens. Habt ihr schon einmal einen Kaufmann gesehen, der Milliarden in einen Betrieb investiert, den er niemals laufen lassen will? Das vermisse ich an diesem Buch. Und die Unschuld der Massen –?

Ludwig kann erwidern:

«Ein Teil der Massen ist damals richtig geführt worden, wie die von mir zitierten Stellen beweisen. Auch von diesem Teil sind natürlich Unzählige kriegslustig gewesen, weil sie aus der Tretmühle herauswollten ... Ich bestreite es nicht, ich bekämpfe es nur. Ohne die Ideologie der frühern Zeiten, die vor allem die Technik heute überwunden hat, sind diese Instinkte aber nicht stark genug, vorzubrechen.

Man kann nicht ein Buch gegen alle Fronten mit einem Mal schreiben. Die Frage, ob dies andre da in einem Kampfbuch wie dem meinigen darzustellen oder besser zu verschweigen wäre, führt mitten ins deutsche Problem. Denn das Elend ist doch, daß sich bei uns jede Partei in sechs Gruppen spaltet. Ich würde mir durch eine Zersplitterung eine Wirkung ersten Ranges zerstören, um eine Teilwahrheit zu analysieren. Das ist es übrigens, was die Rechte in Deutschland fast immer vermeidet. Not kennt kein Gebot.»

So kann er sprechen und hätte so unrecht nicht. Aber dies sein Buch enthält eine Teilwahrheit.

Baut einer in jahrelanger Arbeit einen Apparat, der Todesstrahlen aussenden kann, stellt er ihn auf, richtet er ihn auf das Ziel – so kann man natürlich sagen, daß der letzte Mann, der zum Schluß auf den Knopf drückt, der Todessender ist. (Im vorliegenden Fall haben die Knopfdrücker am Apparat mitgebaut.) Aber es ist eine Teilwahrheit. Die Vorbereiter sind schuld – und die Vorbereiteten.

Die Vorbereiter: die deutsche militaristische Erziehung; die bewußte Hetze zum Staatsmord in Schule, Universität und Kirche; das anarchische System, in dem die europäischen Staaten lebten und leben; die beispiellose Korruption, mit der die russischen Anleihen in das französische Volk gepreßt worden sind. Die ‹Humanité› hat die wichtigsten Dokumente, die man in Petersburg gefunden hat, veröffentlicht; es ergaben sich gradezu schauervolle Beweise für die Verlumpung der französischen Presse (die Deutschen täten gut, hier den Schnabel zu halten; sie tun ähnliches, nur gratis).

Streng geheim 7. November 1913

An die Kanzlei der Kredit-Operationen, Finanzministerium,
St. Petersburg

Im Einvernehmen mit Herrn Davidov überreiche ich Ihnen anbei 27 Schecks im Gesamtbetrage von 100000 Franken, die mir von dem mit der Verteilung Beauftragten als Belege zugestellt wurden:

La Lanterne	42000 Francs
L'Aurore	17000 "
L'Evénement	11900 "
L'Action	9000 "
La France	11000 "
Le Rappel	7000 "
Le Gil Blas	2000 "
Paris-Journal	1000 "

Die Russen in Paris klagten zu wiederholten Malen über die nimmersatte Frechheit der französischen Zeitungsverleger, die noch mehr und immer noch mehr haben wollten … und die es bekamen.

Die solchergestalt Vorbereiteten sind nicht minder schuld – aber in einem tieferen Sinne. Technik überwindet keine Instinkte.

Scheintot schlummern sie … Da empfiehlt es sich, einmal des großen Sigmund Freuds Schrift ‹Zeitgemäßes über Krieg und Tod› nachzulesen – es ist immer wieder erstaunlich, in welche Tiefen dieser große Psychologe zu steigen fähig ist. «Der einzelne Volksangehörige kann in diesem Kriege mit Schrecken feststellen … daß der Staat dem Einzelnen den Gebrauch des Unrechts untersagt hat, nicht weil er es abschaffen, sondern weil er es monopolisieren will wie Salz und Tabak.» Anläßlich der Enttäuschung über die Menschen, die bei Kriegsausbruch, als hätten sie auf ein Stichwort gewartet, wie die Amokläufer losgingen; denn sie haben darauf gewartet; überall: «Den bisherigen Erörterungen entnehmen wir bereits den einen Trost, daß unsere Kränkung und schmerzliche Enttäuschung wegen des unkulturellen Benehmens unserer Weltmitbürger in diesem Kriege unberechtigt waren. Sie beruhten auf einer Illusion, der wir uns gefangen gaben. In Wirklichkeit sind sie nicht so tief gesunken, weil sie gar nicht so hoch gestiegen waren, wie wirs von ihnen glaubten.» Und das zeigt er auf: durch den Nachweis, daß die Unterdrückung der Urtriebe, die neben den zivilisierten immer weiter bestehen bleiben, einen derartigen Kraftaufwand von Verzicht erfordern, daß die dünne Kruste, durch Zwang und Überredung gebildet, leicht durchbricht – so ein Durchbruch ist ein Krieg. Da werden dann die ursprünglich weder guten noch bösen Triebe frei; nur treten sie hier nicht wie im Frieden als unterdrückte Neurosen oder als herausquellende Einzelfälle von Verbrechen auf, sondern sie werden (scheinbar) sozial nutzbar gemacht; der Staat hat es leicht, sich ihrer in seiner unsozialen Weise zu bedienen, und er tut es. Latent lag die Mordlust in jedermanns Brust; sie wartete auf ihren Tag. Der kam. Und da brach sie hervor.

Hier – und nicht etwa in dem schmählichen Verrat der Sozialisten – liegt der Schwerpunkt dieses Krieges, wie aller Kriege. Zutiefst liegt die biologische Veranlagung des Menschen; im Verhältnis zu ihr ist noch der Marxismus ein ideologischer Überbau.

Was Ludwig gegen die Diplomaten sagt, ist richtig, und als Teilangriff ist diese Schrift von nicht zu überschätzender Bedeutung – aber der brave Leser darf nicht freigesprochen werden. Er trägt sein gerüttelt Maß Schuld, wir alle. Gegen die Diplomaten? ja.

Nur gegen die Diplomaten? nein. In diesem Haß ist mir zu viel Liebe.

Das sagt nichts gegen das Buch. Dieses Werk ist eine Tat; es ist doppelt dankenswert, daß Ludwig sie auf sich genommen hat – er weiß, welche Dreckfluten sich nun auf ihn ergießen werden. Der Mann hat Zivilcourage.

Er hat die einfache Wahrheit gesagt: wie die Diplomaten ganz genau gewußt haben, daß dieser von ihnen heraufbeschworene und nicht abgewendete Krieg sie ja niemals treffen würde, kaum einer von denen ist im Graben verreckt; wie das alles nicht für sie galt, was sie da anzettelten, sondern wie sie in unverschämter Dreistigkeit über das Leben der «Untertanen» verfügten; wie sie niemals, niemals zu einer Verantwortung gezogen worden sind, die sie ewig im Munde führten.

Ist das besser geworden? Das ist nicht besser geworden.

Man sehe sich an, wie dieser Krieg in den deutschen Schulbüchern auf die junge Generation kommt; wie da mit klaren und eindeutigen Lügen gearbeitet wird; wie auch nicht in einem die schwere Mitschuld Deutschlands zugegeben wird. Nun ist das Schulbuch zwar nicht mehr das, was es uns in unsrer Jugend gewesen ist – aber seine Wirkung ist noch schrecklich genug. So ist der vorige Krieg vorbereitet worden; so wird der nächste vorbereitet.

Und man betrachte diese verlogene Erklärung der deutschen Regierung, die da ächzt und jammert; die wieder das Volk betrügt, wenn sie sagt: der Vertrag von Versailles bürde den Deutschen die Alleinschuld auf. Das ist nicht wahr. Der Artikel 231 tut nur etwas, wovor unsre Staatsmänner mit offnem Munde dastehen, weil sie das leider nie am eigenen Leibe erfahren haben: hier muß einmal einer für seine Taten einstehen. Leider trifft es die falschen. Ich halte den Vertrag von Versailles nicht für gerecht; habt ihr schon einmal einen gerechten Kriegsvertrag gesehen? Das ist das Risiko der Kriege, und die Deutschen sind immer schlechte Verlierer gewesen. Die Regierungserklärung ist gleichgültig; die Welt hat sich ihr Urteil gebildet. Es ist aus.

Das Buch Ludwigs aber verdient einen Sensationserfolg. Aus dem Wust der Kriegsdokumente, aus den lahmen Entschuldigungsmemoiren der Schuldigen, aus den Farbbüchern aller Regierungen, deren Fälschungen – mit Ausnahme Englands – nachgewiesen werden, Fälschungen, die das böse Gewissen der Kriegsverbrecher auf allen Seiten beweisen, ist hier die sonnenklare und wunderbar bewegte Darstellung eines Monats der Weltgeschichte erwachsen, der die «letzten Tage der Menschheit» einleitete. Es werden nicht die letzten sein. Daß aber solch «räudige Zeit», wie Polgar sie genannt hat, nicht wiederkomme –: dazu hilft dieses außerordentliche Buch.

Ignaz Wrobel, WB 23.7.1929

90

Einkehr

Mit vierzig Jahren soll man sich besinnen …
Worauf?
Auf das, was außen und was innen –
und auf den Lauf
der Sterne, die im kalten Kosmos schweben,
sowie auch darauf:
Wovon mag eigentlich der Bornemann leben –?

Die Wiese summt und liegt grün eingesponnen –
ich mittendrin;
durch die geschlossenen Lider sagen tausend Sonnen,
daß ich lebendig bin.
Schreite die Straße der Einsamkeit empor,
Stimmen hörst du wie nie zuvor …
aus dem Äther kommen dir Einsicht und Stärke
Laßler platzt vor Neid. Ich werde ihn ärgern, indem ich es nicht bemerke.

Wolken ziehn über die Sonne. Es rührt sich kein Blatt.
Stumm
liegt der See; der Weise, der einmal begriffen hat,
fragt nicht: Warum?

Er betrachtet nur noch das Wie; er sieht die Kristalle zergehn,
wenn es geschneit hat –
Warum schneidet man sich eigentlich immer die Nägel,
wenn man keine Zeit hat –?

So schwingst du dich in die obern Regionen –
mußt aber dennoch hier unten wohnen.
Ein Vers von Morgenstern tanzt querfeldein:
«Es zieht einen immer wieder hinein.»

Theobald Tiger, WB 23.7.1929

91

Jonathans Wörterbuch

Der Kandidat der Gottesgelahrtheit Jonathan Tallywags aus der Grafschaft Sussex verbrauchte in seinem ersten Semester allabendlich 1 Gläschen Whisky, in seinem zweiten Semester 1 Glas, in seinem dritten 4 Gläser, in seinem vierten 1 Flasche, in seinem fünften 4 Flaschen, in seinem sechsten nur 5 Flaschen (da war er einem Methodistenprediger in die Hände gefallen); nunmehr stand er in seinem zweiundzwanzigsten Semester und bei einer Gallone Whisky auf den Abend. Es war ein Mann in den besten Jahren.

Da starb sein Vater, der ehrwürdige Mister Tallywags aus Nutmegs (Sussex), und Jonathan sah sich vor die unangenehme Aufgabe gestellt, als einziger Sohn in den Nachlaß zu treten. Dieser zeichnete sich dadurch aus, daß er nicht vorhanden war. Nun war guter Whisky teuer. Der verlorene Sohn ging nach London. In einer schlaflosen Nacht, in der J. Tallywags sternhagelnüchtern war und dementsprechend litt, kam er auf den abenteuerlichen Gedanken, zu arbeiten. Sie können sich das Gelächter vorstellen, das sich erhob, als er diesen seinen Plan am nächsten Morgen im «Fireship» am Tisch ankündigte; der besorgte Wirt kam herbeigelaufen, ob den Herren etwas fehle – so einen Krach machten sie! Schließlich verliefen sie sich, um anderswo weiterzusaufen, und Tallywags blieb traurig am Tisch zurück.

Da näherte sich ihm ein älteres Männchen, demütig, den Kopf leicht vornüber geneigt, flüsterte so etwas wie «Guten Tag, lieber Herr!» und setzte sich unaufgefordert an den runden Tisch, auf dem der Schnaps in großen Lachen stand. Tallywags sah ihn aus milde verglasten Augen an, seine Unterlippe zitterte leise – er wartete. Ja, sagte das Männchen, er habe am Nebentisch ein bißchen zugehört; das sei nicht recht vor Gott, gewiß, man könne es geradezu eine Sünde nennen – aber die Herren hätten so laut und deutlich gesprochen ... Tallywags schluckte. Und er hätte gehört, sagte das Männchen, daß Herr Tallywags arbeiten wolle – und er, Männchen, habe einen Freund, der sei Verleger, und der habe einen Auftrag zu vergeben und suche demgemäß einen gelehrten Mann. Und der Herr, mit dem er hier zu sprechen die Ehre hätte, wäre doch, seinem ganzen Aussehen und seiner feinen Bildung nach zu urteilen, ein Mann der Wissenschaft, wie wäre der Name? Tallywags, sehr angenehm, sehr angenehm, er hieße Gingambobs, Abraham Gingambobs, und wenn der Herr Tallywags wolle, dann könnte man gleich zum Verleger gehn, wie ...?

Tallywags stand auf, weil der andere aufstand; er zahlte nicht, weil der andere zahlte – und er schlurrte hinter ihm drein, wohin jener ihn zog. Sie landeten in einem trüben, geduckten Durchgangshaus, kletterten vier gewundene Treppen empor und standen schließlich vor einer Tür, an der hing ein blaues Schild:

Nelson
Publisher

Hinein. Zwei Männer, die sich vergeblich den Anschein zu geben versuchten, als seien sie zwei Herren, ließen sich vorstellen, wurden vorgestellt, gaben vor, Brüder zu sein und Nelson zu heißen – Platz nehmen? Bitte? Ja –:

Es handele sich um ein Wörterbuch. Um ein deutsch-französisches Wörterbuch. He? Um ein deutsch-französisches Wörterbuch. Ob Herr – Herr – hm – Tally ... Tallywags – man werde ein Pseudonym wählen müssen – doch wohl deutsch und sicherlich auch französisch ...? Der Alte knuffte den Kandidaten in die Seite, der gab einen Laut von sich, den man bei nebligem Wetter als Ja auffassen konnte, Manuskripte raschelten, Bücher kollerten vom Tisch und wurden wieder heraufgeholt … und als sie die Treppe heruntergingen, war Herr Tallywags im Besitz eines Auftrages, ein Lexikon herzustellen, und eines Vorschusses von vier Pfund. (Diese Geschichte liegt lange zurück.) An diesem Abend besoff er sich wie eine Segelschiffsmannschaft, die nach zwei Monaten widriger Winde in einen Hafen einläuft. Acht Wochen später war das Lexikon fertig. Tallywags hatte ein paar befreundete Kapitäne konsultiert, die ihrerseits solche Lexika in der Kajüte mit sich führten und sie unter gewaltigem Fluchen heraussuchten – er hatte sich ferner der regen Mitarbeit einer gewissen Kitty Cauliflower zu erfreuen, die ihn in strittigen Fällen liebreich belehrte. Nunmehr senkt sich die Geschichte aus den Wolken dichterischer Einbildungskraft auf den Boden jener Realität, wo rechts gefahren wird.

Denn dergleichen, sagt sich der kluge Leser, gibt es nur in Romanen. Solch versoffene Kandidaten gehören Dickensschen Zeiten an; eher will ich, sagt der Leser, an einen verzauberten Drachen glauben als an einen Verleger, der Vorschuß gibt – was sind das für Geschichten …! Gut und schön –: aber das Lexikon halte ich in Händen. Hier liegt es:

Neues
Taschen-Wörterbuch
Deutsch-Französisch
und
Französisch-Deutsch
von K. Ashe
Nelson, Editeurs
189 rue Saint-Jacques
Paris.

Ich wette um die gesammelten Werke eines Akademikers, daß dieses Buch auf keinem andern Wege als auf dem vorbezeichneten zustande gekommen sein kann. K. Ashe ist selbstverständlich ein Pseudonym, die Nelsons sind inzwischen nach Paris gezogen, und ein vollsinniger Mensch kann dieses Lexikon, das mir ein freundlicher Leser zugesandt hat, nicht verfaßt haben.

Deutsch ist bekanntlich da am schönsten, wo es an den Rändern gen den Wahnsinn hin verschwimmt: aus Kinderfehlern kann man mehr über die Muttersprache lernen als aus dem ganzen Goethe – und dieses Lexikon hat mir viele Abende verkürzt. Abgesehen von ‹Söndagsnisse Strix› und ‹The New-Yorker› habe ich lange nicht so gelacht. Schlag auf, lies:

Was ist «abarten»? Dégénérer. Gut, aber was ist «abäschern»? Was ist «Abbiß»? Was: «abblatten»? Und tief betroffen liest du weiter. «Mutzen»? können Sie mutzen? Ich kann es nicht, oder doch nur selten. Und was mag das sein: «Diskretionstags»? Eher verständlich ist schon «fragselig» und «erbittlich», willkommene Bereicherungen der deutschen Sprache. Auch «Hausverstand» und «Leichenbuch» gehören in jedes Handwörterbuch; von «Strafengesetz» und der «Facklei» schon nicht zu reden. Dann aber wird es bewegter. Nachdem wir noch den «Bahnzug» und die «Sicherheitsanstalt» sowie das «Seitengespräch» genossen haben, erfreuen wir uns an leichten Sprachstörungen der beteiligten Gehirne, die dem Herrn Kandidaten Tallywags geholfen haben auf seiner schweren Fahrt. Er schreibt:

«Die großblumische Esche», was darauf schließen läßt, daß hier ein Kapitän aus der großen Seestadt Frankfurt am Main mitgetan hat; er schreibt die «Schüppe» und der «Kupferstüchsammler», was richtig ist, weil man ja auch der Schürm und der Mülschreis sagt. Was aber ist eine «Demutspflanze»? Das ist eine Mimose.

Soweit das Deutsche. Nun ist da aber noch das Französische, und auch dies will gekonnt sein. «Parquet» heißt «Spiegelfeld», und «profil» natürlich «Durchschnittsansicht»; daß aber «Muff» «aboiement sourd», ein dumpfes Gebell ist … das kann man nur nachts um vier Uhr verstehen, wenn der Whisky ölig-gelb in den Gläsern schaukelt. Man muß eben übersetzen können – und welcher Seemann könnte das nicht! Die helfenden Kapitäne haben ganze Arbeit gemacht. So, wie «sans-culottes» «Hosenlose» heißt, so heißt «Perlmutter» «mère de perles» – das leuchtet ein. Und das wimmelt von ganz alten französischen Wörtern, wie «tépide» für lau; und «portraiture», was es gibt – sowie «maudissible», was es nicht gibt, und was «fluchwürdig» heißen soll – unrichtig ist nur «wurst», was seltsamerweise ein ins Französische übergegangenes Wort ist und «kleiner Munitionswagen» bedeutet. Das mag alles noch angehen.

Aber stürmisch war's, und die Nacht ging hoch, der Wind heulte an den Fensterscheiben, Kitty Cauliflower hatte auch ihrerseits den Kanal voll, und nun schlug die Wortkunst hohe Bogen.

Was um alles in der Welt ist ein «Hühnerwerter»? Was ein «Leichmann» ist, weiß jeder, der es einmal gewesen ist; warum aber «Gänze» nicht nur «tout» heißt, sondern auch «gîte non exploité», eine nicht ausgenutzte Lage … das muß ein guter, alter Whisky gewesen sein, ein alter, guter … Und wie darf man, so man nicht Vandervelde heißt, «Depot» mit «Hinterlage» übersetzen? Und in jener Nacht, als Kitty in der Ecke lag und so herzbrechend schluchzte, daß sich die Katze ängstlich unter den Tisch zurückziehen wollte, was sie aber nicht konnte, weil dort Herr Tallywags lag und bellte, da entstand die Übersetzung für «sauvage». Wild? Nein – «sauvage» heißt «leutschen» – fragen Sie mich nicht, ich bin zu ergriffen.

Es ist ein schönes Lexikon, und mein freundlicher Leser hat's bei Herrn Delépine in der Rue St. Antoine gekauft, also muß es doch wohl im Handel sein. Und mich verfolgt in den schwedischen Nächten, wo es nie ganz dunkel wird und die ganze Erde nachts aufbleiben darf, wie die Kinder, wenn die älteste Schwester heiratet – dann plagt mich eine Frage:

Woher bezieht man solchen wundervollen Whisky –?

Ich bin ein alter Hühnerwerter – aber das mutze ich nicht.

Peter Panter, Voss 28. 7. 1929

92

Das Feuilleton mit einem Knacks

«Man muß über alles schreiben können.»
Alter Journalistengrundsatz

In dem winzigen Berzeliipark zu Stockholm gurren die Tauben.

Ein ganzer Schwarm ist «dorthin zuständig», wie die Österreicher sagen, deren Provinzialismen man auf Schritt und Tritt in den deutschen Zeitungen finden kann. Augenblicklich ist große Ratsversammlung auf einem grünen Rasenstück; es ist wie eine Börse – die ältern Tauben gehen umher und erzählen sich Witze, teilen sich die neusten Gerüchte mit und beurteilen die Weltlage; die Damen achten mehr auf das Futter, das man ihnen von den umstehenden Bänken zuwirft … dann gibt es jedesmal ein großes Flügelschlagen, Zusammenballung und Freßkonkurrenz … wer hat nur aufgebracht, daß Tauben sanft seien –? Richtig, die Bibel. Stimmt aber nicht – sie häkeln sich ununterbrochen, sind fuchtig aufeinander, futterneidisch, unverträglich und bösartig um der Bösartigkeit willen …

Da geht zum Beispiel ein schwedischer Taubenmann immer hinter seiner Taube her, sie wackelt voran, kokett mit dem Steiß zwitschernd – er geschäftig hinterdrein; faßt er sie, dann hackt er; dann flieht sie, und er läßt nicht nach, er läßt nicht nach – das ist eine vergnügte Ehe. Zwei andere stehen da, schnäbeln sich, plötzlich bricht eine vehemente Diskussion zwischen ihnen aus, nun fangen auch sie das Laufen an, wie die beiden andern … nein, sie sind gar nicht sanft und verträglich, die Tauben; sie –

*

Möchten Sie das eigentlich lesen –? Ich möchte das gar nicht mehr lesen.

Ich weiß doch von Tauben nichts; habe nie welche besessen, nie welche genau beobachtet; ich weiß nicht einmal die verschiedenen Rassen auseinanderzuhalten, geschweige denn kenne ich ihre Namen – ich weiß nicht, wie sich Wildtauben von den zahmen Tauben unterscheiden … was erzähle ich da –?

Ich lüge um.

Ich mache die Tierwelt menschlich. Ich betrachte alles vom anthropozentrischen Standpunkt aus; sage «Ehe» – Tauben führen gar keine Ehe, es ist ganz anders. Woher will ich denn wissen, daß diese oder jene Bewegung der Vögel das ausdrückt, was sie mir zu sein scheint –? Das ist doch nur die simple Übertragung menschlicher Beziehungen auf Tiere – und die ist fast immer falsch. Tiere kann man nur vom Tier her verstehen. Warum tue ich das nicht –?

Weil ichs nicht kann. Weil mir die Kenntnisse fehlen. Weil ich von Tauben nichts weiß. Dann sollte ich auch nichts über Tauben aussagen – es ist eine Fälschung, ein Spiel, jeder kann das, der nur einigermaßen auf der Schreibmaschine Literaturklavier spielen kann. Witzchen hat er gemacht; über Tauben hat er nichts ausgesagt. «Es ist bei den Tieren wie ...» geschenkt. Man soll eben nicht über alles schreiben können und nicht über alles plaudern. Wer also soll von den Tauben sprechen –?

Der Taubenzüchter. Und der ist in den meisten Fällen ein Esel, wie jeder Fachmann.

Da liegt vor mir die Nummer einer Zeitschrift ‹Der Sportfischer›. Nun ist das ein etwas geschwollener Titel – die Leute wollen sich als Herrenreiter geben ... wir fischen nicht, um der Nahrung willen, das brauchen wir Gott sei dank nicht – wir fischen nur zu unserm Vergnügen, und das ist eben Sport. Gut.

Nun müßte man doch denken: wenn einer alle Sonntage auf dem Wasser liegt, sich mit Lust und Liebe seine Angelgeräte und Netze zurecht macht, mit unendlicher Geduld wartend, bis er den Fisch soweit hat, daß er ihn hat –: dann sollte er doch etwas vom Wesen und von der Natur der Fische verstehen. Ja, Hechtsuppe.

Geht in die Staatsbibliothek und laßt euch dreiundzwanzig verschiedene Fachzeitschriften geben ... ihr werdet in zweiundzwanzig dasselbe finden, nämlich dieses:

Zunächst einen unbändigen Stolz auf die Terminologie. Ein Jäger würde ja eher seine Flinte fressen, ehe er von einem Hasen sagte, er habe vier Beine und einen Schwanz. Gott weiß, wie das auf jägerisch heißt. Sie sind alle furchtbar stolz, daß sie zunächst einmal anders sprechen als du – denn daran erkennt man den Fachmann, meinen sie.

Des weiteren sind sie fast alle leicht patriotisch; dieser kleine und große Mittelstand verbindet stets auf das Anmutigste Karpfenfang und die Treue zu irgendeinem angestammten Herrscherhaus – meine Sportfischer, zum Beispiel, berichten über die Fischfänge eines bayrischen Prinzen während des Krieges, wo andre Leute noch ganz andre Sachen gefischt haben, und eine Reihe Photos begleiten das schöne Idyll.

Und sonst geht es eben in diesem Blatt sehr «fischereilich» zu; denn jedes Fach hat heute irgendein schauerliches Eigenschaftswort, um sich mausig zu machen: anders als «tänzerisch» und «sängerisch» tun wirs nicht mehr. Und dann kommen noch ein paar Albernheiten; die Fortsetzung eines Romans, der sicherlich in fischereilichen Kreisen spielt …

Natur –? Echte Liebe zum Tier, denn selbst zum Jagdtier kann man eine Art Liebe empfinden – Verständnis für das Lebende, das man da unter den Händen hat? An keinem Ort der Welt könnte ich weniger über das wahre Wesen der Fische erfahren als hier – hier höre ich nur vom Mechanismus ihrer Tötung, und ich höre die mäßig stilisierten Äußerungen eines umgeschlagenen Geltungsdranges sowie jene fatale Ausschließlichkeit, wie sie eben nur Fachleute hervorzubringen verstehen. «Es ist vielleicht unsern Mitgliedern nicht bekannt», schrieb einmal der Starnberger Seglerverein, «daß unser Mitglied Gustav Meyrink auch ein recht begabter Schriftsteller ist …» Auf Inseln leben sie.

Am allerschrecklichsten ist – bei Jägern und Ingenieuren, bei Förstern und Gärtnern – der völlige Mangel an Demut, ohne die man nun einmal nichts begreifen kann. Sie sind widerwärtig unfromm, was mit Dogma nichts zu tun hat. Sie meistern die Natur, diese Spießer. Sie wissen alles; haben für alles irgendein ausgekochtes Fachwort parat; können alles; lieben nichts. Man betrachte sich die kitschige Lyrik, wie sie in Ski- und Jagdzeitschriften zu Hause ist; es dreht sich einem der Magen um. Man sollte doch glauben, grade diese, die mit den Geschöpfen der Natur und in der Natur ihre spielerische Arbeit haben, müßten Gott näher sein als einer, der mit seinen Stadtbeinen den Asphalt tritt. Die Städter aber versaufen in verzückten Gefühlen, wenn sie eine Katze auf dem Dach sehen, und beten vor einem Blumentopf, wenn sie nicht grade telephonieren müssen – die Fachleute puffen die Natur in die Seite und sind zu ihr frech. Die Natur schweigt.

Es ist ein Jammer. So wird über die Tauben geplaudert von solchen, die nichts von ihnen wissen – und es wird über sie Fachliches geschrieben von solchen, die lediglich den Mechanismus der Taubenzucht begreifen. Wie weit ist das von der liebevollen Versenkung entfernt, wie wir sie bei dem großen Franzosen Henri Fabre finden!

Die Tiere und die Pflanzen sind für die Fachleute Objekt geworden, gradlinig auszurichten – am liebsten denken sie sich die Hunde geschoren wie die Taxushecken; auch dann, wenn sie der Natur einen freien Auslauf lassen, der von dem Stacheldraht ihres Willens begrenzt ist, wie viel Herrscherdrang ist hier, wieviel Machttrieb – und der stumpf und laut, dreist und mechanisch. Von der Seele wirst du nicht viel zu hören bekommen, wohl aber reichliche Sentimentalitäten, wenn der gesellige Bierabend der Fachvereinigung dazu Veranlassung gibt.

Der Laie möchte gern sehen – aber er hat kein Augenglas. Der Fachmann hat eine Brille und ist blind. Schauen können beide nicht. Die Tauben gurren noch immer, und ich gehe leise davon, als alter Fachmann einen schwedischen Grog zu trinken.

Peter Panter, WB 30.7.1929

93

In aller Eile

– «Hallo! Hier Eisner und Ehrmann, wer dort –? Jawohl … Man kann Sie nicht verstehen; Sie müssen etwas lauter sprechen! … Dann werden wir Ihnen also die Faktur morgen zugehen lassen! Schluß!»

Telephongespräch 1895

– «Also ich telephoniere hier von der Post –
vor der Zelle stehn schon Leute –
ich fahre nach Lichterfelde-Ost
und erledige die Sache noch heute.
Was ich sagen wollte … Warum warn Sie gestern nicht da?
auf der Modenschau?
Ich war mit der Putti … wissen Sie … na …
Hände hat die Frau –!
Fabelhaft.

Wiesner –? Erzählen Sie mir doch nichts –
das nehm ich auf mein' Eid –!
Bitte! Nach Ansicht des Gerichts
hab ich dazu immer noch Zeit!
Was ich sagen wollte … Wir gehn Sonnabend aus –
Mit ihrem Freund? Na, so blau!
Die nehm ich glatt mit mir nach Haus –
Augen hat die Frau –!
Fabelhaft.

Die Wechsel sind … na, wie finden Sie das?
Die klopfen ans Fenster, weil ich
hier spreche – ich erzähl Ihnen persönlich noch was,
ich bin nämlich furchtbar eilig.
Was ich sagen wollte … ich bin derartig scharf …
Natürlich! Weiß ich genau,
was ein Schentelmän sich erlauben darf …
Einen Rücken hat die Frau –!
Fabelhaft.

Wir legen die Schecks … hallo? … unterbrochen …
Ich habe doch noch gar nicht gesprochen …!
Na, denn nicht.
          Nur keine falsche Hast!
Ich spreche hier, solange 's mir paßt!
          Lümmel.
                    Ja –! Nein –!
     Na, da gehn Sie doch rein!
     Eine Luft wie in einem Schwitzkastenbad …
     Was der schon zu telephonieren hat –
          Lümmel.»

Theobald Tiger, WB 30.7.1929

Die Karikatur Preußens

Frau Margarete Ludendorff hat ihre Memoiren geschrieben, obgleich sie doch keinen Krieg verloren hat, und es ist etwas peinlich, dies Buch zu besprechen. (‹Als ich Ludendorffs Frau war›, erschienen im Drei-Masken-Verlag, München.)

Peinlich deshalb, weil es schrecklich ist, einen Krebskranken die Symptome seiner Krankheit erzählen zu hören, die er für Gott weiß was hält – nur nicht für tödlich. Es ist bitter, was hier zu lesen steht.

Historisch Neues ist wenig zu finden – das Meiste ist bekannt. Wichtig an diesem Buch ist ganz etwas andres als das geschichtliche Material: wichtig ist die Ahnungslosigkeit dieser Frau, die eine typische Vertreterin ihrer Kaste ist, als Erscheinung nicht einmal unsympathisch – aber das waren sie? Das hat Deutschland beherrscht? Und beherrscht es zum Teil heute noch? Und davor kuschen die demokratischen Bürger? Du lieber Gott.

Kindlich ihre Beurteilung des Auslands, wo die Soldaten nicht so «stramm» sind wie ihre, die nachher voller Strammheit den Krieg verloren; blind solche Berichte aus dem Kadettenkorps: «Welche Würde, welche Machtbefugnisse in dem Wort Stubenältester liegt, kann man nur verstehen, wenn man das frühere Kadettenleben kennt … Mein Junge war sehr klein und hatte lange Buben unter sich. Er erzählte schmunzelnd: Ein paar sind darunter, da muß ich mich auf einen Tritt stellen, wenn ich ihnen Ohrfeigen geben will.» Diese Ohrfeigen sind nachher beim Kommiß fürchterlich weitergegeben worden – aber was weiß diese Mutter davon! Nichts. Man lese in den Erinnerungen Leopold von Wieses nach, was das preußische Kadettenkorps für eine Schweinerei gewesen ist. Ja, der Stubenälteste hatte die Buben wohl auch unter sich …

Manchmal rutscht eine unangenehme historische Wahrheit durch. «Selbst ein Mann wie Rathenau hatte in einem Brief an Ober-Ost ungeheure Annexionen, Belgien, Polen, Kurland, einen Streifen von Rußland gefordert …» Nun, das wird dem Absatz seiner

Bücher kaum etwas schaden; wissen Sie, es ist so das rein Geistige, das mich an diesem Mann ... Und noch ein schönes, historisches Wort Ludendorffs, das man gerahmt über die Betten hängen sollte: «Die größte Dummheit der Revolutionäre war es, daß sie uns alle leben ließen. Na, komme ich einmal wieder zur Macht, da gibts kein Pardon. Mit ruhigem Gewissen würde ich Ebert, Scheidemann und Genossen aufknüpfen lassen und baumeln sehen!» Was ebenso für den politischen Instinkt des Generals wie für die feine Objektivität jener Wilden spricht, die denn doch bessere Menschen gewesen sind.

Diese Frau ist ahnungslos durch ihre Welt gegangen – und so ist sie geblieben. Wenn man liest, was für sie den Gipfel der Leiden bedeutet (eine beschwerliche Fahrt von Schweden herunter nach Berlin); wie völlig von Gott geschlagen sie alles nachplappert, was ihr Herr Hussong vorplappert: «Die Spartakisten hatten die Einrichtung getroffen, Frauen und Kinder in die vorderste Linie zu stellen, damit die Soldaten sich scheuen sollten, zu schießen»; wie sie so ein Idyll erzählt, in dem der treue Bursche (der später neben Ludendorff auf dem Münchener Pflaster gefallen ist) in der Inflationszeit ein Schwein mästet und vor dem Stall gegen die Diebe eine Handgranate anbringt ... wie sie das erzählt, aber gar nichts dabei fühlt, nicht das Grausige der Allegorie, nichts; wie sie auf der Reise zu dem geflohenen Lindström an der schwedischen Grenze selbstverständlich vom Zoll kontrolliert wird ... «Ich war enttäuscht: war das die schwedische Gastfreundlichkeit ...?» – hier wirds symptomatisch.

Es ist jene Kaste, für die das alles nicht gilt. Sie haben keine Wohnungsschwierigkeiten zu haben wie alle Welt – wenn sie sie haben, gibts ein erschröckliches Geschrei. Sie brauchen nicht zu hungern. Nicht zu frieren. Nicht ruhmlos zu sterben – denn es ist ein Unterschied, ob die Söhne Ludendorffs im Leutnantsrang die Erfüllung ihrer Lebenssehnsucht und ihres Berufs sehen oder ob ein Gemüsehändler eingezogen wird, dem sie nachher zwei gekreuzte Latten aufs Grab gesteckt haben ... es ist ein Unterschied. Für die da gibts das alles nicht. Unverzeihlicher, nie wieder gutzumachender Fehler jener «Revolution», jene nicht ein für alle Mal erledigt zu haben.

Die Liebesbriefe Ludendorffs soll man nicht kommentieren – hier ist auch der politische Gegner tabu.

Aber etwas andres darf man kommentieren. Das ist die Stelle, wo Frau Ludendorff vom alten Hindenburg erzählt, wie der jeden Schlachtplan – o schönes Wort! – mit den Worten: «Na, denn mit Gott!» unterzeichnet habe – wohl die schrecklichste Blasphemie, die ich seit langem gehört habe. Daß er es nicht so gemeint hat, ist gleichgültig; es bleibt eine. Wie ja denn überhaupt die mutigen Angriffe auf den zerstörten Ludendorff langsam beginnen, eine Feigheit zu werden – da ist ja nichts mehr. Aber ist denn Hindenburg ein Gran besser gewesen? Mitnichten. Beider Anschauungen, Welt, Herkommen, Dienstauffassung und Menschenunkenntnis sind die gleichen. Man kann nicht den einen ehren und den andern verdammen. Immerhin sind der Herr Präsident noch heute Ehrenmitglied des Stahlhelm …

Ein peinliches Buch. Ein beschämendes Buch. Die Karikatur Preußens.

Ignaz Wrobel, WB 30.7.1929

95

Was man andern übel nimmt

«Daß er mir das Geld nicht zurückgegeben hat; daß er mit meiner Frau durchgebrannt ist; daß er den Artikel über mich veröffentlicht hat – das nehme ich ihm alles nicht übel. Aber daß er mich auf der Straße nicht zuerst gegrüßt hat – das – – –»

Warum man andere Leute haßt, hat vielerlei Gründe, die meisten lassen sich finden. Warum man sie verachtet: desgleichen. Aber was man den Leuten «übel nimmt» … das muß man erst auseinanderverposamentieren.

Da ist also zum Beispiel die Platte Accordeon 0022, das ist deine allerliebste Lieblingsplatte. Auf ihr singt Miss Sylvania Koschuby (Alaska) den erschütternden Song ‹Why am I so blue – –!› und du hast sie dir schon 3–4 mal vorgespielt. Und nur im Freundeskreise andeutungsweise davon Mitteilung gemacht; denn gute Platten sind ein Geheimnis, man soll sie hüten. Du hast sie gehütet. Eines Tages aber ist Anton mal heraufgekommen, hat gesagt: «Na, alter Junge – was machst du immer –?» hat auf deinen Zigarren geraucht und in deinem Whisky herumgetrunken … und in einer Minute der Seelenweichheit spielst du ihm vor: ‹Why am I so blue – –› Und bevor du die Nadel ansetzest, sagst du: «Anton. Paß auf. Du stehst an einem Wendepunkt deines Lebens. So was hast du überhaupt noch nicht gehört – laß mal jetzt den Quatsch mit der Katze und hör zu –!» Accordeon 0022 beginnt dahinzugleiten … Anton läßt natürlich die Katze nicht, hört aber zu. Platte aus. Du: «Na?» Anton: «Also –, was du daran findest –» Diese Freundschaft hat ein Loch. Das nimmst du ihm übel.

Wir nehmen mancherlei übel.

Zum Beispiel, wenn der andere eine listig ins Gespräch gesetzte Pointe, auf die du ungeheuer stolz bist, glatt überhört. Du hast von Onkel Paul, fein, geistreich und zugleich charmant, nicht gesagt «Paul Kleff», auch nicht «Onkel Paul», sondern «Paul beziehungsweise Irmchen», was für den, der die Verhältnisse kennt, eine tödliche Bosheit ist … Dein Gegenüber tut nichts dergleichen. Hat er gar nicht gehört. Hört ja nie zu, der Mann. Das nimmst du ihm übel.

Generell übelgenommen wird den «Auch-Sagern». Es gibt ja bekanntlich einen wilden Volksstamm, der aus solchen besteht, die du gar nicht kennst, die aber hinter dir an den Schalter kommen, nach dir beim Kellner bestellen, alles mit «auch». – «Mir auch 'n Mokka –!» Wieso: «auch?» Hängt sich der Kerl vielleicht an meinen Königlichen Mokka an? Übel nimmst du es ihm.

Du nimmst übel, wenn du von einem ganz kleinen, ganz, ganz unbekannten Nest in Südfrankreich erzählst, so klein und so billig und so sonnig und so südfranzösisch – und, na, überhaupt! «Kenn ich», sagt der andere. «Da war ich im vorigen Jahr mit meiner Frau!» – Du nimmst übel, wenn du einem Mann mit Zahnweh deinen Zahnarzt empfiehlst und er geht zu einem andern, bei dem er nun hoffentlich bald eingehen wird; du nimmst übel, wenn du bei einer frisch kennengelernten Familie den Hund streichelst (weil du die Tochter süß findest), der Hund aber wendet den Kopf ab, ganz langsam dreht er ihn nach der andern Seite, das heißt auf hündisch «Geschenkt». Das nimmst du erst dem Hund übel, danach auch ein klein wenig der Familie, es überträgt sich. Du nimmst übel, wenn der andere ein schweres Wort beim Kreuzworträtsel viel schneller heraus hat als du, und dann auch noch so tut, als ginge er mit dem verdammten Wort schlafen. Bildungsprotz, infamer ...! Du nimmst übel, wenn du, nicht Tennis spielend, mit einem guten Freund zusammen bist, der plötzlich an einen Tennis-Trainer gerät und auf einmal die Fachworte schwirren läßt ... das hat man nicht gern, man steht so draußen, und außerdem ist es affektiert – wenn man es selbst nicht sagen kann. Du nimmst übel, du nimmst übel.

Kennen Sie den, der so satt zufrieden ist? Dem das Glück aus allen Knopflöchern leuchtet? Wir mögen das nicht, wir verübeln ihm sein Glück ein wenig, es ist nicht Neid, das wäre sehr einfach – er ist so frech und fett glücklich ... Wir nehmen ganz besonders übel, wenn wir, vor der Macht zitternd, bei der wir unser Geld verdienen, einen treffen, der auf diese Macht pfeift, au! das nehmen wir aber übel! Dem neu einsteigenden Mann im Coupé nehmen wir überhaupt alles übel: seinen niedrigen Kragen, seinen neuen Koffer, seinen Apfel, seinen Hut und seine Existenz ... wir nehmen es dem Nebenmann beim Friseur übel, daß er so frech zu dem Barbier ist, und nun gelingt es ihm, sein Haar genau so geschnitten zu bekommen, wie er das wünscht (bekanntlich das Zeichen höchsten Mannesmutes), ein böser Blick geht da hinüber ... Wir nehmen übel, wenn uns jemand geistig abstempeln will: «Sie sind eben Freudianer!» – «Ich bin gar kein Freudianer!» sagst du, denn er hat dich nicht in einen Kasten zu legen, mit einem Etikett oben drauf, wir sind komplizierte Naturen, das wäre ja noch schöner ...! Wir sind wie die Tante auf dem Sofa: wir nehmen überhaupt übel.

Warum –?

Weil die winzig-kleinen Demütigungen, die nadelfeinen, manchmal stärker pieken als die großen, niederschmetternden; weil nichts so schmerzt wie verletzte Eitelkeit – und weil etwa Dreiviertel von dem, was geschieht und nicht geschieht, auf den sozialen Geltungstrieb zurückzuführen ist, der viel, viel stärker ist, als wir ahnen.

Die Welt ist eng, leicht haben wir Tuchfühlung mit dem Nebenan, noch leichter stößt der Nachbar, bewußt oder aus Versehen, dir den spitzen Ellenbogen in die Seite deiner Seele … und dann steht das Ich auf: Wir sind doch auch noch da! Hat das etwa einer gesehen? Und nehmen übel.

Der Mensch besteht aus Knochen, Fleisch, Blut, Speichel, Zellen und Eitelkeit.

Peter Panter, Uhu, August 1929

96

Merkblatt für Geschworene

Nachdruck erbeten

Wenn du Geschworener bist, dann glaube nicht, du seist der liebe Gott. Daß du neben dem Richter sitzt und der Angeklagte vor euch steht, ist Zufall – es könnte ebensogut umgekehrt sein.

*

Wenn du Geschworener bist, gib dir darüber Rechenschaft, daß jeder Mensch von Äußerlichkeiten gefangen genommen wird – du auch. Ein Angeklagter mit brandroten Haaren, der beim Sprechen sabbert, ist keine angenehme Erscheinung; laß ihn das nicht entgelten.

*

Wenn du Geschworener bist, denk immer daran, daß dieser Angeklagte dort nicht der erste und einzige seiner Art ist, tagtäglich stehen solche Fälle vor andern Geschworenen; fall also nicht aus den Wolken, daß jemand etwas Schändliches begangen hat, auch wenn du in deiner Bekanntschaft solchen Fall noch nicht erlebt hast.

*

Jedes Verbrechen hat zwei Grundlagen: die biologische Veranlagung eines Menschen und das soziale Milieu, in dem er lebt. Wo die moralische Schuld anfängt, kannst du fast niemals beurteilen – niemand von uns kann das, es sei denn ein geübter Psychoanalytiker oder ein sehr weiser Beicht-Priester. Du bist nur Geschworener: strafe nicht – sondern schütze die Gesellschaft vor Rechtsbrechern.

*

Bevor du als Geschworener fungierst, versuche mit allen Mitteln, ein Gefängnis oder ein Zuchthaus zu besichtigen; die Erlaubnis ist nicht leicht zu erlangen, aber man bekommt sie. Gib dir genau Rechenschaft, wie die Strafe aussieht, die du verhängst – versuche, mit ehemaligen Strafgefangenen zu sprechen, und lies: Max Hölz, Karl Plättner und sonstige Gefängnis- und Zuchthauserinnerungen. Dann erst sage deinen Spruch.

*

Wenn du Geschworener bist, laß nicht die Anschauung deiner Klasse und deiner Kreise als die allein mögliche gelten. Es gibt auch andre – vielleicht schlechtere, vielleicht bessere, jedenfalls andre.

*

Glaub nicht an die abschreckende Wirkung eures Spruchs; eine solche Abschreckung gibt es nicht. Noch niemals hat sich ein Täter durch angedrohte Strafen abhalten lassen, etwas auszufressen. Glaub ja nicht, daß du oder die Richter die Aufgabe hätten, eine Untat zu sühnen – das überlaß den himmlischen Instanzen. Du hast nur, nur, nur die Gesellschaft zu schützen. Die Absperrung des Täters von der Gesellschaft ist ein zeitlicher Schutz.

*

Wenn du Geschworener bist, vergewissere dich vor der Sitzung über die Rechte, die du hast: Fragerechte an den Zeugen und so fort.

*

Die Beweisaufnahme reißt oft das Privatleben fremder Menschen vor dir auf. Bedenke –: wenn man deine Briefe, deine Gespräche, deine kleinen Liebesabenteuer und deine Ehezerwürfnisse vor fremden Menschen ausbreitete, sähen sie ganz, ganz anders aus, als sie in Wirklichkeit sind. Nimm nicht jedes Wort gleich tragisch – wir reden alle mehr daher, als wir unter Eid verantworten können. Sieh nicht in jeder Frau, die einmal einen Schwips gehabt hat, eine Hure; nicht in jedem Arbeitslosen einen Einbrecher; nicht in jedem allzuschlauen Kaufmann einen Betrüger. Denk an dich.

*

Wenn du Geschworener bist, vergiß dies nicht –: echte Geschworenengerichte gibt es nicht mehr. Der Herr Emminger aus Bayern hat sie zerstört, um den Einfluß der «Laien» zu brechen. Nun sitzt ihr also mit den Berufsrichtern zusammen im Beratungszimmer. Sieh im Richter zweierlei: den Mann, der in der Maschinerie der juristischen Logik mehr Erfahrung hat als du – und den Fehlenden aus Routine. Der Richter kennt die Schliche und das Bild der Verbrechen besser als du – das ist sein Vorteil; er ist abgestumpft und meist in den engen Anschauungen seiner kleinen Beamtenkaste gefangen – das ist sein Nachteil. Du bist dazu da, um diesen Nachteil zu korrigieren.

*

Laß dir vom Richter nicht imponieren. Ihr habt für diesen Tag genau die gleichen Rechte; er ist nicht dein Vorgesetzter; denke dir den Talar und die runde Mütze weg, er ist ein Mensch wie du. Laß dir von ihm nicht dumm kommen. Gib deiner Meinung auch dann Ausdruck, wenn der Richter mit Gesetzesstellen und Reichsgerichtsentscheidungen zu beweisen versucht, daß du unrecht hast – die Entscheidungen des Reichsgerichts taugen nicht viel. Du bist nicht verpflichtet, dich nach ihnen zu richten. Versuche, deine Kollegen in deinem Sinne zu beeinflussen, das ist dein Recht. Sprich knapp, klar und sage, was du willst – langweile die Geschworenen und die Richter während der Beratung nicht mit langen Reden.

*

Du sollst nur über die Tat des Angeklagten dein Urteil abgeben – nicht etwa über sein Verhalten vor Gericht. Eine Strafe darf lediglich auf Grund eines im Strafgesetzbuch angeführten Paragraphen verhängt werden; es gibt aber kein Delikt, das da heißt «Freches Verhalten vor Gericht». Der Angeklagte hat folgende Rechte, die ihm die Richter, meistens aus Bequemlichkeit, gern zu nehmen pflegen: der Angeklagte darf leugnen; der Angeklagte darf jede Aussage verweigern; der Angeklagte darf «verstockt» sein. Ein Geständnis ist niemals ein Strafmilderungsgrund –: das haben die Richter erfunden, um sich Arbeit zu sparen. Das Geständnis ist auch kein Zeichen von Reue, man kann von außen kaum beurteilen, wann ein Mensch reuig ist, und ihr sollt das auch gar nicht beurteilen. Du kennst die menschliche Seele höchstens gefühlsmäßig, das mag genügen; du würdest dich auch nicht getrauen, eine Blinddarmoperation auszuführen – laß also ab von Seelenoperationen.

*

Wenn du Geschworener bist, sieh nicht im Staatsanwalt eine über dir stehende Persönlichkeit. Es hat sich in der Praxis eingebürgert, daß die meisten Staatsanwälte ein Interesse daran haben, den Angeklagten «hineinzulegen» – sie machen damit Karriere. Laß den Staatsanwalt reden. Und denk dir dein Teil.

*

Vergewissere dich vorher, welche Folgen die Bejahung oder Verneinung der an euch gerichteten Fragen nach sich zieht.

*

Hab Erbarmen. Das Leben ist schwer genug.

Ignaz Wrobel, WB 6.8.1929

97

Auf dem Nachttisch

«Bitte geben Sie mir zwölf Neuerscheinungen – ich möchte damit nach der Scheibe schmeißen!» – Das sagt leider keiner; der törichte Wettlauf mit den Schatten geht munter fort, als ob ein Buch dadurch besser wird, daß es eine Bauchbinde: «Soeben erschienen!» ziert! Um das Neue soll man sich stets kümmern; das Neuste ist halb so interessant, wie seine Verbreiter glauben. Und das dauerhafte Alte steht.

Diesmal habe ich mir einige Bücher auf den Nachttisch gelegt, von denen nur eines «vient de paraître» – die andern liegen wohl schon eine ganze Weile vor. Die sind von der älteren Generation verfaßt, und in ihnen fällt mir etwas Gemeinsames auf. Kinder des neunzehnten Jahrhunderts haben sie geschrieben: und mechanistisch sind sie ausgefallen und daher unzureichend. Nun möchte ich beileibe nicht jene törichte Mode mitmachen, jenes Jahrhundert wüst zu beschimpfen, da ich ja nicht aus Darmstadt stamme; diese boeufs à la mode vergessen, daß das Neunzehnte nicht nur «noch» mechanistisch war, sondern es auch einmal «schon wieder» gewesen ist – als gesunde Reaktion auf eine Romantik, die in ihrer Karikatur verblasen auslief. Aber zugegeben: wir danken ihm viel, diesem Jahrhundert – doch nun ist es zu Ende. Und wie historische Bildsäulen ragen seine Vertreter in eine neue Zeit, die was tut? Die, soweit sie sich erkennt, demütig sucht, bescheiden tastet und weiß, daß und was sie nicht weiß. Ihr Bestreben, Unbewußtes bewußt zu machen, heißt oben Freud; ist es das, was jene älteren Herren sofort – aber automatisch – ausrufen, wenn von diesen Dingen die Rede ist: Okkultismus, Weißenberg, Spiritismus, Tischrücken und, etwas höher: Theosophie und Anthroposophie? Wollen sehen.

‹Phantastica, Die betäubenden und erregenden Genußmittel› von L. Lewin (im Verlag Georg Stilke zu Berlin). Das ist eines der schönsten Märchenbücher, die ich jemals gelesen habe. Es handelt von den Rauschgiften.

Als Materialsammlung scheint mir das Buch ganz unschätzbar; es gibt wohl nichts von dem, was in dieses Fach schlägt, das hier fehlte –: nicht nur die «großen» Genußmittel wie Alkohol, Tabak und Kaffee werden zergliedert – sondern vor allem jene wenig bekannten, wie das unheimliche Mescalin, enthalten in der nach dem Verfasser benannten Pflanze «Anhalonium Lewinii», jenes Gift, das seltsame Visionen erzeugt und eine völlige Änderung des Seelenlebens hervorbringt; es wird in Mexiko gefunden und gebraucht. Auch die Erscheinungen, die bei Gebrauch der kleineren Gifte vorkommen, sind genau geschildert – ohne Überschwang, sehr klar und sehr aufregend. Es ist eine ganz merkwürdige Lektüre.

Die soziale Seite der Sache wird von Lewin vernünftig abgehandelt – ein Vorzug des Buches. (Die Stelle gegen die tabakrauchenden Frauen muß mit dem Alter des Verfassers entschuldigt werden; hier ist er meines Erachtens schwer im Unrecht.) Aber ganz besonders gut hat mir gefallen, was er über – nicht: gegen – die Abstinenten sagt. «Es ist eine unbegreifliche, durch nichts gerechtfertigte Überheblichkeit, deren sich so oft Abstinente schuldig machen, einen Menschen, der Freude am Wein hat, als minderwertige Kreatur anzusprechen.» Hip, hip! Es ist auch in dieser Bewegung, die natürlich das Ideal der Abstinenz braucht, um die Realität der Temperenz zu erreichen, jener Umschlag erfolgt, den einmal ein leider zu jung verstorbener Autor mit dem guten Schlagwort der «Verkappten Religionen» umrissen hat – um eine neue Stenographie durchzudrücken, errichten sie eine Weltanschauung. (Und wenn ihr platzt: Stenographie ist nun einmal keine Weltanschauung. Sie ist es nur in Deutschland, wo die Vereine wild wachsen.) Lewin steht zu diesen Fragen in gesunder Mäßigung – scharf ist er nur an einer Stelle, und an der mit Recht: in der Frage des Morphium-Mißbrauchs. Hier unten im Garten blüht grade der Mohn; als ich heute morgen in eine rote Blüte hineinsah, darin ein blauschwarzer Kern seltsam schlief, wurde mir leicht lyrisch zu Mute. Wohl nur wenige unter uns wissen, welch fürchterliche Verwüstungen das Morphium angerichtet hat und in immer steigendem Maße anrichtet – kein Appell an den Völkerbund hilft; Lewin setzt auch auseinander, warum keiner helfen kann. Die Seuche wütet heimlich – viel, viel heimlicher als jede andere, und er, ein Arzt, glaubt überhaupt nicht an die dauernde Wirkung von Entziehungskuren, ich kann nicht beurteilen, ob mit Recht. Aber lest das – es wird euch sehr kühl ums Herz werden und wieder heiß – in schöner Abwechslung.

Soweit gut.

Sobald nun aber jenes Gebiet beginnt, das dahinter liegt – hinter den Giften und ihren Wirkungen, hinter den Räuschen: da versagen Buch und Verfasser. Mit Darwin ist der Sache eben nicht mehr beizukommen, Gott strafe die Monisten (sobald sie den politischen Kampfplan verlassen, wo ich immer auf ihrer Seite zu finden sein werde, so es gegen die verweltlichte Kirche geht). Nein, hier hört es auf. «Haben Halluzinationen und Visionen ... eine stoffliche Ursache? Meiner Überzeugung nach: ja!» Hm. Ursache? wirklich: Ursache? Und wie wäre es mit einer nur gleichzeitigen Erscheinung, die seelisch das ist, was jene Räusche physisch sind? Hier steht Lewin vor einer selbst errichteten Holzplanke – klettern kann er nicht, und nun glaubt er, dahinter käme nun nichts mehr. Da fängts aber erst an. Warum benutzen Menschen diese Gifte? (Wenn jetzt einer von diesen Anatomieklempnern «neurasthenisch» sagt, dann wollen wir mit Neuerscheinungen werfen!) Ist der Rausch die Fortsetzung des Ichs, oder gibt es überhaupt «fremde» Bahnen, in die man geworfen werden kann? Was ist eine Vision? Ignorabimus, sagt der vorsichtige Mann. Schon viel, daß es einer sagt. Aber es hilft uns nicht weiter. Ade, Neunzehntes. Wo ein Auto herrschen will. Es hat zu dienen.

Man kann aber nicht überall mit ihm hinfahren. Zum Beispiel nutzt es einem auf der Osterinsel gar nichts – da hindert es nur, besonders, wenn man von ihm besessen ist. Da hätten wir: ‹Die Osterinsel› von Friedrich Schulze-Maizier (erschienen im Insel-Verlag zu Leipzig). Kein Ruhmesbuch des Verlages; ich weise auf das Werk nur hin, weil es eines der eigentümlichsten und schönsten Rätsel schildert, die uns die Völkerkunde aufgibt.

Wäre ich ein echter, rechter Buchbesprecher, so hätte ich mit «unerhört» und «fabelhaft», mit «genialisch» und «Sensation» um mich zu werfen, denn so muß eine richtige Buchkritik sein. Es erscheint ein Buch über Dschingiskan, und Leute, die dieses Wort noch drei Wochen vorher nicht glatt buchstabieren konnten, machen dir einen hin, daß dir ganz mongolisch um die Nase wird. In Frankreich wüßte man: aha! – bei uns tun sie das gratis. Bei uns tun sie überhaupt das Böse gratis. Ja, also die Osterinsel.

Sie liegt – ich sehe eben einmal nach – auf dem 110. Längen- und dem 25. Breitengrad im Großen Ozean. Bis Südamerika kommt dann nicht mehr viel; die Insel ist ganz isoliert. Auf ihr wimmelt es von den traumhaftesten Bildwerken, die man sich denken kann, aus dem leicht porösen, vulkanischen Felsen herausgehauen – wann, weiß man nicht genau; wozu, kann man nur erahnen; es sind riesige Steingeschöpfe, wie von Ensor, sicherlich gehen sie nachts umher und erscheinen den andern Bildwerken aus Blut und Eiweiß im Traum. Von diesen Gespenstern erzählt das Buch.

Und hier kann man nun einmal einen Zivilisierten nackt sehen – es ist kein sehr erfreulicher Anblick. Zunächst ist an Originalarbeit wenig zu spüren; das Werk vermittelt nur die Kenntnis alter und neuerer Literatur, ohne sie übrigens exakt anzugeben, neben den mäßigen Bildern ein Hauptmanko des Buches. Hatte der vermögende Insel-Verlag keinen bessern Autor zu versenden?

Der steckt in seiner Zeit bis zum Halse – kaum einen Fingerbreit sieht er über ihren Rand. Ganz abgesehen davon, daß wir diesen etwas gönnerischen, schelmischen Ton nicht mögen, mit dem von dem «Völkchen» der Insulaner gesprochen wird, vermutlich, weil sie Sonnabends nicht auf dem Wiehk-End fahren – es ist einfach unzureichend, an eine fremde Volksseele so heranzugehen. «Sie sind passionierte Menschenfresser – und lassen sich von metaphysischen Motiven aufs Stärkste inspirieren.» Hier wollte ich aufhören, zu lesen, gewann es aber über mich, fortzufahren, und entdeckte: «Wir stünden also vor der seltsamen Tatsache, daß das Ältere uns durch das Jüngere erklärt wird und daß das Ältere das Stilisierte, das Jüngere das Naturalistische ist, während man doch annehmen muß ...» Nur, wenn man zu einem Wasserklosett betet und nicht weiß, wo Gott wohnt. Die Methode, mit der Religion und Magie auseinandergehalten werden, ist rührend; einmal, bei Schilderung eines religiös entfachten kleinen Aufstandes gegen die Weißen, wo die Kanaken einen Ausbeuter ins Meer geworfen haben: «So bitter real waren die Beziehungen zwischen Magie und Politik.» Bei denen da! bei uns gibts dergleichen nicht. Und auf Seite 210 haben wir denn auch prompt den Ausruf, auf den ich zweihundert Seiten lang gewartet habe: «So ist denn ... die Osterinsel trotz mancher Dunkelheiten und Rätsel doch kein für sich abgesondertes Geheimnis mehr, wir brauchen uns nicht mehr in losen Vermutungen zu ergehen oder gar zu okkulter, nur dem Spiritistenblick vergönnter Schau unsere Zuflucht zu nehmen ...», denn wohin kämen wir da! Vielleicht am Ende an das Wesen der Welt ... Ein Mikroskop hustet; das Mittel will regieren – es ist nichts damit.

Dabei finden sich ein paar sehr gescheite Stellen; so die, wo das Walten der katholischen Missionare geschildert wird, die auf der Insel unendliches Kulturgut zerstört haben, wie sie das oft getan haben; die auch in ihren ersten, so wichtigen Schilderungen aus Interesse zur Firma die vorhandenen Religionsspuren herabsetzen, umfälschen, nicht verstehen ... spendet den Missionsgesellschaften! Ein einziges Mal (auf Seite 154) dämmerts: «Die moderne Völkerkunde betont mit berechtigtem Nachdruck die naive Einheit, in der bei primitiven Menschen ‹Homo divinans› und ‹Homo faber›, Magisches und Technisches, zusammengehen, die bei uns Zivilisierten quälend auseinanderklaffen.» Aber davon ist in diesem Buch dann nichts mehr zu spüren. Und es ist ungemein bezeichnend, daß das Verständnis des Verfassers für die Traumfiguren in ästhetischer Beziehung ausreicht; er würdigt sie als Kunstgegenstände ganz richtig. Darin also ist er viel weiter als etwa die französischen Reisenden, die im achtzehnten Jahrhundert die Insel besuchten und sich sicherlich über die Figuren herrlich amüsiert haben. Ästhetik: ja. Magie: nein. Ade, Neunzehntes!

Es ist eben nicht möglich, über Rauschgifte und über die Osterinsel zu arbeiten, wenn man nur Rauschgifte und nur die Osterinsel sieht. So geht das nicht. Ein Fachmann, der nichts ist als ein Fachmann, ist ein Esel. Wie kann man bei solchen Gelegenheiten an der Psychoanalyse vorbeigehn! Man kann eben nicht. Es gibt nichts, aber auch nichts auf der Welt, was zur Zeit ohne die Hilfsmittel des Marxismus und der Freudschen Lehre erkundet werden könnte – wohl verstanden: Hilfsmittel. Auf ihnen kann man dann aufbauen. Ohne das wird belanglose Schlosserarbeit, was da geleistet wird. Was ebenso für die «reinen» Marxisten und die «reinen» Psychoanalytiker gilt. Ade, Neunzehntes!

Ein beinah Zeitloser aber ist in diesen Tagen siebzig Jahre alt geworden: Knut Hamsun. Da wollen wir erst einmal vor Respekt einen Absatz machen.

Hier ist ein Wunder, glaubet nur. (Auch wenn Thomas, der Mann, gesagt hat, er sei der «größte Lebende» – er ist es wirklich. In eckigen Klammern: wann verfaßt eigentlich Herr Verfasser Mann diese lobenden Buchkritiken, die man allenthalben plakatiert sieht? Eine immer gestelzter als die andere, gekünstelt, voller falscher Klassizität – welch Gehrock schmiegt sich über dieser eingefallenen Brust! Es muß gar nicht leicht sein, mit so viel Pompom derart steril … Habeat.) Da ist Hamsun ein anderer Kerl. Der ist heute siebzig – aber wie werden sie bei uns alt, und wie wird der alt! Er wird immer lebendiger, immer reifer, immer erdnäher, dabei diese völlige Abwesenheit von Würde, deren starre Panzerplatten die erloschenen Herde unserer Sechzigjährigen umschließen, von Richard Strauß gar nicht zu reden. Je töter sie bei uns sind –: desto goethehafter kommen sie sich vor. Ehre dem da oben im Norden!

Über ihn hat sein deutscher Verlag (Albert Langen in München) einen biographischen Band erscheinen lassen: ‹Knut Hamsun, Das unbändige Ich und die menschliche Gemeinschaft› von Walter A. Berendsohn. Ja …

Dies ist nun nicht das neunzehnte Jahrhundert – das kann man nicht sagen. Es ist etwas andres. Es ist das germanistische Seminar. Nein, meine Herren.

Wunderschön die Bilder – es wird einem immer wieder warm ums Herz, wenn man das sieht – anständig und reinlich die philologische Arbeit, die sich an keiner Stelle mausig macht; mit unendlichem Fleiß ist da für die Hamsun-Freunde neues Material zusammengetragen, das wohl keinem von uns vorher bekannt gewesen ist. Alles schön und gut.

Aber von unserm Hamsun; von seiner Seele; von seinem Wesen; von der Welt dieses Mannes – davon kann ich in diesem Band beim besten Willen nichts entdecken. Das Merkwürdigste ist, daß der Verfasser genau gefühlt hat, worauf es ankommt; alle Fragen sind sorgfältigst angeschnitten, aber keine ist auch nur andeutungsweise beantwortet. Er fühlt – aber er weiß nicht. Auch hier: es geht nicht ohne Freud, ohne Marx geht es, wenn man Hamsun ganz isoliert betrachtet – da, wo seine tiefe Wirkung untersucht werden soll, brauchen wir ihn. Da ist ein mäßiger Ausfall gegen die Psychoanalyse in der Literatur – ihre Überschreitungen durch Kleinbürger der Seelenforschung zugegeben, als Methodik wird sie sich ausbilden müssen – aber so, ohne sie? Nichts finde ich von dieser zunächst rätselhaft anmutenden Wirkung, die Hamsun hervorgerufen hat. Das Wort «Neuromantik» genügt eben nicht; natürlich ist es richtig, zu sagen, daß seine Leser, die ihn mit ihrem Herzblut lieben, Enttäuschte sind, Zerrissene, Harfensaiten, die er zum Klingen gebracht hat; es ist richtig, daß er, aus dem Getriebe fliehend, mit vagen Bauernidealen im Kopf, uns niemals eine Lösung geben kann, was nur ein eingeschriebener Marxist «bedauern» kann, den wiederum wir bedauern – davon steht manches da. Aber es fehlt der Kern. Es fehlt die Musik. Es fehlt die innere Schau. Auch hier wieder die abweisende Gebärde: mit einem Hymnus sei es nicht getan … Das kommt auf den Hymnus an. Die Methoden des germanistischen Seminars sind hier ganz und gar unzureichend – das Heil kommt heute nicht mehr von den Universitäten. So kann nur der norwegische Literat erkundet werden, der Hamsun nebenbei auch ist. Es ist etwas Abstinentes in diesem Buch – Hamsun, der in seiner Jugend ordentlich einen gesoffen hat, weil ein Bauernjunge, ist damit nicht zu erklären. Berendsohn hat ganz recht, wenn er sagt, die nordischen Erzähler jener Kneipnächte möchten damit Knut Hamsun auf ihr Niveau herunterziehen … nein, das wollen wir gewiß nicht. Aber ohne den Rausch ist diese Blume nun einmal nicht zu erfühlen – ich will verrecken, wenn ich hier das Wort «Dionysos» hinsetze.

Schade. Nicht nur, weil das Seminar mitunter daneben haut. In einer ernsthaften literarischen Untersuchung Herrn Edschmid zu zitieren, deucht mich leicht komisch, und ihn gar «feurig» zu nennen … deutsches Haarwasser ist doch nicht feurig. Grade über das, was uns alle bewegt: über den Zerfall des Ich mit der Gemeinschaft – grade darüber finde ich nichts, was ich nach Hause nehmen könnte. Sehr schade.

Und so bleibt denn die schönste Biographie dieses seltenen Mannes, dem wir unsern Gruß entbieten: sein Werk. Sein Werk – das ihr bei Langen in Einzelausgaben oder in einer sehr hübschen Gesamtausgabe erstehen mögt, wo einmal alles beieinander ist: unsere Zeit und ihre Aufhebung; Märchen und der Geruch von nassem Holz, Tang und dampfenden Pferden; das Meer und die Berge; die letzte Verfeinerung der Gefühle und die größte Kraft, aber eine Kraft, die flieht und die auf der Flucht immer stärker wird – wie dünn der Text und wie unendlich stark das Bild des kleinen Arbeitshäuschens, das sich Hamsun auf seiner Besitzung in Nörholmen gebaut hat – noch heute flieht er vor den Seinen, wenn er zur Arbeit geht … wie manche Tiere sich verstecken, wenn sie eingehen oder sich begatten, sie fühlen sich dann so wehrlos. Da liegt das Haus, ein kleiner weißer Bau, an einem Hang, Freikorps pflegen an solchen Hängen gern Leute zu erschießen, weil sich die Kugeln so schön fangen … da liegt es. Die Wolken gehen darüber hin, ein kleiner mooriger Teich liegt davor, da sitzt er und schreibt. Ganz allein. Ein Bauer mit Nerven.

Peter Panter, WB 6.8.1929

98

Warum –?

Ja, warum … warum haben wir bei den Heidelberger Festspielberichten einen merkwürdigen Geschmack auf der Zunge?

Da werden nun Dichter geehrt. Da ist Thomas Mann als Redner beim Festakt aufgetreten. Gerhart Hauptmann wird durch Beflaggung der Stadt gefeiert. Preise sind ausgesetzt. Es geht hochkünstlerisch her; begrüßenswert; ist ein Ziel erreicht? Nein, es ist gar kein Ziel erreicht.

Nicht etwa, weil an dieser Stelle etwas gegen Thomas Mann oder Hauptmann vorzubringen wäre – deren Qualitäten stehen in jeder Hinsicht fest. Es ist etwas anderes.

Die Ehrung ist unverbindlich.

Es ist nicht etwa so, daß die sittlichen Ideen der «Führer» ein Gemeinwesen bekehrt haben, das nun etwa besser wird, anders, geläutert, geformt, veredelt – es ist leider so, daß die Herren Führer sich den Kommunalideen des Gemeinwesens anpassen und nie mehr fragen, wer sie feiert und ob der Feiernde auch die Aktivlegitimation habe, zu feiern. Sie nehmen dankbar an, höflichst, voller guter Formen. Es ist, um mit Larissa Reissner zu sprechen, die Venus von Milo, die sich der wuchernde Bankier ins Wartezimmer stellt. Aber in seinen Geschäftsbüchern milot es sich gar nicht …

Man muß ja wohl schon froh sein, daß sich eine deutsche Stadt überhaupt um Schriftsteller kümmert, das ist wahr. Berlin tuts fast nie. Aber es bleibt ein Erdenrest zu tragen peinlich, hier ist etwas nicht in Ordnung. Feiern ist schön. Folgen ist schöner. Es sind Führer, die sich nicht umdrehen dürfen –: denn da stehen sie, wenns gefährlich wird, ganz allein.

Kaspar Hauser, WB 6.8.1929

99

Für Joseph Matthes

Am 31. August 1924 hat die Deutsche Reichsregierung in London ein Abkommen unterzeichnet, das im Artikel 7 der Anlage III folgende Stelle aufweist:

> Um eine gegenseitige Befriedung herbeizuführen und um möglichst weit tabula rasa mit der Vergangenheit zu machen …
> 1. Niemand darf unter irgendeinem Vorwand verfolgt, beunruhigt, belästigt oder einem materiellen oder moralischen Nachteil unterworfen werden, sei es wegen einer Tat, die in der Zeit zwischen dem 11. Januar 1923 und dem Inkrafttreten des gegenwärtigen Abkommens in den besetzten Gebieten ausschließlich oder überwiegend aus politischen Gründen begangen worden ist, sei es wegen seines politischen Verhaltens in jenen Gebieten während der angegebenen Zeit, sei es wegen seines Gehorsams oder Nichtgehorsams gegenüber den Befehlen, Ordonnanzen, Verordnungen oder Anordnungen, die von den Besatzungsbehörden oder den deutschen Behörden mit Beziehung auf die Ereignisse während des bezeichneten Zeitraumes erlassen worden sind, sei es endlich wegen seiner Beziehungen zu jenen Behörden.

Die Deutschen haben dieses Abkommen nicht gehalten.

*

Am 30. Dezember 1921 wurde der Schriftsteller Joseph Matthes vom Schwurgericht in Würzburg wegen übler Nachrede und Beleidigung, begangen durch die Presse, zu sechs Monaten Gefängnis verurteilt. Er hatte als sozialdemokratischer Redakteur und Vorsitzender der Ortsgruppe dem aschaffenburger Bürgermeister Doktor Matt Lebensmittelschiebungen vorgeworfen. Im aschaffenburger Lebensmittelamt waren tatsächlich solche Schiebungen vorgekommen; die beiden geschäftsführenden Obersekretäre wurden zu Gefängnisstrafen verurteilt.

Im Jahre 1922 sollte Matthes seine Strafe antreten. Er war damals, wie die Atteste eines berliner Gerichtsarztes und des wiesbadener Polizeiarztes dartun, nicht haftfähig; trotzdem sollte er seine Strafe im Gefängnis Sankt Georgen bei Bayreuth verbüßen. Er floh.

Matthes ging nach dem damals besetzten Wiesbaden und versuchte dort, journalistisch weiterzuarbeiten. Das gelang ihm nicht. Im Jahre 1923 ging er nach Düsseldorf, woher seine Frau stammte. Inzwischen hatte er versucht, in seiner Sache etwas bei Ebert zu erreichen, der sich grade in Bad Mergentheim aufhielt; der versagte ebenso wie Radbruch, an den sich Matthes gewandt hatte.

Es war die Zeit des Ruhrkampfes. Die Regierung warf Milliarden zum Fenster hinaus, der Schwerindustrie in den Rachen, das Rheinland war korrumpiert bis tief in die sozialdemokratischen Gewerkschaften hinein, die für den «passiven Widerstand» bezahlt wurden. Matthes bekämpfte diese Ruhrpolitik, wo er nur konnte. Als bekannt wurde, daß er – wie alle internationalen Journalisten – einen französischen Presseausweis besaß, wurde er von den Beamten als «Französling» gestempelt. Wer je mit Franzosen zu tun gehabt hat, weiß, wie unendlich wichtig diese Ausweise sind, über die wir zu lachen gewohnt sind; drüben ist jede praktische journalistische Arbeit ohne coup-file ausgeschlossen.

Im Juli 1923 bekam Matthes Einsicht in die Pläne des Severingschen «Mitarbeiters», des Generals Watter, worauf er sich einer düsseldorfer Separatistengruppe der zerfallenden Smeets-Partei anschloß. Die Antwort waren Haftbefehle aus der Heimat. Lawinenartig wuchs inzwischen die separatistische Bewegung, proportional der Inflation.

Das Rheinland stand damals, geschlossen wie ein Mann, zu dem, der besser zahlte. Die Beamten, die Großbanken, die Geistlichen warteten auf ihren Augenblick. Zu Frankreich hinüber wollte keiner, bei Preußen bleiben wenige. Was sie wollten und wozu sie damals auch ein Recht hatten, war Befreiung aus der Hölle der Inflation und Schaffung einer eignen Währung, einer eignen autonomen Republik.

Erst im August 1923 lernte Matthes Dorten kennen. Smeets war inzwischen von Interessenten, die heute noch straflos herumlaufen, ermordet worden. Die rheinländische Bewegung brach, nicht zuletzt infolge der Dummheit französischer Militärs, zusammen.

Ein Jahr darauf, als in London über die rheinischen «Verbrecher» verhandelt wurde, verlangte Stresemann ausdrücklich die Köpfe von Dorten und Matthes. Sie sollten von der Amnestie ausgeschlossen werden. Der menschenfreundliche Antrag fiel; die Reichsregierung unterzeichnete die völlige Amnestie. Und bricht ihre Zusage.

*

Joseph Matthes lebt heute in Paris. Er will nach Deutschland zurückkehren, seine Frau will die Grenze überschreiten, man verweigert beiden die Papiere. Wer ist «man»? Man ist die pariser deutsche Botschaft.

Man könnte annehmen, daß sich die Botschaft – um das londoner Abkommen zu umgehen – auf jenen alten würzburger Prozeß aus dem Jahre 1921 stützte, wozu sie ein formales Recht hätte, denn bis zum vorigen Jahr ist gegen Matthes ein Steckbrief auf Grund des würzburger Urteils immer wieder erneuert worden. Nein, darauf stützt sich die Botschaft nicht. Denn das kann sie nicht.

Am 29. Oktober 1928 hat das Oberste Landesgericht in München in der Sache Matthes beschlossen: Aufhebung der die Amnestie abweisenden Beschlüsse des Landgerichts Würzburg; Aufhebung der vom Schwurgericht Würzburg im Jahre 1921 ausgesprochenen Gefängnisstrafe auf Grund der Reichsamnestie vom 14. Juli 1928. In der Begründung heißt es unter anderm: «… so zeigt sich deutlich die Unhaltbarkeit des von der Strafkammer eingenommenen Standpunktes» und: «… daß die politischen Gegensätze nicht nur Einfluß auf die Tatbegehung übten, sondern gradezu bestimmend und ursächlich für das Tun des Matthes in dieser Sache gewesen sind.» Womit er also unter die Reichsamnestie fiel. (Oberstes Landesgericht vom 29. Oktober 1928 Beschwerde-Reg. I A Nr. 69/1928 Seite 3.)

Was also will die deutsche Botschaft, wenn sie Matthes die Papiere verweigert? Sie verlangt einen Heimatschein; der preußische und der bayrische Staatsangehörigkeitsausweis genügen weder für Matthes noch für seine Frau. «Für Sie ist unsre Botschaft nicht da.»

Und wegen dieses Wortes verdient die Botschaft einen auf die Finger. Wer spricht? Wer ist «unsre» Botschaft? Hat Herr von

Hoesch sich mit einem kleinen Laden selbständig gemacht? Matthes ist Deutscher; ob seine Politik damals gut oder richtig gewesen ist, hat Herr von Hoesch nicht zu beurteilen, denn niemand hat ihn danach gefragt. Er ist auch moralisch im Unrecht.

Wenn hundert Deutsche in einer fremden Stadt leben, so zerfallen sie in dreiundvierzig Vereine sowie in hundertundeine Klatscherei. «Matthes wird von der pariser Polizei bezahlt.» Ich kenne die pariser Polizei ein wenig und Matthes ganz gut; wer von Poincaré bis zur kleinen französischen Amtsstelle herunter so empfangen wird wie er – der ist nicht bezahlt. So spricht man nicht mit und so spricht man nicht von bezahlten Leuten. Im Gegenteil: Matthes sitzt, wie viele anständige Menschen, genau zwischen zwei Stühlen. Es ist in Frankreich vieles korrupt, und wer dort in der Presse nicht nimmt, der gilt eine Zeitlang als originell, später als Trottel. Dann ist Joseph Matthes ein Trottel. Aber ein anständiger Mann.

Die Sache ist um so erstaunlicher, als Herr von Hoesch keinen scharfen Rechtskurs in Paris steuert. Was ich von seinen diplomatischen Fähigkeiten gesehen habe, war nicht grade herzzerreißend, aber wenn der Mann, was nicht zu bezweifeln ist, reaktionäre Neigungen hat: er plakatiert sie im allgemeinen nicht. Also müssen hier entweder berliner Einflüsse am Werk sein, oder es hat sich jemand auf der Botschaft ein kleines Privatvergnügen aufgetan. Die berliner Einflüsse werden von Matthes auf das Bestimmteste abgestritten; er, der stets sehr gut informiert ist, behauptet, nur die Deutschen in Paris seien diejenigen, welche.

Stumpf sind sie bei uns und illoyal, wenn es von rechts nach links geht – in der umgekehrten Richtung haben sie Hemmungen. Das Auswärtige Amt, der Reichsinnenminister ... werden sie schweigen? Wenn sie nicht schweigen: werden sie sich bei den Erklärungen der Botschaft beruhigen, deren Juristen sicherlich eine klein gedruckte Anmerkung finden werden, um das als «zulässig» darzustellen, was sie da treiben? Seid doch ehrlich. Geht doch auf den Grund.

In dieser Staatstollheit gilt der, der sich gegen den Staat vergeht, als Ketzer; gemieden wird er wie der in Kirchenbann Getane im Mittelalter. Aber gegen diesen Staat gehalten ist die Kirche immer eine hoch geistige Institution gewesen und wenigstens in ihrer Art sauberer. Wie! dieser von den Banken und den Winzern, von den Kohlenkaufleuten und den Kartoffelbauern abhängige Beamtenapparat wagt es, sich metaphysisch zu behängen? Was ist er denn schon groß? Ein verschuldetes Stückchen Unglück. Das dadurch um nichts besser wird, daß ihm junge Leute, die die Worte «reaktionär» und «revolutionär» nicht richtig buchstabieren können und eine eingeschlagene Fensterscheibe in Itzehoe für Revolution halten – daß die ihm seine nationale Mystik bescheinigen, worauf er übrigens pfeift. Er ist eine Versorgungsanstalt, die verantwortungslos und breitspurig Unrecht tut.

Es laufen Fememörder in der Freiheit herum. Herr von Arco ist begnadigt und badet am Lido. Die Lohmann-Affäre ist in den Akten verlaufen. Herr Matthes wird verbrannt.

Es muß aber den Staatskulis gesagt werden, daß ihr Staat halb so wichtig ist, wie sie sich einbilden.

Es ist wichtiger, daß in Deutschland das Rechtsgefühl wieder wachgerufen wird, als daß die Rheinprovinz deutsch bleibt. Das Reich und der Staatsbegriff stehen nicht über allen Dingen dieser Welt.

Die Sozialdemokratie hat keine Zeit, sich hiermit zu befassen; sie erfüllt die Rolle der alten Liberalen, die sich ihrerseits Demokraten nennen, die es wiederum nicht gibt. Ob einer, auch nur ein einziger von diesen allen so viel Anstandsgefühl in den Knochen hat, Joseph Matthes die Rückkehr in die Heimat zu ermöglichen –?

Ignaz Wrobel, WB 13. 8. 1929

100

Die geschiedene Frau

Ja … da wär nun also wieder einer …
das ist komisch!
Vor fünf Jahren, da war meiner;
dann war eine ganze Weile keiner …

Und jetzt geht ein Mann in meiner Wohnung um,
findet manches, was ich sage, dumm –
lobt und tadelt, spricht vom Daseinszwecke
und macht auf das Tischtuch Kaffeeflecke –
Ist das alles nötig –?

Ja … er sorgt. Und liebt. Und ists ein trüber
Morgen, reich ich meine Hand hinüber …
Das ist komisch:
Männer … so in allen ihren Posen …
und frühmorgens, in den Unterhosen …
Plötzlich wohnt da einer auch in meiner Seele –
quält mich; liebt mich; will, daß ich ihn quäle;
dreht mein Leben anders – lastet – läßt mich fliegen –
siegt, und weil ich klug bin, laß ich mich besiegen …
Habe ich das nötig –?

Ich war ausgeglichen. Bleiben wir allein,
… komisch …
sind wir stolz – so sollt es immer sein!
Flackerts aber, knistern kleine Flammen,
fällt das alles jäh in sich zusammen.
Er braucht uns. Und wir, wir brauchen ihn.
Liebe ist: Erfüllung, Last und Medizin.
Denn ein Mann ist Mann und Gott und Kind,
weil wir so sehr Hälfte sind.
Aber das ist schließlich überall:
der erste Mann ist stets ein Unglücksfall.
Die wahre Erkenntnis liegt unbestritten
etwa zwischen dem zweiten und dem dritten.
Dann weißt du. Vom Wissen wird man nicht satt,
aber notdürftig zufrieden, mit dem, was man hat.
Amen.

Theobald Tiger, WB 13.8.1929

101

Der Mann mit den zwei Einjährigen

Jetzt, wo alle Leute den Krieg liquidieren; wo die letzten Erinnerungen zu Büchern gerinnen; wo leise, ganz leise die Zeit herankommt, da aus den Helden von gestern die Invaliden von morgen werden … da möchte denn einer sein Gewissen erleichtern, die Höhensonne bringt es an den Tag, es muß heraus, er hat es getragen siebzehn Jahr, nicht länger trägt er es mehr – aber hören wir ihn selbst:

«Vierzehn Tage vor der Versetzung nach Obersekunda wankte ich herum und gab Mamachen zu, daß es schief gegangen sei. Sitzengeblieben … Schülerselbstmorde kamen damals gerade auf, aber ich trug sie noch nicht – und um diese Versetzung war es besonders schade: sollte sie doch das Einjährige bringen, die Berechtigung zum Königlich Einjährig-Freiwilligen-Dienst – und weil es mit den Verben auf ‹μι› endgültig nicht klappte und bei den Gleichungen mit drei Unbekannten ein kleiner Ausrutscher zu verzeichnen stand, winkten zwei Jahre Dienstzeit. (Ich wußte damals noch nicht, daß es vier werden sollten.) Mamachen war nicht beglückt, und ich bekam ein paar hinter die Ohren. (‹In Ihrem Alter – Wie alt waren Sie damals? – Ich als Vater … Sie als Sohn … Erlauben Sie mal, gerade vom Standpunkt der pädagogischen Propädeutik … ich gehe von dem Standpunkt aus … meine Einstellung ist irgendwie …› – also wer nu hier? Ihr oder ich? Ich:) bekam also ein paar hinter die Ohren. Das war am 14. März. Am 28. war Zensurenverteilung, aber der 28. sah mich nicht in der Aula, wo die Klassen rauschend aufstanden, um zu hören, wer versetzt worden sei … begossenen Gemütes zogen die Sitzengebliebenen, Verachteten, Ausgestoßenen, Nichtmehrdazugehörigen in ihre Klassenzimmer … Ich war nicht dabei. Ich lag zu Hause im Bett und spielte den eingebildeten Kranken, was ich so besorgte, daß ich wirklich krank wurde. Zwei Tage später kroch ich in die Bellevuestraße und holte mir vom Schulpedell mein Zeugnis.

Die Klippschule lag da, wo heute der Reichswirtschaftsrat seine Existenzberechtigung dadurch nachweist, daß er da ist – ich zottelte den langen Gang hinunter und traute mich gar nicht zu dem Kastellan hinein, der so eine Art Mittelding zwischen Feldwebel und Direktor war … Aber wider Erwarten freundlich gab er mir mein Zeugnis. Ich sah es an – und wollte es ihm zurückgeben. Das war nicht mein Zeugnis. Das war das Zeugnis eines, der versetzt worden war. Ich, ich war sitzen geblieben.

Da stand jedoch: Kaspar Hauser, und das war ich, und ich sah das Zeugnis an, und dann den Schuldiener (der wahrscheinlich heute Studienwachtmeister heißt), und dann ging ich ganz schnell wieder hinaus, aus Angst, sie könnten die Sache wieder rückgängig machen – und dann stelzte ich den langen Gang wieder herunter, froh, vergnügt, großer Mann … als ich auf der Bellevuestraße ankam, machte ich ein Gesicht wie: ‹Natürlich – was ist denn dabei? Ich habe mir nur mein Einjähriges abgeholt …!› Da hatte ich es – das Einjährige.

Dann nahmen die Verben auf ‹μι› an Schwierigkeiten zu, die Trigonometrie auch, meine deutschen Aufsätze ließen mich erkennen, daß es nicht genügt, seine Muttersprache zu lieben – nein, man muß sie auch so schreiben, wie sich greise Schulamtskandidaten den deutschen Stil vorstellen. Ach! von Groll gegen meine Lehrer ist nichts zurückgeblieben, ich habe ihn zerlacht und sie vergessen, alle miteinander. Und als es gar zu schlimm mit den deutschen Aufsätzen wurde, da setzte eine dicke IV meinem Streben einen Riegel vor; ich blieb nun wirklich sitzen, und mit den Augen die hoffnungslos in die Ferne gerückte Unterprima musternd, ging ich von der Schule ab. Und arbeitete weiter, um das Abitur als Externer zu bestehen.

Heute, wo trotz der übertriebenen Angst der Schüler und des lächerlichen Respekts der Eltern vor der ‹Bildung› so viel kleine Revolverschüsse langsam eine Reform des Unterrichts erzwingen, heute ist das ja alles anders. Aber damals wurde derjenige, der ein Abitur als Externer bauen wollte, wie ein Verbrecher behandelt; man kam sich vor, als stehe man als Entlastungszeuge vor einem Staatsanwalt … so etwa war die Atmosphäre. Ich arbeitete wie ein Neger.

‹Kaspar›, sagte mein Pauker eines Tages zu mir … also ‹Pauker› ist ein Kosewort; ich verdanke dem Mann sehr, sehr viel; er war ein wunderherrlicher Einpauker, weil er den Betrieb nicht ernster nahm als unbedingt nötig, und wenn er dieses liest, dann wollen wir in Gedanken miteinander anstoßen, womit er will: mit einem sanften Burgunder oder einem scharfen schwedischen Schnaps – auf alle Fälle: Prost! – ‹Kaspar›, sagte er zu mir, ‹in einem halben Jahr steigt das Examen. Das ist eine Nervenfrage. Wer garantiert uns, daß Sie wirklich alles aufsagen, was ich Ihnen eingetrichtert habe? Das mit der Hyperbel und Joachim Friedrich und mit den Nebenflüssen der Tunguska, kurz das, was einen gebildeten Menschen ausmacht, lachen Sie nicht! Wer garantiert uns, daß Sie nicht schlapp machen und da auf einmal alles vergessen, was Sie hier so schön gewußt haben? Niemand garantiert uns das. Infolgedessen wollen wir eine Generalprobe machen!› – ‹Wollen wir uns einen Schulrat engagieren, der mich zu Hause prüft?› schlug ich vor. ‹Affe›, sagte der Pauker. ‹Sie gehen hin und machen als Probe das Einjährige.› – ‹Ich habe das Einjährige›, sagte ich. ‹Da machen Sie es eben noch einmal!› sagte der Pauker. ‹Wo?› sagte ich. ‹Vor der Kommission in der Heidestraße›, sagte der Pauker. Bei Gott, dies geschah.

Lieber Panter, Sie werden meinen wirklichen Namen nicht in die Tante Voß setzen, denn vielleicht findet sich ein schneidiger junger Herr bei der Staatsanwaltschaft, der, während gerade kein Gotteslästerungsprozeß steigt, sich mit dieser Sache eine gute Nummer verdienen will … ich legte also der Militärkommission am Lehrter Bahnhof meine Papiere vor, alle – mit Ausnahme des Einjährigen aus der Bellevuestraße. Das behielt ich zu Hause. Und ich wurde zum Examen zugelassen. Und ich ging in dieses Examen.

Neben mir saßen durchgefallene Fähnriche aus den Pressen, gebildete Arbeiter, die sich ihre geistige Arbeit von den Nachtstunden abgetrotzt hatten – vor uns saßen schneidige Offiziere und einige traurige Zivilisten, und so wurden wir geprüft. Es ging sehr scharf her, von den zwölf jungen Herren kamen nur zwei durch – der andere war ein gewisser Salter, der Mann ist später trotz des Einjährigen vor die Hunde gegangen. Der eine war ich. Dies war meine Generalprobe für das Abitur.

Und da sitze ich nun und habe also zwei Einjährige, und vielleicht hat deswegen der Krieg so lange gedauert, und ich mußte es einmal erzählen, denn außer dem braven Lehrer weiß den Schmuh keiner, und es hat mich bedrückt, und nie getraue ich mich zu einem Psychoanalytiker – denn dann käme es heraus, dies und noch vieles andere – und ich sitze da mit meinen beiden Einjährigen und möchte mal fragen, ob vielleicht keiner das andere haben will ...?»

Dies ist der Bericht des Mannes, der zwei Einjährige hat. Ergreift sein Sohn einmal die Laufbahn des mittleren Handwerkers, dann kann er dem ja das zweite mitgeben. Weil man doch ohne Examen nicht arbeiten darf, hierzulande.

Peter Panter, Voss 18.8.1929

102

Das Nachschlagewerk als politische Waffe

> «Das Handbuch des öffentlichen Lebens ist parteifrei. Es bringt Tatsachen und Ziffern, aber es vermeidet jede Stellungnahme.»
>
> *Müller-Jabusch*

Parteifreie politische Nachschlagewerke gibt es nicht und kann es nicht geben. Bereits die Tatsache, daß ein bestimmter Name überhaupt Aufnahme gefunden hat, entspricht in den meisten Fällen einem politischen Weltbild, und das ist gut so und in der Ordnung. Immerhin kann man von einem großen Nachschlagewerk, wie es zum Beispiel der Brockhaus ist, eine gewisse Neutralität verlangen. Brockhaus hat sie. Das sonst vortreffliche und praktische ‹Handbuch des öffentlichen Lebens›, herausgegeben von Maximilian Müller-Jabusch, und erschienen in dem kaiserlichen Verlag Koehler zu Leipzig, hat sie nicht.

Es ist wohl die hinterhältigste, die am meisten vergiftete Waffe: aus der Statistik, aus den Ziffern, aus den sogenannten «parteilosen» Nachschlagewerken heraus zu schießen und sich solcher Bücher als Propagandamittel zu bedienen. Es ist nicht ehrlich.

*

Das ‹Handbuch des öffentlichen Lebens› bringt allerhand Wissenswertes, gut geordnet und einigermaßen übersichtlich gedruckt. Es ist bei der Schilderung der deutschen politischen Parteien von vorbildlicher Neutralität; jede Partei hat ihr Programm selbst dargestellt, an keiner Stelle hat man den Eindruck, als sei die eine auf Kosten der andern im Raum benachteiligt … bravo. Es geht also. Aber es geht nicht immer.

Abgesehen von einigen Einzelheiten weist das Handbuch vor allem drei Stellen auf, wo es auf das gröblichste von der angekündigten Pflicht zur Neutralität abweicht, dabei an einer Stelle mit objektiven Unrichtigkeiten operierend.

Die Einzelheiten bestehen in einer merkwürdigen Einordnung des Deutschtums in der Welt. Da gibt es also: «I. Deutschland. II. Die deutschen Lande außerhalb Deutschlands. III. Das Ausland.» Die «deutschen Lande» sind Österreich und Danzig. Das mag noch angehen. Wenn aber die «Statistik des Deutschtums in der Welt» aufzählt, daß in Lettland 70000 Deutsche wohnen und in der Schweiz 2700000, so ist das falsch. Die «Deutschen» in Lettland sind keine Deutschen, sondern Balten, und die Menschen, die in der Schweiz leben, sind Schweizer, und beides sind keine Deutschen. Sie sprechen dieselbe Sprache wie wir – also können die Schweizer mit Fug behaupten, in Deutschland lebten 60000000 Schweizer. Die Statistik ist – ebenso wie die über Belgien – politisch gefärbt und nicht neutral.

Die drei großen Kapitel aber, in denen das Handbuch sein eigentliches Feld verläßt, um klare politische Propaganda zu machen, sind: «Der Versailler Vertrag»; der «Biographische Teil» und die Angaben über die Armeen der einzelnen Länder.

Das Kapitel «Der Versailler Vertrag» ist ein einziger deutschnationaler Leitartikel. Das Handbuch nimmt da nicht nur Stellung, es straft also nicht nur das Versprechen, das es im Vorwort gegeben hat, Lügen – es wimmelt auch von unbewiesenen Behauptungen und Ansichten, Beleidigungen Frankreichs … kurz: Politik. Da wird zunächst dem Abschnitt «Entwaffnung» ein

Anhang hinzugefügt, in dem die Bewaffnungen der siegreichen Mächte angegeben sind, zu dem klar erkennbaren Zweck, das «arme entwaffnete Deutschland» in Schutz zu nehmen. Im Abschnitt «Ruhrbesetzung» regnet es Ausdrücke wie «erpreßt», «Ausbeutung», «Ausschreitungen der Besatzungsangehörigen» – es folgt eine schiefe Darstellung des Separatismus, mit einem Lob auf die «mustergültige Reichstreue der Bevölkerung», die den Kenner belustigt, den arglosen Leser aber täuscht – es ist da dauernd von «widerrechtlicher Besetzung» die Rede … hier wird also politisch tendenziös gearbeitet.

Bedeutend schlimmer geht es im «Biographischen Teil» zu. Darin sind eine Reihe französischer Politiker aufgeführt; es ist kaum einer, dem nicht irgend eine gehässige Bemerkung angehängt wird. Poincaré: «Mitschuldig am Kriegsausbruch.» Bumm. Das wird hier, auf Seite 810, entschieden, aber nicht belegt. Es erinnert das an die größenwahnsinnigen Urteile kleiner Landgerichtsdirektoren, die vor ihren Kammern die Weltgeschichte antreten lassen und dann in Urteilsbegründungen «feststellen», was gewesen ist. Von Victor Basch: «Versuchte 1924 in Berlin und Potsdam für seinen Standpunkt zu werben, fand aber nicht die richtige Art.» Das darf diesem Pazifisten jeder sagen, jeder – nur nicht ein Lexikon, von dem wir Tatsachen haben wollen und keine Ansichten. Von François-Marsal: «Nach einer Laufbahn als Infanterieoffizier mit Hilfe familiärer Beziehungen Bankdirektor …» Das ist eine durch nichts gerechtfertigte Ungezogenheit. Cuno, der Inflations-Cuno hingegen, ist nach diesem Handbuch erst Generalreferent für Kriegswirtschaftsfragen im Reichsschatzamt (wo er, was verschwiegen wird, die Reichsentschädigungen der Reedereien bearbeitet), und er wird dann – ohne Hilfe familiärer Beziehungen – in die Direktion der Hapag übernommen. So verschieden ist es im menschlichen Leben. Bei Radek steht fürsorglich angemerkt: «eigentlich Sobelsohn», denn was wäre das Lexikon, wenn wir das nicht wüßten – bei Seldte aber steht nicht «Likörfabrikant», sondern «Fabrikbesitzer» … es ist der Ton, der den Parademarsch macht. Dieser biographische Teil ist politisch gefärbt, unsachlich und nicht neutral.

Wären nun diese Entgleisungen, diese Peinlichkeiten heterogen, hätten diese Fehler nicht alle dieselbe Grundmelodie –: man könnte an Zufall glauben. Es kann aber kein Zufall sein, wenn in der Aufzählung der fremden Staaten, fünfmal, jedesmal im Abschnitt «Heer und Flotte» eine schwere Unrichtigkeit steht.

«Dänemark. Allgemeine Wehrpflicht.» Falsch: in Dänemark gibt es keine allgemeine Wehrpflicht, sondern nur eine allgemeine Dienstpflicht, was ein gewaltiger Unterschied ist. Denn:

In Dänemark ist durch das Gesetz vom 13. Dezember 1917 die Kriegsdienstverweigerung anerkannt. Es besteht also keine allgemeine Wehrpflicht; wohl aber eine Dienstpflicht: der sich Weigernde muß dem Staat einen Zivildienst als Ersatz leisten; dieser Zivildienst ist übrigens über dreimal so lang wie der Militärdienst; auch wird dem sich Weigernden zunächst ein waffenloser Militärdienst angeboten: aber das Recht, sich dem Heeresdienst zu entziehen, ist gesetzlich vorhanden. Davon steht im Handbuch nichts.

«Schweden. Allgemeine Wehrpflicht.» Falsch: in Schweden ist das Recht auf Kriegsdienstverweigerung seit dem 21. Mai 1920 gesetzlich anerkannt. Das galt zunächst nur für diejenigen, die den Heeresdienst aus religiösen Gründen verweigerten; seit dem 1. Januar 1926 dürfen auch areligiöse Pazifisten den Zivil-Alternativdienst tun. Davon steht im Handbuch nichts.

«Norwegen. Allgemeine Wehrpflicht.» Falsch: die Regelung ist dort die gleiche wie in Schweden. Davon weiß das Handbuch nichts.

«Holland. Allgemeine Wehrpflicht.» Falsch: nach dem Gesetz vom August 1923 besteht dort nur allgemeine Dienstpflicht, keine Wehrpflicht. Das Handbuch verschweigt es.

«Finnland. Allgemeine Wehrpflicht.» Falsch: es gibt dort einen Alternativdienst – es besteht also keine allgemeine Wehrpflicht. Das Handbuch verschweigt es.

Warum verschweigt das Handbuch diese Fakten –?

Man vergegenwärtige sich die Situation: irgend ein Redner, ein Politiker, ein alter Militär, will vor seinem Publikum Eindruck machen. Er unterrichtet sich in diesem Handbuch – für einen öffentlichen Vortrag kann man nicht von jedem Menschen Quellenstudium in fremden Sprachen verlangen. Das ‹Handbuch des öffentlichen Lebens› unterrichtet ihn falsch, und er unterrichtet seine Hörer falsch. Er kann durchaus gutgläubig und mit Emphase sagen: «Selbst die kleinen Staaten haben ihre Wehrpflicht nicht aufgehoben – nicht einmal Dänemark, Schweden, Norwegen, Finnland und Holland haben es getan – und wir Deutschen sollten …» solcherart also sagt er seinen Leuten eine dicke Unrichtigkeit. Daran ist dieses Handbuch schuld.

Der Herausgeber ist mir als sauberer Journalist bekannt – vielleicht ist er in einem Teil der Fälle von seinen Mitarbeitern unsorgfältig bedient oder getäuscht worden. Er merze diese Fehler aus – das Kapitel «Der Vertrag von Versailles» ist Politik und keine Tatsachenübermittlung; der Rest ist schlimmer.

Wir werden immer wieder aufzeigen, wie in Schulbüchern, in Atlanten, in Nachschlagewerken, dort, wo man die Propaganda am wenigsten vermutet, wo sie also um so tiefer trifft, Politik gemacht wird – und zwar stets Rechtspolitik. Es gibt auf der ganzen Welt ein Gesetz, wonach die herrschende Klasse uns wissen machen will (und es vielleicht auch glaubt), daß ihre Anschauungen keine Politik seien. Wahrscheinlich sind sie ihr vom Himmel heruntergefallen. Wo man dergleichen trifft, soll man es austreten: so ist der vorige Krieg vorbereitet worden. So wird der nächste vorbereitet werden.

Das ‹Handbuch des öffentlichen Lebens› aber hat nicht die Berechtigung, für Deutschland zu sprechen, wenn es so spricht. Es spricht für einen Teil Deutschlands. Nicht für seinen besten.

Ignaz Wrobel, WB 20.8.1929

103

Schmiede und Schmiedegesellen

Berliner Handelsregister Nr. 34970: «Verlag Die Schmiede A.-G. Gegründet und eingetragen 1924. Sitz: Berlin. Vorstandsmitglied Dr. Fritz Wurm und Julius B. Salter. Kapital: 250000 Mark. Domizil: Magdeburger Straße 7. Jedes Vorstandsmitglied ist berechtigt, die A.-G. selbständig zu vertreten.» Lasset uns die Nasen zuhalten und eintreten.

Dieser Verlag hat dem Schutzverband Deutscher Schriftsteller mehr zu schaffen gemacht als acht große Verlage zusammen. Ich habe mir das Material vom Verband ausgeliehen und einige Tage lang, statt Bücher, Akten gelesen. Ich habe folgendes Bild gewonnen:

Der rechtens zugrunde gegangene Verlag «Die Schmiede» in Berlin ist ein Typus gewesen, und zwar der Typus des schlechten neu-deutschen Verlages.

Was uns hier interessiert, ist nicht, ob und inwieweit sich die Besitzer der Schmiede strafbar gemacht haben; nicht, ob im einzelnen die Abrechnungen richtig gewesen sind, wie die beiden Verleger behaupten, oder unrichtig, wie die Schriftsteller behaupten; ist nicht, wie lange diese Pseudo-Kaufleute mit ihren Zahlungen im Rückstand gewesen sind … es ist etwas andres.

Hinter diesen Akten mit ihren Zahlungsbefehlen, Schriftsätzen, Buchprüfungen, Zustellungen, Kostenfestsetzungen, Gegenschriftsätzen und Vollmachten schimmert ein Gesicht: das Gesicht des berliner und neudeutschen Geschäftemachers. Und den wollen wir wenigstens aus dem Literaturgeschäft hinauswerfen, wo wir nur können.

*

Der Künstler mit der Samtjacke hat abgewirtschaftet. In dem Augenblick, wo ein Kunstwerk die Werkstatt verläßt, um auf dem Markt angepriesen zu werden, ist es Ware geworden, und es ist das Verdienst des Schutzverbandes Deutscher Schriftsteller, diese Erkenntnis in alle Kreise der Schriftsteller verbreitet zu haben. Es schämt sich niemand mehr, von seiner künstlerischen Arbeit zu leben, sie auszunutzen, Abrechnung zu fordern … ein Schriftsteller, der diese einfachsten marxistischen Grundbedingungen seines Schaffens hochmütig ignorieren wollte, wäre ein Lügner oder ein sehr wohlhabender Amateur. Die Pflichten des Schriftstellers liegen klar zutage:

Der Schriftsteller darf nicht verlangen, daß sein Verleger nur ein Mäzen sei. Er hat sich nicht allein auf den Verleger zu verlassen; er muß selber das Urheberrecht kennen, daher hat er die Pflicht, die ihm vorgelegten Abrechnungen sauber zu prüfen, und wenn er das nicht kann, muß er einen geschäftskundigen Mann damit beauftragen; der Schriftsteller darf nichts Unmögliches vom Verleger verlangen, er muß also die Marktlage zu beurteilen wissen und die Möglichkeiten seiner geschäftlichen Erfolge erkennen; der Schriftsteller muß organisiert sein; der Schriftsteller sei kein lyrisches Mondkalb.

Das ist er auch nicht mehr. Es gibt – im Gegenteil – eher eine Sorte, die schon wieder zu resch ist; die der falschen Smartness gewisser Verleger eine ebenso falsche Smartness gegenübersetzt; es sind jene, von denen unsre Verleger oft genug betrogen werden, jene, die nach empfangenen Vorschüssen nichts tun oder doch zu wenig; die, haben sie einmal Erfolg, den Verlegern die Hälse abschneiden – das gibts auch. Im allgemeinen aber ist, wie es nicht anders sein kann, der Autor dem Verleger an geschäftlicher Tüchtigkeit und Erfahrung unterlegen. Ist der Verleger ein Schwein, dann ist der Autor geliefert.

Was mich bei der Lektüre der Schmiede-Akten so empört hat, ist die Gewissenlosigkeit, mit der hier Kaufleute die Interessen der Autoren mit Füßen getreten haben. Wer ist Herr Doktor Wurm? Wer ist Herr Salter? Da kommen also zwei junge Herren zusammen, die ein vages Interesse für die «Kunst» haben, nicht mehr als jeder gebildete Getreidekaufmann auch, Papa gibt etwas Geld, und sie gründen eine Aktien-Gesellschaft. Nun ist für den Kenner des Handelsrechts kein Zweifel, daß nichts grotesker ist als die Art, mit der alte, längst anachronistisch gewordene Formen der Handelsgesellschaften von Geschäftemachern zu Zwecken ausgebeutet werden, die mit den im Handelsregister niedergelegten auch nicht mehr das Leiseste zu tun haben. Die im Handels-Gesetzbuch aufgeführten Gesellschaftsformen sind längst zur Farce herabgesunken; findige Juristen spielen mit diesen Formen, der Schutz der Aktionäre ist ein Witz, aber kein guter, der Gläubigerschutz steht auf dem Papier, und alle diese Gesellschaftsformen dienen in Wahrheit nur einem einzigen Zweck: die Haftung der Unternehmer auf ein Minimum herabzudrücken.

Diese beiden also, durch nichts zum Verlegerberuf qualifiziert, gründen eine Aktiengesellschaft. Vielleicht haben sie zu Beginn gute Absichten gehabt; bei Gott ist kein Ding unmöglich. Sie nahmen alles Mögliche auf, Gutes und minder Gutes und dummes Zeug, ein Gesicht hat dieser Verlag jedenfalls nicht gehabt; man hätte niemals sagen können: «Dieses Buch kann nur die Schmiede herausgebracht haben», es hat eben so ziemlich alles dort erscheinen können.

Auch die Propaganda des Verlages ist nicht gut gewesen. Hier setzt bereits eine starke Beschwerde ein, die viele Autoren, denen der Verlag geschadet hat, immer wieder anführen. «Er hat nichts für mich getan.» Nun ist das mit der Propaganda ein eigen Ding: ich glaube, daß sich in diesem Punkte die meisten von uns Illusionen machen: Illusionen über die Möglichkeit, ihre Bücher zu propagieren, und vor allem über die Wirkung einer solchen Propaganda. Man gehe mit seinem Verleger die Kalkulation eines Buches durch, und man wird finden, daß die Grenzen, innerhalb deren er eine gute Propaganda machen kann, ziemlich beschränkt sind. Wieviel Bücher auf Grund von Anzeigen und Prospekten überhaupt gekauft werden, wird man niemals genau errechnen – ich halte den Prozentsatz für klein. Immerhin: Propaganda muß sein, und die Besitzer der Schmiede waren darin nicht sehr stark.

Sie fingen Serien an und ließen sie wieder fallen; sie hatten Manuskripte in ihren Schubladen liegen, die um die entscheidenden Monate zu spät herauskamen; sie waren, mit einem Wort, von jener typischen, wilden Betriebsseligkeit der Berliner erfaßt, die heute einen Vergnügungspark «ganz groß aufziehen», um ihn übermorgen in ein Theater zu verwandeln und nach einer Woche gänzlich zu vergessen. Traffic must be. Das Grausige an diesem ganzen Rummel ist die fürchterliche Unsicherheit seiner Veranstalter; «sie haben», wie ein witziger Autor gesagt hat, «nicht einmal die Sicherheit ihres schlechten Geschmacks». Heute Georg Kaiser und morgen Albert Daudistel, und wenn das nicht sofort einschlägt, und wenn das nicht gleich «der» große Erfolg ist, dann grapschen sie nach etwas Neuem. Treue ist nicht. Beständigkeit ist nicht. Linie ist nicht.

Sie hatten zwei Verlage: eben die Aktiengesellschaft, den Buchverlag – und eine G.m.b.H., den Bühnenvertrieb. Den Buchverlag ließen sie in Wahrheit schon sehr bald links liegen – aber sie haben niemals die Anständigkeit aufgebracht, die Autoren die wahre Lage wissen zu lassen. Gab es im Buchverlag einmal ein Defizit, dann mußte der Bühnenvertrieb herhalten, um es auszugleichen. Das schädigte wieder die Bühnenautoren.

Das mochte noch angehen; aber nun war da die Frage der Tantiemen.

Die eingehende Tantieme gehört dem Schriftsteller nicht, sie begründet nur eine Forderung des Schriftstellers an den, der seine Kunst erst in gängige Ware verwandelt hat, an den Verleger. So hat, wie mir scheint zu Recht, die deutsche Judikatur entschieden; es sind Versuche im Gange, die Tantieme von vornherein als Eigentum des Autors gelten zu lassen (so daß also eine nicht pünktliche Auszahlung eine Unterschlagung wäre), ich halte das für nicht richtig. Immerhin: Geschützt sind wir nicht sehr gut.

Wir sind, infolge unsrer Uneinigkeit, unsres mangelnden Interesses, infolge der kurzen Zeit, da wir uns überhaupt zusammengetan haben, lange nicht so geschützt wie etwa die französischen Theater-Autoren, die, zum Teil unter viel elenderen Bedingungen arbeitend, durch die Hilfe der Société des Gens de Lettres wenigstens von den Theaterdirektoren nicht so ausgebeutet werden können, wie das bei uns zu Lande der Fall ist. Die Kontrolle ist dort schärfer. Bei den Buchverlagen ist die Kontrolle schwieriger; wenn sie kommt, kommt sie meist zu spät. In dieser Lücke der Gesetzgebung war die Schmiede verankert.

Und hier nun ist das Gesicht jenes Kaufmannstypus, von dem ich gesprochen habe, ganz deutlich – hier ist er ganz. Was bei der Aktendurchsicht zu allererst auffällt, ist die grenzenlose Dreistigkeit des Verlages, auf Klagen, Anfragen, Mahnungen, Zustellungen, Schriftsätze überhaupt nicht zu reagieren.

Und um dieser Todsünde willen verdient nicht «der Verlag» die Geißelung, denn «den Verlag» gibt es nicht, er ist eine Fiktion. Angeprangert werden müssen dafür die Inhaber: die Herren Wurm und Salter, und es muß ihnen so heimgeleuchtet werden, daß ihnen die Lust vergeht, noch einmal Geschäfte in den Gefilden der Literatur zu machen, wo sie nichts mehr zu suchen haben.

«Die Herren sind in einer wichtigen Konferenz.» – «Im Augenblick ist niemand von den Herren da.» – Briefe: keine Antwort. Postkarten: keine Antwort. Telegramme: keine Antwort. «Was in diesem Laden versaut worden ist», sagte mir der langjährige Lektor der Schmiede, Rudolf Leonhard, «das ist geschehen durch die eine Postkarte, die im entscheidenden Augenblick nicht geschrieben worden ist.»

So waren sie: nachlässig. Gaben sich aber resch, clever, o, so amerikanisch! «Da chartern wir eben ein Flugzeug –», vielleicht ist dieser Satz in den Verlagsräumen der «Schmiede» nie gesprochen worden, aber er paßt schön dorthin. Es ist die kindische Freude am Betrieb, am Rummel, am Tempo um jeden Preis, besonders da, wo Stille und Bedenklichkeit hingehörten – es ist Berlin im Licht, wo es am dunkelsten ist. Dieses Gebahren hat in der Tat zwei Wurzeln: eine naive Freude am Apparat, am Herumregieren, am Organisieren (was keinesfalls identisch mit Arbeit ist) und an der Sucht, die Verantwortung zu verschieben, zu verdunkeln, nichtig zu machen. «Ja, das hat mein Sozius ...» – «Leider ist unser Herr, der das bearbeitet, grade nicht ...»

Es gibt ein berliner Theater, an dem dies zur Virtuosität ausgebildet ist; als man Carl Rößler einmal fragte, was denn Herr X. in diesem Betriebe eigentlich mache, antwortete er: «Der ist für den Meineid da.» Einer hat immer nichts gewußt, und der andre ist es nicht gewesen. Auf dieser Basis hat die Schmiede gearbeitet.

Nun wäre dieses Gemisch aus Unfähigkeit, Unsauberkeit, Fahrigkeit und der parvenuhaften Prätention, einen «literarischen Salon» aufzumachen, wo noch nicht einmal eine gute Stube gewesen ist, höchstens ein unerquicklicher Anblick und ein Fressen für den Satiriker, wenn uns alle diese Geschäftsführung nicht viel Geld und noch mehr Ärger, Nerven und Zeit kostete. Die Literaturkaufleute können einwenden: «Wir haben es stets mit Halbverrückten zu tun; wenn Sie ahnten ...» Ich ahne. Und entgegne: «Zugegeben. Die Künstler sind meist etwas neurasthenisch, sehr reizbar und monoman; aber es gibt da eine ausgleichende Gerechtigkeit: die andern sind heute nicht minder verrückt, und wir werden eigentlich immer vernünftiger.» Unter meinen engern Freunden in der Literatur habe ich keinen, dem die Haare gar zu wild in die Stirn fallen. Nein, das ist es nicht. Die Schuld liegt in diesem Falle auf Seiten der Verleger Wurm und Salter.

Wo blieb unser Rechtsschutz –?

Der Schutzverband Deutscher Schriftsteller, der sich erfreulicherweise eine Gewerkschaft nennt, ist von Anfang an hilfreich eingesprungen. Seine Mittel sind begrenzt, und durch die Geschicklichkeit der beiden Schmiedelehrlinge wurde der Streit meist dahin geschoben, wohin sie ihn haben wollten –: nämlich in jene falsche und durch nichts gerechtfertigte Verwickeltheit, in jenes Halbdunkel, wo sich heute die Geschäfte abspielen, die das nötig haben. Wenn man sich vor Paragraphen gar nicht mehr herausfindet –: erst dann kann man Steuern hinterziehn, Arreste aufheben, Gläubiger schädigen, erst dann. Es sind jene Geschäfte, die mit einem Telegramm anfangen und mit einem Zahlungsbefehl aufhören – das Tempo verlangsamt sich im Lauf der Zeit zusehends.

Der SDS hat, soweit ich das übersehen kann, einen Fehler begangen. Er hat den Verlag nicht früh genug auf die «Schwarze Liste» gesetzt. Mit dieser «Schwarzen Liste», die fortlaufend im ‹Schriftsteller› erscheint, ist es nun nicht einfach. Die Rechtsprechung macht uns da allerhand Schwierigkeiten – ehe wir vor einem Unternehmen warnen dürfen, müssen schon zwanzig von uns auf der Strecke geblieben sein, während große Trusts munter boykottieren, sie machen das nur geschickter. Von den Gerichten ist hier nicht sehr viel zu hoffen. Ich hätte die Aufnahme in die Liste riskiert; es hätte doch einen oder den andern gewarnt. Immerhin: der Verband hat sonst getan, was in seinen Kräften stand – das ist viel und wenig.

Denn Wurm und Salter stehen nicht allein. Da gibt es kleine Verlage in der Provinz, deren Phantasie grade noch ausreicht, fremden Literaturpreisen nachzulaufen – die können geschäftlich so schön berlinern, daß es eine Freude ist. Dieselbe Fahrigkeit; dasselbe Herumtaumeln im Irrgarten der Literatur; dieselbe falsche Eile im Anbahnen der Beziehungen und dieselbe unziemliche Schläfrigkeit bei der Erfüllung ihrer Verpflichtungen – sie richten Hunderte von uns zugrunde. Durch unsere Schuld.

Die Unsitte, Autoren-Tantiemen zu allerletzt zu berücksichtigen, wenn gar keine andre Forderung mehr übrig bleibt, ist bei vielen mindern Betrieben gang und gäbe, von den Theatern schon gar nicht zu reden. Was die Zeitungskorrespondenzen angeht, so steht es damit ähnlich: es gibt ganze Heerscharen von Parasiten, die von uns leben, schlecht abrechnen, noch unpünktlicher bezahlen und sich überhaupt an fremde Arbeit anzecken. Wie sie sich bei den elenden Honoraren, die von fast allen Provinzzeitungen und besonders von den Arbeiterblättern gezahlt werden, noch zwischen Produzent und Verbraucher schieben, ist heiter mitanzusehen. Der Raum, den die Anzeigen der von ihnen belieferten Presse freilassen, wird von uns so ziemlich kostenlos ausgefüllt: noch niemals hat bei diesen Blättern der Posten «Honorar» irgend eine Rolle in der Gesamtkalkulation gespielt. Durch unsre Schuld.

Es ist mir bewußt, daß die Herren Wurm und Salter diese Beachtung nicht verdienen. Aber sie verdienen sie: es gibt sie schockweise, und zu Hunderten in unserm Beruf. Aus irgend einem Grunde ist der Kommissionär von Künstlern häufig nicht ganz stubenrein, und da gibt es alle Arten. Am verächtlichsten erscheint mir die neu-berliner Nummer: dieser «fixe» Junge, der in Wahrheit faul ist und nachlässig; ein Yankee aus Posen oder Prag – mit den Händen in dreizehn Geschäften zugleich, maßlos überlastet, überdreht, nichts macht er zu Ende, aber er ist allemal dabei. Wurm und Salter waren Vertreter dieser Spezies; wenn die James Klein heißt, sind sich alle Leute in der Verurteilung einig. Hat der Typus aber ein wenig mehr gelesen, ist er nicht so abgeschmackt aufdringlich und ungarisch gepfeffert, dann wird er ernst genommen. Man solle diese Leute mit Peitschenhieben verjagen, wo immer man sie trifft.

Die «Schmiede» ist dahin. Was nun –?

Erstens: der Vorfall soll uns allen zur Lehre dienen. Es muß jeder in einen der Verbände hinein, die uns schützen. Ich habe mit dem SDS gute Erfahrungen gemacht und kann nur zu ihm raten. Das Geld, das wir ihm geben, ist nicht vertan. Damit ist keine Vereinsmeierei verbunden; es ist wie ein Abonnement, und es lohnt sich. Geht zu ihm.

Zweitens: Die Herren Wurm und Salter können den Versuch machen, sich sanieren zu lassen, was ihnen schon ein paar Mal geglückt ist – aber immer nur auf kurze Zeit. Die Leute, die an ihnen Geld verloren haben, sind mitnichten zu bedauern; so etwas unterstützt man nicht, wenn man nicht dazu gehört. Friede ihrer

Pleite. Die Herren Salter und Wurm sind aber nicht um ein Haar besser, wenn sie sich übermorgen «Der Klappschrank» oder «Die Töpferei» nennen – es sind dieselben Leute, es sind dieselben Unarten, es sind dieselben Inkorrektheiten. Das muß verhindert werden.

Wenn sich diese edlen Beiden noch einmal in die Literatur oder in den Theatervertrieb begeben, so entziehe man ihnen das Vertrauen. Sie mögen ihre Geschäfte mit andern Bedarfsgegenständen machen. Bei uns haben sie nichts mehr zu suchen. Man versehe sie mit jenem Vermerk, mit dem eine erledigte Sache zu schließen pflegt:

«Zu den Akten.»

Kurt Tucholsky, WB 20.8.1929

104

Diskretion

Daß Josefine eine schiefe Nase hat;
daß Karlchen eine schwache Blase hat;
daß Doktor O., was sicher stimmt,
aus einem dunkeln Fonds sich Gelder nimmt;
daß Zempels Briefchen nur zum Spaß ein Spaß ist,
und daß er selbst ein falsches Aas ist
in allen sieben Lebenslagen –:
das kann man einem Menschen doch nicht sagen!
Na, ich weiß nicht –

Daß Willy mit der Schwester Rudolfs muddelt;
daß Walter mehr als nötig sich beschmuddelt;
daß Eugen eine überschätzte Charge;
daß das Theater … dieser Reim wird large …
daß Kloschs Talent, mit allem, was er macht,
nicht weiter reicht als bis Berlin W 8;
daß die Frau Doktor eine Blähung hat im Magen –:
das kann man einem Menschen doch nicht sagen!
Na, ich weiß nicht –

Man muß nicht. Doch man kann.
Die Basis unsres Lebens
ist: Schweigen und Verschweigen – manchmal ganz vergebens.
Denn manchmal läuft die Wahrheit ihre Bahn –
dann werden alle wild. Dann geht es: Zahn um Zahn!
Und sind sie zu dir selber offen,
dann nimmst du übel und stehst tief betroffen.
Die Wahrheit ist ein Ding: hart und beschwerlich,
sowie in höchstem Maße feuergefährlich.
Brenn mit ihr nieder, was da morsch ist –
und wenns dein eigner Bruder Schorsch ist!
Beliebt wird man so nicht. Nach einem Menschenalter
läßt man vom Doktor O. und Klosch und Walter
und läßt gewähren, wie das Leben will …
Und brennt sich selber aus. Und wird ganz still.
Na, ich weiß nicht –.

Theobald Tiger, WB 20.8.1929

105

Grammophonplatten

Mit allen meinen Buntstiften lese ich, was uns Hans Reimann hier an Platten empfiehlt, und vieles kaufe ich davon. Und dann muß ich mich wundern. Nicht über Reimannen, – nein, über ganz etwas andres.

Die ungeheure Komik an diesen Platten steckt darin, daß jeder eine Lieblingsnummer hat, die fast niemals auf andre zu übertragen ist. «Also das müssen Sie sich kaufen –!» Gehst hin, kaufst. Drehst auf, spielst.

Mirjam, mein Leben, mein Kind, schlaf ein … wie fern Menschen doch voneinander sind. – Was hat jener nur mit dieser Platte? Ein langsames Gebember, schrille Frauenstimmen – nehmen Sies mir auch nicht übel … Der andre, tief beleidigt, ab. Altenberg: «Jeder versteht nur seine eigne Poesie.»

Man muß wohl selber die Platten kaufen, was ja bekanntlich

kein Vergnügen ist. Aber man muß. Und so habe ich langsam herausgefunden, was mir frommt.

Es ist vor allem der Rhythmus, der mich musikalischen Hornochsen reizt – wenn er so erbarmungslos abschnurrt, das ist schön, und da habe ich einen großen Kollegen bei der Zunft, das ist Stravinsky. «Dies Orchester», soll er einmal gesagt haben, «ist sehr gut; es läuft wie eine Nähmaschine.» Komm an mein Herz! Da ist, zum Beispiel, in Jonnys Triumphlied bei Krenek ein Mittelteil; wie da ein nach Saxophon schmeckendes Cello über dem Plam-Plam singend schwebt, das ist, um in den Apparat zu kriechen. Die Bläser sind eine Kleinigkeit zu laut. (Wahrscheinlich sind sie nicht bei jenem Kapellmeister in die Schule gegangen, der auf jeder Probe bat und flehte: «Leiser! leiser die Bläser! Mein Gott! Noch leiser! Noch viel leiser!» Und da haben sie denn auf der Generalprobe überhaupt nicht mehr geblasen. Und da hat er gesagt: «Sehr gut, meine Herren. Nur … morgen noch eine winzige Nuance leiser …!»)

Ja, es ist der Rhythmus und das Piano, blau muß eine Platte sein, und ein Bariton muß sie singen, Cello und klagendes Saxophon – aber nur ja nicht die gelben Trompeten und die hellspitzen Damenschreie … nichts wie raus.

Und was den «speed» angeht, die Umdrehungsgeschwindigkeit, so hat der Erfinder dieses Apparats zu Emil Ludwig etwas Wunderschönes gesagt, was mir gleich eingegangen ist. Der alte Edison sagte: «Wir stellen instinktiv den Apparat so, daß die Geschwindigkeit etwa dem Rhythmus unsres Herzschlages entspricht …», eine sonderbare und sehr einleuchtende Bemerkung. Der Herzschlag geht seinen Gang; aber die Neuerwerbungen mißbrauche ich, indem ich sie mir immerzu vortrudele. Das soll man nicht tun: nach dem vierundsechzigsten Mal macht sich eine leichte Abspannung bemerkbar.

Wenn Sie meine Lieblingsplatten hören, dann schlagen Sie die Beine über dem Kopf zusammen. Mir aber erfreuen sie das Herz, und wenn ich meine Lieblinge in der Literatur verarzten muß, dann stehe ich ab und zu auf, kurbele den Kasten an, und dann singen sie:

«A room with a view –»

plim – plam – und beruhigt kehre ich zurück zu den feinen Gedankengängen des Kulturdichters Binding oder zu andern Büchern, die wir lieb haben.

Peter Panter, WB 20.8.1929

106

Berolina ... Claire Waldoff

Bei mir – bei mir –
da sind sie durchgezogen:
die Lektrischen, der Omnibus, der Willy mits Paket.
Und eh – se hier
schnell um de Ecke bogen,
da ham se 'n kleenen Blick riskiert, ob SIE noch oben steht.
Nu stelln die Hottentotten
mir in ein Lagerhaus;
ick seh mank die Klamotten
noch wie Brünhilde aus ...
    Ick stehe da und streck die Hand aus –
    der Alexanderplatz, der is perdü!
    Ick seh noch imma 'n Happen elejant aus,
    Ick hab nur vorne hab ick zu viel Schüh ...!
        Ick laß se alle untern Arm durchziehn –:
        ick bin det Wappen von die Stadt Berlin –!

Bei mir – bei mir –
da denk ick: Nu verzicht ich!
Mit meine Würde paß ick nich – in den modernen Schwoof.
Denn fier – Berlin
da war ick jrade richtich:
pompös, verdreckt un anjestoobt und hinten 'n bisken dof.
Nu blasen die Musieker,
geschieden, das muß sein ...
sogar die Akademieker,
die setzen sich für mir ein ...

Ich stehe da und streck die Hand aus;
der Alexanderplatz, der is perdü!
Ick seh noch alle Tage elejant aus –
ick hab nur vorne hab ick zu viel Schüh!
    Nu muß ick jehn. Nu wert a balde lesen:
    Mir hamse injeschmolzn. Laßt ma ziehn!
    Ick hab euch jern. Es wah doch schön jewesen:
    als Wappen von die olle Stadt Berlin –!

Theobald Tiger, WB 27.8.1929

107

Neues Licht

Dies ist die Vorrede zum ‹Deutschen Lichtbild 1929/30›, das im Verlag Robert und Bruno Schultz, Berlin W. 9, Schellingstraße 12, erscheint. Diese schöne Jahresschau kommt, wie jedes Jahr, auch in diesem Oktober heraus: sie enthält die besten deutschen Photographien.

« Maler können bekanntlich nicht kieken. »

Deutschland zerfällt in Fachleute und Laien – jene blicken auf diese voller Verachtung herunter, und da jeder ein Mal Fachmann, neunundneunzig Mal hingegen Laie ist, so ergibt sich ein heftig bewegtes Gesellschaftsspiel, dessen Fruchtbarkeit geringer ist, als seine Veranstalter glauben. Es kommt bei diesem Spiel nicht viel heraus.

Daß in diesem fachwütigen Deutschland der Herausgeber eines Fachbuches den Mut hat, einen ††† Laien damit zu betrauen, das Vorwort zu schreiben, darf dankbar angemerkt werden. Um so mehr, als die meisten Fachleute leicht vergessen, daß sie ja alle für den Laien arbeiten, der sich zwar niemals das Recht anmaßen darf, einen Arzt über die Entstehung eines Infektionsherdes zu belehren, der aber ein Recht, ein einziges, besitzt: zu erklären, er sei gesund geworden oder nicht.

Der Photograph arbeitet, damit der Laie sich seine Bilder ansehe, seine Freude an ihnen habe, sie immer wieder betrachte – erst in zweiter Linie ist die Fachkritik für ihn von Wichtigkeit, die ihn belehrt: er habe mit falscher Belichtung photographiert, er habe einen falschen Bildausschnitt gewählt, er habe nicht das richtige Papier genommen … Ich habe den höchsten Respekt vor anständiger handwerklicher Arbeit, die wir in der zweiten Hälfte des neunzehnten Jahrhunderts auf allen Gebieten so sehr vernachlässigt haben – aber die handwerkliche Arbeit ist Voraussetzung, nicht Endzweck der Photographie. Was ist das, die Photographie?

Kunst –?

Sie war Jahrzehnte hindurch Mitteilung und Gebrauchsgegenstand: Mitteilungsmittel für die illustrierten Blätter, die auf diesem Wege dem Leser kundtaten, daß der Herzog von Pleitonien einen gestutzten Schnurrbart trüge; Gebrauchsgegenstand für den Haushalt, auf dessen Salontisch das dicke leder- oder plüschgebundene Photographie-Album mit den Goldbeschlägen lag … das ist Tante Anna als junges Mädchen, ja, war ganz hübsch, damals … sieh mal, Onkel Emil als Einjähriger! zum Kullern … und dies ist Großmama, ihre letzte Aufnahme … den da werd ich mal rausnehmen, der Lümmel hat sich Lisa gegenüber derart benommen! … – das ist die Photographie gewesen. Dann brach etwas andres herein.

Die Photographie bekam den malerischen Fimmel. Sie hat ihn noch nicht ganz überwunden.

Gepiekt von dem Ehrgeiz, auch als «Künstler» zu gelten, worunter viel Samtjacke zu verstehen ist, äfften die Photographen die Malerei: den Impressionismus, später den Expressionismus, gestilt, geballt und gezackt – und die ganze Zeit hindurch die klassizistische Malerei mit schweren Brokatvorhängen und edler Haltung. Das war nicht schön. Ganz allmählich setzt sich etwas andres durch; die Photographie kehrte scheinbar zu ihren ersten Anfängen zurück, zu jener Zeit, wo unvollkommene Apparate und tastende Entwicklungsversuche eine Wiedergabe von Gewändern, von Fleischtönen und von Licht ergaben, wie man sie zu erreichen erst jetzt wieder in der Lage ist – der Kreis schloß sich, und hier begann etwas völlig Neues.

Die Karikatur dieses Neuen heißt «neue Sachlichkeit» – ein Ding, das insofern keinen ganz richtigen Namen trägt, als es weder neu noch sachlich ist. In ihm ist bei seinen ehrlichen Vertretern jenes «Indianerstaunen über die Zivilisation», wie Karl Kraus das genannt hat; in ihren unechten Vertretern viel Koketterie, Modelaune, Spielerei – und in allen die Ziellosigkeit dieser Epoche, die nicht mehr ganz mechanistisch ist und noch nicht wieder fromm. Sie parodiert beides.

Das ist in diesem Buche zu sehen.

Denn das Grundgefühl eines Photographen offenbart sich in seiner Stoffwahl, auch in seiner Stoffwahl – es ist nicht nur diese Auswahl, die den Typus eines Bildes bestimmt. Vielmehr wird der bestimmt von:

Dem Funken, der den Photographen durchzuckt hat: «Das hier mußt du photographieren!»; dem Gemisch aus handwerklichem Können und «Gefühl», welchen Bildausschnitt er macht; demselben Gemisch bei der Entwicklung und Bearbeitung des Lichtrohstoffes –: aus alledem kann man erkennen, wes Geistes Kind der Lichtbildner ist.

Also: «Weltanschauung»? Ja und Nein.

Nein: wenn es etwa jener schröckliche Versuch sein soll, vague Gefühlsregungen, Philosophieersatz und das Wesen eines Menschen mit diesem Sektierwort zu umkleistern, das so nach Pflanzenbutter schmeckt ... ja: wenn es heißen soll, daß auch die Photographie nicht aus der Epoche springen kann, sondern daß auch sie ein Bestandteil des geistigen zwanzigsten Jahrhunderts ist. Auch sie.

Ein Lichtbild, losgelöst vom Hersteller, zu betrachten, ist ein handwerklich enges Unterfangen. Man kann dann sehen: wie hat er gearbeitet? welche Hilfsmittel hat er verwandt? wie macht er das? was hat er versäumt ...? aber mehr auch nicht. Es gibt eine viel wichtigere Frage, die so selten gestellt wird:

Wer photographiert?

So, wie es auf der Welt nichts Unpolitisches gibt, so gibt es auch keine unpolitische Photographie. Unnötig zu sagen, daß hier nicht an Reichstagsfraktionen gedacht ist; ein linksdemokratisches Lichtbild ... nein, das gibt es nicht. «Also wollen Sie sagen, daß es eine katholische Lichtbildnerei gibt?» Ja, das will ich sagen – und denken Sie: auf solchen Bildern brauchte kein Kreuz zu stehen, keine Monstranz und kein Priester, wie man ja überhaupt den Begriff «katholisch» meist viel zu äußerlich nimmt und statt seiner die Kulisse setzt. Doch haben die Russen recht, wenn sie den Klassenstandpunkt auch noch in solchen der Politik scheinbar fernen Gebilden sehen – wir vergessen nämlich immer, daß die bürgerlichen Voraussetzungen Mitteleuropas, auf denen die Kultur des letzten Jahrhunderts gewachsen ist, nicht vom Himmel heruntergefallen sind; solche Voraussetzung ist kein naturhaftes Ding wie der Regen, das Meer und die Blume. Nur die interessierten Verteidiger behaupten, es gehe gar nicht anders ... Es geht anders.

Daher denn an den Bildern dieses Buches – wie an allen Lichtbildern – genau zu sehen ist, wer photographiert hat. Wer photographiert?

Sieht man von den jüngsten Versuchen der Arbeiterschaft ab, sich eine ihrer Klasse adäquate Photographie zu schaffen, Versuche, die noch im Stadium des Anfangs stecken, noch sehr stark am Stoff kleben ... sieht man von diesen Versuchen ab, so ergibt sich, daß es der kleinere und gehobene Mittelstand ist, der photographiert. Der Mittelstand photographiert – die geistige Oberschicht knipst.

Und weil noch bis weit über 1900 hinaus der Mittelstand die Photographie diktatorisch beherrscht hat, lehnten es der Geistige, der Akademiker, der Professor, der Künstler ab, in diesem Treiben so etwas wie «Kunst» zu sehen – damals vielleicht nicht mit Unrecht. Diesen Standpunkt muß der Denkende heute verlassen. Photographie ist fixierte, künstlerische Gesinnung.

Wie steht es mit ihrem Niveau?

Die Gebrauchsphotographie des Professionals steht nicht, wie man denken sollte, an erster Stelle – aber gar nicht steht sie da. Das brave Bürgerportrait (1 Dutzend Visit) wankt weit hinter der Zeit, was wohl nach einem tiefen Wort Leo Trotzkis darauf beruht, daß die meisten Menschen Anachronismen ihrer eignen Epoche sind. Der einzige, der wirklich von 1929 ist, dürfte wohl der Kalender sein ... Die Berufsphotographie also krankt daran, daß sie dem Kunden keine Vorschriften machen kann – er macht ihr welche, und so sehen diese Photographien auch aus. Man gehe durch irgendeine kleinere oder mittlere Stadt und betrachte die Aushängekästen der Photographen. Ein Lichtbildmann schildert das so: «Niveau Neustadt – Bahnhofstraße. Familienmuff; Einsegnung; Brautpaar mit Gehrock, weißem Binder und hoffentlich geschlossenem Kranz; der Nackedei mit Schafsfell auf dem Tischchen (‹Wie er schon das Köpfchen hebt ...›); Tantes Purzel beim Schönmachen und notfalls Denkmalseinweihung auf dem Markt». Ja, das wollen die Kunden so ... faule Kunden!

Auch der feinere Bildnisphotograph muß, wie sein Kollege, der Portraitmaler, viel herunterschlucken, viel mildern, retouchieren, arrangieren, drapieren ... die Wahrheit wird rechtens nackt abgebildet. So kommt es, daß der Berufsmann eigentlich von allen diesen am wenigsten Neues gibt – wenigstens nicht in seinem Atelier, wenigstens nicht für den Kunden. Manchmal darf auch er tun, was ihm beliebt – doch das in seiner freien Zeit, außerhalb des Berufs, so gewissermaßen: Immer mach du nur, aber der Ernst des Lebens, lieber Freund, sieht anders aus.

Das bezieht sich vor allem auf die Portraitphotographie, wo der niedere Geschmack des gehobenen Bürgers und auf der andern Seite der Snobismus hohe Wellen schlagen. Erst war der Kitsch süß, dann war er sauer – und heute tut er sich sachlich. Was allerdings diese Erscheinung nicht erschöpft.

Was also der Berufsphotograph wirklich nach seinem Willen, und nicht nach dem des Kunden machen möchte, das ist er gezwungen, in seiner freien Zeit zu machen. Und das kostet Geld. Hat er das: Zeit und Geld? In den meisten Fällen nicht – also bleibt er manchmal im Rennen auf den hinteren Plätzen.

So rückt der Liebhaberphotograph in die ersten Reihen: der, der die Photographie lieb hat; der das, was er macht, aus Liebe zur Sache macht, zunächst ohne Rücksicht auf Kunden, Wettbewerbe, Preise, Preis und Geld. Unter diesen Liebhabern sind es die Liebhaberinnen, die ihre männlichen Kollegen oft überflügeln – oft, nicht immer.

Unter ihnen allen aber dominiert noch sehr oft die brave Mitte; Leute, für die Ekstase mit einem x geschrieben wird, brave, nette Knaben und junge Damen, mit einem immer ansteigenden Niveau an handwerklichem Können. Über ihnen die Ausnahmen, die Spitzen, diejenigen, die aus dem Können zur Kunst gekommen sind. Kommt Kunst von Können? «Kunst kommt von Sein», hat Alfred Polgar gesagt.

*

29000 Bilder hat der Herausgeber dieses Jahrbuches durchgesehen; diese hier scheinen ihm die besten zu sein. Blättern wir …

Um das einzig Negative vorwegzunehmen: was auffällt, ist der fast völlige Mangel an Humor. Wenn unsre Photographen lustig sein wollen, dann sind sie neckisch: ein Kind auf einem Nachttöpfchen zu photographieren, beweist noch keinen Humor, es ist nur eine Mischung von fataler Niedlichkeit und Unappetitlichkeit, das wollen wir gewiß nicht. Es gibt jedoch einen bildhaften Humor. Beispiel: die Tafel XXII der englischen ‹Photograms 1927›, The Mask and the Man von W. Connell. An der Wand hängt eine freundlich grienende, etwas asiatisch anmutende Maske mit Schnurr- und Kinnbart. Schräg darunter steht ein Mann, der fast ebenso aussieht wie die Maske, sie ist nicht sein Portrait, er ist nicht ihr genaues Abbild, aber sie ähneln sich sehr. Und da freut sich der Mann. Und lacht. Die Maske lacht auch. Und auf einmal springt der Gedanke auf dich zu, was das ist: Nachbilden. Was das ist: ähnlich sein. Was das ist: Bewegtes und Starres, Lebendiges und Pappmaché. Eine merkwürdige Aufnahme, durchleuchtet von einem irdisch glühenden Humor.

Das kann ich hier nicht finden. Was ich finde, ist:

Eine wundervolle Technik, deren Ergebnisse auch dem Laien, grade dem Laien, eingehen. Wieviel habt ihr gelernt! Was könnt ihr nicht alles! Wie weit seid ihr –!

Ganz vorneweg Hugo Erfurth mit seinen meisterhaft einfachen Bildnissen; Moholy-Nagy, der Unerbittliche: es wird uns nichts geschenkt – kein Pickel, keine Zahnlücke, kein Fältchen; es wird uns viel geschenkt: die Erde. Gesehen durch ein Gehirn. Ganz vorneweg: E.O. Hoppé, der Saubere. Wie blitzblank ist das gemacht, wie sitzt das, wie senkt das Auge sich in die Welt! Das ist ein Großer. Da ist der Bildreporter Erich Salomon, einer, der wirklich «heimbringt», was er gesehen hat – und er hat viel gesehen! Weiter Versuche; Neuland; vollendetes Altland – eine der merkwürdigsten Aufnahmen dieses Bandes ist das Blatt 53, auf dem Hannes Flach einen Frauenkörper fast schmerzhaft real in eine alltägliche Umgebung stellt, das Bild kippelt auf der Grenze – aber die Frau hat gesiegt. Gegenüber – auf dem Blatt 52 von Hinnrich Scheper – schwimmt die neue Zeit; selbstverständlich Bauhaus Dessau, eine zweidimensionale Frau … Frau: Platz; Stil: Sieg. Dann das beste Frauenbildnis in diesem Band: das Blatt 63 von Walter Süßmann, ein Bild, das ohne Wissen des Objekts vom Objektiv erwischt worden ist – sieh ihr in die Augen, eine Welt leuchtet daraus, ihre, unsre, deine! Blättere … Und du findest die Flucht des Menschen zu den Tieren; Rudolph Zimmermann und F. Schensky, der Einsame auf Helgoland, Albert Leon im Spessart, Paul Unger, Hedda Walther auf einsamer Höhe! Die ein wenig kühlere Bewunderung der Naturformen, die leicht frigide Feststellung, wie die Pflanzen und Fische aussehen, nur manche Bilder lassen etwas von dem glühenden Eifer ahnen, mit dem sie erjagt wurden – kaum eines von einer glühenden Liebe zur Natur. «Zu klug für die Erde – zu feige für den Himmel.» Wir sind noch nicht fromm. Wir suchen.

*

In Paris habe ich mir mancherlei internationale Ausstellungen angesehen.

Die Franzosen: aber zu allerunterst. Die Engländer, die Amerikaner, die Kanadier, die Japaner – zum Teil herrlich, zum Teil böser Kitsch. Die Deutschen: von einer gleichmäßigen Sauberkeit, einem hohen Niveau – wie etwa in diesem Bande, der wohl ein guter Querschnitt durch das deutsche Lichtbild ist. Es geht aufwärts.

Parzellenweis rückt die Photographie nach vorn; sie erobert. Sieh in sie hinein: auch sie ist ein Spiegel deiner Zeit.

Peter Panter, WB 27.8.1929

Blutrache in Leipzig

Es ist leider nicht lustig – es handelt sich um das Reichsgericht.

So etwas geht nun ganz still durch die Zeitungen; kein republikanischer Hahn kräht danach:

Im Jahre 1910 tritt ein Deutscher, namens Gies, in die französische Fremdenlegion. Im Jahre 1911 macht er seinen Fluchtversuch; Gefängnis. 1914: Algier, Marokko, Indochina. Im September 1918 ist seine Dienstzeit abgelaufen; er kommt nun als deutscher Gefangener in das Lager von Châlons. Dort bedrängen ihn die Franzosen: du kommst hier heraus, wenn du dich noch einmal bei uns anwerben läßt, du bekommst eine Pension! Nun stelle man sich die Lage des Mannes vor: acht Legionsjahre auf dem Buckel, seine Heimat hat er in der ganzen Zeit nicht gesehen, es bindet ihn wohl auch nichts, im Lager ist es grauenhaft … er sagt Topp, verdingt sich zunächst bis «zur Beendigung des Krieges», dann auf weitere fünfzehn Jahre. Er steht später merkwürdigerweise während der Ruhrbesetzung in Essen. Weihnachten 1928 lassen sie ihn los – der Hammel geht nach Deutschland zurück. Wird sofort verhaftet. Weil er in Essen …? Nein. Das Reichsgericht ist viel gerissener.

Sie nehmen diesen armen Burschen hopp, weil er – hör gut zu! – weil er durch seine Anwerbung nach Algier dort einen «Franzosen freigemacht habe»! Der also nun gegen die Deutschen kämpfen konnte … «Aus den Äußerungen des Vorsitzenden während der Verhandlung war zu entnehmen, daß noch eine größere Anzahl deutscher Fremdenlegionäre, denen es wie Gies ergangen ist, wegen Kriegsverrats belangt werden sollen.»

Es steht ohne Beispiel in der Geschichte der Völker da, daß ein Regime die Debet-Konten der bankerotten Vorgänger zum Ausgleich bringt. Die ganze Untertanseligkeit Fritz Eberts und seiner Leute kann nicht besser zum Ausdruck gebracht werden als durch ihren immensen Fehler, damals nicht sofort durch Verordnungen einen dicken Strich zwischen sich und der Vergangenheit gezogen zu haben. Aber wie konnten sie das: sie waren ja selbst diese Vergangenheit!

So sind nun diese armen Hunde der Rache des Reichsgerichts ausgeliefert. Auf die Konstruktion des Urteils wird kein Jurist hineinfallen. Die Entscheidung besagt:

Wenn ihr den Krieg liquidiert habt – wir nicht. Wenn du, Republik, vielleicht glaubst, daß es damit sein Bewenden hat, daß du den Vertrag von Versailles unterzeichnest, dem Kaiser und den andern Kriegsmachern Pension zahlst – für uns ist die Sache noch lange nicht erledigt. Wir kommen noch elf Jahre hinterher angewackelt und rächen uns an unsern Landsleuten für den verlornen Krieg! Fünf Jahre Festung hat Gies bekommen.

So hat jeder seins: der seine Strafe und wir dieses Reichsgericht.

Ignaz Wrobel, WB 27.8.1929

109

Die Rolle des Intellektuellen in der Partei

In der Nr. 7 dieser Zeitschrift ist von einem Aufsatz meines Freundes Kurt Hiller die Rede; die Arbeit hat in der ‹Weltbühne› gestanden und ist hier einer scharfen Kritik unterzogen worden. Ich erbitte das Gastrecht dieses Blattes, um etwas Grundsätzliches dazu zu sagen.

«Es ist anzunehmen», schreibt Hans Conrad, «daß sich die Herausgeber der ‹Weltbühne› mit dem Hillerschen Programm solidarisieren.» Das tun sie nicht. Die ‹Weltbühne› ist eine Tribüne, in der die gesamte deutsche Linke in des Wortes weitester Bedeutung zu Worte kommt; wir verlangen von unseren Mitarbeitern Klarheit, persönliche Sauberkeit und guten Stil. Ob dieser Grundsatz richtig ist oder nicht, ist eine andere Frage; so habe ich das Blatt von meinem verstorbenen Lehrmeister Siegfried Jacobsohn übernommen und so habe ich es an Carl von Ossietzky weitergegeben, der keinen Finger breit von dieser Richtung abgewichen ist. Die ‹Weltbühne› verzichtet bewußt auf ein starres Dogma; bei uns wird diskutiert.

Was wird nun diskutiert?

Als ich im Jahre 1913 in die ‹Weltbühne› eintrat, begann ihr

Herausgeber sich mit Politik zu befassen; ich bestärkte diese Neigung, wo ich nur konnte, und das Blatt stand damals ungefähr links von den Sozialisten. Weil es kein festes Programm hatte, konnte es in der Revolution nicht führend sein. Ich lege aber den größten Nachdruck auf diesen Satz:

Wir haben niemals beansprucht, die Führer der Arbeiterklasse zu sein.

Dies vorangeschickt, wollen wir folgende Sätze betrachten, die hier zu lesen gewesen sind:

«Die Tragödie Deutschlands ist nicht zuletzt die jämmerliche Halbheit seiner ‹linken› Intellektuellen, die da über den Parteien thronten, weil es ‹einem in den Reihen nicht leicht gemacht wird› (um mit Kurt Tucholsky zu sprechen). Diese Leute haben 1918 glänzend versagt, sie versagen noch heute. Ihre Führerrolle war und ist kläglich, einfach jämmerlich, denn die lieben Leutchen glaubten und glauben, daß sie bloß auf das Podium zu steigen brauchen, um den Beifall des Volkes entgegenzunehmen. Aber das ‹Volk› hat diese Neulinge gar nicht verstanden, und jetzt klagen unsere überklugen Musensöhne dafür die Dummheit der Proleten an und beginnen – soweit sie nicht längst in die Gefilde der Ullstein- und anderer Konzerne zurückgekehrt sind – zu wehklagen oder ihre billigen Weisheiten und Rezepte à la Hiller an den Mann zu bringen.»

Wir sprechen aneinander vorbei.

In einem Aufsatz ‹Gebrauchslyrik› (eine in der ‹Weltbühne› erschienene Besprechung der Gedichte Oskar Kanehls, die den Lesern dieses Blattes kostenlos zur Verfügung steht) habe ich versucht, die unglückliche Rolle des deutschen linken Intellektuellen in den Arbeiterparteien zu skizzieren. Ich formuliere hier noch einmal, schärfer.

Der Intellektuelle schreibe sich hinter die Ohren:

Er ist nur unter zwei Bedingungen überhaupt befugt, in die Führung einer Arbeiterpartei einzutreten: wenn er soziologische Kenntnisse besitzt und wenn er für die Arbeitersache persönliche Opfer bringt und gebracht hat. Lenin hat beides vereint. Erfüllt der Intellektuelle diese Bedingungen nicht, so darf er allenfalls als bescheidener Helfer in den Reihen des Proletariats mitkämpfen; er erwarte nichts Besonderes von der Partei; er strebe nicht nach Posten und Pöstchen; er wage es nicht, vor eine Versammlung von Streikenden zu treten und sie mit schönen Worten zum Durchhalten zu ermahnen. Geht es in den Straßenkampf, dann schieße er mit – oder schweige. Er ist ein Sympathisierender – mehr nicht.

Die Partei schreibe sich hinter die Ohren:

Fast jeder Intellektuelle, der zu ihr kommt, ist ein entlaufener Bürger. Ein gewisses Mißtrauen ist am Platze. Dieses Mißtrauen darf aber nicht jedes Maß übersteigen.

Es ist ungemein bezeichnend, daß der Vorwurf: «Der Kerl lebt zu gut», nie, niemals von einem Arbeiter zu hören ist, sondern immer nur von jenen Viertel- und Halb-Intellektuellen, die in der Partei arbeiten. Es gibt heute einen Snobismus der schwieligen Faust, der unerträglich geworden ist. Wer ist Hans Conrad? Wer spricht? Ein Mann, der acht Stunden am Schraubstock steht? Das ist nicht anzunehmen; er könnte sonst diese Zeitschrift nicht machen. Er wird mir seinen Stammbaum entgegenhalten – der ist kein Beweis. Die versteckte oder offene Feindseligkeit, der unsereiner in den Arbeiterparteien begegnet, ist ebenso groß wie die Freundlichkeit, die wir bei den klassenbewußten Arbeitern finden; die fühlen mit dem todsichern Instinkt ihrer Klasse, wer da zu ihnen kommt: einer, der aus kleinbürgerlichen Kreisen herkommt; einer, der bürgerlich lebt – und einer, der nicht lügen will. Denn es wäre eine verdammte Lüge, sich den Kragen abzubinden und den Proleten zu «markieren». Hier wird nicht markiert. Wir sitzen zwischen zwei Stühlen und haben erkannt:

Der Kampf der Arbeiterklasse führt zum Siege; er ist gerecht. Wir haben es sehr schwer, uns von der Grundlage unserer Erziehung, unserer Ausbildung, unserer Arbeit loszulösen. Man schilt uns von der Bürgerseite her: Bolschewisten. Man mißtraut uns von der Funktionärseite der Arbeiterparteien her – niemals haben uns die Arbeiter mißtraut, sofern wir uns zurückhaltend und sympathisierend angeschlossen haben. Wer mitarbeitet und den Mund nicht aufreißt, ist bei den Arbeitern immer willkommen gewesen.

Nein, man macht es uns nicht leicht, weil man unsere Aufgabe verkennt.

Die Forderungen Conrads sind richtig, aber sie sind falsch begründet. Zunächst wollen wir uns diese militärische Formulierung von dem «Versagen» abgewöhnen; das sind Kriegsformeln, die bei verständigen Leuten keine Geltung mehr haben. Eine Revolution ist kein Parademarsch, über den man nachher die Kritik abnimmt und Noten austeilt. Jeder marxistisch gebildete Arbeiter weiß, daß die Saal-Revolution im Jahre 1918 nichts gewesen ist; jedes Fundament hat gefehlt (das sieht Conrad richtig), die Intellektuellen haben kaum einen Anteil an den Geschehnissen (das sieht Conrad nicht richtig). Die Partei aber macht einen ungeheuren Fehler.

Wenn Kurt Hiller sein Heil in den Zwischengruppen zwischen SPD. und KPD. sucht, wenn er sich an überparteiliche Organisationen klammert, so tut er das bestimmt nicht zu seinem Vergnügen. Er wird seine Erfahrungen gemacht haben. Man könnte einwenden: Das liegt an ihm. Dann laßt mich sagen, daß er nicht allein dasteht.

Das übertriebene Mißtrauen der kleineren Funktionäre dem Intellektuellen gegenüber ist auf Konkurrenzangst zurückzuführen. Diese Furcht ist meist begründet. Der wirkliche Vorwurf der mangelnden Stetigkeit, die vielen von uns innewohnt, das (in Deutschland besonders große) Mißtrauen gegen den «Unordentlichen» haben dazu geführt, daß in der SPD. solche Mittelmäßigkeiten wie Ebert, Wels, Noske überhaupt zur Macht kommen konnten. Hier habt Ihr das mahnende, schlechte Beispiel vor Augen. Vergegenwärtigt Euch doch einmal, wie so ein Mensch wie Fritz Ebert überhaupt so hoch steigen konnte. Das ist leicht erklärt:

Ebert ist der Bonze, *der immer zur Stelle gewesen ist.* Er war dieser Euch allen bekannte Typus, der keine Sitzung versäumt; der auf jedem Zahlabend seinen Mann steht; der seine Listen in Ordnung hat ... Ihr werdet sagen: Na, ist das vielleicht ein Vorwurf? – und ich fahre fort: er ist einer gewesen, *der nichts als das getan hat.* Er hatte keinen Funken Kampfgeist. Man sagt, er habe schon in den ersten Tagen des November, als alles drunter und drüber ging, brav seine Akten aufgearbeitet wie ein Regierungsrat – darin ist er der ganze Mann. Ein Papiermensch.

Tritt nun ein flammender, feuriger, starker Kerl in die Organisation, dann werden die Listenmenschen unruhig. «Was will der hier?» Nichts. «Einen Posten für sich?» Nein. «Dann soll er uns auf alle Fälle hier nicht unsern Laden durcheinander bringen ... keine neuen Sachen ... wie sieht überhaupt sein Mitgliedsbuch aus ...?» Und wenn der Intellektuelle dann nicht sehr viel Begeisterung, nicht sehr viel Liebe zur Arbeitersache besitzt, dann zuckt er die Achseln und geht. Verloren haben beide Teile.

Es wird uns auch geistig nicht leicht gemacht.

Ich habe niemals irgendeinen «Krach» mit Parteiinstanzen gehabt; aber es gehört eine unbändige Geschicklichkeit dazu, nicht anzuecken. Guter Stil? Mißtrauen. Scharfe Formulierung, die «sitzt»? Der Bursche geistreichelt. Bewußte demagogische Wirkung auf die Frauen – eine Sache, die die Arbeiterparteien fast immer vernachlässigt haben? Bürgerliche Zeitungsmanieren. Nein, so geht es nicht. Wer meine Arbeit kennt, weiß, daß ich nicht den Künstler in der Samtjacke darstelle, der sich einbildet, seine Gedichtlein seien das wichtigste auf der Welt. Disziplin muß sein. Aber tatsächlich ist es heute so, daß die Freiheit, die der Intellektuelle genießt, bei den bürgerlichen Blättern – *innerhalb des Rahmens dieser Blätter* – größer ist als in der Arbeiterpresse. (Die Gegner, die mich zitieren, werden die Worte «innerhalb des Rahmens dieser Blätter» fortlassen.) Der sozialdemokratische Redakteur hat viel mehr Angst vor seinen Lesern als Ullstein und Mosse zusammen; die Prüderie, die Angst, die Sucht, am Herkömmlichen zu kleben, ist bei den Arbeiterblättern bedeutend größer als dort: denn sie werden von Leuten geleitet, deren Gesinnung man sehr genau und deren Fähigkeit man sehr ungenau geprüft hat. Niemals dürfte ein Arbeiterblatt so gesetzt und gedruckt werden, wie es redigiert wird. Die Partei schlüge mit Recht einen schönen Lärm. Daß aber diese Redakteure, die es gewiß nicht leicht haben, einfach ihr Handwerk nicht verstehen, das ist eine Sache, die schmerzt. Sie schmerzt; denn sie wäre besser zu machen. Sie ist unter diesen Umständen sehr schwer besser zu machen: Ihr laßt uns nicht heran. Ihr wißt es alles besser.

Dies ist keine Kandidatenrede. Wir sind weit voneinander. Wir sollten zueinander.

Ich danke für die Möglichkeit, hier haben sprechen zu können. Ich will nicht «recht» behalten – diese Sätze sind für die Diskussion da. Hans Conrad wird nicht das billige Mittel wählen, mich «abzuführen» – in seinem eigenen Blatte hat jeder recht. Darauf kommt es auch gar nicht an. Es kommt nur auf eins an: *zu arbeiten für die gemeinsame Sache.*

Kurt Tucholsky, Die Front, Nr. 9, 1929

110

«Ober – Herrr Ober –!»

Schweden ist ein liebes Land; der Gast hat fast nur freundliche Eindrücke. Es fällt leicht, den Schweden Komplimente zu machen: man braucht nur die Wahrheit zu sagen, und es sind welche. Aber eine Sache ist da …

Sind die Schweden die Franzosen des Nordens? Eine gewisse Ähnlichkeit haben diese beiden Völker; für den, der aus Frankreich kommt, macht es keine Schwierigkeiten, die kleinen Schnörkel im täglichen Umgang zu beschreiben, die chevaleresken Bogen, die die Höflichkeit hier schlägt, bevor es zu irgendeinem Geschäft, einem Meinungsaustausch, einer Auskunft kommt … die Schweden sind langsame und höfliche Leute, sozusagen Bauern auf dem Parkett. Gut. Aber eine Gattung Menschen gibt es im schönen Schweden, die stellen das Lustigste dar, was ich auf diesem Gebiet jemals gesehen habe. Diese Menschen sind die Kellner.

*

Bevor ein Schwede Kellner wird, tritt er einer geheimen Kellner-Gesellschaft bei; man darf das gar nicht laut sagen, sonst schreibt es sich Herr Ludendorff ins Büchlein, und wir haben dann neben den Radfahrern noch die Kellner, die an seinen Niederlagen schuld sind …

Der schwedische Kellnerlehrling wird also im Pikkolostadium in einen düstern Keller geführt, wo rote Fackeln lohen, während eine modrige Feuchtigkeit an den kalten Wänden herunterrieselt (Großaufnahme). Der zitternde Pikkolo wird in einen Kreis bejahrter Oberkellner geführt, mit verbundenen Augen, zwei gekreuzte Gabeln hangen über seinem Haupt, und hier muß er den großen Kellnereid ablegen, der für alle Welt gilt:

«Ich schwöre, sofort davonzulaufen, wenn ein Gast ‹Zahlen!› ruft.»

Das wäre noch nichts Verwunderliches – denn das kennen wir ja alle. Aber die schwedischen Kellner müssen noch einen Zusatzeid leisten. In deutscher Übersetzung lautet er etwa:

«Immer mit die Ruhe.»

Die schwedischen Kellner sind die langsamsten Kellner der Welt.

Wenn du ein schwedisches Restaurant betrittst, ist es gut, wenn du dir den Brockhaus «Amalaswintha bis Badewanne» mitnimmst. Sieh dir erst alle Bilder an; sie sind sehr belehrend. Hast du sie dir alle angesehen, kann es geschehen, daß sich der Kellner oder die Kellnerin naht. Sage ihr, was du willst. Sie lauscht; du fühlst: sie hat kein Wort verstanden – auch dann nicht, wenn du es ihr auf schwedisch sagst. Nach etwa drei Minuten geht auf dem Mond des Kellnerangesichts ein Lächeln auf: Aha! Bier und Smörgasbord, ja ja! und «Tack!» – denn die Schweden sind höflich, und ihre Kellner sagen: «Danke!» wenn man etwas bestellt. Gut. Und dann lies du nur: Badewanne bis Amalaswintha, und wenn du einen kleinen Zusatzband bei dir hast, so ist es gut – denn nun erfolgt etwa eine halbe Stunde oder eine ganze Stunde gar nichts.

Was die Kellner dann tun, weiß ich nicht. Ich bin einmal in eine schwedische Küche geschlichen und habe durch die angelehnte Tür gespäht, was sie da treiben. Ich traue mich gar nicht, es zu sagen. Sie aßen! Ein Kellner hat doch nicht zu essen! Was sind das für Sitten! Kellner mit Brille und essende Kellner – das sind perverse Erscheinungen. Sie aßen also – und ich hungerte im Lokal, und so gleicht sich alles im Leben aus. Schwedische Kellner kommen manchmal; aber sie bringen nichts.

Ein Mann hat es einmal durchexperimentiert. Man sagt hier, es sei Frank Heller gewesen, der famose Papa von Philippe Collin; aber ich will das nicht glauben: die Geschichte sieht viel mehr nach Hasse Zetterström aus. Dieser eine also hat seine Bestellungen mit der Stoppuhr in der Hand gemacht; und dem allerlangsamsten Kellner, den er in nordischen Landen gefunden hat, hat er eine Medaille verliehen. Es war dies der Hilfskellner Ole Pettersson in Kopenhagen, womit also die Medaille – Schmach und

Schande! – den Schweden verlorengegangen ist! Aber sie werden es schon einholen. Kellner Pettersson benötigte zur Bringung eines gekochten Eies eine Stunde 45 Minuten (genau 1:45:3). Es war eine schöne Leistung, und das ganze Lokal applaudierte.

Ich schreibe dieses in einem stillen Lokal in Göteborg; die Schreibmaschine halte ich auf den Knien, manche Gäste sehen auf und wundern sich – aber niemand sagt etwas. Ich habe vor einer halben Stunde bestellt: kalte Platte; Pilsener aus Schwedisch-Pilsen und einen großen «Bellmann». Bellmann?

Karl Michael Bellmann (1740–1795) … kaufen Sie sich, wenn Sie ihn noch bekommen, die bezaubernde Ausgabe seiner Gedichte, die Alfons Woelfle illustriert hat; ein herrlicher und starker und zarter Saufdichter der Schweden. Und ich habe beschlossen, daß man sich nicht immer einen kleinen Schnaps bestellen solle, sondern eben einen «Bellmann», was es bei Gott in der schwedischen Sprache nicht gibt. Nicht gegeben hat. Denn nun hat ein Schwede dieses von mir gehört, und nun bestellt er überall einen Bellmann, und schon nach der zweiten Bestellung lächeln die langsamen Kellner nicht mehr, und wenn das so weiter geht, werde ich wohl bald den Nobelpreis bekommen, weil es schon gleich ist.

Da kommt der Kellner. Ich werde aufhören, zu schreiben.

*

Er hat nur gesagt: Ob ich schon bestellt habe. Ich habe gesagt: Ja. Vor einer halben Stunde. Des wundert er sich. Und nun ist er fortgegangen, und ich sitze da und klappere traumverloren auf meiner Schreibmaschine eine Reihe von Aphorismen. Der erste lautet:

«Das Leben ist eine Wartehalle.»

Peter Panter, Voss 1.9.1929

111

Aus aller Welt

«Warum», ließ neulich ein Kollege vom Bau anfragen, «machen Sie nicht einmal eine Weltreise –? Ich werde Ihnen das arrangieren.» Ich dankte ihm, der schon so viel für mich getan hat, und:

«Nein», sagte ich, «ich möchte keine Weltreise machen, auf der ich alle zwanzig Seemeilen etwas schreiben muß.» Denn:

Wenn das Feuilletonisieren aus Paris an der Donau jemals Geltung gehabt hat –: seine Zeit scheint mir vorüber. Es kann auf einer Literatenreise nur noch zweierlei geben: das amüsante Geplauder um einen Spaß herum und die fröhliche Wissenschaft. Und die ist kaum anzutreffen.

Was soll der Schreibende in der weiten Welt –? Sich an ihr entzünden? Das ist sehr gut; dann ist, im Keim, sein Reisebuch vorher fertig, und es ergibt einen guten Klang, wenn ein starker Kerl mit der Welt zusammenstößt, die ihn zum Tönen bringt und die er zum Tönen bringt. Das ist eine künstlerische Leistung, die sehr, sehr selten gelingt. Markiert er aber den Mann, der in vierzehn Tagen Indien enträtselt, dann gibt es ein Unglück. Indien ist zu nah – acht Flugtage.

Die Welt hat sich, wie männiglich bekannt, mechanisiert. In Hongkong fahren die Trambahnen; in Sumatra trinken sie Pilsener; auf Alaska flüstert Jack Smith; in Grönland kauen sie wahrscheinlich Gummibonbons ... die pittoresken Unterschiede sind in den großen Zentren ausgewischt und auf dem Lande manchmal noch vorhanden, noch. Das kann nur der beklagen, der sich einbildet, ganze Erdstriche hätten die Verpflichtung, sich um des Beobachters willen als Museum zu konservieren und dem Fremden malerisches Volksleben vorzuleben. Das gibt es nicht mehr, und das kann und soll es auch nicht mehr geben. Denn es ist wichtiger, daß die asiatischen Kulis auf ihre Weise den Marxismus begreifen; es ist wichtiger, daß die afrikanischen Zwangsarbeiter wissen, was man mit ihnen macht – als daß Herr Schmusheimer ein paar Feuilletons an den Redakteur bringt. Damit also ist es vorbei.

Wie will aber der Reisende in die fernen Länder eindringen –?

Ich möchte nicht mehr lesen, wie irgendein Zeitungsgewächs den Mondaufgang in Ceylon beschreibt; welche neuen Eigenschaftswörter jener für den Schmutz in Port Said findet; welch charmanten Scherze er sich in Aden ausdenkt, und in welche Beziehungen er Bolivien und den Spittelmarkt miteinander bringt. Das ist ein uninteressant gewordenes Spiel. Viel wichtiger ist die Erkenntnis der Welt, wie sie wirklich ist.

Um sie zu erlangen, sind nötig:

Beste Sprachkenntnis – für eine Weltreise also: englisch, spanisch, französisch, und das wie Wasser. Vorheriges, sorgfältiges Studium der zu bereisenden Länder – denn es ist unmöglich, sie ganz zu verstehen, wenn man ihre Geschichte nicht kennt, nicht ihre Wirtschaftsstruktur, ihre Führer und ihre Leidenschaften. Und alles das ist noch unzureichend, wenn der Reisende – wie meist – keine Zeit hat; wenn er ein ganzes Land in vier Wochen durchstreifen, verstehen, schildern soll. Dann kann er zwar, wenn alle Umstände glücklich zusammentreffen, mehr sehen als einer, der seit zwanzig Jahren dort wohnt – solche Beispiele gibt es. Dann hascht er manchmal die Erkenntnis dessen, was da los ist; wie eine Vision durchzuckt ihn blitzartig die Wahrheit; aber das ist selten. In den allermeisten Fällen wird er stümpern, und uninteressant stümpern. Ich habe das einmal beobachten können. Wenn die Reise-Journalisten über Frankreich schrieben, hatte ich meine schönsten Pariser Stunden – ich sah gewissermaßen aus dem Versteck zu, wie jemand sucht ... Paris hat sich schön gehütet, «Hier!» zu rufen – es läßt die Leute schreiben. Aber von zwei, drei Ausnahmen abgesehen darf man wohl sagen: so etwas von Mißverständnissen, von Danebenhauen, von Unkenntnis und Begrenztheit war noch nicht da. Und das achtzehn Bahnstunden von Berlin ... wie mag das erst in Japan aussehen! Diese Art von Reiseschilderungen sind unnütz.

Unter den gradezu schauerlichen Exemplaren, die durch die Welt reisen, heben sich nur drei oder vier Männer vorteilhaft ab – der Rest ist wildgewordene Konfektion oder bebrillte Hochschule, blind wie die Nachteulen. Merkwürdigerweise ist unter den Ausnahmen keine Frau; wie ja denn überhaupt die deutsche Feuilletonistin alle Unarten unsres Gewerbes und kaum seine Vorzüge aufweist. Es ist wohl in Wahrheit so, daß die meisten dieser Schreiber ihren Beruf einfach des Geldes wegen betreiben, und daß es für sie wichtiger ist, bei den Redakteuren akkreditiert zu sein als beim Publikum, das diese dürre Wiese geduldig abgrast. Ob das Publikum weiß, was es will, steht dahin – die Vermittler zwischen Schriftsteller und Leser wissen es in der Regel nicht.

Hier soll noch nicht einmal von der Wichtigtuerei gesprochen werden, der chronischen Krankheit der meisten Auslandsreporter. Der Minderwertigkeitskomplex der deutschen Untertanen wirkt sich fröhlich aus, wenn ein fremder Minister sie empfängt; man muß nur lesen, wie beiläufig sie hinwerfen: «Gestern sagte mir Briand beim Tee ...», es ist das, was ich anläßlich des Herrn Keyserling die Imponierklammer genannt habe, auf daß sich der Leser vor Bewunderung wälze, was er denn auch prompt besorgt. Erst, wenn dieser Fehler ganz und gar aus der Haut ist, kann man ein guter Reiseschilderer sein, denn es ist kein Kunststück, nach Wladiwostok zu fahren, das kostet heute nur Geld, und es ist eine dumme Überheblichkeit, dem Mann aus Bitterfeld damit imponieren zu wollen, daß man unter Glockengeläute russische Namen ins Feuilleton wirft. Das kann Lehmanns Kutscher auch. Nur Lehmanns Kutscher kann es.

Wir brauchen etwas andres. Wir brauchen den fröhlichen Kenner.

Nun ist das große Unglück, daß sich der Kenner, wenn er dem deutschen Kulturkreis angehört, meist zum Fachmann herunterentwickelt, und der ist ganz und gar fürchterlich. Ich sehe von den Fällen ab, wo ein an die Zeitungen berichtender Farmer interessierte Partei ist, wo er also mit seinen Artikeln etwas durchsetzen oder abwenden will – wenn er das offen sagte, wäre es ja erträglich. Aber er ist kurzsichtig; meist trifft seine Umgebung auf den blinden Fleck seines Auges; man muß sehen und hören, wie Beamte oder Kaufleute, die zehn Jahre in China zugebracht haben, über China schreiben und sprechen, es wird einem ganz Angst; wieviel Bier, deutscher Klub, Hochnäsigkeit und Stumpfheit ist darin! Es wird also schwer sein, unter den Auslandsdeutschen, die immer zwischen Gesangsverein und Aufgabe ihres Deutschtums hin und her pendeln, den richtigen Mann zu finden. Aber es muß ihn doch geben ...! Sucht ihn.

Denn er wäre brauchbar, uns von innen her über fremde Länder etwas auszusagen; er könnte die Grundlagen schildern, auf denen sie dort leben; er könnte wirklich fruchtbare Kritik üben. Meist wird er es anonym tun wollen; denn solche Wahrheiten, ausgesprochen für einen großen Kreis in der Heimat und wiedergelesen im winzigen der Fremde, pflegen kleine Revolutionen hervorzurufen. Aber das ist immer noch besser als das fade Geschreibe der Feuilletonisten, die, der Tante gleich, überraschend wie zumeist angereist kommen, huschusch wieder abreisen und es nun alles, alles wissen …

Und je mechanisierter die Welt ist, um so schwerer ist es, die Nuance zu erkennen, auf die alles ankommt. Denn es ist ja nicht wahr, daß sich – bei aller Gleichheit in den Nöten und Freuden des Stadtlebens – Paris und Berlin und London gleichen; die Leute haben alle denselben Kummer mit ihren Hauswirten, das ist wahr; aber sie sterben anders, sie lieben anders, sie leben auch anders, eine winzige Kleinigkeit anders, etwas verschieden vom Nachbarland, und darauf kommt es an. Das freilich muß man sehen, fühlen, zu empfinden verstehen, auffangen.

Als ich neulich hier einmal dieses Thema angeschnitten und gesagt hatte, wir wollten nun aber nicht mehr die Schilderungen von Reisebeschwerlichkeiten, sondern Länderschilderungen lesen, da schrieb mir der treffliche C.Z. Klötzel vom ‹Berliner Tageblatt› einen bitterbösen Brief. Nun ist dieser Mann, wenn er fremde Länder ernst schildert, eine jener Ausnahmen, die die deutsche Reise-Journalistik hat: sauber, sorgfältig, gebildet – er hat in seinem Leben vieles gesehen und mit Nutzen gesehen … also warum der Eifer? Es war wohl so etwas wie der Kampf zwischen «Fachmann» und «Laien», jenes uralte deutsche Gesellschaftsspiel, das zu gar nichts führt … Klötzel weiß und muß wissen, wie oft die Spesen vertan sind – südamerikanische Zeitungen kann man auch in Berlin durchbuchstabieren, und wenn die Herren einmal ihre Quellen angeben wollten, so ergäbe sich, daß: «man sagt hier» ein deutschsprechender Kollege aus einer befreundeten Zeitung ist, und «ganz Guatemala» ein Kaufmann, der früher einmal in Leipzig mit Pelzen gehandelt hat … Seid doch ehrlich! Ihr wißt doch wie wir, wie unendlich schwer es schon in Berlin ist, herauszubekommen, was die Leute wirklich denken; in wieviele Kneipen, Volksversammlungen, Familien und Vereine man gehen müßte, auch da muß man noch den Flair haben – und nun erst in einem fremden Lande, wo man in der Fixigkeit vieles ganz falsch einschätzt!

Und so sieht denn auch das Weltbild aus, das diese da vermitteln. Vor lauter Witzchen, Mätzchen, Stilgespiel und Mausigmacherei verschwindet das fremde Land; schält euch heraus, was sie wirklich über die Türkei, Schweden, Paris und Australien vermelden und was nicht aus den Zeitungen abgeschrieben ist, sondern auf eigner Beobachtung beruht: es ist blutwenig. Und gibt es eine Katastrophe, dann hat es die Propaganda leicht, dem Deutschen, was sie nur will, über die Fremden vorzugaukeln – Stresemann hat das neulich im Reichstag, genau fünfzehn Jahre zu spät, gut formuliert. Kennen wir den Fremden nur aus diesen Reiseschilderungen, dann ist er im Handumdrehen zu einem blutrünstigen Straßenräuber, einem Kinderschänder, einem Lügner und einem Falschmünzer gemacht. Wer mit offenen Augen im fremden Land gelebt hat, glaubts nicht so leicht. Wer dauernd gut unterrichtet wird, auch nicht.

Ich habe den Eindruck, daß es nach dem Kriege damit nicht besser geworden ist – es ist eher schlechter geworden. Die unleidlichen Sitten der amerikanischen Reportage, die an Unbildung jeden Rekord schlägt, ist noch zu allem andern dazu gekommen, und so hat das Volk der Dichter und Denker ein paar sehr gute Reisebücher, aber wenig brauchbare Reise-Journalisten. Hier sei eingefügt, was wegen jenes Briefes Herrn Klötzels einzufügen nötig ist, daß ich das kleine Pyrenäenbuch, das ich einmal geschrieben habe, für kein Muster seiner Gattung halte – es ist darin mehr von meiner Welt als von den Pyrenäen die Rede, und nur das Kapitel über Lourdes macht eine Ausnahme. Ich konnte zum Beispiel mit den Leuten nicht baskisch sprechen – wie soll ich diesen Landstrich ganz begreifen?

Darum habe ich dem Freunde geschrieben, er möge mich die Weltreise lieber nicht machen lassen. Kommt aber ein amerikanischer Zuckerkönig gegangen und lädt mich zu einer solchen Reise ein, und bleibt er selber noch gar zu Hause –: dann will ich gern einmal mit der Hand übern Alexanderplatz sowie über den Globus fahren.

Peter Panter, WB 3.9.1929

Heinrich Zille

Zweeter Uffjang, vierta Hof
wohnen deine Leute;
Kinder quieken: «Na, so dof!»
jestern, morjn, heute.
    Liebe, Krach, Jeburt und Schiß …
        Du hast jesacht, wies is.

Kleene Jöhren mit Pipi
un vabogne Fieße;
Tanz mit durchjedrickte Knie,
er sacht: «Meine Sieße!»
    Stank und Stunk, Berliner Schmiß –
        du hast jesacht, wies is.

Jrimmich wahste eijntlich nich –
mal traurich un mal munta.
Dir war det jahnich lächalich:
«Mutta, schmeiß Stulle runta –!»
    Leierkastenmelodien …
        Menschen in Berlin.

In Alter beinah ein Schenie –
Dein Bleistift! na, von wejn …!
Janz richtich vastandn ham se dir nie –
die lachtn so übalejn.
    Die fanden dir riehrend un komisch zujleich.
    Im übrijen: Hoch det Deutsche Reich!
        Malen kannste.
        Zeichnen kannste.
        Witze machen sollste.
    Aba Ernst machen dürfste nich.
Du kennst den janzen Kleista –
den ihr Schicksal: Stirb oda friß!

Du wahst ein jroßa Meista.
Du hast jesacht, wies is.

Theobald Tiger, WB 3.9.1929

113

Woran liegt das –?

Auf der Tagung des Vereins deutscher Eisenhüttenleute in Düsseldorf hat jüngst der Herr Springorum ein Referat gehalten, in dem auch von der Unfallverhütung die Rede gewesen ist. «Er klagte», steht im Bericht, «über die mangelnde Mitarbeit und die Gleichgültigkeit der Arbeiterschaft, die bisher nicht zu überwinden gewesen sei.» (Hier hat der Bericht einen tiefen grammatischen Fehler gemacht.) «Er glaubt eine Ursache hierfür in der Überspannung der sozialen Unterstützung durch Krankengeld usw. zu sehen. Hier sei noch viel zu bessern. Die Bekämpfung der Unfallverhütung in Wort und Schrift, wie sie bisher üblich gewesen, sei in der letzten Zeit einem direkten Widerwillen bei der Arbeiterschaft begegnet.» Ja, woran liegt das?

Es ist ungemein bezeichnend für die Gesinnung, die in deutschen Arbeitgeberkreisen herrschend ist, daß Herr Springorum, der nicht ohne seinen Generaldirektortitel ausgeht, zunächst einmal die doch so kümmerliche soziale Hilfe tadelt, die der Staat den Arbeitern gewährt. Abzuschaffen ist allemal das Krankengeld «und so weiter» – denn, sagt sich der Herr Generaldirektor, wozu wird der Arbeiter noch künftighin aufpassen, wenn er seinen abgesägten Arm doch reichlich bezahlt bekommt? Er bekommt ihn mit Gold aufgewogen. Und wer muß dieses Gold bezahlen? Die Eisenhütten, die von ihrem Reinverdienst bekanntlich zehn Prozent abliefern, wie ihre Angestellten auch …

Wir wollen dem Herrn Springorum etwas auf die Sprünge helfen.

Der «direkte Widerwille» gegen die Bilder, die man in die Betriebe pappt, ist äußerlich wohl vor allem auf die kindisch-schulmeisterhafte Art zurückzuführen, mit der das gemacht wird. Der innere Grund ist ein andrer.

Kann sich der Generaldirektor nicht denken, daß die Arbeiter müde, müde, müde sind? Daß sie es satt haben, alles miteinander? Daß es das Gefühl der tiefen Hoffnungslosigkeit ist, das den Arbeiter stumpf macht? das tödliche System der «Rationalisierung»? die unterdrückende Wirtschaftspolitik der Arbeitgeber? Herr Springorum kann es sich nicht denken – denn er hat nie an der Kreissäge gestanden. Er hat nicht einmal versucht, sich in die Lage derer hineinzudenken, die dort stehen.

Der deutsche Arbeiter bekommt einen Durchschnittslohn, von dem er grade leben kann, Rücklagen für die Zeiten der Not sind so gut wie ausgeschlossen. Die Bildungsmöglichkeiten sind ihm und seinen Kindern fast ganz verschlossen, der klägliche Ersatz, der hier und da geboten wird, reicht niemals aus, die Kinder in die Höhe zu bringen. Was auf dem deutschen Arbeiter lastet, ist die graue Hoffnungslosigkeit, die Stumpfheit, das Gefühl: «Es kann mit mir nie, nie anders werden – mit meinen Kindern auch nicht; immer wird es so sein, daß ich das ganze Leben, bis ich umfalle, schuften muß, in diesen nassen und muffigen Häusern leben muß, immer.» Daß diese Leute noch die Kraft haben, im Klassenkampf zu stehen, zwingt uns die größte Bewunderung ab.

In dieser Tiefe der Lebenshaltung, die den Konsum fast völlig zerstört, rechnet der Arbeiter so: «Und wenn mir etwas zustößt? Dann bekomme ich Krankengeld; viel schlimmer als hier im Werk kann es mir nicht gehen – eher besser.» Und so hält er gewiß seinen Arm nicht in die Maschine; aber weil er abgestumpft ist durch den Krieg, durch die Inflation, durch das, was jene die Rationalisierung nennen, gibt er viel weniger acht als einer, der so viel verdient, daß er Lust und Liebe zu seiner Arbeit hat. Wo sollen die Chemieproleten, die Kumpels, die Eisenproleten, diese Lust und Liebe hernehmen?

Die hat der Herr Springorum, Generaldirektor und Wirtschaftsführer. Und mit ihm alle jene Hunderte und Tausende, die mehr verdienen, als sie verdienen.

Ignaz Wrobel, WB 3.9.1929

[Antwort]

Le Quotidien, Paris. Journalismus? Journalismus ist so: Vor einigen Wochen veröffentlicht hier Kaspar Hauser einen Spaß ‹Endlich die Wahrheit über Remarque›, worin im Stil der kleinen nationalen Provinzpresse das haarsträubendste Zeug über diesen Schriftsteller behauptet wird: er heiße eigentlich Markus, sei vor dem Kriege Synagogendiener und im Kriege berittener Armierungssoldat gewesen ... kurz: die Satire war so klobig wie ihr Vorbild: die Süddeutschen Monatshefte. Das läßt dich, Quotidien, nicht ruhen. In einem großen Artikel auf der ersten Seite deines Blattes enthüllt ein Herr, dessen Namen die mitleidige Rotationsmaschine verstümmelt und der so etwas wie «Robert Boschi» heißt, den Franzosen höchst ernsthaft, wie «die deutschen Nationalisten das Werk Remarques beurteilen». Überschrift: ‹Die Wahrheit setzt sie in Schrecken›. Habt ihr denn keinen Berichterstatter in Deutschland, der lesen und schreiben kann? Dieser zitiert ‹Die Weltbunke› und spricht davon, daß der Nationalist Kaspar Hauser durchblicken ließe, wie Remarque auch «Hartmann», den Menschenschlächter von Hannover, begünstigt habe ... Es ist gar nicht so einfach im menschlichen Leben. Nun sage nur deinem berichterstattenden Robert, daß Kaspar Hauser den bei euch zitierten Barbusse als seinen Gesinnungsfreund verehrt, und daß alles, was ihr da übersetzt, ein Spaß gewesen ist, der übrigens französisch noch komischer klingt als in der deutschen Sprache, die dein Korrespondent so schön beherrscht. Aber so werden Zeitungsleser über fremde Länder unterrichtet. Dein nicht nur von der Druckmaschine verstümmelter Schornalist ... was hat er getan? Es gibt im Französischen einen herrlichen Ausdruck dafür: Il a pissé de la copie.

Anonym, WB 3.9.1929

Fort mit der Zensur

Über Musik kann ich mich nicht äußern – davon verstehe ich nicht viel.

Der Rundfunk kann die *Literatur* der Lebenden fördern – obgleich das Ohr nicht so aufnahmefähig ist wie das Auge, und hier besteht eine Gefahr. Für faule Leser macht manchmal eine «Bücherstunde» die Lektüre eines Buches überflüssig – hat er etwas über ein Werk gehört, so kann es geschehen, daß er es nicht mehr liest. Aber diese Gefahr ist klein im Vergleich zu dem Nutzen, den eine anregende Bücherstunde schaffen kann.

Nein, die bisherige Leistung genügt ganz und gar nicht. Und hat einen Grund, und dieser Grund heißt: die Zensur.

Solange die Deutschen nicht lernen, daß es nichts Unpolitisches auf der Welt gibt und geben kann, solange ist der Rundfunk elend unvollkommen. Es kann keinen unpolitischen Rundfunk geben – es kann nur einen politischen neutralen Rundfunk geben (was er heute nicht ist). Selbstverständlich hat auch der schärfste Hitler-Mann das Recht, seine Bücher und seine Helden, seine Gedenktage und seine Ideale im Rundfunk zu propagieren – solange er damit keine strafbare Handlung begeht. Der Kommunist hat das gleiche Recht. Der steuerfeindliche Bauer hat es. Die Großindustrie. Der Arbeiter. Die Frau, die für den Gebärzwang ist. Die Frau, die gegen den Gebärzwang ist. Nur eines geht nicht: daß eine Partei auf Kosten der anderen bevorzugt wird. Fort mit der Zensur –!

Und fort mit dem intoleranten Hörer, der überschäumt, wenn ihm da etwas ins Haus gesprochen wird, mit dem er nicht einverstanden ist. Dann soll er die Antenne erden! Solange der Spießer, der seine Ruh haben will, das Programm durch Druckbriefe bestimmt, solange kann der Rundfunk seiner Aufgabe nicht gerecht werden.

Peter Panter, Der Deutsche Rundfunk 6. 9. 1929

Herr Ahlmann

Ludvika, Baedeker Seite 219, 408 Kilometer von Gotenburg, Stadshotel, 40 Betten; eine freundliche kleine schwedische Stadt, ein blauer See blinkt …

G. AHLMANN

«Haben viele Schweden deutsche Namen?» fragte ich den dicken Borgstedt. Der dicke Borgstedt ist sicherlich der beste «guide» von Stockholm – er spricht viele Sprachen, auch deutsch; weil aber «Dolmetscher» wirklich nicht leicht zu sagen ist, sagt er lieber «geid». – «Nein», sagte er, «deutsche Namen sind nicht gar so häufig. Dieser hier aber ist ein Deutscher. Ein Holzhändler. Wollen wir ihm guten Tag sagen? Er ist mein Freund. Eine ulkige Nummer.» – Bauernkirchen hatten wir nun genug gesehen, auch alte Schlösser, grüne Plätze, Parks, viele Seen … warum sollte man nicht auch einmal einen deutschen Holzhändler besichtigen? Hinein.

«Guten Tag, Herr Ahlmann», sagte der dicke Borgstedt zu dem beweglichen kleinen Korken, der da hinter dem Schreibtisch elastisch aufsprang. «Dieser Herr ist nach Schweden gekommen, um sich über die Holzpreise zu unterrichten – und weil Sie doch der beste Fachmann der Gegend sind …» Mir erstarrte das Blut in den Adern. Knapp bin ich imstande, eine Birke von einem Johannisbeerstrauch zu unterscheiden, und ob man Holz nach Pfund oder nach Litern verkauft, weiß ich auch nicht … Ich warf Borgstedt einen verzweifelten Blick zu, der an der ungerührten Fettmasse abprallte. «Sehr geehrt!» sagte Herr Ahlmann. «Bitte nehmen Sie Platz!» Hurra! Er sprach mit vielen getrübten As und Os das Deutsch der hamburgischen Vorstädte, manchmal rutschte er ins Platt, und mir wurde urgemütlich zumute. Die Sache würde schon werden …

«Tscha … mit den Holz … meine Herren», sagte Herr Ahlmann, «das ist ja nu so eine Sache is das nu ja. Also ich bin ja nu schon fünfunddreißig Dschohr hier in die Gegend, und kann ja nu sagen, es is nich einfach. Nä. Ich bin viel in der Welt rumgekommen, müssen Sie wissen, in England war ich, in Frankreich, in

Holland, in Belgien, und immer ohne Geld, sehen Sie – das is eine Kunst! Im Krieg hat mir das deutsche Konsellat immer sone Briefe geschickt, ich soll nu man kommen und mir stellen – verzeihn Sie, wenn ich manchmal falsch deutsch spreche, ich bin all so rraus, und denn hat man ja nich immer Zeit, sich um alle diese Finessen zu kümmern … ich hab aber den Konsellat geschriehm: Nö, hab ich geschriehm, ich bin hier als schwedischer Untertan anerkannt, ich hab noch nie einen Menschen totgeschossen, ich will das nich. Sehn Sie, wie Sie mich hier sehn – da bin ich ein ganz fürchterlicher Verbrecher!» – Ich sah.

Ich sah einen freundlichen, dicken Mann, in seinen Augen schwammen Geschäftsschlauheit, rote Äderchen und eine Mindestration von vier Litern Schnaps im Monat; an der Wand tickte eine brave Bürgeruhr, draußen rauschten die hölzernen Bäume, die hier verkauft wurden …

«Ein fürchterlicher Verbrecher», sagte Herr Ahlmann. «Sehn Sie, ich habe im Frieden gedient, bei den 93ern in Hamburg.» (Sagte er: 93er? Es war irgendeine militärische Zahl.) «Na, das war eine Sache, sag ich Ihnen! Also diese Titels …! Schweinehund und Lausekerl und Drrreckkopp – solche Titels waren das! Ich konnte das all gar nicht mehr aushalten. Ich war immer ein selbständiger Kerl, wissen Sie … Und eines Tages» (– nun trübten sich bei Herrn Ahlmann die Vokale noch mehr, weil er so erregt war –) «eines Tages, da mußten wir wieder antreten, und da stellte sich denn der Unteroffizier, Jankuhn hieß er, vor mir hin und hat gesagt: Was bist du? Ich hab gesagt: Ich bin der Ahlmann. Da hat er gesagt: Du bist ein ganz verdammter Synagogendiener. Nimm mal die Knochen zusammen!» – Hier stand Herr Ahlmann auf, bewegte sich mit großer Fixigkeit in die Mitte der Stube und stand stramm, mitten auf dem guten Teppich. In der Bewegung, mit der er sich aufbaute, war etwas Professionelles: die Jahrzehnte hatten den alten Drill nicht aus den Knochen bekommen können … rrumms, da stand er! Sogar die Augen hatten diesen seltsamen, starren Ausdruck, wie man ihn bei Porzellanmöpsen und überdrillten Soldaten findet … Ich wußte: wenn ich jetzt auf den dicken Borgstedt sah, dann war es aus. Ich sah nicht auf ihn.

«Da hab ich ausgeholt und –» (hier machte Herr Ahlmann eine

Bewegung, die in besseren Zeiten ein guter Rechtsschwinger gewesen sein mochte) «und hab den Unteroffzier einen in die Fresse gehauen, daß er gleich hinten umfiel. Na, denn gleich alle auf mir drauf, und denn zwischen vier Mann mit aufgepflanzten Seitengewehr abgeführt, in den Arrest. Da gabs ja ein ganz scheußliches Essen gabs da.» (Ich nickte mitfühlend.) «Und da war ein Schersant Poswisteitzky, der sagte gleich: ‹Dich wern wir schon kriegen, du Hund! Du wirst fuffzehn Jahr beziehen, du dreckiger Lump!› Solche Titels waren das! Und denn kamen die abends mits Essen –» An dieser Stelle klingelte, wie so häufig im menschlichen Leben, das Telefon. Infanterist Ahlmann verwandelte sich blitzschnell in den Holzhändler G. Ahlmann Ludvika, Schweden, und sprang an den Apparat. In einem Schwedisch, dem sogar ich den deutschen Akzent anmerkte, sagte er viele schöne Sachen ins Telefon – wenn Leute handeln, versteht man sie gleich, das ist international. So, nun waren sie wohl einig. – «Da kamen die also mits Essen», fuhr Herr Ahlmann fort, «und ich schubste sie denn beiseite, und wumm – raus aus die Tür, und den Korridor runter – denn über die Mauer – und los! Ich bin über die Felder gemacht, und bei meine Schwester. Lucie, sag ich, das und das – ich bin ganz unglücklich! Hast du Geld? Na, sie hatte nur zwanzig Mark, und noch ein büschen was, und das gab sie mir denn, und sie hat so geweint, und denn hat sie mir einen Anzug von ihren Mann gegeben, und ich bin denn nach Kiel in ein Hotel, da hab ich Zivil angezogen, und denn ging da noch nachts ein Motorboot nach Dänemark, und da bin ich denn rüber. Und denn bin ich gewandert, aber immer ohne Geld! Immer ohne Geld! Und denn hier in Schweden, in Ludvika, da bin ich denn hängen geblieben, da hab ich denn meine Braut getroffen und hab geheiratet, und jetzt hab ich acht Kinder, alle acht sind noch da, aber in Krrieg, nee, bester Herr, ich hab den Konsellat geschriehm: das will ich nicht! Und wie denn is die Amnestie rausgekomm, da bin ich gleich zu meine Verwandte nach Hamburg gemacht, mit *sonne* Körbe voll Lebensmittel, na, wissen Sie, die waren ja so ausgehungert, aber ich habe sie alles hingebracht! Und für andere Leute auch und für die Kinder! Wissen Sie –» (und hier sagte Herr Ahlmann das Wort, das merkwürdigerweise so viele Leute sagen, wenn sie einem ihr Leben erzählen) – «ich könnte einen Roman schreiben!» Worauf das Telefon klingelte.

Es entspann sich ein längeres Gespräch, das nie wieder aufhörte. Dieses Mal ging es nicht ums Geschäft, das war gleich zu merken. Es mußte etwas anderes sein. Und plötzlich sprach Herr Ahlmann, der bis dahin sein hartes Schwedisch geklöhnt hatte, deutsch. «Und das sage ich dir», rief er aufgeregt in die Muschel, «das sag ich dir: Laß dir ja nich mit den andern ein! Ich verbiete dir das! Hörst du! Das verbiete ich dir!» – Und hängte ab. Und dann sah er auf die tickende Uhr, und entschuldigte sich: Aber er müßte zum Frühstück! Was wir begriffen. Und dann standen wir auf. Und dann gingen wir auf die Straße, er zu seinem Frühstück, und wir zu unserm Frühstück.

«Was hat er da ins Telefon geschrien?» fragte ich Borgstedt. «Er hat seiner Tochter gesagt», antwortete der Dicke, «sie soll keine Dummheiten machen. Gegen das eine Verhältnis hätte er ja als Vater nichts – aber zweie … das wären zu viel. Er hat sie gewarnt, wissen Sie?» – Ich wußte. Und wenn dies die Nachtredakteure des Herrn Hugenberg lesen, dann werden sie sagen: Auf der Ehe eines Deserteurs ruht eben kein Segen! Da ist die sittliche Verlotterung nicht weit! –

Soweit der Holzhandel in Nordschweden.

Peter Panter, Voss 8.9.1929

117

Nr. 1

> Die Mama: «Man kann mit ihm nicht verkehren. Er pfeift so unanständige Lieder.»

Es liegt – weil wir sonst keine Sorgen haben – vor:

‹Nachrichtendienst zur Bekämpfung von Schund- und Schmutzschriften, herausgegeben vom Preußischen Ministerium für Volkswohlfahrt. Nr. 1.› Nr. 1 –? Das kann ja gut werden.

Das erste, was in diesem Blättchen auffällt, ist die maßlose Gschaftlhuberei der beteiligten Beamten. Als das Gesetz herauskam, war gar nichts da – was haben sie nicht schon alles aus dem

Nichts gemacht! Da erfahren wir aus der Einführung, daß es bereits einen Erlaß – Z A II 5245/29 – gibt, «betreffend Nachrichtendienst zur Bekämpfung von Schund und Schmutz», und man kann aus diesem Bombast von Wichtigmacherei und Überflüssigkeiten einmal so recht sehen, wie diese juristisch verbildeten Lebewesen Maden ausschwitzen, hunderttausend Eier legen, sich in der Jungfernzeugung fortpflanzen – ein grauslicher Anblick.

Zu dieser Arbeit ist selbst der «Laie» willkommen. Diese Nr. 1 ist ein einziger Schrei nach der Denunziation. «Findet zum Beispiel ein Lehrer bei einem seiner Schulkinder ein Buch, das ihm bedenklich erscheint und das er für eine Schund- und Schmutzschrift hält, oder sieht beispielsweise eine Mutter in der Auslage eines Schreibwarengeschäfts oder am Stande eines Zeitungshändlers ein solches Buch oder eine solche Zeitschrift ausgestellt ... ergibt sich, daß die beanstandete Schrift nicht auf der Liste steht, und ist die Persönlichkeit, die sie beanstandet, der Meinung, daß sie auf die Liste gehört, so ist das dem zuständigen Landesjugendamt als der nächsten antragsberechtigten Behörde mitzuteilen ... Um das Interesse der für den Jugendschutz eintretenden Verbände usw. für die Bekämpfung der Schund- und Schmutzschriften zu wecken und lebendig zu erhalten, ziehen die Landesjugendämter sie zu bestimmten Aufgaben heran, indem sie sie zum Beispiel an der Arbeit der Ausschüsse zur Vorprüfung einer Schrift beteiligen, sie zur Beobachtung der Zeitungskioske anregen und dergl.»

Dergl. hat man noch nie umsonst versucht. Es gibt ein Mittel, ein einziges, jeden Deutschen aus seiner Ruhe aufzurütteln: sage ihm, auch er sei ein Stück Behörde ... und du wirst etwas erleben. Und nun muß man wissen, in welchen Pfoten sich diese Ausschüsse, karitativen Verbände, Jugendpflegevereine befinden, um das Unheil ermessen zu können, das hier heraufzieht. Dem politischen Gegner immer nur auf die Brieftasche zu sehen, ist billig: man sollte ihm ganz woandershin sehen. Es ist kein Zweifel daran erlaubt, daß bei den meisten Leuten, die sich mit diesen Dingen beschäftigen, insbesondere bei den Frauen, zwei Triebe dominieren: Herrschsucht und unbefriedigte Erotik. Die Wonne, zu regieren und andern etwas vorzuschreiben; der Fimmel, sich als Cäsar zu fühlen, das ist das eine. Gewohnheitsmäßig unzüchtige Schriften bekämpfen ist eine invertierte Orgie, das ist das andere. Sieh diesen vorsitzenden Frauen einmal in die Augen, und du erkennst: sie sitzen da, weil sie nicht richtig liegen. Und das zensiert nun den Schmutz.

Diese Verstopften sind aber nur die Hilfsvölker. Die Kerntruppen sind die Juristen. Und hier kann man in nuce erkennen, wie die romanistische Scholastik der deutschen Juristen, die in den Steinzeitmenschen Kahl und Ebermayer ihre Modelle verehren, das Leben tötet, indem sie es in Begriffe zwängt, die nichts, aber auch nicht das Leiseste, mit dem Lebendigen zu tun haben.

Was ist Schund? Was ist Schmutz? Der unsägliche Külz stellte sich damals im Reichstag hin und rief: «Was ich in dieser Hand hier habe, ist Schund – und hier, diese Schrift in meiner andern Hand, das ist Schmutz.» Eine dritte Hand hatte er leider nicht. Nun die Juristen:

Erste Entscheidung: Eine Schundschrift muß wertlos und schädigend sein. A = A. Dann: Eine Schundschrift ist eine Schrift, die keine positiven, den Leser bereichernden Werte aufweist. Da weiß ich aber eine Menge Schundschriften … Dann: Der Schundcharakter einer Schrift wird durch zahlreiche Sprach- und Rechtschreibungsfehler verstärkt. (Das ist eine Unfreundlichkeit gegen Bronnen.) Dann: Eine Schrift ist eine Schundschrift, wenn sie ein falsches Weltbild bloß deshalb gibt, weil ihr Verfasser es nicht besser versteht oder weil er es im Hinblick auf seine Leser für angezeigt hält, kein richtiges Weltbild zu geben. Einen Schritt weiter – und die Herren werden ein Verfahren wegen Beleidigung der Landeskirchen auf dem Buckel haben. Was aber das «richtige» Weltbild angeht, das haben nur sie.

Solchergestalt ausgerüstet, stürzen sie sich in den Strudel.

Aus den Listen der Nr. 1 ergibt sich, daß dieser ganze Aufwand schmählich vertan wird. Dieser Eifer; dieser Paragraphenklamauk; diese Wichtigmacherei und diese Organisation – das alles, um ‹Die Braut von Venedig›, ‹Die Hand der Gräfin auf der Kirchhofsmauer› und ‹Röschen, das Grafenkind oder: Verschleppt ins Irrenhaus› zu beschlagnahmen. Dazu setzen sich jedesmal vier, sechs, acht hochgelahrte Herren auf den zu diesem Zweck angebrachten Popo, damit das Dienstmädchen Emma Gubalke in Palmnicken nicht mehr ‹Das echte und wahre Traumbuch nach ägyptischen Wahrsagern› liest. Daß sie aber viermal im Jahr Kartoffelferien gehabt hat, wo dann der Unterricht in der kümmerlichen Volksschule ausfiel, damit Emma für den gnädigen Herrn Kartoffeln jäten durfte; daß Emma nur deshalb kein verzerrtes Weltbild hat, weil sie überhaupt keins hat; daß sie in einem Raum schläft, der einem Ziegenstall ähnelt, wo sie in einem Bett mit ihrem Bruder der ‹Galanten Abenteuer des Doktor Ribera› wohl entraten kann – davon weiß das Ministerium für Volkswohlfahrt wenig oder nichts. Ist auch nicht so wichtig. Wenn nur ‹Vertrieben am Hochzeitsabend› nicht ins Volk dringt, dann ist alles, alles gut.

Das ist die eine Sorte, hinter der die Schnüffler her sind. Die zweite Sorte ist schon gehaltvoller.

Ein Merkmal dieser Zeit ist wohl, Unbewußtes bewußt zu machen. Meist schmerzt das. Auch geht so die Bildung in die Breite, wobei sie an Höhe verliert – und Berufene und Unberufene beschäftigen sich mit den Rätseln, die sie bedrücken. Aber wer soll schließlich ihre Berufung entscheiden! Wer? Das Ministerium für Volkswohlfahrt. Das zur Zeit von einem Zentrumsmann geleitet wird, allwas die Partei sich nicht nur des Geistes und des Ungeistes wegen verschafft hat –, sondern aus einem ganz andern Grunde: dieses Ministerium hat über die Verteilung sehr großer Fonds zu entscheiden, wer Geld gibt, ist beliebt – man kann sich denken, in welcher Tendenz hier gearbeitet wird. In einer objektiven, versteht sich.

Mit grunzendem Eifer also trappelt die Schar zu den Trüffeln der «erotischen» Zeitschriften. Für jeden geistigen Menschen liegt die Sache klar:

Etwa drei Viertel dieser Blätter, in denen sich Buchhaltersfrauen an Leib und Seele enthüllen, wobei man sich aussuchen darf, was kümmerlicher ausfällt, drei Viertel ist von seiten der Verleger lediglich Spekulation. Das ist neben anderm jedes Blatt – es fragt sich nur, worauf spekuliert wird. Hier wird zweifellos mit nicht sehr sauberen Trieben gerechnet. Es geht aber die verhüllte Pornographie bis zu den bekanntesten und größten Zeitschriften – wo hört das auf, wo fängt das an! Und vor allem: wie weit ist das noch reinlich? Es gibt doch einen sehr verständlichen, legitimen und naturhaften Trieb, sich an einem Frauenkörper zu erfreuen, und wenn ich nicht irre, ist Alfred Polgar einer der ganz wenigen Mutigen gewesen, der einmal auf eine Umfrage in Sachen des Volkswohlfahrtsmannes Brunner das Recht auf Erektion propagiert hat. Die ist Sache des Lesers. Ein hübsches Badebild läßt mich die Linien eines schönen Frauenkörpers bewundern, denn ich bin ein Mann, und meine Empfindungen sind dabei durchaus männlich – also schlummert im Untergrund der Wunsch: du möchtest wohl einmal mit dieser schlafen. Ob der Wunsch die Augen aufschlägt, hängt von tausenderlei Dingen ab – aber gewiß nicht vom Ministerium des Herrn Hirtsiefer. Es ist lächerlich, derart subtile Fragen mit dem Knüttel lösen zu wollen. Für den Schmutz, den wir alle ablehnen, weil er geistlos ist, genügt das Strafgesetzbuch vollkommen – niemand von uns will, daß in einer Buchhandlung ein photographierter Koitus ausgeboten wird. Doch übersehen diese stumpfen Banausen, die mit dem Gesetz in der Hand Schaden anrichten, daß man selbst die Pornographie nicht mit dem Paragraphen überwindet – überwunden ist sie erst, wenn sie von der Jugend ausgelacht und als unappetitlich bei Seite gelegt wird. Das allein wäre sauber. Alles andere führt zur Verdrängung, die gibt Neurosen, und zum Schluß haben wir die Vorstandsdamen.

Die richten in den «erotischen» Zeitschriften wilde Verheerungen an. Ein paar dieser Publikationen sind mir bekannt; sie sind alles mögliche: dumm, harmlos, verhüllt unanständig, unverhüllt anständig, lächerlich … aber als Schund und Schmutz können sie nur auf jemand wirken, der mit seinem Triebleben nicht in Ordnung ist und der in Wallung gerät, wenn er einen Schamberg sieht. Interessiert euch das so sehr? Immerzu? Den ganzen Tag über –?

Bis hierher liegt Ignoranz vor; bösartige Unbildung; Faulheit, sich in das Seelenleben des Menschen zu versenken – wenn ein Ministerium wagte, mit derartigen Maßnahmen in die Medizin einzugreifen, schrien die Ärzte nicht schlecht, und rechtens. Und wir sollten schweigen, wenn sie im Bereich des Geistes pfuschen?

Sie pfuschen nicht nur. Schon hier, in der Sparte der Zeitschriften, fällt die politische Tendenz auf, in der dieses Gesetz gemacht, propagiert, heute schon ausgenützt und nicht mißbraucht, sondern gebraucht wird.

«Lfd. Nr. 11. Antragstellende Behörde: Landesjugendamt Berlin. Schrift: Die Aufklärung, Monatsschrift für Sexual- und Lebensreform. Verfasser: Magnus Hirschfeld und Maria Krische.»

Es ist eine Dreistigkeit sondergleichen, einen Wissenschaftler wie Hirschfeld auf eine Schmutzliste zu setzen. Ich stimme mit dem Mann in vielen Punkten nicht überein; über die Art seiner Propaganda läßt sich manches sagen – aber doch immer mit dem Hut in der Hand, doch immer mit der Anerkennung: Hier hat sich einer für eine vernünftige Sache gegen seine Zeit und die Schande des Strafgesetzentwurfs gestemmt. Wenn ein Landesjugendamt die Schrift eines solchen Mannes, dessen Lebenswerk und Name eine gute Gewähr sind, auf eine Schundliste setzt, so kann es das nur getan haben, weil ihm die dort vorgetragenen Lehren nicht in seinen Kirchenkram passen. Die katholische Kirche zum Beispiel hat kein Recht, uns ihre Sittennormen aufzudrängen. Ich diskutiere sie hier nicht; ihr gebührt die Freiheit, ihre Anhänger so aufzuziehen, wie sie das für richtig hält. Wer aber anders leben will, lebe anders. Sie hat nicht über uns andre zu entscheiden. Wer da im Landesjugendamt Berlin ein solches Maß von Unbildung aufweist, mögen die Beamten unter sich ausknobeln – es ist eine Schande.

Es ist auch eine vollendete Dummheit. Wen soll denn dies Gesetz eigentlich bewahren? Die Jugend? Dann beschränke es sich auf Jugendschriften. Eine Unrechtsprechung, die in diesem Sinne weitermacht, führt konsequent dazu, daß das deutsche Geistesleben auf der ethischen Vorstellungswelt eines Sechzehnjährigen basiert. Soll es so weit kommen? Es wird so weit kommen, wenn ihr nicht dagegen angeht.

Ein Buch wie den ‹Ladenprinz› von Kurt Münzer zu verbieten, ist eine freche Überschreitung aller, selbst in diesem Schundgesetz gegebenen Kompetenzen. Münzer ist ein sehr mäßiger Teeaufguß von Heinrich Mann; verlogen, ein schlechter Stilist, kein guter Schriftsteller. Aber das geht uns an, nicht die da. Welche Gefahr atmet denn so ein Buch? Ich habe es gelesen; denkbar, daß sich ein Achtzehnjähriger bei manchen Augenblicken der Lektüre einem «geheimen Laster hingibt», um im Stil des Ministeriums zu sprechen. Vielleicht bemühen sich die Herren, sich für ihr Gehalt die Allgemeinbildung anzueignen, die nötig ist, um hier mitzusprechen. Sie werden dann lernen, daß die Masturbation eine Folgeerscheinung ist und keine Basis; daß ihre schädlichen Folgen maßlos überschätzt worden sind – und daß solche literarischen Wälzer am allerwenigsten Malheur anrichten. Weniger als die Fürsorge-Anstalten bestimmt.

Maurice Leblanc (Arsène Lupin) steht auf der Liste, wie sie es überhaupt mit den Franzosen haben. Wie uns das Leben noch Freude machen soll, seit sie uns ‹Paris Plaisirs, Jahrgang 7, Nr. 67› verboten haben, ahne ich nicht; habt ihr nicht auch das Gefühl: es fehlt uns etwas ... und was ist es? Paris Plaisirs. Alles steht durcheinander, die Listen sehen so aus wie die Gehirne, die sie ausgebrütet haben: ‹James, ein Roman aus Berlin W› (gleich zweimal), eine blanke Pornographie; und auf derselben Seite: ‹Jésus la Caille› von Francis Carco. Hauch das Thermometer an, und es wird warm im Zimmer; mal dir grüne Tinte auf den Primäraffekt, und du bist nicht mehr krank – und nach diesen Verboten, die Clément Vautel gleichermaßen wie das ganz und gar harmlose ‹Kriminal-Magazin› von Wallace betreffen, wird es ja nun wohl keine Verbrechen und keine Syphilis mehr geben, keine Dirnen und keine Zuhälter, welche Typen diese Beamten immer nur von neunzig Mark Monatsverdienst abwärts zu sehen imstande sind.

Dann wirds ganz politisch:

‹Glossen auf Gott und seine Stellvertreter. Ein Spiegel für Fromme›. – ‹Die Schlacht mit dem Heiligenknochen, Götzenbilder aus vier Jahrhunderten›. Die frommen Brüder haben ja sehr viel Stirn – aber wagen sie, uns zu sagen, daß sie eine Schrift gleicher Qualität auch dann verbieten, wenn sie gottgefälliger Tendenz ist? Dies Verbot ist die kalte Abwürgung des politischen Gegners auf dem Verwaltungswege. Denn enthalten diese Schriften eine Beleidigung der Kirche, die zwar kein Sondergesetz verdient, wohl aber gegen Beleidigungen geschützt zu werden ein Recht hat, dann genügt das Strafgesetz; enthalten sie solche Beleidigungen nicht, so hat das Volkswohlfahrtsministerium die Finger von Veröffentlichungen zu lassen, die nicht für Kinder bestimmt sind.

*

Das alles aus der einen Nr. 1.

Und alles dies – Einwände, Argumente, Angriff und Abwehr – alles dies hat man den übereifrigen Demokraten, die diese Kulturschande auf dem Gewissen haben, vorher gesagt. Man hat sie gewarnt. Man hat ihnen Schritt für Schritt geschildert, was kommen werde. Umnebelt vom Versammlungsbeifall, wie Theodor Heuß; hingerissen von der eignen Epigonen-Bildung, wie Gertrud Bäumer, haben sie kühn die Geschäfte des Zentrums besorgt, das still in der Ecke saß und sich die Hände rieb: billiger hat man ihm noch nie eine Ware ins Haus geliefert. Inzwischen haben sich namhafte Autoren aus den Ausschüssen zurückgezogen, angeekelt von diesem lächerlichen geistfeindlichen Treiben – und bald sind die weiblichen Herren und Damen ganz unter sich und allein: im Dunkel. Gute Verrichtung!

Schlechte Verrichtung, böse Verrichtung. Packt man die Herren beim Schlips, dann murmeln sie etwas von «Laien-Kritik eines Außenstehenden», denn nichts verzeiht der Beamte so wenig wie den Vorwurf, er sei mit allem, was er da treibe, gänzlich überflüssig. Er ists aber. Die vielen, vielen Tausendmarkscheine, die hier vertan werden, sind dem echten Volkswohl entzogen. Und dann pumpen sie sich bei den Banken Geld. Freilich, wer so wirtschaftet … Dieser Staat halte den Schnabel, wenn es um die Seele geht. Wohnungen soll er bauen. Es muß systematisch gearbeitet werden, damit dies Schandgesetz verschwinde. Ich halte es für eine Hauptaufgabe unseres Schutzverbandes Deutscher Schriftsteller, ununterbrochen gegen dies Gesetz zu treiben – es muß fort. Heute wird es noch nicht einmal so mißbraucht, wie sein Kautschukrahmen es möglich macht. In wildern Zeiten kann man mit ihm den halben Paragraphen 48 der Reichsverfassung sparen. Es muß fort.

Denn was ist es? «Eine Schundschrift muß in jeder Beziehung objektiv wertlos sein.» – «Eine Schmutzschrift muß wertlos sein und wegen der Unreinlichkeit des Inhalts Widerwillen erregen.» Das ist es.

Dieses Gesetz fällt unter sich selbst.

Ignaz Wrobel, WB 10.9.1929

118

Ja, Bauer, das …!

Sämtliche Buchhändlerfenster sind voll
von Kriegsbüchern und Romanen.
Die Presse war schuld! Der Kaiser war toll!
Man hat uns mit allen Schikanen
belogen,
betrogen,
dumm gemacht,
ums Denken gebracht –
Großer Katzenjammer.
Natürlich hat es sich nicht gelohnt.
Natürlich hätten wir die andern geschont.
Natürlich ist alles ganz falsch gewesen.
Natürlich ist unschuldig deutsches Wesen.
Auf ein Mal
sind sie sentimental,
gefühlvoll, pathetisch und Kriegsverdammer.
Großer Katzenjammer.

Aber –:
Geht das morgen wieder los,
vertauschst du nur die Farben,
dann erleiden Millionen ein schlimmeres Los –
vergessen, wie andere starben.
Polen zum Beispiel … der Korridor …
Da stürmen zehntausend Freiwillige vor …
da knattern die neuen Fahnen im Wind;
da bilden Großvater und Enkelkind
das von ihrer Zeitung befohlene Spalier!
Deutschland seis Panier!
Flaggen! Geflaggt ist jedes Haus.
Burschen heraus!
Und du hörst im Knallen des Salamanders:
Ja, Bauer, das ist ganz was anders –!

Theobald Tiger, WB 10. 9. 1929

119

Die Belohnung

Mit den Autoren hat mans nicht leicht.

Bespricht man sie gar nicht, sind sie böse; tadelt man sie, nehmen sie übel, und lobt man sie, zahlen sie nicht. S. J. hat mir erzählt, man habe nur ein einziges Mal in seinem Leben versucht, ihn zu bestechen, und da haben sie ihm fünfundsiebzig Mark geboten – darüber hat er sich oft beklagt ... Immerhin gibt es zum Glück Ausnahmen, ich habe hundert Mark verdient, und der Name des Spenders – Walter Mehring – sei in die Nachttischschublade geritzt.

Chansonwerke Mehring A.-G.
Groß-Stötteritz
Propaganda X. B. 12543

Vertraulich

Sehr geehrter Herr!
Im Besitz Ihrer werten Kritik erlauben wir uns, anliegend unsrer Anerkennung Ausdruck zu geben, welchselbe nach folgendem Staffelsystem errechnet wurde:

Epitheta ornantia:

37 mittlere	26	Mark	
2 verdiente	0	"	35
115 überschwengliche	50	"	65
Vergleiche mit Theobald Tiger	68	"	20
dito George Grosz	35	"	00
dito Villjon	1	"	80
11 Seelenschreie à 0 Mark 50	0	"	22
Summa	182	Mark	22

Da wir andrerseits das bedauerliche Fehlen von «Zeitnahe» «Ewigkeitswerte» «Zentral» «gekonnt» feststellen mußten, ermäßigt sich obige Anerkennung

auf 100 Mark

Und bitten wir Sie, Ihre Zustimmung umgehendst mitzuteilen, um Weiterungen (Berlin Amtsgericht Mitte I) zu vermeiden!

Achtend
gez. Arnolt Lax
Generalsekretär

Und dazu ein funkelnagelalter Hundertmarkschein. Aus der Inflation. (bitter): Dank vom Hause Habsburg!

Peter Panter, WB 10.9.1929

120

Herr Bedel liebt auf dem 48. Grad

Herr *Maurice Bedel*, der seinen ‹Jérôme› so witzig auf dem 60. Breitengrad hat lieben lassen, und der damit in Norwegen einen Ton zwischen Ärger und Lachen hervorgebracht hat ... Herr Bedel ist zwölf Grad nach unten gerutscht, in die Touraine, wo er zu Hause ist – und dort spielt sein neues Romänlein: *‹Molinoff, Indre-et-Loire›* (Editions de la Nouvelle Revue Française, Paris). Solange der Prophet reist, kann es amüsant sein – aber in seinem Vaterlande ...

Der russische Emigrant Molinoff hat sich nach wandlungsreichen Schicksalen bei dem bolivianischen Pflanzer Cortès als Koch engagieren lassen, und Herr Cortès hinwiederum hat sich ein altes Schloß in der Touraine gekauft, ein Neureicher, der den alten Geschlechtern ein Ärgernis darbietet. Herr Molinoff hat durch Zufall die Bekanntschaft der beiden jungen Töchter des Nachbarschlosses d'Eglantier gemacht, die ihn – det jibs – für einen russischen Grafen halten, der er ja auch vaguement ist. Der Koch hat es trotz der Abwesenheit seines Herrn, dem er Smoking und Halbschuhe klaut, nicht leicht, sich hindurchzuwinden – wir auch nicht. Zum Schluß kommt die Sache heraus; schon hat sich die Tochter Françoise in den kochenden Grafen verliebt, aber der ist über alle Berge, neuen Romanen entgegen, die wir hoffentlich nicht zu lesen brauchen.

So witzig der Jérôme ist – so klein ist dieses Buch. Es wäre gar nicht darüber zu reden ... denn daß Herr Bedel seinerzeit den Goncourt-Preis bekommen hat, ist für uns noch kein Grund zur Erregung – es ist gerade kein Adelsprädikat, wie die Dinge stehen – obgleich man nie vergessen sollte, daß es die Akademie Goncourt gewesen ist, die den Mut aufgebracht hat, mitten im Kriege das ‹Feuer› von Barbusse zu prämiieren ... immerhin.

Was für den Deutschen dieses kleine Buch dennoch lesenswert macht, wenn er gerade nichts Besseres zu tun hat, das ist nicht nur die sanfte Ironie, die es sich manchmal etwas bequem gemacht hat und über Streichholzschachteln springt – es ist auch eine karikierte, sehr oberflächliche, aber dennoch in den Tiefen wahrhaftig scheinende Schilderung des französischen Landadels. Da scheint mir manches zu stimmen.

Was die Ironie angeht, so kullern Herrn Bedel die Witze nur so heraus – die meisten sind milde wie Mathilde, aber heiter. Der Bischof, der das neue Schloß segnet und insbesondere den Fahrstuhl, «der Betriebsstörungen ausgesetzt war, die immerhin peinlich sein konnten»; auf dem Riesen-Gala-Fest des Zucker-Züchters geht es heiter zu: «Schwedische Tänzer waren da, man spielte einen Akt aus der berühmten Operette ‹Women prefer money›; kaukasische Sänger, ein Feuerwerk von Luigi Pilazzoli, en somme, une fête bien française.»

Daß die Epigramme nur so purzeln, versteht sich von selbst. Von einem alten Adligen: «er sah immer das Schlimmste voraus: als Rechtfertigung seiner Ohnmacht.» Und so noch oft. Meist ist der Witz französisch; es wird von einer blonden Frau gesprochen ... «Vielleicht die Schwester Encarnacion?» fragt Molinoff. «Sie sind nicht recht gescheit», sagt seine Herrin, «seit wann hat eine Nonne Haare?» Manchmal ist der Witz gar nicht französisch; da erinnert der Verfasser des ‹Jérôme› an dessen großen englischen Namensvetter. Der verliebte Molinoff benimmt sich wie ein Toller, wirft sich der frommen Schwester zu Füßen, meint sie aber nicht, er hat nur einen kleinen Vogel ... «Er küßte das Kreuz, das vom Rosenkranz der Schwester herabhing, schlug den Kopf gegen die Fliesen der Küche ...» Und nun fährt Bedel ganz still fort: «Die Schwester wußte mit allen Symptomen des Fiebers Bescheid;

sie war einmal Krankenschwester gewesen.» Das könnte ein Ire geschrieben haben.

Was nun die Schilderung der Franzosen angeht, so wird die «Action Française» mit Herrn Bedel nicht zufrieden sein. Gewiß: so «gaga», so verblödet, so kindisch werden diese Kreise, die ununterbrochen auf ihren König warten, in Wahrheit nicht sein, sondern ein gut Teil dümmer, aber doch eben nicht *so* dumm. Die Farbe ist richtig, aber die Couleur stimmt nicht. Der Deutsche muß an ganz alte, pensionierte Hauptleute aus dem Dreißigjährigen Kriege denken – was uns aber Bedel nicht gibt und in Frankreich wohl nicht erst zu geben braucht, ist die fine fleur, die in diesen Gärten hängt und leise duftet … Es wird einmal beschrieben, wie der neue Reiche das alte Mobiliar im Schloß durch Münchner Kunstgewerbe ersetzt, wir brauchen uns nichts zu erzählen, was praktischer ist – aber diese Anschauung, die die Fremden für Barbaren nimmt, hat hier ihren Sitz.

Nun, die französische Kultur geht nicht unter wie das selige Abendland; man möchte es in die deutschen Schulbücher hineinbrennen, daß die Franzosen keine «degenerierte Nation» sind – wer ihnen im Felde gegenübergestanden hat, weiß das. Aber, es fehlt, wie Bedel gut vermerkt, auch in Frankreich eine Generation, es sind nur Mädchen da, und das macht den Alten den Übergang noch schwerer. Dies ist einer der Gründe, aus denen sie so in der Republik frieren, sie machen sich Bewegung und wärmen sich, indem sie schimpfen. Dabei sind sie gespalten – und nur, wenn sie dem Denkmal von Combes die Nase einschlagen können, sind alle dabei und freuen sich und haben einen Sieg erfochten. Der wahre Sieg ist unterdessen anderswo errungen worden – aber das schlägt schon in die hohe Politik.

Ja, die «Action Française» wird also diese Schießbudenfiguren nicht anerkennen. Aber hat Bedel gar so sehr übertrieben? Es wird in dem Buch ein Empfang der Herzogin von Guyenne beschrieben, der Frau des präsumptiven französischen Thronfolgers. Diese Herzogin gibt es nicht. Sie heißt in Wahrheit die Herzogin von Guise, und ich habe einmal in Tours gesehen, wie sie ihre Leute empfangen hat. (Der Herzog von Guise darf nicht nach Frankreich hinein – darin sind die Republikaner komisch …) Da war alles zusammengeströmt, die Leute warteten, wie sonst Franzosen nur noch auf ermäßigte Billette warten, alle hatten ihren Sonntagsstaat an, und es war da die bessere Bourgeoisie, Adel, auch ein paar kleine Leute zur Parade, und viele junge Männer. Damit wir uns recht verstehen: das Leben in Tours ging derweil seinen Gang, es war eine große Ausstellung von landwirtschaftlichen Maschinen, und die Massen kümmerten sich um diesen Empfang überhaupt nicht. Es gibt keine ernsthafte monarchistische Bewegung in Frankreich – es gibt nur, wie überall, Unzufriedene. Und gerade hier hat sich's Bedel zu leicht gemacht – er setzt zu viel voraus, er gestaltet zu wenig.

Der Deutsche wird glauben, es seien Lustspielfiguren. Aber sie leben hier – man könnte sie alle Tage sehen, wenn sie das zuließen, doch sie sind sehr reserviert und wollen keinen Fremden. Alles, was uns lustspielhaft dünkt: die gestrenge Humorlosigkeit der Provinzialen, das absolute Festhalten am Althergebrachten; die Tradition, die hohe Mauer, die um diese Leben gezogen sind – das ist echt. Bedel spielt das Thema nur an – es ist schade.

Er spielt scharmant – aber es ist zuwenig. Er zeigt auch die falschen Adligen, die Snobs; von einem Herrn Grafen Le Fort: «Er war der Enkel eines Grundstücksspekulanten, und er sprach wenig von seinem Großvater, sehr häufig von seinen Vorfahren.» Und das Sätzchen über Albert Thomas ist nicht von schlechten Eltern …

So spielt Bedel, und auf jeder zweiten Seite vergißt man Buch und Autor, denn darunter bewegt sich ein ganzes Land, daß er nur ahnen läßt. Ein Land, das wir nicht kennen, obgleich wir so viel von ihm lesen – ein Land, in dem die Bourgeoisie geradezu unwahrscheinliche Höhen an Bürgerlichkeit erklommen hat. Es ist jenes Frankreich, das sich gegen die neue Zeit … nicht stemmt; es mag sie nur nicht, es ignoriert sie, es ist nicht Schwäche, es ist etwas anderes. Das kann karikaturistisch sein; da gibt es das Buch einer aufgeregten Dame über die Heilige Therese, eine neue französische Heilige, und dort heißt es an einer besonders schönen Stelle einmal: «Ist dieses liedhafte junge Mädchen nicht ein poetisches Bild, das da aufsteht in unserm bittern, schweren und beängstigenden Wirrwarr, in unserm brutalen Sportgetriebe, unsern

Hottentotten-Tänzen ...» und? «... den Dienstbotenschwierigkeiten und den niederdrückenden Steuern ...?» Erfinden Sie das mal, lieber Spitta!

Herr Bedel ist gar nicht mehr da; von mir aus liebt er schon auf dem hundertsten Breitengrad. Geblieben ist jener Komplex, dessen Tragik darin besteht, daß er neben Deutschland liegt – läge er in Südamerika: vielleicht liebten wir uns? Geblieben ist jenes Land, dem wir so viel verdanken, dem wir so viel geben wollen, das seine Stärke darin gefunden hat, das Fremde an sich herunterperlen zu lassen wie die Gans das Wasser – jenes Land, in das sich die Bürgersehnsucht flüchtet, und das doch so bürgerlich ist – eines, das im Ausland in tausend falschen Vorstellungen lebt, und das doch gesund ist und kräftig und liebenswert und hell und klar, trotz allem.

Peter Panter, Voss 12. 9. 1929

121

Geduld

Die großen, sanften Augen der Bauernpferde, die
still trottend ziehn; auf den Augenrändern
und in den Augenwinkeln sitzt es schwarz vor Fliegen ...
Geduld –

der wie ein Paket geschnürte Hund, dem der Professor
Curare eingespritzt hat, nun kann er sich nicht bewegen, nur noch fühlen;
sie haben ihm die Harnleiter durchgeschnitten, da liegt er;
Studenten umgeben das prächtige Bild ...
Geduld –

der verheiratete Angestellte, der vor dem brummigen Chef steht, zitternd,
die Kündigung an den Kopf geworfen zu bekommen;
der Mann hinter dem Schreibtisch fühlt sich: er hat auf einmal

zwei Leben – das eigne und das des andern …
Geduld –

der Proletarier im Holzschrein vor Gericht, wo unaufhörlich die
dreisten Ermahnungen des Richters kalt-spöttisch auf ihn
heruntersausen …
Geduld –

das Fürsorgekind, das einer verwitweten Megäre in die Anstalts-
finger
gefallen ist; die braucht bei Männern keine Lust zu suchen, sie
hat die Kinder …
Geduld –

Läutert Leiden? Welchen Sinn hat es?
Was haben sie getan, mein Gott: das Pferd, der Hund, der An-
gestellte, der Proletarier, das Fürsorgekind?

Sind sie schuld?
Woran sind sie schuld –?
Nimm ihnen die Geduld!
Nimm ihnen die Geduld!
Nimm ihnen die Geduld –!

Theobald Tiger, WB 17.9.1929

122

Indizien

Der Untersuchungsrichter hat den Wächter Richard Schulz aus der Haft entlassen; die berliner Kriminalpolizei hatte ihn als den mutmaßlichen Mörder der kleinen Hilde Zäpernick angebracht. Das scheint unrichtig gewesen zu sein. Zur Sache selbst ist ohne Aktenkenntnis sehr schwer etwas zu sagen. Soweit gut und schön.

«In der Begründung heißt es, daß ein dringender Tatverdacht nicht mehr bestände, daß aber durchaus noch nicht alle Verdachtsmomente aus der Welt geschafft worden seien. Maßgebend für die Aufhebung des Haftbefehls sei gewesen, daß der Wächter Schulz ein vorbildliches Familienleben führe …»

Hat man je dergleichen gehört –! Ja, wir hören es alle Tage.

Im großen ganzen kümmern sich die Behörden nicht um dein Privatleben, solange du nicht «straffällig» wirst. Im Augenblick aber, wo du in den Verdacht gerätst, etwas ausgefressen zu haben, werden Fibelvorstellungen kleiner und mittlerer Beamter wirksam, und das, was du so still vor dich hingelebt hast, wird plötzlich ein Indizium! Er hat ein «vorbildliches Familienleben» geführt? Und wenn er das nun nicht getan hätte? Nehmen wir an, dieser Mann sei nicht der Mörder: wenn er aber zum Beispiel – unverheiratet oder nicht – mit Huren gesehen wird, so spricht das also dafür, daß er ein Lustmörder ist! Man sollte den Landgerichtsrat Löwenthal, der das geschrieben hat, mit der Nase tief in die Bücher und mit dem ganzen Korpus noch tiefer ins Leben stoßen, von dem er nichts weiß.

Es ist zunächst eine Überheblichkeit, dieses veraltete Dogma vom «vorbildlichen Familienleben» in einer so ernsten Sache als ausschlaggebend zu buchen. Dergleichen besagt so gut wie gar nichts. Es ist beinah das Gegenteil richtig: ein Mann, der seine vielleicht starken Triebe auslebt, hat weniger Veranlassung, einen Lustmord zu begehen, als ein wohlbehüteter, im engen Kreis der zwei Stuben eingepferchter Mann. Übrigens sind beide Gedankengänge gleich unsinnig – wie jeder Kriminalpsychologe weiß, gibt es für diese Dinge überhaupt keine festen Regeln, man muß von Fall zu Fall mit Intuition und mit Nerven zu fühlen versuchen, was los ist.

Dann aber ist diese Argumentation eminent gefährlich. Ich führe zum Beispiel durchaus kein vorbildliches Familienleben – gerate ich morgen in den Verdacht, einen Menschen beseitigt zu haben, so kann ich dem Landgerichtsrat Löwenthal auswendig diktieren, was er zur Begründung einer langen Haft aufmalen wird.

Ist denn keiner da, der diesen Beamten einmal den Rat gibt, ein bißchen auf die Straße zu gehen – unter Menschen? Sie leben nur unter Beamten, was nicht in allen Punkten dasselbe ist. Und Unschuldige haben es auszubaden.

Ignaz Wrobel, WB 17.9.1929

123

Mir fehlt ein Wort

Ich werde ins Grab sinken, ohne zu wissen, was die Birkenblätter tun. Ich weiß es, aber ich kann es nicht sagen. Der Wind weht durch die jungen Birken; ihre Blätter zittern so schnell, hin und her, daß sie … was? «Flirren»? Nein, das Licht flirrt auf ihnen; man kann vielleicht allenfalls sagen: die Blätter flimmern … aber es ist nicht das. Es ist eine nervöse Bewegung – aber was ist es? Wie sagt man das? Was man nicht sagen kann, bleibt unerlöst – «besprechen» hat eine tiefe Bedeutung. Steht bei Goethe «Blattgeriesel»? – ich mag nicht aufstehen, es ist so weit bis zu diesen Bänden, vier Meter und hundert Jahre. Was tun die Birkenblätter –?

(Chor): «Ihre Sorgen möchten wir … Hat man je so etwas … Die Arbeiterbewegung … macht sich da niedlich mit der deutschen Sprache, die er nicht halb so gut schreibt wie unser Hans Grimm …» Antenne geerdet, aus.

Ich weiß: darauf kommt es nicht an; die Gesinnung ist die Hauptsache; und nur dem sozialen Roman gehört die Zukunft; und das Zeitdokument – o, ich habe meine Vokabeln gut gelernt. Aber ich will euch mal was sagen:

Wenn Upton Sinclair nun auch noch ein guter Schriftsteller wäre, dann wäre unsrer Sache sehr gedient. Wenn die pazifistischen Theaterstücke nun auch noch prägnant geschrieben wären, daß sich die Sätze einhämmern, dann hätte unsre Sache den Vorteil davon. Sprache ist eine Waffe. Haltet sie scharf. Wer schludert, wie – zu unserm Glück – der Herr Bronnen, der sei verlacht, für und für. Wer aus Zeitungswörtern und Versammlungssätzen seines dahinlabert, der sei ausgewischt, immerdar. Lest dazu das Kapitel über die deutsche Sprache in Alfons Goldschmidts ‹Deutschland heute›. Wie so vieles, ist da auch dies zu Ende gesagt.

Was tun die Birkenblätter –? Nur die Blätter der Birke tun dies; bei den andern Bäumen bewegen sie sich im Winde, zittern, rascheln, die Äste schwanken, mir fehlt kein Synonym, ich habe sie alle. Aber bei den Birken, da ist es etwas andres, das sind weibliche Bäume – merkwürdig, wie wir dann, wenn wir nicht mehr weiterkönnen, immer versuchen, der Sache mit einem Vergleich beizukommen; es hat ja eine ganze österreichische Dichterschule gegeben, die nur damit arbeitete, daß sie Eindrücke des Ohres in die Gesichtsphäre versetzte und Geruchsimpressionen ins Musikalische – es ist ein amüsantes Gesellschaftsspiel gewesen, manche haben es Lyrik genannt. Was tun die Birkenblätter? Während ich dies schreibe, stehe ich alle vier Zeilen auf und sehe nach, was sie tun. Sie tun es. Ich werde dahingehen und es nicht gesagt haben.

Peter Panter, WB 17.9.1929

124

Die kleinen Freuden des Lebens

Kleine Freude Nr. 72. Wenn noch eine Kleinigkeit Buttersauce übriggeblieben ist und anderthalb Kartoffeln, alle haben schon aufgegessen … aber man kann sich da noch einen kleinen Privatbrei auf dem Teller zurechtmachen. Erfreut sehr und schmeckt auch gut.

Nr. 73. Die nicht erwartete Eintagsliebe. «I never dreamt, you fall in love with me …» und plötzlich: erfolgreiches Wiedersehen in Bebra – sehr schön.

Nr. 74. Der Fön. Der Fön beim Friseur … Ich weiß nicht, wie es bei den Damen ist … bei den Männern ist es so:

Die Haare sind schon geschnitten: großer Kampf mit dem Friseur, der entweder mit der Maschine dem Kopf das Ansehen eines von der deutschen Haarkrankheit Befallenen geben will, oder der gar nicht schneidet, sondern nur so herumputzelt … «Der Übergang, Herr!» – «Gucken Sie mal in'n Spiegel: also wenn wir hier noch was wegnehmen ...» das ist vorbei; dann hat er Seife auf den Haarboden geschmiert, herumgeknetet, dann hat er die Seife wieder abgeschwemmt, nun ist man müde und döst sachte vor sich. Nun nimmt er aus einer unteren Schublade den vernickelten Fönapparat und läßt ihn heulen. Hu–hu– ... u ... u–u– das schläfert ein ... Sehr angenehm ist das. Undeutlich sieht man sein herrliches Bild im Spiegel! – Ach! Man ist ja so schön! Aber das will man jetzt gar nicht mehr sehen, man weiß es schon; wie durch einen dicken Vorhang dringen Fetzen eines Kundengesprächs herüber. «Können die Leute ja gar nicht machen. Sehn Se mal, schon rein nach der Gewerbeordnung ...» – «Puder –?» – Süßer Halbschlaf des Föns ... Huu ... u ... u. So satt wird man und selbstzufrieden. Ich glaube gar nicht, daß Männer zum Frisör gehen, um sich die Haare schneiden zu lassen – (auch gibt es welche, die lassen sich da rasieren: ein unvorstellbarer Vorgang!) – nein, ein Herrenfrisör dient anderen Zwecken. Hier werden die Herren Männer mit Selbstbewußtsein geladen. Sie sitzen da auf ihren Stühlen, sehen sich so lange in den Spiegel, bis sie völlig hypnotisiert von sich selber sind, baden in sich und ihrer männlichen Vollkommenheit, lesen ein bißchen die Zeitung, schlafen – und wenn sie aufstehen, sind sie wie neugeboren. Es muß unten an den Stühlen eine geheime Vorrichtung sein, die sie mit «Ego» füllt – vielleicht ist es auch eine Art Spiegelzauber ... der wahre, magische Zweck des Herrenfrisiersalons ist die Stärkung des egozentrischen Systems, das ja sowieso schon beim Mann so schwach ausgebildet ist ... (Siehe hierüber: Anna Ferenczy-Dülbög, ‹Psychoanalyse an Frisörlehrlingen und Toilettenfrauen›, Wien 1937.) Ja, da sitzt du, und die Welt ist gar nicht mehr da, nur der Fön. Hu–u–u– ... macht er – und das soll nie wieder aufhören, immer soll das so bleiben – die Leinen der Nerven hängen schlaff zu Boden, man kann auch sagen: du hast das Steuer losgelassen; pua! ein heißer Luftstrom! Grade ins Auge ... und dann ein kalter, und der Fön singt, und es ist alles so schön gleichgültig und verdöst und überhaupt – Es hat einmal Pflichten gegeben; es mußte etwas «alédicht» werden – vom Frisör aus muß man irgendwo hingehen, das ist unbestreitbar richtig; aber das gilt jetzt alles nicht – jetzt heult der Fön, und du schläfst wachend und wachst schlafend, und unterdes wird dein

Ich, tief in der Zirbeldrüse und im unteren Solarplexus, immer fetter und größer – es gedeiht am besten, wenn man nicht hinmerkt, es wächst, es schwillt auf – aber du weißt es noch nicht – Der Fön … der Fön … Einer scharrt mit dem Stuhl, das läßt die Gedanken durcheinanderkollern. Was denken sie?

Die Kopfhaut ist eine erogene Zone. Wäre ich ein Pascha – ach! wäre ich einer! – Ja, wäre ich ein Pascha, dann müßten mir meine Sultaninen, oder wie diese Mädchen heißen, den Kopf kraulen und in heißen Liebesnächten den Kopf waschen. Darum bitte ich heute schon immer alle Damen, die das Vergnügen haben … («Na hören Sie mal – da möchte ich aber nicht bei Ihnen Sultanine sein! Sie lassen sich wahrhaftig von Frauen den Kopf krabbeln? Lange? Wie lange? Und waschen müssen sie den Kopf auch –?» – Ja. – «Also … also mir ist das unbegreiflich, wie sich eine Frau dazu … also das verstehe ich nicht … nehmen Sie mir's nicht übel!» – Nein. – «Den Kopf kraulen …! Hat man je so etwas …» – Jetzt stören Sie Pantern hier nicht – er soll zu Ende erzählen! Also was wollten Sie vom Fön sagen –?)

Ja, da heult er, und nun ist die Zirbeldrüse in den Plexus gerutscht, und ich bin gar nicht mehr da – – Der Mann in der weißen Jacke ist fertig. «Biséh!» – Polternd fallen Komplexe, Hemmungen, Triebe, Süchte und die unterbewußten Bewußtseine durcheinander, ordnen sich … «Antreten –!» – Und nun sitzen alle wieder da, als wäre nichts geschehen. Torkelnd stehe ich auf. Aah – – es war sehr schön!

Kleine Freude Nr. 75. – – –

Peter Panter, Voss 20.9.1929

125

Hoppe – hoppe – Reiter!

Die Genossen der Arbeiterstimme fordern mich auf, mich zu einem Artikel ‹Salonkommunisten und Kritikaster› zu äußern, einer Arbeit, die – wohl durch eine Korrespondenz verbreitet – durch zahlreiche SPD-Zeitungen gegangen ist. Sie hat auch in der

Dresdner Volkszeitung gestanden. Der Artikel befaßt sich mit meinem im Neuen Deutschen Verlag erschienenen Bilderbuch ‹Deutschland, Deutschland über alles!›.

Dem Kritiker gefällt das Buch nicht. Dies zu äußern ist sein Recht. Wer in der Öffentlichkeit kegelt, muß sich vom Kegeljungen sagen lassen, wieviel er getrudelt hat. So weit ist alles in Ordnung.

Die Kritik aber geht rechtens über das Buch hinaus und behandelt den tragischen Zwiespalt der deutschen Arbeiterbewegung. Und dazu darf wohl etwas gesagt werden.

In meinem Buch sind unter andern Bildern ein paar dicke Babys abgebildet, und unter denen stehen einige Verse, in denen erzählt wird, was wohl aus diesen Kindern einmal werden wird. Von einem:

«Du wirst mal Gewerkschaftssekretär –
na, nu weine man nicht!
Zunächst gehst du klein und bescheiden einher;
doch hast du erst den feinen Verkehr,
dann kennst du deine Genossen nicht mehr –»

Das hat's dem Kritiker angetan. Er beschimpft mich und meine Freunde von der ‹Weltbühne›, und das macht er so:

> «Sie würden sich schwer hüten, eine Arbeit (nämlich in der Partei und den Gewerkschaften) zu tun, die Tag für Tag und Stunde um Stunde Opfer an Zeit und Nervenkraft erfordert, ohne jenen klingenden Lohn einzubringen, ohne den diese Salonkommunisten ihre Füllfederhalter niemals in Bewegung setzen.»

Und:

> «Tucholsky und seine Freunde könnten keinen einzigen ihrer Aufsätze ungehindert publizieren, wären nicht diese vielgeschmähte Sozialdemokratie und diese Gewerkschaften seit über zwei Menschenaltern an der Arbeit. Wir hätten nicht den Kampfboden, auf dem wir heute stehen, hätten ihn nicht Partei und Gewerkschaften in Jahrzehnten Schritt um Schritt dem Gegner abgerungen.

> Das müßten auch Tucholsky und seine Freunde erkennen und anerkennen, wenn sie gerecht wären. Wollen sie uns helfen, unsere Bewegung, deren Kern gesund und kraftvoll ist, von Schlacken zu reinigen und immer kampftüchtiger zu machen, so sind sie uns wie jeder andere willkommene Gefährten. Bleiben sie abseits stehen, so wird ihr Tun wirkungslos bleiben, und man wird um so weniger auf sie hören, je schriller ihre Stimme ertönt. Eines Tages aber werden wir uns sagen, daß sie kläffen, weil wir reiten.»

Was zunächst den Vorwurf vom «klingenden Lohn» angeht, so muß ich nach jahrelangen Auslandsreisen sagen: es ist eine spezifisch deutsche Eigenschaft, dem Gegner immer die schmierigsten Motive unterzuschieben. Der Mann, der das da geschrieben hat, ist wert, sozialdemokratischer Reichstagsabgeordneter zu werden – ich weiß nicht, ob ich ihn treffen werde, so tief kann ich gar nicht schießen. Wie? Er fordert für jeden Fräser den ihm angemessenen Lohn, der geistige Arbeiter aber darf sich sein Brot nicht verdienen? Woher weiß jener, was ich für die Arbeiterbewegung tue? Ich plakatiere das nicht. Hat er in meine Kassenbücher gesehen? Nein; ich aber in sein Gehirn – es ist kein sehr schöner Anblick.

«Klingenden Lohn» wirft man einem Mann, der, wie ich, tätig ist, nur vor, wenn er sich dafür seine Gesinnung abkaufen läßt: ich kann mich aber nicht besinnen, jemals Ruhrsubventionen erhalten zu haben. Er befrage seine Partei, wer sie erhalten hat. – –

Die zappelige Aufregung über den Hieb gegen den Gewerkschaftssekretär rührt anderwo her; so schreit nur ein Getroffener. Habe ich alle Gewerkschaftssekretäre beleidigt?

Vielleicht steckt jener Kritiker seine Nase einmal in die ‹Soziologie des Parteiwesens› von Robert Michels. Er wird darin finden, daß es eine Art von Gesetz gibt, dem leider alle die unterliegen, die sich nicht dagegegen aufrappeln können: ein Gesetz, wonach der Vertreter der Arbeiterinteressen sich rasch dem Gegner anpaßt. Das ist eine große Gefahr. Es gehört ein Urmaß von Charakterstärke, von Glauben an die Sache, von echter Manneskraft dazu, im jahrelangen Verkehr mit den «Großkopfeten» nicht die Balance zu verlieren. Da färbt vieles ab: die Umgangsformen, die

Luft, die guten Zigarren …, hier ist eine Gefahr für die Arbeiter, die niemand so gut erkennt wie die Kommunisten, die darum mit vollem Recht ihre Leute ununterbrochen sieben. Was geschieht, wenn der Arbeitervertreter seine Klasse, für die er ja wirken soll, vergißt, das haben wir alle schaudernd erlebt: Noske, Ebert, Wels, Hilferding, Breitscheid … und so hundertmal. Ich bin nun kein SPD-Schreiber, und es fällt mir gar nicht ein, hier vom «klingenden Lohn» zu sprechen. So einfach wie im Fall Südekum ist die Sache nicht immer.

Die Arbeiterverräter Ebert, Noske und wie sie alle heißen, sind umgekippt, weil sie nicht stark genug im Charakter gewesen sind; weil es bei ihnen innen nicht ausgereicht hat; weil sie zu viel Respekt vor den andern und zu wenig Rückgrat in sich selbst hatten – darum haben sie verraten. Nicht für Geld. Unsere Sozialdemokraten kosten nichts – die kann man umsonst haben. Aber für die Arbeiter kommt es auf dasselbe heraus.

Und hier, und nur hier ist die Gefahr auch in der Gewerkschaftsbewegung. Die Leute kommen von unten herauf; sie arbeiten sich unter großen persönlichen Opfern nach oben, ihnen «Ehrgeiz» vorzuwerfen, wäre kindisch – Gott gebe, daß sie es sind. Nun sind sie also da oben angelangt.

Und nun wächst ihnen der Apparat über den Kopf. Sie ersaufen in ihrer eigenen Wichtigtuerei. Sie verwechseln Aktenerfolge mit Lebenserfolgen; sie stehen vor sich selber stramm, weil sie mit einem richtigen Assessor verhandeln dürfen – sie beginnen, anfangs leise, dann immer stärker, den «Mann von der Straße» zu verachten – «Sie können das nicht so beurteilen, Genosse …» und dann ist es aus.

So ist die SPD vor die Hunde gegangen; so ist eine Partei verkommen, die nicht das Recht hat, die Erfolge ihrer Vorgänger für sich in Anspruch zu nehmen. Bebel ist ein Sozialist gewesen, der alte Liebknecht ist einer gewesen … und *denen* verdanke ich es, wenn ich heute in Deutschland schreiben darf. Nicht den unsäglichen Herren, die heute in der Regierung sitzen, und die mit Freuden jede Gelegenheit ergreifen, um sich genau so zu gebärden, wie es der Kaiser getan hat. Die Arbeit der SPD? Sie sieht mitunter rot aus, das ist wahr – aber es ist ein merkwürdiges Rot, und es klebt an den Steinen der Berliner Straßen, und Herr Zörgiebel ist ein Sozialdemokrat.

Wir kläffen, sagt der Kritiker, und sie reiten. Sie reiten –? Du lieber Gott. Sie liegen seit zehn Jahren unten und fühlen es nicht einmal. Geschlagen und beiseite geschoben, wenn es ernst wird; taumelnd von Niederlage zu Niederlage; platt gewalzt; verlacht; nicht ernst genommen – so schreitet das «die Bahn, die uns geführt Lassall». Reiten –?

Es gibt ein altes Kinderlied: «Hoppe, Hoppe, Reiter ...!»

Und so hört es auf:

«Fressen ihn die Raben –
fällt er in den Graben –
macht der Reiter:
Plumps ...»

Da liegt die Deutsche Sozialdemokratische Partei.

Kurt Tucholsky, Arbeiterstimme (Dresden), 21.9.1929

126

Das Buchhändler-Börsenblatt

Am 6. August habe ich im Neuen Deutschen Verlag in Berlin ein Bilderbuch erscheinen lassen: ‹Deutschland, Deutschland über alles!› John Heartfield hat die Photos montiert. Von dem Buch ist hier – getreu einer alten, guten Tradition S.J.s – nicht gesprochen worden; wir haben nur eine Probe veröffentlicht. Wenn ich auf das Werk zurückkomme, so geschieht es für uns alle.

*

Der Neue Deutsche Verlag hat dem ‹Börsenblatt für den Deutschen Buchhandel›, jenem täglich erscheinenden Organ, das den Sortimentern als Unterlage für ihre Bestellungen dient, ein Inserat übersandt, in dem mitgeteilt wird, daß das 15. bis 25. Tausend des Buches zur Auslieferung gelangt ist.

Die Redaktion des Börsenblatts hat dem Neuen Deutschen Verlag daraufhin folgendes Schreiben übersandt:

Sehr geehrte Firma!

Gegen den weiteren Abdruck der Anzeige betr. Ihr Verlagswerk Tucholskys, ‹Deutschland, Deutschland über alles› liegt ein Einspruch vor. Unsere vermittelnden Schritte waren ohne Erfolg, so daß sich jetzt die maßgeblichen Stellen des Börsenvereins mit der Angelegenheit beschäftigen werden. Da es nicht abzusehen ist, wann eine Entscheidung getroffen wird, gestatten wir uns, Ihnen das Manuskript zurückzugeben, für den Fall, daß Sie die beiden andern Bücher zunächst gesondert anzeigen wollen.

Hochachtungsvoll ergeben

Schriftleitung des Börsenblatts für den Deutschen Buchhandel.

Danach scheint der Börsenverein der Deutschen Buchhändler eine Satzung zu haben, die jedem Mitglied gestattet, gegen die Aufnahme eines Inserats einen Einspruch zu erheben, der aufschiebende Wirkung hat. Der Einspruch, der in diesem Fall erfolgt ist, hat ein politisches Motiv.

Ich frage die freiheitlich gesinnten Sortimenter und Verleger:

Ist das so? Laßt ihr euch das gefallen? Haltet ihr es für richtig, daß irgend jemand – sei es eine Person, ein Verband oder der Börsenverein selber – eine Zensur ausübt, die unsittlich ist? Unsittlich deshalb, weil die Zugehörigkeit zum Börsenverein für das reguläre Sortimenter- und Verlagsgeschäft zwangsläufig ist; wenn aber eine derartige Organisation eine Zwangsinnung ist, hat sie der Öffentlichkeit gegenüber Pflichten. Ihre erste und oberste Pflicht ist: Neutralität. Solange dem Börsenblatt nicht zugemutet wird, Bücher anzuzeigen, deren Inhalt strafbar ist – also Bücher, die bereits beschlagnahmt oder durch rechtskräftig gewordenen Urteilsspruch eingezogen sind – so lange hat es nicht das Recht, ein Buch zu boykottieren. Die ‹Weltbühne› darf ein Inserat ablehnen – das Monopolblatt des deutschen Buchhandels darf es nicht. Es geht nicht an, abwechselnd eine Art Behörde des Buchhandels zu spielen und sich dann, wenn es an die Pflichten geht, dahinter zu verstecken, man sei doch nur eine private Fachgilde. Das ist nicht ehrlich, und es ist auch nicht mutig.

Die Haltung des Börsenblatts selbst ist politisch niemals neutral gewesen. Über den redaktionellen Teil ist hier öfter gesprochen worden. Im Anzeigenteil wimmelt es von Verlagsanzeigen solcher Bücher, die bis hart an das Strafrecht republikfeindlich sind –, und zwar von rechts her. Diese Anzeigen stehen dort zu Recht. Es ist nicht sauber und des Standes der Buchhändler unwürdig, einen Boykott einseitig anzuwenden.

Wir haben an solchen Versuchen genug und übergenug: da ist der Mißbrauch des Strafrechts, das Gesetz gegen Schmutz und Schund, die Kirche, die Universitäten, die Filmzensur, die Rundfunkzensur – es ist genug. Was hier getrieben wird, ist nicht loyal. Die reaktionären Buchhändler wissen genau, daß die späte Entscheidung über die Aufnahme des Inserats («eine Entscheidung, die nicht abzusehen ist») den Vertrieb des Buches schädigen kann. Das ist beabsichtigt.

Soweit mir bekannt, ist dieser Fall erstmalig. Es hat einmal vor langen Jahren Schwierigkeiten mit dem tapfern Grelling gegeben, dessen ‹J'accuse› die weniger tapfern Buchhändler der Reaktion nicht vertragen haben – ich weiß jedoch nicht, ob damals eine förmliche Ablehnung der Inserate erfolgt ist.

Wenn wir unter einer rechten oder einer linken Diktatur leben, so muß ich mir das gefallen lassen. Dies aber ist eine versteckte und hinterhältige Diktatur, die kein anständiger Mensch billigen kann. Was gestern mir geschehen ist, kann morgen jedem unsrer Kameraden geschehen: also den Exponenten einer Gesinnung. Daß wir nicht in einer Demokratie leben, weiß ich; aber dies geht zu weit – wer soll über unsre Bücher abstimmen: der Käufer oder der Verkäufer –?

Der Verlag fragt sich, wer wohl die Stelle gewesen sein mag, die den Einspruch eingelegt hat. Wir haben in Deutschland nicht viel Männer, aber desto mehr Stellen. Nun, da kann ich vielleicht raten helfen.

Am 14. Mai dieses Jahres hat hier Erich Kästner auf den «Deutschen Frauenkampfbund» hingewiesen, einen Zusammenschluß von etwa fünfzig Vereinen wie: Deutscher Philologinnen-Verband, Rentnerbund, Stahlhelm Groß-Berlin, pp. Die haben es unter anderm mit der Sittlichkeit. Auf ihrer schwarzen Liste steht so ziemlich alles, was in der deutschen Literatur Wert hat, bunt vermengt mit harmlosen Albernheiten. «Die Schlußrubrik», schrieb

Kästner, «führt den gelungenen Namen ‹Schmutzsonderklasse› und nennt Polgar, Tucholsky, Klabund, Kästner.» Dieses Wort «Schmutzsonderklasse», das mir bis zum 14. Mai unbekannt gewesen war, griff ich auf, und in dem Buch sieht man ein Bild: Zwei bekleidete junge Mädchen stehen lachend auf einem Tisch, der Tisch aber hat eine Platte aus Glas, und ein Photograph hat sie von unten her photographiert. Darunter schrieb ich: «So sieht diese Schmutzsonderklasse die Welt.» Sollten diese Herrschaften vielleicht ...?

Oder sollte es einer der in dem Buch krumm und lahm geschlagenen Offiziere und Beamten gewesen sein? Zu einer Klage reichts nicht hin, Tapferkeit ist des deutschen Mannes Zier – da machen wir es eben so herum ...

Auf der rechten Seite, wo sie nicht nur einen Balken vor dem Kopf haben, sondern mitunter einen ganzen Stapel von Dummheit – auf der rechten Seite wird man mit schlecht kopierten Handbewegungen christeln: «Waih geschrien! Sein Geschäft!» – Ich muß mir mein Geld mit meiner Arbeit verdienen; ich bin weder Kaiser der Reserve noch geschlagener General im Ruhestande: mir zahlt die Republik nichts. Und ich freue mich, wenn ich durch meine Arbeit verdiene; sie macht mich unabhängig.

Auf den Wert dieses Buches kommt es hier nicht an. Ich habe es der Öffentlichkeit vorgelegt; ich lasse mir von jedem Kritiker sagen, wie es ihm gefallen hat. Hier aber ist etwas andres, hier ist jene schleichende, trockne, giftig-gefährliche Reaktion am Werk, die in diesem ganz leicht anachronistischen Buch nicht zu finden ist –: man kann sie nämlich nicht photographieren. Die neudeutsche Reaktion hat, sehen wir von Zörgiebeln ab, oft verbindliche Formen; und so ein Vorgang wie dieser hier – nationaler Schuß von hinten, aus Angst vor der Wahrheit – der läßt sich nicht illustrieren. Tatsächlich ist das, was sich heute in Deutschland gegen die Arbeiter vorbereitet, eine sanft dahinkriechende Reaktion, eine Gefahr, die zu wenig beachtet wird. Gegen sie gehen wir an.

*

Soweit war die Sache gediehen, als auf den Protest des Verlages der Börsenverein – ein Bein auf dem Hugenberg, das andre Bein auf dem Boden der Verfassung – eine «ergänzende Erklärung» abgab.

«In Ergänzung unseres Briefes vom 9.11. erlauben wir uns, Ihnen noch mitzuteilen, daß sich der Einspruch nur gegen die Bildwiedergabe in dem Inserat richtet, da darin eine Verächtlichmachung der Nationalhymne der Deutschen Republik gesehen wird, die dem Börsenblatt zur Unehre gereiche. Der Anzeige des Buches an sich steht nichts im Wege. Wir bitten zu entschuldigen, daß in der Eile zunächst vergessen worden ist, Ihnen diese genauere Kennzeichnung des Einspruchs zu geben.»

Der Zurückzieher gibt es mannigfache Arten: kluge und dumme.

Zunächst wird weder im Titel noch auf der Umschlagseite des Buches die Nationalhymne der Republik lächerlich gemacht. Ob eine Verächtlichmachung vorliegt, haben nur die Richter in Anwendung der Gesetze zu entscheiden – nicht die Buchhändler in Anwendung ihrer Satzungen, die gleichgültig sind. Wie subtil sie sich auf einmal haben –! Wie ängstlich –! Wie verfassungstreu –! Nun muß man aber sehen, was da in ihren Anzeigen gegen diese selbe Republik zusammengeflucht, gedroht, gebrüllt und gekreischt wird –! Die Gleichsetzung von Blatt und Anzeige wäre in der Tat ungerechtfertigt, wenn nicht die Mehrzahl der leitenden Männer im deutschen Buchhandel von jener kleinbürgerlichen Rückwärtserei besessen wäre, wie sie von der Industrie und der Landwirtschaft bezahlt und propagiert wird: diese Gehirne sind Matern von Hugenberg.

Die Wirkung –? Eine gute Reklame für das Buch, bei allen Gesinnungsfreunden unter den Buchhändlern. Im übrigen muß der Hieb doch wohl gesessen haben. Der Vorfall bestärkt mich in meiner Haltung:

Für die Unterdrückten, gegen diese vermufften deutschen Spießer, ist jedes Mittel recht, keines zu scharf und alle zu schade. Es wird weitergekämpft.

Kurt Tucholsky, WB 24.9.1929

127

Holder Friede

(Versmaß 1911)

Nun senkt sich auf die Fluren nieder
der süße Tran der Vorkriegszeit;
es kehren Ruh und Stille wieder,
getretener Quark wird weich und breit.
Und alle atmen auf hienieden:
Jetzt haben wir Frieden.

Nun ist es Herbst. Die Storchenpaare
stehn klappernd, und der Eichbaum schwankt.
Das ist ja wohl die Zeit im Jahre,
wo Engel sich mit Brechten zankt.
Die Ehe wird noch oft geschieden.
Jetzt haben wir Frieden.

Wir wollen nur das eine wissen,
weil uns das wirklich interessiert:
Premierenknatsch in den Kulissen –
ob Kortner Jessner engagiert?
Baut Lämmle pappene Pyramiden?
Jetzt haben wir Frieden.

Wir geben einer müden Masse
zum Ansehn, was sie niemals hat.
«In Schiffskabinen erster Klasse
gibt es jetzt Radio, Turnsaal, Bad …!»
Vergessen sind die Invaliden –
jetzt haben wir Frieden.

Verrauscht ist Lärm und Trommelfeuer,
verweht das Leid der Inflation.
Wir hassen jedes Abenteuer –

wir wollen nicht mehr. Wir haben schon.
Wir pfeifen auf dem ersten Loche.
Nun liegt schon alles weit entfernt …
Wir spielen Metternich-Epoche
und haben nichts dazugelernt.

Theobald Tiger, WB 24.9.1929

128

Erfüllung

Wie Wagenpferde, die schwer gezogen haben, getränkt werden –: das sehe ich so gern. Da stehen sie, mit nassem Fell, die Schweife wedeln ganz matt, sie lassen den Kopf hängen, und eines stößt das andre, das grade trinkt, beiseite. Man sieht das Wasser in seine Kehle hinuntergleiten, es schlürft; alles an ihm ist Gier, gesättigte Gier, frische Gier und Befriedigung. Dann trinkt das andre, und das erste sieht zufrieden vor sich hin, aus dem Maul rinnt ihm Wasser in langen Fäden … Das ist schön. Ich möchte den Kutscher streicheln, der ihnen da seinen Eimer hinhält … Warum ist das schön –?

Weil es erfüllte Befriedigung ist, das ist so selten. Es ist legitimer Wunsch, erarbeiteter Lohn, Notwendigkeit, und eine erquickende Spur Wollust ist auch darin. Auch tut es niemand wehe; keine Spinne tötet hier die mit großem Fleiß eingefangene Fliege, ihren ebenso naturhaften Hunger zu stillen … die Mikroben im Wasser werden wohl keine Schmerzen erleiden, wir wollen uns da nicht lächerlich machen – es ist schön, wenn Pferde getränkt werden.

Es ist auch etwas Freude an der menschlichen Überlegenheit dabei: daß es ein Mensch ist, der ihnen zu trinken gibt. Trinken sie zum Beispiel aus einem fließenden Bach, so gönnt man es ihnen, aber das Bild verliert etwas von dem Behagen, mit dem uns das erste erfüllt. Wir sind wohl sehr eitel, als Gattung.

Und dann ist es auch schön, weil Pferde nicht sprechen können. Kommt ein durstiger, durchschwitzter Wandersmann an die Theke des kleinen Gasthauses und sagt: «Ein großes Helles! Donnerwetter, ist das heute eine Hitze ...», dann trinkt er, und es ist kaum ein ästhetischer Genuß, ihm zuzusehen. Wenn nachher seine Augen glänzen und er «Ah –» macht, dann wirkt er auf uns, die wir keinen Durst haben, eine ganze Kleinigkeit albern.

Warum es grade bei den Pferden so ist, das weiß ich nicht. Man fühlt sich gut, wenn man sich vor ihnen gut fühlt. Eine milde Woge von Tierliebe quillt in einem auf. Aber die täuscht.

Denn läuft das Pferdepaar nachher nicht schnell genug, dann sind wir auf den Kutscher böse, weil er ihnen nicht ordentlich einen überzieht. «La race maudite, à laquelle nous appartenons ...», sagte jener Friedrich. Wenn wir einmal nicht grausam sind, dann glauben wir gleich, wir seien gut.

Kaspar Hauser, WB 24.9.1929

129

[Gewichtige Stimmen zum Londoner Kongreß]

Dem Dritten Internationalen Kongreß für Sexualreform wünsche ich alles Gute für seine Arbeiten. Ich glaube, daß keine Gemeinschaft und kein Staat das Recht hat, in die Geschlechtsbeziehungen seiner Angehörigen einzugreifen, wenn nicht folgende Interessen auf dem Spiel stehen:

Erregung öffentlichen Ärgernisses durch unziemliche geschlechtliche Handlungen;
Schutz der geschlechtlich Unentwickelten;
Ausbeutung eines Abhängigkeitsverhältnisses;
Übertragung von Krankheiten.

In allen anderen Fällen muß es der individuellen und kollektiven Moral – also nicht dem Gesetz – überlassen sein, wie diese Beziehungen geregelt werden.

Ich halte insbesondere die Vereinsbestrebungen Übereifriger, wie wir sie in reaktionären katholischen Kreisen und oft in den angelsächsischen Ländern finden, in fast allen Fällen für Symptome krankhafter Veranlagung. Wer dauernd an Literatur, Kunst und Theater «Ärgernis» nimmt, ist im Freudschen Sinne erkrankt und bedarf der Behandlung – wir aber bedürfen dieses angemaßten Schutzes nicht.

Das Individuum hat ein Recht auf geschlechtliche Erregung – deren Bekämpfung liegt so hart an der Grenze der Komik wie ihre feierliche Proklamierung. Hören wir weiter auf die Damen beiderlei Geschlechts, so laufen wir Gefahr, die wenigen Errungenschaften des guten alten Liberalismus zu verlieren.

Anstatt die «Unzucht» zu bekämpfen, sollten wir für gute Zucht sorgen, nämlich dafür, daß uneheliche Mütter und Kinder keine Not leiden. Kampf gegen Schmutz und Schund, wie er heute fast überall betrieben wird, ist verkappte Reaktion und Ablenkung vom Wesentlichen: von der Verbesserung des Loses der arbeitenden Klasse.

Kurt Tucholsky, Die Neue Generation, Oktober 1929

130

[Arthur Holitscher 60 Jahre]
Der Mann mit den Augen

Damals war ich nicht mehr ganz grün in Paris – ich konnte schon das linke Seine-Ufer vom rechten unterscheiden ... immerhin. Damals kam er nach Paris. Ich werde das nie vergessen. Weil ich nämlich neben ihm gehen durfte, während er sah – er sah, scheinbar absichtslos, er machte gar kein Wesens davon, daß er ununterbrochen aufnahm, beobachtete, registrierte, arbeitete – er sagte wenigstens kein Wort davon. Und dann las ich den ‹Narrenbaedeker durch Paris und London› – und war tief beschämt. Ich hatte doch, in Paris, dasselbe gesehen wie er – und ich hatte gar nichts gesehen. Er hatte gesehen – mehr: alles aufgesogen, was da war.

Über den Künstler Holitscher wäre manches zu sagen; wir sind kein ästhetischer Verein. Über den Kämpfer Holitscher ist etwas Erstaunliches zu sagen:

Daß dieser Mann eine Altersreife, eine neue Jugend erlebt – etwa, wie sie Fontane gehabt hat – nur ganz anders. Bei dem setzte der künstlerische Ast immer neue Triebe an, goldene Früchte hat er uns geschenkt – Holitscher, der lange Jahre lang (scheinbar) nur der tendenzlosen Kunst gelebt hat, beginnt, als reifer Mann etwas zu tun, wovon sich andere in diesem Alter auszuruhen pflegen: zu kämpfen.

Ich denke: wir können alle von ihm lernen.

Ich halte seine journalistischen Fähigkeiten für sehr groß. Seine technische Arbeit ist bewundernswert; wie er an das fremde Leben herangeht, wie er es erjagt, wie er es heimbringt: nämlich lebendig, was, wie männiglich bekannt, ungeheuer schwer ist. Den meisten von uns, denen eine Beute vergönnt ist, geht sie häufig unterwegs ein. Seine Bücher, seine Berichte leben.

Er hat ein seltsames, fast bitteres Gefühl gegen das Unrecht, das auf der Welt ist. Man möchte manchmal denken: es bereitet ihm einen Genuß, es aufzuspüren, er hat es vorausgesetzt, er setzt zum Fang an – und richtig! da ist es. Grimmig lächelnd hebt er es ans Licht. Er hat es nicht anders erwartet.

Dieser *aktive Pessimismus* hat schon viel Gutes zutage gefördert – gegründet ist er auf «dem brennenden Recht, das durch sein Herz fließt».

Er weiß, wo es sich in der Welt bewegt – dahin geht er, da ist er immer zu finden. Und was in dieser stets bereiten Erwartung des Unrechts so auffällt und besticht, ist der unerschütterliche Optimismus Holitschers: es kann besser werden, es muß besser werden, es soll besser werden. Wenn wir nur arbeiten –! Er arbeitet.

In seinen autobiographischen Bänden stehen unschätzbare Seiten zum Verständnis dieser Zeit; was da als erlebt wiedergegeben ist, ist durchblutet – es hängt soviel Schmerz an den vergangenen Jahren ... Aber es ist ein gut angelegter Schmerz, ein heute aktivierter Schmerz.

Die Deutsche Liga für Menschenrechte verdankt dem sechzigjährigen Arthur Holitscher viel Gutes – wir drücken ihm dafür die Hand. Er hat so oft verlogene Geburtstagsfeiern, Fahnenweihen, Massenbetrunkenheiten und Trara erlebt – so wollen wir ihn nicht feiern. Wir wollen etwas anderes tun.

Wir wollen ihm versprechen, daß wir in seinem Sinne weiter arbeiten.

Kurt Tucholsky, Die Menschenrechte 1. 10. 1929

Schulkampf

«Wer gegen mich zu rebellieren wagt ...!»
Direktor Freitag,
Lessing-Gymnasium, Berlin

Da erscheint eine kleine Zeitschrift ‹Der Schulkampf›, Organ der Sozialistischen Höheren Schüler, herausgegeben vom Sozialistischen Schülerbund. Bravo!

Was zunächst auffällt, ist die erstaunliche Reife der Aufsätze und des Tones. Hier ist mit gradezu intuitivem Scharfsinn zweierlei vermieden, was sonst fast jede deutsche Jugendbewegung von vornherein zum Scheitern verurteilt: das quitschige Pathos und die Funktionärsbrille. Was das Pathos angeht, so wird das noch am ehesten von den Machthabern geduldet, weil es ungefährlich ist: es ist einfach eine Pubertätserscheinung, wird als solche gewertet und tut keinem Menschen etwas zu Leide. Diese großen Worte werden später, mit der Klampfe, an die Wand gehängt ... das bleibt nicht. Hier ist nichts davon. Hier ist auch nicht dieser schrecklich unjunge Typus, der zum Parteifunktionär prädestiniert ist; jener schon mit siebzehn Jahren besinnliche, vorsichtige, in der Organisation versaufende junge Herr – einer jener, von denen man sich später nie vorstellen kann, wie der wohl einmal jung gewesen sein mag. Nichts ist hier davon. Hier ist: Klarheit, Mut, Draufgängertum und scharfes Gefühl für die Realität. Dabei habens die Jungen nicht leicht.

Das preußische Kultusministerium, in dem heute der gescheite, gebildete und in seiner politischen Aktivität maßlos überschätzte Professor Becker sitzt, hat den Schülern und Schülerinnen eine kümmerliche Art «Selbstverwaltung» gegeben. Es gibt «Sprecher», die in geheimer Wahl gewählt werden; einen Schülerausschuß, eine Klassengemeinde, die in einer lehrplanmäßigen Stunde zur Aussprache über die Klassengemeinschaft aufzufordern ist; es gibt eine Schulgemeinde, und da, wo sie nicht besteht, soll über ihre Einführung zu Beginn jedes Schuljahres klassenweise abgestimmt werden …, das steht auf dem Papier. Die Wirklichkeit sieht ganz anders aus.

Zweifellos hat sich das Verhältnis des Lehrers zum Schüler geändert, und zwar zum Bessern gewendet. Unsereiner hat die ganz bösen Zeiten – mit Prügelstrafe, mit schärfster Autorität der Pauker, mit Drill – nicht mehr erlebt; wobei hinzugefügt sein mag, daß ich in einer großen Stadt zur Schule gegangen bin, wo ja erfahrungsgemäß alles halb so schlimm zu sein pflegt. Wenn ich an meine Schulzeit zurückdenke, so tue ich das nicht mit dem Gefühl des Hasses, sondern mit dem einer unsäglichen Verachtung für die Typen, die uns da unterrichtet haben – und wie unterrichtet! Ich habe heute noch, nach vierundzwanzig Jahren, den Klang jenes Satzes im Ohr, den mir mein Freund Hans J. auf die Frage, wie denn die Herren Lehrer im Abitur gewesen seien, sagte: «Albern wie immer.» Gelernt haben wir nicht viel – mein Wissen krankt noch jetzt an Lücken, die ich nie wieder aufzufüllen vermag. Dieser Unterricht war, in seinen großen Teilen und von erfreulichen Ausnahmen abgesehen, eine sinnlose Quälerei und das Fahrgeld nicht wert.

Ist das nun wirklich besser geworden? Es gibt heute schon, besonders unter den jüngeren Lehrern, eine Art sauberer Kameradschaft mit den Schülern, wirkliche Zusammenarbeit, aus der allein etwas gedeihen kann – aber das ist noch nicht überall so, es ist vor allem in der Provinz nicht so, wo der Direktor und sein Kollegium die «Autorität» wahren, jenes Gemisch aus privatem Sadismus, Faulheit und Unfähigkeit. Mit dem Knüppel kann jeder Hammel regieren. Und jeder Hammel tut es.

Zum ersten Mal, seit ich diese Dinge verfolge, tönt mir aus einer Schülerzeitschrift ein Ton entgegen, der ergreift: die fühlen mit dem Kopp, und sie denken mit dem Herzen, um ein Glaßbrennersches Wort zu variieren.

Sie wissen:

Schulreform ohne Gesellschaftsreform ist ein Unding. Sie wissen: es gibt keinen objektiven Unterricht, jeder Unterricht hat vielmehr die natürliche Tendenz, die Grundlagen der herrschenden Klasse zu vertreten und sie in die Köpfe der Jungen und Mädchen hineinzutrommeln, und zwar – und das ist die Gefahr! – als selbstverständlich und untendenziös hineinzutrommeln. Das lehnen diese tapfern Jungen ab.

Sie wissen: mit einer gesunden Aufklärung über die Welt, über die Geschlechter, über die Wirtschaft, über den Staat zu warten, bis man «heraus» ist, führt zu gar nichts; die entscheidenden Jahre müssen genutzt werden. Und sie wissen: nur wirklich freie Persönlichkeiten sind befugt und legitimiert, Kinder zu erziehen. (Man erlasse mir das schreckliche Wort: «Jugendliche».) Was finden sie nun vor?

Sie finden das vor, was wir in ganz Deutschland zurzeit sehen: eine Reaktion, um so gefährlicher, als sie in den Formen häufig verbindlich ist. «Es ist alles gar nicht so schlimm.» Es ist genau so schlimm, wie es gewesen ist – es ist viel schlimmer; aber man merkt das nicht immer gleich so. Wo die Herrschenden so töricht sind, ganz aus sich herauszugehen, entstehen diese Vorkommnisse, von denen der ‹Schulkampf› noch massenhaft zu berichten weiß: der jetzige Direktor des Goethegymnasiums in Frankfurt am Main, Herr Neustadt, der früher in Berlin Lehrer gewesen ist, tituliert seine Schüler zum Beispiel so:

«Louis – lackierter Affe – gespreizte Null – Roß – Rindvieh – Idiot – Klotzkopf – Knote – Lumpengesindel – mulmige Pflaume», und dergleichen berechtigt offenbar zu einer Beförderung, nicht etwa zur Pensionierung. Und so hundertfach.

Viel schlimmer als alles dieses ist der Ungeist, der durch viele Klassen weht.

Was da heute getrieben wird, ist nicht Fisch und nicht Fleisch. Es ist nicht mehr die alte Paukschule, wo nur gebimst wird, es ist aber auch noch nicht die neue Schule, in der Menschen herangebildet werden. Das mag für die Provinzialschulkollegien schwer sein; sie haben ja selbst kein geschlossenes Weltbild, wie sollen sie den andern eins geben! Das Tragische an dieser jungen Generation, das sie deutlich fühlen, ist: sie baden die trüben Jugendideale mäßiger Kleinbürger aus. Jeder lebt ja sein Leben zu Ende … diese das ihre, und was auffällt, ist die vollendete Hilflosigkeit dieser Männer. Da schreibt – nicht im ‹Schulkampf› – ein «Oberstudiendirektor» über die Not des Literaturunterrichts in der großstädtischen Schule. Der Mann gehört zu den Denkenden unter seinen Genossen, er will etwas für die Jugend tun, er fühlt, wie ihm die Felle unterm Stuhl wegschwimmen, aber er kann nicht. Hilflos, hilflos … Daß es mit der Emilia Galotti nicht mehr geht, weiß er. «Wer kann nun von früheren Dichtern als Wegweiser und Wegdeuter herangezogen werden?» Ja, wer wohl? «… Vielleicht solche Leute wie Oscar Wilde …» Das ist in seiner Jugend «modern» gewesen, das galt als dekadent, pervers, neue Zeit, was weiß ich – und er glaubt wirklich, daß so eine Kunstblume noch einmal aufblühen wird! Es ist ein Jammer.

Das alles wissen die jungen Schüler des ‹Schulkampfes› genau, sie machen sich nichts vor, kaum ein Aufsatz ist darin, der mit Phrasen gefüllt ist, fast alle weisen Gedanken auf – und wer zu dieser Jugend geht und nicht ebenso viel von ihr lernt, wie er sie zu lehren ausgesandt ist, der mag ja ein ganz braver Studienrat sein, aber ein Lehrer ist er nicht. Die Lehrerschaft hat denn auch das einzige getan, was ihr zu tun übrig blieb: der ‹Schulkampf› ist in den Schulen verboten. Und wird hoffentlich vierfach vertrieben und gelesen.

Das sexuelle Gebiet spielt keine übermäßig große Rolle in diesen Heften. Und das ist recht so. Wie himmelweit ist diese verständige Jugend von solchen Ausverkäufen in Jugend entfernt wie Klaus Mann sel. Erben! Für diese Heutigen ist vieles selbstverständlich geworden; einmal lehnt eine ganze Oberprima diese traurige «Aufklärung» ab, die man ihr offiziell zum Abschied mit ins Leben geben will: so will sie nicht aufgeklärt werden – entweder ganz oder gar nicht. Die Provinzialschulkollegien wählen: halb.

Zwei Gedanken durchziehen diese ausgezeichneten Hefte: der Klassenkampf und der Kampf gegen die falsche Autorität, gegen jene, die nicht erarbeitet, sondern eingesetzt ist. Hiergegen bäumt sich alles in der guten Jugend auf – und rechtens.

Was den Klassenkampf angeht, so können ja nun die Liberalen aller Schattierungen – einschließlich der Sozialdemokraten – heulen: «Kommunisten! Kommunistisch verhetzt! Kommunistisch mißbraucht!» Davon ist keine Rede. Diese Gruppe besteht kaum aus Kommunisten, schwört gewiß nicht auf das Kommunistische Manifest – fühlt aber, daß ohne das Proletariat jede Bewegung im

Keim verdorren muß. Lieber kommunistisch beeinflußt als national verhetzt; zum Beispiel von dem durch das Kultusministerium gehätschelten «Verein für das Deutschtum im Ausland». Über die Nationalen auf den Schulen ist nicht zu reden: dieses mulmige Pathos, diese trübe Erkenntnislosigkeit, diese bramsige Mannbarkeit, die gar keine ist, richten sich selbst. Was die zahmen SPD-Leute angeht, so wissen sie nicht, was sie an der Jugend sündigen. Sie fühlen ja die eigenen Niederlagen nicht; neulich schrieb einer von ihnen, wir hier «kläfften, während sie reiten». Reiten? wirklich reiten? Aber das Grausig-Komische ist doch eben, daß sie nicht reiten; daß sie im Chausseegraben liegen, seit 1918; von einer Position in die andere gedrängt, vertrieben, verhöhnt, nicht ernst genommen, geschlagen auf allen wichtigen Gebieten – wirklich: reiten?

Gegen solche Halbheiten steht diese Jugend.

Sie steht ebenso scharf gegen die Lehrer, die nur Pauker und Feldwebel geblieben sind. Gegen jene, die gegen den Kalender leben. Wüßten diese kleinbürgerlichen Pensionsrentner nur, wieviel echte, wieviel innere Disziplin in diesen Jungen und Mädchen ist – wie schwer und wie leicht es ist, mit der Klasse Ordnung zu halten, statt über und gegen sie: sie faßten ihr Amt anders auf. Aber daran ist nicht zu denken; auch gibt es da eine Sorte nationaler Lehrerinnen, die noch weitaus schauerlicher sind als ihre männlichen Kollegen; wieviel verglimmende Brunst ist in dieser Militär- und Gewaltanbetung … Dralles Blüten-Illusion.

Ganz besonders übel ist es in der Provinz. Was von da an Beschwerden in die Hefte des ‹Schulkampfs› dringt, schreit nach Besserung. Weiß Herr Becker das? Aber ich kann im Schlaf hersagen, was er erwidern wird: «Man kann nicht immer so … wir haben eine Koalitionsregierung … Sie glauben nicht, wie schwer es ist, Fachleute zu finden, die den Anforderungen … solange keine direkten Verstöße gegen die Verordnungen nachgewiesen sind …» Gute Nacht. Kein Satz davon schlägt durch: als ob sich ein Geist jemals hindern ließe, zu wirken – und noch dazu, wenn man die Macht hat! Von da ist nicht viel zu erhoffen – heute nicht.

Halt dich wacker, guter ‹Schulkampf›! Geh ran. Sags ihnen. Und nenn, wie bisher, Namen. Stell sie an den Pranger. Lehrer sind keine Götzen, sie sind nicht vom Himmel heruntergefallen. Steh ein für die guten – peitsche die schlechten. Ihr seid eine Macht. Heute eine kleine, morgen eine größere; auch ihr Schulklassen steht in einem Klassenkampf – vergeßt es nie. Und kämpft für ein besseres, für ein neues Deutschland!

Ignaz Wrobel, WB 1. 10. 1929

132

Ich habe mich erkältet

Ich weiß dicht, was bit beider Dase ist –
da ist was dridd …
Doch soll bich dies dicht hindern,
euch, lieben Kindern,
ein deutsches Lied zu singen – uns allen zum Gewidd –:

Barkig schallt der Ruf der deutschen Bannen:
«Heil deb großen Zeppeliend!
Welcher butig flog von dannen,
über alle Welten hiend!»
  Alle Benschen konnten ihn sehnd!
  Welch ein Phädobeend –!

Donnen, Deger und Berlider Dutten
labten sich an seinemb Bild –
ohmb schrieben sie mit Underwoodn,
und sie aßen Hubber, Lachs und Wild,
  sowie auch die leckre Barbelade –
  daß ich dicht dabei war, das war schade.

Eckners Namb' sollt man id Barbor ritzen,
auf Zigarren, id ded Steid vomb Dobido –
auf deb Präsidentenstuhle sollt er sitzen,
dafür neblich ist derselbe do …
  Alle, alle kedden ihnd ja schond,
  selbst Biß Babbitt und Frau Dathadsohnd.

Kein Bobent kann dieser Ruhmb sich wandeln.
Darumb bache ich ihmb dies Gedicht.
Was ist in der Dase … oder in ded Bandeln …
Aber Gottseidank: ban berkt es dicht.

Theobald Tiger, WB 1. 10. 1929

133

Konjunktur

Wenn du ein dickes Erfolgbuch schreiben willst, so nimm zwischen Daumen und Zeigefinger der linken Hand …:

1. Das Buch muß in der grade verwichenen Vergangenheit spielen.

2. Das Buch muß ein Ereignis behandeln, an dem möglichst viel Leute – deine Abnehmer – teilgenommen haben: Weltkrieg erwünscht, kleinere Freikorpskämpfe sind auch sehr schön.

3. Das Buch muß sein wie die amerikanischen Kriegsfilme: so rum und auch so rum. Leg dich auf keinen Standpunkt fest; verleih ihm aber kräftigen Ausdruck.

3a. Patriotisch darf es sein.

4. In dem Buch müssen einige krasse Szenen enthalten sein. Das Wort «Scheibe» darf heute auf keinem Toilettentisch fehlen. Sei ein Mann! wenn nicht von vorn, dann von hinten.

5. In dem Buch müssen einige zarte Szenen enthalten sein: vergiß der Liebe nicht. Liebe ist hier aber nicht Liebe wie bei dem gottseligen Storm oder Gottfried Keller – Liebe ist zu verstehen als Miniaturmalerei allgemein erheiternder Vorgänge. Jeder Leser ist ein Stückchen Voyeur; gib ihm was zu sehen. Und sag alles, wies ist. Dein Buch muß nur mit einer Hand gelesen werden können.

6. Verwende vierzehn Tage auf die Niederschrift des Buches; zwei Monate auf die Erfindung seines Titels.

7. So wie sein Druck sei auch deine Charakterzeichnung: schwarzweiß. Zeige die Gegner deiner von dir nicht gehabten Meinung als Schurken, Feiglinge, Lumpen, bezahlte Subjekte … es darf kein anständiger Kerl unter ihnen sein, wie im Leben. Deine Freunde dagegen seien

8. nicht nur ritterlich, hochbegabt, feinfühlend, edel, wollüstig und kühn –, sondern sie seien auch klug, und zwar deshalb klug, weil sie deiner Meinung sind. Das schmeichelt dem Leser und bringt – schlechtgerechnet – zwanzigtausend Stück mehr.

9. Denk stets daran, das Gute, Wahre und Schöne in deinem Buch hochzuhalten und flatternd ein Banner wehen zu lassen, das keinen Menschen verpflichtet, auch nur einen Deut anders zu leben, als er es gewohnt ist; sei ein strenger Prophet deines Volkes, aber sei ein bequemer Prophet. Verschreibe Diät – ohne Berufsstörung. Wenn die Muse dich küßt, so sieht eine Nation auf dich; die schwere sittliche Verantwortung ruht auf dir, ein Land zu bessern, an dem die Welt einst genas, rühre die Trommel und vergiß nicht,

10. mit deinem Verleger 15 % abzumachen.

Peter Panter, WB 1.10.1929

134

Das Gesetz

Mann und Frau und Frau und Mann –
nach dem Happy End fängt ihr Leben erst an ...
Wohnungsnot und Herzensnot
machen manche Ehe tot.

Warum
läßt man sich denn nicht scheiden?
's fehlt an Geld – und der Schmutz und der Schmutz ...
Und so zerrinnt das Leben beiden –
so wie sie, sind hunderttausend ohne Schutz ...

Und unterdes –
da sitzen sie im Reichstagshaus
und knobeln sich neue Gesetze aus;
ein gutes für Scheidung ist nicht dabei –
Hört ihr den Schrei? Hört ihr den Schrei?
Hört ihr den Schrei?
Paragraph 5, Ziffer 4, Absatz 3.

«Hör mal, Willy – jetzt ist's aus!
Noch ein fünftes Kind hat keinen Platz im Haus!»
– «Heul nicht, Liese, das hat keinen Sinn …
hier hast du 'ne Adresse – geh mal hin!»

Die Olsch, die macht das im Tarife –
aber schlecht – und die Frau geht ein.
Dann setzt es anonyme Briefe,
und vier Kinder sind nun ganz allein …

Und unterdes –
da sitzen sie im Reichstagshaus
und knobeln sich neue Gesetze aus –
Für manche ist die Frau eine Milchmeierei –

Hört ihr den Schrei? Hört ihr den Schrei?
Hört ihr den Schrei?

Paragraph 5, Ziffer 4, Absatz 3.

Kleiner Dieb, der wird gehängt –
großer Verbrecher kriegt noch was geschenkt.
Wer da ausbrennt Kriegessaat –
das nennt der Richter Landesverrat.

Zehntausend warten ungeduldig
in den Zellen, geduckt wie ein Tier …
Die sind vorm Paragraphen schuldig
– aber Menschen, Menschen wie wir! –

Wach auf, wach auf, Barmherzigkeit!
Ein neuer Ton – eine neue Zeit!
Recht und Recht sind immer zweierlei …

Hört ihr den Schrei? Hört ihr den Schrei?
Hört ihr den Schrei?
Macht euch frei!
Macht euch frei!
Macht euch frei! –

Theobald Tiger, AIZ Nr. 41, 1929

135

«Eins – zwei – drei – hopp!»

Der dicke Mann erzählt:

«Der Wille, so habe ich gelernt, regiert die Ratio. Der Trieb herrscht, er ist primär – erst nachher wird er rationalisiert; man ‹macht sich etwas vor› – erst sich, dann den andern, dann wieder sich. Und dann habe ich gelernt, es solle das mit dem Ablauf der Gedanken und mit den Träumen gar so rasch gehen ... Sie kennen das Experiment mit der Pistole, die man am Ohr eines Schlafenden abfeuerte – er träumte einen ganzen Wallace-Roman mit Falltüren, mit Syndetikon gefolterte Heldinnen schrien auf, falsche Detektivs, die eigentlich richtig, also falsch, daher richtig waren ... und zum Schluß nahte der Retter und schoß durch die Tür. Das war jener Pistolenschuß gewesen. Dann wachte der Mann auf.

Das habe ich alles gelernt. Und jetzt habe ich die Probe aufs Exempel gemacht.

Der Doktor Hartenstein, ein Bayer, aber ein netter Mann – – (‹Oho!› – ‹Zur Geschäftsordnung!› – ‹Saupreiß!› – Glocke des Präsidenten) – der Doktor Hartenstein hat mir verordnet, etwas gegen meinen dicken Bauch zu tun. Wissen Sie, mein Bauch – (folgt eine halbseitige Abhandlung über Bäuche in der Liebe; von der Redaktion gestrichen) – ... also jeden Morgen zu turnen. Wird gemacht. Was der Mensch so braucht: 50 (in Worten: fünfzig) Kniebeugen, Seilspringen, Dauerlauf durch den Garten, Keulenschwingen und ‹Kerze› und dergleichen. Gut. Nun, damit die Sache leichter wird, habe ich mir angewöhnt, bei jeder Übung eine bestimmte Zahl Griffe zu kloppen – fünfundzwanzig hiervon und dreißig davon, und im stillen zähle ich dann immer mit. Und dabei hat sich etwas Seltsames ereignet.

Manchmal laufen während des Zählens die Gedanken über das Spalier der Associationen – wie die Affen. 17 ... 18 ... 19 ... Grete nicht geschrieben, weil sie anscheinend böse ist, was lächerlich ist ... denn Alfred hat ihr gar nichts von Elly gesagt ... 20 ... 21 ... Pute, alberne ... 22 ... 23 ... 24 ... Pute ... 25 ... – und plötzlich höre ich auf. Was – was um alles in der Welt – habe ich zwischen

17 und 25 alles gedacht! Es war viel mehr, als ich hier aufgeschrieben habe – denn man denkt ja oft wie polyphon, die Hintergründe mit, eine ganz kleine Geschichte habe ich da zusammengedacht. In höchstens sechs Sekunden – länger kann das nicht gewesen sein …

Und am nächsten Morgen wieder … und wieder … und immer wieder. Und liefen die Gedanken während den Übungen davon, dann geschah noch etwas andres. Ich mogelte, 49 … 50 – – na? Das kann doch noch nicht zu Ende sein? Sonst immer außer Atem und heute so quick? Es war gar nicht 50. Ich hatte an Rudolfchen gedacht, über den ich mich ärgern mußte, weil er geschrieben hat, alle Religionen seien Ammenmärchen … und bei dieser Gelegenheit hat das Zählwerk zehn Griffe übersprungen. Zufall? Ich begann darauf zu achten. Und ertappte den Mechanismus vielleicht an acht verschiedenen Tagen immer bei dem selben Kunstgriff: während ich kniebeugte oder durch das Seilchen sprang, setzte das Zahnrad an der falschen Stelle aus, und ich ließ fünf, acht, zwölf, zwanzig Übungen aus – immer irrte sich der Apparat zugunsten des dicken Leibes – niemals zu seinen Ungunsten. Es gibt einen alten Volksschwank aus dem Braunschweigischen, in dem ein Mann, der Torf verkauft, mit den Frauen morgens ein Schwätzchen vor der Tür macht. Und während er die Torfstücke in den Korb zählt, steht sein Mund keinen Augenblick still. Das geht so – ich gebe es hochdeutsch: ‹Ja, ein schöner Herbst, dieses Jahr … 2 … 3 … 4 … wie gehts denn Ihrem kleinen Willichen? … 5 … 6 … wie alt ist er jetzt? Elf Jahre? … 11 … 12 … 13 … und Ihre Älteste? Zwanzig, Sehn Sie mal an … 20 … 21 … 22 … Ja, die Butter ist auch wieder teurer geworden … Eins fünfundzwanzig … 25 … 26 … 27 …› und so fort.

Genau so machte es das Turnzählwerk, um die Faulheit zu stärken und zu retten, was zu retten war. Es raste und es mogelte. Ob es das wohl bei allen Leuten tut –? Und da sind sie so stolz auf ihre Vernunft und tun sich so viel darauf zugute, und das allermerkwürdigste ist: sie werden so furchtbar böse, wenn man aufzeigt, wie es bei ihnen innen funktioniert. Das mögen sie aber gar nicht. Als ein Schüler Freuds einmal in Amerika einen Vortrag hielt und darin sagte, alle Menschen seien im Traum egoistisch und monoman, da stand in der Diskussion eine feine Dame – vielleicht aus Boston – auf und sprach: ‹Das mag ja vielleicht für Österreich zutreffen. Bei uns in Amerika lieben wir auch im Traum unsern Nächsten!› Was etwa auf den Satz hinausläuft: ‹Was fällt Ihnen ein! Mein Fräulein Braut hat keine Milz!›

Wir lächeln über die kleine Eitelkeit der Kranken, die im Wartezimmer einander zutuscheln: ‹Der Doktor hat gesagt, so einen Plattfuß wie meinen Plattfuß hat er überhaupt noch nie gesehen –›, denn der Mensch ist ein stolzes Wesen. Aber wenn es ins Seelische geht, dann wollen sie alle zusammen nicht wahr haben, daß es etwas gibt, das da durch alle Seelen geht, ohne sie nun gleich zu Serienartikeln zu machen; etwas Grundlegendes, etwas allen Gemeinsames, etwas dem Menschen Anhaftendes. Sie möchten so gern Individuen sein. Zur Masse gehört immer einer mehr, als jeder glaubt.» –

So erzählte der dicke Mann.

Peter Panter, Voss 6.10.1929

136

Die Kollektiven

Ich freue mich auf Berlin.

Ab und zu sehe ich von der Arbeit auf: in den Mälarsee und auf den Kalender. Der See zeigt den Herbst an; der Kalender auch. Noch «eine zwei, drei Wochen», wie sie in Berlin O sagen, und die Sache ist geschafft. Es wird ein bißchen bunt hergehen; für den, der zu Besuch kommt, konzentriert sich alles viel mehr als für den, der immer da ist – aber das muß wohl so sein. Und dann: Filme, Menschen, Bilder, Theater, Musik ... ich bin vom Land ein dralles Kind, hier gibts das alles gar nicht. Drüben, in Mariefred, ist ein «Bio», wie die Schweden das getauft haben (welches Wort sie umgekehrt abkürzen wie Autos, das sie, den Dänen gleich, «Bil» nennen) – drüben also ist ein Kino, aber ich bin niemals drin gewesen. Stille Wälder sind die beste Naturaufnahme, der See ists auch. Und nun wird das also alles auf mich hereinstürzen; ich lese schon die Kritiken, die zu mir herüberblinzeln wie die Geburtstagslichte durch eine geschlossene Tür. Wie wird das werden –? Wie wird es zum Beispiel mit dem Theater werden? Alle sechs Monate sehe ich mir das an; wo steht es heute, das berliner Theater? Arbeiten sie nicht heiß? Arbeiten sie nicht sogar kollektiv –?

Und hier darf denn wohl ein Wort über das gesagt werden, was sie in Berlin so großmächtig den «Kollektivismus» nennen. Es ist gar keiner. Es ist der schrankenlos entfesselte Schauspieler und der über alle Seile schlagende Regisseur – Kollektivismus ist es nicht.

Der Hochmut dieser «Prominenten» kennt keine Grenzen. Der Autor? Der ist Vorwand für Kunststücke in einem Spiegelkabinett – im übrigen hat er nichts zu melden. «Es gibt keine guten Theaterstücke!» schreien sie; «wir müssen auf den Proben alles allein machen! Sehen Sie sich nur an, wie so ein Manuskript vorher aussieht!» Ich weiß. Aber wie soll denn eine Generation theaterkundiger Autoren heranwachsen, wenn sie niemals an die Arbeit herangelassen, sondern auf alle Weise beiseite geschoben wird? Ehrfurcht vor einer künstlerischen Vision? Vacat. Ehrfurcht vor dem Wortlaut, bei dem sich ja der Autor schließlich auch etwas gedacht hat? Gibts nicht. Den Text machen wir. Und so sieht er denn auch aus.

Nun wäre nichts gegen wirksame und fachkundig geführte Striche zu sagen – gegen leise Umbiegungen, die immer nötig sind; kein Dramatiker schreibt ein ganz und gar aufführungsreifes Manuskript, das hat es noch niemals gegeben. Ist der Regisseur gebildet und verständig, dann sage ihm der Autor für Kürzungen Dank. Aber was hier getrieben wird, steht auf einem ganz andern Blatt.

Tatsächlich ist es so, daß der Autor die große Blutprobe vor dem Publikum meist gar nicht bestehen kann – weil er sie zunächst vor dem höchst zweifelhaften Intellekt der Schauspieler zu bestehen hat. Und da fällt er allemal durch. «Ich mache das so ... An dieser Stelle werde ich weinen, das wirkt sehr ... Wissen Sie: ich lasse die zwei Verse einfach weg und stehe statt dessen auf dem Kopf ...» Wahrlich, ich will lieber vor das böseste und schärfste Publikum der Welt treten als vor die Stühle solcher Kunstrichter. Ihre geistige Fassungskraft ist begrenzt; Polgar spricht einmal sehr gut vom «spezifisch Pappigen des Schauspieler-Esprits»; und woraufhin werfen sich ihre meist mißgelaunten Direktoren zu Textbearbeitern auf? Haben sie damit nichts wie Erfolg? Irren sie sich so selten? Kennen sie ihr Publikum wirklich; mehr als nur seine gröbsten Instinkte? Es ist schon nicht leicht, die stets etwas abgehetzten Berliner abends, und noch dazu vor dem Abendbrot, an ein Kunstwerk zu fesseln; aber was man eigentlich tun muß, um die Galligkeit dieser Theaterpächter, Theaterhändler und Theaterspekulanten, die mitunter im Nebenamt auch Künstler sind, zu besiegen –: das kann ich Ihnen nicht sagen. Meine Knie sind ganz abgeschabt: so oft danke ich Gott auf denselben, daß ich mich nicht des Theaters bedienen muß, um meinen Zeitgenossen das Meinige mitzuteilen. Unsereiner hat wenigstens nur einen Feind, und einen harmlosen dazu: den Druckfehler. Aber wie soll ich zu den Herzen der Hörer gelangen, wenn eine Wehr, ein kompakter Damm davor aufgerichtet ist, der die Wogen erst einmal abfängt und ihre Gewalt fast immer schwächt? Ist dieses Gremium in den Direktorialzimmern zu einer schriftstellerischen Tätigkeit wirklich durch etwas andres legitimiert als durch die juristische Tatsache einer Unterpacht? Ans Publikum kommen die jungen Autoren fast nie so heran, wie sie das beabsichtigen – wenn alles sehr gut geht, nur an die Direktoren. Und da können sie etwas erleben.

Denn wenn die mit ihren frommen Ratschlägen fertig sind, dann sind da noch Regisseur und Schauspieler. Diese Prominenten haben jedes Augenmaß für ihre Arbeit verloren. Sie verstehen kaum, was sie spielen und spielen lassen; sie wollen es auch gar nicht verstehen. Und der Regisseur ist nicht nur ohnmächtig, sie zu bändigen – er tut kräftig mit.

Der Autor sieht die Szene blau – der Regisseur spielt sie rot. Der Autor braucht die dreimalige Erwähnung eines Dobermanns, damit im sechsten Bild die Wirkung um so stärker sei – der Regisseur streicht ihm die Vorerwähnungen, und die Szene am Schluß wirkt nicht: man versteht sie kaum. «Lassen Sie mich nur machen … also vom Theater, lieber Freund …» Nein, von dem Theater, das da aufgeführt wird, verstehen wir gewiß nichts.

Das Kollektiv! das Kollektiv! Aber diese größenwahnsinnig gewordenen Kommissionäre vergessen alle miteinander, daß ein Kollektiv, das sie den Russen abgeguckt haben, nur unter einer Bedingung möglich ist, unter der es bei jenen auch zustande kommt: Kollektiv ist Lebensgemeinschaft. Eine, in der alle dieselbe Sprache sprechen; eine, deren Mitglieder wirklich zusammenleben, alles zugleich erleben, dieselben Gefühlsskalen durchlaufen; Menschen, die große Erschütterungen ihres Daseins Seite an Seite durchgemacht haben und nun nichts mehr zueinander zu sagen brauchen: sie wissen schon, denn sie fühlen gleich. Solche freilich können einander ergänzen. Was aber kann mir ein Regisseur sein, der mein Stück nur deshalb inszeniert, weil der Direktor grade keinen andern bekommen hat? Ein Spielwart – und mehr soll er auch gar nicht sein. Was er da aber treibt, ist Wahnwitz. «Wissen Sie, was Piscator nächstens machen wird?» fragte ein sehr witziges kleines Cabaret; «ein neues Stück; gar keine Schauspieler mehr – nur Regie –!» Tatsächlich inszeniert der Regisseur sich selber. Und der Schauspieler spielt sich und für sich, meist ohne die leiseste Rücksicht auf den geistigen Inhalt des Werkes – «er hat aus der Rolle etwas gemacht». Nämlich eine andre Rolle.

Kollektiv? In Wahrheit gibt es nach der Premiere ein wildes Durcheinander, bei dem im Falle des Mißlingens der eine die Verantwortung auf den andern schiebt und bei dem im Falle des Erfolgs jeder das ganze Verdienst für sich in Anspruch nimmt. Von Korpsgeist ist da wenig zu spüren.

Wenn Kollektiv das ist, was sie da als Kollektiv ausschrein –: dann ist dieses Wort in Berlin ein Euphemismus für Überheblichkeit und Unordnung. Piscator rühmt sich in einem Buch, das er über sein Theater geschrieben hat, er habe noch eine Stunde vor der Premiere zwei seiner Mitarbeiter im Keller angetroffen, wo sie einen Film zurechtschnitten, der nachher laufen sollte. Ist das amerikanisches Tempo? Das ist einfach Mangel an Dispositionsfähigkeit; denn man kann sich denken, von welchen Zufälligkeiten es abhing, was diese abgehetzten und aufgeregten Menschen da zusammengeschnitten haben … Das ist kein Kollektivismus. Und ich glaube auch nicht, daß so Stücke zustande kommen, die mehr sind als vague Unterlagen für Maschinenkunststücke und Vorwände für Starlaunen. Man kann eben nicht auf das Kommando «In Gruppen links schwenkt – dichten!» produzieren; das wird nichts. Oder das da.

Was besonders Piscator angeht, so macht er sich die Sache etwas leicht. Hier gilt jede Kritik als «Verrat» an einer heiligen und guten Sache – und seine Nachbeter stempeln jeden, der darauf hinweist, daß sich sein Betrieb von dem der bürgerlichen Theater nicht sehr stark unterscheidet, als Bourgeois, Trottel, Vertreter einer alten Zeit und wie dieses Vokabularium heißt. Aber das stimmt gar nicht. Wollen die Genossen wissen, was ein echtes Kollektiv ist, dann mögen sie sich zu den modernen Russen im Film und Theater bemühn, die in Rußland wohl so etwas haben. Wir haben es nicht. Das da ist kein Kollektiv; es ist wildgewordener, recht bürgerlicher Individualismus.

Aber abgesehn von diesem Sonderfall tötet der entfesselte Schauspieler das Theater. Das Theater dem Theater? Das ist ein guter Ruf, wenn er gegen Buchdramen geht; es ist ein schlechter Ruf, wenn er bedeuten soll: wir spielen nicht nur, wir inszenieren nicht nur – wir spielen, inszenieren, dichten, färben um, geben die Tönung, bestimmen den Text, schalten mit ihm frei, befehlen, was gesprochen wird, diktieren, was nicht gesprochen werden darf und was in die Versenkung fällt ... Aber sagt doch die Wahrheit! Sie geben ihrem Affen Zucker; man muß sich ja schon schämen, ein Chanson aus der Hand zu geben, will man hinterher nicht vor Schreck darüber ins Parkett fallen, was aus dem Ding geworden ist. Unterordnung? Echte Mitarbeit? Vermittlung einer Vision, die der Textautor gehabt hat und die es zu verwirklichen gilt? Zurechtgebogen, vergewaltigt, von oben bis unten zusammengehauen – so erscheint das nachher, und was als Gelispel einer Elfe im Gezweig gedacht ist, wird im Männerchor herausgebrüllt. «Lassen Sie nur – so wirkts.» Sicher: auf Nilpferde.

Sie haben vergessen, was das heißt: in eine Rolle schlüpfen wie in einen Handschuh. Mozart? Nein, Kleiber. Shylock? Nein, Kortner. Julia? Nein, die Bergner. Und immer das Gelingen auf eine Nadelspitze gestellt wie eine Börsenspekulation – wie armselig sind sie in den nicht zu vermeidenden Niederlagen, als ob nicht grade diese Stadt für echten Wert immer etwas übrig gehabt hat! Ein einziger Mißerfolg dieser falschen Individualitäten: und «alles ist aus». Das macht: sie wissen nicht mehr, daß man erst einmal dienen muß, wenn man herrschen will, und einem wahren

Dichter zu dienen, ist allemal Gewinn. Aber wer dient auch nur Shakespeare? «Harald Paulsen als ...» die Rolle hat sich beim Schauspieler zu bedanken. Es sind tobsüchtig gewordene Vermittler.

Dieses Rezept der Souveränität von Kommissionären mag seine Geltung haben für Feerien, wie sie etwa Schanzer und Welisch schreiben – hier arbeitet Charell, der ein ehrlicher Theaterkaufmann und ein Künstler ist, in seiner Art schöpferisch. (Schanzer ist viel zu klug, um nicht zu wissen, was er liefert.) Hat man es aber mit Kunstwerken und nicht mit der Textunterlage für die Entfaltung einer bunten Ausstattung zu tun, dann sind Verfasser, Regisseur und Schauspieler gleichberechtigt: der eine hat sich zu fügen, wo er den Gesetzen der Bühne nicht Genüge getan hat – die andern haben die künstlerische Vision des Autors zu respektieren. Und wenn keine da ist, dann sollen sie den Kram nicht aufführen.

Was heute in Berlin getrieben wird, ist die schrankenlose Herrschaft der Stars. Der muß ihnen gestochen werden – um so mehr, als es oft nur Stärchen sind. Und die Bühnenliteratur geht dabei langsam, aber sicher in die Binsen – schlimmer: sie kommt gar nicht erst hoch. Da holen sie sich ihre mittelmäßige Ware aus dem Ausland, weil in Deutschland nichts da sei – aber sie töten jeden deutschen Autor, bevor der auch nur einen Fuß ins Theater gesetzt hat. Sie nehmen Filme, Romane, Tagesereignisse, die schneidern sie zurecht: alles, damit Herr Albers tanzen, damit Frau Straub weinen, damit Herr Klöpfer dröhnen kann. Was das noch mit dramatischer Kunst zu tun hat, ahnen die Götter.

Diese Abwehr des ebenso überschätzten wie überzahlten Schauspielers wird nicht pro domo vorgenommen. Unsereiner hat stets zwei Vorwürfe zu hören, wenn er dem andern ins Fettnäpfchen tritt: a) «Davon verstehen Sie nichts – Laie.» b) «Aha. – Partei.» Lassen wir es bei a bewenden. Ich schreibe keine Theaterstücke; in keinem dramaturgischen Bureau liegt eines von mir, ich will vom Theater nichts. Hier spricht ein Zuschauer, und ein dankbarer Zuschauer. Von unserm S. J. habe ich sicherlich nicht seine kritischen Talente, wohl aber seine ganze Freude, seine Begeisterungsfähigkeit und seine Ehrfurcht vor schauspielerischer Arbeit geerbt. Ich stehe zu dem guten Schauspieler – gegen die entfesselten. Kein Direktor kann die mehr halten, kein Regisseur; der eine nicht, weil er keine pekuniäre Macht in Händen hat, sondern die Hosen voller Konkurrenzangst; der andre nicht, weil er selber mittut und selbstgefällig vergewaltigt, was er pflegen sollte. Es ist ein Kreuz.

Das muß nicht so sein. Hätten wir ein paar wirklich starke Bühnenautoren, die sich gegen dies Theater im Theater durchsetzen können –: ich wünsche ihnen, daß sie sich Respekt verschaffen, damit wir statt eines Jahrmarkts der Eitelkeiten wieder einmal Aufführungen erleben, die uns das zeigen, was der Autor gestaltet hat: ein Theaterstück, ein Kunstwerk und eine Dichtung.

Peter Panter, WB 8.10.1929

137

Unerledigte Konten

Als Kind – so um 95 rum –
da war ich bei Tante Jenny
zur Kindergesellschaft eingeladen,
mit Fritz und Ellen und Männi.
Ja.
Und da hats Sahnenbaisers gegeben,
jeder hat eins bekommen;
und dann wurde noch mal herumgereicht –
und ich hab keins mehr genommen!
Das hat mich noch jahrelang geplagt ...!
Ich hätte sollen ... und hab Nein gesagt.

Da hab ich noch eine Braut zu stehn
in Neu-Globsow – die Dame hieß Kätchen;
irgendwas war da ... die hat so geguckt ...
doch ich hatte genug der Mädchen.
Ja.

Und dann hat sie mir nochmal geschrieben,
Briefe? Wie? Ist das schön?
Und dann war ich zu faul, und Neu-Globsow ist weit,
und jetzt möcht ich sie wiedersehn.
  Wie mich das in leeren Nächten plagt …
  Ich hätte sollen … und hab Nein gesagt.

Da stand ich vor Jahren in Moabit
vor einem Talar, den das freute;
er redete, redete, quatschte und schrie
und redet gewiß noch heute.
          Ja.
Und aus einem hier nicht zu erzählenden Grund
hielt ich die ganze Zeit meinen Mund.
Ich mußte. Und habe nichts gesagt.
Aber das hat mich noch oft geplagt!
  Mit dem Jungen tret ich gern nochmal an –
  nur ein einziges Mal!
                aber dann – aber dann –

Ist ja gar nicht wahr.
          Wenn heut Kätchen da steht,
das Baiser und der Kerl aus Moabit –:
es ist ja leider alles zu spät!
Es ist immer das gleiche Lied:
  Wenn wir was brauchen, dann haben wirs nicht;
  und wenn wir es kriegen, dann wollen wirs nicht.
  Lieber Gott! sei doch einmal gescheit:
  Gib uns die Dinge zu ihrer Zeit –!
          Amen.

Theobald Tiger, WB 8.10.1929

I a

Neulich haben wir hier die Nummer 1 vom ‹Nachrichtendienst zur Bekämpfung von Schund- und Schmutzschriften› betrachtet, den das Ministerium für Volkswohlfahrt herausgibt. Gerechtigkeit muß sein: die Herren können auch anders.

Psch 5410/266; Sitzung der Prüfstelle Berlin für Schund- und Schmutzschriften vom 25. Juni 1929: Verhandelt wird über den Antrag des Landesjugendamtes der Rheinprovinz, die ‹Dirne Elisa› von Edmond de Goncourt auf die Liste zu setzen. Unter dem Vorsitz des Oberregierungsrats Adriani, der inzwischen ausgeschieden ist, haben von unsern Leuten teilgenommen: der Maler Dettmann und Lothar Schmidt. Der Antrag wird abgewiesen.

Die Urteilsbegründung ist ein einziger klarer Protest gegen die Versuche der Dunkelmänner, anständige Literatur zu verschweinigeln. Die Prüfstelle Berlin lehnt es ab, sich überhaupt in eine Diskussion darüber einzulassen, ob ein Werk von Goncourt auf die Liste gehört. Es prüft nur die Übersetzung und Aufmachung der deutschen Ausgabe. Vorbildlich objektiv, sauber, klar und gerecht. «Die Prüfstelle kann es sich nicht versagen, mit größtem Nachdruck und Befremden auszusprechen, daß sie kein Verständnis für den vorliegenden Antrag hat, der sich gegen ein künstlerisch und sittlich besonders hochstehendes, auch in der vorliegenden Ausgabe erschütterndes Werk richtet, das unendlich hoch über die Sphäre ‹Schmutz und Schund› erhaben ist.»

Psch 5410/204. Sitzung der berliner Prüfstelle vom 23. Oktober 1928: Verhandelt wird über den Antrag des Landesjugendamtes der Rheinprovinz (da scheints munter und katholisch herzugehen!), die im Verlage Doktor Eysler & Co., Berlin, erscheinende Zeitschrift ‹Das Magazin› auf die Liste zu setzen. Unter Vorsitz des Herrn Adriani haben von unsern Leuten teilgenommen: Rehfisch und Tovote. Der Antrag wird abgelehnt.

Die Urteilsbegründung könnte kein freiheitlicher Schriftsteller besser abfassen. Die Rheinländer behaupten, die Zeitschrift sei Schund ... anstößig ... ausgesprochen sexuelle Färbung (welche

Farbe hat das eigentlich?) … Einwände gegen den Helden aus einer Geschichte von Dekobra, «der so unmoralisch sei, seine Frau absichtlich …» und so fort. Die Prüfstelle:

Rechtsirrig. Das Gesetz richtet sich nur gegen solche Schriften, die aus keinem geistigen Schaffensprozeß, sondern aus einer rein industriellen Mache hervorgegangen seien. Das Gesetz darf nicht ausdehnend ausgelegt werden. Es ist vollkommen unerheblich, welcher Art der «Held» eines Schriftwerkes ist, welche «Moral» er hat. «Die Frage, ob er ein ‹verworfener› Mensch, ein ausgemachter Schurke oder ein Engel ist, hat nicht die geringste Bedeutung bei der Würdigung.» Der Künstler hat das freie Recht, erotische und sexuelle Probleme zu gestalten. Bei einer andern Auslegung würde der größte Teil der Weltliteratur Anstoß erregen können. Keine Erteilung von Zensuren. «Der Antragsteller hat ausgeführt, die Jugend müsse vor der Geistesrichtung der Tiller-Girls und der Mannequins bewahrt werden. Die Prüfstelle ist nicht berufen, über diese Geistesrichtung ein Urteil abzugeben.»

Sicherlich wird nicht alles, was auf diesen Schmutzlisten steht, endgültig den Vertriebsbeschränkungen des Gesetzes unterworfen. Das Buch von Hirschfeld ist mit einem blauen Auge davongekommen; der Arsène Lupin auch, das ‹Kriminal-Magazin› auch. Aber daß diese Jugendämter ihre Vorschlagslisten veröffentlichen, schädigt das Buch schon ungeheuer. Denn diese Schmutznachrichten werden von allen beteiligten Kreisen gelesen, vor allem von Männern und Frauen, die für Bibliotheken einkaufen – man kann sich die Wirkung vorstellen.

Also? muß das Gesetz verschwinden.

Herr Adriani ist fort; heute haben wir Herrn C.F.W. Behl, und wenn wir erst einmal im ABC weiter fortgeschritten sind, dann heißt es vielleicht: Jagow – Keudell – Loebell – Mumm … Darauf wollen wir es nicht ankommen lassen. Die Vertreter der Jugendpflege und der Fürsorge sind sowieso recht wenig geeignet, Vertrauen zu erwecken. Eine leise Verschiebung im Vorsitz – und das Unglück ist da. Das Gesetz muß fort. Das Gesetz darf nicht bleiben. Das Gesetz muß fort.

Ignaz Wrobel, WB 8.10.1929

139

Tommys Abschied

Na, die sind hier nicht alle von mir …
das will ich nun nicht sagen.
Aber schließlich: wir haben uns hier
immer ganz gut vertragen.
    Jeder hat seine kleine Prinzeß …
        yes!
    Und unsereiner war auch nicht roh …
        no!
Und jetzt ist es Schluß, und das Rheinland wird frei …
    Ade, Deutschland – good-bye –!

Trinkt man Wasser in einem Land
und ißt man dort das Brot,
dann wird man mit den Leuten verwandt
und fühlt ihre Freude und Not.
    Jeder Tag ist ein kleiner Friedenskongreß …
        yes!

dazu brauchen wir gar kein Genfer Bureau …
no!
Und jetzt sind Besatzung und Liebe vorbei –
Ade, Deutschland – good-bye –!

Ich nehm' einen Schäferhund mit nach Haus,
eine Locke und dies und das;
Erinnerungen und einen Strauß …
und richtig, noch etwas:
Wir einfachen Leute wissen es –
yes!
Europa ist ja gar nicht so –
no!
Die Panzerfritzen schüren die Flammen …
Wir Arbeiter gehören zusammen
in allen Ländern, wo es auch sei!
Ade, Deutschland – good-bye –!

Theobald Tiger, AIZ Nr. 42, 1929

140

Die Tagung

Nun, Mutter, bürst mir den Zylinder,
den guten Sonntags-Gehrock hol herbei;
gehab dich wohl – paß gut auf, auf die Kinder,
pack mir die Stullen ein und auch ein Ei …
Heut fahr ich los, um neun Uhr, im Expreß …
heut ist Kongreß!

Vom Reichsverband sind die Kollegen
schon alle in die ferne Stadt geeilt.
Man wird uns dort brillant verpflegen,
weil ein Minister bei uns weilt.
Die Hoteliers sind froh. Sie wissen es:
heut ist Kongreß.

Zu ernster Arbeit sind wir dort versammelt.
Der Herr Minister spricht – das ist der Clou
(da ist der Saal noch voll, voll wie gerammelt) –
er sagt uns seine Unterstützung zu …
Das ist ein großes Wort. Ein amtliches –
heut ist Kongreß.

Dann wird man viele schönen Reden hören.
Jedweder bittet um des Wortes Gunst.
Da kann uns die Opposition nicht stören –
Abstimmen lassen ist *auch* eine Kunst.
Die Hände hoch! Und kurz ist der Prozeß …
heut ist Kongreß.

Wir sprechen von den einfach ungeheuern
Unkosten in Fabrik und in Bureau
und von den viel zu hohen Steuern –
«Das, meine Herren, geht nicht weiter so!
Was hier geschieht, ist ein Exzeß!»
Heut ist Kongreß.

Im Saal ein Nickerchen … die Uhr ist viere …
Der Redner liest und liest und redet seins …
Dann sitzen wir in Reihen froh beim Biere
und trinken, trinken immer noch eins.
Denn, Mutter, schon die ollen Germanen
versammelten sich mit allen Schikanen
rechts vom Rhein und links vom Rhein:
Deutsche Arbeit will beredet sein.
Weil selbe immer nur gedeiht
im Treibhaus unserer Wichtigkeit.
Leb wohl! Da pfeift schon der Expreß …!
Heut ist Kongreß.

Theobald Tiger, Simplicissimus 14. 10. 1929

141

Auf dem Nachttisch

«Pröhn» ist ein schönes Wort – ich glaube: es stammt aus dem Plattdeutschen, aus Pommern oder aus Mecklenburg. Es bedeutet Kram, Krimskrams, alter Plunder. In Nachttischschubladen liegt immer Pröhn. Was liegt bei Ihnen? Ich habe gestern Ordnung gemacht: ein Handschuhdaumen lag da, ein Nagel, zwei Bureauklammern, ein altes braunes Taschentuch, noch ein Nagel, ein abgekauter Bleistift … pfui. Man wirft viel zu wenig fort, viel zu wenig – gut acht Zehntel aller Bücher zum Beispiel kann man getrost vor der Lektüre fortwerfen, ein Zehntel nach der Lektüre. Lasset uns das letzte Zehntel betrachten.

*

«Es rieselt im Gemäuer der Entente», schrieb der unsägliche Benedikt in seiner Neuen Freien Presse während des Krieges, so lange, bis Österreich selbst davonrieselte. Kraus hat das Wort berühmt gemacht.

Im Gemäuer des Sozialismus rieselt es aber wirklich; hier stimmt etwas nicht. Das mochten die Einberufer der «Sozialistischen Tagung in Heppenheim» gefühlt haben, die da in der Pfingstwoche 1928 getagt haben. Die Protokolle dieser Tagung liegen vor: ‹Sozialismus aus dem Glauben› (erschienen im Rotapfel-Verlag zu Zürich und Leipzig).

Obenan: Hendrik de Man und Henriette Roland-Holst, bei weitem die logisch besten Referate. Beide fühlen richtig: so geht das nicht weiter. Karl Marx hat den in ihm wohnenden Heroismus heroisch unterdrückt, und seine Nachtreter haben aus einer Lehre die zutiefst aus dem Herzen des Lehrers gekommen ist und dann erst den Verstand passiert hat, eine mechanische Ablauflehre gemacht: Organisiert euch, schwenkt in die Reihen, erkennt unsre Thesen an, streikt – und der Rest kommt ganz von alleine. Nun, er ist nicht von allein gekommen – und das jämmerliche Versagen der in die Regierung getretenen deutschen Sozialisten hat uns gezeigt, daß im Organismus dieser Partei ein schwerer Fehler vorhanden sein muß. Er ist auch vorhanden. Frau Roland-Holst hat das in ihren Thesen (auf Seite 177) recht gut formuliert:

«Die Lebensgestaltung unterworfener Klassen (Völker, Rassen) ist in hohem Maße abhängig von den Lebensbedingungen, die ihnen von den herrschenden Klassen (Völkern, Rassen) aufgedrungen werden. Jedoch ist diese Abhängigkeit nie absolut.

Der Marxismus betrachtete, trotz seiner dialektischen Denkweise, die ökonomische Entwicklung vorwiegend als Ursache und die Lebensgestaltung als ihre Folge. Es ist jetzt an der Zeit, das Versäumte nachzuholen und den Hauptnachdruck auf die Umgestaltung der Gefühle, der Motive der Lebensformen jeder Art im sozialistischen Sinn zu legen.

Der Marxismus hat das Rationelle übermäßig stark betont.»

Damit läßt sich schon viel anfangen.

Das Niveau dieser Unterhaltungen auf der Heppenheimer Tagung liegt hoch: die Leute haben wenig aneinander vorbeigesprochen, und bei allen hat man den Eindruck: hier wird mit ehrlichen Mitteln gesucht. Daß diese Mittel nicht ausreichen, ist eine andere Sache; es macht sich auch hier wieder die traurige Beschränktheit eines «Lagers» bemerkbar: für manchen großen Psychoanalytiker existiert der Sozialismus gar nicht oder kaum – diese hier sprechen wieder von Freud nicht. Die Gefahr dieser Diskussionen liegt in ihrer Entartung zum intellektuellen Gesellschaftsspiel; der Proletarier fragt mit Recht: was soll ich damit anfangen? Und so wirken denn die paar Worte, die Reinhold Sputh in Heppenheim gesprochen hat, wie eine Erlösung. Zur Erkenntnis trägt er wenig bei – aber man spürt unter den ruhigen Worten den Schrei seiner Klasse.

Bei den andern spürt man ihn kaum. Mit dem Hut in der Hand sei angemerkt: selbst die Worte, die Buber dort gesprochen hat, wirken wie blasse Schemen, wie scholastische Kommentare, obgleich sie es nicht sind. Dergleichen bringt nicht weiter. Leicht verläuft sich das in die Gefilde jener Pseudo-Soziologie, die sich an ihrer eigenen Methodik berauscht; jener Pseudo-Philosophie, deren Jargon heute schon alle gebildeten Mädchen sprechen und alle Schmöcke schreiben und mit der nichts, nichts bewirkt wird. Die Praxis heißt dann Radbruch: der hat alles gelesen, weiß vieles, und tut, wenn es zum Klappen kommt, herzlich wenig. Und nur darauf kommt es an.

Der Umschlag gegen die mechanistische Weltauffassung der Generation von 1870 steht vor der Tür – er ist eminent gefährlich. Magie ist eine große und gute Sache; wird sie vulgarisiert, heißt sie entweder Vulgär-Katholizismus, wohl eine der schauerlichsten Sachen, die der Teufel erfunden hat und Gott zuläßt – oder es ergibt sich jenes verblasene theosophisch-psychoanalytische Puzzle, bei dem die Wichtigmacher herumlaufen und viel, viel weniger von Herrn Weißenberg entfernt sind, als sie selber glauben. Und zum Schluß wird sich dann wohl die politische Reaktion dieser Strömungen bemächtigen, und daher ist – neben demütigem Streben nach jener Wahrheit, die nicht auf die Gassen gehört – schärfstes Mißtrauen am Platze. Dieser ‹Sozialismus aus dem Glauben› verdient aufmerksame Lektüre, obgleich er einer Konkurseröffnung gleicht. Zu welchem Prozentsatz die Gläubiger akkordieren werden, steht noch dahin.

Die Wirklichkeit ist vorläufig noch grausig genug. Sprach ich schon von Plättners Zuchthausbuch? Man kann gar nicht oft genug davon sprechen. Es heißt ‹Eros im Zuchthaus› und ist im Mopr-Verlag, Berlin NW 7, erschienen. Das ist eine wichtige Publikation.

Formal halte ich das Buch für mißglückt. Der Verfasser hat zu viel Magnus Hirschfeld gefrühstückt, und nun ist aus einer schon bei jenem nicht immer schönen Terminologie ein höchst schauerlicher Mischmasch von Fremdwörtern, Fachvokabularium und Halbbildung entstanden, der mitunter bis zur Lächerlichkeit geht. Es ist ungemein bezeichnend, daß Plättner ein «Fremdwörterverzeichnis» anhängt – als ob man einen großen Teil dieser Dinge nicht auch auf deutsch sagen könnte! Die lateinischen Wörter müssen ihm ungeheuer imponiert haben. Aber das ist nur ein kleiner Schönheitsfleck des Buches – viel, viel wichtiger als die ungenügende und mitunter wandervogel-lyrische Darstellung ist das Material. Das ist ersten Ranges. Denn es ist erlitten.

Eine einzige Qual geht durch dieses Buch.

Wir können uns alle kaum vorstellen, was das heißt: die Sexualfunktionen unterdrücken. Es ist ja immerhin schon so weit, daß nicht mehr gegrinst wird, wenn einer von diesen Dingen spricht; aber es gibt genug Ärzte, und natürlich sind unter ihnen die beamteten Gefängnisärzte; die erklären diese Tortur, die in einer erzwungenen geschlechtlichen Abstinenz liegt, einfach für nicht vorhanden. Was wissen diese studierten Wachtmeister vom Menschen!

Ich halte alles, ohne Ausnahme alles, was Plättner uns erzählt, für möglich, für wahrscheinlich und das meiste für wahr. Jede Exemplifizierung an uns selber wird zuschanden. Jeder von uns lebt sicherlich manchmal monatelang im Jahr ohne sexuelle Betätigung – wenn er das will. Und dann geht es sehr gut. Ich kenne nur wenig Männer, die so abhängig von dieser Funktion sind, daß sie wie die verhungerten Faune umherlaufen, quaerentes quam devorant. In dem Augenblick aber, wo jemandem verboten wird, den Geschlechtspartner zu suchen, wird die Sache schlimm. Dann frißt die Qual, dann quält die Zwangsvorstellung, dann tauchen die übelsten und infantilsten Gedankengänge wieder auf … Davon erzählt Plättner.

Was so unbeschreiblich aufreizend an diesem Buch ist, das ist die rohe Trägheit der beamteten Stellen. Soweit hier nicht versteckter Sadismus im Spiel ist, ein Sadismus, der doppelt feige ist, weil er sich hinter angebliche Gruppennützlichkeit verkriecht, sind es archaische Ideen, die den Fortschritt hindern: dergleichen kleidet sich in Soutanen, in Richterroben, in Uniformen – man reiße diese Kostüme herunter, man kratze den Beamten, und man findet, was Jung so schön den «Schatten» nennt. Es ist ein Elend.

Und es müßte gar kein Elend sein – denn die Beurlaubung verheirateter Gefangener, die Ermöglichung des Geschlechtsverkehrs in den Strafanstalten ist gar nicht so schwer, wenn man nur wollte. Man will aber nicht. Weil doch das «Volksempfinden», auf das die Herren sonst pfeifen, eine «Strafe» verlangt – auf einmal also kümmert sich der Strafvollzug um das Volk, und dann aber auch um seine niedersten, um seine verächtlichsten Ressentiments. Man kann dem Buch nur viele gute und einflußreiche Leser wünschen.

Deshalb, weil ja nichts schwerer ist, als in den starren Mechanismus einmal vorhandener Gefüge einzugreifen. Ihr wißt, wie schwer das bei den Fürsorgeanstalten ist; man bilde sich ja nicht ein, daß bejubelte Theateraufführungen eine Sadistin in Klein-Klotzow ändern werden, solange das System nicht geändert ist. Und es ist nicht nur mit den Fürsorgeanstalten so. Ein ungarischer

Psychiater, Istvan Hóllós, zeigt uns, daß es in geistiger Beziehung in den Irrenanstalten nicht viel besser zugeht. Sein Buch heißt ‹Hinter der gelben Mauer› und ist in dem höchst verdienstlichen Hippokrates-Verlag zu Stuttgart erschienen; ein Verlag, der sich mit der Herausgabe von ärztlichen Volksbüchern sehr nützlich macht.

Dieses etwas pathetisch geschriebene Buch, in dem es mitunter kraus zugeht, vertritt eine gute These: jede mechanistische Anstaltsbehandlung ist eine Sünde am Menschen. Herr Hóllós ist ein bürgerlicher Individualist; was echte Kollektivität ist, ahnt er nicht – dennoch ist viel Gutes und Rechtes in seinem Buch. Er zeigt die schmale Grenze zwischen den geistig Gesunden und den geistig Kranken auf, (eine der schönsten Geschichten Roda Rodas faßt das in dem unsterblichen Satz zusammen: «Wir Psychiater unterscheiden uns von den Verrückten nur durch die Vorbildung»); und Hóllós bringt viel interessantes Material herbei. Vom geheilten Kranken: «Der geheilte Kranke muß viel gesünder sein als jeder andre Sterbliche.» Hier liegt ähnliches vor wie bei den armen Rechtsbrechern, die den Unabsetzbaren in die Hände fallen: der Richter darf anormal sein, der Verbrecher darf es nicht. «Ich will aus der Anstalt erst wieder nach Hause gehen», sagt bei Hóllós ein Geheilter, «wenn ich tun und lassen kann, was mir gefällt; nervös, launenhaft, erzürnt sein, wann es mir beliebt, wie jeder andre Mensch – ohne daß sie denken, ich sei wieder verrückt geworden ...»

Hóllós zeigt auch die schematischen Wahnvorstellungen auf, die sich die Gesunden von den Verrückten machen; die können ihnen gar nicht verdreht genug sein, die Haare müssen sich einem sträuben ... dann erst fühlen sich jene gesund. Diese Angst vor dem Irren hat sehr tiefe Ursachen.

Die Anstaltsbehandlung, die den Kranken durch die Nummernmühle dreht, ist famos wiedergegeben. Einer sagt von der Untersuchung: «Dann war nicht einmal von mir die Rede. Man sprach von jemand anderm: von einem Kranken, der unter den vielen andern eben jetzt an die Reihe gekommen war.» Nämlich von ihm. Aber eben nicht von ihm. Das Ich geht verloren auf diesem fürchterlichen Wege. Was Hóllós will, ist, daß man die Irren nicht nur, wie das heute geschieht, interniert, weil dabei jeder Mensch zerbrechen muß; er will, daß man sie wohnen läßt wie andere Menschen auch; mit einem Gitter, das sie möglichst wenig spüren. Eine vernünftige Forderung. Und doppelt beachtenswert, weil sie von einem Irrenarzt ausgesprochen wird, der auch seine Kollegen gegen törichte Vorwürfe in Schutz nimmt. Ein gutes Buch.

Der Nachttisch wird viel zu klein für die vielen, vielen Bücher ... ich werde mir einen neuen kaufen müssen (ohne Schublade).

Da hätten wir: ‹Nationalismus› von C.J.H. Hayes (erschienen im Verlag «Der Neue Geist» zu Leipzig). Hayes ist Professor an der Columbia-Universität in Amerika, und das merkt man. Das Buch hat eine bewundernswert gute These als Fundament, aber was auf dieser These aufgebaut ist, ist weniger schön. Und sehr gut untermauert ist der Laden auch nicht ... Hayes unterscheidet trefflich das legitime Heimatsgefühl von der Massenepidemie des Nationalismus; er erkennt auch dessen Rolle als Religionsersatz des zwanzigsten Jahrhunderts richtig; er sieht, wie die «Massen unter dem Zauber des Nationalismus ihre Führer weniger kritisieren und eher geneigt sind, in wirtschaftlichen Dingen den status quo anzunehmen. Auf die Menge wirkte der Nationalismus unter Umständen wie eine Art Lachgas. Wenn man einen Arbeiter dazu bringen konnte, es recht tief einzuatmen, so fühlte er sich dadurch erheitert und vergaß jedenfalls eine Zeitlang, daß er in der Fabrik ... für viel Arbeit schlecht bezahlt wurde ... Im Traum nationaler Größe übersah er, wie schmutzig in Wirklichkeit seine eigene Wohnung aussah.» Bravo!

Aber es ist ein mit glatter Goldfeder geschriebenes Buch; die Amerikaner, so intolerant und reaktionär sie sonst sind: diesem Professor werden sie nichts tun. Denn es ist ein ungefährliches Buch, also ein zweitrangiges Buch. Folgerungen werden nur zaghaft gezogen; der tut keinem etwas. Der Verfasser – steht in der Einleitung – «hat den Krieg als Hauptmann beim amerikanischen Generalstab mitgemacht». Na, dann ist ja alles in schönster Ordnung.

Da ist ein Landsmann von ihm, der so ähnlich heißt, schon ein andrer Kerl. Das ist Arthur Garfield Hays. ‹Laßt Freiheitsglocken läuten!› (erschienen bei Grethlein & Co., Leipzig). «Zeitbilder aus dem heutigen Amerika» nennt er das Buch.

Walther von Hollander hat hier neulich rechtens auf den sonderbaren Zwiespalt hingewiesen, der im Amerikaner steckt: einerseits unbeschwerter Mut in der Aufzeigung von Mißständen – andrerseits eine Reaktion, die in ihrer Unbekümmertheit und ihrer Ungeistigkeit an alles heranreicht, was wir auf diesem Gebiet in Jurop produzieren. Der Rechtsanwalt Hays illustriert: Freiheit des Unterrichts – Freiheit der Rede und der Versammlung – Freiheit der Presse – Freiheit des Wohnsitzes (die Neger!) – Freiheit der Bühne – Freiheit der Meinung – und man darf sagen: alle diese Freiheiten gibt es, wenn es darauf ankommt, drüben auch nicht. Eine derart brutale Unterdrückung von allem, was aus der Norm fällt, eine widerliche Mischung von arrogantestem Preußentum und wildestem Wildwest-Geknalle, und das noch verbrämt mit der milchigen Tugendhaftigkeit jener Karikaturen von Pastoren, wie sie sie drüben ziehn: es ist bitter. Hays schreibt an einer Stelle: «Die Polizei ging mit größter Brutalität vor. Tränengas, Feuerspritzen, Flinten und Knüttel wurden angewendet, um eine Art Ordnung aufrechtzuerhalten.» Diese «Art Ordnung» beherrscht alle Gemüter – natürlich auch die deutschen, die nichts so außer Fassung bringt, wie wenn diese «Ordnung» auch nur äußerlich gestört wird. Schande auf Schande: wie Amerika politische Flüchtlinge nur wegen ihrer Gesinnung ausliefert; zum Beispiel Italiener an die Fascisten; wie gemein sich die Regierung gegen die Protestler im Fall Sacco-Vanzetti benommen hat, und es sind nicht einmal sehr viel gewesen … Das Ganze ist höchst bunt und mit grimmigem Humor erzählt. Zu Ende formuliert ist so eine Schilderung der Geschworenen im Justizmord Sacco und Vanzetti: «Man stelle sich eine gelangweilte Jury aus Geschäftsleuten des Mittelstandes vor, die einer langen Reihe von farblosen und unsichern Zeugen zugehört hat und nun plötzlich durch den schmetternden Ton des Patriotismus unliebsam zur Aufmerksamkeit gerufen wird.» Das geht auf den Ankläger, Herrn Katzmann, der weniger die Schuldfrage als den Patriotismus der beiden Italiener prüfte. Sie fielen durch; er hat Karriere gemacht. Bei dieser Gelegenheit: das kleine Kapitel, das Hays hier über Sacco und Vanzetti schreibt, scheint mir wirksamer zu sein als der dicke Roman Upton Sinclairs, dessen Reinheit der Gesinnung leider in keinem rechten Verhältnis zu seinem künstlerischen Können steht. Da hat er nun das ganze Material über den Prozeß höchst fleißig durchstudiert – wie kann sich ein Dichter so einen Zug entgehen lassen: «Um elf Uhr vierundzwanzig nachts, nachdem sogar schon die Hosen der Verurteilten zur Durchführung der Elektroden aufgeschlitzt worden waren, kam ein Aufschub bis zum 22. August.»

Das Werk von Hays ist ein lehrreiches Buch. Amerika ist bei uns viel zu hoch im Kurs notiert; warum kriechen wir eigentlich vor diesen Brüdern? Kennt ihr den unverschämten Fragebogen, den die amerikanischen Konsulate den Auswanderern und Reisenden vorlegen? Laßt euch so einen geben – ihr werdet eure Freude haben.

Zurück zum alten Kontinent. Und gleich dahin, wo es am europäischsten zugeht – so deutsch! Aber nett. ‹Nachfeier› von Franz Hessel (erschienen bei Ernst Rowohlt zu Berlin). Dieser Hessel ist kein ganz einfacher Fall.

Zunächst einmal: er ist ein Dichter. So etwas ist eben graden Wegs im Azur gepflückt: «... deutlich die Erinnerung an ein langvergangenes Jugendabenteuer mit den Beiden, der Spannsehnigen und der Fruchtfleischigen, die neben und über mir auf Kissen lagen wie die Göttinnen auf Wolken eines gemalten Plafonds und über mich weg ihre Affären besprachen, als wär ich gar nicht da, um sich dann wieder mit verschlafenen Händen meiner zu erinnern.» Dieser letzte Infinitiv klingt nach wie ein leises Violinenthema ... Im übrigen steht Hessel – ja, da steht er: «Da ist dieser Sonntagvormittag auf der Potsdamer Brücke, wohl gemerkt auf der kleinen, dem stilleren der beiden Brückenbögen, über den nicht die Bahn, nur Wagen gehn.» Da ist er ganz. Nein, noch nicht ganz. Es ist eine Art Mannesschwäche in diesem Mann, etwas fast Weibliches (nicht: Weibisches) – schon in dem reizenden Bändchen ‹Teigwaren leicht gefärbt› sind Stellen, die fast von einer Frau geschrieben sein könnten – es ist etwas Lebensuntüchtiges, o, wie soll ich dies Wort hinmalen, damit es nicht nach Bart und Hornbrille schmeckt? Und das weiß Hessel. Und weil er klug ist, macht er aus der Not eine Tugend und spielt, ein wenig kokett, den Lebensuntüchtigen: Ich bin nämlich ein stiller, bescheidener Dichter … Das ist nicht unangenehm, nur ein wenig monoton – trotz des großen Könnens, des wundervoll sauberen Stils, der bezaubernden eingestreuten Geschichten und Geschichtchen. So das Wort einer Französin: «Une femme, ça pleure comme ça pisse». Oder das von dem sächsischen Maler, der gelassen das große Wort ausspricht: «Gott», sagte der Sachse, «Gott. Bei uns in Sachsen glaubt keen verninftiger Mensch mehr an den lieben Gott.» Und so. Aber eben doch um die entscheidende Spur zu dünn.

In der herrlichen Schilderung von Paris, das Hessel so gut kennt, steht anläßlich einer leicht ironischen Schilderung von sozialistischen Demonstranten: «Dürfen wir urteilen über Menschen, die eine Sache, eine Fahne haben? Ist unsre Unbefangenheit, die vor einem Dutzend Jahren noch Recht und Freiheit war, jetzt nicht Schuld und Leere?» Ja, Franz Hessel – das ist sie. Schuld und Leere.

Es ist in diesem Buch etwas Grundsätzliches, etwas, das Beachtung über den Einzelfall hinaus verdient. Es ist «der Kreis». Es ist die Zugehörigkeit zu jenen kleinen Cliquen, die nicht einmal Unheil anstiften, die oft viel Gutes und noch mehr Amüsantes tun – aber es ist doch eine große Überschätzung der kleinen Umwelt. Es sind jene, die von den Angehörigen des Kreises gern mit vollem Namen sprechen, um auszudrücken: «En voilà quelqu'un!» – «Franz Meckauer hat mir erst neulich gesagt …» Der Fremde horcht auf. Sollte hier vielleicht eine Lücke in seiner Bildung sein? Wer ist Franz Meckauer? Niemand; irgend ein Freund. Aber die tausend Assoziationen, die bei den Kreislern mitschwingen, sind überbetont; hier stimmt etwas nicht. Ich habe vor dem Kriege einmal in Berlin so einen Kreis gekannt; ein Mediziner stand im Mittelpunkt, und wenn man da hineintrat, dann umgab einen ein Brodem von Geistigkeit, von Hochmut, von Witz, von übersteigertem Selbstbewußtsein, von Inzucht … und was sind sie alle geworden, die Herren des Kreises? Ach, du lieber Gott. Nein, so geht das nicht. Es ist ein buntes Philisterium, das dann entsteht, wenn so ein Kreis erstarrt. Und wenn nun einer von ihnen gar etwas wird: dann ist die ganze Gesellschaft auf die hohe Notierung, die das Mitglied bei den eben noch verachteten «Bürgern» findet, so maßlos stolz, und die Duzfreundschaft mit dem Mann, der – man denke! – in den Zeitungen verhimmelt wird, wirkt sich herrlich aus ... Nein, nein – es ist nichts damit.

Hessel ist ein netter Mann – ich sage das nicht gegen ihn. Es bewirkt nur nichts, was sie da treiben. Hessel erscheint für die, die ihn zu kennen nicht die Freude haben, noch einmal in der Autobiographie einer ältern Dame: der Tochter eines englischen Pastors und einer österreichischen Turnlehrerin; das späte Mädchen schreibt unter dem Pseudonym Oskar A. H. Schmitz ... und hat auf diese Weise eines der buntesten Bilderbücher selbstgefälliger und aufgeweckter Dummheit geschrieben, das mir bekannt ist. Ein ewiger Primaner. Auch aus diesem Büchlein ist zu ersehen, daß Franz Hessel immer so gewesen ist – und wenigstens ehrlich.

Ja, das wärs. Dann liegt da noch in der Nachttischschublade eine kleine Schachtel, und in der schläft eine ganz alte, ganz verstaubte Gelatine-Kugel mit Rizinusöl, eine Bombe, die vergeblich wartet, daß sie einer abfeuert. Und zwei vergilbte Stecknadeln. Und ein Kalenderblatt. Und ein Heftchen mit frommen Sprüchen sogenannter Arbeiterdichter, darunter Karl Bröger, der nun glücklich bei der Bekämpfung des Schmachfriedens angelangt ist ... Pröhn. Pröhn.

Peter Panter, WB 15. 10. 1929

142

Trunkenes Lied

Der Igel sprach zum Oberkellner:
«Bedienen Sie mich ein bißchen schnellner!
Suppe – Gemüse – Rostbeaf – und Wein!
Ich muß in den Deutschen Reichs-Igel-Verein!»

Da sprach der Oberkellner zum Igel:
«Ich hab so ein komisches Gefiegel –

ich bediene sonst gerne, prompt und coulant,
aber ich muß in den Oberkellner-Verband!»

Der Igel saß stumm, ohne zu acheln,
und sträubte träumerisch seine Stacheln –
Messer und Gabel rollten über die Decke.
Sie rollten zum Reichsverband Deutscher Bestecke.

Des wunderte der Igel sich.
Er ging in «Für Herren» züchtiglich;
doch der Alte, der dort reine macht,
war auf der Deutschen Klosettmänner-Nacht.

Ein Rauschen ging durch des Igels Stoppeln –
er tät bedrippt nach Hause hoppeln
und sprach unterwegs
(und aß einen Keks):
«Ich wohne gern. Aber seit ich in Deutschland wohne,
ist mein igeliges Leben gar nicht ohne.
Sie sind stolz, weil sie sich in Gruppen mühn –
doch sie sind nur gestörte Individühn.
Menschen? Mitglieder sind diese Leute.
Unsern täglichen Verband gib uns heute!
Amen.»
(sagte der Igel).

Theobald Tiger, WB 15.10.1929

143

Handelsteil

Da lesen wir nun so viel über Bankkrachs, zerplatzte Versicherungsgesellschaften, Geschäfte, die ihre Zahlungen eingestellt haben … viel Geld ist da verloren gegangen, viel Geld der andern – ja. Und was, glauben Sie, wird uns da beschrieben? Die letzte

Verzweiflung der kleinen Leute, die ihre Spargroschen nicht mehr wiedersehen? zerstörtes Alter? zerstörtes Leben? Ach nein, das nicht. Es werden uns die Bankiers beschrieben. Was tun die Bankiers –? Sie brechen zusammen.

Jeder Bankier, der etwas ausgefressen hat, bricht zusammen. Er erleidet einen Nervenzusammenbruch. Und zwar bricht er entweder in einem Sanatorium zusammen oder auch zu Hause, aber das ist nicht so fein. Er – «Na, hören Sie mal, Sie sind aber komisch: Meinen Sie, das ist ein Spaß, so eine Pleite? Machen Sie das mal mit, ehe Sie mitreden ...» – Nein, danke; ich verdiene ja auch nicht so viel; ich brauche das nicht. Und ein Spaß ist es gewiß nicht. Ich meine nur ... «Was? Was soll der Bankier denn tun, wenn er Pleite macht? Auf einem Bein tanzen?» – Nein, das sähe nicht hübsch aus. Ich meine nur ... wenn sie einen Lokomotivführer herunterholen, weil er nach zehn Stunden Dienst ein Signal überfahren hat, und es hat ein Unglück gegeben, dann sperren sie ihn ein. Fertig. – «Und? Na und? Sperren sie den Bankier vielleicht nicht ein?» – Nicht so lange. Es finden sich zwei Hausärzte und ein Professor, die die ganze Strenge ihrer militärärztlichen Dienstzeit vergessen, die gar nicht mehr «k.v.!» brüllen, sondern ellenlange Atteste schreiben: die Haftfähigkeit ... das Herz ... und es finden sich fast immer Kautionen, und es finden sich fast immer Gerichtsbehörden, die den Mann herauslassen, den Herrn Verantwortlichen. – «Damit er draußen behilflich sein kann, sein Geschäft zu ordnen.» – Sicher. Aber der verhaftete Arbeiter hat auch ein Geschäft: nämlich seine Familie, die durch die Bestrafung, die ihm zugedacht ist, fast allemal zugrunde geht ... aber darauf kommt es wohl nicht so sehr an. Er ist ja nicht verantwortlich. – «Was wollen Sie damit sagen?» – Daß dieses Wort im deutschen überhaupt nichts mehr bedeutet. Verantwortlich? Ich habe eine verantwortliche Stellung ... deine Verantwortlichkeit ... er ist mir dafür verantwortlich ... neulich habe ich in einer Tierschutz-Zeitschrift gelesen: «Wenn die Schafe eingerückt sind, ist für die Herde der Hund verantwortlich.» Ich sage Ihnen: das Wort hat seine Bedeutung verloren. Ist im Weltkrieg jemand verantwortlich gewesen? Wer ist überhaupt verantwortlich? Ich werde es Ihnen sagen: kleine, untergeordnete, meist proletarische Einzelne – der

Rest verkriecht sich hinter die Gruppe, hinter eine Vorschrift, hinter das Reglement, hinter einen Befehl – in Wahrheit trägt kein Mensch die Verantwortung für das, was er macht. Sie decken sich gegenseitig, und zum Schluß ist es niemand gewesen. Die Geschichte wird richten, wissen Sie? Das ist eine schöne Geschichte. – «Aber die armen Bankiers ...» Mir bricht das Herz. Ich sehe sie vor mir: schluchzende Devisenhändler, taschentuchauswringende Fondsmakler, zusammengebrochene Kommerzienräte ... nach bestem Wissen und Gewissen ... es muß furchtbar sein. Da gibts nur ein Mittel.

Sich auch weiterhin der Rechtlosen anzunehmen: jener kleinen Leute, die in die Klauen der Justiz fallen, und die sich nicht wehren können. «Das Gesetz in seiner erhabenen Gleichheit verbietet Armen und Reichen, unter den Brücken zu schlafen» – sagt Anatole France.

Ignaz Wrobel, WB 15.10.1929

144

Lottchen besucht einen tragischen Film

«Setz dich nicht auf meine Tasche. Laß mich mal dahin. Ist das noch Wochenschau? Was? Wie? Das ist noch Wochenschau, was –? Also wie ich dir sage: ich würde die Möbel nicht in Holland kaufen. Du kennst das da nicht so – guck mal! ne Feuerwehr! – und überhaupt: hier in Berlin hab ich meine Quellen, mein Freund Käte sagt auch ... Wieso? Ich sag: mein Freund Käte – die is wie'n Mann. Sag ich dir. Bloß viel netter. Guck mal: noch ne Feuerwehr. Warum sind in den Wochenschaun so viel Feuerwehren, was? Und was kostet überhaupt schon Möbeltransport – ich hab mich erkundigt, was das macht, wart mal ... ich hab mir das aufgeschrieben ... So! jetzt ist mein Notizbuch runtergefallen, heb doch mal auf! na, laß mich mal ... geh mal weg ... geh doch mal weg! Aua! ... ich komm ja gar nicht wieder hoch ... war hier was inzwischen? Nö – was? Das is ja Zimt, was die da spielen, unter uns gesagt … ich hab mir das aufgeschrieben: vierzehn Pfennig pro … jetzt weiß ich nicht mehr, ob es pro Kilo oder pro Zentner war … aber jedenfalls warn es vierzehn Pfennig. Das ist doch kein Geld, was? Wie? Wenn du so lang wärst, wie du dumm bist, könntest du aus der Dachrinne saufen. Jetzt wird's hell.

Nettes Kino, was? Warum haben sie das da so blau gestrichen? Du, die Käte hat sich ein himmlisches Schlafzimmer machen lassen, auch so blau – na, 'n bißchen heller als das da und weißer Schleiflack, wunderbar! Kaufst du mir so was? Nein. Siehst du, solchen Pelz will Lottchen haben, so, wie die da hat – nicht die, du Ochse … die kleine Dicke! Na, sie kann ihn nicht tragen – aber solchen Pelz. Ist gar nicht so teuer – außerdem krieg ich ihn billiger. Billig kann jeder kaufen, billiger muß man kaufen. Gib mal das Programm, hast du die Abendzeitung? Sieh mal nach, wann die Premiere ist, mit der Rönneberg. Mittwoch –? da kann ich nicht, da bin ich bei Rosensteins … das älteste Kind wird ein Jahr. Nu wird's dunkel … kaum, daß man mal was lesen will, wird's dunkel. Daddy, ist das der große Film, von dem sie so viel geschrieben haben? Ja? Is er das? Sei mal ruhig, ich muß mal lesen, wer alles mitspielt. Sei jetzt still, ich muß lesen … Pudowkin – kennst du Pudowkin? Wahrscheinlich ein Russe – was? Du, bei Lützows haben sie jetzt ein russisches Dienstmädchen, die kann kein Wort deutsch, nur 'n bißchen französisch. Komisch, was? Jetzt geht's los. Das kann ich dir sagen: wenn meine Tante mir noch einmal so einen frechen Brief schreibt … weißt du, ich gönn ja keinem Menschen was Böses, aber willst du mir vielleicht sagen, wozu so was auf der Welt … Hübsche Person! Du, der Film kann aber nicht neu sein, son Hut trägt kein Mensch mehr! War auch gar nicht kleidsam – Lottchen hat nie sonen Hut getragen. Daddy, du mußt mir unbedingt noch eine Tasche kaufen; die du mir fürn Abend gekauft hast, is ja sehr hübsch … aber nun habe ich für den Tag gar nichts. Nein, die brauche ich fürs Auto. Die blaue? die ist für den Nachmittag – für den Vormittag fehlt mir eine! Für die Stadt! Das verstehst du nicht. Na, ich wers dir sagen: also ich hab mir heute eine gekauft. Du kaufst mir ja doch keine! Das Geld darfst du mir zurückgeben. Na, laß man. Lieber arm und reich, als jung und alt. Was steht da –?

AUF MÄNNER, DIE LIEBEN,
KANN MAN NICHT BAUEN.

Sag ich doch immer. Daddy, vorgestern abend war ich mit Spannagel zusammen. Er sah ganz gut aus … Quatsch – mit dem Mann will ich doch gar nichts mehr zu tun haben; du stellst dich auch an – nur, weil ich mit ihm mal verheiratet war …! Er hat übrigens erzählt, er geht nächstens nach China, er will da den Bürgerkrieg studieren. Sehr interessant – ich hab ihm gesagt, er soll man vorsichtig sein; ich finde, wenn einer in den Krieg geht, muß er vorsichtig sein. Du, das ist mein Typ! Sei mal still … stör einen doch nicht immer, wenn man sich einen Film ansehen will! Du, das ist mein Typ! Sieht beinah aus wie Tilden. Wunderbare Figur, was? Der hat keinen Bauch – wunderbare Figur. Schade, nu is er weg … Daddy, mit dem Reichsentschädigungsamt hab ich mir das also folgendermaßen ausgedacht: Wenn die die achtzehn Prozent für die Vorkriegsguthaben bewilligen, zuzüglich der Nachtragsrente für die Kinder, verstehst du? und wenn der Anwalt dann noch durchdrückt, daß die zweite Entschädigungsrate von der ersten so abgezogen wird, daß die Umrechnungsquote bei der Reichsanleihe raufgesetzt wird –: dann kann ich den Ring auslösen! Du löst ihn mir ja nicht aus. Sage selbst – löst du ihn aus? Du sollst ihn auch gar nicht auslösen. Ich meine bloß so. Aber du löst ihn nicht aus. Guck mal – wo haben sie das aufgenommen? Wahrscheinlich in Frankreich, was? Der Anwalt hat aber gesagt, er kann nicht garantieren, daß der Prozeß noch dieses Jahr zu Ende ist – ich hab ihm gesagt, Peter ist heute zehn Jahre, bis zu seiner Volljährigkeit wart ich noch, aber dann hat meine Geduld ein … Du lachst – ich bin eine alleinstehende Frau und muß mir alles allein machen! Na, alles nicht. Ferkel. Hat Karlchen geschrieben? Wieso nicht? Was? Hat er nicht geschrieben? Ich werde ihm mal schreiben: ob er vielleicht seine Bräute so behandelt, wie du mich behandelst. Karlchen ist eben ein Kavalier. Nein, auch von vorn … laß mir meinen Karlchen! Jakopp ist aber auch sehr nett – überhaupt, ich will dir mal was sagen … wenn deine Freunde … Allmächtiger! was kullert die mit den Augen! Du himmlischer Braten! Warum tut sie denn das? Was? Na, erklär mir das doch mal – wozu gehe ich denn mit einem Mann ins Kino … Sssst! Was die Leute immer reden, wenn sie im Kino sind ... man versteht ja gar nichts ...! Du, warum hat die denn so mit den Augen gekullert, was? – Die find'st du nett? Na, dein Geschmack ... Ich frage mich wirklich manchmal, was du eigentlich an mir hast ... Na, ich bin ja dein Irrtum. Das ist mal sicher. Blond bin ich nicht, schöne Beine habe ich auch nicht, sagst du immer – bitte, ich hab sehr gute Beine! So schöne, wie deine Putti noch allemal! Von Dickchen gar nicht zu reden. Und Musch? Hat Musch vielleicht schöne Beine? Spitze Schuhe hat sie – kein Mensch trägt mehr ... Daddy, hast du zu Hause das Licht ausgemacht? Na, denn is gut. Was steht da?

«TRETEN SIE ZURÜCK – NUR ÜBER UNSERE DREI LEICHEN GEHT DER WEG!»

Daddy, dabei fällt mir ein, ich muß mir mal von der Käte das Rezept für die Rohkostsuppe aufschreiben lassen – wir haben sie neulich bei Mühlbergs gegessen, wunderbar, ganz schwer, schmeckt wie Krebssuppe ... also, das hat einen ausgesprochenen Krebsgeschmack, ist aber ganz vegetarisch ... Hast du das geseh'n? Hast du das geseh'n? Wie die das Pferd rumgerissen hat? Doll. Was? Was spielen die da? Krenek? Mag ich gar nicht. Magst du das? Ich war voriges Jahr da, mit Hornemann ... du, der Hornemann ist jetzt nach Südamerika gegangen ... er schreibt, da tragen die Frauen alle wundervolle Waschseide. Daddy, du könntest mir eigentlich mal – – nein, kauf mir lieber eine Brücke für die Wohnung, weißt du, so eine echte Perserbrücke ... na, Daddy, du kannst nicht sagen, daß ich dich mit Wünschen belästige. Ich möcht mal sehen, was du ner andern Frau schenkst ... Natürlich kriege ich die Wohnung. Das heißt: der Wirt legt noch Berufung ein, weil wir doch Kette tauschen; also Willachs in der Augsburger Straße geben ihre Wohnung gegen einen Abstand an Bernhardt, und Bernhardt tauscht mit Weller, wenn Marie einverstanden ist, heißt das, sie ist aber nicht einverstanden, weil sie sich scheiden lassen will, sie ist jetzt mit Bromberg, sie wird sich aber nicht scheiden lassen, da wäre sie ja schön dumm, und wenn ich nun mit Josenstein über Hippels weg tausche, und der Wirt vorher stirbt, und wenn Rommel seine Wohnung an mich abgibt –: dann kriege ich die Wohnung. Laß man: der liebe Jott wird Lottchen schon nicht verlassen. Ich kenn den Mann. Was? Wie? Es ist komisch: Männer verstehen nie, was man ihnen erklärt – Männer verstehen überhaupt …

Aus. Schon aus? Das war alles? Ja, wahrhaftig: die Leute stehen schon auf. Daddy, jetzt sag mir aber mal eins – das hab ich nicht kapiert:

Warum heißt der Film: ‹Die Jungfrau von Orleans›?

Peter Panter, Voss 20.10.1929

145

Die Herren Wahrnehmer

Von Briefmarken weiß ich nicht sehr viel. Es gibt so eine dreieckige Blaue, wie? … die blaue Mauritius …? nun, das ist nicht von Belang. Aber posito gesetzt den Fall: ich artikelte nun über Briefmarken. Und zwar des Sinnes: die teuerste Marke der Welt sei jene deutsche Drei-Pfennig-Marke, die da vor dem Kriege einmal in mehreren Bogen herausgerutscht ist; die Bogen wiesen sämtlich einen Druckfehler auf – da stand nämlich:

DFUTSCHES REICH

– eine der frühesten Prognosen für den Weltkrieg, die historisch nachweisbar sind. Schriebe ich nun, diese Marke sei die teuerste der Welt, was gewiß falsch ist, so wäre es richtig und verständlich, wenn ein Philatelisten-Verband, der das zufällig zur Kenntnis bekommt, sich einen seiner schön bedruckten Briefbogen hernimmt und mir mitteilt: «Sie haben sich geirrt. Diese Marke ist gar nicht so teuer. Laut Senfs Katalog …» und so fort. Das hat Sinn und Verstand.

Dagegen ist die «Wahrnehmung der Verbandsinteressen» durch die beteiligten Vereine nunmehr zu einem öffentlichen Unfug geworden, gegen den nur dadurch wirkungsvoll protestiert werden kann, daß der Verein jedesmal ohne Antwort, sein Eingriff immer ohne Wirkung bleiben und höchstens einmal dem betreffenden Syndikus oder Sekretär eins auf die Finger geklopft werden muß.

Es ist nicht mehr möglich, zu sagen: «Es gibt in Spanien kleine Gürkchen, die ich in Deutschland noch niemals gefunden habe – etwas sehr Erfrischendes und Wohlschmeckendes», ohne daß der «Reichsverband Deutscher Gurkenbesitzer» in einem feierlichen Schreiben Protest einlegt. Die deutschen Gurken seien viel schöner. Die spanischen seien ein Dreck. Außerdem gebe es in Deutschland überall die spanischen Gurken. Leider. Gottseidank … «und denn doch in Wahrnehmung unserer Verbandsinteressen bitten müssen, den schwergeprüften Gurkistenstand, der schon so schwer zu kämpfen hat, durch eine sofortige Richtigstellung …» (Wahrscheinlich wird jetzt ein Schreiben des betreffenden Gurkenverbandes kommen, er heiße anders, und solche Gurken, wie dem seine Gurken …) Und da gibt es kaum ein Blatt, kaum einen Verlag, kaum ein Theater, die nicht gleich, wie Polgar das nennt, «mit eingezogenem Selbstbewußtsein» den Rückzug antreten. Wovor haben sie Furcht?

Vor dem Boykott.

Diese Vereinigungen, vornean die Beamten, danach die Volksschullehrer, haben es mit der Standeswürde, mit den Verbandsinteressen, mit Gott weiß was allem – und sie kämpfen nicht schlecht für ihre falsch verstandenen Ideale. Immer hoch mit dem Minderwertigkeitskomplex! Vom Warenabsatz zu schweigen. Am bösesten wird die Campagne dann, wenn man der betreffenden Branche die Bedeutung abgesprochen hat – dann geraten sie ganz aus dem Häuschen. Denn in diesem übervölkerten Land der konstanten Arbeitslosigkeit ist das höchste Ideal: die «für die Volkswirtschaft anerkannte Bedeutung der Arbeit» – dahinter kraucht im Gebüsch die Angst vor der Arbeitslosigkeit. Gott segne den Innendienst.

Es muß eine Firma geben, die diesen Verbänden fix und fertig liefert, was sie brauchen. Auf ihren Kongressen, Fachtagungen, in ihren Protesten, in ihren lächerlichen Einmischungen in die Kämpfe des Geistes findet sich ein Vokabular, das standardisiert ist. Man weiß das Zeug alles auswendig: die Wahrnehmung und die Bedeutung und die Volkswirtschaft und das Volksganze und in Anbetracht der Steuerbelastung … und was der Mensch so nötig hat.

Ganz besonders schön wird das aber, wenn sich diese Sekretäre, die gern Syndici, die Syndici, die gern Direktoren, und die Direktoren, die gern Reichsverbandspräsidenten werden wollen – wenn sich die in Streitigkeiten einmischen, die sie nun aber ganz gewiß gar nichts angehen.

*

Der Nervenarzt Ludwig Paneth hat in der «Gesellschaft für freie psycho-analytische Forschung» zu Berlin im März dieses Jahres einen Vortrag über ‹Das Problem der Psychosynthese bei Jung› gehalten, ein Meisterstück leuchtender Klarheit, sauber in der Diktion, voller Überlegenheit und Demut, die Wahrheit zu suchen – die Leser des Vortrages, der in einem Sonderabdruck der ‹Deutschen Medizinischen Wochenschrift› (Nummer 18; Verlag Georg Thieme, Leipzig) erschienen ist, werden sich daran delektieren. Eine höchst bemerkenswerte Schrift. Ich habe mit Jung meine großen Schwierigkeiten gehabt; vieles war meinem Verständnis ganz entrückt – er schreibt nicht so klar wie Freud, er hat es wohl viel, viel schwerer als dieser, der diesseitiger ist, rationaler ... ein Entdecker hats immer schwer. Dieser Vortrag Paneths zeigt aber auch wenig geübten Alpinisten der Lehre, wie man über die Felsen herüberkommt. Für den Kenner der Materie darf angemerkt werden, daß hier die Genesis einer neuen Zeit liegt, deren Bedeutung man niemals an den Karikaturen ihrer Vertreter ermessen darf: Jung kann nichts für Keyserling und seine Leute – selbst bei jeder guten Ausstellung liegt ein Rummelplatz. Auch wird diese Lehre nicht den «Materialismus überwinden», oder wie diese Schlagworte heißen – aber man kann nicht an ihr vorbei, will man nicht der gradezu furchteinflößenden Plattheit jener «Freidenker» verfallen, die wirklich glauben, die Katholiken beteten Götzen an und alle Religionen seien Ammenmärchen. Solange sich dieser Kampf im Politischen bewegt, hält es schwer, der Religion beizuspringen, weil die politischen Auswirkungen Roms alles andere als erfreulich sind; im Augenblick aber, wo das nach innen schlägt, gehört schon ein sehr großer und hoher Geist dazu, um sich über den Katholizismus zu schwingen, der als Vulgär-Katholizismus leider sacht ins Protestantische abrutscht. Nun, das ist ein weites Feld. Also: Paneth.

Er spricht davon, wie Jung der Auflösung des Ichs, die Freud betreibt, eine Synthese gegenübersetzt – und bei jeder Synthese müsse man nach dem Wohin fragen; nach dem Ziel: was denn da eigentlich zusammengesetzt werden solle. Ich will das, was Paneth sagt, interpretieren. In der Soziologie Simmels ist einmal davon die Rede, daß die meisten Menschen gar nicht «fertig» sind – die meisten sind schwache Skizzen dessen, was im Bereich ihrer eignen Möglichkeit liegt. (Um das wundervolle Wort eines schweren Schizophrenen heranzuziehen: «rasch hingemachte Männerchen».) Dem Schulze ist nicht etwa vorzuwerfen, daß er kein Napoléon, sondern daß er nicht ganz und gar, bis an den Rand, Schulze ist. Mit ein bißchen andern Worten sagt Paneth das auch: Jung wolle durch seine Synthese die Menschen zu sich selber bringen; sie seien so oft mit der Welt zerfallen und allein, weil sie der Welt nichts Fertiges entgegenzustellen hätten – und hieran eben arbeite Jung. Paneth, dessen Klarheit nur noch von seiner Bescheidenheit übertroffen wird, sagt in den einleitenden Worten seines Vortrages: «Sehr vieles und sehr Wesentliches unseres Themas bewegt sich hart an der Grenze des Darstellbaren, zum Teil ist es wohl mit Worten, wenigstens in diskursiver Rede, überhaupt nicht darstellbar.» Und weiter: «Ist es denn aber möglich, außer solchen negativen Bestimmungen auch positiv das allgemeine Ziel der Erziehung – mit welcher die Heilbehandlung auf dieser Stufe zusammenfällt – zu bezeichnen? Sicherlich ist es schwer, nicht zuletzt deshalb, weil die Sprache, wenigstens die deutsche, für Gedanken von so allgemeiner Hoheit kein entsprechendes allgemeines Wortmaterial zur Verfügung stellt, man also immer in Gefahr ist, sich eng oder einseitig auszudrücken.» Für den, der in die Reden Buddhas auch nur hineingerochen hat, für den, der nur ein einziges Mal das Werk eines chinesischen Philosophen in der Hand gehalten hat, eine Selbstverständlichkeit: definieren Sie einmal exakt, was das ist: «das Tao», oder das «Dvandva» – und Sie werden Ihre Freude haben.

Man wird mir zugeben, daß hier ein geistiger Vorgang zur Darstellung gebracht wird; ein geistiger Kampf, etwas, das sich auf einer sehr hohen Ebene abspielt.

Ich lese das kleine Heftchen zum zweiten, zum dritten Mal – da fällt ein loses Blatt heraus. ‹Eine Erklärung zu meinem Aufsatz: Das Problem der Psychosynthese bei Jung.› Eine Erklärung? Was ist geschehen?

Auf die dünnen Schälchen chinesischen Porzellans hat sich mit breitem Hintern ein Deutscher gesetzt. Wer? Der Deutsche Sprachverein.

Er nimmt wahr. Er protestiert. Was? «Gedanken von so allgemeiner Hoheit kann man nicht auf deutsch …?» Das wäre ja … Nun aber! Auf ihn mit Gebrüll!

Paneth hat das in ritterlicher Weise gelöst; er hat sich wirklich herbeigelassen, diesen Vereinsmeiern, die seine Bemerkungen nicht verstanden haben, denn sonst hätten sie ja nicht protestiert, auseinanderzusetzen, wie ers gemeint habe: In keiner europäischen Sprache, die ihm bekannt sei, könne man das ausdrücken, worum es sich handele – er habe nur auf die asiatischen Sprachen angespielt und er bitte «solche Leser, die gleich dem Herrn Vorsitzer des Deutschen Sprachvereins, in jenen drei Worten eine Spitze gegen die deutsche Sprache erblicken sollten, diese Ersetzung vorzunehmen». Und ein höfliches Lächeln. Deutscher Sprachverein schwer blamiert ab.

Es ist beschämend.

Es ist beschämend, weil die Vereinswichtigmacher unser öffentliches Leben auf einen geistigen Tiefstand herunterziehen, der ihm grade noch gefehlt hat. Daß jede Kritik an einem Stand durch diese Burschen ungeheuer erschwert wird, weiß jeder von ihnen geplagte Zeitungs-Redakteur: geplagt von ihnen und vom Verleger, der täglich zweimal die Hosen wechseln muß, wenn solche Briefe einlaufen. Ich halte jede Richtigstellung, jede Verbesserung, mag sie von einer Einzelperson oder von Verbänden kommen (also doch von Einzelpersonen: nämlich von kollektivtrunknen Sekretären), für ersprießlich, solange man etwas dabei lernen kann. Unter den Briefen, die ich so bekomme, sind Leserbriefe von erquickender Gegnerschaft – schreiben die Männer oder Frauen deutsch und nicht beamtisch: ich antworte immer. Wenn aber diese Kegelklubs aller Arten sich erdreisten, sich in Dinge einzumischen, die sie einen Schmarrn angehn, dann werfe man den Brief in den Papierkorb und blase ihnen was. Wobei davon abgesehen werden mag, daß der Deutsche Sprachverein so ziemlich der allerletzte ist, der sich anmaßen darf, die «deutsche Sprache zu vertreten» – denn so etwas Ledernes wie seine Publikationen, so etwas Trostloses von Lehrerdeutsch war noch nicht da. Puristen, die deshalb kein unsauberes Sprachhemd tragen, weil sie überhaupt keines tragen – arme Luder.

Vom Nationalverband Deutscher Offiziere bis zu Herrn Fechter von der Deutschen Allgemeinen: es ist immer dasselbe. Unter denen, die Geistesprodukte zu Ware machen, unter den so nötigen Vermittlern des Geistes sind viele rasch hingemachte Männlein. Und wo sind die Männer –?

Peter Panter, WB 22.10.1929

146

Die fünfte Jahreszeit

Die schönste Zeit im Jahr, im Leben, im Jahr? Lassen Sie mich nachfühlen.

Frühling? Dieser lange, etwas bleichsüchtige Lümmel, mit einem Papierblütenkranz auf dem Kopf, da stakt er über die begrünten Hügel, einen gelben Stecken hat er in der Hand, präraffaelitisch und wie aus der Fürsorge entlaufen; alles ist hellblau und laut, die Spatzen fiepen und sielen sich in blauen Lachen, die Knospen knospen mit einem kleinen Knall, grüne Blättchen stekken fürwitzig ihre Köpfchen ... ä, pfui Deibel! ... die Erde sieht aus wie unrasiert, der Regen regnet jeglichen Tag und tut sich noch was darauf zugute: ich bin so nötig für das Wachstum, regnet er. Der Frühling –?

Sommer? Wie eine trächtige Kuh liegt das Land, die Felder haben zu tun, die Engerlinge auch, die Stare auch; die Vogelscheuchen scheuchen, daß die ältesten Vögel nicht aus dem Lachen herauskommen, die Ochsen schwitzen, die Dampfpflüge machen Muh, eine ungeheure Tätigkeit hat rings sich aufgetan; nachts, wenn die Nebel steigen, wirtschaftet es noch im Bauch der Erde, das ganze Land dampft vor Arbeit, es wächst, begattet sich, jungt, Säfte steigen auf und ab, die Stuten brüten, Kühe sitzen auf ihren Eiern, die Enten bringen lebendige Junge zur Welt: kleine pipsende Wolleballen, der Hahn – der Hahn, das Aas, ist so recht das Symbol des Sommers! er preist seinen Tritt an, das göttliche Elixier, er ist das Zeichen der Fruchtbarkeit, hast du das gesehn? und macht demgemäß einen mordsmäßigen Krach … der Sommer –?

Herbst? Mürrisch zieht sich die Haut der Erde zusammen, dünne Schleier legt sich die Fröstelnde über, Regenschauer fegt über die Felder und peitscht die entfleischten Baumstümpfe, die ihre hölzernen Schwurfinger zum Offenbarungseid in die Luft strecken: Hier ist nichts mehr zu holen … So sieht es auch aus … Nichts zu holen … und der Wind verklagt die Erde, und klagend heult er um die Ecken, in enge Nasengänge wühlt er sich ein, Huuh macht er in den Stirnhöhlen, denn der Wind bekommt Prozente von den Nasendoktoren … hochauf spritzt brauner Straßenmodder … die Sonne ist zur Kur in Abbazia … der Herbst –?

Und Winter? Es wird eine Art Schnee geliefert, der sich, wenn er die Erde nur von weitem sieht, sofort in Schmutz auflöst; wenn es kalt ist, ist es nicht richtig kalt sondern naßkalt, also naß … Tritt man auf Eis, macht das Eis Knack und bekommt rissige Sprünge, so eine Qualität ist das! Manchmal ist Glatteis, dann sitzt der liebe Gott, der gute, alte Mann, in den Wattewolken und freut sich, daß die Leute der Länge lang hinschlagen … also, wenn sie denn werden kindisch … kalt ist der Ostwind, kalt die Sonnenstrahlen, am kältesten die Zentralheizung – der Winter –?

«Kurz und knapp, Herr Hauser! Hier sind unsere vier Jahreszeiten. Bitte: Welche –?»

Keine. Die fünfte.

«Es gibt keine fünfte.»

Es gibt eine fünfte. – Hör zu:

Wenn der Sommer vorbei ist und die Ernte in die Scheuern gebracht ist, wenn sich die Natur niederlegt, wie ein ganz altes Pferd, das sich im Stall hinlegt, so müde ist es – wenn der späte Nachsommer im Verklingen ist und der frühe Herbst noch nicht angefangen hat –: dann ist die fünfte Jahreszeit.

Nun ruht es. Die Natur hält den Atem an; an andern Tagen atmet sie unmerklich aus leise wogender Brust. Nun ist alles vorüber: geboren ist, gereift ist, gewachsen ist, gelaicht ist, geerntet ist – nun ist es vorüber. Nun sind da noch die Blätter und die Gräser und die Sträucher, aber im Augenblick dient das zu gar nichts; wenn überhaupt in der Natur ein Zweck verborgen ist: im Augenblick steht das Räderwerk still. Es ruht.

Mücken spielen im schwarz-goldenen Licht, im Licht sind wirklich schwarze Töne, tiefes Altgold liegt unter den Buchen, Pflaumenblau auf den Höhen … kein Blatt bewegt sich, es ist ganz still. Blank sind die Farben, der See liegt wie gemalt, es ist ganz still. Boot, das flußab gleitet, Aufgespartes wird dahingegeben – es ruht.

So vier, so acht Tage –

Und dann geht etwas vor.

Eines Morgens riechst du den Herbst. Es ist noch nicht kalt; es ist nicht windig; es hat sich eigentlich gar nichts geändert – und doch alles. Es geht wie ein Knack durch die Luft – es ist etwas geschehen: so lange hat sich der Kubus noch gehalten, er hat geschwankt …, na … na …, und nun ist er auf die andere Seite gefallen. Noch ist alles wie gestern: die Blätter, die Bäume, die Sträucher … aber nun ist alles anders. Das Licht ist hell, Spinnenfäden schwimmen durch die Luft, alles hat sich einen Ruck gegeben, dahin der Zauber, der Bann ist gebrochen – nun geht es in einen klaren Herbst. Wie viele hast du? Dies ist einer davon. Das Wunder hat vielleicht vier Tage gedauert oder fünf, und du hast gewünscht, es solle nie, nie aufhören. Es ist die Zeit, in der ältere Herren sehr sentimental werden – es ist nicht der Johannistrieb, es ist etwas andres. Es ist: optimistische Todesahnung, eine fröhliche Erkenntnis des Endes. Spätsommer, Frühherbst und das, was zwischen ihnen beiden liegt. Eine ganz kurze Spanne Zeit im Jahre.

Es ist die fünfte und schönste Jahreszeit.

Kaspar Hauser, WB 22.10.1929

147

Fiat

Mussolini, diese ölig-scharfe Frucht aus italienischem Boden, eingeweckt in deutsche Konservengläser, fix und fertig zum Gebrauch für deutsche Landwirte, Landgerichtsräte und Stahlfabrikanten – Mussolini ist drauf und dran, einen moralischen und nun auch gesetzlichen Boykott gegen fremde Autos zu verhängen. Die Italiener sollen sich italienische Wagen kaufen: die seien sehr gut. Verflucht sei, so da anrollt mit einem Hispano oder mit einem Maybach ...! Hm.

Die Fiat-Werke sollen recht gute Wagen herstellen; ich will einmal annehmen, sie seien sogar außergewöhnlich gut. Aber Verbot ausländischer Wagen? Man sollte annehmen, dann wäre es nur konsequent, wenn Herr Mussolini die Ausfuhr der italienischen Wagen ins Ausland verböte. Denn er wird doch den Ausländern nicht etwas zumuten wollen, was er seinen Untertanen verbietet –!

Was Europa zerreißt und ihm diesen fürchterlichen Anblick eines ernsthaften Irrenhauses gibt, ist das wilde Nebeneinander von Epochen, die es gelten läßt: tobsüchtig gewordener Freihandel, nationale Beschränkungen und internationale Trusts, und das alles durcheinander, gegeneinander, unter- und übereinander –: eine Beerdigung mit Faschingszeremonien.

Dort soll die «nationale Idee» regieren, hier die ökonomische; hier beide, dort keine – nicht einmal davon zu sprechen, daß Mussolini wahrscheinlich die Arbeitgeber braucht, weil seine Politik zum Teil mit ihrem Geld gemacht worden ist ... nun dankt er ihnen. Und nun können ja wohl wir andern einen Boykott gegen Fiat arrangieren, und dann wird Fiat protestieren, und dann wird Mussolini den seinen verschärfen, und dann die andern Staaten den ihren ... «Was besteht, ist vernünftig» – sagt Hegel.

Ignaz Wrobel, WB 22.10.1929

148

Was dem Lakaien seine Livree ist der Republik ihre Sieges-Allee

Da stehn in Panzer und Lederkollern
die bessern Herren von den Hohenzollern.
Und man fragt sich, sieht man die Schnallen und Maschen:
Wann hat sich der Junge eigentlich gewaschen?
Wahrscheinlich an hohen Feiertagen,
wenn er hinging, sein Vaterunser zu sagen.

Was heute Kino ist und Theater,
dafür hatte er diesen heiligen Vater.
Der war in jener vergangenen Zeit
ein fetter Mime der Frömmigkeit.
Segnend ragt seine Unterlippe …
mit den Fürsten machte die Kirche Kippe:
dir ein Halb und mir ein Halb –
der Untertan war ein gutes Kalb.

Und wenn es einmal im Volke erbraust:
Dann haben wir hier die starke Faust.
Das Volk? Das werden wir doch noch kriegen!
In *diesem* Zeichen wollen wir siegen!
Wir würgen sie, bis sie nicht mehr jappen …
Hier ist das echte preußische Wappen.
Ein böses Vieh. Es beraubt und hackt
jeden, der sich mit Arbeit plackt.

Da steht die Allee. Es zaudern die zahmen
Republikaner vor Marmorreklamen.
Im Namen der Wehrmacht –
in Alt-Deutschlands Namen.

AMEN!

Theobald Tiger, AIZ Nr. 44, 1929

Theobald Tiger:

Was dem Lakaien seine Livree ist der Republik ihre

Sieges-Allee

Da stehn in Panzer und Lederkollern
die bessern Herren von den Hohenzollern.
Und man fragt sich, sieht man die Schnallen und Maschen:
Wann hat sich der Junge eigentlich gewaschen?
Wahrscheinlich an hohen Feiertagen,
wenn er hinging, sein Vaterunser zu sagen.

Was heute Kino ist und Theater,
dafür hatte er diesen heiligen Vater.
Der war in jener vergangenen Zeit
ein fetter Mime der Frömmigkeit.
Segnend ragt seine Unterlippe . . .
mit den Fürsten machte die Kirche Kippe:
dir ein Halb und mir ein Halb —
der Untertan war ein gutes Kalb.

Und wenn es einmal im Volke erbraust:
Dann haben wir hier die starke Faust.
Das Volk?
Das werden wir doch noch kriegen!

In diesem Zeichen wollen wir siegen!
Wir würgen sie, bis sie nicht mehr jappen . . .

Hier ist das echte preußische Wappen.
Ein böses Vieh.
Es beraubt und hackt
jeden, der sich mit Arbeit plackt.

Da steht die Allee.
Es zaudern die zahmen
Republikaner vor Marmorreklamen.

Im Namen der Wehrmacht —
in Alt-Deutschlands Namen.

Amen!

148 Was dem Lakaien seine Livree ist der Republik ihre Sieges-Allee

149

Hej –!

Auf einem leeren Marktplatz stehst
du –
ganz allein:
die Häuser haben geflaggt, jedes trägt eine andre Fahne,
die Dächer sind schwarz vor Menschen;
eine wimmelnde Schlange ist rings um den Platz gepreßt.
Aus jedem Haus dringt Getöse, Blechmusik, Orgeln, wirres
Rufen –
Und plötzlich
heben sich alle Arme, auf dich,
zehntausend ausgestreckte Zeigefinger, auf dich,
und ein Schrei steigt auf:
– «Hej!»

Was wollen sie von dir?
Was hast du getan?
Was sollst du tun?
So groß bist du doch gar nicht,
so bedeutend bist du doch gar nicht,
so wichtig bist du doch gar nicht …

Eintreten sollst du – in eines dieser Häuser,
in welches, ist ihnen gleich –
aber in eines,
und darum rufen sie:
– «Hej!»

Da ist das katholische Haus:
Würdige Junggesellen halten, verkleidet, ein Buch in der Hand;
manche sind weise,
viele klug,
alle schlau.
Sie wollen dich,
sie wollen sich

und vergessen IHN.
Sie teilen eine Art Wahrheit aus;
sie kennen die Herzen aller,
sie ordnen Regeln an, für alle:
ein Warenhaus der Metaphysik.
Aber etwas Starres ist da,
ein Trübes,
und drohend steht das Kreuz gegen den Phallus –:
geh nicht hinein.

– «Hej!»

Da ist das Haus der Nationen.
Sture Gewaltmenschen
halten, kostümiert, einen Damaszenerdegen in der Hand,
aber sie schießen mit Gas.
An ihren Wänden hängen Bilder mittelalterlicher Kämpfe,
Fahnen über den Kaminen –
aber sie schießen mit Gas.
Sie wissen nicht, warum sie das tun,
sie müssen es tun;
ihr Wesen schreit nach Menschenfleisch,
nach der herrlichen, den Mann aufwühlenden Gewalt,
so liebt ihn die Frau,
so liebt er die Frau.
In ihnen ist nichts,
daher wollen sie außer sich sein –
und wann wäre man wohl so außer sich
wie bei der Zeugung und beim Mord!
Verwaltungsbeamte des Todes –:
geh nicht hinein.

– «Hej!»

Da ist das Haus der feinen Leute.
Die spielen, ab sechs Uhr abends:
mit der Polaritätsphilosophie,

mit Theaterpremieren,
mit den Symphonien,
mit der Malerei,
mit dem Charme,
mit dem Stil,
mit den Versen Verstorbener,
mit den Witzen Lebendiger –
und alles darfst du bei ihnen tun,
(solange es zu nichts verpflichtet),
alles, nur eines nicht:
Nicht die Geschäfte stören,
den Ernst des Lebens,
der da ist:
Geld verdienen mit dem Schweiß der andern;
regieren auf dem geduldigen Rücken der andern;
leben vom Mark der andern …
Für die Sättigungspausen
haben sie einen Pojaz bestellt:
den Künstler.
Geh nicht hinein.

– «Hej!»

Da ist das russische Haus.
Du kennst es nicht genau.
Aber bist du reif für dieses Haus?
Ist dein Tadel:
ihre starre Dogmatik,
ihr Zeloteneifer, eine neue Kirche zu gründen,
ihr scharfer Haß gegen den Einzelnen
– aber Lenin war ein Einzelner –
ihre Affenliebe für alle, die alles heilen soll –:
ist dieser Tadel nicht deine verkappte Schwäche?
Auch sie: dieser Welt hingegeben
– erwarte nicht den Himmel von ihnen –
auch sie: Nationalisten,
freilich mit einer Idee;

auch sie: für den Krieg,
auch sie: erdgebunden;
das, was sie an die Amerikaner verhökern,
heißt nicht umsonst: Konzessionen …
Bist du stark genug,
mitzuarbeiten am Werk?
Noch nicht –
geh noch nicht hinein.

– «Hej!»

Tausend Gruppen umbrüllen dich,
rufen nach dir,
preisen an die warme Heimat: Herde.
Sag: Hast du nicht Sehnsucht gehabt nach dem Stall,
nach dem warmen Stall, wo nicht nur die Krippe lockt,
– die Wiesen genügen –
nein: wo die tierische Wärme der Leiber ist,
das vertraute Muh und das Gemeinschaftsgefühl der Menschen?
Sie schrein:
In die Reihn!
In den Verein!
Sie schrein:
Die Zeit des Einzelnen ist vorbei,
das trägt niemand mehr!
Freiwillige Bindung!
Schwächling! schrein sie; Einzelgänger! Unentschiedener!
Her zu uns!
Zur Ordnung! Zur Ordnung!

Über den Häusern
ragen die Wipfel
geduldiger Bäume.
Rauschend bewegen sie schäumende Kronen.
Zurück zur Natur?
Hingegeben an dämmernde Herbstabende,
wo die göttliche Klarheit

des bunten Tags
sich auflöst in weich-graue Nebel?
Vergessen das Leid
der Millionen?
Und die Wirkung roten Weines
und eine Frau am Kamin
für die letzte Sprosse der göttlichen Weltordnung nehmen?
Frauen geben. Nimm. Aber erhoffe nichts.
Zurück zur Natur?
Bleib verwurzelt – aber geh nicht
mit der Laute zu ihr –:
Du gehst zurück …

– «Hej!»

Da stehst du
und siehst um dich:
Die Rufer verschwimmen,
treten zurück …
Du bist nicht allein!
Um dich
stehen Hunderttausende:
frierend wie du,
suchend wie du,
jeder allein, wie du,
Trost? Nein: Schicksal.

Bleib tapfer.
Bleib aufrecht.
Bleib du.
Hör immer den Schrei:
– «Hej!»
Laß dich nicht verlocken.
Geh deinen Weg. Es gibt so viele Wege.

Es gibt nur ein Ziel.

Theobald Tiger, WB 29. 10. 1929

Die Tabellenzeitung

Warum machen sich eigentlich die Leute das Leben so schwer?

Die Leser müssen die ganze Zeitung durchfliegen, bis sie etwas gefunden haben, was sie interessiert – und die Journalisten müssen das alles schreiben … Warum? Wozu? Es geht viel einfacher.

Es hat sich doch nun im Lauf der Zeit herausgestellt, daß dieselben Ereignisse immer wiederkehren. Früher war es: «Paschitsch bildet ein neues Ministerium» … man konnte die Zeitung aufschlagen, wann immer man wollte –: stets bildete der alte Paschitsch ein neues Ministerium. Er muß 1003 gebildet haben.

Heute ist das nicht anders. Die Zeitung teilt uns in gefälliger Aufmachung nur das mit, was wir schon wissen. Wenn wir es aber schon wissen, dann fesselt doch nur noch die Menge des Geschehens und die Tatsache, daß es geschehen ist.

Vereinfachen wir uns also das Leben, den schwer geplagten Journalisten die Arbeit und dem Leser die Abendstunden und machen wir, weil wir sonst keine Sorgen haben, die

Tabellenzeitung *Gesetzlich geschützt*

	Armbrüche	Beinbrüche	Hals- und Beinbrüche	Politische Wortbrüche	Zeppelinlandungen	Krach auf der Probe bei Brecht	Erschießung von Landesverrätern	Patriotische Rede eines Sozialisten für Anschluß	Pazifistische Rede eines Sozialisten
Deutschland . .	63	14	13	14689999998	1	22	–	3144	–
Bayern	308	176 430	17 643 087	einer mehr	–	–	leider: –	683	–
England	76	21	2	–	1	–	–	–	–
Frankreich . . .	19	22	–	14	1	–	1	–	–
China	12 467	24	3	20000000000	1	–	1 000 000 000	–	–
Litauen	–	–	–	–	1	–	einer mehr	–	–
Neukölln . . .	3	25	–	½	1	1	–	44	–

Zuversichtliche Haltung der Börse wegen der letzten Rede Briands	Zuversichtliche Haltung der Börse trotz der Rede Briands	Banditenüberfälle		Zuchthausstrafen		Filmpremieren
		auf Expresszüge	in Versicherungsgesellschaften	wegen Abtreibung	wegen Rechtsbeugung durch Richter	
1	1	54	3	183 Jahre	–	456,3

Proteste Hugenbergs gegen den Young-Plan		Hochzeiten und andere Unglücksfälle	Geburtstage			Revolverattentate			Einweihungsfeiern öffentlicher Häuser
Unterschriften	davon zurückgezogen		60.	70.	120.	aus Liebe	wegen Geld	wegen Geld aus Liebe	
2064	2065	1099	27	34	5	618	618	619	244

Kaspar Hauser, WB 29. 10. 1929

Was tun die Birken?

So habe ich neulich hier gefragt ... was sie wohl tun, die Birkenblätter. Sirren? ... flirren? ... flimmern? ... ich wußte es nicht.

Brunhild schreibt: sie «schauern». Na, schauern ... vielleicht tut das der ganze Baum – aber er friert doch gar nicht, mir ist dies Wort zu schwer für das leichte Gezweig.

Georg Hermann zitiert Liliencron:

Der Birke Zischellaub verstummte
In ferne Länder floh der Tag ...

– das ist schon ähnlicher. Hier ist es wenigstens phonetisch gelöst; aber wenn man nun weitab steht und es nicht hören kann –?

Aber Georg Hermann kommt mir grade recht. Liliencron ... Neulich hat Franz Blei in der ‹Literarischen Welt› an ihn erinnert; ich glaube, daß er ihm Unrecht getan hat. Er sagte: der habe es sich so leicht gemacht; er habe mit der Muse getändelt. Ach nein – er hat gearbeitet wie ein Schwerarbeiter, gestrichen, gebosselt, verbessert, und abgeschrieben, bis es «saß». Ich meine, daß man ihn noch heute mit Genuß lesen kann – es stehen da wunderherrliche Gedichte (verliert sich in vierstündiger Lektüre Liliencrons; auftauchend:) Weil aber in politisch vermuffter Zeit ästhetische Werturteile immer gleich so feierlich genommen werden: ich lese Franz Blei mit größtem Vergnügen und mit mehr als Vergnügen. Divergenz über ein literarisches Werturteil ist kein Krieg.

Mein Gott, was tun die Birkenblätter –? Brunhild, komm her und stell dich unter einen Birkenbaum. Ich seh dich an – schauer mal. Fühlst du den Unterschied? Was tun sie? Ich werde dahingehen und es nicht gesagt haben.

Peter Panter, WB 29.10.1929

152

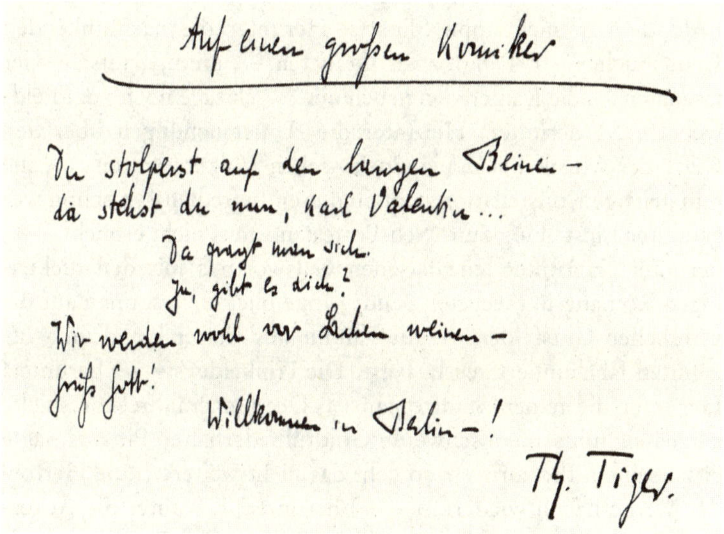

Auf einen großen Komiker

Du stolperst auf den langen Beinen –
da stehst du nun, Karl Valentin …
Da fragt man sich.
Ja, gibt es dich?
Wir werden wohl vor Lachen weinen –
Grüß Gott!
Willkommen in Berlin –!

Th. Tiger.

Auf einen großen Komiker

Du stolperst auf den langen Beinen –
da stehst du nun, Karl Valentin …
        Da fragt man sich.
        Ja, gibt es dich?
Wir werden wohl vor Lachen weinen –
Grüß Gott!
                Willkommen in Berlin –!

Th. Tiger, Die Frechheit, November 1929

153

Auf dem Nachttisch

Wenn ich mich ein wenig aufrichte, kann ich mit der Nasenspitze grade über den Bücherstapel hinwegsehen. Nein, aber was zu viel ist, ist zu viel … und bei jedem Wort werfe ich ein Buch herunter, das ich auswendig kann, ohne es je gelesen zu haben. «So kommen Sie Ihrem kritischen Amt nach! Da kann man sehen ...» Pedd di man nich uppn Slips! – Herunter die nachhinkenden Kriegsbücher – («Peng! zwei Granaten – pumm, bautsch! vier Granaten ... die Kameraden neben mir ... ich sage noch zum Feldwebel ...») herunter! Herunter die ‹Untersuchungen über den Geist der Musik bei den indoslavischen Völkerschaften› («Eine rein geistige Konstellation kann in diesen Ingredienzien schon wegen ihrer Einstellung zum Neu-Protestantismus nicht erblickt – –») herunter! Herunter jene falschen Galsworthys mit den dickleibigen Romänern. (Sechster Band: «Inge blickte versonnen auf die väterlichen Gutsfelder, die die Familie aus vierter Hand im achtzehnten Jahrhundert geerbt hatte. Die Hinkeldeys – –») herunter! Herunter die feinen Stadtromane. («Der Generaldirektor spielte nachlässig mit seinem schweren Goldfüllfederhalter. Pinzius, sagte er zu seinem Prokuristen, so geht das nicht weiter ... die Herforder Werke haben wiederum – –») herunter! Herunter die Ackerromane aus treudeutsch-schweißiger Faust («Der Bauer nahm einen gewaltigen Schluck aus dem Kruge, den ihm Marianne darbot. Die Ochsen, meinte er – –») herunter – herunter – –

‹Briefwechsel von Theodor Fontane und Paul Heyse, 1850 bis 1897.› Herausgegeben von Erich Petzet (erschienen bei der Verlagsgesellschaft der Weltgeist-Bücher zu Berlin). Blüh auf, mein Herz! Blüh auf, mein halbes Herz!

Nämlich: was die Fontaneschen Briefe angeht. Ja, wer so kann ...! Jeden einzelnen habe ich mit Andacht herausgepickt. «Mein lieber Paul!» fangen die meisten an – und was steht da nicht alles! Da ist kaum einer, in den er nicht eines jener typischen Fontaneschen kleinen Aquarelle hineingepinselt hätte; so ganz nebenbei: Kinderszenen, die Beschreibung einer gesellschaftlichen, einer literarischen Situation – das ist nun zum Entzücken gar! Ich will keinem die Vorfreude verderben, es stehen bezaubernde Sachen in dem Bändchen. Und solche Sätze, die unsereinem aus dem Herzen herausgeschrieben sind – einen Kranz auf dein Grab, Theodor Fontane! «Ich bin völlig freier Schriftsteller, was gleich nach ‹reisender Schauspieler› kommt.» Und wenn man den Tiefstand der damaligen Produktion kennt (1859), dann kann man so ungefähr ermessen, wie schlecht sie diesen behandelt haben. Das ist ein bittersüßes Buch.

Der Adressat dieser Briefe – der «liebe Paul» – ja … also … ich ja nicht. Zunächst tut sich der liebe Paul in der Freundschaft etwas kühl – aber da kann ich mich täuschen. Sich vorzustellen, dieser geölte Friseurkopf sei einmal ein Dichter gewesen, ist für uns nicht ganz einfach; auch der Gedanke, daß es ein «Heyse-Archiv» gibt, ist recht erheiternd. Immerhin: er hat den Nobelpreis gehabt. (Kennen Sie auch nur einen von den Preisrichtern bei Namen? Na, dann ists gut.) Den Nobelpreis also – und hat im Alter eine ‹Maria Magdalena› geschrieben, die aufzuführen sie ihm sogar verboten haben … und er hat sehr schöne Übersetzungen aus dem Italienischen gemacht … aber ich ja nicht. Mein Gott, ist das alles tot! Das ist eine sehr nachdenkliche Lektüre. O, wie ist das verweht! ach, ist das nur noch Staub für Philologen – es hat so etwas Meistersingerhaftes, was sich die Herren in ihren dichterischen Kegelklubs da vorrechnen – nun liegt das auch daran, daß hier der ganze Literaturstaub eingefangen ist, es waren ja Privatbriefe, kein Mensch hat je an ihre Veröffentlichung gedacht, und nun wibbelt und kribbelt das von Eintagsgrößen, und von denen am meisten … Tot. Mausetot. Und Heyse ist ja wohl rund dreißig Jahre dahin … stimmt das? Ich weiß es nicht einmal. Das ist eine gesunde Lektüre.

Und neben hundert klugen Sätzen des alten Märkers, der nun wirklich einer gewesen ist (aber Hugenberg liest ihn nicht), steht da auch ein Satz über das Theater. Aus dem Jahre 1860, wie neu. «Ich finde unsere Theaterzustände greulich, viel schlimmer als unsere Buchmanufaktur, und weise mit Entschiedenheit jede Aufforderung zurück, auch in die böhmischen Wälder zu gehen. Das Quantum von Dummheit, Indolenz, Klugschmuserei, Eitelkeit und Intrigue, das einem wie ein Riesenblock in den Weg gerollt wird, ist zu groß, als daß man Lust haben könnte, sich daran zu verheben. Die Starken mögen es wagen, und es ist ganz recht, daß Du Dich nicht abschrecken läßt.» Komm an mein Herz –!

Gehn ma weiter, wie der böhmische Fremdenführer zu sagen pflegte. Da hat sich in die neuen Besprechungsexemplare ein alter Band eingeschoben, den ich immer wieder zur Hand nehme, weil er so gut und so sauber gearbeitet ist. Nun weiß ich nicht, ob man ihn noch kaufen kann – das weiß man bei den Verlagen nie so genau … ‹Klassischer Journalismus›, Die Meisterwerke der Zeitung, gesammelt und herausgegeben von Egon Erwin Kisch (erschienen bei Rudolf Kaemmerer, Berlin). Wenn es den noch gibt, oder ihr erwischt das – obgleich ich nicht hoffen will, daß man es dort erwischen kann – auf einem Bücherwagen: dann aber nichts wie hin. Das ist eine Fundgrube. Kisch hat die unbekanntesten Seiten bekanntester Autoren zusammengetan und brillante Arbeiten unbekannter Autoren, und allen gemeinsam ist die herrliche Wildheit des Tages: «Jetzt oder nie! Morgen sind wir alle tot!» Zeitung im besten Sinne. Dreimal gelesen: den Aufsatz von Börne über Johann Wolfgang von Possart, Geheimbderath zu Weimar. (Ja, das war er nämlich auch – das vergessen wir zu leicht. Sollte man aber doch nicht. Bei aller Verehrung: man sollte nicht.) Und Helferich Peter Sturz und ein paar prachtvolle Aufsätze von Ernst Moritz Arndt, Herrschaften, wie haben sie uns die guten deutschen Patrioten verfälscht! Es ist wirklich eine Schande. Kisch hat da etwas sehr Gutes gemacht – ich möchte es jedem Journalisten zu Weihnachten schenken.

Gehn ma weiter. Da schickt mir ein neuer Mann, Ernst Gieser aus Berlin-Zehlendorf, die von ihm herausgegebenen Bändchen seines Verlages «Editeufra», Editio Teuto-Franka … Hm. Ein indiskutables ‹Tagebuch eines Dobermanns›; unbrauchbare ‹Bemerkungen über die Tat› vom pariser Verleger Bernard Grasset; und dann ein recht interessantes Bändchen, ebenfalls von Grasset: ‹Die Angelegenheit der Literatur›. (Aber viel zu teuer – was macht Ihr denn da! 7,50 für 126 Seiten!) Wenn, was ich hier auf meinem schwedischen Nachttisch nicht feststellen kann, im französischen Text «L'Affaire de la Littérature» steht, dann ist der Titel ebenso unzulänglich übersetzt wie das ganze Buch. Auch heißt «Publicité» gewiß nicht «Publizität» sondern in diesem Zusammenhang schlichtweg: «Propaganda» – diese Übersetzung stuckert über den Plötz und alle französischen Grammatiken der Welt. Was Herr Grasset, dessen Photographie für 7,50 beigegeben ist, uns zu sagen hat, ist nicht immer sehr belangreich, im Deutschen wenigstens nicht, wo die leichte Nettigkeit des französischen Zeitungsstiles wegfällt. Man wünschte sich mehr Fakten und weniger Aperçus, die mitunter etwas napoléonhaft anmuten. Manchmal hat er Humor. «Wenn Sie auf einige malerische Einzelheiten gespannt sind, kann ich Ihnen verraten, daß Männer ihr Manuskript flach anbringen und Frauen gerollt. Warum? Bisher ist es mir noch nicht gelungen, diese Frage zu klären, und ich überlasse sie Ihnen zu nachdenklicher Betrachtung.» Manchmal hat Grasset, der Papa Radiguets, Witz, mitunter auch keinen – und das Wichtigste über diese «Angelegenheit» steht nicht im Buch. Denn grade die Begriffe, die sich in dem Wort «affaire» kreuzen (Sache und Geschäft) sind nicht gut gegeben – am besten noch an der Stelle, wo er das Verlegergefühl beschreibt: «Ein besonderes Gefühl, das die echten Verleger kennen: das Gefühl für die Sache, die man nimmt.» Das ist gut. Sonst aber stehen viele runde Sätzchen (französisch: des phrases) darin. Nun, vielleicht entwickelt sich dieses verlegerische Verständigungswerk noch; vorläufig ist da nicht viel.

Gehn wir weiter. ‹Afrika singt›, eine Auslese neuer afro-amerikanischer Lyrik, herausgegeben von Anna Nußbaum (erschienen in der Speidelschen Verlagsbuchhandlung zu Wien). Ein sehr schönes Buch. Übersetzt haben: Hermann Kesser, Josef Luitpold, Anna Siemsen, Anna Nußbaum. Ihr wißt ja. Lyrik kann man gar nicht übersetzen. Man kann sie, wenn alles gut geht, nachschaffen. Ob das hier geglückt ist, kann ich nicht beurteilen – ich kenne die Originale nicht. Mitunter ist es bestimmt nicht gelungen. «Dirnen und Burschen» gibt Gedankenverbindungen, die sicherlich nicht schwarzfarbig sind. Andere Gedichte wieder sind sehr schön – es ist unsagbar schwer zu entscheiden, was hiervon auf das Konto des Übersetzers und was auf das des Übersetzten zu buchen ist. Nun habens ja die Leute, die aus dem Englischen übertragen, nicht leicht. Man denke nur an unser nachklappendes, stumpfes «nicht», die Verzweiflung jedes Lyrikers – wie schön haben es jene, bei denen die Konstruktion «don't» die Negation vorwegnimmt, so daß der Vers mit dem tönenden Verbum schließen kann! Und die vielen einsilbigen Wörter! es ist das Ideal einer Sprache für Songs, für wirkliche, nicht für Schnadasongs. Am bedeutendsten und revolutionärsten: Langston Hughes, eine außerordentlich starke Begabung. Wunderschön – nicht von ihm – das Gedicht ‹Deine Hände› – mit einer Schlußzeile, die nur eine Frau schreiben kann; sie möchte sich in seine Hände kauern, ganz einschmiegen … und dann, wie nachhallend:

– Selbst dann, wenn dus vergißt.

Die Rassenfrage, die von Europa aus nicht zu entscheiden ist, die mir aber auf der amerikanischen Flagge, gleich neben den Namen Sacco und Vanzetti, wie ein häßlicher Fleck zu haften scheint, die Rassenfrage wird einmal so behandelt:

Weißer Bruder, was wirst du sagen?
Komm, Bruder! Komm!
Laßt uns treten vor unsern Gott.
Und wenn wir vor ihm stehen,
Ich werde sagen:
Herr, ich hasse nicht,
Ich werde gehaßt.
Ich quäle nicht,
Ich werde gequält.
Ich begehre niemandes Land,
Mein Land wird begehrt.
Ich verspotte kein Volk,
Mein Volk wird verspottet.
Und, Bruder, was wirst du sagen?

Ein schönes Buch.

Nun sind also doch die Kriegsbücher dazwischengerutscht, eins, zwei … Aber das eine ist, um die Wahrheit zu sagen, nicht gerutscht – ich habe es auf den Nachttisch gelegt: es ist das schönste von allen; nicht das größte, aber das schönste. Ich stelle es noch über Remarque. Es sind ‹Les Croix de Bois›, von Roland Dorgelès (erschienen bei Albin Michel, 22 rue Huyghens, Paris). Helm ab zum Gebet.

Ich kenne das Buch, das drüben ein ungeheurer Erfolg gewesen ist, seit Jahren, und ich habe nie darüber berichten können – ich kann es auch heute noch nicht so, wie ich gern möchte. Das macht: es scheint mir unübertragbar zu sein. Wenn das nicht ein großer Künstler in die Finger bekommt; einer, der lange Soldat gewesen ist; einer, der Schützengraben-Französisch und Schützengraben-Deutsch versteht – und beides wie geschmiert … vielleicht … dann vielleicht … Es ist etwas ganz und gar Einzigartiges. Tausend Beispiele.

Es fängt erst einmal so an:

«In dieser Jahreszeit gab es nicht viel Blumen, aber einige hatte man doch gefunden und sie als Schmuck in die Gewehre des Nachschubs gesteckt, der da, zwischen zwei stummen Spalieren Neugieriger – mit Blumen geschmückt wie ein Kirchhof – in losen Trupps durch die Stadt zog.» So fängt es an. Und dann gehts los.

Dieses unbeirrbare Zivil im Franzosen; wie der Neuangekommene jemand in der Kompagnie findet, mit dem er über Paris sprechen kann, er spricht nicht nur über Paris, er spricht auch nicht «von der Heimat» – jeder Satz, den er sagt, ist gegen, gegen, gegen das Kommiß … «Schon, daß ich die Namen aussprechen konnte: das war Wiedergeburt verlorenen Glücks.» Die Brutalität des französischen Militärs wird nicht verschwiegen – dies ist ein wahres Buch. Der Feldwebel («adjudant» entspricht dem nicht ganz), der jedem, der ihm in die Quere kommt, gleich zwölf Kugeln verspricht, «den Gnadenschuß nicht eingerechnet»; einmal von einem der zahlreichen standrechtlich Erschossenen: «Ja, der war aus Cotteville. Er hatte zwei Kinder.» Absatz. «Zwei Kinder, so groß wie der Pfosten, an den sie ihn gebunden haben …»

Wie das Soldatengeschwätz eingefangen ist – pointenlos, so … wie sie so daher geredet haben. Die Marne! Was haben sie von der Schlacht an der Marne behalten? Immerhin: pour une bataille c'était une bataille, wie man drüben sagt. «Weißt du noch: die kleinen Melonen in Tilloy …» und: «In Gueux haben wir vielleicht Wein bekommen – Mensch, ganze Eimer voll –!» und so. Es sind Züge darin, die nur ein Franzose finden konnte: so der vom Bauer, der von seinem Haus aus den französischen Sturmangriff sehen kann. «Komm rasch raus!» ruft er seiner Frau zu. «Schnell! Los!» – «Nö – ich kann nicht», ruft die Frau zurück; «die Milch kocht über …» und das ganz pointenlos, so wie eben einer schreibt, der seine Bauern kennt, und weil jeder Franzose selbst ein Stück vom Bauern in sich trägt, unzerstörbar.

Woher er dies hier hat, weiß ich nicht; es muß ihm der selige Shakespeare nachts im Traum erschienen sein. Das Bauernmädchen … «sie denkt oft an uns, wenn das Regiment im Graben ist. Und wenn die Kanonen besonders laut dröhnen, dann zählt sie leise jeden Schuß …: ein wenig … von Herzen … mit Schmerzen … wie wenn sie an einer Margeritte zupfte.» Über diese Stelle kann ich niemals hinweglesen.

Und dann jene, die ich hier einmal veröffentlicht habe, wo er davon spricht, wie die Soldaten immer reden und reden und doch gehorchen. (Ich gebe es hier abgekürzt): «Ja, wie sie im Frieden gedient haben, da haben sie gesagt: ‹Laßt mich mal hier rauskommen, dann werde ichs ihnen aber besorgen!›» Und dann sind sie herausgekommen, und dann war gar nichts. Und dann: «Laß mal Krieg sein, – da werden wir aber – –» Und dann hat der Krieg angefangen: große Wiedersehensfreude mit dem Unteroffizier: «Na, geht gut, ja?» Und dann im Krieg: «Mensch, laß das hier aus sein … aber dann – –» und so in infinitum.

Aber wie soll man das übersetzen? Es ist dasselbe wie bei uns – aber es ist doch nicht dasselbe. Einer weiß, was ihm blüht, wenn er es mit dem Vorgesetzten anlegt. Aber er muß, er kann nicht anders. «Est-ce bête, hein, de jouer sa peau pour un mot …» Oder dies hier: Ja, die englischen Tommys sind feiner als wir, die Franzosen, das ist wahr – – «Seulement, on a pour nous qu'on sait causer.» Das kann man nicht herüberbekommen; weil das eben bei uns keiner denkt und keiner fühlt.

Manchmal rutscht er auch aus; so, wenn er von den Deutschen spricht; sie streuen unter die Kinder Bonbons, «die sie in Reims gestohlen haben …» also das ist ein Schwupper. Nicht etwa, weil sie sie genommen haben – natürlich haben sie das getan; sondern weil in diesem Zusammenhang die abrupte Betonung des bürgerlichen Rechts ein Wahnsinn ist. Wenn sie weiter nichts getan hätten …!

Aber das ist es ja alles nicht. Die Schönheiten, die Einzelszenen, die Massenszenen, die Übersetzungsschwierigkeiten … wie das geht und geht und weitergeht, der Regen rinnt, und dann besaufen sie sich, und dann ist Nachtangriff, und dann ist Tagangriff, und dann ist da die Sappe (eine der wildesten Episoden, die einen in den Traum verfolgt) – und dann regnet es, und dann sind sie dreckig, und es hört nicht auf und hört nicht auf …

Ein Meisterwerk.

Vielleicht sollte eine Stelle – wenigstens als kleine Probe – in das schöne Volksbuch ‹Der Krieg› aufgenommen werden, herausgegeben von Kurt Kläber (erschienen im Internationalen Arbeiter-Verlag zu Berlin). Wir sind alle drin: dazu sehr gut ausgewählte Proben neuer Autoren. Es sind rechtens auch Nationalisten vertreten. Hilft so ein Buch? Schreckt es ab? Das ist eine schwere Frage – was uns Sclutius damals erzählt hat, sind sehr ernsthafte Bedenken gewesen. Aber vier Millionen Holzkreuze –?

Weitermachen.

Peter Panter, WB 5.11.1929

154

Ideal und Wirklichkeit

In stiller Nacht und monogamen Betten
denkst du dir aus, was dir am Leben fehlt.
Die Nerven knistern … Wenn wir das doch hätten,
was uns, weil es nicht da ist, leise quält.
Du präparierst dir im Gedankengange
das, was du willst – und nachher kriegst dus nie …
Man möchte immer eine große Lange,
und dann bekommt man eine kleine Dicke –
Ssälawih –!

Sie muß sich wie in einem Kugellager
in ihren Hüften biegen … groß und blond.
Ein Pfund zu wenig – und sie wäre mager …
wer je in diesen Haaren sich gesonnt …
Nachher erliegst du dem verfluchten Hange,
der Eile und der Phantasie …
Man möchte immer eine große Lange,
und dann bekommt man eine kleine Dicke –
Ssälawih –!

Man möchte eine helle Pfeife kaufen
und kauft die dunkle – andere sind nicht da.
Man möchte jeden Morgen dauerlaufen
und tut es nicht ... Beinah ... beinah ...
Wir dachten unter kaiserlichem Zwange
an eine Republik – und nun ists die –!
Man möchte immer eine große Lange,
und dann bekommt man eine kleine Dicke –
Ssälawih –!

Theobald Tiger, WB 5.11.1929

155

Reinigung – aber womit?

Mir ist aufgefallen: es gibt eine ganze Menge sauberer Menschen. Sie waschen sich, zumeist auch da, wo sie sich früher nur ungern und an höhern Feiertagen zu waschen pflegten; sie putzen ihre Sachen ab, sie schrubben oder lassen es tun, sie reinigen, säubern, putzen, machen, tun ... nur:

Wenn man dann nachsieht, womit sie reinigen, dann muß man sich sehr wundern.

Kochen sie ihre Zahnbürsten aus? Reinigen sie ihre Besen? Waschen sie ihre Staublappen? Säubern sie ihre Kämme? Museen des Drecks kann man dort entdecken, wo man es am wenigsten vermutet: in den Reinigungsinstrumenten. Es ist, als unterlägen jene nur der Zwangsvorstellung, sich zu säubern – aber sie achten nicht darauf, womit sie es tun.

Was auf eine Frage der hauswirtschaftlichen Erziehung hinauslaufen täte – aber freilich: so optimistisch sind wir nicht. Es wird noch lange, lange Jahre dauern, bis Hausfrauen verstehen, was eine vernünftige Normung ist; bis sie Maschinen gescheit für sich arbeiten lassen; bis sie ihren Kram mit Liebe und Verständnis tun. Ich spreche nicht von der Notlage solcher Hausfrauen: ich glaube, daß man fast alles, was sie tun, praktischer, sauberer, schneller und ebenso billig und ebenso teuer machen kann, als es heute geschieht.

Aber ich will mich mit der russischen Regierung nicht verfeinden ... wie man früher sagte.

Sich zu säubern ist gut. Die Säuberungsgegenstände reinlich halten ist besser. Sind die immer reinlich? Sie sind nicht immer reinlich. Sehen Sie: der Staat kämmt sich in der Rechtspflege die Schuppen aus dem Haar. Nun sagen Sie selbst –: womit tut er das –?

Ignaz Wrobel, WB 5.11.1929

156

Die Macht der Wissenschaft

Wie die ‹Freie Deutsche Schule› zu Würzburg berichtet, ist es in Bayern gelungen, ein System zu entdecken, das jede von Gott nicht gewollte Wallung der Geschlechtlichkeit zunichte macht. Der ‹Altöttinger Liebfrauenbote› gibt uns das Rezept.

«Wenn die Reize kommen, dann etwa im Kopf ausrechnen, wieviel 27 mal 28 macht. Bis du das Resultat hast, ist das gereizte Nervensystem abgelenkt und alles wieder in Ordnung.»

Das läßt mich gar nicht mehr schlafen. Hier in Schweden sind die Frauen sehr schön und wohlschmeckend; ich gehe nie mehr ohne Logarithmentafel aus. Bis gestern hat es gut funktioniert: wenn Inge oder Karen oder Senta vorbeikam – ich die Tabelle heraus – 27 mal 28 ... und alles war in Ordnung. Seit gestern klappt es nicht mehr.

Ich muß es dem ‹Altöttinger Liebfrauenboten› sagen –: sein System hat, mit Verlaub zu sagen, ein Loch. Nämlich: immer, wenn ich jetzt in der Wirtschaft oder im Büchlein für die Markenkasse ausrechnen will, wieviel 27 mal 28 ist, dann ist aber gar nicht alles in Ordnung. Es muß da irgend etwas haften geblieben sein, ein Komplex ... es ist ganz schrecklich. Meine Mama hat mir alle Rechenbücher fortgenommen; «es regt den Jungen so auf», sagt sie.

Übrigens schlage ich vor: 3 mal 23. Es kommt der Sache näher.

Kaspar Hauser, WB 5.11.1929

157

Die «dummen» Schweden

Hier oben in Schweden habe ich etwas Merkwürdiges entdeckt. Nämlich:

Alle Deutschen sagen allgemein, immer und überall: «Die dummen Schweden.»

Wußten Sie das? Ich auch nicht.

Als ich dies zum ersten Male hörte, hielt ich es für einen Irrtum – den abseitigen Gedankengang eines Einzelgängers ... aber nein! Viele Schweden haben mir das bestätigt: es sei eine Art schwedischer Volksmeinung, daß es ein deutscher Volksbrauch sei, von den «dummen Schweden» zu sprechen. Woher mag das nur kommen? In meinem Leben habe ich so etwas noch nicht gehört.

Wir sagen: «Alter Schwede», das ist schon ein bißchen altmodisch – aber das Wörterbuch von Sanders gibt hier mit Recht an: «alter Schwede, volkstümlich = alter Freund, ehrlicher Kerl». Wir denken, wenn wir an Schweden denken, fast automatisch an: Streichhölzer; dann an gutes Essen; an Kälte und Schwedenpunsch; dann eine ganze Weile an gar nichts; dann an Stockholm ... an ihren tennisspielenden König ... hier lösen sich die Gedankenverbindungen auf; es kommt darauf an, wer denkt. Aber die gewöhnlichen Kollektivvorstellungen, die Reaktionen, die auf den Zuruf des Reizwortes «Schweden» erfolgen, können bei ehrlicher Selbstkontrolle keine anderen sein, als diese da. Von geschichtlichen Erinnerungen sehe ich hierbei ab.

Und nun ist eines zu beachten:

Es gibt kein deutsches Normalgehirn, das bei dem Gedanken «Schweden» anders als angenehme, freundliche, gute Gedanken hätte. Wir wissen gemeinhin nicht so sehr viel von den Schweden, nicht genug von ihrem Leben, von ihrer sozialen Struktur – wir wissen, daß sie eine sehr gute Sozialgesetzgebung haben; furchtbar viele Telefone; daß die Männer gute Sportsleute sind, und der Frauentypus sehr schön ist ... wenn wir nachdenken, wissen wir auch, was diese Nation im Kriege für Deutschland getan hat ... wie sie während der Inflation deutsche Kinder unterstützt hat ...

nun werde ich fast feierlich. So ernst ist die Sache ja gar nicht. Kein diplomatischer Zwischenfall steht am Himmel – es ist alles in bester Ordnung …

Wir wollen nur einmal nachsehen, wie mitten in Europa ein Volk vom anderen, ein paar Seestunden voneinander entfernt, und nur eine Flugstunde – wie das solche Märchen glauben kann. Das ist natürlich eine ganz belanglose Geschichte. Die Schweden sind viel zu klug, um störend in die große Politik einzugreifen; sie sind froh, wenn man sie zufrieden läßt – und es ist ein schöner Friede, in dem sie leben. Auch hat diese kleine, falsche Idee niemals ernsthaft die Handelsbeziehungen oder sonstige Verbindungen der beiden Völker gestört, natürlich nicht. Ein Pickelchen … Aber solche Pickelchen können von bösartigen und interessierten Pfuschern zu Geschwüren herangezüchtet werden. Ich weiß schon: *so* entstehen keine Kriege. Kriege werden viel mehr *gemacht*, als sie entstehen – wer da mit magischen Geschichten kommt, hat viel zu gewinnen im Kriege – und wenig zu verlieren. Es ist nur an dem, daß kleine, simple Irrtümer – wie dieser da – böse ausgebeutet werden können, so jemand ein Interesse daran hat, sie auszubeuten. Sie wissen ja, wie man gute Propaganda machen kann, wenn man die Vulgärvorstellungen über fremde Nationen in Rücksicht zieht. «Alle Franzosen sind Windbeutel.» – «Spanier sind stolz» (den ganzen Tag über). «Engländer reden mit keinem Menschen …» und so in infinitum. Gewöhnlich sind diese Urteile falsche Verallgemeinerungen richtiger Beobachtung von Einzelzügen – ganz richtig sind sie niemals. Und woher das nur mit den «dummen Schweden» kommen mag …

Es widerspricht auch noch so ziemlich allem, was wir von den Schweden denken. Die gelten bei uns – rechtens – als durchaus gebildet, intelligent; dazu als schweigsam, wie die Leute aus dem Norden sein sollen (das ist aber nicht ganz richtig); alles, alles, was Sie nur wollen – nur nicht dumm. Gott weiß, wer das aufgebracht hat.

Man kann auch in einem Kubikmillimeter die Beschaffenheit des Meerwassers erkennen. Man kann auch in so einem winzigen Wörtlein die internationalen Irrtümer erkennen, an denen Europa dann leidet, wenn sie große Ausmaße annehmen. Auf einmal ist so ein Wort da; niemand weiß, woher es kommt; jedermann sagt's weiter – und dann sitzt es fest. Und eher holst du den Teufel aus der Hölle, als dies Wort und diese Wahrheit, die niemals eine gewesen ist, aus den Gehirnen.

Inzwischen wollen wir an Strindberg denken, der ja allerdings kein typischer Schwede gewesen ist, aber dennoch … an den großen Chemiker Berzelius, der einer gewesen ist – an die Lagerlöf; an so viele gute Stunden, die uns die schwedische Kunst bereitet hat, sowie an die herzerhebende Tatsache, daß die Schweden ihre Mahlzeiten mit Käse anfangen – und wollen sprechen:

Die klugen Schweden. Die klugen Schweden.

Peter Panter, Voss 7.11.1929

158

Berliner Theater

Der Unterschied zwischen dem Satz «Heute abend geh ich ins Theater!», gesprochen von einem Zweiundzwanzigjährigen im Jahre 1912, und demselben Satz, gesprochen von demselben Mann im Jahre 1929 –: diesen Unterschied möchte ich Theater spielen.

Da streiten sich die Leut herum, wie Komödie gespielt werden soll: Schauspieler, prominente Chargen und wildgewordene Spezialtalente … Regisseure … Dramaturgen … Oberspielleiter … in der Ecke steht ein bescheidener Mann, der Autor, was! Autor! wenns gut geht: der Bearbeiter der Übersetzung – das Theaterstück ist Vorwand und Anlaß geworden.

Weil es aber das Geistige ist, das uns ins Theater lockt, ein Geistiges, das dialektisch zerlegt ward, Kampf zwischen Engel und Teufel, zwischen Hell und Dunkel, zwischen Ja und Nein, so entfällt heute ein gut Teil des Interesses, weil das ganze Orchester spielt, aber kein Notenblatt liegt vor den Herren, der Dirigent rudert mit den Armen in der Luft herum, und es ist ein schöner Anblick, eine kunstreiche Veranstaltung, ein herrlicher, ein bestaunter, ein leerer Lärm. Anmerkung fürs Regiebuch: (strahlend)

«Heute abend geh ich ins Theater!» – und: (stumpf, trocken) «Heute abend geh ich ins Theater!» – Wer oder was ist schuld?

*

Der erste Theaterabend fand mittags statt: in der berliner Volksbühne haben sie die ‹Unüberwindlichen› von Karl Kraus gegeben. Als die Wogen des Beifalls durch das Theater rollten, trat Kraus vor die Gardine und dankte. Er täusche sich nicht: er hat kein Publikum erobert. Er hat ein erobertes Publikum erobert.

Es war der Idealfall von «Theater»; so muß griechisches Theater gewesen sein, das Publikum der mittelalterlichen Passionsspiele oder das der japanischen Schauspiele – an diesem Vormittag hatte Kraus etwas, was in den Gefilden der Kunst so selten ist: ein homogen zusammengesetztes Publikum.

Sie hatten alle die ‹Fackel› gelesen; sie hatten ihr Pensum gelernt; sie wußten, wer Bekessy ist und wer Schober; sie wußten, daß jene Anspielung dies bedeutet und diese jenes – schlug der oben einen Ton an, so klangen unten dieselben Akkorde wieder, dieselben Assoziationen tauchten auf, dieselben ausgeschliffenen Gedankenbahnen – und hier liegt die Schwäche des Stücks. Kraus setzt voraus, er gestaltet nicht. Was ist uns Bekessy?

Unsere Korruption sieht anders aus; unsere Journalisten haben andere Fehler und andere Untugenden, hierzulande sind die Leute billiger und schwerer zu bestechen, beeinflußt wird hier, nicht gezahlt – wenn einer von uns Geld nähme, verfiele er einfach der Lächerlichkeit; hier ist es gar nicht pikant, bestochen zu sein – es ist nur dumm. Hier lassen sie sich zum Abendbrot einladen; wenn sie dreimal durch Dahlem getrudelt sind, sind sie nicht mehr dieselben – hier arrangieren sie ihre Buchbesprechungen: «Für die Literarische Welt fehlt mir noch einer, im Tageblatt schreibt Langer, in der Voß Sochaczewer, … Stefan Zweig … ich werde es mit Pantern versuchen …» hier knistert kein Schein und kein Scheck … Lobst du meinen Juden, lob ich deinen Juden … und wenn die französischen Presseschieber zum Schluß eine Villa haben: bei uns zulande können sie sich aus dem Ertrag ihrer jahrelangen Gefälligkeiten ein Weekend machen. Nein, hier gibt es wohl keine Bekessys.

Um so schwerer hatte es Kraus, uns seinen Bekessy zu servieren. Der wird von Peter Lorre als ein fetter Unsympath gespielt, ein lärmendes Goulasch – warum nur haben die deutschen Schauspieler diese fatale Neigung zum Gebrüll! Dieser Bekessy hat unrecht, immerzu unrecht …

Castiglioni hingegen ist nur ein Flammeri der Angst und nichts als das. Siehst du näher hin, so stehen da – wie bei Molière – kaum noch Menschen sondern nur Eigenschaften … und daher hat auch diese Komödie von Kraus etwas Starres, Unbewegtes: hie Welf, hie Waiblingen! Waiblingen ist Kraus selber, ein durch und durch taktvoller, ruhiger und moralischer Mann. Er vernünftelt durch das Stück; anders als der Herr Grabbe, der mehr Scherz, Satire und Selbstironie verstand; der geistert durch das seine und wird nicht schlecht angefahren. «Kommt mir der Kerl noch spät in der Nacht durch den Wald, um uns den Punsch aussaufen zu helfen! Das ist der vermaledeite Grabbe, oder wie man ihn eigentlich nennen sollte, die zwergigte Krabbe, der Verfasser dieses Stücks! Er ist so dumm wie ein Kuhfuß, schimpft auf alle Schriftsteller und taugt selber nichts, hat verrenkte Beine, schielende Augen und ein fades Affengesicht! Schließen Sie vor ihm die Tür zu, Herr Baron, schließen Sie vor ihm die Tür zu!» Nicht so Kraus. Der hat in diesem Stück recht, immerzu hat er recht …

Nicht recht tut er daran, einen der stärksten dramatischen Momente seit Barlach zerlaufen zu lassen. Seine beiden Konzeptsbeamten Hinsichtl und Rücksichtl sagen die Wahrheit auf wie die Papageien … sie sind Werkzeuge der Wahrheit … In der Kunst gibt es nur ein Kriterium: die Gänsehaut. Man hat es, oder man hat es nicht. Dieser Augenblick hatte es. Der sowie eine bescheiden starke Leistung Hans Pepplers. Und ein spitz-frecher Redakteur von Paul Nikolaus. Der Rest war Mathematik. Das Stück hörte auf, die Begeisterung zerlief, die Leute hatten im Theater getobt, sie riefen den Namen unseres Schober: «Zörgiebel!» riefen sie und: «Erster Mai!» – und dann war alles wieder still, und das Stück war zu Ende, und da stand Karl Kraus und hatte einen Sieg erfochten, der keiner war: über und unter Literaten.

*

Mein zweiter Abend war ein abendlicher Abend: Auf dem Zettel des Staatstheaters stand ‹Don Carlos› – aber gegeben wurde ‹Der

Kaufmann von Madrid›. Soll man, um Zuschauer und Dichter einander nahe zu bringen, das Publikum heben oder den Dichter popularisieren? Jeßner hat seinen Schiller nach Berlin W 50 versetzt.

«Nicht aus Willkür», belehrt mich das Programmheft, «sondern aus der Erkenntnis und der Resonanz zweier Aufführungen heraus entstand diese dritte Inszenierung.» Ich mag die Regisseure nicht, die die Stücke zuschneiden wie die Wintermäntel. Wenn Jeßner den Carlos anders sieht als Schiller, dann möge er uns ein neues Stück schreiben – den Schiller lasse er so, wie er da ist. Resonanz? Das heißt auf deutsch: Angst. Jeßner wills allen recht machen – er machts keinem mehr recht. Vor wem hat er Angst?

Das berliner Theater ist eine Klubangelegenheit von etwa zweitausend Menschen; das Publikum ist gut genug, die Ränge zu füllen, zahlen soll es auch – aber eigentlich stört es. Es versteht ja doch nichts. Wichtig ist die Kritik.

Die Kritik der Tageszeitungen wird vom Publikum gelesen wie ein Vergnügungsanzeiger, daher wir denn nur mit einem einzigen Wort wirklich abschrecken können: nämlich mit dem Wort «langweilig». Alles andere kümmert Herrn Wendriner und Frau Generaldirektor Gasteinicke überhaupt nicht. Wohl aber kümmert es seltsamerweise die Theaterdirektoren. Die engagieren einen Künstler nicht wieder, weil Kerr ihn nicht mag, und reißen sich nach einem, den Ihering gelobt hat, und nach der Premiere fiebert der ganze Klub: «Was hat Monty Jacobs gesagt? was Norbert Falk? Wissen Sie, daß Holländer …? Na, Pinthus wird doch nicht …» Ein Wunder, daß die Besatzung nicht samt und sonders größenwahnsinnig wird – Anlaß dazu hätte sie reichlich. Am Ende werden wir noch erleben, daß eine Schauspielerin nach der Premiere bei drei Kritikern anrufen läßt, die lachen den Anrufer nicht aus sondern geben ihm wirklich ihre Kritiken vor dem Erscheinen, die Schauspielerin liest, atmet auf, wird mit Kamillentee zu Bett gebracht … es geht nirgends so komisch zu wie auf der Welt. Und wenn der Intendant des Staatstheaters nicht nur vor dem lächerlichen Apparat kuscht, der ihm etatsmäßig aufgebürdet ist (Welch Winter seines Mißvergnügens!) – wenn er nicht nur mit diesen gehobenen Obersekretären paktieren muß, von denen eine Mandel so viel leistet wie zwei geschickte Sekretärinnen eines Privattheaters – wenn er nun auch noch ängstlich prüft, ob Fritz Engel von seinem Platz alle Versatzstücke gut sieht und was wohl dieser Kritiker zu seiner Inszenierung sagen wird und jener –: so spricht daraus nicht etwa das Bestreben, aus den Kritiken zu lernen – es ist und bleibt Furcht. Was entsteht so? So entstehen Kompromißlösungen. Die deutsche Rechte, deren Angriffe auf Jeßner dem Mann bisher viel Rücksichtnahme von links her eingetragen haben, die Rechte, die nicht weiß, wo Gott wohnt, hat den Intendanten in einem falschen Verdacht: der sitzt brav in der Mitte, wie der Generalsekretär eines großen Verbandes, der mit «realen Gegebenheiten rechnet». Keine Sorge: dieses Staatstheater kostet uns zwar viel Geld, aber es repräsentiert wenigstens aufs beste die Regierung, die ihrerseits kein besseres Theater spielt.

Dieser ‹Carlos› hatte einen Schillerschen Darsteller – einen einzigen.

Da war kein König. Der da als König Kaftan der Erste durch die Szenen ging: Kortner, ist ein Schauspieler von großer Kraft, ein ganzer Kerl, eine Potenz, aber nie, niemals ein König. Er steht in Reiterstiefeln – seine Beine können nicht reiten. Er gibt seine Befehle wie einer, der bisher hat gehorchen müssen und nun ängstlich wartet, ob sie auch tun werden, was er sagt. Er brüllt – aus Unsicherheit. Er trumpft auf – aus Schwäche. Er ist kein König. Man hat es, oder man hat es nicht. Er sehe bei Werner Krauß, was das ist: ein Herrscher; wie man noch im zweireihigen Jackett, mit Packard und Radio, ein König sein kann.

Das Stück hatte keinen Carlos. Es hatte keinen Posa. Es hatte keinen Domingo – es hatte keinen Kardinal, nur einen Schauspieler, der einen Kardinal zu geben hatte, es hatte keine geistige Spannung, und es konnte sie nicht haben – denn es hatte vor allem einmal keinen, der die Sprache dieses Stücks sprach, keinen, der sie sprechen konnte. Außer einem.

Dieser eine war der alte Kraußneck. Das ist ein Schauspieler, über den ich vor zwanzig Jahren bestimmt einen kleinen Witz gemacht hätte – wegen seines zu dick aufgetragenen, edeln Bibbers, wegen der Theaterallüren einer schon damals versunkenen Zeit … das ist gewiß wahr. Aber wenn er heute, inmitten dieser Stimmen in Zivil, seinen Mund aufmacht, so tönen aus diesem Mund Verse – gewichtige, echte und volle Schillersche Verse, Kraußneck hat das nämlich gelernt; er weiß, was ein Vers ist – es «stimmt».

Bei den andern stimmt es gar nicht. In diesem Haus saß einst auf seinem angestammten Parkettplatz der alte Fontane und schrieb schon damals ein paar entzückende Sätze über die «märkischen Kommandostimmen», die so gar nicht zum Pathos passen wollten. Verse –? Bei Jeßner wird eine etwas verwickelte Prosa gesprochen, denn sehn Sie mal, man spricht doch auch an der Börse nicht in Versen, immer hübsch vernünftig – was heißt hier: Verse! Die Königin zu Carlos, vom König: «Der Ihnen das größte Reich zu Erben gibt!» Carlos: «Und Sie zur Mutter.» Er will sagen: Ja, er gibt mir ein großes Reich. Er gibt sogar noch mehr: dich, meine Geliebte, gibt er mir. Und nun, die beiden Worte, die alles töten: zur Mutter. «Und Sie zur Mutter» sprach Herr Doktor Carlos so, wie etwa Hans Waßmann eine Pointe fallen läßt, in einem Wort, schnell, nebenbei hingenuschelt. So spielt man keinen Schiller.

Man spiele ihn meinethalben gar nicht, wenn man ihn, was er nicht ist, für überholt hält. Kann man aber die geistige Spannung zwischen diesen funkengeladenen Personen nicht herstellen, dann lasse man die Hände von einem gebändigten Vulkan wie diesem. Die berühmte Stelle «Der König hat geweint» war keine Stelle – und welch ein Augenblick ist das! Das, Leopold Jeßner, ist Theater! Und was haben Sie daraus gemacht? Vier Worte – nichts, nichts. Früher lief der Schauspieler auf der Straße wie ein gekränkter Napoleon herum; heute spielt er den Napoleon wie einen gekränkten Stationsvorsteher. Aber wenn einer böse ist, so ist er noch lange nicht königlich. Und welche Sprachtechnik! Bei uns wird auf der Bühne gemauschelt oder berlinert – nun laßt uns einmal hochdeutsch hören. Und wo sonst, wenn nicht an einem Staatstheater?

*

Der dritte Abend war eine richtige, besmokingte Premiere ‹Seltsames Zwischenspiel› von O'Neill im Deutschen Künstlertheater.

Es waren alle da, die da glauben, wenn sie da seien, seien alle da – und die Türen klappten in die ersten hundertundzwanzig Takte dieses Spiels, denn der Berliner kann gar nicht eilig genug zu spät kommen, und dann fing es an und entpuppte sich als ein seltsames Zwischending: außen Psychoanalyse und innen Lavendel. Und noch dazu eine «jewish science», für den Salon der feineren Leute präpariert: – «Ich hasse meine Mutter» ist so ziemlich der Höhepunkt dessen, was jene bis auf die Seelenlosigkeit entkleideten Gesellschaftsmenschen auszudenken wagen. Eine sauber shampoonierte Psychoanalyse. Und das uns, in Europa? Nächstens wollen wir deutschen Kaugummi nach den Vereinigten Staaten ausführen. Lags an der Übersetzung? An der nur braven Regie lags gewiß.

Den herrlichen Forster hatten sie auf einen falschen Platz gestellt – er war fehl am Ort: was da herumging, war weder Forster noch die Figur, die er zu spielen hatte. Er wuchs von Szene zu Szene – aber nicht zu sich. Haben diese Regisseure keinen Instinkt?

Aber da ist die Elisabeth Bergner. Die war langsam auf dem Wege gewesen, Parodie ihrer selbst zu werden – dabei hat sie Nachahmerinnen genug. Bei diesem Leerlauf, dem sie zu verfallen drohte, traten leichte und dann schwere Mängel auf: Monotonie des Gemaunzes, Hysterie zum Hausgebrauch und ein ganz leichter Buckel. Nichts mehr davon. Eine Schaumgeborene, nein: eine Erdgeborene stieg aus den Wellen. Und sie riskierte etwas.

Wie sie den ersten Satz dieser dummen «innern Monologe» spricht, die in Wahrheit alte biedere Theatermonologe sind; wie sie starr dasteht, auf ihren schwatzhaften Vater sieht und sagt: «Er soll nicht so viel reden»; wie sie liebt und haßt, ihr Kind und ihre Liebe austrägt; wie das Einfachste und Gleichgültigste in ihrem Mund zum Ausdruck eines Schicksals wird –: das hat uns wieder gezeigt, daß das Theater nicht tot ist. Es ist nur blutarm, dabei überfüttert mit Kunstpräparaten, aber es lebt. Noch ...?

Was am Theater «schon» ist, steht dahin; sein Publikum ist zum großen Teil «noch».

In die Untiefen O'Neills wurde oft und zu wiederholten Malen hineingelacht. Was ist es mit diesem Publikum?

Das berliner Publikum kommt sich sehr skeptisch vor; es ist aber in seinen großen Teilen nicht einmal naiv. Sieht man von dem «Klub der Dazugehörigen» ab, so gibt es für die Majorität der Galerie im Parkett eherne Gesetze der Wirkung. Zum Beispiel diese:

Worte, die Tags zuvor in der ‹B.Z.› gestanden haben, sind komisch. Das Wort «Aspirin» darf in keinem tragischen Satz vorkommen – es wird gelacht (wie früher bei «Dackel», «Schwiegermutter» und «Synagoge» gelacht worden ist). Dazu kommt, daß der Berliner – und insbesondere der berliner Jude – Pathos nur noch verträgt, wenn es ihm, wie Arnheim das hier einmal ausgedrückt hat, durch einen hinterher fallenden Witz belohnt wird. Ja, Pathos dient auf vielen Bühnen überhaupt nur dazu, eine trockne Schlußbemerkung einzuleiten, wobei wiederum ein niedriger Begriff von Schadenfreude die Hauptrolle spielt. Es ist in den deutschen Umgangsformen so vieles besser geworden, die Leute sind glatter und höflicher, sogar viele Beamte sind es, wenn es sich nicht grade um verschwiegene Polizeireviere handelt ... aber unausrottbar sitzt in diesen Köpfen der Grundsatz: Um etwas zu gelten, behandele den andern wie Reis am Absatz. Nichts hatte an dem O'Neill-Abend so viel Erfolg wie jene als gedachte Randglossen gesprochenen Sätze, die den Gegner heimlich beschimpfen. «Wie geht es Ihnen gnädige Frau?» (beiseite): «Alte Schraube!» – Das ist kein Bühnenscherz – das ist eine Weltanschauung.

Das berliner Publikum sieht in jedem Stück, neben allem andern, auch noch eine deutsche Posse, eine, wie sie etwa Guido Thielscher um Weihnachten herum zu spielen pflegt, mit: «Himmel, meine Frau!» – und: «Schnell in den Kleiderschrank!» – es ist für einen Bühnenautor beinahe unmöglich, ja es ist für ihn ungeheuer gefährlich, diesem Parkett Dinge des Alltags tragisch zu servieren. Hierzu gehört eine erhebliche Rückversicherung an Ironie, sonst geht das schief.

Sie lachen wie Schulkinder, wenn der Lehrer (der vorigen Generation) von einem Nachttopf spricht. Sie lachen, wenn da oben gesagt wird: «Wir haben zurzeit eine erhebliche Hausse», denn, hihi, jeder Mensch weiß doch, daß Kunstseide und Oberbedarf ... haben Sie heute abend gelesen ...? Sie lassen sich nicht gern bezaubern, sie bringen ihr eigenes Leben mit und wenig Bereitwilligkeit für das fremde, und sie messen, was ihnen geboten wird, nur an ihrem kleinen Privatdasein. Wie stark muß ein Dramatiker sein, um diese zu unterwerfen!

O'Neill, geborener Joyce, geschiedener Ibsen, verwitweter Sudermann ist solch ein Dramatiker nicht. Wenigstens nicht in diesem Stück, dessen aufgeklebte moderne Fassade über den Grundriß nicht täuschen kann. Den Berliner schon gar nicht, der seine ihm unangenehmen Gefühle dem Pathos gegenüber gern mit einem Stoßseufzer durch die Nase abzureagieren pflegt. Nur der Respekt vor Frau Bergner verhinderte ein Malheur; wunderbar geduldig hörten sich tausend erwachsene Menschen eine ausgewachsene Kinderei an.

*

Die erste Theaterstadt der Welt? Sie hat alle Anlagen, es zu sein, sie war es, und sie kann es wieder werden, wenn man davon absieht, daß anderswo nur schlechter und nicht besser Theater gespielt wird: sie hat ein Publikum, das sich auf die Dauer nichts vormachen läßt; sie hat eine verklüngelte und beeinflußbare aber auf die Dauer unbestechliche Kritik – und sie hat eine Fülle von Schauspielern, die ein beachtliches Niveau sichern, ein Niveau, das hier wesentlich höher liegt als etwa in Paris. Berlins große Schauspieler kann man an den Händen aufzählen.

Lasset uns applaudieren, wenn sie gut gespielt haben – und auf den Fingern pfeifen, wenn sie statt in unserer Zeit in einer Aktualität von Schlagzeilen leben.

Peter Panter, WB 12.11.1929

159

Mieter und Vermieter

«Das seh' ich doch gar nicht ein. Wenn die Rohre kaputt gehen, muß er sie eben reparieren lassen! Vertrag …! Vertrag … Er als Wirt ist verpflichtet. Das wäre ja noch schöner – das wäre ja … Gib mal das Gesetzbuch her – nein, weißt du was, ich werde mal meinen Rechtsanwalt anklingeln – er als Wirt ist eben verpflichtet, das werden wir ja mal sehen. Na erlaube mal: wenn ich hier wohne, dann verlange ich eben, daß die Rohrleitungen zum Badezimmer funktionieren! Dafür kriegt der Mann seine Miete! Teuer genug ist sie. Da hilft kein Gott: er muß die Rohre reparieren –

hier, gleich mal 'n eingeschriebenen Brief ... dem werd ich das ... das seh' ich doch gar nicht ein – ich als Mieter –?»

«Das seh ich doch gar nicht ein. Ich als Wirt? Wahrscheinlich baden die Herrschaften täglich sechsmal und lassen die ganze Wäsche in der Badewanne waschen, kein Wunder, daß die Rohre kaputt gehen. Ich denke gar nicht daran, sie reparieren zu lassen! Auf meine Kosten? Hast du das gehört? Er wird sie auf meine Kosten reparieren lassen! Ich wer ihm was ...! Auf meine Kosten – hö. Gib mir mal das Bürgerliche Gesetzbuch – nein, weißt du was, ich geb' die Sache einfach unserm Verband, soll der sich ärgern ... Auf meine Kosten! Wie komme ich denn überhaupt dazu! Er als Mieter ... ich meine: sollen froh sein, daß sie da überhaupt wohnen dürfen! Bei den Steuern! Was zahlen denn die schon Miete? Einen Pappenstiel. Ich will dir mal sagen: wenn unsereiner so könnte, wie er wollte, da hätte ich die schon längst – also das sehe ich gar nicht ein! Ich als Vermieter –?»

Gut. Nicht, daß diese Mono- und Dialoge sich so oder so ähnlich abspielen, ist das Lustige – das ist ja noch verständlich; beide Parteien kämpfen für ihr Geld, für ihre Interessen, für ihr wahres oder vermeintliches Recht ... das ist auf der ganzen Welt so.

Aber daß diese Dialoge sich – *vom selben Mann gesprochen* – so abspielen: einer vormittags, der andere nachmittags –: das ist eine der reinsten Freuden meines Lebens.

Denn es gibt Leute, die zugleich Mieter und Vermieter sind; das ist sogar sehr häufig. Und wenn die «als Wirt» etwas entscheiden, dann tun sie es mit dem ganzen Aplomb der gekränkten Leberwurst, man hat an das Heiligste gerührt, wo der Mensch hat – und nun geht's los.

Und wenn sie dieselbe, genau dieselbe Geschichte andersherum vor sich haben, dann toben sie «als Mieter» herum, daß der Hausfrau angst und bange wird. Und beide Male mit demselben Brustton der Überzeugung.

Im Handel und Wandel kann man am schönsten den ideologischen Überbau studieren, den merkantilen und den seelischen, von dem wir so viel lesen. Die orientalischen Kaufleute sind ja wohl darin Meister: sie «beweisen» es dem Käufer, daß die Ware zu billig, und dem Verkäufer, daß sie zu teuer ist. Die Logik wird in den Dienst der Interessen gespannt, und wenn man sie gut einspannt: die zieht immer, den ganzen Karren. Ist man nicht ein sehr starker Logiker, dann ist man geliefert, wenn man sich darauf einläßt.

Merk –:

Man kann alles beweisen; dadurch, daß man's bewiesen hat, ist noch nichts bewiesen. Der Syllogismen sind viele; der Trugschlüsse viele; der falschen Voraussetzungen viele … laß sie reden, aber gehe nicht auf den Leim. Du bleibst unweigerlich hängen.

Und merk –:

Du kannst niemals im Wirt an den Mieter appellieren, der er doch gleichzeitig auch ist, noch im Mieter an den Wirt. Dazu fehlt ihnen beiden die Phantasie. Sie können ihre eigenen Interessen nicht umdenken, dazu sind die meisten Menschen viel zu monoman. Wenn einer schwimmt, kann er nicht Schach spielen; das ist selten. Und sie wollen auch gar nicht umdenken: «Wo kämen wir denn da hin!» Ja, wohin kämen sie dann wohl …? Vielleicht gar zu einer Angleichung der Interessen? Da sei Gott vor. Jedes Geschäft muß so ausgehandelt werden, als hänge vom Ausgang das Gedeihen der Welt ab; tut man das nicht, dann ist man kein guter Geschäftsmann. Und siegen ist schwer, so schwer …

Wir sind alle: Mieter und Vermieter. Aber wir schlüpfen aus der einen Haut in die andere, wie wir das gerade brauchen; leer baumelt inzwischen die zurückgelassene, sie wird jetzt nicht benötigt. Der Herr sind ausgegangen … Und krakehlt voller Energie in der anderen – man möcht's beinah glauben – man möcht's beinah.

Sehen Sie um sich, und Sie haben tausend Beispiele:

Die Tochter als Mama; der Schauspieler als Regisseur; der Richter als Angeklagter; der Kritiker als Autor; der Arbeiter als Arbeitgeber – lauter Mieter und Vermieter. Und keiner, keiner weiß, daß er es ist.

Peter Panter, Voss 16. 11. 1929

Henri Barbusse und die Platte ‹Lord help me –!›

> *Jack* (kommt nach einer Weile zurück und setzt die Schale auf den Blumentisch). Das war ein Stück Arbeit! – (sich die Hände waschend): Ich bin doch ein verdammter Glückspilz! –
>
> *Die Büchse der Pandora*

Das erste Mal, daß ich Menschenblut habe fließen sehen, und nicht das meine, das ist in der Dorotheenstraße zu Berlin gewesen. So etwas bleibt, nicht wahr: ich stak grade bei «Dusche», meinem Schulfreund, heute ein Nervenarzt vor dem Herrn, als auf der Straße Stimmen laut wurden, wir rissen die Fenster auf, da lief ein brüllender Kerl mit großem, gelbem Schnurrbart über den Damm, er blutete im Gesicht und schrie immerzu ... Menschen strömten zusammen, es gab einen Tumult, das Gesetz erschien; laufende Schutzleute der damaligen Zeit sahen immer aus, als fiele der Staat zusammen; was dann geschah, weiß ich nicht mehr. Aber wie mein Gefühl gewesen ist – das weiß ich noch ganz genau.

Es war zunächst der große Schock, natürlich. Für uns Kinder ist ja die Haut, die das bißchen Blut von der Außenwelt trennt, nicht dünn gewesen; ein Gesicht war ein Gesicht, daran konnte man doch nichts ändern ... Und nun war das auf einmal offen, zerfetzt, mißgestaltet, blutig! Ein furchtbarer Schreck.

Und dann etwas andres. Mir ist das damals nicht bewußt geworden, es kündigte sich nur dunkel an, so dunkel, wie es eigentlich bis heute geblieben ist. Ich gebe es am besten wieder, wenn ich sage: es war um einen Ton dumpfer als ein Gefühl; es regte sich etwas, das neben der Wollust wohnte, aber durch dicke Wände von ihr getrennt. Immerhin waren die Wände nicht so dick, daß die benachbarte Lust sich nicht unmerklich aufrichtete ... nein, sie wachte nicht auf, mir war das scheußlich, der Mann litt, schrie, ich wollte das nicht ... aber weil in der benachbarten Gefühlskammer so ein Rumor war, legte sich die Wollust gewissermaßen auf die andere Seite, faulig, leicht geschreckt; es ging sie noch nichts an ...

Als ‹Blaise, der Gymnasiast›, eine Schöpfung Henri Monniers, von seinem Kameraden auf einer Bank im genfer Park sexuell aufgeklärt wird, klopfen Mägde auf einem Nachbargrundstück Teppiche. Blaise fügt hinzu: «Ich werde dieses Teppichklopfen hören, solange ich lebe.»

Ich werde diesen blutenden Mann sehen – solange ich lebe.

*

Bei Flammarion in Paris ist vor einiger Zeit ein Buch von Henri Barbusse erschienen ‹Faits divers›. (Die deutsche Übersetzung heißt ‹Tatsachen› und ist im Neuen Deutschen Verlag, Berlin W 8, erschienen.)

«Faits divers» ist sehr schwer zu übersetzen: es ist jene Sparte der französischen Zeitungen, in der bei uns ‹Lokales und Vermischtes› zu stehen pflegt. «Aus aller Welt» – das heißt: wo das früher gestanden hat; heute machen ja die Umbruchredakteure, einer alten, lieben Kriegsgewohnheit folgend, jeden Mord als Schlagzeile auf der ersten Seite auf – damit das Publikum ja nicht glaube, es könne an einem Tage auch einmal nichts geschehen sein. Früher kamen die Ereignisse in die Zeitung; heute werden die Ereignisse von der Zeitung ereignet. Ja also: faits divers …

Barbusse, einer der wenigen Europäer, die es nach Björnson und außer Fritjof Nansen gibt, hat nichts weiter getan, als aus vielen Ländern, hauptsächlich aus Frankreich und vom Balkan kleine Ereignisse zu sammeln – Dinge, die in der Zeitung mit drei Zeilen abgetan werden: eine Verhaftung … der wegen Hochverrat eingesperrte X ist aus dem Gefängnis Y nach Z überführt worden … gar nichts, wie –? Eine Hölle stinkt auf.

Alles, was er erzählt, ist wahr und authentisch.

Erstes Kapitel: ‹Der Krieg›. Da nimmt er sich, wie es recht und billig ist, zunächst einmal seine eigene Nation vor. Das Gebrüll vom «beschmutzten Nest» zieht ja nicht mehr – es gibt nur wenige Ausländer, denen wir das Recht einräumten, Deutschland so heftig zu kritisieren, wie wir es tun. Dieses Recht muß man sich erwerben. Barbusse hätte es – er hat es nie getan. Er beginnt also mit seinem Frankreich im Kriege.

Nun gibt es da einen Zug in der französischen Armee, dem ich merkwürdigerweise noch niemals, in allen Hugengebirgen, in allen nationalen Zeitschriften niemals begegnet bin – und das wird wohl seinen Grund haben.

Die französische Heeresdisziplin ist nach allen meinen Informationen manchmal laxer als die deutsche – was die Form angeht. «Rouspéter» – «meckern» ... etwas dem deutschen Feldwebelgehirn völlig Unvorstellbares – das ist drüben in gewissen Grenzen und bei kleinen Anlässen erlaubt. «Sie gehen heute abend auf Patrouille!» – Aber nun legt der los: «Ah, mais des fois – non, mais ... tout de même ... ah, ça ... voyons ...» Und so in infinitum. Dann geht er vielleicht doch. Oder auch nicht: wenn sich der Feldwebel das abhandeln läßt. Dieses kleine Scharmützel von Mensch zu Mensch findet natürlich nur gegen die unteren Chargen statt, aber da kräftig. Und da sagt auch keiner etwas. Der Deutsche wird dann «dienstlich» (eine der schauerlichsten Sprachschöpfungen dieses Stammes) – der Franzose nimmt das hin, er weiß: dies ist ein Ventil, überschüssiger Dampf muß heraus, und nachher funktioniert die Maschine viel besser. Soweit gut und schön.

Hat es aber geregnet, ist das Wetter schlecht, ist der Druck von oben aus irgendwelchen Gründen besonders stark, oder steht eine besondere «brute» (eigentlich: unbehauenes Holz, im übertragenen Sinne: Rohling, ungeschlachter Kerl) am Kommando: dann kann es geschehen, daß die Militärbestie zupackt. Und wenn sie drüben einmal zugepackt hat, läßt sie sobald nicht mehr los. Und dann endet es meist sehr schlimm.

Ehe ein deutscher Soldat standrechtlich von Deutschen erschossen wurde, mußte er wirklich schon allerhand getan haben. (Ich sehe hier von dem politischen Justizmord an Köbes und Reichpietsch ab, dessen Täter zum Teile heute noch, wie zum Beispiel Herr Dobring, in Diensten dieser Republik stehen.) Vor die Gewehrläufe der Eigenen ... in Österreich ja, in Deutschland sehr, sehr schwer. Zuchthausstrafen, die gemeinsten Schikanen in den Strafanstalten für «Soldaten zweiter Klasse» (was ein Pleonasmus ist), alles – aber Tod: selten. In Frankreich: häufig. Nach den Feststellungen der französischen Liga für Menschenrechte, die sich – nachher – sehr verdient um die Aufdeckung dieser Verbrechen, begangen durch die «conseils de guerre», gemacht hat, scheinen etwa

6000 (in Worten: sechstausend) Menschen als «Spione», «Verräter», «Feiglinge» etcetera von den Franzosen im Laufe dieses Krieges erschossen worden zu sein. Diese Fälle erzählt Barbusse.

Einmal traf der Herr Boutegourd, als General der 51. Division verkleidet, einen Haufen Soldaten, deren Marschroute er sich nicht zu erklären wußte. «Sechs Mann raus und an die Wand!» Es gab sehr verständige, sehr anständige Offiziere seiner Umgebung, die diesen Feigling von seiner Untat abzubringen versuchten – vergeblich. Die sechs Mann wurden aufgebaut und abgeknallt. Einer wurde schlecht getroffen (so, wie es damals einem der zweiunddreißig Matrosen in der Französischen Straße geschehen ist), er entkam. Und fiel dann später. Dann ist da der Herr Mathis, der sich laut rühmt: «Zweihundert Deutsche hatten wir geschnappt, aber ich habe nur zwanzig nach hinten gebracht. Die übrigen …» und dann eine sehr genaue Schilderung dieses ekelhaften Schlachtens; die Franzosen wollten erst nicht recht heran; sie mußten, Herr Mathis befahl es ihnen … Dann eine gradezu grauenerregende Geschichte, und alles das gut belegt, von einem ganzen Trupp: da waren 250 (in Worten: zweihundertundfünfzig) französische Soldaten, die angeblich gemeutert hatten … das war 1917 … diese Meutereien sind niemals ganz aufgeklärt worden. Damals hatte die «Sûreté Générale», die französische politische Polizei, Spitzel in die Regimenter gesteckt, und wieweit die Spitzel den Brand, den sie löschen sollten, vorher noch ein bißchen schürten, wollen wir nicht untersuchen … kurz: die zweihundertundfünfzig wurden für schuldig befunden. Sie wurden fortgeführt, durch die Nacht, man sagte ihnen nichts von einem Urteil, nichts von einer Untersuchung, nichts. «Halt.» Halt. «Hinsetzen.» Hinsetzen. Tiefschwarze Nacht … «Seht mal grade aus …!» Die Begleitmannschaften entweichen im Dunkeln … niemand achtet darauf … Und dann, von hinten: die Maschinengewehre. Dies sind Söhne französischer Mütter gewesen. Die Mörder auch.

Dann die Geschichte vom Soldaten Olivier Bonnoron, der 1925 als Freiwilliger nach Marokko ging, um dort die Interessen der französischen Kapitalisten zu verteidigen und auszubauen – und der unterwegs auf einem Schiff von einem tropenkollrigen und ewig besoffenen Unteroffizier erschossen wurde. Das kann vorkommen. Und dann kann vorkommen, daß das Kriegsministerium der Mutter des Soldaten einen Brief schreibt, den Barbusse wörtlich abdruckt; eine verlogene Amtsflegelei – mit einer dicken Lüge in der Mitte. «Ein Unglücksfall …»

Dieses Kriegsministerium wird von Herrn Paul-Prudent Painlevé geleitet, noch heute, wenn ich nicht irre, irgend eine Art Ehrenpräsident der französischen Liga für Menschenrechte. Man kann ihr zu diesem Mitglied nur gratulieren. («Que voulez-vous! Il faut être en bons termes avec l'administra-a-ation!» Ja, ich weiß.)

Zweites Kapitel: ‹Der weiße Terror›. Hier wird einem schlecht.

Barbusse, der in seiner Broschüre ‹Was man aus Georgien gemacht hat› (ebenfalls im Neuen Deutschen Verlag) diesen Balkan-Terror ausführlich geschildert hat, gibt hier Proben. Der Rumäne Boujor, den die Rumänen eingesperrt haben, sechs Jahre lang im Halbdunkel, sechs Jahre lang zum Schweigen verurteilt, ohne Bücher, ohne Kameraden, ohne die geringste Zerstreuung, sechs Jahre. Eine Genossin, die sich als seine Geliebte ausgab, um ihn zu sehen, hat ihn gesehen. Seine erste Frage war: «Sind die Bolschewisten noch an der Macht?» Die Frau wurde gleich von der Türe gerissen. Sechs Jahre …

Die Geschichte, in der die rumänischen Emigranten die Arten der gebräuchlichen Polizei-Foltern aufzählen – man mag das nicht abschreiben, lest es selbst. Doch, lest es – es ist lehrreich, o, so lehrreich! Es sind gradezu raffinierte Martern dabei, seelische … mit asiatischer Grausamkeit ausgedacht … es ist ganz grauenhaft. Bewußte Übertragung von Typhus auf Gefangene ist noch eine der mildesten.

Wundert es einen, daß der König – der verstorbene Ferdinand von Rumänien – dieselbe Peitsche geschwungen hat? Es wird dort die Geschichte erzählt, wie er den Ehemann seiner Freundin, als der Krach machte, von zwei «Geheimen» auf die Erde werfen ließ; dann trat er ganz langsam auf den keuchenden Wehrlosen zu und zerdrückte die Spitze seiner brennenden Zigarre auf der Nase des Brüllenden. Es ist immerhin ein geistreicher Einfall.

So der König. Ich habe es nicht gern, wenn man über ein ganzes Volk herfällt – die Grenzen unter den Menschen laufen ja nicht so, wie dieses geistesverwirrte Europa sie auf der Landkarte gezogen hat … sie laufen anders: quer durch die Nationen. Aber wenn man von dem unterdrückten bäurischen Proletariat Rumäniens absieht, dann darf man, und besonders aus eigner Anschauung, sagen: die Bürger, die Advokaten, die falsch französierten Beamten, die da in den Städten Rumäniens herumregieren: das ist wohl der letzte Dreck dieses Kontinents. Solche Verkommenheit mag man sich noch einmal suchen. Ich weiß nicht, wo das Haupt Europas sitzt; aber welcher Körperteil an diesem Organismus die herrschende Klasse Rumäniens ist, das weiß ich ganz genau.

Drittes Kapitel: «Et le Reste.» Darunter einer der erschütterndsten Abschnitte – noch viel stärker als bei Zola –: über die Minenpferde in französischen Bergwerken. Da arbeiten Tausende und Tausende von Pferden unter Tag, bis zum Verrecken, unter den elendsten Bedingungen; ihre Hufe verfaulen, die Augen sind ausgelaufen, blind, lahm geprügelt, fast ohne Pflege, nie einen Strahl Licht … Produktion! Produktion! Das Herz krampft sich einem zusammen. Und das ist heute noch so.

*

Und warum ist das alles so? Die Sache ist mit dem Marxismus nicht erklärt; hier steckt eine gewaltige Unterlassungssünde im Denken der Kommunisten. Hier ist noch etwas andres.

«Ich sah», erzählt bei Barbusse ein ungarischer Flüchtling, «diesen ungarischen Edelmann, immer ruhig, immer aufrecht, und eines Tages kam er an mir vorüber, er wurde zum Untersuchungsrichter geführt, und durch die Türen konnte man alles hören – ich mußte im Vorzimmer warten, bis ich dran war. Und weil er nicht lügen wollte, weil er keine ‹Verschwörung› gestehen wollte, keine Namen nennen, nichts, weil er nicht einmal sprechen wollte – da brachten sie ihn eben zum Schreien. Wir hörten die Säbelscheiden durch die Luft pfeifen und auf seinem Körper aufschlagen … und dann wurde es auf einmal ganz still (un brusque silence pendant lequel se faisait un travail qu'on n'entendait pas) – dann wurde es auf einmal ganz still; was sie nun machten, konnte man nicht hören. Und dann: ein entsetzlicher Schrei. Die Tür öffnete sich, schwere Stiefel polterten, dann wurde er herausgebracht. Noch vor einer halben Stunde war er so kerzengrade dahergegangen, jetzt lag er, zusammengeschrumpft, auf einer Bahre; er, der nicht hatte sprechen wollen, heulte; der Speichel rann ihm aus dem Mund. Um den Hosenbund war alles aufgerissen, sein Leib lag da nackt, und unten klaffte ein großes, rotes Loch ... Der Beamte, der ihm die Hoden herausgeschnitten hatte, hatte das mit einem rostigen Messer besorgt, wie er sich nachher rühmte ... ‹Ich hatte so eine schwere Hand an dem Tag›, sagte er.»

Was ist das –?

Hier, in dieser Pause, während der etwas getan wurde, was man draußen nicht hörte und was den Herzschlag des Zuhörenden in wildes Klopfen brachte: in dieser Pause ist es ganz. Es ist der tiefe Grausamkeitsdrang des Menschen, der einen gesetzlichen Ablauf findet. Diese rumänischen Beamten werden niemals einen Lustmord verüben. Sie haben das nicht mehr nötig.

Die Möglichkeit, schrankenlos und verantwortungslos Böses zu tun, steigert den vorhandenen Trieb – aber zu unterst ist er in allen. Er manifestiert sich auf zweierlei Weise: sie wollen leiden oder leiden machen, das sind Korrelate, die sich ergänzen. Es beginnt mit dem legalen und natürlichen sozialen Geltungsdrang, der in jedem Männchen, in jedem Menschen ist – die zuschauende Öffentlichkeit ist seine Geliebte, vor der der Pfau sein Rad schlägt. Unter anderm getrieben von diesem Motiv, tun sie viel Gutes und Nützliches. Steigert sich das aber, dann rühren sich die Tiefen und geraten in gärende Bewegung – Wollust, Wille zur Macht und der Trieb, zu quälen, kommen durcheinander; plakatiert wird das als: Patriotismus, die Nation muß leben, der Klassenkampf, die Ordnung muß wiederhergestellt werden, und was man so trägt. Aber hier sitzt es; hier ist der blutige Quell dieser kollektiven Raserei. Und was masturbierende Sadisten sich ohnmächtig stöhnend in stiller Stube ausdenken, das, was sie tun möchten, wenn sie nur die Kupplerin und die Straflosigkeit bezahlen könnten: hier ist es herrliche Wirklichkeit. Hier ist: Verantwortungslosigkeit des Beamten, der ja in Wirklichkeit nie eine trägt; Straflosigkeit; Verschwiegenheit – und dazu noch die Gloriole sozialer Nützlichkeit. Hier ist alles. Wehe den kleinen Mädchen, den kleinen Jungen, den einsam auf den Feldern wandernden Schnitterinnen, wenn der Staat diesen legalen Ablauf nicht hätte: Polizei, Zuchthausbeamte und den Krieg. Hier werden Verbrechen begangen, die keine sind. Die es sind.

Dieses fürchterliche Buch ist in einem glasklaren, meisterhaften Französisch geschrieben: eine Niederdruckdampfmaschine, fast nirgends entweicht zischend die Empörung über die Untaten, ganz ruhig ist das erzählt, Grad auf Grad wird im Druckmesser des Lesers aufgespeichert, solcherart wertvolle Energien aufstauend – und während ich es lese, habe ich fortwährend einen Klang im Ohr. Es ist der Klang einer Stimme: eines Negers.

Und wenn Sie das Buch von Barbusse ganz verstehen wollen, dann kaufen Sie sich die Grammophonplatte Columbia Nummer 14 180 D. ‹Lord, help me!› heißt sie. Da betet der schwarze Reverend Herr J.C. Burnett zu seinem Gott. Das hören Sie sich an.

Es ist kein Kunstgenuß – es ist ganz, ganz etwas andres. Er psalmodiert; er wiegt sich in diesen monotonen Tönen, um die Gemeinde in den gewünschten Massenrausch zu versetzen – das sind uralte Mittel. Er steigert sich – er brüllt – er kreischt; zwei plärrende Frauenstimmen sekundieren. «I will tell you my sins!» Aber es ist kein Bußfertiger, der da zum Himmel schreit. Das, was Sie hören, klingt, als ob ein Mensch geschlachtet werden soll – und das soll er auch, wenn auch nur geistig. In diesen quetschenden Kopftönen erkennen Sie das ewige Schlachtfest der Menschen: es heult aus dem zivilisierten amerikanischen Bürger der Urahne heraus, der am Niger die Menschen geopfert hat; die Gongs polterten dazwischen – pom – pom – pom –, und um das Feuer tanzten die Vorfahren dieses Reverends und schrieen und brüllten und warfen Arme und Beine nach streng bewegtem Rhythmus in die Luft, sich steigernd zur herrlichen Mordlust: der da, der Geschnürte, der Feind – er soll langsam getötet, gebraten, zerstückelt und gefressen werden, auf daß man sich seine Kraft einverleibe. Und auch darum, weil dies, nach der Zeugung, das Schönste ist, das es auf Erden gibt: den Mitmenschen leiden zu machen. «Lord, help me!» Amen.

*

Selbstverständlich kommen in zivilisierten Ländern derartige Schreckenstaten nicht vor.

Ignaz Wrobel, WB 19.11.1929

Die Besetzung

Es haben die deutschen Filmdirektoren
noch niemals die Schnur ihres Handelns verloren;
drum merke sich jeder junge Adept
das folgende Besetzungsrezept:
    Wenn du elegant brauchst,
        nimm Paul Otto;
    wenn du brutal brauchst,
        nimm Homolka;
    wenn du Seelchen brauchst,
        nimm die Bergner;
    wenn du berlinisch brauchst,
        nimm Graetz;
    wenn du dämonisch brauchst,
        nimm Veidt;
    wenn du gar nichts brauchst,
        nimm Liedtke –
Spezialisten für Tränen, Spezialisten fürs Lachen.
Und nie darf einer was andres machen
als das, womit er schon ein Mal gewirkt.
Die Ressorts sind säuberlich abgezirkt:
    Nummer IV, Nummer III, Nummer II, Nummer I –
            jeder seins.

Dies Verfahren scheint mir aber – das seh ich –
auch auf andere Gebiete ausdehnungsfähig.
Man kann, um seine Geschäfte zu stärken,
sich folgende Dienstanweisung merken:
    Wenn du Heereslieferungen brauchst,
        schwenk Fahnen;
    wenn du ein Mädchen brauchst,
        nimm Seele;
    wenn du Steuern brauchst,
        sag: Frankreich;

wenn du junge Aktien brauchst,
sag: Wirtschaft;
wenn du Rührung brauchst,
nimm 's Mutterl …
wenn du Rache brauchst,
nimm einen Richter –
So hast du für alle Lagen des Lebens
stets etwas parat und kämpfst nie vergebens.
Der Mittel sind viele in den Kulissen …
man muß sie nur anzuwenden wissen.
Nummer IV, Nummer III, Nummer II, Nummer I –:
jeder seins.

Theobald Tiger, WB 19. 11. 1929

162

Einfachheit

Das wollen wir uns immer wieder klar machen:

Terminologie ist noch gar nichts.

Da ist nun die Formalbildung in die Breite, also nicht in die Tiefe, gegangen, und: «funktionell» – «kulturphysiologisch» – «physiopsychologisch» – «Komplex» – das können sie nun alle. Aber ist damit etwas ausgesagt?

Die Deutschen haben zwei große Grundgesetze entdeckt, und zwei sehr bequeme dazu: sie glauben, eine Sache damit entschuldigt zu haben, daß sie ihren technischen Hergang erklären – und sie halten es für bedeutend, wenn sie eine Binsenwahrheit in das Vokabularium ihrer eingelernten Fachwörter einspannen. Aber es ist nicht viel damit.

Mitunter läßt sich das nicht vermeiden – mitunter bringt es einen weiter.

Aber seit jeder Esel mit ein paar angelesenen Philosophie-Brokken herumjongliert, daß einem ganz angst und bange wird, hat das aufgehört: es ist einfach trivial geworden, platt, alltäglich, nichtssagend und völlig leer. Zurzeit wird getragen: Soziologie (ganz fürchterlich), Individual-Psychologie, Musik-Philosophie und bei den ganz Feinen: Erkenntniskritik.

Oft habe ich mir die unnütze Mühe gemacht, diesen Kram ins Deutsche zu übertragen – es kam fast immer heraus: «Ignoramus» oder: «a = a», auch hießen diese Wortkaskaden, wenn man sie hatte von sich abrauschen lassen: «Aufgeregte Menschen denken nicht so logisch wie ruhige» oder ähnliche epochemachende Weisheiten. Damit ist wenig getan.

Man sei mißtrauisch, wenn der Autor in dem byzantinischen Stil falscher Wissenschaftlichkeit einhergestelzt kommt. Der Kaiser hat ja keine Kleider … und unter dem tombacknen Zeug siehst du ein paar jämmerlich dünne Beine und geflickte Unterhosen.

Peter Panter, WB 19.11.1929

163

Die Anstalt

> «Betritt Revision die Zellen (Aufsichtsbehörde, Vorsteher, Inspektoren, Geistliche, der Anstaltsarzt und so weiter), so erhebt sich der Gefangene, bleibt vor seinem Arbeitsplatz stehen und erwartet, das Gesicht nach der Tür zugekehrt, den Besuch. Bei nächtlicher Revision unterbleibt dies.»
>
> *Aus der Hausordnung*
> *einer preußischen Strafanstalt*

Die Soziologie definiert seit ihrem Bestehen ununterbrochen sich selbst.

Man sollte denken, es gebe nichts Interessanteres als soziologische Bücher und Zeitschriften: es gibt nichts Langweiligeres. Da ist zu lesen: was Soziologie ist; was sie nicht ist; was sie sein soll; was sie sein sollte; inwiefern sie überhaupt sein muß; ihr Verhältnis zur Religionsphilosophie … es ist ein müßiges Gesellschaftsspiel von solchen, die unter Gesetze fallen, die sie leider nicht aufgestellt haben: unter Gruppengesetze.

Wenn sie noch Material anhäuften! Aber selbst mit dem ist es hier nicht getan. Die Herren vergessen, daß eine Wissenschaft noch niemals ohne Intuition weitergekommen ist. Sie publizieren: ‹Die Massenbewegungen seit den Alexandrinern› und lassen außer acht, sich selber einzubeziehen – denn «Masse» ist für sie etwas Verächtliches, etwas von der Straße … Die soll hier nicht untersucht werden. Hingegen ist die Gruppe etwas, dem wir alle in wechselnden Formen angehören. Ansätze zur Psychologie der Massen sind da. Es gibt keine brauchbare Untersuchung über Gruppengesetze.

Ich unternehme hier den Versuch, eine ganz bestimmte Gruppe in ihren Funktionen bloßzulegen: die Anstalt. Ich verstehe darunter öffentliche oder private örtliche Komplexe, in denen Menschen zwangsweise oder freiwillig zu einem bestimmten Zweck unter Aufsicht zusammenleben. (Beispiele: Strafanstalten, Fürsorgeanstalten, Arbeitshäuser, Waisenhäuser, Altersheime undsofort.)

Jede dieser Anstalten hat ihre eigne Prägung, abhängig vom Landstrich, von der sozialen Stufe der Insassen, von der wirtschaftlichen Lage der Unterhalter und der Unterhaltenen. Doch lassen sich Gesetze aufstellen, denen alle Anstalten unterliegen, und eben dies scheint mir Soziologie zu sein.

Diese Darlegungen sind nun nicht etwa von einem Einzelfall abgezogen; sie sind keineswegs induktiv sondern fast ausnahmslos intuitiv. Für die induktive Methode müßte man eine Erfahrung haben, die ein einzelner Mensch wohl niemals aufweisen kann: ein solcher Forscher müßte jahrelang abwechselnd als Leitender und als Insasse solcher Anstalten gelebt und gearbeitet haben, ein Fall, der kaum denkbar ist. Hier versagen auch Statistiken, Theoreme, die faden Leitsätze, deren Resultat vorher im Gefühl feststeht (Spiele, von denen es in der Soziologie wimmelt – sie ist fast immer zweckhaft: sie will etwas …), hier sind wir nur auf die Eingebung angewiesen. So gewiß es ein schwerer Denkfehler vieler Kommunisten ist, anzunehmen, nur sie fielen nicht unter Gruppengesetze, so gewiß hat die bürgerliche Soziologie einen ebenso schweren Fehler: diese soziologischen Untersuchungen werden von Vertretern der herrschenden Klasse angestellt, es fehlt also das Gegengewicht. Die heute in Europa so moderne Freude an den «neuen Bindungen» wird stets von den Bindenden, niemals von den Gebundenen gepredigt.

*

Die Anstalt dient einem Zweck: Menschen sollen in ihr aufbewahrt, gebessert, geheilt, erzogen, zur Arbeit angeleitet werden.

Jedes Anstaltsleben dient neben diesem plakatierten Zweck einem Selbstzweck: es hat sich selbständig gemacht, denn stets wachsen dem Menschen seine Zwecke über den Kopf. Daß die Anstalt durch ihr Wirken einen Zweck erfüllen soll, vergessen sämtliche Beteiligten leicht – bei der Gründung sowie bei Festsetzung der Hausordnung wird auf diesen Zweck der Anstalt noch Bezug genommen.

Die Menschen, die ständig in einer Anstalt leben und arbeiten, sind in zwei Gruppen zu teilen: in die Leidenden und in die Leitenden.

Die Leitenden kommen, abgesehen von der Neugründung, in die sie ihre Routine mitbringen können, einzeln in die bestehende Anstalt, werden ihr zugeteilt, hineingewählt, an sie versetzt ... sie finden also ein fertiges Gebilde vor. Dieses Ganze läßt sich beeinflussen, aber schwer. Dazu gehört ein Unmaß von Energie und Zeit: der Reibungswiderstand eines den Anstalten immanenten Trägheitsgesetzes läßt gewöhnlich alle Änderungsversuche zunächst einmal zu Schanden werden: sie müssen oft wiederholt werden. Verschlechterungen lassen sich sofort durchführen; Reformen, mit denen ein Plus an Erdulden der Leidenden verbunden ist, immer; solche, mit denen mehr Arbeit der Tätigen verknüpft ist, schon schwieriger.

Die Tätigen zerfallen in das Ober- und das Unterpersonal.

Eine Anstaltsleitung ist ohne echte Verantwortung. Sieht man von schweren kriminellen Taten ab, die auch ein einzelnes Individuum belasten würden, so kann gesagt werden, daß Gesetzgebung und Volksanschauung in einer solchen «Leitung» etwas Überlegenes schlechthin sehen, dem nur sehr schwer beizukommen ist. Der Leiter kann fallen: über die Mißgunst der Verhältnisse; über seine

Unbeliebtheit bei der Zentrale; über Kunstfehler im Betrieb, dies aber nur dann, wenn seine Feinde sie sich zunutze machen. Man fällt nicht über Fehler – man fällt über ausgenutzte Fehler.

Eine Zentralstelle, der mehrere solcher Anstalten unterstehen, kann unmöglich in jede hineinkriechen und ist gezwungen, sich mit oft vorher angekündigten Besichtigungen oder den Berichten zu begnügen, die die Anstaltsleitung ihr zuführt. Sie weiß demnach meist nicht genau, was im einzelnen wirklich in der Anstalt geschieht, und sie wird bei Unglücksfällen, bei Beschwerden und andern ärgerlichen Vorkommnissen, die von ihr zunächst als Störung des Dienstbetriebs aufgefaßt werden, nur sehr selten eingreifen. Denn:

In der Zentrale sitzen in der Regel, wenn man von den anscheinend für alle Positionen tauglichen Juristen absieht, frühere Anstaltsdirektoren, die mit ihren Kollegen auf Grund jenes innern Verwandtschaftsgesetzes sympathisieren, das jede Gruppe aus einer Zweck-Einheit zu einer Seelen-Einheit zusammenschmelzen läßt. Die Überlegenheit eines in die Zentrale versetzten ehemaligen Anstaltsleiters wird sich wohl im Dienstverkehr zwischen Zentrale und Anstalten auswirken – niemals aber, wenn Dritte im Spiel sind. Jede Beschwerde «nach oben» hat zunächst die sehr große Widerstandsschwelle zu überwinden, die aus Kollegialität, Faulheit und einem Gefühl zusammengesetzt ist, das die einzelnen Anstaltsleiter noch mehr beseelt als die Zentrale: dem Gefühl für die Aufrechterhaltung der Autorität. Ist die Beschwerde so stark, daß sie das alles überwindet, dann dringt sie durch.

Auf nichts ist der Anstaltsleiter so erpicht wie auf die Ausdehnung seines Betriebes. Er verträgt alles: Kritik, die ihm ja meist nicht viel anhaben kann, Kontrollen, Revisionen, Besichtigungen – nur eines verträgt er nicht, daß man ihm die Anzahl der von ihm beherrschten Menschen oder Sachen mindert. Hier ist sein schwacher Punkt. Sei es, daß man ihm eine Kompagnie Soldaten fortnimmt, ein Außendienst-Kommando Strafgefangener, einen Krankenhausflügel – das ist wie ein kleiner Tod. Schlimmer: wie eine Niederlage bei der Liebeswerbung. Noch schlimmer: wie ein Geldverlust. Minderung sozialer Macht und somit sozialen Machtgefühls verwindet kaum einer.

Der Leiter, der neu in eine Anstalt eintritt, will den Leidenden zunächst wohl. Auf seine Weise: auch der Strenge will den ihm Unterworfenen wohl, der sogar ganz besonders; fast immer glaubt er es.

Der erste Gedanke eines neuen Leiters, sein Grundgefühl für alles, was er in bezug auf die Anstalt denkt und anordnet, ist:

Die Schweinerei hört jetzt auf.

Jeder neueintretende Leiter ist davon überzeugt, einen Saustall zu übernehmen, in dem er Ordnung machen müsse; auch braucht er diese Vorstellung zur Hebung seines Ichs sowie als Antrieb für seine nicht immer gut bezahlte Arbeit. Jede Arbeit, die ein Mensch tut, schafft sich ihre kleine Religion: auch der Henker hat die seine.

Die Reformen eines neuen Leiters bewegen sich gewöhnlich in zwei Richtungen:

Er legt den Leidenden neue Lasten auf – Beispiel: Neueinführung einer Revision morgens und abends um sieben Uhr – und er verschafft den Unterworfenen neue Scheinrechte, die die meist gar nicht haben wollen. Denn diese neuen Vergünstigungen sind fast ausnahmslos mit neuer Arbeit verbunden. Daran denkt der Leiter nicht.

Er denkt überhaupt fast niemals daran, daß er hier lebende Menschen vor sich hat, wie er einer ist. Alle Herrscher halten ihre Beherrschten für eine andere Rasse. Der Leiter ist selten das, was man einen «Unmenschen» nennt; nur sieht er in den Leidenden lediglich «Material», Nummern, Baukastensteine einer Ordnung, die zunächst visionär in seinem Kopf vorhanden oder schon im Anstaltsleben mehr oder minder ausgebaut ist. Die Steine sind für ihn nur dazu da, die Ansprüche dieser Ordnung zu erfüllen. Mit welchen Opfern das geschieht, mit welchem Aufwand an Zeit, Mühe, Ärger, Unterwerfung: das bewegt ihn deshalb nicht, weil er das gar nicht spürt. Niemals überlegt sich ein Leitender, wie denn nun zum Schluß, nach Festsetzung aller Reglements, das Leben der von ihm Beherrschten aussieht, die alle seine Anordnungen wirklich ausführen.

Der Leiter hält strikt auf die Pflicht der Leidenden, die sie der Anstalt schulden: zu arbeiten, gesund zu werden, krank zu bleiben ... Der Leiter will für alle. Geht er durch die Anstalt, so fühlt er sich, besonders anfangs, wie vor einem Coitus: die innere Sekretion ist vermehrt, er ist doppelt Mann denn zuvor, er schwillt auf – (die Sprache sagt hier sehr gut: «er kommt sich vor») – und das alles auch dann, wenn er gar nicht zum Hochmut neigt. Dies ist auch kein Hochmut – es ist ein soziologischer Vorgang, dem alle Menschen unterliegen. Hinzukommt das, was Nietzsche, besonders für dieses Jahrhundert, «der Mensch als Schauspieler» genannt hat – der ehemalige deutsche Kaiser ist dafür ein gutes Beispiel gewesen. Der Leiter tut seine Arbeit geschminkt. Er tritt vor dem Untergebenen und dem Leidenden auf, er bewegt sich wie auf einer Bühne, er fühlt aller Augen auf sich gerichtet; so spricht er sonst nicht, wie er hier spricht, so geht er sonst nicht – es sind winzige Nuancen, aber immer deutlich erkennbar. Auch Mißfallen, das sich ja nicht laut äußern kann, ist ihm Beifall, weil Wirkung.

Der Leiter will am liebsten, um mit Jung zu sprechen, «eine einsame Insel, wo sich nur das bewegt, dem man sich zu bewegen erlaubt». Er ruft: «Was liegt da für ein Papier!», und es ist nicht so sehr die Unordnung, die ihn bewegt, wie die Undiszipliniertheit des Papiers, das schon ganz leicht revoltiert. Es ist ein Fremdes, und das Fremde ist hier Revolution. Daher die Neigung aller Anstaltsleiter, ihre Anstalt möglichst scharf gegen die Außenwelt abzuschließen.

Der Leiter stößt in seiner Arbeit auf zwei große Widerstände.

Der eine ist die Indolenz seines Unterpersonals. Kein Leiter kann mit seinem Personal ganz zufrieden sein, weil es niemals so viel Machttrieb für das Ganze mitbringt wie er. Also läßt es oft in der Arbeit nach, was ihn aufbringt und ihn, ist er nicht sehr energisch, niederdrückt. Im Grunde ist für ihn der Unterschied zwischen den Leidenden und jenen Leitenden, die er beherrscht, nicht sehr groß; beide sind seiner Macht unterworfen, nur nach verschiednen Graden – und so behandelt er sie auch beide.

Der zweite Widerstand ist der der Leidenden selbst – den kann er brechen. Im Augenblick, wo die Leidenden sich gegen seine Helfer auflehnen, nimmt er Partei für das Personal, auch dann, wenn es unrecht hat. Er tut das, wie er glaubt, «aus Gründen der Disziplin»; in Wahrheit tut er es, weil er seinen eigenen Machtwillen im kleinen Machtwillen der Helfer durch die Leidenden beleidigt sieht.

In den meisten Fällen wird der Anstaltsleiter nicht imstande sein, die kleine Alltagsarbeit allein zu leisten. Für diese untergeordneten Dinge (Listenführung und so fort) hält er sich eine besondere, mit ihm auch örtlich zusammenarbeitende Hilfe. Diese Hilfe wächst in ihrem Ressort fast jedem Leiter über den Kopf, selten über den Willen, immer über den Betrieb. Ob das ein Feldwebel, ein Sekretär oder eine sogenannte Oberschwester ist –: stets hängt von diesem Unterwillen die Färbung der Ausführung des Oberwillens ab, hängen ab die winzigen oder auch starken Nuancen, die dem Leidenden seinen ganzen Tag vergällen oder versüßen können. Auf diese Dinge ist der Herr fast ohne Einfluß: trägt man ihm solches vor, so schüttelt er ungläubig und verächtlich den Kopf: Jupiter, den eine Laus mit ihren Sorgen behelligt.

Dieser Helfer hat gewöhnlich alle Eigenschaften eines guten Wachhundes: treu, bissig, verfressen und laut um jeden Quark. Die Autorität des Herrn ist die seine, er selbst die Karikatur des Alten, dem er sich auch in Äußerlichkeiten im Lauf der Jahre langsam assimiliert. Selten mit Geld bestechlich, obgleich auch das natürlich überall da vorkommt, wo sein Gehalt unzureichend ist und die Leidenden im Besitz größerer Geldmittel sind; fast immer bestechlich durch kriechende Servilität (der der Herr nicht immer erliegt) – sieht der Helfer in demütiger Unterordnung der Leidenden die anbetende Anerkennung des Systems.

Herr und Helfer kumulieren alle Ehrerbietung, die die Leidenden, notgedrungen oder ehrlichen Herzens, dem System darbringen, auf ihre eigene Person. Jene opfern einer Sache, die Götter werden fett.

Fast niemals quält der Leiter die Seinen bewußt; es kommt vor: es sind krankhafte Fälle, die in der Übertreibung nur zeigen, was im Keim der Gesunden steckt. Der Herr quält:

um einer von ihm ausgedachten «Ordnung» willen, die manchmal die wahre Ordnung ist, es aber nicht zu sein braucht;
um vor sich selber die nötige Achtung zu haben;
aus Langeweile;

immer, wenn sein Widerspruch gereizt wird und seine Autorität auf dem Spiel steht. Solche Widerstände bricht er mit einem viel größeren Aufwand an Kraft, als nötig wäre, um sie zu brechen.

Das Unterpersonal tut in den meisten Fällen seinen Dienst zunächst indifferent. Sieht man hier von religiösen Hemmungen ab, die merkwürdige Korrelate im weiblichen Sadismus, zum Beispiel bei Krankenschwestern, haben, so bleibt im allgemeinen etwas, was man als «brummig-gleichgültig» bezeichnen kann, wenn persönliches Temperament dem Dienst nicht eine andere Note gibt. Die verschwindet, wenn es oben donnert. Die enge, tägliche Berührung des Personals mit den Leidenden stellt einen gewissen Kontakt her; in Strafanstalten verstehen sich die beiden Schichten wohl nur auf der untersten Stufe menschlichen Verkehrs: in Zoten und in Abortnähe. Es gibt Angehörige des Personals, die in ihrer Person – dem Herrn nacheifernd – das ganze System repräsentiert sehen und geehrt wissen wollen: solche Menschen haben stets Reibereien mit den Leidenden. Sind jene, was mit ihrem Helferstolz durchaus vereinbar ist, gleichzeitig gutmütig, so werden grade diese bei Konflikten nicht immer von der Leitung gedeckt.

Es geht demnach durch die Gänge einer Anstalt als treibendes Motiv: versachlichte Eitelkeit. Daß mit diesem Getriebe auch ein Zweck erreicht wird oder erreicht werden soll, ist im Alltag des Anstaltslebens ein völlig nebensächlicher Faktor. Manchmal sagt so ein Lungensanatoriums-Diktator: «Na, da sind Sie nun also gesund geworden!» – aber das hat wenig Färbung: die Heilung ist etatsmäßig, wie der Tod.

Das Leben des Unterpersonals gleicht, wenn es sich in der Anstalt abspielt, dem Leben der Leidenden, nur ist es um einige Grade freier – diese Leute sind sozusagen nicht mehr, und sie sind noch nicht ... Sie empfinden, wenn sie den niederen Schichten angehören, diese Stellung nicht als ambivalent: so ein Mensch ist durchaus imstande, vor dem Leidenden den Leiter und vor dem Leiter den Leidenden – nicht zu markieren; er ist jedesmal wirklich ein andrer. Gewöhnlich sind die Angehörigen des Personals mit dem Anstaltsleben sehr eng verwachsen; sie hüten die Traditionen, besonders die schlechten – («Das haben wir hier immer so gemacht» ist ein Satz ihres Glaubensbekenntnisses), sie wachen ängstlich über ihre kleinen Vorrechte und Vergünstigungen und hegen im allgemeinen eine ziemlich starke Verachtung für die Leidenden. Sie haben Respekt vor dem Leiter, wenn der sie schlecht genug behandelt – und es ist ein mit Liebe gemischter Respekt: ist doch jener die Quelle ihrer kleinen Autorität, des tiefen Kerns ihres Lebens.

*

Das Leiden der Anstalts-Leidenden besteht hierin:

Ihr privates Leben ist zusammengeschrumpft.

Sie haben entweder so gut wie gar keines (Strafgefangene) oder ein zu beengtes – und hier und nur hier liegt der tiefe Grund der Verzweiflung dieser Leute. Die Anstalt frißt sie auf.

Zunächst ist da die Zeiteinteilung. Der Mensch kann es nur sehr schwer ertragen, stets nach einer fremden Uhr zu leben – und nun noch nach einer, die ihm den Tag zerreißt, seinen Tag. Regelmäßigkeit allein wäre freilich kein Grund zur Verzweiflung, besonders dann nicht, wenn sie sich jemand freiwillig auferlegt hat – der wahre Grund liegt darin, daß kein menschliches Wesen es verträgt, auf die Dauer als Sache behandelt zu werden. Man kann einen Sklaven patriarchalisch prügeln – das ist lange nicht so schlimm wie die stumme und unerbittliche Einordnung in ein vom Eingeordneten nicht oder so nicht gewolltes Nummernsystem. Irgend etwas möchte jeder Mensch irregulär tun: über eine Hecke springen, rauchen, wenn andere nicht rauchen; einmal laut schreien – ich sehe hier von groben Exzessen ab. Macht man ihm das unmöglich, so legt man den Grund zu unendlicher Traurigkeit, Verzweiflung, Ekel am Leben. Solch ein Mensch geht seelisch ein. Verglichen mit dem, was er mit seiner «Freiheit», die er ja in dieser Gesellschaftsordnung gar nicht haben kann, wirklich anfängt, fehlt ihm gar nicht so sehr viel – und alles. Es fehlt ihm das, was wir mit unserer kleinen Freiheit beginnen: umhergehen, wann es uns paßt; telephonieren; pfeifen; nicht sprechen, wenn wir nicht sprechen wollen; früh ins Bett gehen; spät ins Bett gehen – die Anstaltsinsassen können das entweder gar nicht oder nur unvollkommen. Selbst ihr Schlaf ist Dienst. Darunter leiden sie unermeßlich.

Das Verhältnis der Leidenden untereinander ist selten gut.

Immer ist da ein Stärkerer, ein Oberleidender, der mit der Zeit die höchste Stufe des Kellers erreicht – er kann mit dem Kopf hinaussehen und reicht beinah in das Unterpersonal hinein. Dieses verwehrt ihm natürlich in Ernstfällen den Zutritt; in leichten Fällen wird er ihm gewährt, und das hebt ihn sehr und läßt ihn viel von dem, was er zu erleiden hat, vergessen. Er bezahlt das teuer, vielmehr: seine Mitleidenden bezahlen das teuer. Er ist meist ein Angeber, ein Speichellecker, ein Unterhund – er ist der Helfer von Helfershelfern. Auf seine kleinen Vergünstigungen ist er nicht so stolz wie auf den leichten Schein einer Pseudo-Autorität, die er auf diese Weise genießt.

Leidende verachten sich untereinander – das ist das Primäre. Liebe, Freundschaft, gutes Herz, Trieb und Temperamente können diese Verachtung auflösen und überbrücken.

Die Leidenden stehen niemals gegen die Leiter zusammen. Täten sie es wirklich, so wären jene ziemlich machtlos. Ein solcher Universalwille kann aber deshalb nicht zustande kommen, weil in jedem Leidenden der Machttrieb schlummert. Er leidet wohl – aber zutiefst bejaht er dieses Leiden; er verneint nur die Rollenverteilung: er ist es, der gern leiden machen möchte. Oft setzt er sich im Tagtraum an die Stelle des Leiters. Daher wird er sich stets nur dazu verstehen, etwas zu tun, was man im Anstaltsjargon und auch sonst «stänkern» nennt – er wird kleine Sticheleien, Lügen, Klatschereien gegen die Leitung und das Personal aufbringen, Schwierigkeiten zu vergrößern suchen, schon, um sich wichtig zu machen und hier wenigstens ein kleines Gebiet zu haben, das ihm allein gehört. Er wird sich aber fast niemals, solange er diesen Machttrieb innerlich nicht überwunden hat, gegen das System auflehnen. Er kann es nicht. Es ist sein System.

Die schwere seelische Störung durch die Einengung der Persönlichkeitssphäre zeigt sich bei den Leidenden auch in ihrem rührenden Verhältnis zu allen Gegenständen, die nicht «Anstaltssachen» sind: Vogelbauer, Pantoffeln, Kalender oder eine Zeitung … das ist das ihre, in diese Ersatzhandlungen konzentriert sich die ganze Sehnsucht nach verlorenem Glück. Die Leiter neiden es ihnen und verkleinern es, wo sie nur können.

So ergänzen sich Leidende und Leitende zu einer schönen Einheit: zur Anstalt. Es ist durchaus nicht immer grobe Gewalt, die dieses Getriebe zusammenhält, auch nicht immer die Not – es ist darüber hinaus eine gewachsene Einheit, eine Zusammengehörigkeit von Menschen, die sich dieser Gesetzmäßigkeit nicht bewußt sind. Beide sehen ineinander den Feind: beide können mit einander nicht anders leben.

Und so leben sie –:

Düster schwelt unter dem Nummernleben der Leidenden der Rest von Seele, der ihnen geblieben ist. Er entlädt sich in seiner Karikatur: in Fressen, Zoten, Klatsch und Masturbation. Dies sind nicht etwa, wie die Leiter meinen, «Laster» – sondern eben jene letzten, den Leidenden gebliebenen Symbole für das Unregelmäßige, zu dem jeder Mensch spielerisch, als Gegengewicht für seine Bindungen, hinstrebt. Das übliche Anstaltsleben ist sozialschädigend – weil es keinen echten Kollektivismus, der allein auf freiem Willen aufgebaut werden kann, in sich birgt. Kommen solche Menschen aus der Anstalt heraus, so haben sie meistens mehr Schwierigkeiten mit der Umwelt zu überwinden als vorher.

Der Leitende aber hat, wie die Sprache so tief sagt: «in der Arbeit seine Befriedigung». Er hat sie wirklich. Er kann sich in ihr ausleben. Er herrscht. Er macht sich zum Sklaven seiner Arbeit, wenn er ein anständiger Kerl ist – aber er herrscht. Und feuert sich ununterbrochen wieder an und entzündet sich: am Widerstand seiner Helfer, am Widerstreben der Leidenden, an den Schwierigkeiten des Apparats, an den Reibereien mit seiner Zentrale, die ihn von allem am meisten bedrücken, weil hier die Grenzen seiner Freiheit sind. Auch fühlt er sich meist in seiner Arbeit nicht anerkannt – er träumt von Größerem: mehr organisieren! mehr Anstalten! viele! alle! Der Machttrieb spielt auf ihm sein Lied.

Leitende Frauen unterliegen dem Machttrieb stärker als Männer, weil die meisten zu tun vermögen, was nur wenige Männer können: eine Arbeit bis in die letzte Falte hinein ernst nehmen. Frauen glauben an das, was sie im Dienst tun, wie an ein Evangelium. Daher sind sie: doppelt so aufopferungsbereit wie Männer, doppelt so machtgierig, doppelt so boshaft wie jene, wenn es diese Macht zu verteidigen und auszubauen gilt. Sehr oft schlägt der Machttrieb bei Frauen in seelischen Sadismus um – dann wohl immer, wenn sie geschlechtlich nicht voll befriedigt sind. So kommen viele Kindermißhandlungen zustande.

*

Die Anstalt dient einem Zweck: Menschen sollen in ihr aufbewahrt, gebessert, gedrillt, erzogen, zur Arbeit angeleitet werden … aber in allen regiert über Menschen und Sachen der soziale Geltungsdrang einer herrschenden Klasse.

Ignaz Wrobel, WB 26.11.1929

164

Der verrutschte Hut

«Wenn eine Dame nachts allein mit einem Mann im Auto nach Hause fährt, hat sie sich die Folgen selber zuzuschreiben.»

Aus der Urteilsbegründung eines Berliner Schöffengerichts

Was ein Berliner Kavalier ist,
der bringt – ist die Gesellschaft aus –
und wenn es morgens früh um vier ist,
die Dame, welche … stets nach Haus.
Im Auto soll man Bande knüpfen.
Das muß so sein und hebt den Herrn.
Der Name «Schlüpfer» kommt von: schlüpfen.
Er glaubt: die Frauen haben das gern …
Das wollen sie aber gar nicht!
Das mögen sie aber gar nicht!
Das tut ihnen gar nicht gut!
Wie kommen sie denn nun nach Haus?
«Und wie seh ich überhaupt jetzt aus?
– und einen ganz verrutschten Hut!»

Es erben sich Gesetz und Rechte
wie eine ewige Krankheit fort.
Er meint, wenn er das nicht vollbrächte,
dann sei er kein mondäner Lord.

Er muß. Teils gnädig und teils müde
und überhaupt, weils dunkel ist.
«Ach, der Chauffeur ... sei doch nicht prüde ...!»
Ein Mann ist stets ein Egoist.
Sein Motor will auf Touren laufen.
Die Frau braucht Zeit. Es saust die Fahrt.
Sie will nicht um die Liebe raufen:
Haare apart und Bouletten apart.
Doch jener wird gleich handgemein.
Jetzt oder nie ...! Die Hand ans Bein ...
Das wollen sie aber gar nicht!
Das mögen sie aber gar nicht!
Das tut ihnen gar nicht gut!
Berliner Autoliebe stört.
Immer hübsch alles, wos hingehört –
ohne verrutschten Hut –!

Theobald Tiger, WB 26.11.1929

165

Korresspongdanx

Jeden zweiten Sonntag im Monat wird der schwedische Schreibtisch schon frühmorgens aufgeräumt (sonst nur abends), alles liegt sauber da, die Bücher stehen angetreten, die Zettel sind eingesperrt, alles zu Haus? ... das Zimmer wartet. Heute ist Posttag.

Na, was so ist ... Vom Inhalt wollen wir hier nichts erzählen – der ist so wie bei jedem Menschen: ein Zehntel Freude, ein Zehntel Beschwerde und dreihundertundachtundsiebzig Zehntel Briefe, die man eben beantworten muß ... Gut. Aber welchen merkwürdigen Gesetzen unterliegt das Briefeschreiben?

Es sind zwei Dinge, die mir immer wieder auffallen.

Das eine ist die Klasse der Schreiber, die eine solche Pfote schreiben, daß man ihrs nicht lesen kann. Unser Kurt Hiller hat einmal – für sich – dekretiert, er brauche keine Schreibmaschine.

Aber er schreibt wenigstens so, daß seine Briefe auch bei Mondfinsternis zu lesen sind. Hingegen schicken einem da die Leute solche Krakeleien ... es ist sehr merkwürdig. Ich sitze immer davor wie jene Redaktion, die einen handgeschriebenen Zettel des Chefs bekam, aus einem Restaurant. «Wichtige Information fürs Abendblatt! Sofort!» stand drüber; das war aber auch alles, was man lesen konnte. Was nun –? Da hatte ein ganz Kluger einen ganz klugen Einfall. «Es gibt», sagte er, «eine Gattung Menschen, die schreibt überhaupt nur unleserlich – das sind die Mediziner. Und es gibt eine Gattung Menschen, die kann brillant Unleserliches lesen – das sind die Apotheker. Fritz!» Der Junge mit dem Zettel los, in die Apotheke. Und kam nach einer halben Stunde zurück. Und stellte stumm eine kleine Flasche mit einer rötlichen Tinktur auf den Tisch ... Diese Geschichte stammt, wie alle schönen Geschichten, von Roda Roda. Ja, also die Briefe.

Wenn die Unleserlichen beiseite gelegt sind, dann ist da eine andere Plage. Ich habe lange nicht begriffen, warum sich Frauen immer ihre Briefe mit den Umschlägen aufbewahren – fast alle Frauen tun das. Sie tun es deshalb, weil sie ihre Adresse stets hinten auf den Briefumschlag schreiben. Und nie auf den Brief selbst. Und unsereiner wirft doch natürlich brav und bieder die Umschläge fort. Und so vergeht kein Posttag, wo man mich nicht, den Kopf tief in dem riesigen Papierkorb, furchtbar schimpfend vorfindet, was das wohl für eine Schweinerei sei und ob ich das vielleicht nötig hätte, hier zwischen Asche und Bindfaden herumzukramen, nur, weil diese verdammte Person ihre Adresse nicht ... Und ob das nicht jedesmal geschieht, wenn es sich darum handelt, einem Paar sehr schöner Augen einen Gruß zu schicken! Die Verluste, die auf Warentransporten dadurch entstehen, daß zum Beispiel Fässer leck werden, nennt man im Handelsrecht «Leckage». In meinem Geschäft sind diese Verluste offenbar besonders groß.

Nun liegen alle die Briefe still, sie sind noch ganz außer Atem von der langen Reise und müssen sich erst an das Klima gewöhnen ... Die Damen liegen, wie so häufig im menschlichen Leben, obenauf, danach kommen die Geschäften (man sollte dieses Wort nur mit einem n hinten schreiben, es sieht gleich viel eiliger aus), und der ganze Packen ist so hoch wie zwei Apfelkuchen. Sanctus

Epistola, steh mir bei! Auf daß ich bald den letzten hinter mir habe … und bin ich mit der Ihnen gebührenden Darnachachtung

Ihr sehr ergebener
Peter Panter

Peter Panter, WB 26. 11. 1929

166

[Berichtigung]

Das ‹Mainzer Journal› schreibt in seiner Nr. 274 in einem Artikel ‹Warnung vor Tucholsky›: «Gleich zu Beginn, als dieser Literat in unflätigster Weise das Christentum überhaupt und die katholische Kirche im besonderen beschimpfte (er nannte u. a. als die einzigen drei internationalen Großmächte: Die katholische Kirche, die Homosexuellen und Standard-Oil – und verglich den Katholizismus mit einem Klosett mit Wasserspülung)». Das ist unrichtig. Ich habe niemals – weder dem Sinn noch dem Wortlaut nach – einen solchen Vergleich zwischen dem Katholizismus und einem Wasserklosett gezogen.

Dr. Kurt Tucholsky, Mainzer Journal 27. 11. 1929

167

[Berichtigung]

Die ‹Rheinische Volkszeitung› berichtete: Tucholsky entblödete sich nicht, die katholische Kirche in einem Atemzuge mit den Homosexuellen zu nennen und den Katholizismus mit einem Klosett zu vergleichen. Das ist unrichtig. Ich habe niemals – weder dem Wortlaut noch dem Sinne nach – einen Vergleich zwischen dem Katholizismus und einem Klosett gezogen.

Dr. Kurt Tucholsky, Rheinische Volkszeitung 2. 12. 1929

Weil wir grade

von «Kultua» sprechen, wie der Deutsche seine Wasserklosés gern zu nennen beliebt –: da ist mir auf Reisen durch meine Heimat etwas aufgefallen, vielleicht ist es gar nicht richtig … Was die Welschen sind, so haben die also in jedem noch so kleinen Hotel, in Paris und in der Provinz, in allen Zimmern ein Bidet. In den deutschen Hotels … ich bin nun also ganz allein gereist, aber ich habe es nirgends gefunden. Da gibt es Badezimmer und Warm-Wasser-Leitung, und alles ist schön und gut – aber fast nirgends gibt es Bidets. Sollten die Hotelbesitzer diese Erfindung noch so ansehen, wie Multatuli uns das berichtet hat: als einen «Geigenkasten auf Beinen»? Es ist mitnichten einer. Und da schreiben sie nun so viel von der neuen Zeit und von der Körperpflege und davon, daß Berlin eine Weltstadt ist und Köln auch und Leipzig auch und Bitterfeld auch, ja doch, ihr kommt alle dran – und von dem Rhythmus der Epoche und vom rasenden Tempo: aber Bidets haben sie nicht. Wie wäre es, die Herrschaften zerrissen sich eine Kleinigkeit weniger die Mäuler, um darzutun, wie schmutzig, wie verkommen und wie unsauber die französischen Eisenbahnwagen seien, die es in Wahrheit darin mit jedem deutschen D-Zug aufnehmen, und bauten stattdessen in die Hotels einige Geigenkästen ein? oder stellten einige in die Zimmer? – Welscher Tand? Hm.

Ich weiß schon, daß es auch andere Sorgen gibt, zum Beispiel die, daß sich die Arbeiter in Tausenden von Betrieben nicht ordentlich säubern können, was immerhin wichtiger ist. Aber weil wir doch grade von der deutschen Kultua gesprochen haben, da meinte ich nur …

Es gibt aber auch ganz Schlaue.

Zum Beispiel jenen Hotelier aus Gotha, der – in seinem Hotel Mahr – dieses angeschlagen hat:

«Betrifft: Fließendes Wasser!

In den Zimmern meines Hotels befindet sich keine fließende Wasser-Vorrichtung!

Dies könnte als Nachteil ausgelegt werden, erweist sich aber als

Vorteil aus hygienischen Gründen. Ganz abgesehen von meinen Erfahrungen als alter Hotel-Fachmann, schon die ständige Kontrolle, ob das Personal trotz strengen Verbots die Nachtgeschirre in die Becken des Waschtisches leert, ist undurchführbar. Ich appelliere an die Erfahrungen des Gastes selbst! Die Tatsache, daß fließendes Wasser eben alles herunterspült, läßt das Waschbecken zu allen Verrichtungen mißbrauchen. Man erspare mir die Einzelheiten.

Das Ideal eines Hotelzimmers!, ein sauberes bequemes Bett, reines Geschirr und Wäsche, im Winter gut funktionierende Zentralheizung ist in jedem einzelnen meiner Zimmer vorhanden.

Aus oben erwähnten Gründen habe ich Warmwasserleitung nur auf dem Korridor jeder Etage einbauen lassen, wo es leicht von jedem Zimmer zu erreichen ist.

Außerdem besorgt das Zimmermädchen sofort warmes Wasser.»

Drei Reisende, die es ja wissen müssen, haben heruntergemalt: Bravo! Sehr richtig! Hurra!

Man erspare mir die Einzelheiten.

Peter Panter, WB 3.12.1929

169

Küche in der Hochsaison

«Musch», sage ich, «hast du Papa lieb?» Musch antwortet nicht, sitzt da und tut schlank. Ich überlege blitzschnell, ob ich sie so liebe, wie sie mich zu lieben glaubt – weil wir sonst keine Sorgen haben … Wir sitzen in Prag in einem Eßladen, der bummvoll ist, die weißen Schaumhauben auf den Pilsenern erglänzen. Das Lokal hat seine acht Meter im Geviert …

Die Küche nur drei. Es ist eine ganz kleine Küche; Herd, Köchinnen-Kopf und Kellner-Backen glühen. Rufe, Schreie, zornige Befehle – deutsch und tschechisch, das geht alles durcheinander. Der Köchin perlt die Stirn, ihre Haare hängen herunter, einmal wischt sie sich energisch die Nase, zieht hoch, man hört es deutlich durch all den Lärm. Die Kellner schreien, jeder will zuerst bedient werden, um zuerst zu bedienen. Die Küche kocht, sozusagen.

Vorhin sind wir bei der Küche vorbeigegangen; jetzt blicke ich durch Musch und durch drei Steinmauern und eine Wand und sehe die Küche. Die kleine Küche in der Hochsaison, die es überall gibt: auf Berliner Bällen, auf großen Überseedampfern, auf dem Brocken und im Tal, an der Mühle, des Sonntags, wenn die halbe Stadt sich im Kaffeegarten drängt ... überall ist es dasselbe.

Da wird hinten der Kessel des Vergnügens geheizt, damit vorn das Rad der Erholung surrt, der Transmissionsriemen menschlicher Arbeit führt von einem zum andern, und der kleinen Minorität, die die Majorität in diesem Augenblick unterhält, wird rot vor Augen. Sie sehen gar nichts mehr. Über bekieste Wege, wo wochentags die Spatzen piepen, rast ihr hastiger Schritt; sie schaufeln in das rote Küchenloch die Kohlen ihrer Arbeit, die Maschine ist im Gange, das Rad läuft auf höchster Tourenzahl ...

Vorn wissen sie scheinbar nichts davon. Einer sagt «Bombengeschäft – das hier!», aber damit ist es auch aus, und im übrigen ist es da vorn *so selbstverständlich*; so, wie wenn einer sagt: «Ich fliege», während er doch geflogen wird ...

Mehr und immer mehr Leute kommen in das Lokal; die Heizer des Vergnügens arbeiten nun so, wie man noch nie Menschen hat arbeiten sehen; Teller rasseln, Wasser spritzt auf fettige Soßenreste; Deckel klappern, Butter zischt, Kochlöffel fallen, Schreie steigen auf, kreuzen sich, sie rufen, brüllen ... Die größte Energie ist hier auf den kleinsten Raum zusammengedrängt. «Ein Schock! – Mock! – Bock!» Gott weiß, was sie rufen – alle Kessel sieden und zischen mit einem Male auf ... da vorn fangen die ersten Kellner an, zu kassieren.

Langsam, ganz langsam, beruhigt sich der Betrieb in der Küche. Die Schreie werden leiser, seltener; durch das Tellergeklapper ist verständlich, was die erste Köchin zum zweiten Koch sagt; der Chef sieht in die Küche und nickt fast anerkennend, einzelne Gäste stehen auf, grüßen, gehen hinaus ... «Phhh – –», macht die Kaffeemaschine und läßt Dampf ab. Aufatmend trocknen sich die Kellner mit der Serviette die Stirn; der Pikkolo macht ein saures Gesicht, weil er noch angestrengt weiter Tabletts tragen soll, während die andern schon aufatmen – und sind immer mehr Gäste gegangen, bald ist es halbleer, viertelleer, fast ganz leer. Nur wir sind noch übrig.

«Musch, hast du Papan lieb?» frage ich.

«Nein», sagt Musch. «Du frißt zu viel.» Siehst du, Küche – wenn man verliebt ist, braucht man dich selten.

Peter Panter, Voss 5.12.1929

170

Die Panne

Nein, nicht jene – wo Vorübergehende mit der verbreitetsten deutschen Regung: der Schadenfreude, auf den schraubenlockernden Automann sehen, in jenem Vollgefühl, wozu doch der Nichtbesitz eines Autos gut ist ... diese Panne nicht. Lasset uns von der Licht-Panne sprechen, die immer, immer aktuell ist.

Knips. «Mama! Kein Licht!» – «Wie? Überall? Probier mal!» Knips. Knips. Überall: kein Licht. Was nun?

Na, Krach natürlich. «Skandal. Unerhört! Wirklich – immer geht das Licht aus! Möchte mal wissen, wozu man eigentlich die teuren Rechnungen ...» Irony begins at home – ich weiß nicht, wie ihr seid – ich bin genau so:

Jedesmal, wenn das Licht nicht funktioniert, steigt eine dunkle, magische Wut in mir auf. Warum, weiß ich nicht. Ich schicke meine schönsten Flüche durch die blaue Nacht – an die Adresse des zuständigen Elektrizitätswerkes, dessen Mannen ich mir gern frühstückend, saufend, gröhlend, in den Armen von Buhldirnen vorstelle – mit allem möglichen beschäftigt, nur nicht damit, ihre Panne zu reparieren. Der Ingenieur ist in diesem Augenblick ein sorgloser Familienvater, der seinem Fritzchen die Briefmarken klebt – aber kümmert er sich vielleicht um meine Panne? Mitnichten. Es ist ein +. Fauchend wird die alte Petroleumlampe hervorgeholt. Da brennt sie. Leise Lyrik zittert über ihrem Zylinder; eigentlich ist dieses alte, gute, gelbe Licht viel schöner als elektrisch, wie? Der Docht knistert, wird mit Verlaub zu sagen beschnitten, dann brennt er ruhig, fast unhörbar zieht er das Öl aus der bauchigen Mulde des Glasbehälters … nun ist es friedlich hell. Diese Lampe – das ist die alte Zeit. Leider stinkt die alte Zeit ein wenig, was man erst merkt, wenn man nach einem Gang ins Freie wieder ins Zimmer kommt. Puh! …! Auch muß ich dabei immer an jenes Liebespaar denken, das unter den traulichen Strahlen der alten Zeit einschlief und als Negerpaar wieder erwachte; die Lampe hatte geblakt, die ganze Nacht hindurch, war dann ausgegangen, und der Ruß hatte sich auf Bett, Gesichter, Nachttisch und Zimmerdecke abgesetzt …

Dankbar ist man der alten Reserve-Lampe. Das Leben fließt auf einmal friedlicher dahin; die Wut auf die Elektrizitäts-Leute ist halb verglommen; die Arbeit geht wie mit Petroleum geölt, die Uhr tickt langsamer …

«Licht!» ruft Senta. Nun könnte man doch die Lampe ruhig weiterbrennen lassen – aber es gehört zu den eisernsten Gesetzen der Zivilisation, daß sie dann sofort auszupusten ist; es gibt kein Beispiel in der Geschichte der Völker, wo jemand seine Petroleumlampe noch hat weiterbrennen lassen, wenn er das elektrische Licht anknipsen kann. Knips – ah!

Vergessen Ärger, Fluch und Kriegserklärung an die Elektrischen. Na, eine kleine Panne … das kann ja vorkommen … Immerhin: daß das Licht brennt, scheint uns eine Selbstverständlichkeit, denn ein Wunder ist es schon lange nicht mehr, höchstens eine etwas ärgerliche Überraschung, wenn der Mann mit den bunten Zetteln kommt, um einzukassieren, was wir verbrannt haben. So viel?

Gottes Wege sind wunderbar, und ein Elektrizitätswerk ohne eine gesunde Panne im Monat gibt es wohl kaum. Merk: je kleiner das Werk, desto zahlreicher die Pannen. $W:W^1 = 1:976$. Ja, das ist so – man kann es nicht beweisen; auf dem Lande pannt das Licht noch viel öfter als in Berlin.

Woran liegt es?

Als einmal in einem Berliner Stadtviertel der Strom aussetzte und alle elektrischen Bahnen auf der Straße stehen blieben wie gelähmte Elefanten, da stand ich neben dem Fahrer und sah ihn fragend an. «I», sagte der; «wat der Inschehnjör is, da in die Zentrale – der will doch auch mal einen kippen!»

Daran liegt es.

Peter Panter, Voss 8.12.1929

171

8 Uhr abends – Licht aus!

> Ein Gefangener, der drei Jahre Pfleger im Schweinestall der Strafanstalt S. gespielt hat, erklärte mir, daß er mindestens hundert Gefangene im Verkehr mit Tieren beobachtet habe.
>
> *Karl Plättner, Eros im Zuchthaus*

> «Die Arbeit war nicht so schlimm, Herr Direktor. Aber die Nächte – die Nächte – –»
>
> *Ein Entlassener*

Es wäre verfehlt zu glauben, daß die Veröffentlichungen von Max Hölz und Karl Plättner, von Lampel und anderen ganz und gar spurlos an den Strafvollzugsbehörden vorübergegangen seien. Sie haben wenigstens etwas bewirkt, was so schwer zu erreichen ist: sie sind für die mehr oder minder stumpfen Beamten ein Antrieb geworden. Zwar klingt in den «offiziellen» Publikationen der Ton nur wie aus weiter Ferne: «die Presse … die Filmdarstellungen … Sensation …» aber immerhin: sie sind doch aufgewacht. Wozu es immer eines Anlasses von außen her bedurft hat; was im Strafvollzug durchgesetzt worden ist – wie zum Beispiel die Aufhebung der Prügelstrafe – das ist von außen her durchgesetzt worden.

In der Nummer 3 (1929) der ‹Zeitschrift für die gesamte Strafrechtswissenschaft›, herausgegeben von Kohlrausch und Gleispach (Verlag Walter de Gruyter & Co., Berlin) verbreitet sich der Oberjustizrat Werner Gentz über ‹Das Sexualproblem im Strafvollzuge›. Das ist eine höchst lehrreiche Sache.

Herr Gentz gehört, nach diesen Ausführungen zu urteilen, zu den Männern, die etwas Gutes für die Gefangenen wollen. Er ist ehrlich bemüht, ihre Lage zu heben. Wie unendlich schwer sich dergleichen durchsetzt, wissen wir; die älteren Geheimräte in Deutschland sind immer etwas gewesen, was sie selbst nicht gern «liberal» nennen hören, was es aber ist – wie das nachher unten in der Praxis wirklich aussieht, wissen sie kaum, oder sie wollen es nicht wissen. Dieser hier weiß es. Aber doch ... lasset uns hören.

Gentz gibt zunächst die schreckliche Tortur zu, die darin besteht, erwachsene Menschen vom Sexualverkehr gänzlich abzuschneiden.

> Nach den Erfahrungen der Anstaltsärzte gibt es kaum einen Gefangenen, der sich bei längerer Strafdauer von sexuellen Ersatzhandlungen freihält; alte oder stumpfe Menschen etwa ausgenommen. 80 Prozent der Gefangenen etwa begnügen sich mit onanistischen Manipulationen, 10 bis 20 Prozent ergeben sich der mutuellen Masturbation oder homosexuellem Verkehr.
> Es gibt Gefangene, die sich jede Nacht mehrmals befriedigen.

Gentz weist dann darauf hin, daß die Ausrede, der Gefangene sei wahrscheinlich «schon immer so gewesen», nur für die exzessivsten Triebhandlungen Geltung habe – nicht für den fürchterlichen Normalzustand. Er weist ferner rechtens darauf hin, daß die Gefangenen ja eine Art Minusauslese darstellen, daß sie zum großen Teil in den Jahren der Vollreife in die Anstalt kommen und daß zu dieser Vorbelastung noch die besondere Lage des Gefangenen hinzukommt. Die gibt er so wieder, wie sie wirklich ist – nicht ganz vollständig, aber ehrlich und offen:

Eintönige und schlecht entlohnte Arbeit; zu viel Zeit des stumpfen Dösens; die wahnwitzige Bestimmung, daß der «Einschluß» mit «Licht aus!» um acht Uhr abends erfolgt, so daß also die Leute mit geringen Ausnahmen während neun Monaten im Jahr täglich volle zehn bis elf Stunden im Dunkeln zubringen müssen. Man stelle sich das vor, wenn man es kann – und male sich das weitere aus. Dazu die Unfreiheit auf allen Gebieten, auch da, wo sie gar nicht nötig ist; «der Gefangene», zitiert Gentz ein sehr gutes Wort, «lebt nicht; er wird gelebt.»

Gentz nimmt dann eine ärztliche Anschauung, daß die völlige Abstinenz für den Menschen normaler Verfassung keine organischen oder funktionellen Schäden habe, als die herrschende und darum richtige Theorie hin. Das ist nicht richtig. Organische Schäden sind wohl nur selten zu verzeichnen; funktionelle aber gewiß, und Herr Gentz muß wissen, wie bestritten die Anschauung über diesen Punkt in der medizinischen Literatur ist. Er gibt dann selbst zu:

> Solche unfreiwillig geleistete Abstinenz ist imstande, einen Menschen seelisch schwer zu beeinträchtigen.

Er spricht davon, daß die Gefahr der Päderastie, und besonders dieser durch sonst Normale so erworbenen Päderastie, im Charakterologischen liege; er weiß, daß die exzessiv geübte Masturbation immer schadet; er weiß von den Sorgen, die sich die verheirateten Gefangenen zu allem andern noch um das Verhalten der Ehefrau machen – alles das weiß er und sagts auch. Dafür muß man ihm Dank wissen.

Also –?

Also gibt es doch wohl nur einen Weg: Freiheit des Sexualverkehrs der Gefangenen, unter Aufrechterhaltung der nötigen Maßregeln für die öffentliche Sicherheit … müßte man denken. Aber damit ist es nichts. Denn:

Erstens müßte, sagt Herr Gentz, den Gefangenen, nämlich den verheirateten, «in so kurzen Zwischenräumen Urlaub gegeben werden», daß der Haftzweck darunter leidet. Welches ist dieser Haftzweck? Die «systematische Erziehung des Gefangenen zum sozialen Verhalten». Das lernt er in Plötzensee, falls Sie das noch nicht gewußt haben, in Anstalten, von denen nun ausnahmslos alle Kenner, die Leidenden und die Wissenden, aussagen, daß sie Brutstätten für Schweinerei, Duckmäusertum und ein miserables soziales Verhalten sind. Das Duckmäusertum geht heute hauptsächlich auf das böse «Dreistufen-System» zurück, mit dem unendliches Unheil angerichtet wird. Man findet Näheres darüber bei Hölz. Was aber die kurzen Urlaubs-Zwischenräume angeht, so ist das unrichtig – ein Urlaub, alle drei Monate erteilt, wäre schon eine große Linderung.

«Es kann nicht die Aufgabe des Strafvollzuges sein», sagt Herr

Gentz, «dem Gefangenen in erster Linie ein Leben nach seinen Trieben zu ermöglichen.» Nach seinen? Nein. Nach den menschlichen: ja; ihr könnt ihm ja auch zum Beispiel für die Dauer der Haft das Wasser entziehen – das wäre genau so logisch und vernünftig wie die Unterbindung des Geschlechtsverkehrs.

Die öffentliche Sicherheit. Das ist richtig, wenn es sich um gemeingefährliche Menschen handelt – es gibt aber sehr viele, die sicherlich einen solchen Urlaub nicht zu neuen Straftaten benutzen werden.

Der rasse-hygienische Gedanke. Da müßt ihr nicht den sinnlosen §218 ins neue Strafrecht hinübernehmen; so ist eine Untat mit der andern verknüpft. Ad maiorem ecclesiae gloriam.

«Untunlich wäre es, aus biologischen Einsichten heraus, die jugendlichen Gefangenen zu beurlauben.» Was sind dies für biologische Einsichten? Wie heißen die? Wo liegt die Grenze? Soll ein achtzehnjähriger Arbeiter keusch leben?

Das alles aber bezieht sich auf die Verheirateten. Was nun die Unverheirateten angeht, da wirds ganz schlimm – und gleich so, daß hier ein grundsätzlicher Standpunkt zu betrachten ist. Wer ist das eigentlich –: die deutsche Gemeinschaft?

> Sehr bedenklich würde es erscheinen, unverheirateten Gefangenen, die einen solchen Urlaub psysiologisch ebensosehr oder ebensowenig brauchen wie Verheiratete, diesen Urlaub zu erteilen. Das hieße eine Sexualordnung staatlich anerkennen, die nicht die der die Gemeinschaft beherrschenden Sittengesetze ist.

Das ist nicht wahr. Die künstlich aufgeblasene Schicht der deutschen Beamten hat nicht das Recht, uns Sittengesetze aufzuoktroyieren, denn dazu hat sie niemand legitimiert. Weder sind die Sittengesetze so, wie sie Gentz schildert, noch sind sie so, wie er sie sich wünscht. Nach seiner Kaste kann er das nicht beurteilen.

Es gilt in den Kreisen der aufgeklärten deutschen Volksgenossen keineswegs für eine Schande, daß ein nicht verheirateter Mann oder eine nicht verheiratete Frau Geschlechtsverkehr hat. Es ist ja möglich, daß sich etwa die Postverwaltung noch nicht bis zur Erkenntnis solcher soziologischen und sittlichen Wahrheit durchgerungen hat und zum Beispiel ihren weiblichen Angestellten kündigt, wenn sie ein uneheliches Kind bekommen – mit der Realität hat das nichts zu tun. Vielleicht ist das so: der außereheliche Geschlechtsverkehr, und zwar nicht der mit Prostituierten, ist die Regel für Hunderttausende und Millionen von Arbeitern und Angestellten, die nicht heiraten können oder es nicht wollen. Daran kann man nicht vorbei. Mit welchem Recht wird hier ein Sittenkodex statuiert? Mit dem Recht des Pensionsberechtigten? Das verbitten wir uns. Wir verbitten uns das im Namen jener gequälten Gefangenen, die nicht warten können, bis Herr Gentz von den Idealen seiner Jugend und seiner Klasse zur Wahrheit gefunden hat. Das ist unsere Tragik: daß Leidende Generationen abwarten müssen, neue Geschlechter, die sich fortentwickeln bis zur Erlösung; bis dahin leiden wir unter den Alten.

Weiter. Wer soll die Kosten solcher Urlaubsreisen tragen? Wenn der Gefangene kein Geld hat, selbstverständlich die Gefängnisverwaltung, die sich ihr Geld bei der reich dotierten Reichswehr anfordern möge; so wie man dem Gefangenen zu essen und zu trinken geben muß, so muß ihm auch seine Gesundheit dadurch erhalten bleiben, daß er nicht zum eingesperrten Tier wird.

Also Urlaub: nein. Und auch in der Anstalt darf das nicht stattfinden.

> Sexualakte in der Anstalt, jedem Gefangenen und Beamten bekannt, von zahllosen Nichtbeteiligten mit Lüsternheit oder mit Zoten begleitet, würden das sittliche Niveau der Anstalten auf einen Tiefstand drücken, den man sich auszudenken scheut.

Immer denk dir aus! Drücken? Diese Anstalten auf einen Tiefstand drücken? Wie macht man das? Ist es denn möglich, noch tiefer zu stehen als diese Häuser, wo körperlicher Schmutz dem seelischen gleichkommt? Nein, das ist nicht möglich. Kennt Herr Gentz die echte Gefangenenliteratur nicht?

> Zudem würde auch auf diesem Wege wieder für die verheirateten Gefangenen eine Vorzugsstellung geschaffen, die ihnen physiologisch vor den Unverheirateten nicht zukommt. Der Gedanke aber, auch

> Unverheirateten solchen Besuchsverkehr zu gestatten, liegt außerhalb jeder ernsten Erörterung.

Genau da, wo das Vorstellungsvermögen des Herrn Gentz aufhört, fängt das unsere an. Genau da, wo jener versagt, leben wir. Wie? Man soll also erst den gestempelten Schein des Standesamtes vorweisen, bevor man ein menschliches Recht auf die Urbetätigung eben dieses Menschengeschlechts geltend machen darf? Zehntausende sollen darunter leiden, daß Herr Gentz noch nicht so weit ist? Daß für diese Beamtenkaste der Geschlechtsverkehr etwa auf derselben Stufe steht wie die Dichtkunst für einen Feldwebel? «Son Quatsch ...» Im Grunde etwas Verdächtiges, nichts für einen ernsten Mann ... Geschlechtsverkehr ist nichts, worüber man grinst. Dieses Unsittengesetz da ist keines. Und Proletarier sind nicht, wie Gentz zu glauben scheint, eine andre Rasse: er und die Proletarier sind einander nachts viel näher, als er ahnt.

Es ließe sich aber beides spielend ermöglichen, wenn man nur wollte: der Sexualverkehr in der Anstalt und der außerhalb der Anstalt.

Die Urlaubserteilung wird sorgfältig zu prüfen sein; die Gewährung des Sexualverkehrs innerhalb der Anstalt kann vor sich gehen in kleinen Gebäuden, die nicht unmittelbar mit der Anstalt verbunden sind – die Garantien, einen etwa solchergestalt vorbereiteten Fluchtversuch zu verhindern, lassen sich schaffen, alles das ist durchführbar: wenn man nur mit den Gefangenen arbeitet, statt auf ihrem Rücken und gegen sie.

Gentz weiß, wie feindlich die Gefangenen der Verwaltung gesinnt sind; das muß aber nicht sein. Er erkennt auch, woran es liegt – aber er ist viel zu sehr in den Anschauungen der deutschen Beamten, also einer gewissen, nicht immer sehr hochstehenden bürgerlichen Mittelschicht befangen, als daß er es wagte, die Konsequenzen zu ziehen. Dazu kommt die verhängnisvolle Täuschung, diese Kastenanschauungen als allgemeingültige und als einzig mögliche Sittengesetze anzusehen ... und so geschieht denn das unsägliche Unglück.

Gentz sieht die geistige Öde, die Freudearmut, die innere Lieblosigkeit der Anstalten; er weiß von der Unwohnlichkeit der

Zellen und der Gemeinschaftsräume; von der widerwärtigen Aufmachung des Essens; von der Schweinerei der Notdurftkübel; – bis herunter zum mangelhaft rasierten Bart sieht er das, und er weiß auch, daß das eben keine «Äußerlichkeiten» sind. Er weiß, daß die Körperpflege in den Anstalten unter aller Kritik ist; daß die Kleidung unzweckmäßig ist; er weiß von den Bädern ... und hier funktioniert es; die Weltanschauung von 1905 macht sich breit, und was noch ein Herr Gentz aus dem Jahre 1876 nicht für möglich gehalten hätte, hier wirds wahr:

> Es dürfte sich auch empfehlen, davon abzusehen, die Brausebäder in Holz- oder Drahtglasboxen zu verabfolgen. Es hat wenig Sinn, den Gefangenen den Anblick entblößter Körper zu verbergen. Das sind Methoden einer überwundenen Anschauung, die mit natürlicher Schamhaftigkeit nichts zu tun hat und die aus dem Umgang mit dem Körper des Menschen eine «heimliche Prozedur» machen.

Auf einmal –! Auf einmal geht es, und es geht sogar sehr schön. Nein, der Herr Gentz und die Seinen sind eben nicht das Maß aller Dinge. Eine überwundene Anschauung? Aber was er da vom Geschlechtsverkehr erzählt, sind längst überwundene Anschauungen, die nur noch vom Staat, von der Kirche und einem mittleren Bürgertum künstlich konserviert werden, das sich als den praeceptor Germaniae aufspielt, ohne es jemals gewesen zu sein.

Die Sexualanschauungen dieses Mannes stehen in krassem Gegensatz zu seinen sonstigen Meinungen über den Strafvollzug, die recht vernünftig anmuten. Selbst der törichte Einwand, «dann lebten ja viele Gefangene besser als in der Freiheit», wird gut zurückgewiesen: «Auch als Kulturträger hat der Staat im Gefängnis eine Aufgabe zu erfüllen.» Er erfüllt sie aber nicht.

Gentz weiß viel – aber zu wenig. Er hat Herz – aber zu wenig. Er will das Gute – aber lange nicht das Beste. Wir aber wollen es.

Wir glauben, daß der Zweck der Strafe weder Vergeltung noch jene überhebliche «Erziehung» ist, bei der man sich erst einmal fragen muß, wer denn da eigentlich erzieht –: der alleinige Zweck der Strafe ist die Sicherung der Gesellschaft. Also hat niemand das Recht, den Gefangenen mehr zu nehmen, als diese Sicherung erfordert: nämlich die Freiheit. Fast alles andere sind Zutaten, die in ihrer Mehrheit nur bedeuten, daß der Strafvollzug noch immer dem primitivsten und niedrigsten Rachetrieb nachgibt, der denkbar ist. Ich stehle – und falle damit unter die sehr dubiosen Triebe irgend eines Direktors, der auf mir herumregiert? Was soll das? Mich bessern? Erzählt doch nichts – dieser Strafvollzug ist nur das böse Korrelat zum Verbrecher, sie ergänzen einander, ohne daß etwas gebessert wird. Zu schweigen davon, daß die kriminellen Triebe der besser gekleideten Stände in den Positionen von Staatsanwälten, Richtern und Zuchthausdirektoren einen legalen Ablauf finden …

Der Rechtsbrecher hat sich außerhalb der Gesellschaft gestellt. Deshalb darf diese ihn nicht außerhalb des Rechts stellen – Recht kann man nur in bedrohten Lagen erkennen; wenn es da nicht gilt, taugt es nichts. Im Alltag, wo nichts vor sich geht, kann jeder ein Rechtsbewahrer sein – vor einem Lustmörder wird die Sache schon schwerer.

«Grade die ethischen Normen», habe ich gelernt, «sind es, die von früher Jugend auf als fertige Fremdsuggestionen von der Umwelt wie die Atemluft beständig aufgenommen und zuletzt so verfestigt werden, daß es auch im erwachsenen Alter nur den wenigsten Menschen und diesen nur unvollständig gelingt, sich von den ethischen Anschauungen ihrer Umwelt zu emanzipieren, wenn diese konsequent im selben Sinne gewirkt haben … Leute aus Berufen mit ausgeprägten starren Standesansichten, wie manche Beamten- und Offizierskasten, sodann Leute, die in einer gewissen geistigen Enge aufgewachsen und wenig in verschiedenen Lebenskreisen umhergewürfelt worden sind und denen es daher nicht möglich ist, sich die nötige Freiheit und Elastizität ihrer ethischen Anschauungen zu erwerben.»

Wir haben so viel von der Psychologie der Verbrecher gehört. Uns fehlt ganz etwas andres. Gebt uns die Seelenkunde der Beamten.

Ignaz Wrobel, WB 10.12.1929

172

Die Nachfolgerin

Ich hab meinen ersten Mann gesehn –
der ging mit einer!
Hütchen, Rock und Bluse (Indanthren)
und zwei Kopf kleiner!
Sie muß ihn wohl ins Bureau begleiten …
Über den Geschmack ist nicht zu streiten.
Na, herzlichen Glückwunsch!

Sein Gehirn ist bei der Liebeswahl
ganz verkleistert;
wenn er siegt, dann ist er allemal
schwer begeistert.
Ob Languettenhemd, ob teure Seiden –
seinetwegen kann man sich in Säcke kleiden …
Na, herzlichen Glückwunsch!

Frau ist Frau … wie glücklich ist der Mann,
dem das gleich ist!
Und für sowas zieht man sich nun an!
Als ob man reich ist!
Das heißt: für ihn?
Wir ziehen unsre Augenbrauen
für und gegen alle andern Frauen.
Immerhin erwart ich, daß ers merken kann;
ich will fühlen, daß ich reizvoll bin.
Dreifach spiegeln will ich mich: im Glas, im Neid, im Mann.
Der guckt gar nicht hin.
Liebe kostet manche Überwindung …
Männer sind eine komische Erfindung.

Theobald Tiger, WB 10.12.1929

173

Cabaret-Kritik

Wer mit einem Unternehmen Geschäfte macht, darf es nicht öffentlich kritisieren; ich verkaufe manche Gedichte an die berliner Cabarets, also kann ich sie namentlich weder loben noch tadeln. Aber eine allgemeine Bemerkung sei gestattet:

Da haben sie sehr begabte Frauen; lustige Komiker; alles Mögliche haben sie – aber ein Typus, der beinah gänzlich fehlt, ist der Mann, der einfach nett ist. Den haben sie nicht.

Statt dessen ist da der Tenor … man lege mich auf einen Diwan und psychoanalysiere, der Analytiker im Rücken, daß die Funken stieben: kaum wird sich dieser Abscheu anders als reinlich erklären lassen. Ist der Cabaret-Tenor nicht abscheußlich? Diese Schmalzstimmen; dieser Charme aus der Bötzowbrauerei; dieses Mäulchengemache und Tönegeziehe … bau-bau – das mag man nicht.

Kein Wunder, daß sie ein Zeug singen, das ihnen durchaus adäquat ist. Ich habe keine Zeit, mich damit abzugeben – dies ist nur ein kleiner Notschrei, weil wir sonst keine Sorgen haben. Immerhin wäre es doch hübsch, einmal abends eine angenehme halbe Stunde zu haben, anstatt diese Haarpomade schlucken zu müssen. Gibts nichts anderes? Doch. Aber sie sind taub.

Da hören wir nun jahraus, jahrein die englischen und amerikanischen Platten; wir geben zu, daß es auf die Dauer etwas fade ist, immer wieder «blue» und «sweet-heart» und «happiness» zu hören – aber etwas können wir aus ihnen lernen. Daß es eine unfettige, eine schmalzlose Nettigkeit gibt, eine freundliche Tändelei, die nicht den Phallus schwingt sondern die einfach sagt: Wir sind hier abends zusammengekommen, die Geschäfte sind vorbei – nun wollen wir uns einen kleinen singen.

Dazu brauchte man nicht einmal die Angelsachsen. In Paris gibts das tausendfach – in jedem Cabaret. Kleine Liedchen, gewiß keine Meisterwerke, meilenweit von diesen schrecklichen «Schlagern» entfernt, in denen Spekulationssucht und Idiotie um die Grammophonpalme ringen. Ein paarmal habe ich mir die französischen Texte gekauft; man merkt erst beim Lesen, wie gut sie sind: da sind sie nämlich schlecht, weil sie für den Vortrag geschrieben sind. Und da das Ohr viel weniger und viel weniger schnell aufnimmt als das Auge, so haben diese Chansonniers mit ihrem untrüglichen Instinkt für das, was man mit ästhetischem Wohlgefühl ertragen kann, ein Minimum von Schmalz aufgewendet, um ein Maximum von Charme zu entwickeln. Natürlich gibt es drüben auch Margarine-Lieder, aber feste – doch sind das wieder andere. Wir haben fast nur sie. Zwischen Keß und Schmalzig ist hier nichts.

Könnte aber etwas sein. Klabund hat das gekonnt; Kästner kann es; ihr braucht euer Publikum nur zu erziehen. Ihr braucht es nicht zu erziehen – denn im Grunde versteht es das sehr gut. So blöd liebt ja kein Mensch mehr, wie das in euern Texten vor sich geht («Ich habe heute Premiere bei einer schönen Frau –»); lieber eine Tasse warmes Maschinenöl im Bauch, als dabei sein müssen, wenn die Konfektion lyrisch wird. Auch dies ist Deutschland: zwischen der gepanzerten Radaukomik und dem ranzigen Fett miekriger Gefühle klafft die Leere. Sie sind nicht nett.

Peter Panter, WB 10.12.1929

174

Eine Frau denkt

Mein Mann schläft immer gleich ein … oder er raucht seine
Zeitung und liest seine Zigarre
… ich bin so nervös … und während ich an die Decke starre,
denke ich mir mein Teil.

Man gibt ihnen so viel, wenigstens zu Beginn. Sie sind es nicht
wert.
Sie glauben immer, man müsse hochgeehrt
sein, weil man sie liebt.
Ob es das wohl gibt:
ein Mann, der so nett bleibt, so aufmerksam
wie am ersten Tag, wo er einen nahm …?
Einer, der Freund ist und Mann und Liebhaber … der uns mal
neckt,

mal bevatert, der immer neu ist, vor dem man Respekt
hat und der einen liebt … liebt … liebt …
ob es das gibt?

Manchmal denke ich: ja.
Dann sehe ich: nein.
Man fällt immer wieder auf sie herein.

Und ich frage mich bloß, wo diese Kerls ihre Nerven haben.
Wahrscheinlich … na ja. Die diesbezüglichen Gaben
sind wohl ungleich verteilt. So richtig verstehen sie uns nie …
Weil sie faul sind, murmeln sie was von Hysterie.
Ist aber keine. Und wollen wir Zärtlichkeit,
dann haben die Herren meist keine Zeit.
Sie spielen: Symphonie mit dem Paukenschlag.
Unsere Liebe aber verzittert … das ist nicht ihr Geschmack.
Hop-hop-hop – wie an der Börse. Sie sind eigentlich nie
mehr als erotische Statisterie.
Die Hauptrolle spielen wir. Wir singen allein Duett,
leer in der Seele, bei sonst gut besuchtem Bett.

Mein Mann schläft immer gleich ein … oder er dreht sich um und
raucht eine Zigarre …
Warum? Weil …
Und während ich an die Decke starre,
denke ich mir mein Teil.

Theobald Tiger, WB 17.12.1929

175

Zeitungsdeutsch und Briefstil

Es ist schon einmal besser gewesen: vor dem Kriege. Das heißt nicht etwa, die gute, alte Zeit heraufbeschwören – man blättere nach, und man wird von damals zu heute einen bösen Verfall der deutschen Sprache feststellen. In zwei Sparten ist das am schlimmsten: in der Presse und in den Briefen, die die Leute so schreiben.

Was in den Zeitungen aller Parteien auffällt, ist ein von Wichtigkeit triefender und von Fachwörtern schäumender Stil. Die Unart, in alle Sätze ein Fachadverbium hineinzustopfen, ist nunmehr allgemein geworden. Man sagt nicht: «Der Tisch ist rund.» Das ist viel zu einfach. Das heißt: «Rein möbeltechnisch hat der Tisch schon irgendwie eine kreisrunde Gestalt.» So heißt das. Sie schwappen über von «militärwissenschaftlich», «städtebaupolizeilich» und «pädagogisch-kulturell». Gesagt ist mit diesem Zeug nicht viel: man weiß ja ohnehin, daß in einem Aufsatz über das Fußballspiel nicht von Kochkunst die Rede ist. Aber der betreffende Fachmann will dem Laien imponieren und ihm zeigen, wie entsetzlich schwer dieses Fach da ist ... Die meisten Zeitungsartikel gleichen gestopften Würsten.

In den Briefen ist es etwas andres. Da regiert die Nachahmung des flegelhaften Beamtenstils.

Es ist rätselhaft, wie dieses Volk, das angeblich so unter seinen Beamten leidet, sich nicht genug tun kann, ihnen nachzueifern – im Bösen, versteht sich. Ist es denn nicht möglich, höflich zu schreiben? Aber jede Speditionsfirma sieht ihre Ehre darin, Briefe herauszuschicken, die wie «Verfügungen» anmuten. Da wird ehern «festgestellt» (damit es nicht mehr wackelt); da wird dem Briefempfänger eines auf den Kopf gehauen, daß es nur so knallt – und das ist nun nicht etwa «sachlich», wie diese Trampeltiere meinen, die da glauben, Glattheit lenke von der Sache ab – es ist einfach ungezogen. Sie haben vor allem von den Beamten gelernt, jeden Zweifel von vornherein auszuschalten. Liest man die Briefe, so sieht man immer vor dem geistigen Auge:

Tagesbefehl.

1. Es stehen bereit: 8.30 Uhr vormittags Abteilung Löckeritz auf der Chaussee Mansfeld-Siebigerode ...
2. Ich befinde mich im Schloß.

und so fort –

als ob man nicht auch in einem Geschäftsbrief an den entscheidenden Stellen leicht mildern könnte. Aber nein: sie regieren.

In erotisch-kultureller Beziehung denke ich mir den Liebesbrief eines solchen Korrespondenten so:

Geheim! Tagebuch-Nr. 69/218.

Hierorts, den heutigen

1. Meine Neigung zu Dir ist unverändert.
2. Du stehst heute abend, 7 ½ Uhr, am zweiten Ausgang des Zoologischen Gartens, wie gehabt.
3. Anzug: Grünes Kleid, grüner Hut, braune Schuhe. Die Mitnahme eines Regenschirms empfiehlt sich.
4. Abendessen im Gambrinus, 8.10 Uhr.
5. Es wird nachher in meiner Wohnung voraussichtlich zu Zärtlichkeiten kommen.

(gez.) Bosch,
Oberbuchhalter.

«An einer Seite Prosa wie an einer Bildsäule arbeiten ...», schrieb Nietzsche. So siehst du aus.

Peter Panter, WB 17.12.1929

176

Die zweite Tür

Das ist ein tiefes Geheimnis ...

Ich sehe zwei ernste Männer mit innerlichen Bärten über einen Plan gebeugt, der eine hat einen beneidenswert spitzen Bleistift in der Hand und erklärt dem andern Mann, der eigentlich einen Vollbart tragen sollte, erklärt also dem andern Sollbart seinen Plan. «Hier, Herr Geheimrat», sagt er, «hier kommt also der Eingang hin, – ich habe mir gedacht: zwei Türen ... wegen des großen Verkehrs ...» Der Geheimrat nickt. Daß sein Ministerium so einen großen Verkehr aufweist, erfreut sein Herz; eine Woge von Unabkömmlichkeit steigt in ihm auf ... Zwei Türen? Genehmigt.

Es wird gebaut.

Grundmauern erheben sich, Karren poltern, Stahlgerüste rekken sich steil zum Himmel – es ist alles da. Und da – wenn du genauer hinsiehst –: da sind auch die zwei Türen; noch nicht ganz beendet, aber man kann sie im Rohbau schon ganz gut erkennen. Und dann wird das neue Haus eröffnet, dem Verkehr übergeben, eingeweiht ...

Die Spitzen der Behörden erscheinen, lüften unendlich oft fotografierte Zylinder und schreiten durch weit geöffnete Türen. Reden erschallen und gleiten an den noch feuchten Wänden ab. «Fortab getreu nach dem guten, alten Grundsatz …» Und dann gehen alle nach Hause. Und nun beginnt eben das Geheimnis.

Jedes solcher, mit Verlaub zu sagen, öffentlicher Häuser hat doch einen Pförtner, nicht wahr? Und der pförtnert da also … und warum er dies tut, das weiß ich nicht, aber er tut es:

Er schließt erst einmal eine der beiden Türen zu!

Warum? Welch erschröckliches Geheimnis verbirgt sich dahinter? Gibt es einen Geheimbefehl der Weisen von Zion, die, den Untergang des Reiches zu beschleunigen, den Pförtnern befehlen, immer nur eine Tür aufzulassen? Was sage ich –: eine Tür! Eine halbe – denn die eine Hälfte der einen ist auch noch zugehakt, in den Boden gerammt … und durch den übrigbleibenden Spalt zwängt sich das Publikum, zwängen sich die Menschen, die hinein wollen: in das Ministerium, ins Theater, in den Bahnhof … alle durch eine Tür. Manchmal auch durch zwei. Niemals aber durch alle Türen, die da sind. Was ist es –?

Es ist – wie so häufig im menschlichen Leben – der Apparat, der sich mausig macht. Es ist die Verwaltung, die nicht nur zeigen will, daß sie auch noch da ist (ach! wir wissen es!) – es ist die Verwaltung, die uns zeigen will, daß es uns gar nicht gibt. «Zugluft!» sagen sie. «Von der Generaldirektion wird uns mitgeteilt, daß aus betriebstechnischen Gründen …» Glaubt's nicht. Das ist es alles nicht.

Man sehe sich etwa den pompösen Eingang der Berliner Staatsbibliothek an, und man hat genau, was ich meine. Vorn ein stets halb geschlossenes Gittertor, dann im Hauptgebäude mehrere Türen, von denen nur zwei kleine fast widerwillig geöffnet sind. Niemals die mittlere, – die ist wahrscheinlich für den Studenten reserviert, der ein gangbares Buch erbat und es am selben Tage bekam … Daher ist diese Tür geschlossen.

Aber die meisten dieser Türen sind geschlossen; nur an hohen Fest- und Feiertagen werden sie geöffnet, auf daß der Minister oder der Präsident hindurchschreite und eine Rede rede … Sonst sind sie zu. Für das mindere Volk sind sie zu. Das Volk hat sich durch die kleinen Pforten zu zwängen. Es ist ein Geheimnis.

Edgar Wallace wird es eines Tages lüften. Es wird sich herausstellen, daß niemand durch die zweite Tür hindurchgehen darf, weil Lord Carvership dem berüchtigten Yeh Ling am 5. April 1919 einen Bandwurm abgetrieben hatte, – wie jeder Fachmann sofort sieht: ein Signal, um die berühmten Vier zum Eingreifen zu bewegen … Yeh Ling wurde im Hyde-Park aufgefunden, verhältnismäßig tot, zu gleicher Zeit starben zwei Verleger von Wallace eines unnatürlichen Rabatts, Miß Tabbersons Ring lag unter der Türschwelle, der alte Carder radierte sich gemächlich die falsche Tätowierung ab … es ist ein tiefes, tiefes Geheimnis … und deswegen darf keiner von uns durch die zweite Tür gehen.

Peter Panter, Voss 18.12.1929

177

Kritik aus der Erinnerung

Bei Tante Friedeberg in Stettin stand auf dem Schreibtisch die Sonne meiner Kindheit: eine kleine Glaskugel mit einem Weihnachtsmann drin. Wenn man die Kugel auf den Kopf stellte, so daß ihre Marmorplatte, auf der sie saß, zu oberst kam, dann fing es an, in der Kugel zu schneien. Es war eine einzige Herrlichkeit. Stellte man die Kugel wieder auf den Tisch, so fuhr es fort, zu schneegestöbern. Langsam, ganz langsam setzten sich die Schneeflocken dem Weihnachtsmann auf die Mütze, auf seinen Ruprechtssack und auf den Boden der Kugel … sachte, sachte. Erst wenn sie sich alle gesetzt hatten, sah man wieder klar. Erbarmungslos klar: der Weihnachtsmann war eine kleine Murks-Puppe, und die Schneeflocken Schnipselchen aus irgend einer Masse. Abwarten ist immer gut.

*

Über die Reinhardtsche Inszenierung des Hamsunschen ‹Vom Teufel geholt› ist das Entzücken groß; das etwas schwer zugängliche Stück soll sogar ein Geschäft sein. Das buchen die mitwirkenden Schauspieler auf ihr Konto, Reinhardt auf das seine, ein Jammer, daß die Leute dem Autor Tantiemen zahlen müssen: der

Abend ist gut besucht, obgleich man sein Stück spielt … Was geht da vor –?

Nun haben sich die Flocken gesetzt, die berliner Stimmen sind verhallt, ich sitze in der Stille, und aus den bunten Mappen kommen die Erinnerungen …

Hamsun? Es war wildgewordenes Wachsfigurenkabinett; Spezialitätentheater von wundervollen Chargen – es war, in einer kleinen Glaskugel: Deutschland; herrliche Einzelleistungen, aber ohne Harmonie. Ist das noch Theater? Es ist nur Theater.

«Das Theater», hat Reinhardt dekretiert, «gehört dem Schauspieler.» So ähnlich sagts Gordon Craig auch, nur mit ein bißchen andern Worten – und beide haben von sich aus gegen uns recht. Das Publikum will die dramatische Erschütterung, weinen will es und lachen, bewegt sein will es, und zwar in Gefühlen, die latent schon vorhanden sind und die nur darauf lauern, daß man sie ins Freie läßt – geschaffen werden soll hier nichts, hier soll einer vorhandenen Menagerie Futter gegeben werden … Gut. Aber wenn dem schon so ist: dann sollte es wenigstens sauber zugehen.

Das Stück Hamsuns, der von Hause aus kein Dramatiker ist, stammt von gestern und wurzelt auch dort. Warum soll im Jahre 1929 eine Frau Mitte der Vierziger aufschreien: «Ich kann nicht loslassen! Ich kann nicht loslassen!» – Wer verlangt das von ihr? Sie kann, verheiratet oder nicht, schlafen mit wem sie mag; dergleichen ist nicht mehr sehr interessant, denn die Welt sieht ja nicht so aus, wie eine unsägliche Provinzpresse sie ihren bürgerlichen Lesern, die auch inserieren, vorspiegelt …

Dann soll man also das Stück Hamsuns nicht mehr spielen? Dann soll man es nicht mehr spielen. Aber ummodeln, Melodien hineinstreuen oder fortlassen, mit Verlaub zu sagen: fälschen – das soll man nicht. Brauchte Reinhardt den alten Gihle als fröhlichen Weinbergbesitzer? Das kann man verstehen; nur hat dergleichen mit Hamsun nichts zu tun. Ich sehe ordentlich den Regisseur im Parkett sitzen und jeden Hauch der bezaubernden Komik Romanowskys abschmecken … was der da vorführt, ist milde und mundet schön; aber wäre Hamsun da gewesen: er hätte sich in Krämpfen gewunden. Dieser alte Gihle ist in Wahrheit ein böser Monomane in Filzbabuschen, das Herz verhärtet wie sein Stuhlgang, ein böser, alter Mann. Der Nabob Klöpfers ... es gibt in einem Stück von Kurt Goetz eine der schönsten Regie-Anmerkungen, die ich jemals gefunden habe. Es heißt dort: «Herr Müller ist kein jugendlicher Komiker; sondern Ingenieur.» Das sollte man den Herren Schauspielern in die Garderoben malen. Klöpfer hatte eine Rolle (mit vier Rs) unter den Händen, er krempelte sich die Ärmel auf, tauchte die Arme bis zu den Ellenbogen hinein, wurde von Reinhardt am äußersten gehindert ... und gab nur sich selbst: einen guten Schauspieler. Nabob? Kaufmann, der in die Heimat zurückkommt? Abenteurer? Nichts davon. Manchmal hatte er nichts zu sagen; dann saß er still und ließ nur seine Augen spielen ... und dann, wenn das Stichwort herannahte, gab es ihm einen Ruck, das Schauspielerische fuhr in ihn, und nun begann er zu spielen. Viel Kunst fürs Geld.

Da ist ein von den Weibern ausgehaltener Kerl, Herr Blumenschön ... warum wird er von den Weibern ausgehalten? Weil er – am Tag und bei der Nacht – Charme hat; sonst wäre dergleichen nicht erklärlich. Herr Homolka gibt einen düstern und rohen Patron; weshalb um alles in der Welt verlobt sich ein nettes Mädchen mit ihm? trägt eine mannstolle ältere Dame ihr Geld zu ihm? alles, weil er so unausstehlich ist?

Da ist ein Leutnant ... diese Rolle hat einmal Biensfeldt gespielt ... täuscht mich die Erinnerung? Aber so kann sie nicht täuschen: Biensfeldt trat auf und war ein unglücklicher Mensch; schief verliebt, versoffen, er verstand die Welt nicht mehr – und was sehen wir hier? Eine Operettencharge, die von allen Direktoren reihum engagiert wird, damit sie immer wieder dasselbe spiele: sich, den Herrn Julius Falkenstein – leicht daran erkennbar, daß er spricht wie ein in die Erde gegrabener Mensch, mit Glatze und hohler Stimme. Also angetan hat er herauszukommen, damit das am Tage stark beschäftigte Publikum gleich wisse und mit einem leisen Rauschen quittiere: «Falkenstein!» – Hat dergleichen noch mit Schauspielkunst zu tun?

Da ist der Musiker Fredriksen. Nie, seit die Welt steht, hat sich ein noch so betrunkener Musiker so bewegt wie Herr Sokoloff; da ist das kluge Fräulein Mosheim, dessen aufgeweckt berlinische Augen vernünftig über das Ganze hinwegsehen, die Augen sind anscheinend gar nicht mitengagiert; da ist, leise und unaufdringlich, Paul Graetz … aber sagt mir doch, was das alles mit Hamsun zu tun hat?

Gut, nicht mit Hamsun. Also dann: das wäre Theater? Das ist gefüllte Milz – nicht Theater. Selbst so eine Leistung wie die Lucie Höflichs macht dergleichen nicht gut; einziger Augenblick, wo das Dichterische zu spüren ist, ihr Schlußwort; wie sie zu dem Neger ihr gefärbtes Willkommen spricht –: das ist große Schauspielkunst. Aber sonst schauert es nicht von der Bühne herunter: wie nüchtern die Rauschszene im Restaurant, wo Komik und Grauen ineinander übergehen sollten und wo Leere ist, ausgefüllt von den Mätzchen der Schauspieler. Diese Figuren werden ruckweise dem Gelächter eines nervösen Publikums preisgegeben, das ja gar keine Tragik will. Hamsun wird verraten – denn Hamsun macht sich gar nicht über diese Provinzialen lustig. Bei Reinhardt taucht eine Horde von mehr oder minder bunt angetuschten Trotteln auf – wildgewordene Chargen wie jener Onkel Theodor, der dem alten Gihle nachoperettelt …

Man hat zu wählen.

Entweder das Theater stilisiere, wie es die Japaner tun. Dann spielt es sich auf einer völlig andern Ebene ab als die ist, der das Publikum grade entronnen ist –: hie Spittelmarkt – hie Stil. So machts Chaplin, so macht es eigentlich jedes Theater der Welt.

Eine Unterart dieser Stilisierungskunst – nicht, wie Holz gedacht hat, ihr Widerpart – ist das naturalistische Theater. Wenn aber schon naturalistisch; wenn schon genaue Nachbildung von Gaslampen und Inneneinrichtung –: dann wenigstens richtig. Ihr seid zu dritt in deinem Arbeitszimmer; Paul geht hinaus. Nun ruddelst du mit Erna über Paulchen. Sag mal: siehst du dann wie gebannt in die Tür hinein, die jener grade hinter sich zugemacht hat? Du denkst gar nicht daran: du siehst Ernachen ins Gesicht und klatschst munter über Pauleken. Und so hundertmal – was sind das alles für lächerliche Schauspieler- und Theatergebräuche, die man nicht mehr sehen mag …

Ja, wer mag sie nicht sehen –? Das ist die große Frage. Vielleicht hat Reinhardt Unrecht; seine Kassenrapporte aber haben recht. Tritt im Theater und auch bei Reinhardt ein Dienstmann auf, so tritt die ewige Idee des Dienstmanns auf – immer, immer derselbe; vielleicht einmal, in den achtziger Jahren vague beobachtet – und nun ewig, ewig kopiert, immer derselbe, immer derselbe: die Charge, nicht das Leben. Oder ihre neurasthenische Umkehrung: der, ders anders macht. Aber vielleicht verstände das Publikum die neue Nuance gar nicht? Vielleicht gehen die Leute gar nicht mit, wenn ihnen einer zeigte, wie sie wirklich sind? Pallenberg hats ihnen so oft gezeigt; ich glaube, daß sie doch am meisten dann lachen, wenn er sich gewollt dem Schema nähert ... das verstehen sie, das geht ihnen ein, da fühlen sie sich sicher. Unser Theater ist, wenn es sich naturalistisch gibt, Bürgertheater von 1890, mit einer leichten, wenig regenfesten Farbe bestrichen. Kratze das Theater – und du hast die veraltete Klasse, die es geschaffen hat.

Dies ist zunächst keine politische Frage – denn es sieht auf der linken Seite nicht gar so viel besser damit aus; da machen nur die Maschinen mehr Radau. Aber ist das noch Hamsun, ist das noch Theater, wenn in so einem Stück, das gefälligst im Dunkeln zu phosphoreszieren hat, jeder Schauspieler aus seiner Rolle ein «Kabinettstückchen» macht? Im Bühnenklub sagen sie «Stibinettskackchen», und das ist es auch.

Und nun noch ein holpriger Text, über den man alle Naselang stolpert, und dann Hamsun als Vorwand für ein lebendig gewordenes Wachsfigurenkabinett –: es ist nie gut, wenn eine Institution sich selbständig macht.

*

Da war der Abschied von Berlin viel besser. «Carows Lach-Bühne» am Weinbergsweg – diss wah nu janz richtich.

Erst haben sie uns beinah verhauen: den Tisch bekamen wir nur, weil es hieß, Jannings sei mit uns; einer fragte, ob ich es wäre, und einen Herzschlag lang verspürte ich, wie schön Ruhm sein müßte – und dann kam Aemil nicht, und dann machten die das Feld geräumt habenden Leute Krach, und der Direktor Carow legte sich begütigend ins Mittel ... Ein schmaler, nicht sehr großer Mann mit ernsten dunkeln Augen, so ein bißchen nach Buster Keaton hin, sehr still, sehr leise ... ab. Wir dürfen den Tisch behalten.

Und lassen ein infernalisch-langes Programm über uns ergehen:

Steptänzer; eine sehr gute Akrobatengruppe; ein unsägliches Melodram, in der umfangreichen Hauptrolle die ebensolche Frau Direktern; ein Komiker, über den das Publikum jucheit ... Das Publikum freut sich überhaupt über alles, am meisten die Frauen, bei denen der Analhumor jeden andern hinreichend vertritt – Überschrift: das Familienprogramm. Und immer noch eine Nummer und noch eine und noch eine ...

Die Mitternacht zieht näher schon ... da fängt die Original-Posse ‹Frau Feldwebel› an. Carow hat sich vorher entschuldigen lassen; er spiele, sei aber erkältet ... Na, da möchte ich ihn mal sehen, wenn er nicht erkältet ist; das überlebte man wohl mitnichten. Seit Karl Valentins Orchestermitglied habe ich nicht so gelacht.

Eine Militärposse? Unmöglich, sollte man meinen. Die Assoziationen sind zu schmierig – man will das nicht. Und nun noch eine aus der Vorkriegszeit. Und nun noch eine, in der doch gewiß, hier und vor diesem Publikum, kein Antimilitarismus gemacht wird; mir wurde leicht flau. Aber jener kam, stolperte, schwang ein paar große alte Stiebeln, die er jedennoch «jeknillt» haben wollte – und wir waren in Chaplins siebentem Himmel.

Was da herausgestottert kommt, hat mit Militär überhaupt nichts mehr zu tun. Hier ist die Stilisierung über jene Grenze hinausgeführt, die den Menschen von dem menschenähnlichen Ding: dem zur Schau Spielenden trennt – hier ist ein mit Reismehl bestäubter Clown, mit kleinen schwarzen Kreuzchen, wie sie Trier den Clowns als Augen zeichnet, mit zwei dünnen, garnisondienstfähigen Beinen, und einer Schnauze –! Frechheit plus Güte plus Idiotie plus Verschmitztheit plus völliger Ignorierung des Militärs –: ein berlinischer Schweijk.

Der berliner Jargon nennt den «bunten Komiker» mit der Kittneese eine «Klamotte». Ist Erich Carow eine Klamotte? Ja, das ist er auch – aber er ist doch noch viel mehr. Nun wollen wir gewiß nicht hingehen und, wie gehabt, den neuen Heiland entdecken; das kann man nach einer einzigen Rolle überhaupt nicht beurteilen, das erste Mal wirft einen jeder gute Komiker um. Das aber ist er unzweifelhaft.

Er ist vor allem einmal eines, was hierzulande so unendlich selten ist und was man dort am Weinbergsweg zu allerletzt erwartet hätte: er ist leise. Er ist ganz leise und federleicht und in den gröbsten Momenten, grade in denen, zart. Auch hört man ihn denken – was nicht immer ganz einfach vor sich geht: die Maschinerie in seinem Kopf dreht sich hörbar, wenn auch nicht stets mit dem gewünschten Resultat. Das ganze Gesicht denkt mit … Und wenn die Situation dann unrettbar verquatscht ist, so durcheinander, daß sie niemand mehr lösen kann, dann steht er vor dem Herrn Feldwebel, der genau so groß und schnauzbärtig aussieht wie der böse Feind bei Chaplin, steht da und sagt ganz leise zu sich selber, als inneres Kommando: «Abtreten!» und will es auch blitzschnell tun, bis ihn der Feldwebel am Kragen nimmt und noch einmal ans Rampenlicht zieht. Und das ganze Malheur beginnt von vorn.

Was quatscht dieser Mann! was brabbelt er vor sich hin! Wie holt er aus tiefen Denkpausen unauslöschliches Gelächter, so, wenn er – großer Witz! – den Soldaten Neumann als den «neuen Hauptmann» anmeldet, der Feldwebel bekommt einen Bombenschreck, merkt zu spät, daß er genarrt worden ist, und brüllt den unschuldigen Neumann an. «Sie Himmelhund …! Haben Sie …?» – Nein, der hat nicht. Der Rekrut Kaczmarek hat. «Komm mal her!» Nun kommt es heraus. Und in diesem Moment, wo er doch alles verbockt hat, dreht sich Carow zu Herrn Neumann, sieht ihn, der gar nichts dafür kann und demgemäß stramm steht, von oben bis unten an und spricht ganz leise: «Du bist doch ein dämliches Schwein –»

Und ich muß sagen, daß ich meinen schönsten berliner Theater-Augenblick im Weinbergsweg 20 hatte; Wahrheit muß sein. Es ist jener Augenblick, wo sich Soldat Carow einem seiner Vereinskollegen zuwendet, der mit der Nichte des Herrn Feldwebel ein zartes Abenteuer gehabt hat, ein harmloses, sagen wir es laut, aber eines, das sein Kommißherz arg verstört hat. Davon weiß Soldat Carow. Es hat auch schon einen großen Krach bei Feldwebels gegeben, mit allen Verwechslungen, die nur möglich sind. Aber das hat Carow im Augenblick vergessen; was heißt hier Feldwebel und Kasernenhof …! Soldat Carow nähert sich dem Kameraden, ganz dicht tritt er an ihn heran, seine Äuglein glitzern, das Wasser läuft ihm schmeckbar im Munde zusammen, ein Induktionsstrom der Lust durchzuckt ihn, zugegeben: er, Carow, hat ja von der alten Liebesaffäre nichts gehabt, das ist wahr … aber der andre? Vielleicht ist der andre – Mann ist Mann – der Sache näher gekommen? Nun hat er sich an dessen Ohr gedrängelt, es ist totenstill in dem rauchigen Stall, und Carow spricht. «Willy», sagt er, «hast Du mit ihr –?»

Das wurde nicht nur «gebracht» – das «war da», um einen Bühnenausdruck zu gebrauchen, und es war gar nicht als Zote da. Es war: Humor, Ironie über diesen Humor, Mitfreude, die sich in den Bart sabbert … Gülstorff hat in der Schimekischen um Pallenberg etwas Ähnliches gemacht. Und dann geht es alles drunter und drüber; ich besinne mich nur noch, wie alle: Hinlegen! Aufstehn! Hinlegen! Aufstehn! spielten und wie Carow, der natürlich nicht dabei war, ganz schnell durch die pappene Tür gewitscht kam, ein Mondstrahl unendlicher Schadenfreude ging über sein Rekrutengesicht, um eines Auges Blinzeln zu spät sah ihn der Feldwebel, raus war er, und dann bläst ein Signal, so recht militärisch, ernst, voller Pflichtgefühl – und Carow, der keinen Ernst Jünger gelesen hat und kein nichts und kein gar nichts, kommt herein und spricht zu den reisigen Helden, die um den Feldwebel herumturnen: «Ihr sollt alle essen kommen!» – Nein, mit Militär hat das nichts zu tun.

Um so mehr aber mit einer merkwürdig routinierten, volkstümlichen, einfachen und doch an der Spitze ganz leise ins Himmlische umgebogenen Schauspielkunst. Und während sich in der Schneekugel meiner Erinnerung die berliner Flocken langsam legen, sachte, ganz sachte – höre ich eine leise Stimme, die sagt:

«'ck ha die Stiebeln aba jeknillt, Herr Feldwebel – 'ck ha se a jeknillt –!»

Peter Panter, WB 24.12.1929

178

Hat Mynona wirklich gelebt?

Ich klingelte.

– «Wohnt hier Herr Mynona?»

– «Wer?» sagte die Haushälterin, die mir geöffnet hatte. – «Mynona», sagte ich; «Mynona, über den wir so viel und mit so viel Nachdenken gelacht haben – ein lachender Philosoph, denken Sie, was das in Deutschland heißt! Ein Mann, der auf dem Grunde seines Wissens bunt angemalte Gebäude errichtet hat: runde Würfel, siebenundzwanzigeckige Theater, Mädchenschulen aus durchsichtigem Gummi ... Mynona! Der auf der Bank der Spötter saß! Mynona! Nein?»

– «Kommen Sie herein!» sagte die Haushälterin. Ich kam. Sie öffnete eine Tür –

Ein aufgeregter Greis mit flatternden Haaren begrüßte mich mit einem donnernden:

Enthülls! Enthülls!
Die Sache wills!
Ich heiße Külz!

– «Guten Tag, Herr ...» sagte ich. «Herr Mynona?» – Der Greis fuchtelte mühselig mit Armen und Beinen. «Ha!» rief er. «Ich habs ihm besorgt!» – «Wem?» sagte ich. – «Remarquen», sagte er. «Hier: seine alten Feuilletons aus von vor dem Kriege – und hier: polizeiliche Meldeformulare! und hier: alte Zeitschriften! und hier: eine dolle Geschichte! ein Monokel, das er getragen hat, obgleich er keinen Monokel-Erlaubnisschein gehabt hat – und hier ...» Erschöpft sank das glückliche Stück Unglück in sich zusammen. «Beruhigen Sie sich, Herr ...» sagte ich. «Herr Mynona?» – «Ich will auch einmal bei den Erfolgreichen sein!» sagte der Greis. «Ich habe ihn enthüllt! Ich enthülle ihn. Ich werde ihn enthüllen! Ich habe ein dickes Buch gegen ihn geschrieben! Und hier – hier habe ich einen Nachttopf; auf dem Grund dieses Nachttopfes habe ich sein Bild gezeichnet, und jedesmal, wenn ein neues Hunderttausend seines Buches herauskommt, dann setze ich mich auf diesen Topf und – –»

Ich ging. Mynona? Es scheint: unser Mynona hat nie gelebt.

*

Nachdem sich die Aufregung über Remarque etwas gelegt hat, sehen wir wohl klar:

Das Buch hat nicht als Kunstwerk die Millionen erregt sondern wegen seines Stoffes und wegen der Behandlung dieses Stoffes. Das Buch ist kein großes Kunstwerk, aber ein gutes Buch. Das

Buch hat durch die unsagbare Dummheit der Rechtskreise einen pazifistischen Dunstkreis erhalten; diese Tendenz war von Remarque höchstwahrscheinlich nicht beabsichtigt. Die aktive pazifistische Wirkung des Buches ist sehr fraglich; die Einwände von Sclutius, die hier gestanden haben, scheinen mir höchst beachtenswert. Remarque kann und wird nie wieder einen solchen Erfolg haben; auf seinem nächsten Buch steht unsichtbar – wie das in früheren Jahrzehnten üblich war –: «Vom Verfasser von Im Westen nichts Neues.»

Gegen das Buch läßt sich vielerlei sagen.

Man darf den Stilisten Remarque angreifen. (Ich tus nicht – aber so ein Angriff ist denkbar.) Man darf sagen: so ist der Krieg nicht gewesen; der Krieg war edel, hilfreich und gut – die Soldaten haben sich mit Schokoladenplätzchen beworfen und in den Pausen ihrem Kaiser gehuldigt. Man darf sagen: Der wahre Mann beginnt erst, wenn er seinem Gegner eine Handgranate in die Gedärme geworfen hat. Man darf vieles über, für und gegen das Buch sagen, fast alles.

Aber eines darf man nicht.

Man darf nicht den Kampf verschieben und sich die bürgerliche Person des Autors vornehmen, dessen Haltung nach einem in der Geschichte des deutschen Buchhandels beispiellosen Erfolg mustergültig ist. Der Mann erzählt uns keine dicken Töne, er hält sich zurück; er spielt nicht den Ehrenvorsitzenden und nicht den Edelsten der Nation – er läßt sich nicht mehr photographieren als nötig ist, und man könnte manchem engeren Berufsgenossen soviel Takt und Reserve wünschen, wie jener Remarque sie zeigt. Was hat Mynona getan?

Mynona hat eine Unanständigkeit begangen.

‹Hat Remarque wirklich gelebt?› bei Paul Steegemann Berlin.

Es ist eine Unanständigkeit, einem Schriftsteller, der sich sein Leben mit der Schreibmaschine verdient, vorzuwerfen, er habe einmal Reklameverse für die Pneumatikfirma Continental gemacht. Man hat neulich Shaw und einigen andern großen englischen Schriftstellern dergleichen angetragen; sie haben alle abgelehnt, und einer von ihnen – wenn ich nicht irre, war es Wells – hat geantwortet: «Ich täte es. Aber es ist bei uns nicht üblich – dergleichen wird falsch aufgefaßt; ich kann es nicht tun, weil es nicht üblich ist.» Nun war Remarque, als er diese Reklamearbeit machte, ein ganz unbekannter, junger Schriftsteller, und wenn es Herrn Mynona für sein nächstes Buch interessiert, so will ich ihm enthüllen, daß ich vor dem Kriege einmal einen solchen Antrag bekommen habe – die Sache kam nur darum nicht zustande, weil ich zu teuer gewesen bin. Ich halte es für keine Schande, wenn ein Schriftsteller seine stilistischen Fähigkeiten in den Dienst einer anständigen Firma stellt (was viel, viel schwerer ist, als die meisten ahnen); ich machte das heute auch nicht mehr – weil es nicht üblich ist. Aber täte es einer von uns: eine Schande ist das nicht.

Mynona hat des weiteren alte Romane Remarques ausgegraben. Zum Glück ist die Schrift des streitbaren Philosophen unlesbar und von einer altbacknen Langeweile mit Wasserstreifen: soweit ich aus dem Kram klug geworden bin, scheinen die Romane, die Remarque damals geschrieben hat, minderwertig gewesen zu sein. Vielleicht unterrichtet sich Mynona einmal über die Anfänge Zolas, der seinen jungen Leuten nicht nur gesagt hat: «Faites du reportage! – Machen Sie Reportage! Brandberichte, Rohrbrüche, Morde und Diebstähle – es übt!» – sondern der selbst mit unsäglichen, heute gar nicht mehr lesbaren Romanen begonnen hat – einer Arbeit, deren er sich niemals geschämt hat. Er tat das, pour se faire la main – um in Übung zu kommen.

Die spezifisch deutsche Widerwärtigkeit, die die Luft unserer Politik so verpestet, weht durch dieses Buch Mynonas. Hierzulande werden Einwände damit erwidert, daß man sagt: der Einwendende habe einen roten Bart und eine verstopfte Schwiegermutter. Statt Breitscheid und Hilferding als geistige Typen zu verhöhnen und zu bekämpfen, wird argumentiert: «Und dann hat sich Breitscheid im Jahre 1897 eine Goldplombe machen lassen, aber nur für Amalgam bezahlt!» Anathema sit. (Wobei übrigens die wirklichen Schieber meist ungestraft davonkommen.) Die deutsche Politik riecht nach Kommunalstunk.

Der entscheidende Einwand gegen das Kriegsbuch Remarques dürfte also der sein, daß sich Remarque in Wahrheit mit einem k schreibt und Remark heißt. Wenn das die Leser gewußt hätten, hätten sie das Buch nicht gekauft ... Und der Philosoph, der offenbar Jahre seines Lebens Kant studiert hat, um in seinen alten Tagen einem Anfall von Neid und Niederträchtigkeit zu erliegen, folgt dem kategorischen Imperativ der Pflicht, wärmt diesen alten Quarque auf und enthüllt.

Er enthüllt, daß der Urgroßvater Remarks 1793 geboren ist – arme Leser, was dachtet ihr? – Daß der Großvater in Kaiserswerth im Jahre 1840 geboren ist – betrogene Käufer, was dachtet ihr? Daß Remark selber geboren ist. Daß er eine Frau hat. Daß er nicht im Infanterie-Regiment 91 gedient hat. Und so fort. Und so fort.

Bleibt ein Punkt, ein einziger. Remarque soll – wie Mynona behauptet – bei Kriegsende und noch im Jahre 1919 unberechtigterweise eine Leutnantsuniform und Orden getragen haben, die ihm nicht verliehen worden sind. Ich habe keine Achtung vor dieser Uniform, und es ist mir unbegreiflich, wie man sie anziehen kann, wenn man das nicht muß. Hat Remarque das aber wirklich getan, so hat er nicht recht getan. Und zwar hat er an seinen Kameraden nicht recht gehandelt; dergleichen wirkte unter den damaligen Umständen außerordentlich aufreizend.

Ich kenne diese Geschichte nicht; ich weiß nicht, ob Remarque sich einen falschen Baronstitel zugelegt hat, die Uniform, die Orden … Es ist billig, zu sagen: «Lassen Sie doch … Ein Jugendstreich …» Solche Streiche können sehr aufschlußreich sein. Ich glaube: dieser zählt nicht dazu. Für den Wert des Buches ist das etwa so gleichgültig, wie wenn erwiesen wäre, Remarque hätte einmal in seinem Leben gestohlen. Was besagt das für und gegen seine Kriegsschilderungen? Kann ein Dieb nicht die Wahrheit sagen? Hat Remarque sich jemals als Apostel und Märtyrer der Sittlichkeit aufgespielt? Es hat einen Sinn, einem wilden Abstinenzler vorzuwerfen, er saufe heimlich Moselwein; es hat einen Sinn, einem Sittlichkeitsschnüffler vorzuwerfen, daß er mit Huren schlafe – es hat aber gar keinen Sinn, einem Kriegsschilderer vorzuwerfen, er habe sich gedrückt, er sei ein schlechter, ein mittelmäßiger, gar kein Soldat gewesen, er habe eine falsche Uniform getragen, zwei nicht verliehene Orden und drei Monokel. In dem Buch ist keine Stelle, die, selbst wenn die Vorwürfe wahr wären, damit widerlegt ist. Was weiß Mynona vom Krieg?

Es hat keinen Wert, dem Gegner nur die bösesten Motive unterzuschieben. Aber es ist gar kein Zweifel, daß Mynona auch nicht die Feder gerührt hätte, wenn das Buch Remarques in der zwanzigsten Auflage stecken geblieben wäre. Neid …? So einfach ist das nicht, obgleich es ein bißchen seltsam anmutet, wie sich der Verleger Paul Steegemann hier an die Konjunktur anhängt. Tatsächlich muß aber Remarque vor diesem wild gewordenen Philosophen den Erfolg entgelten.

Literarische Erfolge beweisen zunächst nicht viel für den Wert eines Werkes. Überschreiten sie aber ein gewisses Maß, so zeigen sie etwas an: nämlich nicht so sehr die Qualität des Buches als den Geisteszustand einer Masse. Und es gibt – von Thomas Mann bis herunter auf die Courths-Mahler – keine unverdienten Erfolge. Das hat es niemals gegeben. Wenn ‹Gentlemen prefer Blonds› die englisch-sprechende Welt im Lachen durcheinander schüttelt, so ist da zweierlei: eine zweifellos vorhandene Kraft der Verfasserin und eine Denkart der Massen, die dieser Kraft in diesem Augenblick entgegenkommt. Wer wird da kläffen? Ein Neidischer wird kläffen. Bei großen literarischen Erfolgen, die man für gefährlich hält, muß man die Leser angreifen – nicht den Autor.

Es ist auch nicht richtig, daß «Ullstein dieses Buch gemacht» hat. Wer die Entstehungsgeschichte der Vorverhandlungen kennt, wird darüber lächeln. Wer nur einen Funken von Gefühl für Massenwirkung hat, wird nicht solchen Unsinn behaupten: mit Recht hat Monty Jacobs darauf hingewiesen, daß schon bei dem Vorabdruck des Romans in der ‹Vossischen Zeitung› ein Raunen begann – es war damals bis nach Paris deutlich zu hören. Der Vorgang ähnelt sehr jenem, der sich begab, als man ‹Jettchen Gebert› in Fortsetzungen las – der Erfolg war sofort da. Dieses Buch ist also von seinem Verlag nicht «gemacht» worden; der Verlag hat nur sehr berechtigterweise das vorhandene Echo aufgefangen, und er hat mit seinem Apparat den Erfolg geschickt unterstützt. Gemacht hat er nichts.

Gemacht hat nur Herr Mynona etwas: wohin, hat er uns ja oben selbst erzählt. Und zum Glück ist es keine Parodie geworden; sondern eine aufgeschwollene Literaturpolemik aus dem Jahre 1905.

Und wenn es etwas gibt, was noch unanständiger ist als dieses herzlich lederne Buch, dann ist es sein Verlagsprospekt. Darin ist so ziemlich alles, was gut und teuer ist fürs Geld. Daß Mynona mit Voltaire, Heine und Lichtenberg verglichen wird, nur nebenbei; billiger tun wir das heute nicht mehr. Da ist die Reverenz vor der Provinz und der Fußtritt gegen «Berlin» – Herr Steegemann hat lange in Hannover gelebt, und das muß ihm nicht gut bekommen sein. Da wird versprochen, die «ganze herrschende Mittelmäßigkeit höllisch zu demaskieren» – ach, täte das doch einer! Aber es ist nichts damit: die kindischen Vorwürfe gegen Remarque werden aufgezählt, aber von der Not der Soldaten und vom Schmutz, vom Leid und vom Jammer, von Tod und von Verwundung, von Roheit und Brutalität kein Wort. Remarque schreibt sich mit einem k! mit einem k! k! k! –

*

Unten vor dem Haus des Philosophen lag ein einsames Gebiß. Schaum haftete den Zähnen an, Zeichen von Ohnmacht und Wut. Mit dem Fuß stieß ich es beiseite. So haben wir uns den kategorischen Imperativ immer vorgestellt.

Ignaz Wrobel, WB 31.12.1929

Anhang

Benutzungshinweise und Danksagung

Die Editionsprinzipien dieser Ausgabe sind in der «Editorischen Einleitung» in Band 1 dargelegt. Im folgenden noch einige Hinweise zur Handhabung des Kommentaranhangs.

Der Kommentar und mehrere Verzeichnisse erschließen die Texte. Diese sind chronologisch geordnet, in jedem Band durchnumeriert und mit Zeilenzähler versehen. Im Kommentar hat jeder Text einen entsprechenden Eintrag mit Nummer und Titelzeile.

Im *Kommentarkopf* erfolgt zuerst die Nennung des Namens, Pseudonyms oder Kürzels (V: Verfasserangabe) mit dem Tucholsky den jeweiligen Text gezeichnet hat; bei nicht gezeichneten Beiträgen lautet die Angabe «V: Anonym». Diesem Eintrag folgen die bibliographischen Daten des Erstdrucks (D^1) und gegebenenfalls Angaben zu weiteren, von Tucholsky betreuten Drucken (D^2, D^3 usw.). Weicht die Verfasserangabe weiterer Drucke von derjenigen des Erstdrucks ab, wird dies bei der Verfasserangabe in der ersten Zeile festgehalten, z.B.: V: Peter Panter (D^1); Kurt Tucholsky (D^2). Im Anschluß an die Verzeichnung dieser Drucke folgt im Kommentarkopf der Hinweis auf die bibliographischen Nachweise (Bibl.) des betreffenden Textes bei Bonitz / Wirtz (mit Vermerk der dortigen Erfassungsnummer, z.B. D 652) oder der Ergänzungsbibliographie von Ackermann bzw. Ackermann/Nickel. Ebenso ist dort die Anzahl der von Bonitz / Wirtz ermittelten Nachdrucke zu Lebzeiten (NdzL) und der postumen Nachdrucke (Nd) vermerkt, die für texteditorische Fragen nicht relevant sind, und deren vollständige bibliographische Angaben bei Bonitz/Wirtz nachgeschlagen werden können. Am Schluß der bibliographischen Nachweise (Bibl.) wird jeweils auf den Abdruck des betreffenden Textes in den «Gesammelten Werken» (GW mit Bandangabe) oder den Nachtragsbänden zu den «Gesammelten Werken» (DT bzw. Rep) hingewiesen. Alle verwendeten Siglen für die Einzel- und Werkausgaben Tucholskys sowie die allgemeinen Abkürzungen, die in den Kommentaren und Registern benutzt wurden, sind im *Siglen- und Abkürzungsverzeichnis* aufgelöst.

Handelt es sich bei einem Text um eine Buch-Rezension (Rez.) oder die Aufführungs-Besprechung (Bespr.) eines Theaterstücks oder eines Films, werden die bibliographischen, theatergeschichtlichen oder filmographischen Angaben zu dem Buch, Stück bzw. Film unter dem Kommentarkopf genannt. Rezensierte Bücher und besprochene Aufführungen und Filme sind jeweils in alphabetischen Verzeichnissen zusammengefaßt.

Unter dem Kommentarkopf folgen gegebenenfalls editorisch und philologisch relevante Notationen. Sofern zu einem Text eine Handschrift (H) oder ein Typoskript (T) erhalten ist, werden diese in der Rubrik *Überlieferung* mit Angaben über die Überlieferungsform, Bogen- und Seitenzahl und die benutzten Schreibmittel beschrieben. Am Ende dieser Angaben folgt in Klammern der Hinweis auf den Verwahrort (z.B. DLA). Unter *Lesarten* werden alle aussagefähigen Änderungen von Tucholskys Hand (Streichungen, Ergänzungen, Überschreibungen) notiert, lediglich geringfügige Korrekturen von offensichtlichen Schreibfehlern werden nicht festgehalten.

Sind von einem Text mehrere Drucke zu Lebzeiten Tucholskys überliefert, die nachweislich von ihm selbst bearbeitet wurden, sind im Abschnitt *Varianten* alle aussagefähigen Änderungen der späteren Drucke (D^2, D^3 usw.) gegenüber dem Erstdruck (D^1) festgehalten. Auch hier werden Emendationen von offensichtlichen Druckfehlern nicht extra ausgewiesen.

Sofern das exakte Erscheinungsdatum eines Textes nicht durch den Druckträger vorgegeben ist und die Datierung auf Recherchen beruht, wird das Ergebnis in der Rubrik *Datierung* dargelegt. Wenn ein Nachweis von KTs Verfasserschaft erbracht werden mußte, wird dieser im Abschnitt *Zuschreibung* erläutert. Gelegentlich werden Angaben zur *Entstehung* und *Wirkung* eines Textes in entsprechenden Rubriken gemacht.

Den Zeilenkommentaren werden, soweit erforderlich (ohne Überschrift), allgemeine Informationen zum geschichtlichen Kontext vorangestellt. Ebenso sind dort Hinweise auf einschlägige Artikel und Debatten in anderen Zeitungen vermerkt – sowie Querverweise zu anderen thematisch relevanten Texten von Tucholsky.

In den *Zeilen-Kommentaren* werden die erforderlichen Sachinformationen zu der betreffenden Textstelle gegeben. *Querverweise* innerhalb dieses Bandes erfolgen unter Angabe der Text-Nummer und der Zeile. Eine kursivgestellte Zeilenzahl verweist auf einen Kommentareintrag, geradegestellte Zeilenzahlen auf Textstellen; [72], 14 bedeutet also: Text Nr. 72 und dessen Zeile 14 ([72], *14* weist auf Zeilenkommentar 14 zu Text [72]). Verweise auf andere Bände dieser Ausgabe erfolgen unter Angabe der Band- und Text- bzw. Briefnummer sowie der Zeilenzahl; z.B. Bd. 1 [6], 2 oder Bd. 20 [B 10], 3. Verweise auf noch nicht in dieser Ausgabe gedruckte Texte Tucholskys erfolgen unter Angabe der Daten des Erstdrucks und der Erfassungsnummer in der Bibliographie von Bonitz/Wirtz (z.B. D 1416). Abgekürzt zitierte Literatur ist mit vollständigen Angaben im *Literaturverzeichnis* aufgeführt. Für den direkten Zugriff auf Angaben zu erwähnten Personen und deren Werken ist dem Band ein Personen- und Werkregister angefügt.

Am Schluß des Anhangs findet sich ein alphabetisches Titelverzeichnis aller in diesem Band gedruckten Texte Tucholskys, sowie ein chronologisches Titelverzeichnis, das zugleich als Inhaltsverzeichnis dient.

Danksagung

Für die vielfältige Hilfe bei der Entstehung dieses Bandes danken die Herausgeber herzlich Prof. Dr. Friedbert Aspetsberger, Prof. Dr. Sabina Becker, Bärbel Boldt, Antje Bonitz, Sven Brömsel, Gisela Enzmann-Kraiker, Frank Flechtmann, Dr. Peter Garloff, Gerrit Freitag, Sarah Hans, Volker Kühn, Mara Munderloh, Alexandra Otten, Elisabeth und Peter Otto, Rainer Petzel, Dr. Bernhard Sauer, Andrea Spingler, Klaus Täubert, Bernhard Tempel und Christa Wetzel. Unser Dank gilt außerdem den Mitarbeiterinnen und Mitarbeitern der Bibliothek der Carl von Ossietzky Universität Oldenburg, der Staatsbibliothek zu Berlin – Preußischer Kulturbesitz – sowie des Bundesarchivs Berlin-Lichterfelde wie auch den Personen und Institutionen, die bei speziellen Anfragen geholfen haben, insbesondere Dr. Elke Austermühl, Editions- und Forschungsstelle Frank Wedekind, Darmstadt, Dr. Stefan Brüdermann, Niedersächsisches Staatsarchiv Bückeburg,

Thomas Lietz, Institut für Kommunikations- und Medienwissenschaft der Universität Leipzig, Diana Matut, Seminar für Judaistik an der Martin-Luther-Universität Halle-Wittenberg, Elke Niebauer, Deutsches Rundfunkarchiv, Wiesbaden, sowie Dr. Thomas Schneider, Erich Maria Remarque-Archiv, Osnabrück.

Siglen der Schriften von Kurt Tucholsky

AB	Kurt Tucholsky: Ausgewählte Briefe 1913–1935. Hg. von Mary Gerold-Tucholsky und Fritz J. Raddatz. Reinbek 1962
AB 2	Kurt Tucholsky: Ich kann nicht schreiben, ohne zu lügen. Briefe 1913 bis 1935. Hg. von Fritz J. Raddatz. Reinbek 1989
BK	Kurt Tucholsky: Briefe an eine Katholikin 1929–1931. Reinbek 1970
BS	Kurt Tucholsky: Briefe aus dem Schweigen 1932–1935. Hg. von Mary Gerold-Tucholsky und Gustav Huonker. Reinbek 1977
DD	Kurt Tucholsky: Deutschland, Deutschland über alles. Montiert von John Heartfield. Berlin 1929
DT	Kurt Tucholsky: Deutsches Tempo. Ergänzungsband 1 der GW. Hg. von Mary Gerold-Tucholsky und Fritz J. Raddatz. Reinbek 1985
FG	Theobald Tiger: Fromme Gesänge. Mit einer Vorrede von Ignaz Wrobel. Berlin-Charlottenburg 1919
GW	Kurt Tucholsky: Gesammelte Werke. Bde 1–10. Hg. von Mary Gerold-Tucholsky und Fritz J. Raddatz. Reinbek 1975
LL	Kurt Tucholsky: Lerne lachen ohne zu weinen. Berlin 1931
ML	Kurt Tucholsky: Das Lächeln der Mona Lisa. Berlin 1929
5 PS	Kurt Tucholsky: Mit 5 PS. Berlin 1928
Pyr	Peter Panter: Ein Pyrenäenbuch. Berlin 1927
Rep	Kurt Tucholsky: Republik wider Willen. Ergänzungsband 2 der GW. Hg. von Fritz J. Raddatz. Reinbek 1989
Rh	Kurt Tucholsky: Rheinsberg. Ein Bilderbuch für Verliebte. Berlin-Charlottenburg 1912
SG	Kurt Tucholsky: Schloß Gripsholm. Eine Sommergeschichte. Berlin 1931
TpK	Peter Panter: Träumereien an preußischen Kaminen. Berlin-Charlottenburg 1920
UuL	Kurt Tucholsky: Unser ungelebtes Leben. Briefe an Mary. Hg. von Fritz J. Raddatz. Reinbek 1982
QT	Kurt Tucholsky: Die Q-Tagebücher 1934–1935. Hg. von Mary Gerold-Tucholsky und Gustav Huonker. Reinbek 1978

Abkürzungsverzeichnis

A	Abendausgabe
AA	Auswärtiges Amt
Abb.	Abbildung
Abg.	Abgeordneter
abgedr.	abgedruckt
Abs.	Absatz
Abschn.	Abschnitt
Abt.	Abteilung
a. D.	außer Dienst
ADGB	Allgemeiner Deutscher Gewerkschaftsbund
AdK	Akademie der Künste
AIZ	Arbeiter-Illustrierte Zeitung
allg.	allgemein
ALR	Allgemeines Landrecht
alR	am linken Rand
amer.	amerikanisch
angestr.	angestrichen
Anm.	Anmerkung
aoR	am oberen Rand
Arr.	Arrondissement
arR	am rechten Rand
Art.	Artikel
AT	Altes Testament
Auff.	Aufführung
Aufl.	Auflage
Aug.	August
auR	am unteren Rand
Ausg.	Ausgabe
ausgew.	ausgewählt
Ausw.	Auswahl
B	Brief
bayr.	bayerisch
BBC	Berliner Börsen-Courier
Bd.	Band
Bde	Bände
bearb.	bearbeitet

Bed.	Bedeutung
Begr.	Begründer
Beil.	Beilage
bes.	besonders
Bespr.	Besprechung
BGB	Bürgerliches Gesetzbuch
Bibl.	Bibliographie
BIZ	Berliner Illustrirte Zeitung
Bl.	Blatt
BLA	Berliner Lokal-Anzeiger
BNV	Bund Neues Vaterland
BPRS	Bund proletarisch-revolutionärer Schriftsteller Deutschlands
bspw.	beispielsweise
BT	Berliner Tageblatt
BVP	Bayerische Volkspartei
BVZ	Berliner Volks-Zeitung
B.Z.	B.Z. am Mittag
bzw.	beziehungsweise
ca.	cirka
CvO	Carl von Ossietzky
D	Druck
DAD	Das Andere Deutschland
DAZ	Deutsche Allgemeine Zeitung
DDP	Deutsche Demokratische Partei
Def.	Definition
demokr.	demokratisch
ders.	derselbe
Dez.	Dezember
DFG	Deutsche Friedensgesellschaft
DFK	Deutsches Friedenskartell
DGB	Deutscher Gewerkschaftsbund
d.h.	das heißt
d.i.	das ist
div.	diverse
DLA	Deutsches Literaturarchiv, Marbach
DLfM	Deutsche Liga für Menschenrechte
DMB	Deutscher Monistenbund
DNVP	Deutschnationale Volkspartei

d. R.	der Reserve
dt.	deutsch
DTZ	Deutsche Tageszeitung
DVFP	Deutschvölkische Freiheitspartei
DVLP	Deutsche Vaterlandspartei
DVP	Deutsche Volkspartei
DZ	Deutsche Zeitung
EA	Erstaufführung
ebd.	ebenda
ED	Erstdruck
ehem.	ehemalig
eigentl.	eigentlich
eingel.	eingeleitet
EKKI	Exekutivkomitee der Kommunistischen Internationale
emend.	emendiert
entspr.	entsprechend
Erg.	Ergänzungen
erl.	erläutert
ersch.	erschienen
erw.	erweitert
ev.	evangelisch
evtl.	eventuell
Ex.	Exemplar
expl.	exemplarisch
F	(Druck)Fahne
Faks.	Faksimile
FdK	Friedensbund der Kriegsteilnehmer
Febr.	Februar
FLfM	Französische Liga für Menschenrechte
frz.	französisch
FZ	Frankfurter Zeitung
GA	Gesamtausgabe
geb.	geboren
gedr.	gedruckt
gegr.	gegründet
gen.	genannt
gest.	gestorben

gestr.	gestrichen
GRP	Gruppe Revolutionärer Pazifisten
H	Handschrift
H.	Heft
Hbj.	Halbjahr
hg.	herausgegeben
Hg.	Herausgeber
hs.	handschriftlich
IAH	Internationale Arbeiterhilfe
Ill.	Illustrationen
ill.	illustriert
insbes.	insbesondere
insges.	insgesamt
intern.	international
i. Orig.	im Original
i. S. v.	im Sinne von
jährl.	jährlich
Jan.	Januar
Jg.	Jahrgang
Jh.	Jahrhundert
K	Kommentar
Kap.	Kapitel
kath.	katholisch
KdK	Kabarett der Komiker
kgl.	königlich
konserv.	konservativ
Korr.	Korrektur(en)
korr.	korrigiert
KPD	Kommunistische Partei Deutschlands
KT	Kurt Tucholsky
KTA	Kurt Tucholsky-Archiv im DLA
KTF	Kurt Tucholsky Forschungsstelle, Oldenburg
KTG	Kurt Tucholsky-Gesellschaft
lat.	lateinisch
LfM	Liga für Menschenrechte

lib.	liberal
LT	Landtag
lt.	laut
luth.	lutherisch
M	Morgenausgabe
1. M	Erstes Morgenblatt
2. M	Zweites Morgenblatt
MdL	Mitglied des Landtages
MdR	Mitglied des Reichstages
Mitarb.	Mitarbeiter/Mitarbeiterin
Mitgl.	Mitglied
MS	Manuskript
ms.	maschinenschriftlich
MSPD	Mehrheitssozialdemokratische Partei Deutschlands
MT	Mary Gerold ab 1924: Mary Gerold-Tucholsky
mtl.	monatlich
Nachw.	Nachwort
nat.	national
nat.-rev.	national-revolutionär
nat.-soz.	nationalsozialistisch
NBZ	Neue Berliner Zeitung
N.F.	Neue Folge
NL	Nachlaß
Nd	Nachdruck
NdzL	Nachdruck zu Lebzeiten
NLP	Nationalliberale Partei
Nov.	November
Nr.	Nummer
NS	Nationalsozialismus
NSDAP	Nationalsozialistische Deutsche Arbeiterpartei
NT	Neues Testament
NV	Nationalversammlung
NWB	Die Neue Weltbühne, Prag
NWK	Nie wieder Krieg
OC	Organisation Consul
o.D.	ohne Datum
OHL	Oberste Heeresleitung

o.J.	ohne Jahr
Okt.	Oktober
op.	opus
Orgesch	Organisation Escherich
Orig.	Original
o.S.	ohne Seitenangabe
pag.	paginiert
Präs.	Präsident
PrLT	Preußischer Landtag
Pseud.	Pseudonym
PT	Prager Tagblatt
PTB	Pariser Tageblatt
RB	Reichsbanner
Red.	Redakteur / Redaktion
red.	redaktionell
rep.	republikanisch
Repr.	Reprint
Rez.	Rezension
RF	Rote Fahne
RGBl	Reichsgesetzblatt
RHD	Rote Hilfe Deutschland
RjF	Reichsbund jüdischer Frontsoldaten
RM	Reichsmark
RT	Reichstag
Rub	Rubrik
RW	Reichswehr
s.	siehe
S.	Seite
s.a.	siehe auch
SB	Die Schaubühne
schweiz.	schweizerisch
SDS	Schutzverband Deutscher Schriftsteller
Sept.	September
SFIO	Section française de l'internationale ouvrière
SJ	Siegfried Jacobsohn
Slg.	Sammlung
s.o.	siehe oben

sog.	sogenannt
soz.	sozialistisch
Sp.	Spalte
SPD	Sozialdemokratische Partei Deutschlands
SSB	Sozialistischer Schülerbund
stellv.	stellvertretend
stg.	seitig
StGB	Strafgesetzbuch
SU	Sowjetuntion
s. u.	siehe unten
T	Typoskript
TB	Das Tage-Buch
Tbl	Tucholsky-Blätter
Td	Teildruck
Tsd.	Tausend
u. a.	unter anderem, und andere
UA	Uraufführung
u. d. T.	unter dem Titel
Übertr.	Übertragung
Übers.	Übersetzer / Übersetzerin
übers.	übersetzt
üdZ	über der Zeile
udZ	unter der Zeile
Ufa	Universum Film Aktiengesellschaft
ugs.	umgangssprachlich
unterstr.	unterstrichen
u. ö.	und öfter
urspr.	ursprünglich
USPD	Unabhängige Sozialdemokratische Partei Deutschlands
V	Verfasser
v. a.	vor allem
Var.	Varianten
VB	Völkischer Beobachter
v. Chr.	vor Christi Geburt
veränd.	verändert
Verf.	Verfasser
Verl.	Verlag

Verh. d. NV	Verhandlungen der Nationalversammlung
Verh. d. RT	Verhandlungen des Reichstages
verm.	vermehrt
versch.	verschieden
vgl.	vergleiche
vielm.	vielmehr
Vol.	Volume
vollst.	vollständig
Vors.	Vorsitzende(r)
Vorw.	Vorwort
Voss	Vossische Zeitung
WaA	Welt am Abend
WaM	Welt am Montag
WB	Die Weltbühne
WLV	Westdeutscher Landesverband der DFG
WR	Weimarer Republik
WRV	Weimarer Reichsverfassung
W.T.B.	Wolff's Telegraphisches Bureau
Z.	Zeile
ZA	Zeitungsausschnitt
zahlr.	zahlreich
ZAS	Zeitungsausschnitt-Sammlung
z.B.	zum Beispiel
zeitgen.	zeitgenössisch
zit.	zitiert
ZK	Zentralkomitee
Ztg.	Zeitung
zus.	zusammen
zusgest.	zusammengestellt
z.S.	zur See
z.T.	zum Teil
z.Z.	zur Zeit

Kommentar

1

[Was erwarten Sie vom neuen Jahr? Mitarbeiter der AIZ antworten]

V: Ignaz Wrobel
D^1: AIZ Jg. 8 (1929), Nr. 1, S. 3
Bibl.: Nd s. Bonitz / Wirtz D 2164, u. d. T.: Im kommenden Jahr …; 2 Nd; GW 7, u. d. T.: Im kommenden Jahr

Datierung
Die AIZ erschien 1929 lediglich unter Angabe der Jahrgangs- und Heftzählung (mit Ausnahme von H. 2, das zusätzlich die Wochenzählung angibt). Bei der Datierung der Texte innerhalb dieses Zeitraumes wurde der wöchentl. Erscheinungsturnus sowie der übliche Erscheinungstermin, der Mittwoch, zugrundegelegt und das Datum der jeweiligen Heftnummer kalendarisch ermittelt. – Das Silvesterheft (Jg. 8, 1929, Nr. 1) ist danach offensichtlich schon Ende 1928 erschienen, es wird hier jedoch, der Jahrgangs- und Heftzählung folgend, am Jahresbeginn (1. 1. 1929) datiert.

2 *weiter rüsten*] Bezieht sich auf die illegale Wiederaufrüstung der RW unter Umgehung des Versailler Vertrages, der eine Truppenreduzierung auf 100000 Mann sowie den Verzicht auf deren Bewaffnung mit schwerer Artillerie, Tanks, Panzer- und Luftwaffe vorschrieb. Da lt. Friedensvertrag alle militär. ausgerichteten Verbände verboten (und offiziell seit 1920 abgeschafft) waren, bestanden seit 1922 als «Arbeitskommandos» getarnte Formationen für den Grenzschutz im Osten, die den Kern der sog. Schwarzen Reichswehr bildeten und organisatorisch mit der regulären RW in engster Verbindung standen. Nach ihrer Enttarnung durch den Küstriner Putsch 1923 wurde die Existenz der Schwarzen RW offiziell dementiert. Durch Publikationen von Pazifisten seit 1923 (s. Bd. 7 [26], *131*, *139*; [111]) waren die illegalen Rüstungen, die Aufstellung von Reservetruppen innerhalb der RW und das Überdauern von Kampfstoffen einer breiten Öffentlichkeit bekannt geworden, s. [13], *37*, *67*; [99], *156*. Die Justiz leistete Beistand zur Geheimhaltung der illegalen RW-Aktivitäten, indem sie gegen Rüstungskritiker mit Landesverratsprozessen vorging, s. [73], *266*.
6 *«strafen»*] KT teilte die Position des Strafrechtsreformers Franz von Liszt, an dessen Seminaren er während seines Jurastudiums teilgenommen hatte.

Liszt, Begründer des soziolog. Strafrechts, vertrat im Gegensatz zur klass. Strafrechtsschule, die den Vergeltungsgedanken ins Zentrum des Strafzwecks stellte, den präventiven Zweck der Strafe. Vgl. etwa [24], 35 ff; Bd. 9 [55], 10 ff, [59], 173 ff; Bd. 10 [83], 22 ff; Bd. 14 [47], 56 ff, *58 f.*

f *Proletarier auf den Anklagebänken*] Vgl. [7].

Sexualnot] s. [141], 87 ff, sowie [171].

«Hausordnung»] Vgl. ‹Die Anstalt› [163] und K.

Tuberkulose] 1928 war die Mangelkrankheit Tuberkulose mit 55 612 Fällen nach Kreislauferkrankungen, Altersschwäche, Krebs und Lungenentzündung die häufigste Todesursache in Deutschland (s. Statistisches Jahrbuch für das Deutsche Reich Jg. 49, 1930, 40–43).

2

Ein Betrunkener in der Wilhelmstraße

V: Kaspar Hauser
D[1]: WB Jg. 25, Nr. 1, 1. 1. 1929, I, S. 13–15
Bibl.: Nd s. Bonitz / Wirtz D 2176; 8 Nd; GW 7

Mögliche Vorlage dieses Textes ist Adolf Glaßbrenners ‹Sylvesterrausch eines Berliner Arbeiters› (in: Glaßbrenner: Unterrichtung der Nation. Ausgewählte Werke und Briefe in drei Bänden. Hg. von Horst Denkler u.a. Bd. 2. Köln 1982, 54–62).

Wilhelmstraße] Sitz mehrerer Reichsministerien in Berlin, häufig als Synonym für das AA; vgl. ‹Die Küche in der Wilhelmstraße›, Bd. 12, 194 f.

f *«Det … Mutta!»*] Adolf Glaßbrenner: Pietsch. In: Glaßbrenner: Unterm Brennglas. Berliner politische Satire, Revolutionsgeist und menschliche Komödie. Ausgew. und eingel. von Franz Dietrich. Berlin 1912, 155–157, hier: 155. – Dort heißt es: «*Kartundrucker* bin ick, in de Reezenjasse wohn' ick un de Welt veracht' ick! (Er turkelt weiter.) Det kann ick, davor bin ick Mutter.»

Justav] Außenminister Gustav Stresemann.

Fauste] Auf der Schlußsitzung der 53. Tagung des Völkerbundrates in Lugano vom 10.–15. 12. 1928 war es zu einer heftigen Auseinandersetzung zwischen Stresemann und dem poln. Vertreter Zaleski über die Frage der dt. Minderheiten in Oberschlesien gekommen. Während Zaleski ein

Minoritätenproblem abstritt und die diesbezügl. Klagen des «Deutschen Volksbundes» als antipoln. Propaganda kritisierte, bestand Stresemann auf dem Recht des Volksbundes, seine Beschwerden vor den Völkerbund zu bringen (s. CvO: Der deutsch-polnische Krieg, WB 25.12.1928, in: Ossietzky 1994, Bd. IV, 555–559).

21 *Koofmann*] Stresemann war studierter Nationalökonom und vor seiner Karriere als Politiker erfolgreicher Geschäftsführer von Industrieverbänden.

27 *Briang*] Der frz. Außenminister Aristide Briand.

33 *alle jeschriehm*] Stresemanns Rede hatte in allen polit. Lagern Zustimmung erfahren; s. z. B. ‹Der Schlußstrich unter Lugano›, Berliner Lokal-Anzeiger 16.12.1928, Sonntagsausg.; ‹Locarno-Geist in Lugano?›, Vorwärts 16.12.1928; Georg Bernhard: Minderheiten, Voss 16.12.1928.

54 *Polen*] Seit der Reichsgründung 1871 zielte die Politik Preußens gegenüber den mehrheitlich von Polen bewohnten preuß. Provinzen Westpreußen und Posen, den sog. Ostmarken, auf die Stärkung des Deutschtums. So wurden etwa dt. Ansiedlungen gefördert und die poln. Sprache unterdrückt. – Auch während der WR wurde die dt. Minderheit in den an Polen abgetretenen Gebieten massiv gefördert, um die dt. Revisionsbestrebungen hinsichtlich der dt.-poln. Grenze zu legitimieren. Eine Garantie der poln. Westgrenze nach dem Vorbild der Locarno-Verträge wurde von dt. Seite stets abgelehnt.

60 *ick heer ... rauschern*] Nach dem 1. Vers von Wilhelm Müllers Lied ‹Wohin?›: «Ich hört' ein Bächlein rauschen» (Müller: Gedichte aus den hinterlassenen Papieren eines Waldhornisten. In: Gedichte. Vollst. krit. Ausg. mit Einl. und Anm., hg. von James Taft Hatfield. Berlin 1906, 5), vertont von Franz Schubert (op. 25). – Mit «rauschern» ist auf den dt. Gesandten in Warschau Ulrich Rauscher angespielt.

62 *Nurmi*] Der mehrfache Olympiasieger und Weltrekordler im Mittel- und Langstreckenlauf Paavo Johannes Nurmi.

64 *neue Erbfeind*] Der alte: Frankreich; s. ‹Der Erbfeind›, Bd. 6 [148].

66 f *herrliche Zeiten entjejenfiehrn*] Anspielung auf die sprichwörtl. Äußerung Wilhelms II., der vor dem Brandenburgischen Provinziallandtag (24.2.1892) sagte: «Zu Großem sind wir noch bestimmt, und herrlichen Tagen führe ich Euch noch entgegen».

78 f *Korrigidor*] Das infolge des Versailler Vertrages an Polen abgetretene dt. Reichsgebiet zwischen Pommern und der Weichsel, der «polnische Korridor», trennte die Freie Stadt Danzig und Ostpreußen vom Dt. Reich ab und ermöglichte Polens Zugang zur Ostsee, vgl. ‹Tante Malchens Heimatland›, Bd. 5 [68]. Die Kontamination mit dem lat. «corrigere» (berich-

tigen, verbessern) spielt auf die von konserv. Kräften geforderte Revision dieser Vertragsbestimmungen an.
Flaschenbier vajeht, aba Schönheit be –] Nach sprichwörtl. «Schönheit vergeht, Tugend besteht». – Anspielung auf die Dissertation Stresemanns ‹Die Entwicklung des Berliner Flaschenbiergeschäfts› (Berlin 1902).

3

Lied fürs Grammophon

V: Theobald Tiger (D^1); Kurt Tucholsky (D^2)
D^1: WB Jg. 25, Nr. 1, 1.1.1929, I, S. 21
D^2: Lerne lachen ohne zu weinen 1931, S. 373–374
Bibl.: Nd s. Bonitz / Wirtz D 2177; 1 NdzL, 8 Nd; GW 7

Varianten
Die Varianten sind nach D^2 verzeichnet
7 zu –] zu ... **14** Dein –] Dein, **18** du –?] du? **27** oh] oh,

U.d.T. ‹Lucindy› 1932 von Curt Bois auf Schallplatte aufgenommen (Grammophon 24762); Vertonung: Allan Gray, Orchesterbegleitung unter Leitung von Ilja Livschakoff.
Lisa Matthias zufolge findet in dem Gedicht KTs innerer Zustand nach der Trennung von MT seinen Niederschlag (s. Matthias 1962, 133 f).

Lucindy!] Als Vorbild diente KT ein Song der amer. Gesangsgruppe «The Revellers» mit dem Titel ‹Oh! Lucindy› (1927), Text: Thekla Hollingworth; Musik: Jessie L. Deppen; Electrola EG 916; vgl. [173], *21 f.*

4

Fabel

V: Ignaz Wrobel (D^1); Kurt Tucholsky (D^2)
D^1: WB Jg. 25, Nr. 1, 1.1.1929, I, S. 36–37 [Rubrik:] Bemerkungen
D^2: Lerne lachen ohne zu weinen 1931, S. 55–57
Bibl.: Nd s. Bonitz / Wirtz D 2178; 9 Nd; GW 7

Varianten
Die Varianten sind nach D^2 verzeichnet

5 ansteigend,] ansteigend; **5** so] *fehlt* **14** Hütte,] Hütte und **17** legte] und legte **17** Weib ...] Weib. **18** träumte ...] träumte. **20** Ruhestellung ...] Ruhestellung. **25** in] mit

61 *Otto Wels*] KT zählte den dem rechten Parteiflügel zugehörigen Fraktionsvors. der SPD neben Ebert, Scheidemann und Noske zu den führenden Sozialdemokraten, denen er vorwarf, durch eine Politik des Kompromisses und eine taktische «Realpolitik» die Revolution und die Arbeiterklasse verraten zu haben; vgl. [67], *29*; [125].

61 *Lenin*] Zu KTs Würdigung Lenins als herausragendem Typus eines legitimen Führers vgl. ‹Der Dicke in Rußland›, Bd. 8 [17]; ‹Die hochtrabenden Fremdwörter›, Bd. 13 [59], 58 ff.

5

Mit Geduld und Spucke

V: Theobald Tiger
D[1]: AIZ Jg. 8 (1929), Nr. 2, S. 11
Bibl.: Nd s. Bonitz / Wirtz D 2165; 1 NdzL, 1 Nd
Mit einer Photographie

Datierung
2. 1. 1929; zur Datierung der AIZ-Texte s. [1], *0*

7 f *Eher geht ... Gefängnis*] «Es ist leichter, daß ein Kamel durch ein Nadelöhr gehe, als daß ein Reicher ins Reich Gottes komme» (Matth. 19, 24).

13 *Kulör*] Phonetisch für frz. couleur (Farbe).

16 *zum ewigen Frieden*] Anspielung auf Kants philosoph. Entwurf ‹Zum ewigen Frieden› (1795).

19 *S. P. D.*] Vgl. [4], *61*, sowie [125].

19 *Zentrum*] Die 1870 im Kulturkampf gegen Bismarck gegr. kath.-konservative Deutsche Zentrumspartei. Neben der 1919–1921 regierenden Weimarer Koalition (SPD, Zentrum, DDP) war das Zentrum, das mit Fehrenbach, Wirth, Marx und Brüning vier Reichskanzler stellte, als Koalitionspartei an allen Regierungen bis 1932 und damit maßgeblich an der Regierungsarbeit der Weimarer Republik beteiligt. Vgl. ‹Das Zentrum›, Bd. 5 [181].

6

Einfahrt

V: Peter Panter (D^1); Kurt Tucholsky (D^2)
D^1: Vossische Zeitung Nr. 6, 6. 1. 1929, Post-Ausg.; Unterhaltungsblatt Nr. 5, [S. 3]
D^2: Lerne lachen ohne zu weinen 1931, S. 40–42
Bibl.: Nd s. Bonitz / Wirtz D 2179; 8 Nd; Ackermann II: 1 NdzL; GW 7

Varianten
Die Varianten sind nach D^2 verzeichnet
1 aus] auf **8** zurück –] zurück; **8** Menschen –] Menschen, **9** langsamer –] langsamer, **11** rußig] ruhig **18** Tuchen] Tuch **19** hier] *fehlt* **22** hier ihr] ein **23** Freudenmädchen mit Leid im Herzen –] *fehlt* **28** Achsen] *folgt* auf den Höfen **33** bestimmten] bekannten **35** vorteilhaft –] vorteilhaft … **38** eigene] eigne **41** handelt] handelte **42** ist und keine Männer liebt] sowie homosexuell ist **44** verstehen] verstehn **46** unseres] unsres **47** «einleben»] einleben **50** kann] kann, **54** du –] du … **57** Kinderzimmern] Kinderliedern **60** ersten Male] erstenmal **62** Scheiben] Scherben *(vermutlich Druckfehler)* **62** haben:] haben. **62f** sieh mal –] Sieh mal, **63** dort,] dort **63** Omnibus,] Omnibus **66** Leben –] Leben … **66** darf's] darfs **71** aus und] aus; sie

7

Das A-B-C des Angeklagten

V: Ignaz Wrobel
D^1: WB Jg. 25, Nr. 2, 8. 1. 1929, I, S. 45–48
Bibl.: Nd s. Bonitz / Wirtz D 2180; 5 Nd; GW 7
Rez.: Adolf Felsart [d. i. Adolf Glücksmann] und C[arl] Phönix [d. i. C. Hörder-Credé]: Das «A-B-C» des Angeklagten. Berlin-Pankow: Linser 1928

Die hier fehlende Nennung der Autoren wurde offensichtlich von diesen moniert und in einer «Antwort», allerdings fehlerhaft, nachgetragen (s. ‹Dr. Felsart und C. König›, WB 15. 1. 1929, I, 120).

1 *Verein gründet*] Vgl. KTs Polemiken gegen die dt. Vereinsmeierei, z.B. ‹Das Mitglied›, Bd. 8 [107]; ‹Auf dem Nachttisch›, Bd. 10 [22], 148ff; ‹«Wir von der Unter-Tertia»›, Bd. 10 [191].

9 *«Klatsche»*] Kurzform von «Klatschbuch» (nach «Kladdebuch»: behelfsmäßig angelegtes Geschäftsbuch; abklatschen: plump nachbilden, vervielfältigen); Küpper 1997, 420.

19 *Schrift Professor Halles*] Felix Halle: Wie verteidigt sich der Proletarier vor Gericht. Berlin 1924; vgl. Bd. 9 [A 2], 3–14.

34 ff *«Frohlocke ... Verbrechen ...»*] Felsart/Phönix 1928, V f; im Orig. «gefeit» statt «so gefeit».

46 ff *«... den Prozeß ... kann.»*] ebd., VI.

49 *Jakubowski*] Poln. Landarbeiter, der 1926 auf Grund von Indizienbeweisen unter dem Verdacht des Kindsmordes unschuldig hingerichtet wurde (s. Bd. 10 [155]). Im Juni 1929 wurde im Wiederaufnahmeverfahren der wahre Mörder verurteilt (s. Bd. 12, *24, Ph*). Der Justizirrtum erhielt exemplar. Bedeutung in der Diskussion über die Beibehaltung der Todesstrafe im neuen Strafgesetz (s. [25], *0*).

50 ff *«Erfahrenheit ... steht.»*] Felsart/Phönix 1928, VI.

56 ff *Da ist ... Fluchtversuch wagen.*] Vgl. ebd., 2. – Seit dem Schießerlaß Wolfgang Heines vom 24.6.1919 war Polizeibeamten der Einsatz der Waffe erlaubt, wenn ein Verdächtiger sich der Festnahme durch Flucht zu entziehen versuchte; s. Bd. 5 [39], 41ff und [85], 118ff.

67 ff *«Nur eins ... gegenübertritt.»*] ebd., 68; im Orig. «Sieh auch» statt «Sieh»; «Vergiß es nie:» fehlt; «gesamte» statt «ganze».

84 *Hände an der Hosennaht*] KT zitierte mehrfach den entsprechenden Ausspruch eines Berliner Richters; s. Bd. 7 [93], 1; Bd. 10 [83], 40f.

86 ff *In Neustrelitz ... empfindlich.»*] Nicht ermittelt.

98 *Unabsetzbaren*] So bei KT häufig in Anspielung auf das Prinzip der Unabsetzbarkeit der Richter, das 1918 von den regierenden Sozialdemokraten mit der Folge übernommen wurde, daß die Richter des Kaiserreichs auch in der WR tätig blieben. Vgl. z.B. ‹Die leider nicht absetzbaren Richter›, Bd. 10 [54], *0*.

104 f *«In solchem Fall ... bestrafen.»*] Felsart/Phönix 1928, 55.

106 *Deutsche Richterverein*] Der Deutsche Richterbund (gegr. 1909), der im Unterschied zum Republikanischen Richterbund konserv. Positionen vertrat.

110 f *im Seminar von Franz von Liszt*] s. [1], *6*.

120 *Mensuren*] s. [17].

134 ff *«Die Ausführungen ... auch!»*] Felsart/Phönix 1928, 67.

145 f *«Langatmige ... bedürfen.»*] ebd., 70.

147 *Hašek*] Der tschech. Schriftsteller wurde durch die von ihm geschaffene

Figur des «braven Soldaten Schwejk», der die Befehle seiner Vorgesetzten in einfältigem Gehorsam ausführt und so der Lächerlichkeit preisgibt, weltberühmt. Die dt. Übersetzung seines Romans ‹Die Abenteuer des braven Soldaten Schwejk während des Weltkrieges› (1926/27) rez. KT in ‹Herr Schwejk›, Bd. 8 [109], und ‹Schwejk der Zweite›, Bd. 8 [212].
Aussagen zu machen] Zum Aussageverweigerungsrecht beim polizeilichen Verhör s. Felsart/Phönix 1928, 4f; bei der Voruntersuchung (ebd., 9); in der Hauptverhandlung (ebd., 58).
f *Anhang*] Teil II: ‹Medizinisch-Pädagogisches› (ebd., 99–107).
ff *«Du, mein Bruder … verbessern kann.»*] ebd., 101.
gustaf nagel] Der Naturapostel Gustav Nagel, der seinen Namen in der von KT gegebenen Form schrieb, lebte bei Angermünde in einer Höhle.
f *Köpenicker Straße*] Straße im proletar. Südosten Berlins (Kreuzberg), von der Neanderstr. zum Schlesischen Tor führend.
«Sie ist sauber … Aufsicht.»] Felsart/Phönix 1928, 104.
ff *«Mache … Bewegung hast.»*] ebd.

8

Herr und Frau Wichtig lassen zu Tisch bitten!

V: Peter Panter
D^1: WB Jg. 25, Nr. 2, 8.1.1929, I, S. 55–60
Bibl.: Bonitz/Wirtz D 2181; GW 7
Rez.: Clare Sheridan: Ich, meine Kinder und die Großmächte der Welt. Ein Lebensbuch unserer Zeit. Deutsch von Hans Reisiger. Leipzig: List [1928]

ff *«Ein wahrhaft … Gegenwart.»*] Zit. in der Anzeige des Paul List Verlags, die das Erscheinen des Buches für Mitte Sept. 1928 ankündigte (s. Börsenblatt für den Deutschen Buchhandel Jg. 95, Nr. 209, 7.9.1928, 7160).
Kapp-Putsches] Am 13.3.1920 hatten demokratiefeindliche Truppeneinheiten das Berliner Regierungsviertel besetzt, die Reichsregierung zum Rücktritt aufgefordert und ihren Führer Wolfgang Kapp zum neuen Reichskanzler erklärt. Die nach Dresden ausgewichene Reichsregierung rief das dt. Volk zum Widerstand auf. Nachdem die Gewerkschaften einen Generalstreik ausgelöst hatten, brach der Putsch nach vier Tagen zusammen. Kapp floh ins Ausland. Vgl. ‹Kapp-Lüttwitz›, Bd. 4 [58].
Vergnügen S.J.'s gebildet] Vgl. SJ an KT 10.3.1925, dort: «Kilmanrock»

(in: Jacobsohn 1989, 269). Die genannte Person konnte nicht identifiziert werden.

26 *Ossietzky*] s. ‹Memoiren eines schwarzen Schafs›, WB 27.11.1928, in: Ossietzky 1994, Bd. IV, 543 f.

39 ff *«Es gab nur … erfolglos.»*] Sheridan [1928], 81; zit. mit leichten orthograph. Abweichungen. Außerdem folgt hinter «auszufüllen» im Orig. «Dann hätte ich die Einsamkeit weniger empfunden.»

47 ff *«Das ist doch … Sitzung ging».*] ebd., 106.

53 ff *«So sehr ich … mochte ich gern»*] ebd., 95.

56 f *Brief … vor Augen sehen.*] ebd., 98.

65 *Tauchnitzphrasen*] Die 1837 von Christian Bernhard Tauchnitz in Leipzig gegr. Verlagsbuchhandlung gab seit 1841 die ‹Collection of British and American authors›, auch als Tauchnitz-Edition bekannt, heraus, innerhalb derer bedeutende engl. und amer. Schriftsteller in Originalsprache zum Vertrieb auf dem europ. Festland verlegt wurden.

73 *«Mittelvolée»*] Abwandlung von «haute volée» (feine Leute, vornehme Gesellschaftsschicht).

84 *seit es Genf gibt*] Im Jan. 1920 nahm der Völkerbund in Genf seine Tätigkeit auf. Dem jährlich mehrmals tagenden Völkerbundrat gehörten als ständige Mitglieder die Vertreter Großbritanniens, Frankreichs, Italiens, Japans und (seit 1926) Deutschlands an.

92 f *ces chancelleries*] Diese Kanzleien, hier: diese Botschaften.

103 *Talleyrands*] Der frz. Staatsmann hatte 1814/15 auf dem Wiener Kongreß außerordentliches diplomatisches Geschick bewiesen.

112 *«Washington … interveniert»*] Sheridan [1928], 244 (im Orig. indirekte Rede: «Washington hätte interveniert und die nötige Befehle wären unterwegs»).

127 ff *«Die Ratstagungen … zusammenführten.»*] ebd., 272.

137 f *Davon … Sonnabend*] Nach der jidd. Redensart «sich einen Sabbat (oder: Schabbes, d.h. Ruhetag) daraus/davon machen» (s. Werner Weingarten: Die Reste des Jüdischdeutschen. Stuttgart, Berlin, Köln, Mainz 1969, 94).

163 *«elle se gobe»*] «Sie ist sehr von sich eingenommen».

167 ff *«Gnädige Frau … da sein!»*] Nicht ermittelt.

171 f *Lenin abkonterfeite*] Vgl. Sheridan [1928], 165–171.

175 *scherzt mit Trotzki*] Vgl. ebd., 171–180.

178 *Jeanne de Moscou*] Jeanne von Moskau. Anspielung auf die frz. Nationalheldin Jeanne d'Arc, die um die Befreiung Frankreichs von den Engländern kämpfte.

179 f *«die Bolschewistin»*] Vgl. Sheridan [1928], 311.

182 ff *«Worin bestanden … Veränderungen?»*] ebd., 327.

ff *«Die Details … erfolglos.»*] ebd., 328, zit. mit kleinen orthograph. Abweichungen. Außerdem «war» statt «blieb».

Schmock] Nach der Gestalt des Schmock in Gustav Freytags Lustspiel ‹Die Journalisten› (1854): Ein Winkeljournalist, der jede Meinung vertritt, für die er bezahlt wird.

ff *«A. P. Sinnett … gewesen wäre …»*] Sheridan [1928], 288.

«Vision in der Wüste»] ebd., 342–348.

ff *«Du siehst … überarbeitet!› »*] ebd., 345; zit. mit Abweichungen: «Sie» statt «Sie mir»; «überarbeitet!» statt «überarbeitet.»

Inflation] Die Inflation im Nachkriegsdeutschland, die im Herbst 1923 ihren Höhepunkt erreichte.

ff *«Berlin war … Hälfte.»*] Sheridan [1928], 324; zit. mit Auslassung hinter «russisch.»

f *Grenadierstraße*] Straße im sog. Berliner Scheunenviertel nördl. des Alexanderplatzes, das sich seit der Jh.-Wende mit dem Zuzug durch Pogrome verfolgter osteurop. Juden zum «Berliner Ghetto» entwickelt hatte. Die pittoresken Reize des «Schtetls» wurden in Reiseführern angepriesen.

Charlottenburg] Der Berliner Stadtteil wurde wegen der vielen dort ansässigen Russen auch «Charlottengrad» genannt.

Béraud] KT hatte dem frz. Journalisten wiederholt Unfähigkeit und Verleumdung vorgeworfen, s. Bd. 9 [128], 155ff; vgl. auch ‹Der Dicke in Rußland›, Bd. 8 [17].

Larissa Reissner] s. ‹Larissa Reissner›, Bd. 9 [19].

«revirement»] Umbesetzung diplomat. oder militär. Stellen.

Spitzen der Behörden] Vgl. den gleichnamigen Artikel in Bd. 10 [111].

Graf Wedel] Der Diplomat Botho Graf von Wedel war 1910 vortragender Rat im AA gewesen. Worauf sich KT bezieht, konnte nicht ermittelt werden.

Aschinger] Kette preisgünstiger Speiselokale in Berlin.

Versailles] Die im Auftrag Ludwig XIV. seit 1661 errichtete pompöse Schloßanlage diente den frz. Königen bis zur Revolution als Residenz.

Wallstreet] Banken- und Börsenstraße im New Yorker Stadtteil Manhattan.

Chanson für eine Frankfurterin

von Theobald Tiger

Für Ida Wüst

Wenn die alten Herren nochmal Triebe ansetzen -
's find ich goldisch-!
wenn sie dann nichts wie Dummheite schwätzen -
's find ich goldisch-!
Ich hab ... ie alten Herrn;
ich ... halt die Alt-Metalle so gern..
Und ich kann mir nicht denken, was ihr eigentlich wollt-:
Ja, Jaköpple -
Reden ist Nickel, Schweigen ist Silber, und bist mei Gold-!

Wenn sie neben mir auf dem Divan sitzen -
's find ich goldisch-!
wenn sie sich ganz wie im Ernst erhitzen-
's find ich goldisch-!
Ich erlaub mir natürlich keine Kritik,
ich sag nur:-Manöver ist doch kein Krieg-!
Wer will, hat die Hälfte. Na, und wer zweimal gewollt...
Ja, Jaköpple -
Reden ist Nickel, Schweigen ist Silber, und du bist mei Gold-!

-2-

Wenn sie sich den Hut so schief auf die Seite klemmen -

's find ich goldisch-!

wenn sie die Aermsche wie Siegerin die Seiten stemmen -

's find ich goldisch-!

Am liebsten nehm ich sie dann auf den Schoss.

Aber man hat seinen Stolz. Es ist kurios:

Sei Mutter is net aus Frankfort. Er aach net. Und da hab ich nicht gewollt -

weine Kleiner -

Berlin ist Nickel, Wiesbaden ist Silber, aber Frankfurt ist Gold-!

———

9

Chanson für eine Frankfurterin

V: Theobald Tiger
D[1]: WB Jg. 25, Nr. 2, 8.1.1929, I, S. 64
Bibl.: Nd s. Bonitz/Wirtz D 2182; 6 Nd; GW 7

Überlieferung
T: 2 Bl., 225 x 284 mm, chamois getöntes Durchschlagpapier, längs- und quergefaltet, Bl. 2 aoR Mitte paginiert; 1stg., hs. Korr. mit schwarzer Tinte und Bleistift, hs. Erg. mit blauem Buntstift. (DLA)

Lesarten
Die Lesarten sind nach T verzeichnet
0 Chanson für eine Frankfurterin] *gesperrt und unterstr., darüber hs. mit blauem Buntstift* Entwurf **1** Für Ida Wüst] *hs. mit schwarzer Tinte unterstr., daneben Anweisung für den Satz* Antiqua, petit **2** alte] alten **2** e mal] nochmal **2** ansetze] ansetzen **3** des] 's **3** goldisch!] goldisch –! *dies hs. korr. aus* goldisch! *doppelte Unterstreichung von* sch *als Vermerk für den Setzer* **4** Wenn se] wenn sie **4** nix] nichts **4** Dummheite] *Endung doppelt unterstr. als Vermerk für den Setzer* **4** schwätze] schwätzen **5** des] 's **5** goldisch] *Endung doppelt unterstr. als Vermerk für den Setzer* **6** Des … Herrn:] *alR und üdZ hs. korr. aus* Ich hab was übrig für die alten Herrn. **7** hab] *üdZ hs. für gestr.* mag *dahinter üdZ eingefügt* nun **8** Wenn … verzollt –] *üdZ hs. für gestr.* Und ich kann mir nicht denken, was ihr eigentlich wollt –: **8** en] ein **8** Metallercher] Metalle **9** verzollt –] gehandelt u verzollt – *dies üdZ hs. für gestr.* handeln gesollt – **10** Jaköbche …] Jaköpple – **11** Rede is] Reden ist **11** Schweige is] Schweigen ist **11** mei] *Endung doppelt unterstr. als Vermerk für den Setzer* **12** se newe] sie neben **12** Diwan] Divan **12** sitze] sitzen **13** des] 's **13** goldisch!] goldisch –! *Endung doppelt unterstr. als Vermerk für den Setzer* **14** se] sie **14** Ernst] *üdZ hs. korr. zu* Ernstfall **14** erhitze] erhitzen **15** des] 's **15** goldisch!] goldisch –! *Endung doppelt unterstr. als Vermerk für den Setzer* **16** E … Siesch –] Ich erlaub mir natürlich keine Kritik; *Semikolon hs. korr. aus Punkt* **17** bloß] nur **17** is] ist **17** Kriesch!] Krieg –! **18** schon fuffzig Prozent] *hs. üdZ für gestr.* die Hälfte **18** fuffzig] fünfzig **18** No, un] Na, und **20f** En … Hauss …] *auR hs., mit Einweisungszeichen eingefügt* **20** is] ist **20** Roß,] Roß. **21** un] Un **21** Hauss …] Hauss – **22** un Rede is] Reden ist *davor auf eigener Zeile* Ja, Jaköpple – **22** Schweige is] Schweigen ist **22** un] und **22** mei] *Endung doppelt unterstr. als Vermerk für den Setzer* **22** Gold –] *Ende von Bl. 1, auR hs. Ver-*

merk Ich habe das erstmal an Harry Kahn zur Begutachtung geschickt. **23** se] sie **23** de] den **23** schief] so schief **23** klemme] klemmen – **24** des] 's **24** goldisch!] goldisch –! *Endung doppelt unterstr. als Vermerk für den Setzer* **25** Wenn se] wenn sie **25** Ärmcher] Aermsche *mit Bleistift doppelt unterstr. als Vermerk für den Setzer* s *und* e **25** Siescher] Sieger **25** Seite] Seiten *hs. korr. aus* Seite **25** stemme] stemmen – **26** des] 's **26** goldisch!] goldisch –! *Endung doppelt unterstr. als Vermerk für den Setzer* **27** am liebste nemm ich se] Am liebsten nehm ich sie **28** mer] man **28** sein] seinen **28** is] ist **29** sei] Sei **29** is net] s *und* e *doppelt unterstr. als Vermerk für den Setzer* **29** Frankfort] o *doppelt unterstr. als Vermerk für den Setzer* **29** aach net] aa *und* e *doppelt unterstr. als Vermerk für den Setzer* **30** net] nit *üdZ hs. mit Bleistift für gestr.* nicht **30** gewollt ...] gewollt – **31** Jetzt ... Klaaner –] Nu weine nit, Kleiner – *(*nit *üdZ hs. für gestr.* nicht*)* **32** Nickel,] *hs. korr. aus* Nickel. **32** Silber,] *hs. korr. aus* Silber. **32** awwer Frankfort is] aber Frankfurt ist *(*ist *hs. korr. aus* is*)*

Für Ida Wüst] Am 16.8.1928 berichtete KT in einem Brief an MT von seiner Arbeit für das «Kabarett der Komiker» und in diesem Zusammenhang von dem Plan, ein Chanson für die Schauspielerin Ida Wüst zu schreiben, die im Aug. 1929 als Gast im KdK engagiert war: «Sie ist ganz alt und dick und himmlisch liebenswürdig und aus Frankfurt. Der möchte ich gern ein Couplet über die Männer machen, wie die wirklich sind.»

10

Ein nachdenklicher Zuschauer

V: Theobald Tiger
D[1]: AIZ Jg. 8 (1929), Nr. 3, S. 10
Bibl.: Nd s. Bonitz / Wirtz D 2166; 8 Nd; GW 7
Mit einer Zeichnung

Datierung
9.1.1929; zur Datierung der AIZ-Texte s. [1], *0*

Emton] (berlin.) saloppe, gutmütig-herablassende Bezeichnung für eine schon genannte männliche Person: Zusammensetzung aus der Verlegenheitssilbe «em» und der Endung von «Anton» (Heinz Küpper: Illustriertes Lexikon der deutschen Umgangssprache in 8 Bdn. Bd. 2. Stuttgart 1983, 738).

11

‹Weiße Schatten› in Paris

V: Peter Panter
D^{1}: Tempo Jg. 2, Nr. 8, 10.1.1929, 1. Ausg. [Rubrik:] Unter den Lichtern Berlins, [S. 9]
Bibl.: Bonitz/Wirtz D 2183
Filmbespr.: ‹Weiße Schatten› (Orig. ‹White Shadows in the South Seas›); USA 1928; Regie: Woodbridge Strong van Dyke, Robert J. Flaherty; Drehbuch: Ray Doyle nach einer Erzählung von Frederick O'Brien; Kamera: Clyde de Vinna, Bob Roberts, George Gordon Nogle; Darsteller: Monte Blue, Raquel Torres, Robert Anderson, Bobby Andrews, Renee Bush

2 *Madeleine*] Die 1842 vollendete, «Madeleine» genannte Kirche Sainte-Marie-Madeleine, nördl. der Place de la Concorde gelegen; auch Name des Viertels, in dem die großen Boulevards beginnen.

2 *Tonfilm*] Als Beginn der Tonfilmzeit gilt das Jahr 1927. 1928 kam mit ‹Lights of New York› der erste Spielfim mit Dialog auf voller Länge heraus. Erst in den frühen 30er Jahren wurde der Tonfilm zur Norm in den USA und Europa. – Die von KT auch in den folgenden Jahren wiederholt geäußerten Vorbehalte gegenüber dem Tonfilm galten zunächst der noch unausgereiften Technik, später richteten sie sich v.a. gegen die Vereinnahmung der Tonfilmdichter durch Filmindustrie und -zensur; s. ‹Tell im Tonfilmatelier›, Bd. 13 [121]; ‹Die Ufa sucht Dichter›, Bd. 13 [175], sowie KTs Antwort auf die Rundfrage «Erkennen Sie im Tonfilm die Möglichkeit, Ausdrucksmittel dichterischer Mitteilungen zu werden?› in: Licht Bild Bühne Jg. 25, Nr. 1, 1.1.1932, [S. 2]; D 2678. Zur Diskussion über den Tonfilm 1929 s. Bd. 12, *103, 12*.

8 *‹Tempo›*] KT arbeitete seit Erscheinen der ersten Ausgabe am 12.9.1928 für das von Ullstein herausgebrachte Berliner Boulevardblatt ‹Tempo›. Er äußerte sich in Briefen an MT (9.8., 8.9. und 18.9.1928) von Beginn an skeptisch über das Niveau der Zeitung; vgl. ausführlich Bd. 10 [130], *0*.

46 *«Photomontage»*] Wohl in Anlehnung an die Photomontagen Heartfields eine nicht-naturalistische, heterogene Elemente kombinierende und ihre Konstruktion zur Schau stellende Montage von Bild und Ton. Vgl. Heartfields Montage ‹Deutscher Tonfilm› im gemeinsam produzierten DD, Bd. 12, 225.

51 *Chaplin*] KT rezensierte mehrere Filme des von ihm verehrten Stummfilmstars: ‹One a.m.› in: ‹Oase›, Bd. 6 [14]; ‹The Kid›, Bd. 6 [46]; ‹The

Gold-Rush› in: ‹Der Brötchentanz›, Bd. 7 [198]; ‹Shoulder Arms› in: ‹Chaplin in Kopenhagen›, Bd. 9 [72]; ‹Französischer Kriegsfilm›, Bd. 9 [148]; s. a. die Hommage ‹Der berühmteste Mann der Welt›, Bd. 5 [194].

12

Remember! Remember!

V: Peter Panter
D^1: Vossische Zeitung Nr. 9, 10. 1. 1929, Post-Ausg.; Unterhaltungsblatt Nr. 8, [S. 1]
Bibl.: Bonitz / Wirtz D 2184
Rez.: Karl Hans Strobl: K. P. Qu. Geschichten und Bilder aus dem österreichischen Kriegspressequartier. Reichenberg: Verlag der Heimatsöhne 1928

Remember! Remember!] Vermutl. Zitat eines berühmten engl. Kinderreims, der an den 5.11.1605 erinnert. An diesem Tag versuchte Guy Fawkes die Houses of Parliament und Westminster Palace zu sprengen. Die Ausführung dieses als «Gunpowder Plot» bekannten Plans konnte verhindert werden, Fawkes wurde gefangen genommen und hingerichtet. Bis heute wird der 5. 11. alljährlich als «Guy Fawkes Day» mit Feuerwerk und Festlichkeiten begangen. Der Reim lautet: «Remember, remember,/the 5th of November, / Gunpowder, treason and plot. / We see no reason / Why Gunpowder treason / Should ever be forgot.»
Waschzettel] Vom Verleger den Rezensionsexemplaren beigelegte kurze Inhaltsangabe und Charakterisierung eines Buches.
f *Fülle … Kriegsromane*] Eine vermehrte Produktion von Kriegsromanen hatte erst Ende der 20er Jahre eingesetzt, darunter z. B. Renns Roman ‹Krieg› (1928), Remarques Welterfolg ‹Im Westen nichts Neues› (1928/29), Glaesers ‹Jahrgang 1902› (1928), Pliviers ‹Des Kaisers Kulis› (1929) oder Köppens ‹Heeresbericht› (1930). Um die Romane Renns und Remarques entspann sich in der WB eine kontroverse Debatte um Kriegsbücher linker oder pazifist. Autoren (s. die Aufsätze von Sclutius, Angaben in [68], *0*, sowie Charles Movie: Der Dichter und der Führer, WB 9. 4. 1929, I, 576; Arnold Zweig: Kriegsromane, WB 16. 4. 1929, I, 597–599). KT verteidigte Remarques Buch vor Angriffen von rechts (vgl. [68]). Bereits 1927 hatte er Arnold Zweigs Kriegsroman ‹Der Streit um den Sergeanten Grischa› gewürdigt (s. Bd. 9 [171]).

26 ff *«Ein kleiner … gekrampft war.»*] Strobl 1928, 77. Im Orig. wird das Zitat eingeleitet: «Auf dem Feldweg wurde mir ein Breughelbild lebendig: ein» (weiter wie bei KT).

13

Der Kriegsschauplatz

V: Kaspar Hauser (D^1); Kurt Tucholsky (D^2)
D^1: WB Jg. 25, Nr. 3, 15. 1. 1929, I, S. 97–100
D^2: Deutschland, Deutschland über alles 1929, S. 64–66
Bibl.: Nd s. Bonitz / Wirtz D 2185; 8 Nd; Ackermann: 1 NdzL; GW 7

Varianten
Die Varianten sind nach D^2 verzeichnet
4 wech] los **16** Übung, zur] *fehlt* **20** alleine] allein **26** er] der Schnaps **28** kennen] kenn **30** jelebt,] jelebt **41** Jebürje] Jebürge **49** mächtiches] mächtiges **52** international –] international … **52** dess] diss **53** Bitterwasser,] Bitterwasser – **54** auch: –] auch – **59** ab –] ab. **64** grüne] jrüne **65** jekomm –] jekomm … **66** orjanisiert] organisiert **67** Tote,] Tote; **75** kommen –] kommen … **77** aber] *fehlt* **77** da] hier **86** alleine] alleene **91** ick] ich **92** runterjerissen,] runterjerissen; **98** det] det: **108** bessahlt –] bessahlt … **110** ja –] ja … **112** is –] is … **116** noch –] noch … **119** 'ne] 'n **119** Maurerei –] Maurerei, **124** Orjanisieren –] Orjanisieren …

8 *Stampe*] Kneipe.
30 *Genf*] s. [8], *84*.
34 *Grumbach … Breitscheid*] Für KT repräsentierten der frz. Politiker und dessen dt. Kollege Breitscheid Sozialdemokratien, die einander aus jeweils nationalen Rücksichten über die Gefahr eines fortwirkenden dt. Militarismus und Revanchismus hinwegtäuschten. Bereits 1925 hatte KT die zwischen naivem Optimismus und grundsätzlichem Mißtrauen schwankende Haltung der frz. Sozialdemokraten gegenüber der dt. Schwesterpartei mit ähnlichen Worten kritisiert, s. ‹Zwei Sozialdemokratien›, Bd. 7 [55], 45 ff.
37 *Heer orjanisiern*] Anspielung auf die seit 1920 von Seeckt betriebene geheime dt.-russ. Zusammenarbeit auf militär. Gebiet. Das Dt. Reich leistete Hilfe beim Aufbau der Roten Armee, diese gab im Gegenzug der RW die Möglichkeit, auf russ. Gebiet Waffen zu erproben und zu produzieren, die Deutschland nach dem Versailler Vertrag verboten waren. Durch Be-

richte des ‹Manchester Guardian› im Dez. 1926, die insbes. über eine Flugzeugfabrik der Junkers-Werke, über eine Giftgasfabrik und Munitionstransporte zur See informierten, wurden diese militär. Beziehungen der dt. Öffentlichkeit bekannt; s. Morus: Der Fall Junkers, WB 14.12.1926, II, 931–934, sowie Bd. 8 [A 1], 1–25.

feinknorke] Eines der von KT kritisierten Modewörter: «Eines Tages beschloß der Berliner, etwas Schönes, Angenehmes, Liebliches, etwas, das das Herz erfreut, mit *Knorke* zu bezeichnen», s. ‹Der Fall Knorke›, Bd. 6 [135], 1 ff.

f *Rote Kreuz ... international*] Die Organisation des «Internationalen Roten Kreuzes» zum Schutz der Verwundeten, Kranken und Zivilpersonen im Krieg, bestehend aus den nat. Gesellschaften vom R.K., dem 1863 gegr. Intern. Komitee vom R.K. in Genf und der 1919 gegr. Liga der Rotkreuzgesellschaften in Paris. Seit 1921 waren die dt. Landesvereine vom R.K. im Deutschen Roten Kreuz (DRK) zusammengefaßt. KT kritisierte am DRK u.a., daß es «eine durchaus wilhelminische Einrichtung geblieben» sei, s. ‹Nieder mit dem Roten Kreuz!›, Bd. 8 [129].

f *Da beißt ... Faden von ab*] Redensart: Da ist nichts zu ändern. Zuerst 1650 bei Moscherosch in den ‹Gesichten Philanders von Sittewald› (Bd. 2, 474), s. Röhrich 1994, Bd. 3, 1013.

mehr orjanisiert] Vgl. ‹Der Apparat›, Bd. 2 [171]; ‹Wie mit unserer Arbeitskraft umgegangen wurde›, Bd. 3 [65].

Jasoffzier] Ungeachtet des völkerrechtl. Verbots (Haager Konferenzen 1900 und 1907), war im 1. Weltkrieg von dt. und alliierter Seite Giftgas eingesetzt worden (vgl. [83], *6*). Nach Kriegsende wurde das Dt. Reich zur Vernichtung sämtlichen Giftgases verpflichtet, dessen Herstellung, Ein- und Ausfuhr wurden durch den Versailler Vertrag untersagt. Das von den meisten Staaten, am 5.4.1929 auch von Deutschland, ratifizierte Genfer Protokoll von 1925 enthielt zwar das Verbot und die Ächtung des Ersteinsatzes chem. Kampfstoffe, schloß aber die Herstellung davon aus. Die Diskussion um die geheime Produktion von Giftgas entzündete sich an der ab 1923 für die RW produzierende russ. Giftgasfabrik (s.o. *37*) und erneut an der Explosion eines Phosgengastanks auf dem Gelände der chem. Fabrik Stoltzenberg im Hamburger Freihafen am 20.5.1928, die das Überdauern von Gas aus Demobilisierungsbeständen der alten RW belegte. Im Jan. 1929 tagte in Frankfurt/M. eine intern. Konferenz, die sich mit der Frage des Giftgaskrieges der Zukunft befaßte, s. Heinrich Franck: Giftgaskrieg und Zivilbevölkerung, BT 4.1.1929, A, sowie Gerhard Donath: Der chemische Krieg, WB 16.4.1929, I, 589–593.

f *Leverkusen*] Sitz eines Farbenwerks der I.G. Farben (vormals Friedrich

Baier & Co., eine Gründungsfirma der I.G. Farben), während des 1. Weltkrieges eine der Giftgasproduktionsstätten.

69 *Panjes*] Von poln. «Pan» (Herr); während des Weltkriegs in der Soldatensprache meist abwertende Bezeichnung für die Zivilbevölkerung des östlichen Kriegsschauplatzes.

71 *Requirieren*] Vgl. KTs ‹Militaria›-Artikel ‹Von großen Requisitionen›, Bd. 3 [13].

85 f *mit meinem … Suff alleine*] Nach einem Vers aus ‹Neues Leben. Symphonie in Stanzen› (24, 2), von Karl Henckell (1900): «Auf breitem Baumstumpf voller Brombeerranken / Sitz' ich mit meinem Gott und mir allein». In: Henckell: Gesammelte Werke. Erste krit. Ausg. eigener Hand. Bd. 1: Buch des Lebens. München 1921, 120.

104 *Disseplin muß sind!*] Mit der berlin. Redewendung betitelte KT 1921 ein Gedicht über die neugebildete, militarisierte Schutzpolizei (s. Bd. 5 [69]).

107 *Schmeißküche*] Jahrmarktsstand, ausgestattet mit Keramik- und Porzellangegenständen, nach denen man gegen Entgelt werfen kann (Küpper 1997, 725).

110 *Sozis … die wolln ja*] Vermutlich Anspielung auf die Zustimmung der RT-Fraktion der SPD zum Bau des Panzerkreuzers A am 16.11.1928; s. Bd. 10 [116], sowie in diesem Band [37], *14*; [86], *57*.

111 *die Weiber*] Vgl. ‹Der Krieg und die deutsche Frau›, Bd. 9 [97].

114 *die Beljier*] Zu den Greueltaten dt. Soldaten gegen die belg. Bevölkerung zu Beginn des Weltkrieges s. [64], *5 f*; Bd. 3 [13], *22*.

118 *Ludendorff is Maurer*] Ludendorff, der bereits in seinem Buch ‹Kriegführung und Politik› (Berlin 1922) Freimaurer und Juden als mitverantwortlich für die dt. Niederlage im 1. Weltkrieg erklärt hatte, schuf sich mit seinem 1926 gegr. «Tannenbergbund» ein Forum für den Kampf gegen «überstaatliche Mächte» (Juden, Freimaurer, Marxisten, Jesuiten) und die Schaffung einer dt.-german. Religionsgemeinschaft. Im folgenden Jahr publizierte er den ersten Band ‹Vernichtung der Freimaurerei durch Enthüllung ihrer Geheimnisse› (München 1927; Bd. 2, ebd. 1928). Vgl. ‹Ludendorff oder Der Verfolgungswahn›, Bd. 10 [175]; vgl. auch [68], *41*.

119 *Tirpitz … Bartwuchsmittel*] Tirpitz' bekannte Barttracht, er trug einen in zwei Spitzen nach rechts und links unten auslaufenden Vollbart, war noch in den späten 20er Jahren Gegenstand zahlreicher Glossen; s. z. B. st[efan] gr[oßmann]: Verspäteter Toast auf Tirpitz, TB 6.4.1929, I, 577.

119 f *Noske zücht Bluthunde*] Anspielung auf die berüchtigte Äußerung Noskes anläßlich der Übertragung des Oberbefehls über die Regierungstruppen in Berlin gegen die aufständischen Arbeiter am Abend des 6.1.1919. Noske hatte das Amt mit der Bemerkung akzeptiert: «Meinetwegen! Einer muß

ja der Bluthund sein, und ich scheue die Verantwortung nicht.» Von Noske selbst kolportiert in: ‹Von Kiel bis Kapp› (Berlin 1920, 68).

f *Hakenkreuz am … Stahlhelm*] Refrain des ‹Frontsoldatenlieds›: «Hakenkreuz am Stahlhelm, / schwarz-weiß-rotes Band, / Bund der Frontsoldaten / werden wir genannt»; s. Das Stahlhelm- und Vaterlands-Liederbuch. Hg. von General a. D. Maercker. Dresden [1924 ?], 13; dort mit dem Hinweis: «Singweise des ‹Ehrhardt-Liedes›». Das Hakenkreuz wurde erstmals getragen von der Brigade Ehrhardt am 13. 3. 1920 beim Einmarsch in das Berliner Regierungsviertel, mit dem der sog. Kapp-Putsch begann.

14

Die Herren Sachverständigen

V: Theobald Tiger
D^1: WB Jg. 25, Nr. 3, 15. 1. 1929, I, S. 105–106
Bibl.: Nd s. Bonitz / Wirtz D 2186; 1 Nd

Ihnen zuzutrauen] Vgl. ‹Ich bin ein Mörder›, Bd. 10 [176]; ‹Wie benehme ich mich als Mörder?›, Bd. 10 [26]; ‹Der sympathische Mörder›, Bd. 10 [83]; ‹Zuzutrauen›, Bd. 14 [83]; s. a. [122].
Pressen] Umgangssprachlich für private Nachhilfeschulen.

15

Das Kind, das nicht geboren ist

V: Ignaz Wrobel
D^1: WB Jg. 25, Nr. 3, 15. 1. 1929, I, S. 114–115 [Rubrik:] Bemerkungen
Bibl.: Bonitz / Wirtz D 2187; DT

nimmt ein Kind an] Der hier referierte Fall konnte nicht ermittelt werden.
§ 24 des Personen-Stand-Gesetzes] Das ‹Reichsgesetz über die Beurkundung des Personenstands und die Eheschließung› vom 6. 2. 1875. Der § 24 lautet: «Wer ein Kind findet, ist verpflichtet, hiervon spätestens am nächstfolgenden Tage Anzeige bei der Ortspolizeibehörde zu machen. Die letztere hat die erforderlichen Ermittelungen vorzunehmen und dem Standesbeamten des Bezirks von deren Ergebnis behufs Eintragung in das Geburtsregister Anzeige zu machen. Die Eintragung soll enthalten die

Zeit, den Ort und die Umstände des Auffindens, die Beschaffenheit und die Kennzeichen der bei dem Kinde vorgefundenen Kleider und sonstigen Gegenstände, die körperlichen Merkmale des Kindes, sein vermutliches Alter, sein Geschlecht, die Behörde, Anstalt oder Person, bei welcher das Kind untergebracht worden, und die Namen, welche ihm beigelegt werden.» (Otto Stölzel: Das Personenstandgesetz in heutiger Gestalt nebst Ergänzungen und Musterbeispielen. 3. Aufl. Berlin 1926, 6f, 2).

50 *Noske*] Noske war als militär. Oberbefehlshaber für die blutige Niederschlagung der Aufstände Jan./März 1919 verantwortlich gewesen (s. Bd. 3 [7], *0*; [28], *0*; Bd. 5 [48]). KT bezeichnete ihn 1926 als «Schandfleck der Partei» (s. Bd. 8 [29], 63); s.a. [13], *119f.*

58 *Zentrums-Gesetz*] Zum Einfluß der kath. Zentrumspartei auf die Reichspolitik vgl. z.B. [5], *19*; [42], *163*; [86], *65*; [134], *13*.

61 f *Partei … verrät*] s. [67]; [86], *57*.

16

Köpfe

V: Ignaz Wrobel (D^1); Kurt Tucholsky (D^2)
D^1: WB Jg. 25, Nr. 4, 22.1.1929, I, S. 152 [Rubrik:] Bemerkungen
D^2: Deutschland, Deutschland über alles 1929, S. 175–176
Bibl.: Bonitz/Wirtz D 2189; GW 7

Varianten
Die Varianten sind nach D^2 verzeichnet
6 sein …] sein sollte. **12** abirren.] abirren; **14** aus –?] *folgt kein Absatz* **16** bescheidner] bescheidener **17** die Arbeit … Alter,] Arbeit und Alter haben ihn leicht geduckt, **28** der kleine] ein **29** erbarmungslose] *fehlt* **31** Und] «Und **32** «Gott] Gott **40** blitzt!] blitzt?

3 *«aus betriebstechnischen Gründen»*] Vgl. ‹Das Fach-Adverbium›, Bd. 7 [106].

19 *In pace*] Nach dem lat. Text der Vulgata: «Requiescat in pace!»: «Er ruhe in Frieden» (Psalm 4, 9).

31 *In bello*] Im Krieg.

31 f *Und der Hermundure … runtergekommen …*] Schlußverse von Fontanes Gedicht ‹Veränderungen in der Mark (Anno 390 und 1890)›, zuerst in: Pan Jg. 5, 1899, H. 1/2, 5f. Von KT mit einer Abweichung («flüstert» für «stottert») zit. aus dem von ihm geschätzten Nachlaßband (Theodor Fon-

tane: Aus dem Nachlaß. Hg. von Josef Ettlinger. Berlin 1907, 164f). Die Verse dienten KT 1918 als Vorlage für das Gedicht ‹Der alte Fontane›, Bd. 2 [156].

alte Jahrgang] Zur ähnlichen Gegenüberstellung der alten mit der neuen Richtergeneration s. ‹Deutsche Richter›, Bd. 9 [55], 184ff; vgl. auch [17].

Gesichter, die in die Hose gehören.] Eine ähnliche Formulierung fand KT für die von Grosz karikierten «Gesichter der herrschenden Klasse»; s. ‹Fratzen von Grosz›, Bd. 5 [45], 78f.

Götz] Der in der 1. Fassung von 1776 gedr. Ausruf des Götz («er kann mich im Arsch lecken»), wurde von Goethe in den Umarbeitungen ersetzt durch «er kann mich – –» (‹Götz von Berlichingen›, 3. Akt, 17. Szene); s. Goethe: WA I, 8, 109 und 331.

17

Auf die Mensur!

V: Theobald Tiger (D^1); Kurt Tucholsky (D^2)
D^1: AIZ Jg. 8 (1929), Nr. 5, S. 12
D^2: Deutschland, Deutschland über alles 1929, u.d.T.: Deutsche Richter von 1940, S. 19
Bibl.: Nd s. Bonitz/Wirtz D 2167; 2 NdzL, 12 Nd; GW 7, u.d.T.: Deutsche Richter von 1940; weiterer NdzL: Der Schulkampf. Organ der Sozialistischen Schüler Jg. 2, H. 11, November 1929, 6–7, u.d.T.: Deutsche Richter von 1940
Mit einer Photographie

Datierung
23.1.1929; zur Datierung der AIZ-Texte s. [1], *0*

Varianten
Die Varianten sind nach D^2 verzeichnet
0 Auf die Mensur!] Deutsche Richter von 1940 **1** stehn] stehen **6** Stoß –] Stoß; **7** Ehre –] Ehre –! **9** Gebunden!] *fehlt* **10** Fertig!] *fehlt* **11** Los –!] Los! **21** Fertig!] *fehlt* **22** Los –!] Los! **29** schweigen –] schweigen **33** Los –!] Los! **34** *] *fehlt* **42** sein –?] *folgt auf der nächsten Zeile rechtsbündig* Fertig! Los! Los! **43ff** Reißt … Los –!] *fehlt*

Vgl. [16], 34ff, *34*; zu den schlagenden Studentenverbindungen s. ‹Briefe an einen Fuchsmajor›, Bd. 10 [17].

Wirkung

Dem NdzL im ‹Schulkampf› (s.o.) war die red. Anmerkung angefügt: «Die sozialistischen, revolutionären Studenten der Technischen Hochschule Dresden hatten dieses Gedicht von Kurt Tucholsky an ihr Brett geheftet. Darauf hat der Rektor der Hochschule dem ‹Sozialistischen Studentenbund› wegen ‹unakademischen Verhaltens› die Gleichberechtigung gegenüber den Korporationen genommen und ihn aufgehoben. Wir drucken das Gedicht nach mit der freundlichen Genehmigung aus dem unerschöpflichen Buche ‹Deutschland, Deutschland über alles› von Kurt Tucholsky.»

0 *Mensur*] Das student. Duell mit dem Rapier, seit 1883 im Dt. Reich verboten, wurde in der WR weiterhin praktiziert und staatlicherseits geduldet. Letzteres sollte den systemfeindlichen Strömungen in Studentenschaft und Altherrenverbänden entgegenwirken. – 1920 hatte KT die Mensur noch zu den «guten Seiten» der student. Verbindungen gezählt, denn sie «stählt bei vielen unbedingt den Willen» (s. ‹O alte Burschenherrlichkeit›, Bd. 4 [136], 68f; vgl. dagegen ‹Briefe an einen Fuchsmajor›, Bd. 10 [17], 49ff).

2 *Lederflaus*] Veraltete Bezeichnung (v.a. aus dem Süddeutschen) für Mensurzeug, -Wichs, -Jacke oder allg. Schutzausrüstung des Paukanten (Fechter).

9 ff *Auf die Mensur! ... Los –!*] Eröffnende Kommandoworte der Sekundanten zu Beginn der Paukgänge. «Gebunden» bezeichnet die Position der Klingen bei der Ausgangsstellung der Paukanten, sie müssen sich im Bereich der «Schwäche» (d.i. die vordere Hälfte der Klinge) berühren. Mit dem Kommando «Los!» wird diese Berührung gelöst und der Gang (Gefecht) beginnt.

13 *Tiefquart*] «Quart» bezeichnet den Fechthieb nach der linken Kopfseite des Gegenpaukanten; man unterscheidet Hoch-, Außen- und Tiefquart.

16 *Blüte der Arier*] Der student. Antisemitismus in der WR fand seinen Ausdruck z.B. 1920 im Ausschluß jüd. Kommilitonen («Arierparagraph») aus der «Deutschen Burschenschaft» (DB), der mitgliederstärksten Korporation in der WR, sowie durch ein Heiratsverbot mit jüd. oder farbigen Frauen. 1921/22 wurde die Forderung nach einem Ausschluß von Juden aus Teilen der «Deutschen Studentenschaft» (s. [21], *56f*) laut. Mit dem Argument der «Überfremdung» dt. Universitäten forderte die DB 1923 einen Numerus clausus für «volksfremde Einwanderer aus dem Osten». Das Festhalten der preuß. Studentenschaft am völk. Zugehörigkeitsprinzip führte 1927 zum Konflikt mit dem preuß. Staatsministerium, in dessen

Folge die Studentenschaft ihre staatl. Anerkennung und ihren öffentlichrechtlichen Status verlor. Vgl. Bd. 10 [17], *285 f.*
von der Etsch … Rhein] Verballhornung eines Verses aus dem ‹Lied der Deutschen› (s. [68], *64*), der im Original lautet: «Von der Etsch bis an den Belt». Anspielung auf die seit dem Versailler Vertrag gültigen Westgrenzen des Dt. Reichs infolge der Abtrennung von Elsaß-Lothringen und die zonenweise alliierte Besatzung der linksrhein. Gebiete auf 15, 10 und 5 Jahre.

18

Wenn der Henker Wohnung sucht

V: Peter Panter
D^1: Tempo Jg. 2, Nr. 19, 23. 1. 1929, 1. Ausg. [Rubrik:] Die Welt der Gedanken und Abenteuer, [S. 12]
Bibl.: Nd s. Bonitz / Wirtz D 2190; 1 Nd; DT

Deibler] Am 2. 1. 1929 verhandelte die 2. Kammer des Pariser Zivilgerichts eine Klage Deiblers gegen eine Mieterin seines Mietshauses. Er forderte deren Auszug aus einer Wohnung, in die er selbst einzuziehen beabsichtigte (s. ‹M. Deibler veut faire expulser un de ses locataires parce qu'il souffre d'une maladie de cœur›, L'Œuvre 3. 1. 1929).
Zeichnung] Nicht ermittelt.
f *«abschreckende … Todesstrafe»*] Vgl. KTs Zurückweisung dieser Auffassung in ‹[Der Mörder und der Staat]›, Bd. 10 [95]; s. a. [24], *0.*
am frühen Morgen] Hinrichtungen fanden in aller Regel am frühen Morgen statt; vgl. [43], 196 f.

19

Für jene gewissen, stets schwierigen Leser …

V: Peter Panter
D^1: Tempo Jg. 2, Nr. 20, 24. 1. 1929, 1. Ausg., [Rubrik:] Das Stadtgespräch, S. 3

‹Œuvre›] ‹L'Œuvre› wurde als Monatszeitung 1904 in Paris gegr., 1915–1944 Tageszeitung. Ursprüngl. auf keine polit. Position festgelegt, nahm

das Blatt im 1. Weltkrieg eine zunehmend linke Position ein. In der Zwischenkriegszeit stand es den Radikalsozialisten nahe, war außenpolit. pazifist. orientiert und unterstützte im Wahlkampf 1924 das «Cartel des Gauches».

2 *Feuilleton*] De la Fouchardière verfaßte die tägl. Kolumne ‹Hors d'Œuvre› auf Seite 2 des Blattes. Zwei dieser «Plaudereien» hat KT übersetzt und in der Voss publiziert; s. ‹Der Affe auf dem Laternenpfahl› und ‹Mein Schulkamerad Aurioux›, Bd. 7 [210], [211].

11 *Wettbewerb*] Mittels des Wettbewerbs u.d.T. ‹Voulez-vous jouer avec moi› sollte de la Fouchardières These überprüft werden, derzufolge Genie und Originalität nur ein Trick junger talentloser Schriftsteller seien, sich in Szene zu setzen, daß Talent ein Produkt langwieriger Arbeit und daß das Pastiche (die Nachahmung) ein relativ einfaches Genre sei (s. L'Œuvre 4.1.1929).

22 *‹Journal›*] In der großen konservativen Tageszeitung ‹Le Journal quotidien, littéraire, artistique et politique› (1892–1944) schrieb Vautel über Jahre die tägl. Kolumne ‹Mon film›, s. ‹Clément Vautel›, Bd. 7 [158], 20ff.

23 f *wenn sie nur schreiben könnten*] 1925 hatte KT eine ähnliche Formulierung gebraucht: Vautel schreibe auf, «was die Portiers und die Delikateßwarenhändler schrieben, wenn sie schreiben könnten» (‹Wie Frankreich triumphiert›, Bd. 7 [32], 64ff; s.a. ‹Ibsen und der Nationalconcierge›, Bd. 10 [42], 16f).

27 *jemenfoutisme*] Abgeleitet aus der Redewendung «je m'en fous!» («das ist mir vollkommen egal»).

20

[Die Berlinerin]

V: Peter Panter
D[1]: Die Berlinerin. Ball-Almanach des Vereins «Berliner Presse», 26.1.1929. [Berlin:] Verein «Berliner Presse» 1929, S. 44
Bibl.: Bonitz / Wirtz D 2191

2 *in Paris*] KT war im April 1924 als Korrespondent der WB und der Voss nach Paris gegangen; s. Bd. 6 [60], *0*. Bis Febr. 1929 behielt er seinen Wohnsitz in Frankreich. Nach einem kurzen Deutschlandaufenthalt ging er für einige Monate nach Schweden, wo er sich Anfang 1930 endgültig niederließ; s. [53], *1*.

21

Ich möchte Student sein

V: Peter Panter
D[1]: Vossische Zeitung Nr. 24, 27. 1. 1929, Post-Ausg.; Unterhaltungsblatt Nr. 23, [S. 3]
Bibl.: Nd s. Bonitz / Wirtz D 2192; 2 NdzL, 5 Nd; GW 7

Studium schon vorbei] KT begann sein Jurastudium an der Friedrich-Wilhelms-Universität zu Berlin im Wintersemester 1909/10, im Aug. 1912 verließ er die Universität, um sich auf das jurist. Staatsexamen vorzubereiten, u. a. durch den Besuch der Repetitorien von Walter Pollack und Martin Friedländer. Im März 1913 trat er von der ersten jurist. Staatsprüfung zurück, im Jan. 1915 promovierte er an der Universität Jena (s. Bd. 2 [94], *Entstehung*). Zwischenzeitlich (Mai bis August 1914) hatte er sich erneut an der Berliner Universität immatrikuliert und Vorlesungen in Geographie und Psychologie belegt. Offenbar bezieht sich KT auf diese Zeit.

f *«Bemiß … sie nicht.»*] Sinngemäß in Senecas Schrift ‹Über die Kürze des Lebens› (‹De brevitate vitae›). Danach erscheint das Leben nur demjenigen zu kurz, der aus Nachlässigkeit Lebenszeit vergeudet: «Berechne, wieviel von dieser Zeit ein Gläubiger, eine Freundin, […] weggenommen hat, nimm hinzu, was auch ohne Benutzung liegengeblieben ist: sehen wirst du, weniger Jahre besitzt du, als du errechnest.» (Abschn. III); s. L. Annaeus Seneca: Philosophische Schriften. Latein und Deutsch. Hg. von Manfred Rosenbach. Bd. 2. Darmstadt 1971, 179 und 183.

f *«Ringen» … Studentenschaften*] In der dt. Studentenschaft der WR dominierten rechtskonservative bzw. völkisch orientierte Vereinigungen Sie waren in der 1919 von der «Frontstudentengeneration» gegr. «Deutschen Studentenschaft» (DSt), der betont national eingestellten Spitzenorganisation der Studentenschaften der dt. Hochschulen (Österreich, Tschechoslowakei), organisiert und im 1920 gegr. «Deutschen Hochschulring» (DHR) als Vertretung der völkisch ausgerichteten Verbände. Vgl. [17], *16*.

f *Ad exercitium … Sumus.*] Seid ihr bereit für die Übung des Lebens? Wir sind es. – In Anlehnung an das Kommando zum sog. Salamanderreiben (s. [118], *31*): «Ad exercitium salamandris praeparati?» («Seid ihr zur Durchführung eines Salamanders vorbereitet?»)

22

Müssen Banknoten häßlich sein?

V: Peter Panter
D^1: Tempo Jg. 2, Nr. 24, 29.1.1929, 1. Ausg. [Rubrik:] Das Stadtgespräch, [S. 3]
Bibl.: Bonitz / Wirtz D 2193; DT

34 *Makartsträuße*] Nach dem österr. Maler Hans Makart benanntes Bukett aus getrockneten Palmwedeln, Schilf, Gräsern u.a. Makarts dekorative und oft allegorische Malerei prägte Mode, Wohnkultur und Kunstgewerbe in der zweiten Hälfte des 19. Jh.

23

Deutscher Sport

V: Anonym (D^1); Kurt Tucholsky (D^2)
D^1: WB Jg. 25, Nr. 5, 29.1.1929, I, S. 190
D^2: Deutschland, Deutschland über alles 1929, S. 108
Bibl.: Bonitz / Wirtz D 2194

Varianten
Die Varianten sind nach D^2 verzeichnet
11 *] *fehlt (so auch in 26, 42, 48)* **46** Kartelles] Kartells **49ff** Wie … geprellt.] *fehlt*

Textcollage mit Auszügen aus Artikeln der dt. Tagespresse.

0 *Deutscher Sport*] Vgl. KTs Glosse zur Überorganisation in dt. Sportverbänden ‹Sport›, Bd. 7 [117], sowie die Artikel zur Militarisierung des Massensports ‹Sport›, Bd. 4 [123]; ‹Wehrpflicht – hintenherum›, Bd. 5 [97]; ‹Eine neue Wehrpflicht?›, Bd. 5 [169]; ‹Das Militär als Erzieher?›, Bd. 5 [129]. Vgl. ferner ‹[Der Geistige und der Sport]›, Bd. 10 [224].

1 ff *Tatsächlich … stellen.*] Auszug aus: ‹Die Fußball-Sperre bleibt und fällt›, Voss 30.10.1928. – Bericht von der Bundestagung des 1900 gegr. «Deutschen Fußball-Bundes» (D.F.B.) in Weimar am 28.10.1928. Dort war die Beibehaltung der Spielsperre gegen die kontinentalen Berufsspielerstaaten (Österreich, Ungarn und die Tschechoslowakei) beschlossen worden. Der von KT hier wiedergegebenen Kompromißformel ging ein seit langem in

der Öffentlichkeit ausgetragener Meinungsstreit zwischen den Anhängern reiner Amateurmannschaften und Vereinen mit Berufsspielern voraus.

ff *Den außerordentlichen … sein.*] Auszug aus: Rg.: Was geht im A. v. D. vor? Zur morgigen Generalversammlung, B. Z. am Mittag 23. 11. 1927. Der Artikel befaßt sich mit dem Plan einer Umorganisation des «Automobilclubs von Deutschland» (gegr. 1899), die dem Club einen Zuwachs an Mitgliedern verschaffen sollte.

ff *Der Deutsche … wird.*] Zitat nicht ermittelt; vgl. den ähnlich lautenden Bericht ‹Vom Internationalen Bob-Verband. Vorarbeiten für die 2. Winter-Olympiade›, Voss 20. 2. 1927.

Olympiade] An den im Febr. 1928 eröffneten Olympischen Winterspielen in St. Moritz nahmen erstmals seit dem Weltkrieg die bis dahin boykottierten dt. Sportler wieder teil. Zur Kritik am Erscheinungsbild der dt. Sportler bei der Eröffnungsveranstaltung, bei der ein Reichswehroffizier die dt. Sportlerriege im Festzug angeführt hatte, vgl. ‹Der Takt der Soldaten›, Bd. 10 [31].

ff *Wie wir … erlangen.*] Auszug aus demselben Artikel wie oben *12 ff.*

ADAC.] Allgemeiner Deutscher Automobilclub, gegr. 1903.

ff *Wie wir … geprellt.*] Quelle nicht ermittelt.

HSV.] Hamburger Sportverein, gegr. 1887 als SC Germania; 1919 erfolgte der Zusammenschluß mit den Fußballclubs Hamburger FC und FC Falke 1906 unter dem Namen Hamburger Sportverein.

24

Eine leere Zelle

V: Kaspar Hauser (D^1); Kurt Tucholsky (D^2)
D^1: WB Jg. 25, Nr. 5, 29. 1. 1929, I, S. 195–196 [Rubrik:] Bemerkungen
D^2: Deutschland, Deutschland über alles 1929, S. 80
Bibl.: Nd s. Bonitz / Wirtz D 2195; 9 Nd; GW 7

Varianten
Die Varianten sind nach D^2 verzeichnet
1 f daß … öffnet] was der Wärter tut: er öffnet das Fenster **5** vaguen] vagen **8** Stuhl;] Stuhl, **11** wozu] wozu noch **26** hergefallen,] hergefallen … **30** geschehen] geschehn **34** nun] denn **35** Denn meinen] Meinen **36** befriedigen –] befriedigen … **39** unwiderrufliches] Unwiderrufliches **39** geschehen,] geschehen; **40** daß] als daß

Bereits 1912 hat KT für die Abschaffung der Todesstrafe plädiert, s. ‹Hinrichtung›, Bd. 1 [22]. – 1928 gab er in der Diskussion um die Beibehaltung der Todesstrafe im neuen Strafgesetzentwurf (s. [25], *0*) seine Stellungnahme ab, s. ‹[Der Mörder und der Staat]›, Bd. 10 [95]; vgl. auch Bd. 10 [199], 15 ff. Am 2.5.1929 kam es im Strafrechtsausschuß durch Stimmengleichheit zu einer Ablehnung der Todesstrafe (s. ‹Todesstrafe abgelehnt›, BVZ 3.5.1929, M). Bei einer erneuten Aussprache gegen Ende des Jahres erhielten dagegen verschiedene Anträge, die die Abschaffung der Todesstrafe enthielten, keine Mehrheit (s. Landgerichtsdir. Dr. Wunderlich: Der Fortgang der Beratungen im Strafrechtsausschusse des Reichstages, in: Deutsche Juristen-Zeitung Jg. 34, H. 23, 1.12.1929, S. 1574 f).

35 *nicht einmal gerächt*] Dazu KT 1928 (s. Bd. 10 [95], 21 ff): «Die Befriedigung der primitiven Rachsucht der Geschädigten ist kein ethisches Postulat, sondern das Überbleibsel und die Vortäuschung individualistischer Epochen sowie die Abtretung der Blutrache an den Staat, dem hierzu jede sittliche Aktivlegitimation fehlt.»

37 *Parkettplatz*] Den Vergleich mit einer Theatervorstellung zieht KT bereits in ‹Hinrichtung› (s. Bd. 1 [22], 34 f); vgl. auch [18].

41 *Sichern? Ja.*] s. [1], *6*.

25

[Die Meinung der Kulturträger]

V: Ignaz Wrobel
D[1]: §297[3] «Unzucht zwischen Männern»? Ein Beitrag zur Strafgesetzreform. Hg. von Richard Linsert. Berlin: Neuer Deutscher Verlag 1929, S. 127–128
Bibl.: Nd s. Bonitz/Wirtz D 2163; 1 NdzL, 1 Nd; GW 7 u.d.T.: §297/ Unzucht zwischen Männern

Datierung
Als Erscheinungsdatum wurde der 5.2.1929 angenommen. An diesem Tag erschien im ‹Börsenblatt für den Deutschen Buchhandel› unter der Rubrik «Fertige und künftig erscheinende Bücher» eine Anzeige des Neuen Deutschen Verlages mit dem Vermerk «[s]oeben erscheint».

Das Buch steht im Kontext der öffentl. Debatte um den am 14.5.1927 vorgelegten und im Lauf der Jahre 1928/29 im RT diskutierten ‹Entwurf ei-

nes Allgemeinen Deutschen Strafgesetzbuches› (Drucksache Nr. 3390, in: Verh. d. RT, Bd. 415: Anlagen zu den stenograph. Berichten, 3257–3401. Berlin 1927, o.S.; interne Zählung: 1–43). Zur geplanten Reform des Sexualstrafrechts hatte das Anfang 1925 gegr. Kartell für Reform des Sexualstrafrechts einen Gegenentwurf vorgelegt (‹Sittlichkeit und Strafrecht. Gegen-Entwurf zu den Strafbestimmungen des Amtlichen Entwurfs eines Allgemeinen Deutschen Strafgesetzbuches über geschlechtliche und mit dem Geschlechtsleben im Zusammenhang stehende Handlungen›. Berlin 1927).
Unter der Überschrift ‹Die Meinung der Kulturträger› hatte der Hg. «Äußerungen über die Strafwürdigkeit der männlichen Prostitution» gesammelt. Neben KT nahmen u.a. Stellung: Rudolf G. Binding, Martin Buber, Alfred Döblin, Albert Einstein, Herbert Eulenberg, Auguste Forel, Egon Friedell, Hellmut von Gerlach, Alfons Goldschmidt, Max Herrmann-Neiße, Kurt Hiller, Arthur Holitscher, Karl Kraus, Alfred Kubin, Rudolf Leonhard, Theodor Lessing, Heinrich Mann, Klaus Mann, Erich Mühsam, Lothar Persius, Hans Pfitzner, Anna Siemsen, Bruno Taut, Ernst Toller, Heinrich Vogeler, Jakob Wassermann, Heinrich Zille und Arnold Zweig.
Im RT wurde der § 297 am 16.10.1929 verhandelt. Zu KTs Auseinandersetzung mit der Reform des Sexualstrafrechts s. auch [129].

Ziffer 3 des § 297] «Schwere Unzucht zwischen Männern». Danach wird «ein Mann, der mit einem Manne gewerbsmäßig Unzucht treibt», mit Gefängnis nicht unter sechs Monaten bestraft (Entwurf, 31).
296] «Unzucht zwischen Männern. Ein Mann, der mit einem anderen Manne eine beischlafähnliche Handlung vornimmt, wird mit Gefängnis bestraft» (ebd.).
«ernst zu nehmen»] Beide Paragraphen waren in der dem Entwurf angefügten ‹Begründung› (ebd., eigene Paginierung: 1–205) gemeinsam abgehandelt (147f). Sowohl von jurist. als auch von medizin. Seite, so wurde einleitend vermerkt, «werden ernst zu nehmende Gründe gegen das Fortbestehen der Strafvorschrift angeführt» (Begründung, 147).
Magnus Hirschfeld] Der Arzt leitete das von ihm 1919 gegr. Institut für Sexualwissenschaft in Berlin, das v.a. für die Anerkennung und Gleichstellung Homosexueller kämpfte. Vgl. ‹[Für Magnus Hirschfeld zu seinem 60. Geburtstage]›, Bd. 10 [79].
ff *«Dabei ist … Kraft.»*] Begründung, 147.
«beischlafähnlichen Handlungen»] s. die Ausführungen zum § 175 des StGB («widernatürliche Unzucht, welche zwischen Personen männlichen

Geschlechts oder von Menschen mit Tieren begangen wird»), in denen die Definition des Begriffs unter Berücksichtigung verschiedener Lehrmeinungen und Entscheidungen des Reichsgerichts vorgenommen wird (Das Strafgesetzbuch für das Deutsche Reich nebst dem Einführungsgesetz. Hg. und erl. von Reinhard Frank. 18. neubearb. Aufl. Tübingen 1931, 395 f).

68 *prostituiert*] In der Begründung hieß es über die männliche Prostitution: «Sie ist eine Brutstätte des Verbrechertums und des Verbrechens, gerade sie fördert die gleichgeschlechtliche Unzucht, auf sie fallen in erster Reihe die schweren Schäden zurück, die mit der gleichgeschlechtlichen Unzucht im Zusammenhange stehen. Sie ist eine fortgesetzte Versuchung für den, welcher zur gleichgeschlechtlichen Unzucht neigt, und bildet darüber hinaus die Quelle schwersten Ärgernisses und eine besondere Gefahr für die öffentliche Sittlichkeit und Sicherheit.» (Begründung, 148)

26

Media in vita

V: Theobald Tiger
D[1]: WB Jg. 25, Nr. 6, 5.2.1929, I, S. 218
Bibl.: Nd s. Bonitz/Wirtz D 2196; 1 Nd; GW 7

0 *Media in vita*] Nach dem liturg. Gesang ‹Media vita in morte› (8. Jh.); bearb. von Martin Luther (1524): «Mitten wir im Leben sind mit dem Tod umfangen»; s. auch ‹Media in vita›, Bd. 14 [138].

27

Eine Blamage

V: Peter Panter
D[1]: WB Jg. 25, Nr. 6, 5.2.1929, I, S. 233 [Rubrik:] Bemerkungen
Bibl.: Bonitz/Wirtz D 2197
Rez.: Georges-Anquetil: Ehen zu dritt. Das Recht auf die Geliebte. Übers. und bearb. von L. Steinfeld. Berlin: Man Verlag 1928

1 *Rudolf Arnheim*] Arnheim hatte das Buch in der WB vom 22.1.1929 (I, 138–141) u.d.T. ‹Sächsualia› ablehnend besprochen.

1 *Sachsen aus Paris*] Die Formulierung geht auf Arnheims Rez. zurück.

Dort heißt es: «Man traut seinen Augen kaum, daß der Verfasser nicht aus Sachsen stammt. Diese Vorstellung: ‹Da müßte eben der Staat die Sache in die Hand nehmen!›, diese Ausrottung alles Unregistrierten, diese Angst vor kleinbürgerlichen Vorurteilen, der abwegige Dreh, mit dem alles gekittet werden soll, und wie aus jedem Liebesakt eine Amtshandlung gemacht wird [...] – es trägt einen ausgesprochenen Lokalgeruch.» (ebd., 140).

f *Untersuchungsgefängnis*] Anquetil, Hg. des von ihm 1928 gegr. Pariser Mittagsblatts ‹La Rumeur›, war am 27.12.1928 verhaftet worden (s. ‹L'infame Anquetil est écroué à la Santé›, L'Humanité 28.12.1928). Er war einer der Hauptangeklagten im Prozeß um die Betrugsaffäre der ‹Gazette du Franc› (s.u. *4*). Im Prozeß wurde er beschuldigt, Marthe Hanau erpreßt und mehrfach Schweigegeld erhalten zu haben (s. ‹Une orageuse et pittoresque confrontation Hanau-Anquetil-Amard›, L'Œuvre 12.1.1929; ‹«Gazette du Franc» und kein Ende. Das Erpresserkonsortium um Frau Hanau›, BT 15.2.1929, M). Simson Carasco bezeichnete Anquetil als den «meistkorrumpierten Mann des französischen Journalismus», ebenso teilte er KTs Einschätzung von ‹La Rumeur› (‹«La Gazette du Franc»›, WB 29.1.1929, I, 176–183, hier: 182; ‹Pariser Presse. III. Die organisierte Korruption›, WB 14.5.1929, I, 741–744).

Finanzkrach] Hinter der Fassade der 1925 von Marthe Hanau und Lazare Bloch gegr. und seitdem geleiteten Tageszeitung ‹Gazette du Franc› betrieb Hanau illegale Börsengeschäfte. Sie war durch ihren Ex-Ehemann Bloch, der in Börsenkreisen einen zweifelhaften Ruf genoß, in Verdacht geraten. Eine daraufhin von großen Pariser Banken durchgeführte Untersuchung veranlaßte die frz. Regierung am 4.12.1928 zur sofortigen Verhaftung Hanaus und Blochs, die wegen Betruges und unerlaubter Börsengeschäfte angeklagt wurden. In den folgenden Tagen wurde in der Presse der Verdacht geäußert, auch mehrere hohe Politiker, u.a. der Ackerbauminister Hennessy, Besitzer der Zeitung ‹Quotidien›, seien in den Skandal verwickelt. Vgl. dazu KT in ‹40 Prozent – ziehen auch in Frankreich› (Bd. 10 [210]); ‹Finanzskandal in Paris›, BT 5.12.1928, M; ‹Neue Haftbefehle in Paris. Die sensationellen Beschuldigungen gegen Regierungs- und Parlamentsmitglieder›, BT 7.12.1928, A; zusammenfassend: Simson Carasco: «La Gazette du Franc» (s.o. *3f*).

Pleonasmus] Überflüssiges Wort, dessen Bedeutung schon im Hauptwort enthalten ist (z.B. weißer Schimmel). Hier ironisch bezogen auf «Finanzkrach» und «Gazette du Franc» bzw. auf die doppelte Bedeutung von «franc» («frei» oder «freimütig», auch Bezeichnung für die frz. Währung).

f *‹La Rumeur›*] s.o. *3f*.

15 f *«Prominenzen» vorgelegt*] Im Anhang der dt. Übertr. wurden die Stellungnahmen mehrerer Prominenter als «Querschnitt der Ansicht des geistigen Deutschlands» abgedruckt (Georges-Anquetil 1928, 233–272). Die vom Institut für Sexualwissenschaft, Berlin, veranstaltete Rundfrage bat um die Stellungnahme zu dem im Buch verhandelten Problem der «herrschenden Geschlechtsnot» vieler Frauen, denen durch das Verbot der Bigamie und den Frauenüberschuß das «Eingehen einer regulären Ehe verwehrt» sei. Als Informationsmaterial wurde die Einleitung der dt. Ausg. beigelegt (Georges-Anquetil 1928, [231]). Es antworteten u.a. Gertrud Bäumer, Rudolf G. Binding, Eugen Bleuler, Herbert Eulenberg, Willy Haas, Arthur Holitscher, Ernst Kahl, Alfred Kubin, Theodor Lessing, Paul Löbe, Emil Ludwig, Walter von Molo, Ernst Toller, Arnold Zweig. Vgl. unten *35*.

17 f *siebenhunderttausend Exemplare abgesetzt*] Vgl. eine Verlagsanzeige im ‹Börsenblatt für den Deutschen Buchhandel› Jg. 95, Nr. 262, 10.11.1928, 10025: «700000 Exemplare des Buches – ein auch für Frankreich unerreichter Rekord – sind von der französischen Ausgabe erschienen».

29 f *Bahnhof Friedrichstraße*] Fernbahnhof in Berlin.

30 *Gare du Nord*] Nordbahnhof in Paris.

31 *rapprochement*] Annäherung, Aussöhnung. Hier die zwischen Deutschland und Frankreich betriebene Verständigungspolitik vor allem Briands und Stresemanns, von KT wiederholt ironisch verwendet (vgl. u.a. Bd. 14 [82], 5 ff).

35 *abgelehnt*] In der Verlagsanzeige (s.o. *17f*) war auch KT unter den Teilnehmern der Rundfrage genannt, die bereits geantwortet hätten (s.o. *15f*). Im Anhang des Buches ist jedoch kein Text KTs abgedruckt. – Andere Beiträger zur Umfrage sahen sich vom Institut für Sexualwissenschaft über das Buch getäuscht. So ließ Bruno Taut im TB seinen Brief an das Institut bekanntmachen, in dem er feststellte, «daß der Inhalt des Buches sich nicht mit der deutschen Einführung deckt, welche Sie in Ihrem Brief vom 17. Okt. 28 mit ihrer Aufforderung einer Meinungsäußerung beigelegt haben.» Taut zog deshalb seinen Beitrag (Georges-Anquetil 1928, 266) zurück mit der Bitte, seinen Namen nicht zu Werbezwecken zu verwenden (s. ‹La maitresse légitime›, TB 5.1.1929, I, 36 f).

28

[Deutsche Dichter für den Deutschen Hilfsverein in Paris]

V: Peter Panter
D[1]: Deutsche Dichter für den Deutschen Hilfsverein in Paris. Eine Gabe zum ersten Deutschen Wohltätigkeitsfest in Paris nach dem Kriege. Paris: Friedrich 1929, [Bl. 14]
Bibl.: Bonitz / Wirtz D 2199; GW 7

Datierung
Festgabe zur Wohltätigkeitsveranstaltung am 10. 2. 1929.

Der Deutsche Hilfsverein in Paris, gegr. 1845 zur Unterstützung dt. Emigranten in Paris, wurde 1928 wieder ins Leben gerufen. Die erste Wohltätigkeitsveranstaltung nach dem Krieg, die am 10. 2. 1929 stattfand, sollte dem Aufbringen von Spendengeldern und der Zusammenführung der in Paris lebenden Deutschen dienen. Unter den Gästen waren der dt. Botschafter von Hoesch als Ehrenvors. des Vereins, der österr. Gesandte, die anläßlich der Pariser Sachverständigenkonferenz zur Reparationsfrage in der Stadt weilenden dt. Delegierten Schacht, Vögler, Melchior und Kastl sowie mehrere Angehörige der Pariser Gesellschaft (s. ‹Ein deutsches Fest in Paris›, BT 13. 2. 1929, A).
An der literar. Festgabe, die von dem Vorsitzenden Paul Block zusammengestellt worden war, hatten neben KT mitgewirkt: Fritz Engel, Herbert Eulenberg, Ludwig Fulda, Bruno Frank, Gerhart Hauptmann, Alfred Kerr, Heinrich und Thomas Mann, Walter Mehring, Alfred Neumann, Joachim Ringelnatz, Arthur Schnitzler, Frank Thiess, Ernst Toller, Fritz von Unruh, Arnold Zweig, Stefan Zweig.

29

Der Zauberkünstler

V: Peter Panter
D[1]: Vossische Zeitung Nr. 36, 10. 2. 1929, Post-Ausg.; Unterhaltungsblatt Nr. 35, [S. 3]
Bibl.: Nd s. Bonitz / Wirtz D 2200; 1 NdzL, 1 Nd; DT

Professor Driesch] Der Philosophieprofessor Hans Driesch war Verfechter einer Parapsychologie als positivistisch und induktiv verfahrender Wissenschaft (vgl. Driesch: Parapsychologie. München 1932). Als «höchst couragiert» hatte KT 1928 Drieschs Auftritt als Sachverständiger und Zeuge im Landesverratsprozeß gegen Küster und Jacob beurteilt (s. Bd. 10 [40], 72 ff; vgl. Bd. 10 [35]).

30

Der französische Sortimenter

V: Peter Panter
D^1: WB Jg. 25, Nr. 7, 12. 2. 1929, I, S. 269 [Rubrik:] Bemerkungen
Bibl.: Bonitz / Wirtz D 2201

1 *Telephon*] KT hat wiederholt die Mängel des Pariser Telephonnetzes glossiert; s. z. B. ‹Dans la rue›, Bd. 6 [76], 40 ff; ‹Die Stadt der Beziehungen›, ebd. [147], 27 f; ‹Der Brief›, Bd. 13 [170], 5 ff.
28 *«Ah ça …»*] «Oh, das …». Als frz. Form der Ablehnung von KT glossiert in ‹Ah – ça …!›, Bd. 7 [128].
37 *deutschen Sortimenter*] Vgl. ‹Zum Jubiläum einer Buchhandlung›, Bd. 13 [156].
44 *Professor Arnould*] Nicht ermittelt.

31

«Ganz Paris»

V: Peter Panter
D^1: Tempo Jg. 2, Nr. 41, 18. 2. 1929 [Rubrik:] Die Welt der Gedanken und Abenteuer, [S. 12]
Bibl.: Bonitz / Wirtz D 2202; DT

0 *«Ganz Paris»*] Schon 1924 hatte KT diese Formulierung als «Schwindel» bezeichnet, s. ‹Deutsche in Paris›, Bd. 6 [112], 140.
7 *Arrondissements*] Bezirke.
8 *«quartiers»*] Stadtteile, Viertel.
25 *Romanserie*] Wahrscheinlich die von Alfred Machard im Pariser Verlag Delpeuch hg., auf zwanzig Bände angelegte Reihe ‹Le roman de Paris›, als deren erste Bände 1928 André Salmons ‹Donat Vainqueur ou Les panathénées du 2e arrondissement› sowie Francis de Miomandres ‹Passy-Auteuil ou Le vieux Monsieur du square› erschienen sind.

32

Erfolgreiche Leute

V: Peter Panter
D^1: Vossische Zeitung Nr. 43, 19.2.1929, Post-Ausg.; Unterhaltungsblatt Nr. 42, [S. 1]
Bibl.: Nd s. Bonitz/Wirtz D 2203; 2 NdzL, 1 Nd; Ackermann II: 1 NdzL; DT

Überlieferung
D^1 – ZA: 2 Bl., aufgeklebt auf Durchschlagpapier, 225 x 285 mm; hs. Korr. mit Bleistift. (DLA)

Lesarten
Die Lesarten sind nach ZA verzeichnet
13 einmal –] *korr. zu* einmal, **24** er] *gestr., arR korr. zu* jener **28f** rolls-royce-los] – los *gestr.* **49** er –] *korr. zu* er. **55** Nervenendchen; er] *korr. zu* Nervenendchen. Er **62** und] *gestr.* **65** geworden] *unterstr., arR Hervorhebung zurückgenommen* **72** doll] *gestr., arR korr. zu* viel **73** Er] *gestr., arR korr. zu* Jener **82** um das Mitleid] *gestr.* **82** gemacht.] *korr. zu* gemacht, *dahinter Einfügungszeichen und arR* das Rennen um das Mitleid. **84** sie] *emend. aus* ihn *gemäß ZA, dort udZ korr.*

gelb zumut] Nach der Redewendung «gelb vor Neid».
Jobs] Im folgenden fingiertes Zitat aus der in Knittelversen verf. ‹Jobsiade. Ein komisches Heldengedicht in drei Teilen› (1799) von Karl Arnold Kortum.
wir Wilde … Menschen] Nach dem vorletzten Vers aus Johann Gottfried Seumes Gedicht ‹Der Wilde› (1793): «[…] seht, wir Wilde sind doch beßre Menschen!»
Sorbonne] Pariser Universität. KT hatte sich 1924 dort eingeschrieben, s. Brief an MT 29.4.1924.
f *Frauen … Sieger*] s. [13], *111*; Bd. 12, 212.

33

Die lieben Kinder

V: Kaspar Hauser
D[1]: WB Jg. 25, Nr. 8, 19.2.1929, I, S. 304–305
Bibl.: Bonitz / Wirtz D 2204; GW 7

Vermutl. hat KT sich zu diesem Text von dem Reisebuch ‹Rundherum› der Geschwister Erika und Klaus Mann anregen lassen, das im Januar 1929 im Verlag S. Fischer ersch. war. Darin berichten die Mann-Kinder von ihrer Weltreise (Okt. 1927 bis Juli 1928) und – bis zum bloßen name-dropping – von ihren Begegnungen mit Prominenten. Ausführlich reflektieren die Geschwister hierbei ihren Status als «Dichter-Kinder». Über Hollywood heißt es etwa: «Wer begegnet uns auf dem Boulevard? Der Raimund von Hofmannsthal. – An der nächsten Ecke – wer wohl? Gabriel Beer-Hofmann.» (s. ebd., 34). Auch beschreiben sie, wie sie sich auf der Reise ihre prominente Herkunft immer wieder zu nutze machen können.
Die von KT parodierten Personen steckten z.T. miteinander in einem konfliktträchtigen persönlichen Beziehungsgeflecht: Erika Manns (seit Jan. 1929) geschiedener Gatte Gustaf Gründgens hatte ein Liebesverhältnis mit ihrem Bruder Klaus, der wiederum bis Anfang 1928 mit Pamela Wedekind, der Tochter Frank Wedekinds, verlobt war. Mehrere Zeitungen hatten Ende 1927 und 1928 kolportiert, daß Carl Sternheim nach der Scheidung seiner zweiten Ehe Pamela Wedekind heiraten wolle (so ‹Neues Wiener Journal›, ‹Münchner Neueste Nachrichten›, ‹Prager Tagblatt›; vgl. Rudolf Billetta: Sternheim-Kompendium. Carl Sternheim – Werk, Weg, Wirkung [Bibliographie und Bericht]. Wiesbaden 1975, 317, 319–322). In ‹Rundherum› zit. Klaus und Erika Mann den Bericht einer jap. Zeitung über einen ihrer vielen Vorträge, die sie auf ihrer Reise hielten, in der fehlerhaften Übers. eines Japaners: «Thomas Mann, der Vater unserer Künstler, ist in Deutschland der berühmteste Dramatist mit Hauptmann. Klaus Mann ist verlobt mit Pamela Wedekind, die eine Schauspielerin ist. Erika mit Herrn Friedel, dem ältesten Sohn der berühmten schwedischen Schriftstellerin Frau Strindberg, der ersten Frau von Wedekind. ‹Unsere Verwandten werden die berühmtesten Dichter Europas!› sagten die junge Dichter.» (s. ebd., 131).
In ‹Rundherum› findet auch KT Erwähnung: «Wie dichtete neulich so besonders hübsch Tucholsky-Tiger? ‹Es spielt sich *alles* unter zweihundert Menschen ab.›» (s. ebd., 116); s. ‹Deine Welt›, Bd. 10 [52].

«Moi, je suis le fils à papa!»] «Ich, ich bin das Vatersöhnchen!»

f *Benvenuto … verlobt*] Anspielung auf die Homosexualität Klaus Manns sowie auf die Hochzeit von Benvenuto Hauptmann (als Sohn Gerhart Hauptmanns Kind des zweiten «Dichterfürsten» der 20er Jahre neben Thomas Mann) mit Prinzessin Elisabeth zu Schaumburg-Lippe. Reichsweit war über die aufwendige Hochzeit des Paares am 1.8.1928 im Schloß Dwasieden auf Rügen berichtet worden, s.u. *27*.

Hiddensee] Gerhart Hauptmann verbrachte regelmäßig den Sommer auf der Ostseeinsel Hiddensee.

‹Revue zu vieren›] Komödie in 3 Akten von Klaus Mann, UA am 21.4.1927 im Alten Theater, Leipzig. Regie: Gustaf Gründgens. In den Hauptrollen Pamela Wedekind und Erika Mann, Klaus Mann und Gründgens. Bühnenbild von Thea Sternheim (gen. «Mopsa»). Nach der UA, bei der es zu Tumulten auf der Bühne und im Publikum kam, ging die Truppe mit dem Stück auf Tournee. Herbert Ihering schrieb über die Auff. in den Berliner Kammerspielen: «Früher war den Söhnen berühmter Väter nichts unangenehmer, als daß sie eben die Söhne berühmter Väter waren. Heute wird hieraus schnell ein Programm, eine Reklame, ein Grundsatz gemacht» (‹Kindertheater›, BBC 3.5.1927, A); vgl. auch Arthur Eloesser: Falsche Jugend, WB 10.5.1927, I, 749–751.

Roman in zwei Bänden] Mögl. Anspielung auf Klaus Manns (einbändiges) Buch ‹Alexander. Roman der Utopie› (Berlin 1930), der bereits im Sept. 1929 ausgeliefert wurde.

Reiseaphorismus] s.o. Kontext.

f *Heirat, Scheidung, Wiederverheiratung*] s.o. *0*.

Falstaff] Komische Dramenfigur in Shakespeares ‹Heinrich IV.› und ‹Die lustigen Weiber von Windsor›. Letzteres Stück inszenierte Heinz Hilpert 1929 am Dt. Theater, Berlin (Premiere am 15.2.1929), den Falstaff spielte Werner Krauss (vgl. Harry Kahn: Bürger und Edelmann, WB 26.2.1929, II, 342–345). Die Schauspielerin Erika Mann spielte im März 1929 in Th. Manns Stück ‹Fiorenza›, im Mai feierte sie als Königin in Schillers ‹Don Carlos› am Prinzregententheater in München einen ihrer größten Bühnenerfolge.

f *‹Siebzigsten Geburtstag›*] ‹Der siebzigste Geburtstag›, Idylle von Johann Heinrich Voß (1781).

vorzutanzen] Mögl. Anspielung auf Manns Roman ‹Der fromme Tanz› (1925), den ersten großen Homosexuellen-Roman.

normalen Neigungen] Die Ehe Benvenuto Hauptmanns mit Elisabeth (s.o. *4 f*) wurde am 13.11.1928 für nichtig erklärt (s. ‹Vermischte Nachrichten›, WB 27.11.1928, II, 833). Mehrere Zeitungen berichteten von dem

Fall: «Über die Gründe der Nichtigkeitserklärung wird mitgeteilt, daß dem Ehemann vor der Eheschließung nicht bekannt gewesen sei, daß seine *Ehefrau unnormal* veranlagt sei.» (FZ 14.11.1928, 1. M). Der Anwalt Elisabeths dementierte solcherlei Meldungen (s. u.a. FZ 29.11.1928, 1. M).

30 *Carlhans Sternheim*] Sohn Carl Sternheims aus erster Ehe.

36 *Nobile*] Am 25.5.1928 waren der ital. General Umberto Nobile und seine Mannschaft während ihrer Nordpolexpedition mit dem Luftschiff «Italia» über der Arktis abgestürzt. Die Rettungsbemühungen beschäftigten wochenlang die Weltpresse. Nobile wurde am 23.6. als erster gerettet, die anderen Überlebenden erst am 12.7. Infolgedessen wurde Nobile, der zudem das Unglück verschuldet haben sollte, Egoismus und Feigheit vorgeworfen. Am 13.3.1929 verließ er enttäuscht die Armee und emigrierte in die Sowjetunion.

38 *Klausa*] s.o. *4 f.*

43 f *Telegraphenamt*] Nach dem Nervenzusammenbruch ihres Lebensgefährten Carl Sternheim Mitte Dez. 1928 ließ Pamela Wedekind ein Loyalitätstelegramm in der dt. Presse verbreiten (‹Tempo›, ‹Dresdner Neueste Nachrichten›, ‹Münchner Neueste Nachrichten›; vgl. Billetta 1975, wie oben *0*, 319f, 322). Die Mann-Geschwister schreiben in ihrem Reisebuch, daß sie den Beginn ihrer Reise durch mehrere pressewirksame Telegramme publik gemacht hätten (s. Rundherum, 10–12): «Unser Wahlspruch: *‹Wer nicht telegraphiert, kriegt nichts!›* triumphierte.» (s. ebd., 63).

46 f *Reklamenotiz*] Vermutl. Anspielung auf die Selbstvermarktungstrategien des «Jüngsten Deutschland», eines Zirkels junger Literaten, der sich um Klaus Mann gebildet hatte. So rezensierten sich die Mitglieder dieses Kreises häufig gegenseitig, um sich auf dem literar. Markt ins Gespräch zu bringen, eine Praxis, die KT bereits 1928 kritisiert hatte; vgl. Bd. 10 [22], 206ff, *206f.* In ‹Rundherum› heißt es zu den chronischen Geldnöten der Mann-Geschwister: «Akute Not war über uns noch nicht hereingebrochen, da die ‹Aufsatzfabrik› sehr nett funktionierte. Wenn wir irgendeine freie halbe Stunde hatten, richteten wir es so ein, daß Klaus an seinem Schreibtisch mit Rampenbeleuchtung etwas Brauchbares abfaßte, während Erika an der Schreibmaschine lärmte oder in versendbaren Photographien kramte.» (24 f).

48 *am Reden verhindert*] Wohl in Anlehnung an den jüd. Witz: «So ein Unglück, wie is passiert dem Jecheskel! er hat sich doch beide Hände erfroren!› – ‹Beide Händ'? womit red't er?›» (Alexander Moszkowski: Die jüdische Kiste. Berlin 1911, 117).

50 *Siegfried Wagner*] Der Sohn Richard Wagners, selbst Komponist und Di-

rigent, konnte sich mit seinen eigenen, einem museal gewordenen Wagnertum verpflichteten Werken auf den großen dt. Bühnen nicht durchsetzen. Auch als künstlerischer Leiter der Bayreuther Festspiele (seit 1909) verharrte er weitgehend in konserv. Traditionspflege des väterlichen Werks.
August von Goethes] Erstgeborener und einzig überlebender Sohn von Goethe und Christiane Vulpius. Die Protektion des Vaters ebnete ihm den Weg zu einer Beamtenkarriere in Weimar. Als Assistent Goethes in der herzoglichen Verwaltung zugleich mit der Ordnung von dessen Sammlungen und Akten wie mit der Aufsicht über den elterlichen Haushalt betraut, gelang es ihm nie, aus dem Abhängigkeitsverhältnis zu seinem Vater herauszutreten. Psychisch und körperlich erkrankt starb er 1830 während einer Italienreise, die er unternommen hatte, um dem väterlichen Einfluß zu entfliehen.

34

Korrespondenten reisen

V: Peter Panter
D^1: WB Jg. 25, Nr. 8, 19.2.1929, I, S. 311 [Rubrik:] Bemerkungen
Bibl.: Bonitz / Wirtz D 2205; GW 7

Überlieferung
D^1 – ZA: 1 Bl., aufgeklebt auf Durchschlagpapier, 225 x 285 mm; hs. Korr. mit Bleistift. (DLA)

Lesarten
Die Lesarten sind nach ZA verzeichnet
16 Das] *dahinter eingefügt* da **16** ja] *gestr.* **19f** nämlich viel wichtiger] *durch Streichung korr. zu* wichtig **25f** Holitscher,] *korr. zu* Holitscher **28** entwickelt] *dahinter Einweisungszeichen, arR* («he lifts the lid») *üdZ* lifts *für gestr.* leaves

Eine Parodie auf deutsche Reisebücher verfaßte KT 1930 mit ‹Der Reisebericht›, Bd. 13 [2].

f *Iskapara*] Möglicherweise die ostind. Stadt Eskapara, südl. von Agartala, der Hauptstadt des Staates Tripura gelegen.
f *Arthur Holitscher*] Holitscher verf. mehrere populäre Reiseberichte, u.a. ‹Drei Monate in Sowjet-Rußland› (1921), ‹Stromab die Hungerwolga›

(1922), ‹Reise durch das jüdische Palästina› (1922), ‹Das unruhige Asien. Reise durch Indien, China, Japan› (1926). Bereits 1912 hatte KT, der mit Holitscher später auch persönlich Bekanntschaft machte, dessen Reisebuch ‹Amerika heute und morgen› euphorisch besprochen (s. Bd. 1 [70]). Vgl. auch [130] sowie KTs ‹[Bekenntnisse zu Arthur Holitscher]›, Bd. 9 [163].

38 *Smyrna*] Griech. Name der türk. Stadt Izmir.

40 *in hohlen Bibeln*] Anspielung auf die seit 1920 geltende Prohibition in den USA, sowie auf den in Hotels üblichen Brauch, dem Gast eine Bibel auf den Nachttisch zu legen.

43 *Deutsche Allgemeine Zeitung*] Die DAZ (Berlin 1918–45), 1918 hervorgegangen aus der der ‹Norddeutschen Allgemeinen Zeitung›, gehörte seit 1920 zum Stinnes-Konzern und war national ausgerichtet; nach dessen Zusammenbruch kam sie 1925 vorübergehend in Reichsbesitz und wurde 1927 von einem Firmenkonsortium übernommen. Sie stand der DVP nahe.

44 *Elegante Welt*] ‹Die elegante Welt. Zeitschrift der Dame›. Düsseldorf 1912–1969.

45 *berliner Lokal-Anzeigers*] Der 1883 von August Scherl als Wochenschrift gegr. ‹Berliner Lokal-Anzeiger› wurde seit 1885 wirtschaftl. hauptsächlich von Lokalanzeigen getragen. Ab 1916 zum Hugenberg-Konzern gehörende kaisertreue Tageszeitung. Nach der Revolution nationalist. ausgerichtetes Massenblatt.

35

Pariser Gedenktafeln

V: Peter Panter
D[1]: Tempo Jg. 2, Nr. 43, 20.2.1929 [Rubrik:] Die Welt der Gedanken und Abenteuer, [S. 13]
Bibl.: Nd s. Bonitz / Wirtz D 2206; 3 Nd; GW 10

1 *Gedenktafeln*] Anläßlich von Daumiers 50. Todestag wurde am 11.2.1929 in Anwesenheit zahlr. Pariser Honoratioren an dem Haus 9 quai d'Anjou, in dem Daumier von 1846–1863 gelebt hatte, eine Gedenktafel angebracht (s. ‹L'anniversaire de la mort de Daumier›, L'Œuvre 1.2.1929) – Am 12.2. wurde zum Gedenken an den vier Jahre zuvor verstorbenen Chansonnier Bruant an seinem Sterbehaus 17 rue Christiani ebenfalls eine Gedenktafel eingeweiht (s. ‹A la mémoire d'Aristide Bruant›, L'Œuvre 13.2.1929).

10 *Gigant*] Seiner Verehrung Daumiers hat KT wiederholt Ausdruck verlie-

hen, vgl. u.a. ‹Das Barreau›, Bd. 1 [197]; ‹Das Buch des Jahres 1919›, Bd. 3 [229], 36ff.
nach dem Kriege von siebzig] Dt.-Frz. Krieg 1870/71.
Bruant] Vgl. ‹Aristide Bruant›, Bd. 7 [6] und [209].
Montmartre] Pariser Künstlerviertel.
nach Freiheit und Licht] Evtl. Anspielung auf das Lied der intern. Gewerkschaftsbewegung, das beginnt: «Brüder, zur Sonne, zur Freiheit,/ Brüder, zum Lichte empor» (verf. 1897 von Leonid P. Radin nach einer russ. Volksweise, dt. Text von Herrmann Scherchen).

36

Die Schönheitskönigin

V: Peter Panter
D[1]: Vossische Zeitung Nr. 47, 23.2.1929, Post-Ausg.; Unterhaltungsblatt Nr. 46, [S. 1]
Bibl.: Nd s. Bonitz/Wirtz D 2207; 1 NdzL; Ackermann/Nickel: 1 NdzL; Ackermann II: 1 NdzL; DT

«Schönheitskönigin»] 1927 hatte der Chefred. der Pariser Tageszeitung ‹Le Journal› (s. [19], *22*) Maurice de Waleffe das «Comité International pour l'Election de Miss Europe» gegr. Die Wahl fand jeweils anläßl. des traditionellen Balls «Les petits lits blancs» in der Großen Oper statt. Am 7.2.1929 wurde die Ungarin Erzsi Simon zur Miß Europa gewählt (s. Abb. in: L'Œuvre 8.2.1929; ‹Die schönste Frau Europas – eine Ungarin›, B.Z. am Mittag 8.2.1929).
Mit Ministern] Mitte Mai 1928 hatten KT und Leo Stahl als Pariser Mitarbeiter der Voss ein Interview mit dem frz. Ministerpräs. Poincaré geführt (s. ‹Poincaré spricht›, Bd. 10 [76]).
der Fall ist äußerst selten] Zitat aus einem der zahlr. Wirtinnen-Verse, obszöne Weiterdichtungen des rhein. Studentenliedes ‹Das Wirtshaus an der Lahn›; s. z.B. Theo Steinberg: Frau Wirtin hat auch … Altes und Neues vom Wirtshaus an der Lahn. Limburg a.d. Lahn 1925, 44 (s.a. ‹Der richtige Berliner?›, Bd. 5 [123], 53).
In Deutschland] Ab 1928 nahmen dt. Frauen wieder an intern. Schönheitskonkurrenzen teil. Um das Niveau der Veranstaltungen zu heben und den Titel seriös zu vermarkten, wurde 1928 der Reichsverband für Schönheitswettbewerbe gegründet.
amerikanisch] Die aus den USA kommenden Schönheitswettbewerbe waren im Europa der 20er Jahre immer wieder Gegenstand des Spottes und

der Kulturkritik (vgl. u.a. Friedrich Sieburg: Anbetung von Fahrstühlen, in: Die Literarische Welt Jg. 2, Nr. 30, 23.7.1926, 8).

47 *Lisa*] KTs Geliebte Lisa Matthias. Die beiden hatten sich im Jan. 1927 auf einem Künstlerball im Berliner Restaurant Schlichter kennengelernt (vgl. Matthias 1962, 31). Die Beziehung hielt bis April 1931.

48 *Musch*] Eine Frau mit diesem Spitznamen wird 1928/29 in mehreren Texten KTs genannt (s. [72], 7; [85], 21) und findet in Matthias' Memoiren wiederholt als Nebenbuhlerin Erwähnung (vgl. Matthias 1962, 182, 186, 188, 213, 215 f, 233).

49 *Lottchen*] Die Figur «Lottchen» steht im Zentrum einer Reihe von Texten KTs, die seit 1928 in der Voss erschienen (s. Bd. 10 [126], *0*). Als Vorbild der stets monologisierenden, rastlosen und sprunghaften Frau, Verkörperung der modernen Großstädterin, diente KT Lisa Matthias, die er Lottchen nannte (vgl. Matthias 1962, 113 f). Vgl. [85], 21 ff.

70 *das ist ein weites Feld*] Redensart des alten Briest in Fontanes Roman ‹Effi Briest› (1895). Von KT wiederholt zitiert.

76 *Prozeß*] Nicht ermittelt.

85 *Douglas Keaton*] Anspielung auf die Filmstars Douglas Fairbanks und Buster Keaton.

88 *junge Ungarin*] s.o. *1*.

99 *Parisse*] Eris, die griech. Göttin der Zwietracht, warf bei der Hochzeit des Peleus und der Thetis, da sie nicht eingeladen war, einen goldenen Apfel mit der Aufschrift «Der Schönsten» unter die Gäste. Die Göttinnen Hera, Aphrodite und Athena beanspruchten den Apfel und ließen den Streit von Paris entscheiden. Dessen Urteil zugunsten Aphrodites wurde unmittelbarer Anlaß des trojanischen Krieges.

117 f *Friedrichstraße*] Die Berliner Friedrichstraße galt in den 20er Jahren aufgrund der dort verbreiteten Prostitution und der vielen Amüsierlokale als Inbegriff lasterhaften Großstadtlebens.

37

Auf dem Nachttisch

V: Peter Panter

D[1]: WB Jg. 25, Nr. 9, 26.2.1929, I, S. 337–341

Bibl.: Nd s. Bonitz/Wirtz D 2208; 4 Nd; GW 7

Sammelrez.: Redner der Revolution. Bd. 1 ff. Berlin: Neuer Deutscher Verlag – u.a. Bändchen mit ausgewählten Reden von Rosa Luxemburg

(Bd. 1), Robespierre, Saint-Just, Wilhelm und Karl Liebknecht – Franz Kafka: Amerika. München: Wolff 1927 – Edgar Ansel Mowrer: Amerika, Vorbild und Warnung. Übers. von Annemarie Horschitz. Berlin: Rowohlt 1928 – Alfons Goldschmidt: Deutschland heute. Berlin: Rowohlt 1928 – Anna Siemsen: Daheim in Europa. Unliterarische Streifzüge. Jena: Urania-Verlags-Gesellschaft 1928 – Jungen in Not. Berichte von Fürsorgezöglingen. Hg. von Peter Martin Lampel. Berlin: J.M. Spaeth 1928 – Arthur Conan Doyle: Das Rätsel der Thor-Brücke und andere Abenteuer von Sherlock Holmes. Berlin: Hugo Wille 1928 (Willes Illustrierte Kriminal-Bücherei. Bd. 35) – Martin Beradt: Leidenschaft und List. Berlin: Rowohlt 1928

Eduard Engel] KT hatte den Literaturhistoriker wiederholt wegen seiner Deutschtümelei kritisiert (s. z.B. Bd. 10 [8], 44ff; Bd. 14 [24], 26f; vgl. auch Ludwig Marcuse: Der Augiasstall-Engel, WB 12.2.1929, I, 263–264).

f *Porte Majeure, das ist force Maillot*] Eigentl. Porte Maillot (Verkehrsknotenpunkt im Nordwesten von Paris, Richtung Neuilly, nördl. Spitze des Bois de Boulogne) und force majeure (höhere Gewalt).

f *General Pinenlair ... übergebe*] Dem Vorwurf des Landesverrats sah sich KT durch nationalist. Kreise häufiger ausgesetzt; s. u.a. Bd. 5 [202] und [219]; vgl. auch ‹Helden am Telephon›, Bd. 5 [223].

unserer Panzerkreuzer] Am 16.11.1928 hatte die RT-Mehrheit den weiteren Vollzug des Flottenbauprogramms und damit den umstrittenen Bau des Panzerkreuzers A genehmigt. Zuvor war ein von der KPD initiierter Volksentscheid gegen den Panzerkreuzerbau gescheitert (s. Bd. 10 [116], *3*); zur weiteren Entwicklung und zur Rolle der SPD s. [86], *57*.

lasset uns lesen] Nach der kirchl. Liturgie («Lasset uns beten»).

eine Rede keine Schreibe] Zitat aus F. Th. Vischers Vortrag ‹Der Krieg und die Künste› (1872): «[...] von der Poesie unterscheidet sich die Beredsamkeit dadurch, daß jene nur darstellen, diese aber wirken, unmittelbar wirken will; eine Rede ist ein für allemal keine Schreibe» (F. Th. Vischer: Kritische Gänge. Bd. 2. Hg. von R. Vischer. 2. verm. Aufl. München 1922, 484).

Wiederkehr des ewig Gleichen] Wohl Anspielung auf die zentrale Idee von der ewigen Wiederkunft in Nietzsches Philosophie, s. u.a. Nietzsche: Also sprach Zarathustra. Dritter Teil, passim (z.B. Nietzsche 1968ff, Abt. 6, Bd. 1, 271); häufig falsch als «Die ewige Wiederkehr des Gleichen» wiedergegeben.

Verdienst Max Brods] Der mit Kafka eng befreundete Brod sorgte schon zu Kafkas Lebzeiten für erste Veröffentlichungen, stellte Kontakte zu Verlegern und Kritikern her und rettete etliche Manuskripte Kafkas vor der Zerstörung durch den Autor. Nach Kafkas Tod verwahrte und publizierte er dessen Nachlaß. Vgl. Bd. 8 [49], 85 ff, sowie KT an Max Brod 26.7.1928 (Bd. 19).

47 *Nachwort*] Kafka 1927, 389–392, hier: 392: «Es gibt Szenen in diesem Buch […] die unwiderstehlich an Chaplin-Filme erinnern, an so schöne Chaplin-Filme, wie sie freilich noch nicht geschrieben wurden […].»

50 *mit Hamsun zu vergleichen*] Hamsun war einer der Lieblingsschriftsteller KTs (vgl. [97], 183 ff). Als er 1934 offen seine Sympathien mit dem Nationalsozialismus bekundete, distanzierte sich KT von dem ehemals bewunderten Autor (vgl. u.a. Bd. 20 [B 207], 106 ff; [B 224Q], 10 ff; [B 225], 11 ff).

51 *‹Schloß›*] Kafkas Roman ‹Das Schloß› (München 1926).

56 f *Dostojewskischen Idioten*] Dostojewskis Roman ‹Der Idiot› (1868/69).

57 *Schwejk*] s. [7], *147*.

63 ff *«Beim Hotelschneider … hatten.»*] Kafka 1927, 188.

72 *‹Schönsten Geschichte der Welt›*] Titelgeschichte von Kiplings Sammlung ‹Die schönste Geschichte der Welt› (‹The finest Story of the world›, 1891; dt. von Hans Reisiger. Leipzig 1925).

77 ff *«Die ganze … abzuwehren.»*] Kafka 1927, 280. Im Orig. «doch ganz» statt «doch».

80 ff *«Und ohne … fragen.»*] ebd., zit. mit leichten Abweichungen.

99 *Chaplin*] Vgl. [11], *51*.

102 *mit Max Brod*] Vgl. Brods Nachwort in Kafka 1927, 391: «Wenn all das [Unveröffentlichtes aus dem Nachlaß] im Druck vorliegen wird, dürfte die Bedeutung Kafkas in einer heute noch gar nicht von fern zu erahnenden Wesentlichkeit hervortreten.»

133 f *Bei … anders.*] Vgl. KTs Gedicht ‹Bei uns in Amerika …›, Bd. 9 [133].

142 *Kapitel über Berlin*] Goldschmidt 1928, 23–48.

148 f *Dawesplan*] Eine auf der Londoner Konferenz 1924 beschlossene Regelung der durch den Versailler Friedensvertrag bestimmten dt. Reparationsleistungen, sie wurde 1929 durch den Youngplan abgelöst.

152 f *«Berlin … Stadt.»*] Goldschmidt 1928, 31.

153 ff *«Das laßt … das nicht.»*] ebd., 33, zit. mit leichten Abweichungen.

164 f *Lokomobile … geheizt*] Fahrbare Dampfmaschinenanlage. Von KT mehrfach gebrauchte Metapher (vgl. z.B. Bd. 4 [77], 282 f; [235], 27 f; Bd. 8 [197], 114 f).

167 *«Provinz»*] Vgl. Goldschmidt 1928, 49–84. – Vgl. ‹Provinz›, [60]; ‹Berlin! Berlin!›, Bd. 9 [42]; ‹Berlin und die Provinz›, Bd. 10 [28].

172 *haßt aus Liebe*] Vgl. den Beginn von ‹Heimat› in DD (Bd. 12, 226) mit einem Motto aus Goldschmidts ‹Deutschland heute›.

Flinte … Korn holen] Abwandlung des Sprichworts «Die Flinte ins Korn werfen».
Aros Hugenberg] Anspielung auf Alfred Rosenthal, der unter dem Pseudonym «Aros» Filmkritiken für den ‹Berliner Lokal-Anzeiger› des Hugenberg-Konzerns (s. [34], *45*) schrieb.
ihr Bild] Vgl. KT an Anna Siemsen 22.5.1929: «Liebe Frau Anna Siemsen, auf den wenigen Bildern der Zeitgeschichte, auf denen Sie zu sehen sind, ruht des öfteren mein Blick. Mancher geht bei Greta Garbo – ich so. Da wollen wir doch einmal den lieben Gott bezw. einen seiner Funktionäre bitten, ob er uns nicht einmal einander über den Weg laufen lassen will.»
Domela] Harry Domela hatte sich 1926 wochenlang als Prinz ausgegeben. Er wurde enttarnt und wegen Hochstapelei zu 7 Monaten Gefängnisstrafe verurteilt, die er nutzte, um seine Memoiren zu schreiben. KT hatte das Buch ‹Der falsche Prinz› (Berlin 1927) besprochen; s. ‹Mit Rute und Peitsche durch Preußen-Deutschland›, Bd. 9 [109].
Material] Das in dem Band präsentierte Material, das Lampel als Hospitant im Landerziehungsheim Struveshof gesammelt hatte, diente ihm als Basis für sein aufsehenerregendes Theaterstück ‹Revolte im Erziehungshaus›, das am 2.12.1928 im Berliner Thalia Theater uraufgeführt worden war.
f *Bildern des Herausgebers*] Lampel hatte an der Münchner Kunstakademie Malerei studiert und widmete sich vorzugsweise der Porträtmalerei. Der Band enthält sieben Porträtzeichnungen von Fürsorgezöglingen.
Wennerberg] Brynolf Wennerberg, Mitarb. des ‹Simplicissimus›, Zeichner von Szenen des mondänen Lebens. Der Vergleich spielt auf Lampels Homosexualität an.
Panzerkreuzerplan] s.o. *14*.
f *unsern täglichen … heute*] Verballhornung des ‹Vaterunser› («Unser tägliches Brot gib uns heute»). Zu den gerichtl. Verfolgungen wegen Landesverrats in der WR s. [73], *266*.
f *gute, alte Holmes*] Vgl. ‹Sehnsucht nach der Bakerstreet›, Bd. 1 [178].
flinkere Wallace] Vgl. ‹Kriminalromane›, Bd. 10 [130], 25 ff.
nix listig] Der im frz. Kleinbürgermilieu angesiedelte Roman schildert die Verzahnung von Liebe, Ehe und ökonomischem Kalkül.
ff *«‹Watson … feststellen – –»*] Eine ähnliche Formulierung des ersten Zitatteils findet sich in der Geschichte ‹Die drei Garridebs› (in: Arthur Conan Doyle: Das Rätsel der Thor-Brücke und andere Abenteuer von Sherlock Holmes. Berlin 1928, 68–106, hier: 106): «Bitte, Watson, rufe Scotland Yard an. Es wird dort nicht ganz überraschend kommen.»

38

Johanna vom Bogen

V: Peter Panter
D^1: Vossische Zeitung Nr. 54, 3.3.1929, Post-Ausg.; Unterhaltungsblatt Nr. 53, [S. 3]
Bibl.: Nd s. Bonitz/Wirtz D 2210; 2 NdzL; DT
Kontext
Am 23.2.1929 hatte sich zum 300. Mal der Tag gejährt, an dem Jeanne d'Arc auszog, Orleans zu befreien (s. ‹Le cinquième centenaire de Jeanne d'Arc›, L'Œuvre 24.2.1929).

3 *sie hörte Stimmen*] s.u. *23*.

4 *Bankkrachs*] Die Pariser Presse berichtete Anfang 1929 über mehrere Finanzskandale. Neben dem aufsehenerregenden Prozeß gegen Marthe Hanau (s. [27], *4*) waren dies z.B. der Skandal der Banque Meurisse, deren Direktor von Kunden anvertraute Gelder zur Börsenspekulation mißbraucht hatte (s. ‹Finanzschwindler Meurisse›, BT 8.2.1929, A; ‹Le krach de la banque Meurisse›, L'Œuvre 13.2.1929), sowie der Krach der Banque Paquement (s. z.B. ‹Schließung einer Pariser Spekulationsbank›, BBC 17.1.1928, A; ‹L'autre krach. Paquement, sera-t-il extradé ou jugé en Suisse?›, L'Œuvre 22.1.1929).

23 *Orléans ... Thron*] Aus dem Hause Orléans stammte der letzte frz. König, Louis Philippe (1830–1848). – Jeanne d'Arc fühlte sich durch die von ihr gehörten Stimmen dazu berufen, den zuvor zugunsten Heinrichs V. von England enterbten frz. Thronfolger (Karl VII.) zur Krönung nach Reims zu führen; vgl. [120], *95*.

39 *forchtete sich nit*] Nach sprichwörtl. «Der wackre Schwab forcht' sich nit»; Zitat aus Ludwig Uhlands Romanze ‹Schwäbische Kunde› (1815).

39

Die Geldstrafe

V: Ignaz Wrobel
D^1: WB Jg. 25, Nr. 10, 5.3.1929, I, S. 387 [Rubrik:] Bemerkungen
Bibl.: Nd s. Bonitz/Wirtz D 2211; 1 Nd; GW 7

1 *unabsetzbaren Richter*] s. [7], *98*.

7 *zweitausend Mark*] Zu diesem Betrag war KT am 13.12.1928 wegen Be-

leidigung des Münchner Oberstudienrats Wührer verurteilt worden (s. ‹Verhetzte Kinder – ohnmächtige Republik›, Bd. 10 [150]).
Inflation] Vgl. [8], *222*.
Themis] Griech. Göttin der Rechtsordnung und der Gerechtigkeit.

40

Über den Dächern

V: Theobald Tiger (D^1); Kurt Tucholsky (D^2)
D^1: AIZ Jg. 8 (1929), Nr. 11, S. 10
D^2: Lerne lachen ohne zu weinen 1931, S. 403–404
Bibl.: Nd s. Bonitz / Wirtz D 2168; 10 Nd; GW 9
Mit einer Photographie

Datierung
6.3.1929; zur Datierung der AIZ-Texte s. [1], *0*

Varianten
Die Varianten sind nach D^2 verzeichnet
4 von] *davor* klingt **12** gesehen ...] gesehen. **14** Mann;] Mann. **15** dafür] Dafür **16** Urlaub und] Urlaub, **18** Horizont – –] Horizont – **24** alleine] allein **26** Schwachen und] Schwachen, **32** gesessen –] gesessen. **33** mancher] Mancher

unsere Partei] Die KPD, der auch die von Willi Münzenberg hg. AIZ nahestand.
Reich erobert] Vermutl. ist Lenin gemeint, dem KT besonders hoch anrechnete, daß er für seine revolutionären Ideen auf eine Karriere als Rechtsanwalt verzichtet hatte und in Verbannung und Exil unter ärmlichen Umständen lebte; s. ‹Der Dicke in Rußland›, Bd. 8 [17], 29 ff. Vgl. auch [4], *61*.

41

Ist das deutsche Buch zu teuer?

V: Peter Panter
D^1: WB Jg. 25, Nr. 11, 12.3.1929, I, S. 422 [Rubrik:] Bemerkungen
Bibl.: Bonitz / Wirtz D 2212

1 *gefragt*] Der unter dem gleichen Titel ersch. WB-Artikel vom 7.2.1928 hatte eine Debatte eröffnet, an der sich u.a. auch Rowohlt und der Verleger des Malik-Verlages Herzfelde (s.u. *3*) beteiligten (s. Bd. 10 [19], *Wirkung*). Vgl. auch ‹Dicke Bücher›, Bd. 9 [111], und «Vorrede» zum 50. Tsd. von ‹Rheinsberg› (Bd. 5 [88]), den fiktiven Briefwechsel zwischen KT und seinem Verleger Rowohlt im ersten Kap. von ‹Schloß Gripsholm› (Bd. 14 [51], 10 ff) sowie ‹Avis an meinen Verleger› (WB 1.3.1932, I, 345; D 2703).

3 *Malik-Verlag*] Der 1916/17 von Wieland Herzfelde, George Grosz und John Heartfield in Berlin gegr. Verlag etablierte sich rasch als repräsentativer Verlag der dt. Linken (Becher, Brecht, Graf, Gumbel, Plivier u.a.), seit 1919 arbeitete er eng mit der KPD zusammen. Ein Schwerpunkt des Verlagsprogramms lag bei der sozialkrit. Literatur des Auslands (Gorki, Babel, Ehrenburg, Barbusse, Dos Passos, Sinclair u.a.).

6 ff *«Es ist … Verlegervereins»*] s. ‹Bücher sind billig!› In: Börsenblatt für den Deutschen Buchhandel Jg. 95, Nr. 239, 12.10.1928, 24. In dem von KT nicht zit. ersten Absatz heißt es: «‹Bücher sind billig› hatte die Werbestelle des Börsenvereins zu Ostern auf ihrem Einschlagepapier den deutschen Lesern einhämmern wollen. Aber das deutsche Sortiment erkannte leider die Werbekraft dieses Spruches nicht, und das Einschlagepapier fand nur ganz geringen Anklang.»

39 *‹Buchhändler-Börsenblatt›*] ‹Börsenblatt für den Deutschen Buchhandel›, das offizielle tägl. in Leipzig (seit 1834) ersch. Fachorgan, das v.a. Neuerscheinungen registrierte, Buchanzeigen der Verleger brachte, den Buchhandel betreffende amtl. Bekanntmachungen enthielt und über buchhändlerische Fach- und Organisationsfragen berichtete. Vgl. [126]; zu KTs früheren Auseinandersetzungen mit dem Blatt s. [126], *51 f.*

42

Die Begründung

V: Ignaz Wrobel
D[1]: WB Jg. 25, Nr. 12, 19.3.1929, I, S. 435–438
Bibl.: Nd s. Bonitz/Wirtz D 2213; 2 Nd; GW 7

Überlieferung
D[1] – ZA: 4 Bl., aufgeklebt auf Durchschlagpapier, 225 x 285 mm, alR gelocht; hs. Anm. und Korr. mit Grün- und Bleistift. (DLA)

Lesarten
Die Lesarten sind nach ZA verzeichnet

6ff Nummer 10 … Dummheit hat.] *S. 436 und S. 437 arR mit Grünstift Anm. für den Satz* petit **78** Unterschrift] *arR korr. zu* Unterschriftsworte **78** die] *gestr., arR wieder gestr., korr. zu* jene **78ff** die … hat –)] *gestr.* **84** zu] *gestr.* **84** braucht.] *gestr., arR korr. zu* muss. **112f** damit er komplett ist,] *gestr., arR korr. zu* um komplett zu sein, **115f** selbst fällt] *durch Umstellungszeichen korr. zu* fällt selbst **120** ist] *durch Korrekturzeichen folgender Absatz aufgehoben* **121** § 166] *durch Korrekturzeichen folgender Absatz aufgehoben* **150f** Was … Politik.] *gestr.* **184** uns.] *folgt* Dass Gross inzwischen einmal freigesprochen wurde *(davor gestr.* wurde*)*, ändert nichts an diesem Hieb gegen die so überschätzte Kirche.

f *Urteilsspruch*] Am 10.12.1928 waren Grosz und sein Verleger Herzfelde vom Schöffengericht Charlottenburg zu einer Geldstrafe von je 2000 Mark verurteilt worden. Sowohl der Oberstaatsanwalt als auch der Verteidiger Alfred Apfel legten Berufung ein. KTs Artikel ist im Zusammenhang mit der Berufungsverhandlung vor der II. großen Strafkammer des Landgerichts III unter dem Vorsitz des Landgerichtsdirektors Siegert zu sehen, die am 10.4.1929 zu einem Freispruch führen sollte. (Das Urteil wurde am 27.2.1930 vom Reichsgericht wieder aufgehoben, am 2.12.1930 erfolgte ein erneuter Freispruch durch das Landgericht III.) Zum Verlauf des Prozesses vgl. Ossietzky 1994, Bd. V, 306–308 und K. – Der Text der Urteilsbegründung des ersten Prozesses ist KT vermutl. durch Apfel zugänglich gemacht worden, der die WB mehrfach in Strafprozessen verteidigte. Die Urteilsbegründung aus dem Berufungsprozeß wurde in der WB vom 7.5.1929 abgedr. (I, 708–713). Vgl. auch die «Antworten» ‹Richter›, WB 16.4.1929, I, 618, sowie ‹Preußischer Justizminister›, WB 7.5.1929, I, 728. – Schon in früheren Prozessen hatte KT Grosz publizistische Schützenhilfe geleistet, s. ‹Der kleine Geßler und der große Grosz›, Bd. 4 [215]; ‹Dada-Prozeß›, Bd. 5 [27].
Nummer 10] Blatt 10 aus Grosz' Mappe ‹Hintergrund. 17 Zeichnungen zur Aufführung des ‹Schwejk› in der Piscatorbühne› (Berlin: Malik 1928). Vgl. [66], *155*.
Bilder 2 und 9] ‹Seid untertan der Obrigkeit› (ebd., Bl. 2): Die Zeichnung zeigt einen österr. und einen dt. Feldmarschall, einen Richter und einen protestant. Priester, der ein Kreuz auf der Nase balanciert. – ‹Die Ausschüttung des heiligen Geistes› (ebd., Bl. 9): Predigt eines Gefängnisgeistlichen von der Kanzel herab, seine militarist. Parolen sind symbolisiert durch Kriegsgerät, das aus seinem Mund quillt.
§ 166 StGB.] Gegen KT selbst war aufgrund seines Gedichts ‹Gesang der englischen Chorknaben› im Nov. 1928 ein Ermittlungsverfahren wegen

Gotteslästerung eingeleitet worden, das allerdings nach seiner Vernehmung im März 1929 eingestellt wurde (s. Bd. 10 [118]).

21 *Olshausen*] J. von Olshausen's Kommentar zum Strafgesetzbuch für das Deutsche Reich. Berlin [versch. Aufl.].

39 *Urteils des RG. vom 11. 1. 26*] Bericht von Justizrat Drucker, Leipzig, und Rechtsanwalt Alsberg, Berlin, zu § 166 StGB, §§ 261, 337 StPO. 1. Zum Begriff der Gotteslästerung. 2. Kann das RevG die vom Tatrichter vorgenommene Auslegung einer Gedankenäußerung nachprüfen?, in: Juristische Wochenschrift Jg. 57 (1928), H. 18/19, 1225–1227, Rubrik: Rechtsprechung in Strafsachen.

79 f *Meggendorfer Blättern*] Die von Lothar Meggendorfer begr. ‹Meggendorfer Blätter. Farbige illustrierte Wochenschrift für Humor und Kunst›. Esslingen 1903–1928 (1888–1902 u. d. T. ‹Meggendorfers humoristische Blätter›) 1928 mit den ‹Fliegenden Blättern› vereinigt.

91 *Nicolai*] Wohl Walther Nicolai, bis 1918 Chef der Nachrichtenabteilung des Heeres.

117 *Kreuz weggeschossen*] Eine Photographie, die das hier geschilderte Kruzifix zeigte, hatte KT während des Krieges Karl Kraus zugesandt. Dieser druckte sie in der ‹Fackel› (Jg. 18, Nr. 423–425, 5. 5. 1916) u. d. T. ‹Erhöret mich!› und mit der Unterschrift: «Auf dem Schlachtfelde bei Saarburg, an der Straße zwischen Saarburg und Bruderdorf, steht ein Kruzifix. Während des Kampfes wurde es von einer Granate getroffen, das Holzkreuz wurde zerschmettert, die Christusfigur aber blieb unversehrt». Nochmals abgedr. in Bd. 1 von ‹Weltgericht› (Leipzig 1919, in: Kraus 1986 ff; Bd. 5 [4]), ein weiteres Mal ohne Text als Schlußbild in der ersten Buchausg. der Tragödie ‹Die letzten Tage der Menschheit› (Wien, Leipzig 1922, in: Kraus 1986 ff; Bd. 10 [771]). Kraus dankte KT für die Zusendung später zweimal in der ‹Fackel› (‹Der Fall Jacobsohn›, Die Fackel Jg. 27, Nr. 686–690, Mai 1925, 61; ‹Berlin›, Die Fackel Jg. 31, Nr. 827–833, Anfang Febr. 1930, 76).

127 *für Mord betete*] KT hat den Krieg wiederholt als Mord und Soldaten als Mörder bezeichnet (vgl. hierzu «Soldaten sind Mörder». Dokumentation einer Debatte 1931–1996. Hg. von Michael Hepp und Viktor Otto. Berlin 1996). Auch in dem für DD geschriebenen Artikel ‹«Fest sei der Bund!»› polemisierte KT gegen das nationalist. Engagement der ev. Kirche während des 1. Weltkriegs (s. Bd. 12, 205–206).

142 *heftig rührt*] Verfahren wegen Vergehens nach § 166 liefen Ende der 20er Jahre z. B. gegen Werner Hegemann (‹Der gerettete Christus›), Walter Hasenclever (‹Ehen werden im Himmel geschlossen›), Kurt Weill (Oper ‹Der Protagonist› nach Georg Kaiser), Ernst Glaeser (‹Seele über Bord›),

Frans Masereel (‹Die Kirche›); s. Peter Maslowski: Gotteslästerung. Religion und Strafrecht. Zu den Religionsedikten (§ 181–183) im Entwurf zum neuen Strafgesetzbuch. 2., völlig umgearb. und verbesserte Aufl. Berlin: Mopr 1930, 20f; s. auch die Angaben in Bd. 10 [118], *O*.
Feiertage aufzuzwingen] Vgl. ‹Bußtag›, Bd. 4 [236].
Bildungsfragen] Die WRV hatte mit dem § 146 einen Interimszustand geschaffen, der einerseits die Gemeinschaftsschule als Regelschule den Bekenntnis-, Weltanschauungs- und weltlichen Schulen als Antragsschulen überordnete, andererseits aber den Istzustand regional uneinheitl. Schulformen (mit Dominanz der Bekenntnisschulen) einfror bis zur Verabschiedung eines Reichsschulgesetzes. Das Zentrum, an allen Regierungskoalitionen der Weimarer Zeit beteiligt, suchte den Vorrang der Bekenntnisschulen durchzusetzen. Im Frühjahr 1928 war der Entwurf des Ministers Keudell (DNVP), der in enger Zusammenarbeit mit Zentrumspolitikern sowie führenden Vertretern der Kirchen entstanden war und ein paritätisches Verhältnis aller Schulen vorsah, gescheitert. Zu einer Einigung und damit zur Verabschiedung eines Reichsschulgesetzes kam es aufgrund unüberbrückbarer bildungspolit. Differenzen zwischen Linken und Liberalen auf der einen und Zentrum wie Konservativen auf der anderen Seite während der Weimarer Jahre nicht mehr.
Konkordaten] So waren am 11. 2. 1929 Verträge des faschist. Italien mit der kath. Kirche unterzeichnet worden. Außer dem Lateranvertrag, mit dem die Vatikanstadt als souveräner Staat neu gegr. wurde, und einem Finanzabkommen zur Entschädigung für die Einziehung des Restkirchenstaates durch Italien 1870, wurde ein Konkordat unterzeichnet, in dem der ital. Staat die kath. Religion als Staatsreligion bestätigte. – Auch die seit Beginn der 20er Jahre andauernden Verhandlungen über ein preuß. Konkordat waren Anfang 1929 in einer Endphase angelangt (vgl. z. B. ‹… Und das Konkordat?›, BBC 1. 3. 1929, M), am 14. 6. wurde der Vertrag mit der kath. Kirche unterzeichnet. Auf die Regelung der Schulfrage, in der die Kirche ein Mitspracherecht beanspruchte, wurde verzichtet, Preußen sicherte aber zu, die diesbezügl. Rechte der Kirche zu respektieren (vgl. Lothar Engelbert Schücking: Zum Konkordat, WB 25. 6. 1929, I, 963–964).
f *rot behandschuhten Hand*] Bezogen auf den Ornat der Kardinäle, die die Regierungsgeschäfte des Vatikans leiten.

43

«Polizei und ...»

V: Ignaz Wrobel
D[1]: WB Jg. 25, Nr. 13, 26.3.1929, I, S. 473–478
Bibl.: Bonitz / Wirtz D 2214; DT
Rez.: Die Polizei in Einzeldarstellungen. Hg. von Wilhelm Abegg. Berlin: Gersbach. Bd. 3: Bernhard Weiß: Polizei und Politik. 1928. Bd. 4: Robert Heindl: Polizei und Verbrechen. 1926. Bd. 9: Albert Moll. Polizei und Sitte. 1926

2 *Grünen*] Von den grünen Uniformen abgeleitete Bezeichnung für die Sicherheitspolizei (Sipo), die sich zu großen Teilen aus ehem. Freikorpskämpfern rekrutierte. Die Sipo wurde vorwiegend bei polit. Demonstrationen eingesetzt (vgl. Bd. 12, *32, 7*).

6 *Wahre Geschichte*] Quelle nicht ermittelt.

7 f *Als ich ... Mädchenschule ging*] Beginn des um 1790 entst. Liedes eines unbekannten Verf., das im 19. Jh. zur Melodie des Menuetts aus Mozarts ‹Don Juan› gesungen wurde: «Als ich noch im Flügelkleide in die Mädchenschule ging, o, wie hüpft ich da vor Freude, wenn mich Lina froh empfing.» In einer Variante auch um 1930 als Berliner Volkslied nachgewiesen; s. Der Berliner Gassenhauer. Darstellung. Dokumente. Sammlung. Hg. von Lukas Richter. Leipzig [1970], 237 f.

15 *Unsere Kleinen*] Vgl. ‹Früh prügelt, was ...›, Bd. 12, 212.

17 f *«Landespolizei ... Thüringen»*] Anspielung auf die Reichsexekutionen in Sachsen und Thüringen im Okt. und Nov. 1923, wo die Landesregierung jeweils von einer SPD / KPD-Koalition gestellt wurde. Die vom Reichspräs. angeordnete Intervention der RW zwang die sächs. Regierung am 29.10.1923 und die thüring. Regierung am 7.12.1923 zum Rücktritt.

21 *Seligen*] Von KT häufig gebrauchte Bezeichnung für den ehem. dt. Kaiser Wilhelm II.

29 *echter Kriminalbeamter*] Vgl. dazu schon Bd. 5 [85], 60 ff.

31 f *«Volkspolizei»*] Zwar sah sich z. B. der preuß. Innenminister Severing (SPD) dem Ideal einer demokratisierten, ihrem militär. Charakter entkleideten Volkspolizei verpflichtet, doch war ein Großteil der mittleren und höheren Führungspositionen bereits 1919 / 20 mit ehem. Front- und Freikorpsoffizieren besetzt worden. Zudem dominierte auch in der Sozialdemokratie nach wie vor ein autoritäres Staatsverständnis, weshalb die Demokratisierung der Polizei und die Durchsetzung neuer Leitbilder

nicht zu den vorrangigen Zielen der Regierungspolitik gehörten (s. Peter Leßmann-Faust: Weimarer Republik: Polizei im demokratischen Rechtsstaat. In: Hans-Jürgen Lange [Hg.]: Staat, Demokratie und Innere Sicherheit in Deutschland. Opladen 2000, 29–50). – Vgl. [64], 73 ff.

f *«der Mörder des Zaren»*] Weiß 1928, 72. Hauptmann Jakob Jurowski war Leiter der Einheit der Geheimpolizei, die die Zarenfamilie bewachte.

«Feldwebel Klapproth»] ebd., 83, Abb. 77 (Abb. 77–79 betitelt mit ‹Mitglieder der «Mordkommission» der sogenannten «Schwarzen Reichswehr»›). Klapproth war Angehöriger des «Kommandos z.b.V.» («zur besonderen Verwendung») unter Führung des Oberleutnants Schulz, das eine Reihe von Fememorden beging. In mehreren Fememordprozessen (vgl. [99], *155*) war Klapproth angeklagt. 1924 wurde er wegen gemeinschaftlichen Mordes des Feldwebels Wilms zum Tode verurteilt, 1930 infolge einer Amnestie aus der Haft entlassen.

ff *«Karl Liebknecht … wurden»*] ebd., 75.

von wem] Zu dem von Freikorpsoffizieren verübten Mord an Luxemburg und Liebknecht s. Bd. 3 [10], [76], [79].

f *«Erst» … Arbeiterführer …»*] Weiß 1928, 75.

f *Justav … bleiben*] Als RW-Minister war Noske für sein hartes Durchgreifen bei Arbeiterunruhen bekannt. Auf innerparteiliche Kritik und Rücktrittsforderungen reagierte er auf einer Konferenz der MSPD Groß-Berlins am 28. 9. 1919 mit einem rhetor. Rücktrittsangebot, das Heiterkeit und Unruhe auslöste. Ein Delegierter rief: «Justav muß bleiben!» (s. Wolfram Wette: Gustav Noske. Eine politische Biographie. Düsseldorf 1987, 593).

Strafprozeßreform] s. [25], *0*.

ff *«Mit einem … Beziehungen.»*] Weiß 1928, 96. Die zit. Anmerkung bezieht sich auf den Betrüger Erwin Niebuhr, dessen Delikte Weiß als Beispiele von Verbrechen unter polit. Deckmantel anführt. Niebuhr hatte sich der dt.-völk. Bewegung angeschlossen und betrieb ein Rechtsbüro in Berlin.

Homosexualität] Vgl. [25].

im Jahre 1921] Im Abschnitt über die ‹Presse als Strafverfolgungsorgan› schildert Weiß die Ergreifung der Mörder Datos in Berlin im Okt. 1921. Einer der an der Tat Beteiligten konnte entkommen, da die von der Polizei zunächst geheimgehaltene Festnahme zweier Attentäter durch eine Indiskretion in der Presse vorzeitig bekannt wurde. Weiß bezeichnet die Täter als «politische Mörder» (Weiß 1928, 144).

ff *«Daß … Völkerrechts …»*] Der Satz endet: «hat am nachdrücklichsten zuerst die holländische Republik im 17. Jahrhundert verwirklicht». – In diesem Zusammenhang erwähnt Weiß u.a. die Fälle, in denen die Anwendung des Asylrechts als zweifelhaft angesehen wird, nämlich dann, «wenn der Staat, der die Auslieferung eines Verbrechers verlangt, und der andere Staat, der die Auslieferung verweigert, über die Natur des betreffenden Verbrechens verschiedener Ansicht sind, d.h. wenn der eine Staat das Verbrechen für ein gemeines, der andere für ein politisches ansieht. Solche Fälle ereignen sich besonders häufig nach der Verübung von Mordtaten, die gegen politische Persönlichkeiten gerichtet sind» (ebd., 154).

96 *Sylt*] Der Arbeiter Wilhelm Sült wurde am 30.3.1921 in den Bergmann-Elektrizitätswerken in Schutzhaft genommen und am 1.4.1921 von einem Beamten erschossen. Der Beamte blieb straffrei.

101 ff *«Die heutige … flüchtet.»*] Weiß 1928, 160. Statt «Polizei» (Z. 101) im Orig. «Polizei Preußens».

110 *p. Heindl*] U.d.T. ‹Ein Schädling der Kriminalistik› hatte KT im Vorjahr Robert Heindls Buch ‹Der Berufsverbrecher› in der WB besprochen. Er kritisierte darin u.a. Heindls Überheblichkeit gegenüber Kriminellen und dessen Vorschlag einer lebenslangen Sicherheitsverwahrung für sog. Berufsverbrecher (s. Bd. 10 [100] und [102]). – p. Heindl: der oben genannte Heindl («p.» für das veraltete, bildungssprachl. «praedictus»).

113 f *großen Wälzern*] Robert Heindl: Der Berufsverbrecher (Berlin 1926; 560 Seiten, Quartformat); Heindl: System und Praxis der Daktyloskopie und der sonstigen technischen Methoden der Kriminalpolizei (Berlin und Leipzig 1922; 655 Seiten, Lexikonformat).

134 ff *«die Bitte … Verbrechen.»*] Heindl 1926, 124.

143 *Briefe*] Zur Wirkung von KTs Heindl-Rez. s. Bd. 10 [102], *0*.

155 *Daktyloskopie*] s. den entspr. Abschnitt zu Techniken der Personen- und Spurenidentifikation in Heindl 1926, 78–112, sowie oben *113f*.

157 f *Theorie von der Sicherheitsverwahrung*] s.o. *110*.

164 ff *«Nachwort … auszudrucken.»*] Moll 1926, 133, im Orig. «hielt» statt «halte» (Z. 167).

170 *«Imprimatur» kein Substantiv*] Eigentl. «es werde gedruckt».

173 *Eduard Fuchs*] Vermutl. Eduard Fuchs: Illustrierte Sittengeschichte. 3 Bde. und 3 Erg.-Bde. München 1909–1912.

181 *Beardsley*] Der engl. Zeichner war für seine erotischen Zeichnungen berühmt. In dem Band sind zwei Illustrationen Beardsleys zu Oscar Wildes ‹Salome› sowie die Zeichnungen ‹Messalina› und ‹Nachtstück› abgedruckt (Moll 1926, 48f, Abb. 44 und 45; 76f, Abb. 77 und 78).

183 *«Moderne Demimondainen»*] Zeichnung von F. Fabians aus dem ‹Journal amusant› von 1926 (ebd., 126, Abb. 142) sowie von Gerda Wegener (ebd., o. Pag. [128a]). – Moderne Halbweltdamen.

Landsberger Straße] Ärmliche Wohngegend in Berlin, östlich des Alexanderplatzes gelegen.

Unterschriften] ‹Auf dem Weg zur Dirne› (aus: George Grosz: Ecce Homo. Berlin 1922), Moll 1926, 81 f (Abb. 86 und 87); ‹Dirnenlokal› (aus: Grosz: Der Spießer-Spiegel. Dresden 1925), ebd., 130, Abb. 145.

f *«Die gegenwärtige ... Belästigung»*] ebd., 110. § 175 StGB: «Unzucht zwischen Männern», s. [25].

Edschmid] Vgl. [85], 14 ff, *15 f.*

ff *«Man soll ... bestreiten.»*] Moll 1926, 131.

Franz Blei] Nicht ermittelt.

alten Friedrichstraße] s. [36], *117 f.*

Photos aus einem Bordell] Moll 1926, 74 f, Abb. 73–75.

neue Strafgesetz] s. o. *70.*

Herrn Joel] Curt Joël war Staatssekretär im Reichsjustizministerium. Reichsgerichtspräsident war Walter Simons. In der WB vom 19. 6. 1928 war in der Rubrik «Antworten» unter dem Stichwort ‹Justizwachtmeister› eine scharfe Kritik an Joël erschienen. Diesem wurde vorgeworfen, eine reformfeindliche und reaktionäre Justizpolitik zu betreiben. Auch sein Einfluß auf das Reichsgericht kam zur Sprache: «Joel war maßgebend für die Personalpolitik des Reichsgerichts: von den sechsundachtzig Reichsgerichtsräten sind drei Viertel nach der Revolution ernannt worden, trotzdem ist kaum ein ausgesprochener Republikaner dabei» (s. WB, I, 961 f). 1932 sollte Joël als Reichsjustizminister das Begnadigungsgesuch CvOs im «Weltbühne»-Prozeß blockieren (s. CvO an KT 23. 3. 1932, in: Ossietzky 1994, Bd. VII, 419).

«Unsittlichkeit des unehelichen Verkehrs»] Im Kommentar zu § 184 StGB («Verbreitung unzüchtiger Schriften usw.») wurde als «unzüchtig» u. a. «außerehelicher Geschlechtsverkehr» bestimmt. Auch im Kommentar des Kuppelei-Paragraphen (§ 180 StGB) war der «Beischlaf von Verlobten» als Unzucht rubriziert (s. StGB für das deutsche Reich mit Nebengesetzen. Hg. von Franz von Liszt und Ernst Delaquis. Bearb. von Eduard Kohlrausch. 28. Aufl. Berlin 1928, 202, 213 f). Zur Kritik KTs vgl. ‹Kuppelei›, Bd. 4 [182], sowie ‹Taschenpolizei›, Bd. 5 [85], 96 ff.

f *Hexenhammer*] Übersetzung des lat. ‹Malleus maleficarum›. U.d.T. hatte der päpstl. Inquisitor Heinrich Institoris 1487 einen Kommentar zur Hexenbulle (1484) des Papstes Innozenz VIII. verfaßt. Er trug damit entscheidend zur Legitimation der Hexenverfolgung und deren Konzentration auf Frauen bei. KT hatte den Begriff bereits 1920 mit Bezug auf den § 180 StGB (s. o. *262*) gebraucht, s. Bd. 4 [182], 5.

Auslegung des § 175] Vgl. [25], *63.*

265 *neuen Gesetz*] Nach dem alten Gesetz galten Verhütungsmittel als Gegenstände zu unzüchtigem Gebrauch, da ihre Verwendung beim unehelichen Geschlechtsverkehr verbreitet war. Ihr Verkauf, ihre Ankündigung, Anpreisung oder Ausstellung wurden nach § 184, Abs. 3, mit Gefängnis bis zu einem Jahr und / oder mit Geldstrafe bis zu 1000 Mark geahndet. Der Entwurf eines StGB von 1927 sah im § 270 weiterhin die Strafbarkeit vor. Dies galt jedoch nach Abs. 2 für den Verkauf oder die Anpreisung von Mitteln, Werkzeugen oder Verfahren, die zur Empfängnisverhütung oder zur Verhütung von Geschlechtskrankheiten dienten nur dann, wenn sie «in einer Sitte und Anstand verletzenden Weise» geschahen (Moll 1926, 99 ff).

268 f *Zentrum*] Zum Einfluß der kath. Zentrumspartei auf die Reichspolitik vgl. [5], *19*; [42], *163*; [86], *65*; [134], *13*.

278 *Kahl*] Der Prof. für ev. Kirchenrecht, Staats- und Strafrecht Wilhelm Kahl war Vors. des Strafrechtsausschusses im RT.

280 f *«Severing ... Polizei»*] Weiß 1928, 18 f. Die Photographien zeigen ein aus den Archiven der kaiserlichen polit. Polizei stammendes Erkennungsphoto und die auf der Rückseite befindliche Personenbeschreibung des jungen Severing («Staatsminister Severing in seiner Jugend als Objekt der politischen Polizei») sowie ein Gemälde des «Staatsministers Severing als Leiter der preußischen Polizei» von Joh. Klewitz.

282 *«Behördlich ... Aktaufnahme»*] Moll 1926, 52 ff, Abb. 49–52.

44

Anonyme Briefe

V: Peter Panter
D[1]: WB Jg. 25, Nr. 13, 26. 3. 1929, I, S. 493 [Rubrik:] Bemerkungen
Bibl.: Nd s. Bonitz / Wirtz D 2215; 2 Nd; GW 7

Entstehung

Leonhard hatte KT vermutl. im Okt. 1928 sein noch unveröffentl. Stück ‹Anonyme Briefe. Eine Komödie ohne Helden› zugesandt. Am 24.10.1928 versprach KT ihm die baldige Leküre, am 12. 11. 1928 schilderte er seinen positiven Eindruck und kündigte die Bespr. in der WB an (s. KT an Leonhard 12. 11. 1928). In Briefen vom 19. 11. und 11. 12. 1928 kam KT nochmals kurz auf das Stück zu sprechen (11. 7. und 31. 7. 1931, wohl anläßl. einer Aufführung).

Leonhards Stück wurde 1930 bei der Verleihung des Kleist-Preises mit einer ehrenvollen Erwähnung (durch Ernst Heilborn) bedacht und vom

Deutschen Theater zur Aufführung angenommen. Ein in Helmut Sembdner: Der Kleistpreis 1912–1932. Berlin 1968, 146, erwähnter Druck von 1931, vermutl. des Bühnenmanuskriptes, konnte nicht nachgewiesen werden. Das Drama erschien 1963 in: Rudolf Leonhard: Ausgewählte Werke in Einzelausgaben. Hg. von der Deutschen Akademie der Künste zu Berlin. Bd. 2: Segel am Horizont. Dramen und Hörspiele. Berlin: Verlag der Nation 1963, 212–315.

f *jahrelang Lektor*] Leonhard prägte als Lektor des Verlags «Die Schmiede» (s. [103]) von Ende 1922 bis Ende 1926 entscheidend das Verlagsprogramm, wobei ihm seine zahlreichen Kontakte zu Schriftstellerkollegen und zur Berliner Presse zugute kamen, über die er als Vorstandsmitglied des SDS und als Mitbegr. der «Gruppe 1925» verfügte. Zu den von ihm konzipierten Buchreihen s. [103], *99*.
nie verdient] Zu KTs Konflikt mit dem Verlag «Die Schmiede» s. [103].
Z. d. A.] Zu den Akten.
‹*Verbrechern*›] Ferdinand Bruckners Schauspiel ‹Die Verbrecher› war am 23.10.1928 am Deutschen Theater in Berlin in der Regie von Heinz Hilpert uraufgeführt worden. Vgl. [68], *39*.
Bruckner zu sein] Über die Identität des Pseudonyms Ferdinand Bruckner mit Theodor Tagger, dem österr. Schriftsteller, Gründer und bis 1928 Leiter des Berliner Renaissance-Theaters, wurde zum Zeitpunkt der UA der ‹Verbrecher› bereits spekuliert. Doch erst anläßlich der Auff. von Bruckners ‹Elisabeth von England› im Dez. 1930 in Wien gab sich Tagger als der Verf. zu erkennen (s. Christiane Lehfeld: Der Dramatiker Ferdinand Bruckner. Göppingen 1975, 27). – KTs ironische Spekulation über die Identität Leonhards mit Bruckner spielt möglicherweise auch darauf an, daß Bruckner seit 1925 mit seinen Stücken ‹Verbrecher› und ‹Krankheit der Jugend› beim Bühnenvertrieb der «Schmiede» unter Vertrag gestanden, 1928 jedoch wegen Vertrauensbruchs und säumiger Tantiemenzahlung Klage eingereicht und die Vertragsauflösung gefordert hatte.

45

[Gut geschrieben! Kritik an Freunden]

V: Peter Panter
D[1]: Die losen Blätter Jg. 1928/29, Nr. 13, März 1929, S. 204–206
Bibl.: Nd s. Bonitz/Wirtz D 2209; 5 Nd; GW 7 u. d. T.: Schwarz auf Weiß
Rez.: Alfred Polgar: Schwarz auf Weiß. Berlin: Rowohlt 1929

Lesart
28 vielem] *emend. aus* vielen

Datierung
‹Die losen Blätter›, Beil. der Illustrierten ‹Die Dame› (s. u. *27*), ersch. 1929 vierzehntägig. Lt. Jahrgangs- und Heftzählung müßte es sich um das erste Aprilheft handeln, unsere Datierung folgt aber der Heftangabe «März 1929».

KTs Rez. stellt den ersten Teil einer Doppelbesprechung dar. Im zweiten Teil rezensiert Richard Huelsenbeck KTs Sammelband ‹Das Lächeln der Mona Lisa› (Berlin 1928): ‹Die Mona Lisa lächelt. Lieber Peter Panter-Tucholski!›; s. Bd. 10 [203], *Wirkung*. Offenbar beabsichtigte KT zunächst, Polgars Buch in der WB zu rezensieren. Am 15.12.1928 schrieb Polgar an den WB-Mitarb. Rudolf Arnheim: «Über m. Buch will, wenn ich [unleserlich] letzten Brief von ihm richtig gelesen habe, Dr. Tucholsky in der ‹Weltbühne› schreiben. Tut er's nicht, wäre mir kein Kritiker willkommener als Sie» (DLA). Der erste Satz ist unterstrichen und von fremder Hand mit der Anm. «Bleibts dabei?» versehen. Arnheim rezensierte das Buch in der WB (‹Alfred Polgar›, WB 5.2.1929, I, 223–226).

3 f *«Bruder Innerlich»*] (ugs., 1900 ff) Magen, Bauch (Küpper 1997, 135).

5 f *Gott sieht aufs Herz*] Sprichwörtl. nach 1. Samuel 16, 7.

8 f *«an einer Seite ... arbeiten»*] Zitat aus Nietzsche: Menschliches, Allzumenschliches, Zweite Abteilung (Der Wanderer und sein Schatten), Aphorismus 95: ‹Unsere Prosa› (Nietzsche 1968 ff, Abt. 4, Bd. 3, 233).

19 *Jacobsohn*] Die WB (29.6.1926, I, 1020–1024) hatte u. d. T. ‹Sätze, Grundsätze› eine Aphorismen-Auswahl aus Polgars 3. Band der Sammlung ‹Ja und Nein› (‹Allerlei Theater›, Berlin 1926) gedruckt. In der red. Einleitung schrieb SJ: «Dieser Kritiker ist die Verkörperung des Kelterers.»

23 f *«aus dem Ärmel schütteln»*] Vgl. u. a. ‹Aus dem Ärmel geschüttelt›, Bd. 5 [55].

27 *dieses Blatt gemacht*] ‹Die losen Blätter› waren 1926/27 bis 1929/30 eine «Gratis-Beilage» des illustrierten Damen- und Gesellschaftsjournals ‹Die Dame› (Berlin: Ullstein 1911/12–1943), in dem KT seit 1925 gelegentlich publizierte.

29 *homme de lettres à femmes*] Literat der Frauen (homme de lettre: Schriftsteller; homme à femmes: Frauenheld, Schürzenjäger).

35 f *Und dennoch ... gefühlt ...*] Schlußverse der 1. Strophe von ‹Jägers Liebeslied› («Ich schieß' den Hirsch im wilden Forst»). Text: Franz von Schober, 1826; Musik: Franz Schubert, D. 909, op. 96, no. 2 (1827).

f *gemeinsamen Verleger*] Von KT waren bei Rowohlt bisher die Sammelbände ‹Mit 5 PS› (1928, ausgeliefert Ende 1927, s. Bd. 9 [173], *0*) und das ‹Lächeln der Mona Lisa› (1929, ausgeliefert Ende 1928, s. Bd. 10 [203], *0*) erschienen.

ff *«Es wäre … letztenmal.»*] Polgar 1929, 154 (in: ‹Vorleser›, 148–154). Im Orig. «wäre mir» statt «wäre»; «des P.» statt «Polgars».

ff *«Er schwimmt … Fisch.»*] ebd., 173 (in: ‹Der Schwimmer›, 169–174). Im Orig. «geheizter» statt «gehetzter»; «Eil-Fisch» statt «Eilfisch».

f *«Tiere … Beruf.»*] ebd., 177 (in: ‹Beruf›, 175–180).

ff *«wenn … zu verbieten.»*] ebd., 193 (in: ‹Am Strande›, 187–193).

Heniden] KT entnahm diesen Begriff wohl Otto Weiningers Buch ‹Geschlecht und Charakter›, worin eine Theorie der Heniden entwickelt wird. Danach sind Heniden einfachste psychische Daten im «primitivsten Zustande ihrer Kindheit», ein «dumpfes Eines» undifferenzierter Vorstellungen oder Empfindungen im Vorstadium bewußter Wahrnehmung (Otto Weininger: Geschlecht und Charakter. 26. Aufl. Wien, Leipzig 1925, 120ff); s. auch ‹Ulysses›, Bd. 9 [156], 144.

f *«Sinnend … nachblickt.»*] Polgar 1929, 204 (in: ‹Fensterplatz›, 201–206).

ff *«Er raucht … Kreise …»*] ebd., 266 (in: ‹Egon Friedell›, 261–267).

46

Familienbande

V: Peter Panter
D[1]: Uhu Jg. 5 (1928/29), H. 7, April 1929, S. 55–58
Bibl.: Nd s. Bonitz/Wirtz D 2216; 10 Nd; GW 7
Mit Zeichnungen von Erich Godal

Datierung
Die Zeitschrift ‹Uhu› erschien jeweils zu Beginn des Monats, z.T. bereits in den letzten Tagen des Vormonats.

‹Der Uhu›, Berlin 1924–1933. Monatsmagazin im Ullstein-Verlag, hg. von Kurt Szafranski (Pseud. Peter Pfeffer), Red. Walter Zadek, Friedrich Kroner u.a. KT hatte zusammen mit seinem Freund Szafranski, dem Illustrator von ‹Rheinsberg›, das Magazin mitentwickelt und blieb Mitarbeiter oder Mitwirkender bis zu seinem Weggang von Ullstein im Oktober 1931.

0 *Familienbande*] Vgl. ‹Die Familie›, Bd. 6 [1]; ‹Die Verwandtschaft›, Bd. 7 [52]. Dort (Z. 48f; Z. 24) jeweils verwandt im Zusammenhang mit einem Aphorismus von Karl Kraus: «Das Wort ‹Familienbande› hat manchmal einen Beigeschmack von Wahrheit» (Die Fackel Jg. 9, H. 237, 2.12.1907, 6).

3 *Stimme des Blutes*] Vielzitierte Wendung aus dem AT (1. Mos. 4, 10).

25 *Gasometer*] Der sog. «Naßgasmesser», der den Gasverbrauch anzeigt. Die nassen Gasometer enthalten eine halb in Wasser tauchende, in Kammern geteilte Blechtrommel, die durch das durchströmende Gas so umgedreht wird, daß jede Umdrehung einer bestimmten Raummenge entspricht.

31 *Ding an sich*] In der Philosophie Kants der Begriff von einem Sein, das als Grund der Erscheinungen unabhängig von der sinnlichen Wahrnehmung nicht erkannt, wohl aber gedacht werden kann.

55 f *Gruppenteil … Kollektivität*] Vgl. [163], *0*.

60 f *Geisbergstraße … Haberlandstraße*] Straßen in Berlin-Wilmersdorf/Schöneberg, in unmittelbarer Nähe von KTs erster eigener Wohnung in der Nachodstraße 12, wo er 1911–1920 mit Unterbrechungen wohnte. In der Haberlandstraße 1 wohnte Lisa Matthias bis Aug. 1929.

98 *«Porco dio!»*] Etwa: «Gottverdammt nochmal!»

105 *Blut ist dicker als Wasser*] Sprichwörtlich.

47

Der liebe Gott in Frankreich

V: Peter Panter (D^1); Kurt Tucholsky (D^2)
D^1: WB Jg. 25, Nr. 14, 2.4.1929, I, S. 526
D^2: Lerne lachen ohne zu weinen 1931, S. 22–24
Bibl.: Nd s. Bonitz/Wirtz D 2217; 3 Nd; GW 7

Varianten
Die Varianten sind nach D^2 verzeichnet
5 166] §166 **7** Kirche,] Kirche **7** über] (über **7** hinweg] hinweg) **11** Bürzel».] Bürzel.» **13** ein] das **24** heißt –] heißt, **27** und alles] Alles **30** Juden –] Juden; **34** ist] sei **46** Avé] Avez

0 *Gott in Frankreich*] Anspielung auf die Redensart: Er lebt wie Gott in Frankreich (d.h. glücklich und sorglos).

1 *Wie verschieden … Leben –!*] U.d.T. ‹So verschieden ist es im menschlichen Leben› veröffentlichte KT eine Reihe von Beobachtungen, Aperçus und Aphorismen (s. Bd. 10 [15]; Bd. 14 [45], [60], [82]).

Domdechanten] Dem Domkapitel vorstehende Geistliche.
dem 166] Der § 166 StGB: Beschimpfung der Einrichtungen einer Landeskirche und Gotteslästerung (vgl. [42]).
«*Deux-Anes*»] Pariser Theater an der Place Blanche, 18. Arr., geleitet von Roger Ferréol. Seit dem 27.3.1929 wurde dort die Revue ‹Anon, voici le soleil› von Jean Rieux und Georges Merry gegeben, in der die Praktiken eines Beerdigungsinstituts eine Rolle spielen (s. ‹Anon, voici le soleil›, L'Œuvre 29.3.1929).
manchmal unterhalten] Vgl. ‹Die kleinen Revuen›, Bd. 7 [69]; ‹Pariser Chansonniers›, Bd. 8 [167]; ‹Pariser Gelächter›, Bd. 10 [187].
«*Le Potage de la Vierge Printanière*»] Frühlingsjungfrauensuppe.
Gounod-Bach] Gounods ‹Méditation› (1852) über das erste C-Dur-Präludium aus dem ‹Wohltemperierten Klavier› von Johann Sebastian Bach.
f *erster Klasse*] In einem Brief an Marita Hasenclever vom 30.10.1927 hatte KT die unterschiedlichen Beerdigungsklassen parodiert.
«*Nos fidèles*»] Unsere Getreuen, unsere Gläubigen.
Avé] Frz. Form des lat. «ave» («sei gegrüßt!»).
avez … diné?»] Haben Sie gut gespeist?
Schmutz und Schund] Am 3.12.1926 hatte der RT das «Gesetz zur Bewahrung der Jugend vor Schund- und Schmutzschriften», das sog. Schund- und Schmutzgesetz verabschiedet. Für das Gesetz stimmten DVFP, DNVP, DVP, Zentrum sowie ein Teil der DDP. Bereits im Vorfeld wurde das Gesetz von der demokr. Presse und Öffentlichkeit als Zensurgesetz scharf kritisiert, auch KT forderte in der WB vom 2.11.1926: ‹Fort mit dem Schundgesetz!›, Bd. 8 [177]; vgl. Bd. 8 [155], [206] sowie Bd. 13 [42], [68].
zum Mord hetzt] Vgl. [42], 126 ff, *127*.
Zentrumsherrschaft] Vgl. [42], *163*; [134], *13*.

48

Am Rande des Reichtums

V: Peter Panter
D[1]: Vossische Zeitung Nr. 84, 7.4.1929, Post-Ausg.; Unterhaltungsblatt Nr. 81, [S. 2]
Bibl.: Nd s. Bonitz / Wirtz D 2218; 4 Nd; Ackermann: 1 NdzL; GW 7

Balzac-Figuren] Balzacs 91 Romane und Erzählungen umfassender Werkkomplex ‹Die Menschliche Komödie› über die frz. Gesellschaft seiner Zeit stellt den Adel und das gehobene Bürgertum in den Vordergrund. Als in diesen Milieus randständige Figuren erscheinen Künstler, Bohemiens, Kurtisanen u. a.

13 *entriert*] Entrieren: beginnen, einleiten.

65 *changeant*] Wechselnd, in mehreren Farben schillernd.

49

Wie machen wir einander das Leben leichter? Klug sein!

V: Peter Panter
D[1]: Der Mittag Jg. 10, Nr. 82, 9.4.1929, S. 1
Bibl.: Nd s. Bonitz / Wirtz D 2219; 1 Nd; DT

9 *Niederlage des andern*] Vgl. ‹Der verengte Gesichtskreis›, Bd. 12, 118–119.

11 *immerzu «recht» haben*] Das Verhalten der Deutschen im Straßenverkehr hat KT ausführlich in ‹Der Verkehr› behandelt (Bd. 12, 199–201). Vgl. auch ‹Berliner Verkehr›, Bd. 8 [183]; ‹Warten vor dem Nichts›, Bd. 10 [39]; ‹Zörgiebel in Paris›, Bd. 10 [45].

24 *Leben kein «Dienst»*] s. auch ‹«Dienstlich»›, Bd. 1 [180].

47 *«Recht muß Recht bleiben!»*] Nach Psalm 94, 15; auch vielzit. Schluß von Gellerts Fabel ‹Der Prozeß› (1746).

54 *«reichsunmittelbar»*] Im Heiligen Röm. Reich Eigenschaft aller natürlichen und juristischen Personen, die nicht der Landeshoheit eines Fürsten, sondern nur dem König unterstanden (z. B. Reichsbeamte).

50

Die Kinderstube

V: Theobald Tiger
D[1]: WB Jg. 25, Nr. 15, 9.4.1929, I, S. 563
Bibl.: Nd s. Bonitz / Wirtz D 2220; 1 Nd; GW 7

6 *Krise der Intendanz*] KTs Gedicht ist in Zusammenhang mit dem unmittelbar vorausgehenden Artikel ‹Berliner Operndebakel› von Klaus Pringsheim (WB 9.4.1929, I, 561–563) zu sehen, der das Ausscheiden des Generalmusikdirektors der städtischen Oper Berlin Bruno Walter Anfang April 1929 kommentiert. Infolge der Defizite der drei staatl. subventionierten

Berliner Opern (Staatsoper, Städtische Oper, Krolloper) wurde u. a. die Fusion der Staatsoper mit der Städtischen Oper diskutiert. Walter war mit seiner Forderung gescheitert, bei der Reformierung der drei Berliner Opern in führender Funktion mitzuwirken und kündigte seinen Vertrag (s. A. E.: Bruno Walters Ausscheiden aus der Städtischen Oper, BT 3.4.1929, A; Pius Mar: Abschied vom Staatstheater, WB 30.4.1929, I, 667–670). – Im Zeichen knapper werdender Kulturetats in Reich und Ländern wurde die Zusammenlegung einzelner Bühnen erwogen (s. ‹Theaternot im Reich›, BT 15.3.1929, A).

Walter] s. o. 6.

Kemperer] Vermutl. die gefeierte Sängerin Barbara Kemp, die 1913–1931 an der Berliner Staatsoper wirkte.

Knappertsbusch] Hans Knappertsbusch, seit 1922 Generalmusikdirektor in München, hatte am 4.2.1929 aus Ärger über schlechte Pressekritiken seinen Rücktritt als Leiter der Akademiekonzerte erklärt. Nachdem die ‹Münchener Neuesten Nachrichten› versichert hatten, die Berichterstattung über die Veranstaltungen der Musikalischen Akademie einzustellen, nahm Knappertsbusch am 9.2. seine Erklärung zurück (s. ‹Die Münchener Musikfehde beigelegt›, Voss 8.2.1929, sowie ‹Cossmann dolchstößt Knappertsbusch›, TB 9.2.1929, I, 233–235).

Jeßner] 1929 hatten die Staatlichen Schauspiele Berlin ein Millionendefizit zu verzeichnen. Dem Generalintendanten Jeßner wurden die katastrophalen Einnahmeverluste, die Abnahme der Abonnenten und die Vernachlässigung des Ensembleaufbaus zugunsten des Engagements hochbezahlter Stars angelastet, die Verlängerung seines Vertrags stand zur Diskussion. Während Kerr einen zweiten «Fall Bruno Walter» (s. o. 6) vermutete und sich hinter Jeßner stellte (‹Jessner›, BT 5.4.1929, A), zogen TB und WB eine kritische Bilanz der Intendanz Jeßners (s. Stefan Großmann: Soll Jeßner bleiben?, TB 13.4.1929, I, 598–603; Harry Kahn: Der Fall Jessner, WB 16.4.1929, I, 606–607). Mitte Juni wurde Jeßners Intendanz um 5 Jahre verlängert (‹Jessners neue Ära›, BVZ 15.6.1929, M).

Reinhardt] Ende März 1929 beschäftigte sich die Presse mit dem «Fall Reinhardt». Der Direktor des Deutschen Theaters und der Kammerspiele in Berlin Max Reinhardt stand mit der Stadt München wegen eines Gastspiels am Münchener Staatstheater in Verhandlung. Während dieses vom Oberbürgermeister der Stadt befürwortet wurde, weigerte sich das bayr. Staatsministerium, das Theater einem Konkurrenzunternehmen zur Verfügung zu stellen, während München selbst über ein vollausgestattetes Schauspiel verfüge. Das BT berichtete aus «bester Quelle», die Ablehnungsgründe seien in Wirklichkeit überhöhte finanzielle Forderungen

Reinhardts gewesen sowie dessen Weigerung, die unter seinem Namen laufende Inszenierung auch wirklich persönlich einzustudieren, statt sie «Hilfskräften» zu überlassen (s. ‹Der Fall Reinhardt in München›, BT 23.3.1929, M).

14 *Tiedjen*] Heinz Tietjen, 1925–30 Intendant der Städtischen Oper Berlin-Charlottenburg.

15 *die Hose*] Sternheim: Die Hose. Bürgerliches Lustspiel (1911).

17 *zwei Millionen Arbeitslose*] Die Zahl der Arbeitslosen in Deutschland lag im März 1929 schon bei 2,8 Millionen.

20 *der überschätzte Kommissionär*] Vgl. [103], 237ff; [136]; sowie ‹Coupletvortrag›, Bd. 10 [213], 42ff; Bd. 13 [168].

23 *Doktor Klein*] Robert Klein war im Febr. 1929 als stellv. Direktor des Deutschen Theaters in Berlin von seinem Posten zurückgetreten. Zu dessen erfolgreicher Arbeit s. Harry Kahn: Direktionswechsel bei Reinhardt, WB 5.2.1929, I, 226–229.

28 *im Märze*] Vermutl. Anspielung auf die Zeit der Märzrevolution 1848.

29 *die Elßler*] Die österr. Ballettänzerin Fanny Elßler, eine der großen Ballerinen ihrer Zeit und Gegenstand eines ausufernden Starkultes, tanzte 1817–1825 in Wien, danach auf vielen großen Bühnen der Welt.

34 *Biedermeier mit Radio*] Vgl. die gleiche Formulierung in [36], 14.

51

Ist es denn nun wirklich wahr, was man hat vernommen –

V: Ignaz Wrobel (D^1); Kurt Tucholsky (D^2)
D^1: WB Jg. 25, Nr. 16, 16.4.1929, I, S. 612 [Rubrik:] Bemerkungen
D^2: Lerne lachen ohne zu weinen 1931, S. 138–139
Bibl.: Nd s. Bonitz/Wirtz D 2221; 6 Nd; GW 7

Varianten
Die Varianten sind nach D^2 verzeichnet
2 «fair»] fair **9** nicht.] *folgt* Nur die braven Demozeitungen fielen auf ihn herein, weil ihre Redakteure nicht reiten können. **9** Es zeigte aber,] Seeckt ließ wieder erkennen, **10** abgibt –] abgibt, **12** da] in ihm **13** da] in ihm **15** «Ritterlichkeit»] Ritterlichkeit **15** ausgelegt –] ausgelegt; **15** ist] war **16** gewesen] *fehlt* **18** Krieg –] Krieg: **22** gleich] gleichgültig

0 *Ist es … hat vernommen*] Beginn eines Volksliedes aus dem Dt.-Frz. Krieg von 1870/71: «Ist es denn nun wirklich wahr, was man hat vernommen,

daß so viele tausend Mann sind nach Frankreich kommen?» (z. B. in: Volker. Liederbuch der deutschen Turnerschaft. Zusammengestellt von Edmund Neuendorff. Leipzig o. J., 128 f).
GQG.] Grand Quartier Général, das frz. Hauptquartier.
Herr von Seeckt] Nicht ermittelt. Nach seiner Entlassung als Chef der Heeresleitung (1926) entwickelte Seeckt eine rege Tätigkeit als Vortragsreisender und Publizist, wobei er sich wiederholt krit. zu Pazifismus und Friedensbewegung äußerte. So verwarf er den Pazifismus der «Nie wieder Krieg»-Bewegung, weil «über Krieg und Frieden höhere Gewalten entscheiden als Fürsten, Staatsmänner, Parlamente, Verträge und Bündnisse, nämlich die ewigen Gesetze des Werdens und Vergehens der Völker» (Hans von Seeckt: Schlagworte. In: Ders.: Gedanken eines Soldaten. Berlin 1929, 12 f).

52

Frommer Wunsch

V: Peter Panter
D[1]: Vossische Zeitung Nr. 96, 21. 4. 1929, Post-Ausg.; Unterhaltungsblatt Nr. 93, [S. 2]
Bibl.: Nd s. Bonitz / Wirtz D 2222; 2 NdzL, 1 Nd; Ackermann: 1 NdzL; DT

wo nicht geklopft] KT war höchst lärmempfindlich; vgl. ‹Traktat über Lerm und Geräusch›, Bd. 9 [132] und K (s. dort weitere Verweise).
Nietzsche] «Wenn der Erschöpfte mit der Gebärde der höchsten Aktivität und Energie auftritt: wenn die Entartung einen Exceß der geistigen oder nervösen Entladung bedingt, dann *verwechselte* man ihn mit dem Reichen ...» (Nachgelassene Fragmente, in: Nietzsche 1968 ff, Abt. 8, Bd. 3, 44).
Als Paul Graetz einmal] Quelle nicht ermittelt; zu Graetz s. [66], *54*.
f *Nervosität*] Vgl. [97], *88 f*.
f *«sie ziehen ... Hosen an»*] Möglicherweise Ausspruch von KTs Nachbar in Le Vésinet, dem belg. Architekten Théodore Clément, s. Bd. 8 [121], *52*. Vgl. den in DD ersch. Artikel ‹Ein Haus mit Hosen› (Bd. 12, 187).
Kurfürstendamm ohne Bauzäune] Der Prachtboulevard des Berliner Westens galt als Sinnbild der Modernisierung und Amerikanisierung Deutschlands: Den Gründerzeitvillen wurde der Stuck abgeschlagen, insbes. die Fassaden und Schaufenster der Ladengeschäfte erfuhren einen Umbau gemäß den Paradigmen neusachlicher Architektur. Vgl. Kracauers Kritik in

‹Straße ohne Erinnerung› (FZ 16.12.1932, A, sowie 1. M und Reichsausg.), die positive Bewertung dagegen bei Franz Hessel in ‹Berlins Boulevard› (in: F. H.: Spazieren in Berlin. Leipzig, Wien 1929, 155–165).

38 *Intendantenkrise*] Vgl. [50], *6*.

47 *Valentin*] Evtl. ‹Die zwei Elektrotechniker oder «Der reparierte Scheinwerfer»›, UA 1925 im Münchner Kabarett Cherubin im Hotel Vier Jahreszeiten; s. Valentin 1997, 134–143, 406. Zu einer Valentinauff. in München, die KT 1926 besucht hatte, s. ‹Abstecher nach München›, Bd. 8 [130]; s. a. ‹Der Linksdenker›, Bd. 6 [138].

60 *Unternehmungen*] Vgl. ‹Die Herren Installateure›, Bd. 13 [96].

53

Die Frau mit den Fähnchen

V: Ignaz Wrobel
D[1]: WB Jg. 25, Nr. 18, 30. 4. 1929, I, S. 666–667
Bibl.: Nd s. Bonitz / Wirtz D 2223; 2 Nd; GW 7

1 *Stockholm*] KT war am 5. 4. 1929 gemeinsam mit Lisa Matthias nach Schweden gereist. Nach einem Aufenthalt in Stockholm fand er eine Bleibe in Haus «Fjälltorp» in Läggesta am Mälarsee, gegenüber von Schloß Gripsholm, wo er bis Okt. 1929 wohnte. Dieser Schwedenaufenthalt führte zu dem Entschluß, nach Schweden zu emigrieren; ab dem 22. 1. 1930 lebte KT in Hindås.

7 *schwarz-weiß-rote*] Farben des dt. Kaiserreichs. Die Farben Schwarz-Rot-Gold, 1832 nach dem Hambacher Fest durch Bundesgesetz verboten, 1848 die Farben der Revolutionäre und am 9. 3. 1848 vom Bundestag in Frankfurt zu den dt. Bundesfarben erklärt, wurden durch Art. 3 der WRV vom 11. 8. 1919 als Reichsfarben bestimmt. Die Handels- und die Reichskriegsflagge blieben weiterhin schwarz-weiß-rot (mit schwarz-rot-goldener Gösch). Der Streit um das Nebeneinander von alter und neuer Reichsflagge führte im Mai 1926 zum Sturz der Regierung Luther. Die Farben schwarz-weiß-rot galten als Symbol der dt. Rechten, die die neue Reichsflagge vielfach boykottierten (vgl. KTs ‹Flaggenlied›, Bd. 8 [95], und ‹Flaggenfriede›, Bd. 9 [150]).

22 f *Richter hinauszuwerfen*] s. [7], *98*.

46 *Portugal*] Die parlamentar. portugies. Regierung war 1926 durch einen Militärputsch gestürzt, das Parlament aufgelöst und die Verfassung aufgehoben worden. Trotzdem nannte sich Portugal weiterhin eine Republik.

Reichsbanner und Jungdo] Das «Reichsbanner Schwarz-Rot-Gold» war ein auf Initiative der SPD 1924 gegr. rep. Verband, der Jungdeutsche Orden (Jungdo) ein 1920 gegr. und der Ideologie der nationalist. Jugendbewegung verpflichteter Kampfbund der rechtskonservativen «Vaterländischen Verbände». CvO berichtete am 12.3.1929 in der WB (I, 397) von einem Gerücht, das besagte, «es habe kürzlich in Magdeburg eine ernsthafte Fühlungnahme zwischen Jungdo und Reichsbanner stattgefunden zwecks engerer Zusammenarbeit» (s. Ossietzky 1994, Bd. V, 95–98). ‹Der Jungdeutsche›, das Organ des Jungdo, dementierte u.d.T. ‹Heitere Ecke› am 15.3.1929 und brachte das Dementi der Zeitung ‹Das Reichsbanner› am 24.3.1929 u.d.T. ‹Der «Weltbühnen»-Quatsch›.
Botschaften] Vgl. [57].

54

Die Verteidigung Berlins

V: Peter Panter
D[1]: Vossische Zeitung Nr. 106, 4.5.1929, Post-Ausg.; Unterhaltungsblatt Nr. 103, [S. 1]
Bibl.: Nd s. Bonitz / Wirtz D 2224; 1 NdzL; Ackermann: 1 NdzL; DT

Neulich habe ich hier] s. [48].
schreibt ein Leser] Der Leserbrief ist nicht überliefert.
Berlin … Provinz] s. [60].
Nerven] Vgl. [97], *88f.*
Bernard Shaw] Nicht ermittelt.
Hugenberg-Presse] Schon 1927 hatte KT die Berlin-Berichterstattung der Hugenberg-Presse als verfälschend kritisiert (vgl. Bd. 9 [42]). Dem nationalist. orientierten Medienkonzern unter der Leitung Alfred Hugenbergs gehörten mehrere Materndienste an (u.a. das «Wirtschaftsbüro für die Provinzpresse»), die Nachrichten und fertige Artikel an Zeitungsredaktionen im gesamten Reichsgebiet verbreiteten. Eines dieser Korrespondenzbüros war der von Adolf Stein geleitete «Deutsche Pressedienst». Der dt.-nat. Publizist berichtete unter dem Pseudonym «Rumpelstilzchen» aus der Reichshauptstadt und publizierte seine Artikel jährl. in Buchform u.d.T. ‹Berliner Allerlei›. Stein polemisierte in zahlr. Artikeln gegen die Großstadt als Ort des Lasters und des allgemeinen Kulturverfalls. Vgl. CvO: Bagatellen (WB 15.2.1927, I, 278, in: Ossietzky 1994, Bd. IV, 43) sowie KT: Ein Briefwechsel (Bd. 9 [21], 117ff).

60 f *geht auf keine Gutsbesitzershaut*] Nach der Redensart «Das geht auf keine Kuhhaut» (Röhrig 1994, Bd. 3, 906–908); hier Anspielung auf die groß-agrar. orientierte Politik der DNVP, deren Vors. Hugenberg seit 1928 war.

64 *Grünen Woche*] Eine seit 1926 jeweils im Jan./Febr. in Berlin stattfindende intern. Fach- und Publikumsmesse für Gartenbau, Ernährungs- und Landwirtschaft.

83 *«Ham Se keenen jrößeren –?»*] 1922 ließ KT den Satz einen «aus Posen gebürtigen Berliner auf Reisen» sprechen, s. Bd. 5 [163], 16 ff.

92 *Warte nur, balde …*] Vielzitierte Wendung nach Goethes Gedicht ‹Wanderers Nachtlied› (‹Ein Gleiches›), in: WA I, 1, 98.

95 *«zu Hagenbeck schicken»*] Der Tierhändler Carl Hagenbeck gründete 1907 in Hamburg-Stellingen einen nach ihm benannten Tierpark.

101 *Der nicht … erzogen.*] Nach dem Grundsatz der antiken griech. Pädagogik (Vers aus einer Komödie von Menander): «Ho mê dareis antrôpos ou paideuetei» («Der nicht geschundene Mensch wird nicht erzogen»); zugleich Motto des 1. Teils von Goethes Autobiographie ‹Aus meinem Leben. Dichtung und Wahrheit› (1811 ff).

55

Die «Welt»

V: Peter Panter
D[1]: WB Jg. 25, Nr. 20, 14. 5. 1929, I, S. 762 [Rubrik:] Bemerkungen
Bibl.: Bonitz / Wirtz D 2225; DT

8 *Hier stock ich schon*] Zitat aus Goethes ‹Faust I›, Vers 1225.

30 *Nervosität*] s. [97], *88*.

53 *«Jean Cocteau … Tananarivo.»*] Jean Cocteau völlig unbekannt in Tananarivo. – Quelle nicht ermittelt.

55 f *«So klein … meine Stadt.»*] Zit. aus dem Couplet ‹Die kleine Stadt› aus Walter Mehrings Revue ‹Europäische Nächte› (Berlin 1924).

56

Die Weiße mit'm Schuß

V: Peter Panter
D[1]: Vossische Zeitung Nr. 119, 19. 5. 1929, Post-Ausg.; Unterhaltungsblatt Nr. 115, [S. 3]

Bibl.: Nd s. Bonitz/Wirtz D 2226; 1 NdzL, 1 Nd; Ackermann: 1 NdzL; GW 7

Weiße mit'm Schuß] Obergäriges Weizen- und Gerstenmalzbier mit Himbeer- oder Waldmeistersirup versetzt; Berliner Spezialität.
Zille-Ball] Der erste Zille-Ball fand am 21.3.1925 im Großen Schauspielhaus unter dem Motto «Hofball bei Zille» statt. Auf den bis 1928 jährlich veranstalteten Zille-Bällen kostümierten sich die Gäste nach Art Zillescher Figuren. – KT hatte mehrere Bücher Zilles begeistert besprochen (s. Bd. 7 [15]; Bd. 10 [65], 17 ff). Vgl. auch [112].
Chauvins] Chauvin: Figur des Rekruten in der Komödie ‹La cocarde tricolore› (1831) der Brüder Cogniard, den übersteigerter Nationalstolz (Chauvinismus) charakterisiert (s. Küpper 1997, 150).
am laufenden Band] Die von dem amer. Industriellen Henry Ford entwickelten Methoden der rationalisierten Massenproduktion, u.a. durch Fließbandarbeit, waren bei der Umstellung der industriellen Produktion in der Weimarer Republik von großem Einfluß.
f *östlich vom Spittelmarkt*] Arbeiterquartiere im Südosten Berlins, vgl. [111], *38*.
f *literarischen Ausdruck*] In den 20er Jahren avancierte der Berliner Westen rund um die Gedächtniskirche zum mondän-modernen Mittelpunkt des künstlerischen Lebens. Hier lagen viele Kabaretts, Kinos, Bars und Kaffeehäuser wie der berühmte Literatentreffpunkt «Romanisches Café».
Provinzler] Vgl. [54], [60].

57

Guter Neurath ist teuer

V: Theobald Tiger
D[1]: WB Jg. 25, Nr. 21, 21.5.1929, I, S. 778
Bibl.: Nd s. Bonitz/Wirtz D 2227; 2 Nd; GW 7

Guter Neurath ist teuer] Abwandlung der Redensart «Guter Rat ist teuer» (s. Wander 1867 ff, Bd. 3, 1473). Der dt. Botschafter in Rom Konstantin Freiherr von Neurath stand der WR ablehnend gegenüber und trat für eine Revision des Versailler Vertrages ein. Ihm wurden Sympathien zum Regime Mussolinis nachgesagt. – Zur Frage der Diplomatengehälter vgl. [8], 250 ff.
Wilhelmstraße] Vgl. [2], *0*.

10 *Republik Geburtstag*] Bei der Feier zum Verfassungstag am 11.8.1928 in der dt. Botschaft in Rom war Neurath auf Reisen gewesen (s. ‹Diplomaten›, BT 7.4.1929, M).

12 *besucht Gerhart Hauptmann*] Ab dem 11.4.1929 hielt sich Hauptmann eine Woche lang in Rom auf, am 12.4.1929 besuchte er eine Auff. seiner für die Oper vertonten ‹Versunkenen Glocke› (s. Gerhart Hauptmann: Diarium 1917–1933. Hg. von Martin Machatzke. Frankfurt/M., Berlin, Wien 1980, 137–142 und 260–262). Neurath nahm weder daran teil noch lud er Hauptmann in die Botschaft ein. Nachträglich rechtfertigte er sein demonstratives Verhalten damit, daß Hauptmann bei ihm keine Karte abgegeben habe (vgl. [62], 12ff). Am 4.5.1929 war der Vorfall Gegenstand einer Debatte im Haushaltsausschuß des RT, bei der auch der Rombesuch Emil Ludwigs (s.u. *16*) zur Sprache kam; s. ‹Deutsche Künstler in Rom›, Voss 5.5.1929, sowie Friedrich Sternthal: Vier Beweise für eine Behauptung, in: Die Literarische Welt Jg. 5, Nr. 21, 24.5.1929, 1f.

15 *Artur Dintern*] Der völk. und antisemit. Schriftsteller Artur Dinter.

16 *Emil Ludwig*] Ludwig war im Febr. 1929 im Rahmen einer Vortragsreise nach Rom gekommen (s. ‹Emil Ludwig bei Mussolini›, Voss 23.2.1929). Am 7.4.1929 berichtete das BT unter Berufung auf parlamentar. Kreise in Rom, Neurath habe die Einladung zu einem Bankett zu Ehren Ludwigs mit der Begründung abgelehnt, die «ganze Bewillkommung Ludwigs erscheine ihm unpassend, er jedenfalls nehme nicht daran teil», außerdem habe er hinzugefügt, «daß Emil Ludwig kein Deutscher, sondern ein Jude sei» (‹Diplomatie›, BT 7.4.1929, M). Letzteres wurde von Neurath dementiert (‹«Diplomatie»›, BT 10.4.1929, A).

58

Die Anhängewagen

V: Peter Panter (D^1); Kurt Tucholsky (D^2)
D^1: WB Jg. 25, Nr. 21, 21.5.1929, I, S. 783–785
D^2: Lerne lachen ohne zu weinen 1931, S. 212–215
Bibl.: Nd s. Bonitz / Wirtz D 2228; 4 Nd; GW 7

Varianten
Die Varianten sind nach D^2 verzeichnet
18 fragen wäre] *gemäß* D^2 *emend. aus* fragen **20** Herr] *fehlt* **20** außerordentliches] großes **20** Talent,] Talent. **20f** wohl … besitzen] *fehlt* **28f** die Schmarotzer … Alten] ohne sie vergingen die Schmarotzer **36** auf –]

auf **41** «verständlich»] verständlich **42** geht –] geht, **43** Beschriebenen] den Beschriebenen **43** Beschreibenden] den Beschreibenden **45** Biographien –] Biographien, **45** andern.] andern, besonders bei Stephan Zweig. **46** gibt –] gibt, **47** die] mit der **47** «genialen Maler»] genialen Maler **48** läßt,] lassen; **49** «Bearbeiter»] Bearbeiter **50f** Es … Stücks] Es ist bei der Bearbeitung eines alten Stücks sehr schwer zu kontrollieren, was **51** Verfasser,] Verfasser und **59** Eine so] Die **59** etwa] *fehlt* **61** auch] auf **63** Kraft –] Kraft, **65** können] können es **66ff** Und … bearbeiten.] *fehlt* **75** «dichten»] dichten **81** kann …] kann, **83** erinnert –] erinnert … **84** Eigentum,] Eigentum **97** nicht] nicht alle **100** nicht] nicht alle

Die WB hatte sich wiederholt kritisch mit Brecht auseinandergesetzt und insbes. dessen Vorstellungen von der Überwindung des autonomen Künstlers durch das Kollektiv verworfen (vgl. hierzu Dirk Grathoff: Ossietzky, Die Weltbühne und Brecht. In: Nachdenken über Ossietzky. Aufsätze und Graphik. Hg. von Helmut Reinhardt. Berlin 1989, 192–204). – Vgl. ‹Der Anhängewagen›, WB 9.8.1932, II, 217.
Im Anschluß an vorliegenden Text stellte die WB (ebd.) u.d.T. ‹Was dem einen brecht ist, ist dem anderen dillig› eine Passage aus ‹Franziska. Roman einer Opernsängerin› (Stuttgart, Berlin 1916) von Lisbeth Dill einem Auszug aus Gabriele D'Annunzios ‹Lust› (Berlin 1898) gegenüber, der Dill als Plagiatorin erweisen sollte. Die Dillsche Fassung gibt im wesentlichen den Text d'Annunzios in geraffter Form und in einfachen Hauptsätzen wieder. Vgl. auch die «Antwort» ‹Victor Wendel› (WB 11.6.1929, I, 916), die weitere Plagiate der Schriftstellerin auflistete.

ff *Ich … nochmal –?»*] Selbstzitat, s. ‹Interview›, Bd. 8 [80], 1 ff.
Brecht nachgewiesen] Anläßlich des Erscheinens von Brechts ‹Die Songs der Dreigroschenoper› im Okt. 1928 (Potsdam: Kiepenheuer; 2. und 3. Aufl. im Frühjahr 1929; s. Z. 99ff) hatte Kerr im BT nachgewiesen, daß Brecht in den darin enthaltenen, als Nachdichtungen von F. Villon gekennzeichneten Versen z.T. wörtl. Passagen aus deren dt. Übertragung von K.L. Ammer (François Villon: Des Meisters Werke. Leipzig 1907) plagiiert hatte, s. Alfred Kerr: Brechts Copyright, BT 3.5.1929, M. Vgl. auch ‹Finden Sie, daß Bert Brecht sich richtig verhalten hat? Deutsche Schriftsteller über die Brechtsche Plagiatsaffäre›, Der Montag Morgen 13.5.1929, mit Beiträgen von Benn, Blei, Döblin, Mehring u.a.
geantwortet:] s. ‹Eine Erklärung Brechts›, BBC 6.5.1929, A (in: BFA, Bd. 21, 315f), in der es hieß: «Ich erkläre also wahrheitsgemäß, daß ich die Erwähnung des Namens Ammer leider vergessen habe. Das wiederum erklä-

re ich mit meiner grundsätzlichen Laxheit in Fragen geistigen Eigentums.» – KT nannte Brecht deshalb fortan Herrn Lax, s. [71], 374; [81], 75; [119], 34.

17 f *von 625 Versen … übernommen*] s.o. *8*.

20 *lyrisches Talent*] Vgl. KTs Rez. ‹Bert Brechts Hauspostille›, Bd. 10 [23].

22 *amerikanisch vorkommt*] Das stereotype Bild der USA als materialistischer und kulturloser Nation dominierte in den 20er Jahren die dt. Kulturkritik, es wurde auch von KT wiederholt reproduziert. Vgl. z.B. ‹Bei uns in Amerika …›, Bd. 9 [133].

45 *Ludwigschen Biographien*] Ludwig publizierte zahlr. sehr erfolgreiche Romanbiographien (Goethe, Bismarck, Napoleon, Wilhelm II.), die sowohl in der Presse als auch von der akadem. Geschichtswissenschaft kontrovers diskutiert wurden, vgl. [89], *118f*; KTs Rez. zu Ludwigs Biographie ‹Wilhelm II.›, Bd. 7 [207]; KT an Harden 14.4. und 3.5.1926.

52 *Fall Shakespeare*] Shakespeare übernahm die Stoffe, Motive und Handlungen seiner Theaterstücke aus histor. Quellen und literar. Vorlagen.

60 *Zweigschen ‹Volpone›*] Stefan Zweig: Ben Jonsons «Volpone». Eine lieblose Komödie in 3 Akten. Potsdam 1926. Freie Bearbeitung der 1605 uraufgef. Komödie ‹Volpone, or, the Fox› von Ben Jonson.

69 *hängt er sich hinten an*] KT spielt an auf Zuckmayers Bearbeitung des bereits verfilmten Stückes ‹What price glory› von Maxwell Anderson und Laurence Stallings, die am 20.3.1929 im Theater an der Königgrätzer Straße in der Regie von Piscator u.d.T. ‹Rivalen› uraufgef. wurde. – Carl Zuckmayer schrieb daraufhin (an KT 23.5.1929; DLA), er sei grundsätzlich mit KT einer Meinung in der Frage des geistigen Eigentums, sehe aber in dessen Artikel «den Zuck mit dem Brecht ausgeschüttet». Er habe sich bereits lange vor der Remarque-Konjunktur für eine dt. Publikation des Stücks eingesetzt, einer vom Verlag geforderten Bearbeitung durch ihn selbst habe er nur widerwillig zugestimmt. Aus dem amer. Original habe er sprachlich so gut wie nichts übernommen, sich aber an dessen szenischen Aufbau genau gehalten. Er sehe darin «kein Verbrechen, keine Faulheit und keine Feigheit, sondern empfinde die drei Prozent, die ich von den Tantiemen bekomme, als ehrlich verdient». – KT schrieb darüber am 26.5.1929 an MT: «Dem Zuckmayer habe ich grade bei uns einen übergehauen, wegen der Rivalen, vielleicht habe ich ihm unrecht getan.» In D^2 hat KT die Kritik an Zuckmayer gestrichen.

78 *Fall Rimbaud*] Am 31.10.1924 hatte Herwarth Walden Brecht vorgeworfen, in seinem Stück ‹Im Dickicht› (UA: 1923) einige Passagen aus Rimbauds Prosadichtung ‹Ein Sommer in der Hölle› ohne Nachweis verwendet zu haben (‹A propos Berechtigung›, in: Die Republik Jg. 1924, Nr. 2,

31.10.1924, 6). Daraufhin erschienen im BBC Stellungnahmen von Ihering und von dem Rimbaud-Übersetzer Hans Jacob, die Brechts Partei ergriffen, sowie von Brecht selbst (s. ‹Eine Feststellung›, BBC 4.11.1924, A; BFA 21, 103); s. zusammenfassend Leo Rein: Der Brecht-Skandal, in: Das Blaue Heft Jg. 6, Nr. 9, 1.2.1925, 227–232.
unbewußt plagiieren] Vermutl. Anspielung auf die Plagiatsvorwürfe gegen SJ im Jahr 1904. Der Theaterkritiker Alfred Gold hatte nachgewiesen, daß ganze Absätze einer Kritik SJs mit Textteilen eines eigenen früheren Artikels übereinstimmten. Die Verteidiger SJs wie Harden und C.G. Jung hatten damals betont, daß SJ nicht bewußt plagiiert habe, sondern Opfer seines erstaunlich guten Gedächtnisses geworden sei; vgl. SJs Verteidigungsschrift ‹Der Fall Jacobsohn› (Berlin 1913); s.a. ‹Siegfried Jacobsohn›, Bd. 1 [176].
Mehring] Im Brief an Mehring vom 25.5.1929 nahm KT hierauf Bezug: «Daß Brecht Sie vernichten will, ist in Ordnung. Ich hoffe, in Ihrem Sinne gehandelt zu haben – ich habe mal den ganzen Kummer herauslaufen lassen. Sie kommen natürlich auch drin vor.»
«Von wem ist das?»] Vgl. [79], 64 ff.
Theaterzetteln] Auf dem Programmzettel der Berliner UA hieß es: «Die Dreigroschenoper (The Beggar's Opera). Ein Stück mit Musik in einem Vorspiel und 8 Bildern nach dem Englischen des John Gay. (Eingelegte Balladen von François Villon und Rudyard Kipling.) Übersetzung: Elisabeth Hauptmann, Bearbeitung: Brecht.» (BFA 21, 726); s. dazu ‹Bert Brecht sagt›, Film-Kurier 4.5.1929 (BFA 21, 315).
aufgeputzt mit Versen] s.o. *91*.
‹Brecht, Die Songs der Dreigroschen-Oper›] s.o. *6*.
f *«Verfolgt … selbst …»*] Beginn des ‹Schlußchoral› der ‹Dreigroschenoper›.

59

Der § 45

V: Ignaz Wrobel
D^{1}: WB Jg. 25, Nr. 21, 21.5.1929, I, S. 798–799 [Rubrik:] Bemerkungen
Bibl.: Nd s. Bonitz / Wirtz D 2229; 1 Nd; GW 7

Der § 45] ‹Grundsätze für den Vollzug von Freiheitsstrafen› (1923), in: RGBl. 1923, II, 263; hier nach: Leopold Schäfer und Fritz Hauptvogel: Deutsche Gesetzentwürfe und Vorschriften über den Strafvollzug. Berlin,

Leipzig 1928, 46. In §45, Abs. 2, heißt es abweichend: «Gemeinschaftshaft oder der gemeinsamen Unterbringung bei Nacht».

15 f *Es ist … Leben.*] Von KT häufig gebrauchte Wendung (vgl. z.B. [72], 65 f; Bd. 13 [115], 52 f).

29 *Technischen Nothelfer*] 1919 gegr. private Organisation (Abk. Teno), zunächst unter Oberleitung des Reichswehr-, ab Jan. 1920 des Reichsinnenministeriums, die bei großen Streiks zum Schutz wichtiger Betriebe eingesetzt werden sollte und deshalb von vielen als staatl. Streikbrecherorganisation angesehen wurde.

32 ff *Angehörigen … Wehrmacht*] Wohl Anspielung auf die Lohmann-Affäre, s. [99], *156*.

37 *Tegel*] Die Strafanstalt in Berlin-Tegel.

60

Provinz

V: Peter Panter
D[1]: WB Jg. 25, Nr. 22, 28.5.1929, I, S. 818–821
Bibl.: Nd s. Bonitz/Wirtz D 2230; 1 Nd; GW 7

Vgl. [54].

Wirkung
Am 23.7.1929 brachte die WB (II, 131–133) u.d.T. ‹Provinz› Leserreaktionen auf KTs Artikel, eingeleitet durch folgende red. Notiz: «Viele Leser haben auf Peter Panters Aufsatz ‹Provinz› in Nummer 22 geantwortet. Wir geben einige der Zuschriften auszugsweise wieder.» Es folgen Stellungnahmen von Hermine Strey, Heinz Bertram, Franz Hall und Kurtius, die alle KTs Argumentation stützten und sowohl den kath. Einfluß als auch die Hetze gegen die Arbeiterbewegung sowie die Rückständigkeit der Presse und Kommunalpolitik bestätigen.

0 *Provinz*] Das Begriffspaar Großstadt – Provinz gehörte, wie z.B. auch die Oppositionen Asphalt – Scholle, Zivilisation – Kultur, Intellekt – Gemüt, artfremd – volkhaft, in den späten 20er Jahren zum festen Bestand ideologisch aufgeladener Formeln, in denen die zunehmende polit. und kulturelle Polarisierung jener Jahre zum Ausdruck kommt. Vgl. KTs Artikel ‹Berlin! Berlin!›, Bd. 9 [42]; ‹Berlin und die Provinz›, Bd. 10 [28]; vgl. ferner die Angaben in Bd. 3 [164], *0*.

Hotel] Zur Kritik an deutschen Hotels s. auch ‹Hotelunwesen›, Bd. 9 [106]; ‹«Guten Morgen – dies ist ihre Zeitung!»›, Bd. 10 [226].
Bidet vacat] Das Bidet fehlt.
Gruppe] s. [163], *0*.
f *«Auch Herr Mann ... genommen.»*] Heinrich Mann war im Okt. 1928 aus München nach Berlin umgezogen.
Fahsel] Der kath. Priester Helmut Fahsel, s. ‹Auf dem Nachttisch›, Bd. 14 [52], 149 ff.
f *Muckermann ... Schaufenster hat*] Der «tapfre und fortschrittliche Muckermann», so KT 1926 über den Jesuitenpater, diene dem rechten Flügel des Zentrums nur als «Schaufensterpuppe». «Drin im Laden wird ganz etwas andres verkauft» (Bd. 8 [206], 163 f).
Zentrums] Vgl. [42], *163*; [134], *13*.
Kulturkampf] Auseinandersetzung zwischen Staat, Parteien und kath. Kirche in Preußen 1871–1887 um die Stellung der am Papsttum orientierten Katholiken («Ultramontane») im neu gegr. Dt. Reich. Die kath. Zentrumspartei war hierbei Gegenspieler des Reichskanzlers und preuß. Ministerpräsidenten Bismarck.
f *Sozialdemokraten ... korrumpiert*] Vgl. [89], *304 f*; Bd. 8 [29].
Inflation] Vgl. [8], *222*.
Schule] s. [42], *163*.
Rundfunk] KT hat mehrfach die staatl. Einflußnahme auf den Rundfunk als Zensur kritisiert, s. [115] und Bd. 10 [46].
Ernst Hardt] Hardt war 1926–1933 Intendant des Westdeutschen Rundfunks in Köln. – Am 22.3.1929 hatte KT anläßlich des «Tag des Buches» im WDR aus eigenen Werken (aus: ‹Mit 5 PS› und ‹Das Lächeln der Mona Lisa›) gelesen (s. ‹Die Werag. Ansageblatt des Westdeutschen Rundfunks› Jg. 4, Nr. 11, 17.3.1929, 17). Diese Lesung nahm die Kölner DNVP zum Anlaß für eine Beschwerde beim Sender; der diesbezügl. Briefwechsel wurde in der ‹Gummersbacher Zeitung› vom 6.4.1929 u.d.T. ‹Tucholski im Westdeutschen Rundfunk› (von KT aufbewahrter Zeitungsausschnitt; ZAS, DLA) veröffentlicht. Man sah in dem Vortrag KTs, der behauptet habe, daß die im Weltkrieg getöteten Soldaten für einen Dreck gefallen seien (s. Bd. 7 [124], 46 f), eine «Brüskierung» weiter Teile der Hörerschaft und einen «Mißbrauch des Rundfunks». Hardt entgegnete: «Jeder Hörer, welcher Tucholski nicht schätzt und nicht zu hören wünscht, konnte sich ja seiner Vorlesung durch Abschalten des Apparates entziehen» (vgl. auch [115], 25 ff).
Ernst Glaeser] Glaeser war seit Anfang 1929 Leiter des literar. Programms im Südwestdeutschen Rundfunk in Frankfurt/M. Zu dem Vorfall, der

möglicherweise von Hardt mündlich überliefert wurde, konnte nichts ermittelt werden.

98 *ästhetischen Streitereien*] Vgl. dazu KT an Gasbarra 14.3.1928.

100 *Speelt man god*] Niederdt. für «Spielt gut». Nach KT eine von SJ als Kritik an theoretisierenden Schauspielern gebrauchte Wendung (vgl. Bd. 21 [B 73Q], 49f).

101 *Theaterkommissionen*] Vgl. dazu [136].

114 *«Nationalverband Deutscher Offiziere»*] Die 1918 gegr. Vereinigung ehem. dt. Offiziere stand den Rechtsparteien nahe (Korporatives Mitglied der DVFP) und hatte die Revision der Weimarer Verfassung und des Versailler Vertrages sowie die Wiederherstellung der Monarchie zum Ziel.

145 *W 50*] Zustellbezirk des Postamtes 50 in der Marburger Str. 12 nahe der Gedächtniskirche im neuen Westen Berlins (s. [56], *72f*).

161 *kommt, seht und siegt*] Anlehnung an den Julius Cäsar zugeschriebenen Ausspruch «veni, vidi, vici» (ich kam, ich sah, ich siegte).

61

Der Meineid

V: Theobald Tiger (D^1); Kurt Tucholsky (D^2)
D^1: WB Jg. 25, Nr. 22, 28.5.1929, I, S. 825
D^2: Lerne lachen ohne zu weinen 1931, S. 410–412
Bibl.: Nd s. Bonitz / Wirtz D 2231; 7 Nd; GW 7

Varianten
Die Varianten sind nach D^2 verzeichnet
1 Dem Andenken Slings] *fehlt* **6** vierundreißig] vierunddreißig **9** wejen] wejen: **22** ½ 10, II.] halb zehn, zweiter **27** Sozialisten –] Sozialisten … **31** Portiersche] Pochtjehsche **31** hören …] hören. **37** helfe.] helfe! **43** an …] an. **46** Leute –] Leute, **47** nämlich] nämich

0 *Meineid*] Die Eidespflicht in Strafverfahren (§§ 153, 154 StGB) und das hohe Strafmaß für Meineid (bis zu zehn Jahren Zuchthaus) führte zu einer Flut von Meineidprozessen und zu unverhältnismäßig harten Urteilen auch in Bagatellfällen. Der Strafgesetzentwurf von 1927 suchte dem zu begegnen, indem er auch die falsche uneidliche Aussage mit Gefängnisstrafe bis zu drei Jahren bedrohte. Kritiker forderten statt dessen, die Eidespflicht einzuschränken bzw. abzuschaffen und in das Ermessen des Gerichts zu stellen (vgl. Felix Halle: Ausbreitung der Meineidsseuche, WB

26.2.1929, I, 321–324). Ende Febr. 1929 waren die Beratungen über die Eidespflicht im Rechtsausschuß des RT ohne Beschlußfassung vertagt worden (s. ‹Die Bekämpfung des Eides-Mißbrauchs›, Voss 28.2.1929). KT hat den Meineid als ein «von Richtern erfundene[s] Verbrechen» (Bd. 10 [102], 186) charakterisiert und auf die Instrumentalisierung in polit. Prozessen hingewiesen (Bd. 9 [134], 14 ff, *15*).

Slings] Sling war das Pseudonym des 1928 verstorbenen Paul Schlesinger, dem Gerichtsreporter der Voss, der wiederholt über Meineidprozesse berichtet hatte. Sein 1929 postum ersch. Reportagenband ‹Richter und Gerichtete› (Berlin) widmete dem ‹Kampf gegen die Eidesseuche› ein umfangreiches Kap. (VI, 297–352). Vgl. auch Sling: Falscheid, Die Justiz Jg. 3, 1927/28, H. 2, Dez. 1927, 165–172.

Moabit] Im Berliner Stadtteil Moabit befanden sich das Untersuchungsgefängnis und das Kriminalgericht, zu dem die Strafkammern und Staatsanwaltschaften der drei Berliner Landgerichte gehörten.

Jelben] Nach den von Unternehmen initiierten und finanzierten Gelben Werkvereinen, die 1905–1918 dem wachsenden Einfluß der freien Gewerkschaften und der SPD entgegenwirken sollten. Seit 1918 wurden Arbeiterorganisationen als «gelb» bezeichnet, die keine kämpferische Interessenvertretung betrieben.

62

Kleine Erinnerungen

V: Peter Panter
D[1]: Vossische Zeitung Nr. 129, 31.5.1929, Post-Ausg.; Unterhaltungsblatt Nr. 124, [S. 1]
Bibl.: Nd s. Bonitz/Wirtz D 2232; 1 NdzL; DT
Rez.: Kurd von Schlözer: Römische Briefe. 1864–1869. Hg. von Karl von Schlözer. 9. und 10. Aufl. Stuttgart, Berlin: Deutsche Verlags-Anstalt 1920 (zuerst 1866)

f *«Die Welt … Tiergarten ist.»*] Schlözer 1920, 271. Im Orig. «noch gar nicht». – Nach der berlin. Redensart: «Herrgott, wie groß ist dein Tiergarten?» (s. Wander 1867 ff, Bd. 4, 1154).
Gerhart Hauptmann und Emil Ludwig] Vgl. [57].

ff *«Hübner leidet … Leute sind!»*] Schlözer 1920, 253 f. Zit. mit Abweichungen: statt «Hübner» (Z. 12) im Orig. «Dieser – seit Januar hier k. k. österreichischer Botschafter –»; statt «letzte» (Z. 18) im Orig. «letztere»;

hinter «weil» (Z. 21) im Orig. Auslassung; hinter «oder» (Z. 26) im Orig. «nur etwa»; hinter «gewesen.» (Z. 27) im Orig. Auslassung; hinter «Ort» (Z. 29) im Orig. «irgendwo auf neutralem Gebiet».

23 *p.p.c.-Karten*] Abk. für frz. «pour prendre congé» («um Abschied zu nehmen»), handschriftlich auf Besuchskarten bei Abschiedsbesuchen.

31 *Großalmosenier*] Almosenier: Ordensgeistlicher, der die Almosengelder zu verwalten hat.

41 *Neuraths*] s. [57].

49 ff *«Heute ist … Kerl!»*] Schlözer 1920, 304 f.

49 *orthodoxes Neujahr*] Die Zeitrechnung erfolgte im zaristischen Rußland nach dem Julianischen Kalender, der gegenüber dem Gregorianischen zeitlich (um 13 Tage) differiert. Der Eintrag Schlözers datiert am 13. Januar 1867.

62 *galonierten*] Mit Tressen oder Borten versehen.

77 ff *«Am Sonntag war … aufgeführt.»*] Schlözer 1920, 15.

86 *Häuser der Wilhelmstraße*] Regierungsgebäude, s. [2], *0*.

87 ff *«Dieser alte … verschwendet hat –»*] Schlözer 1920, 301. Im Orig. «Denn dieser» statt «Dieser» (Z. 87).

93 *Défroqué*] Entlaufener, seines (kirchlichen) Amtes Enthobener.

100 ff *«Arnims … hierher gefunden …»*] Schlözer 1920, 175.

106 *«Wat ick … koofe»*] ebd., 18. Im Orig.: «Wat kof ick mir davor?» – Sprichwörtl. aus Kalischs Posse ‹Berlin, wie es weint und lacht› (1858).

107 *Soutane nahm*] Franz von Liszt erhielt 1865 die niederen Weihen der kath. Kirche. Vgl. dazu Schlözer 1920, 210 f.

111 *Erlaß*] s. Schlözer 1920, 197.

63

Die Beleuchter der Volksbühne

V: Kurt Tucholski (D^1); Kurt Tucholsky (D^2)
D^1: Die Junge Volksbühne. Kampfblatt für proletarisches Theater Jg. 1, Nr. 5, Juni 1929, [S. 5]
D^2: Deutschland, Deutschland über alles 1929, S. 140–141, u.d.T.: Die Beleuchter

Varianten
Die Varianten sind nach D^2 verzeichnet
0 der Volksbühne] *fehlt* **1** Die] «Die **1** is,] is: **1** valieren] valiern **2** uns?] uns –? **3** jeder] jeda **3** sein,] sein; **4** sein] sin **4** missen] missn **4** abmontie-

ren] abmontiern **5** annerwo] annerswo **6** n] 'n **6** Theater] Theater – **7** Schauspieler] Schohspieler **7** sowet] soweit **9** die] se **10** enn] een **11** denn-wieda] denn wieda **11** groß] jroß, **11** Regisseur] Regissör **11** Hier] Hier, **11** die da] die Stelle, da **13** nicht] nich **13** rieba,] rieba! **13** sten] stehn **13** diesem] diesen **14** Direkter] Direktor **15** nich] denn nich **15** sein.] sein? **16** warn] war'n **16** da] Da **16** jenomn] jenomm **17** Jeburtstag] Jeburtstag, **19** Kinder] Kinder! **19** sahre ick] sahre ich **19** es s] es is **20** an ohne uns] ohne uns an **20** rieba] rieba, **20** ich] ick **21** na et] na, es **22** Immerhin] Immahin **25** Sie] Se **27** Stücke] Sticke **27** auf'n] aufn **28f** mächtich] mächtig **29** und] un **30** her] heer **32** icke?] icke –? **32** Blau!! Blau] Blau! blau **33** weiter] weita – **33** anderen] annern, **34** in,] in. **36** «Psst»] «Psst!» **36** «Ruhe»] «Ruhe!», **36** und] un **36f** Meint der mir?] *fehlt* **37** und] un **37** Feiawehr-mann] Feierwehrmann **38** is –] is … **38** enmal] eenmal **40** heern] heeren **41** geben!] geben –! **41** geschaltet] jeschalt **43** vasöhnt] vasöhnt, **44** – also –] … also … **45** richttich] richtig **45** blau!] blau –! **46** Theater] Theata **47** was.] was.»

‹Die Junge Volksbühne. Kampfblatt für proletarisches Theater› wurde unter der Schriftleitung von Gasbarra hg. von Mitgliedern der Sonder-Abteilungen der Berliner Volksbühne. Die erstmals im Febr. 1929 ersch. Monatsschrift war hervorgegangen aus einem Konflikt innerhalb der Volksbühne (s.u. *0*). Die Opposition, getragen von einem Teil der Schauspieler und der Volksbühnenjugend, unterstützt von namhaften Intellektuellen wie Toller, Holitscher und KT (vgl. Bd. 9 [A 14], 15–62), kritisierte das Programm als zu traditionsorientiert und forderte die Aufführung von Stücken mit Gegenwartsbezug und polit. Stellungnahme im Sinne der urspr. Idee der Volksbühne als Arbeitertheater. Der Konflikt eskalierte anläßlich von Piscators Inszenierung des Dramas ‹Gewitter über Gotland› von Ehm Welk und führte zu seiner Entlassung durch den Vereinsvorstand. Mit der Berufung von Karl Heinz Martin als neuem künstlerischem Leiter des Theaters am Bülowplatz im Febr. 1929 erhoffte man eine Erneuerung der Programmkonzeption und Ausgleich mit der «Jungen Volksbühne». Vgl. ‹Berliner Volksbühne›, Bd. 12, 132–133.

Volksbühne] Mit dem Ziel, das Theaterprivileg begüterter Schichten abzuschaffen, war 1890 in Berlin die «Freie Volksbühne» als bes. Zweig der Arbeitervereine gegr. worden. Von ihr spaltete sich 1892 die «Neue Freie Volksbühne» ab, die 1914 ihr eigenes, aus freiwilligen Beiträgen der Arbeiter finanziertes Theater am Bülowplatz eröffnete; 1919 fusionierten beide Vereine zur «Volksbühne e.V.» (eine «Konsumenten-Genossenschaft»).

Es erfolgten Gründungen weiterer Volksbühnen in dt. Großstädten, die sich 1920 im «Verband der deutschen Volksbühnen-Vereine e. V.» zusammenschlossen.

7 *Schauspieler*] Zu KTs Typisierung des Schauspielers vgl. [66], 207 ff; [136], 154 ff.

25 *Paul König*] Mögl. Anspielung auf den Kabarettisten und Sänger, der 1920 in Max Reinhardts «Schall und Rauch» Couplets von KT vortrug, s. Bd. 4 [65] und [66].

28 *Jespenst ascheint*] Shakespeare: Hamlet, Prinz von Dänemark, I, 5.

46 f *Weiße ohne Schuß*] Vgl. [56], *0*.

64

Das Märchen von Berlin

V: Ignaz Wrobel
D^1: Das Andere Deutschland Jg. 9, Nr. 22, 1. 6. 1929, [S. 2–3]
Bibl.: Nd s. Bonitz / Wirtz D 2233; 1 Nd; GW 7

1 ff *«Die Verantwortung ... beherrscht.»*] Heinrich Ströbel: Sinnloses Blutvergießen, DAD Jg. 9, Nr. 19, 11. 5. 1929, 1–2. Mit vorliegendem Artikel repliziert KT auf Ströbels Thesen zur Schuld der KPD an den blutigen Unruhen am 1. Mai 1929 in Berlin (s. u. *9*). Im Anschluß an KTs Artikel druckte DAD eine ‹Antwort› Heinrich Ströbels an den «Freund Ignaz Wrobel» (ebd., 3). Ströbel gestand zu, daß die Kommunisten nicht die allein Verantwortlichen gewesen seien, bestand aber auf einer Mitschuld der provozierenden Arbeiterführer. Er wies darauf hin, daß sein erster Artikel zu einem Zeitpunkt entstanden war, an dem die zum Teil brutale Vorgehensweise der Polizei noch nicht bekannt gewesen sei. Im übrigen betonte er seine pazifistische Überzeugung, die ihn jede Form von Gewalt ablehnen lasse.

5 *‹Andere Deutschland›*] Unabhängige 1925 gegr. Zeitung für republikanische und pazifistische Politik. Die von Fritz Küster hg. Wochenzeitung war aus der 1921 gegr. Monatsschrift ‹Der Pazifist› hervorgegangen. DAD war das Organ des Westdeutschen Landesverbandes und der sog. kämpferischen Richtung innerhalb der DFG.

5 f *«Märchen von Dinant»*] Im Zuge der Westoffensive zu Beginn des 1. Weltkrieges gingen die dt. Truppen unter dem Vorwand angebl. Angriffe von Seiten belg. Freischärler (Franctireurs) in Dinant und anderen Städten (Leuwen, Andenne, Aerschot) mit brutalem Terror und standrechtlichen

Erschießungen gegen Zivilisten vor. Dinant wurde am 23. 8. 1914 in Brand gesteckt und geplündert, die Bevölkerung wurde mehrere Tage gefangen gehalten, über 600 Personen wurden ermordet. Das 1915 ersch. dt. Weißbuch ‹Die völkerrechtswidrige Führung des belgischen Volkskrieges› und noch die 1927 publizierte Denkschrift ‹Der belgische Volkskrieg› von Christian Meurer (in: Das Werk des Untersuchungsausschusses der Verfassunggebenden Deutschen Nationalversammlung und des Deutschen Reichstages 1919–1928, 3. Reihe, Bd. 2: ‹Völkerrecht im Weltkrieg›. Berlin 1927, 141–260) stützten die These von den Franctireurangriffen. Ein vom Bürgermeister von Dinant Ende 1928 hg. Gegengutachten (Norbert Nieuwland, Maurice Tschoffen: Das Märchen von den Franctireurs von Dinant. Antwort auf das Gutachten von Professor Meurer von der Universität Würzburg. Gembloux 1928) sorgte Anfang 1929 in der dt. Presse für erneute Auseinandersetzungen (z.B. ‹Die belgischen Franktireurs. Eine Hetzbroschüre der Stadt Dinant›, Kreuz-Zeitung 16. 2. 1929, M; s. a. unten *7*). Mehrfach wurden Parallelen zwischen den Maiereignissen 1929 und den belg. Vorgängen gezogen, z.B. ‹«Dinant» in Berlin›, DAD Jg. 9, Nr. 20, 18.5.1929, 5; ‹«Straßenkämpfe wie mit Franktireurs in Belgien»›, Kreuz-Zeitung 3. 5. 1929, Ausg. A; s. Lothar Wieland: Belgien 1914. Die Frage des belgischen «Franktireurkrieges» und die deutsche öffentliche Meinung von 1918–1936. Frankfurt/M. u. a. 1984; John Horne, Alan Kramer: Deutsche Kriegsgreuel 1914. Die umstrittene Wahrheit. Hamburg 2004.
Zeugenaussagen] P[aul] Reime: Die Wahrheit über Dinant. Von einem deutschen Augenzeugen, DAD Jg. 9, Nr. 14, 6.4. 1929, 1; ‹Die blutige Bestie. Ein weiterer Augenzeuge von Dinant›, ebd. Nr. 20, 18. 5. 1929, 7.
Berliner Blutvergießen] Am 1. Mai 1929 und den folgenden Tagen war es in Berlin zu blutigen Auseinandersetzungen zwischen der Polizei und demonstrierenden Arbeitern gekommen. Polizeipräsident Zörgiebel hatte Schießbefehl erteilt, um das am 13. 12. 1928 auf unbestimmte Zeit erlassene Verbot aller Demonstrationen und Versammlungen unter freiem Himmel auch am traditionellen Arbeiterkampftag durchzusetzen. Die KPD bestand gleichwohl auf ihrem Demonstrationsrecht. Die Straßenkämpfe, bes. in den Arbeitervierteln Wedding und Neukölln, forderten 33 Todesopfer und zahlr. Verletzte. Die WB forderte mehrfach den Rücktritt Zörgiebels. Am 16. 5. 1929 setzte die DLfM einen Untersuchungsausschuß zur Klärung der Mai-Vorgänge ein, dem u. a. auch CvO angehörte. Vgl. CvOs Artikel ‹Zörgiebel ist schuld!› (7. 5. 1929); ‹Abdankung, Herr Polizeipräsident!› (14. 5. 1929); ‹Areopag› (11. 6. 1929); ‹Genosse Z.›, (24. 12. 1929); s. Ossietzky 1994, Bd. V, 101–116, 140–144, 266–268.
Telegramme] Anfang Mai waren zwei an die KPD gerichtete Telegramme

aus Moskau an die Reichsregierung gelangt. Im ersten, vom ZK des sowjet. Metallarbeiterverbandes, hieß es, «Barrikaden und Blut Berliner Arbeiter werden in der Geschichte der Revolution verewigt sein als Demonstration revolutionärer Bereitschaft deutscher Arbeiterklasse und als empörender Akt des Verrates dreimal verfluchter Sozialdemokratie ... Es lebe rücksichtsloser Kampf auf Leben und Tod gegen Bourgeoisie und ihre Hofhunde Sozialdemokraten.» Das zweite Telegramm kam vom Politischen Büro in Moskau, es sah in den Demonstrationen einen revolutionären Waffengang und «Auftakt zu heranrückenden Kämpfen». Die Telegramme wurden am 6.5.1929 von Severing im Haushaltsausschuß des RT verlesen (s. ‹Severing über den Mai-Krawall›, Vorwärts 7.5.1929, A; Abdruck der Telegramme z.B. in ‹Die Hetzdepeschen aus Moskau›, Voss 9.5.1929).

19 *gut und richtig*] So lautete bereits KTs Urteil in der Rez. von Gumbels ‹Vom Rußland der Gegenwart› (Berlin 1927), s. Bd. 9 [167], 138f.

21 *Ströbel in der Nr. 19*] s.o. *1ff.*

27 *kein «Taktiker»*] Vgl. ‹Was brauchen wir –?›, Bd. 8 [29], 69ff; ‹Die Taktischen›, Bd. 8 [117].

41 *unter ihrer Ägide*] Der Berliner Polizeipräsident Zörgiebel, der preuß. Innenminister Grzesinski sowie der Reichsinnenminister Severing waren SPD-Politiker.

43 *seit 40 Jahren*] Der 1. Mai wurde 1889 auf dem Gründungskongreß der Zweiten Internationale als «Kampftag der Arbeit» begr. und 1890 mit Massendemonstrationen zum ersten Mal begangen.

49 *wie Ströbel*] Im Gegensatz zu den trotz Verboten durchgeführten Demonstrationen für einen Verständigungsfrieden im Jan. 1918 oder denen gegen das Dreiklassenwahlrecht während des Kaiserreichs, die jeweils für «die größten Ziele» eingetreten seien, habe, so Ströbel, der Maidemonstration jede politische und sittliche Notwendigkeit gefehlt. «Das Recht auf der Straße war ja längst erkämpft, war eine Selbstverständlichkeit für *alle* Parteien» (s.o. *1ff*; ebd., 2).

53 *Frühjahrsoffensive*] Nach dem Ende der Kämpfe an der Ostfront des 1. Weltkrieges durch den Frieden von Brest-Litowsk (3.3.1918) suchte die OHL anhand von Plänen Ludendorffs, die Entscheidung des Krieges mit einer Großoffensive im Westen herbeizuführen. Die einzelnen, letztlich erfolglosen Offensiven begannen am 21.3., 9.4. und 27.5.1918.

57 *«Dreiklassenschmach»*] Das im Nov. 1918 vom Rat der Volksbeauftragten abgeschaffte preuß. Dreiklassenwahlrecht, das wohlhabende Bürger begünstigt hatte, indem es die einzelnen Stimmen nach der jeweils erbrachten Steuerleistung gewichtete.

in Hamburg] Dort hatten sich 25 Demonstrationszüge aus den Stadtteilen zu einer zentralen Massenkundgebung im Stadtpark versammelt. Nach Angaben des Hamburger SPD-Blattes beteiligten sich hunderttausend Menschen an dem Aufmarsch (‹Hamburgs wuchtige und würdige Maifeier›, Hamburger Echo 2. 5. 1929).

f *Militarisierung*] Ab Herbst 1919 war von der preuß. Regierung neben der «blauen» Ordnungspolizei die Schutzpolizei (Schupo) eingerichtet worden. Diese militär. organisierte, kasernierte und schwer bewaffnete sog. «grüne» Polizei rekrutierte sich im wesentlichen aus der Sicherheitspolizei (Sipo), deren Aufbau (150000 Mann) die alliierten Siegermächte zunächst als Ersatz für die reduzierte Armee gestattet hatten, s. ‹Neuer Militarismus›, Bd. 3 [153]. Sie sollte die Sicherheit in den Großstädten garantieren, was faktisch hieß, daß sie meist bei Demonstrationen von USPD und KPD eingesetzt wurde. Zu KTs Kritik s. ‹Die Schupo›, Bd. 5 [177]; ‹Das zweite Heer›, Bd. 10 [137]; s. ferner [43] in diesem Band.

Severing] Vgl. [43], *31 f.*

Lehrbücher] s. ‹Die Schupo›, Bd. 5 [177]; ‹Das zweite Heer›, Bd. 10 [137].

Rotfront-Bund] Der 1924 gegr. Rote Frontkämpferbund, die paramilitär. Kampftruppe der KPD, wurde am 6. 5. 1929 infolge der Maiunruhen zunächst in Preußen, wenig später auch in den anderen Ländern des Dt. Reichs verboten.

‹Tagebuch›] Die Wochenschrift ‹Das Tage-Buch›, gegr. 1920 von Stefan Großmann und Leopold Schwarzschild. 1924–1926 war CvO ihr verantwortlicher Red., bevor er zur WB wechselte.

Zeugenaussagen] Z. B. in CvO: Abdankung, Herr Polizeipräsident (WB 14.5.1929, I, 733–735; Ossietzky 1994, Bd. V, 106–116). Vgl. auch ‹Authentischer Bericht über den Berliner Polizeikrieg›, TB 11. 5. 1929, I, 771–779; vgl. ferner z. B. ‹Die Blutnacht in Neukölln›, Vorwärts 3. 5. 1929, M.

einziger Polizist] Unter den zahlr. Verletzten waren die Polizisten in der Minderzahl, einer hatte eine Schußverletzung erlitten.

Ströbel schreibt] Die Polizeibeamten seien «seit Wochen in Alarmbereitschaft, […] also überarbeitet und nervös», und Überreaktionen demnach nicht verwunderlich gewesen, so Ströbel (s. o. *1 ff*; ebd., 3).

65

Der Fliegengott

V: Peter Panter (D^1); Kurt Tucholsky (D^2)
D^1: Vossische Zeitung Nr. 134, 6.6.1929, Post-Ausg.; Unterhaltungsblatt Nr. 129, [S. 1]
D^2: Lerne lachen ohne zu weinen 1931, S. 267–271
Bibl.: Nd s. Bonitz / Wirtz D 2234; 4 Nd; GW 7

Varianten
Die Varianten sind nach D^2 verzeichnet
2 sehen.] *folgt* Schnee! **6** gehen] gehn **10** gefahren, ins Dorf;] ins Dorf gefahren; **15** es] es hier **19** wird;] wird, **20** Bildung;] Bildung, **21** stehen] stehn **22** Flur –] Flur ... **22** Schlafzimmer ...] Schlafzimmer. **24** aufmachen –?] aufmachen? **27** stände –?] stände? **30** das –?] das? **30** närrisch –?] närrisch? **31** Kocher ...] Kocher? **32f** schwarz-drahtige] schwarze, drahtige **42** schrei] schreie **45** nicht –] nicht ... **47** stehen] stehn **48** wirklich ...] wirklich? **51** Mensch –] Mensch: **52** getan?] getan! **56** Warum –?] Warum? **58** haben! –] haben! **59** wird –?] wird? **61** herunter] hinunter **62** philosophiere –] philosophiere ... **66** sie –] sie ... **68** also da steht er] da steht er also **69** sage] sage mal **72** S.O.S.! –] SOS! **74** Erbarmen! –] Erbarmen! **83** Magen] Bauch **84** Schlafzimmer – –] Schlafzimmer ... **85** Flur –?] Flur? **92** lang, still;] lang; **93** er –] er, **98** ihr Reich.] das Reich der zehn Gebote. **99** So – jetzt] So. Jetzt **100** einschlagen –] einschlagen ... **100f** gehen] gehn **102** gehen] gehn **106** ist da] ist da was **107** tot –] tot,

0 *Fliegengott*] Abgeleitet aus der Übers. von Beelzebub (hebr. Baal-Sebub: Fliegenherr); Gott der Philister in Ekron (2. Kön. 1, 2ff); im NT der oberste Teufel (Matth. 12, 24).

1 *Wettersee*] Vättern-See, der zweitgrößte schwed. See im Südosten des Landes, unweit des Mälar-Sees, wo KT den Sommer verbrachte, s. [53], *1*.

6 *Lugano*] In Lugano hatte Lisa Matthias eine Ferienwohnung, in der KT mehrmals zu Besuch war, so auch Weihnachten und Silvester 1928.

7 *Senta*] Die aus Mellringe bei Mariefred stammende siebzehnjährige Zenta Bergkvist, KTs Hausmädchen in der Villa Fjälltorp in Läggesta.

12 *Schildhorn*] Halbinsel am östl. Havelufer, beliebtes Berliner Ausflugsziel mit dem ab 1865 in mehreren Etappen errichteten Ausflugslokal «Schildhorn».

50 *totgemacht hast*] KT hatte in seinem Brief vom 26.5.1929 an MT über schlechte Gesundheit und allgemeinen Kummer geklagt und ergänzt: «Ich

habe eine Fliegenspritze.» Der Aberglaube sieht das Überwintern einer Stubenfliege als Glücksbringer und warnt deshalb vor dem Töten der letzten Fliegen im Winter (vgl. Handwörterbuch des deutschen Aberglaubens. Hg. von Hanns Bächtold-Stäubli. Bd. 2. Berlin, Leipzig 1930, Sp. 1626).
nie mehr lachen] Nach der nordeurop. Sage soll nie wieder lachen können, wer Geistererscheinungen gehabt hat; vgl. Hermann Patzig (Hg.): Mythologische Forschungen aus dem Nachlasse von Wilhelm Mannhardt. Straßburg 1884, 99.
zehn Gebote] Vgl. [70].
In mir wächst der Tod] Der Aberglaube geht davon aus, daß Krankheitsdämonen und die Totengeister der Unterwelt den Menschen in Fliegengestalt aufsuchen (vgl. Handwörterbuch des deutschen Aberglaubens, Sp. 1623), und sieht ferner die Anwesenheit einer Schmeißfliege im Haus als Todeszeichen (vgl. ebd., Sp. 1629). Auch betrachtet der Aberglaube das Wachsen von Fliegen im Körper als Zeichen der Besessenheit vom Teufel. Als rationale Erklärung wird gegeben, daß in früheren Zeiten in den Nasenhöhlen von Kranken Fliegenmaden genistet haben könnten (vgl. ebd., Sp. 1626). Somit könnte der Text auch im Zusammenhang mit KTs langjährigem Nasenleiden gelesen werden (s. [146], *33*).

66

Die Zeit schreit nach Satire

V: Peter Panter (D^1); Kurt Tucholsky (D^2)
D^1: Vossische Zeitung Nr. 137, 9.6.1929, Post-Ausg.; Unterhaltungsblatt Nr. 132, [S. 2–3]
D^2: Deutschland, Deutschland über alles 1929, S. 99–107
Bibl.: Nd s. Bonitz/Wirtz D 2235; 8 Nd; GW 7

Varianten
Die Varianten sind nach D^2 verzeichnet
0 Die … Satire] *folgt auf neuer Zeile rechtsbündig und kursiv die Widmung* Für Walter Hasenclever **13** Deutscher … G.m.b.H.] *in Versalien gesetzt* **34** gibt's] gibts **58** Höflich –] Höflich … **59** anders.] anders! **67** Publikum –] Publikum … **67f** verständlich –] verständlich … **68** mit'm] mitm **70** Weill] Hindemith **71** Geschäftliche – –] Geschäftliche –? **72** Moabit, als] Moabit. Als **74** wieder –] wieder … **74** weg! –] weg! **79** geht's] gehts **84** warten – –] warten – **85** hier? –] hier? … **85** was –] was … **90**

auffordert –] auffordert ... **95** Also –] Also ... **98** durchgesehen – durchgesehen –] durchgesehen ... durchgesehen ... **99** mal –] mal ... **101** geblieben –] geblieben ... **104** nicht –] nicht ... **111** sein –] sein ... **115f** Publikum –] Publikum ... **117** ganz –] ganz ... **119** Konferenz, ich] Konferenz! Ich **121** wo –] wo ... **123** Ihr –] Ihr ... **127** Börseaner] Börsianer **134** um –] um ... **135** spritzig,] spritzig; **140** Regisseur –] Regisseur ... **150** Film,] Film **152** Stück,] Stück **165** sollten,] sollten: **204** Revue] Revue – **217** wir –] wir ... **225** Alligator!] Alligator –! **226** gut.] gut! **226** (piano):] (Piano) **231** da] *fehlt* **235** will –] will ... **257** Revue –] Revue ... **263** Republikaner –] Republikaner ... **263f** das Bild gegen den] Die Karikatur vom **266** versetzen –] versetzen, **267** Geschäftsverbindungen – –] Geschäftsverbindungen ... **311** Theaterpacht –] Theaterpacht ... **324** Konfektion – –] Konfektion – **329** willen –] willen ... **330** wär] *gemäß* D^2 *emend. aus* war **330** was ist denn das –?] wer schreit denn da so –? **331** Das –?] Das?

Entstehung

KT greift hier auf eigene Erfahrungen mit dem Berliner Theaterbetrieb zurück. Er hatte mehrmals an Revuen mitgearbeitet. 1920–1922 schrieb er Couplets für die Nelson-Revuen ‹Total Manoli› (Bd. 4 [221]), ‹Bitte, zahlen!› (Bd. 5 [56] bis [60]) und ‹Wir steh'n verkehrt› (Bd. 5 [244] bis [252]). Auch die Erfahrungen mit einem gescheiterten Revueprojekt gehen offensichtlich in den Text ein: 1926 hatten sich KT und Polgar verpflichtet, für das Ehepaar Massary–Pallenberg eine Revue zu schreiben (Arbeitstitel: ‹Der Untergang des Abendlandes›), die an Reinhardts Deutschem Theater in Berlin zur Aufführung gelangen sollte. Die von KT in erster Linie aus finanziellen Gründen übernommene Produktion scheiterte am Termindruck, den Erwartungen der Auftraggeber und persönlichen Spannungen. Teile der Revue wurden 1927 in der WB abgedruckt (Bd. 9 [117], [120], [136], [175], [181]). – Hatte sich KT Mitte 1927 auch nochmals grundsätzlich bereit erklärt, diesmal gemeinsam mit Walter Mehring, eine Revue für die Piscator-Bühne zu schreiben (s. KT an Mehring 3.8.1927), so lehnte er deren Angebot, gemeinsam mit Brecht und Piscator eine Revue zu erarbeiten, wohl nicht zuletzt aufgrund polit. und ästhetischer Differenzen, ab (s. KT an Felix Gasbarra 16.2.1928, sowie unten *61*). Am 23.5.1929 schrieb er an Mehring: «Ich danke immer dem lieben Gott, daß ich kein Talent fürs Theater habe – es wäre mir unmöglich, auch nur zwei Stunden mit diesen Menschen zusammenzuarbeiten. Nicht nur wegen der pekuniären Unzuverlässigkeit – aber diese Atmosphäre von Betrug, Hysterie, Wahnwitz, Weiberkram – also ich nicht. Mein Leben verläuft anders. Jeder seins.»

Die Zeit schreit nach Satire] Bereits 1923 hatte KT, der zu dieser Zeit als Sekretär im Bankhaus Bett, Simon & Co. tätig war, geschrieben: «Wie mir wohlwollende Bankdirektoren oft während einer Verdauungspause versichern, ‹schreit diese Zeit gradezu nach Satire›. Aber außer dem Geschrei ‹Juden raus!› und ‹Wie steht der Dollar?› habe ich noch nichts Rechtes gehört – wie genau ich auch in die Zeit hineingehorcht habe. Nein, nach Satire schreit diese Zeit nicht.», s. ‹Die Kegelschnitte Gottes›, Bd. 6 [34], 5 ff. Ebenso 1928: «Keine Zeit schreit nach der Satire, so masochistisch ist keine. Nur die Ohren des Satirikers gellen, weil die Zeit schreit, er will sie peitschen, sie hats nötig.», s. ‹Das überholte Witzblatt›, Bd. 10 [72], 91 ff.
Peter Panter] Kabarettnummern und Revuetexte zeichnete KT mit «Theobald Tiger».
'n Augenblick mal] Unter diesem Titel verfaßte KT zwei Satiren auf das Telephonierverhalten (s. Bd. 6 [20]; Bd. 9 [2]). Vgl. auch ‹Idylle›, Bd. 3 [53]; ‹Berlin! Berlin!›, Bd. 3 [120]; ‹Zehn Minuten›, Bd. 5 [180]; ‹«Sie werden am Apparat verlangt –!»›, Bd. 6 [32], die drei u. d. T. ‹Am Telephon› erschienenen Artikel in Bd. 3 [250]; Bd. 4 [13]; Bd. 14 [110], sowie ‹«Ich rufe vor eins nochmal an!»›, Bd. 13 [5].
Konferenz] Vgl. ‹Die Konferenz›, Bd. 6 [12], sowie den undatierten Brief (um den 20. 5. 1929, DLA) von Mehring, der hier möglicherweise den Anstoß gab: «Wenn Sie da so mal sich bei den Theatergöttern anmelden lassen, denn sacht der 2. Intendantsrats-Secretär: Janz unmöchlich! Die Herren sind jrade bei einer wichtigen Intrigue!»
Pallenberg] Zu dem Schauspieler Max Pallenberg (s. o. *0*) vgl. u. a. ‹Pallenberg›, Bd. 1 [79]; ‹Max Ulysses Pallenberg›, Bd. 1 [188]; ‹Pallenberg und Polgar›, Bd. 5 [92].
Valetti] 1926 schrieb KT für die Valetti das ‹Lied der Kupplerin› (Bd. 9 [136]), 1929 widmete er ihr das Gedicht ‹Das Gesetz›, s. [134]; s. a. ‹Die rote Melodie›, Bd. 4 [264].
Paul Graetz] Mit Graetz arbeitete KT seit der Eröffnung des Kabaretts «Schall und Rauch» zusammen. Er brachte am 8. 12. 1919 mit großem Erfolg erstmals ein Chanson (‹Wenn der alte Motor wieder tackt ...›, Bd. 3 [221]) und ein Kabarettsolo von KT auf die Bühne. Danach wurde er zu einem Hauptinterpreten der Texte KTs, insbes. der mit «Berliner Schnauze» vorgetragenen Couplets, s. ‹Mundartliches Gedicht›, Bd. 10 [145].
Ilka Grüning] Von KT bewunderte Schauspielerin (s. ‹Ilka Grüning›, Bd. 3 [128]).
Otto Wallburg] Über die Komik des Schauspielers schrieb KT 1927 in ‹Otto Wallburg›, s. Bd. 9 [17].
Massary] s. u. *179*.

57 *Emil Jannings*] KT war mit dem Schauspielerehepaar Emil Jannings und Gussy Holl eng befreundet. Für die von ihm verehrte Holl schrieb er mehrere Chansons (vgl. Bd. 1 [133]).

57 f *Lucie Höflich*] Vgl. ‹Die Stimme der Höflich›, Bd. 1 [164].

58 *Ablieferungstermin*] Die Reinhardt-Revue (s. o. *0*) entstand unter erheblichem Zeitdruck (vgl. z. B. KT an Kommer 10. 7. 1926). Zeitgründe spielten auch 1928 bei KTs Ablehnung seiner Mitarbeit an der Piscator-Revue (s. o. *0*) eine Rolle.

61 *Piscator*] Piscator hatte angeboten, die von KT geschaffene Figur des «Wendriner» auf die Bühne zu bringen, was KT ebenso ablehnte (vgl. KT an MT 13. 5. 1929: «Piscator hätte mir die Internationale reingeklebt») wie 1928 die Mitarbeit an der Revue (s. o. *0*). Zu KTs reservierter Einstellung gegenüber Piscators «Gesinnungstheater» vgl. KT an Gasbarra 14. 3. 1928.

63 *Jeßner. Oder Haller*] Jeßner stand für ein ästhetisch anspruchsvolles und politisch fortschrittliches Theater. Hermann Haller hingegen war mit den nach ihm benannten Revuen Produzent leichter Massenunterhaltung.

64 *Couplets*] s. [173], dort insbes. *0*.

65 *Sonx*] Durch die von Kurt Weill komponierten «Songs» der ‹Dreigroschenoper› popularisierte modern-amer. Form des Liedes, meist mit polit. Gehalt. KTs Bewertung der «Song»-Literatur war zwiespältig. Schrieb er in seiner Rez. von Brechts ‹Hauspostille›, er glaube nicht an die Gattung der «wildromantischen ‹songs›» (Bd. 10 [23], 26), so dankte er am 25. 8. 1928 Kate Kühl überschwenglich für die Zusendung des Brechtschen Songs ‹Das Lied vom Surabaya-Johnny› zu dem Stück ‹Happy End› und befand, es sei jenseits einer durchaus möglichen Kritik «Nummer eins». Einen Tag später schrieb er an MT: «Das Gedicht Brechtens ist mir schwer auf die Nerven gegangen. Da sehe ich eben, was ich *nicht* kann. Ich weiß genau, wie er das gemacht hat, nur die entscheidenden Stellen kriegte ich nicht raus. Er hat geklaut, und zwar von Kipling sel. Witwe – er lügt, es ist alles gar nicht wahr – aber es ist so großartig gemacht, daß ich sehr klein und still davor geworden bin.»; s. auch unten *68* sowie [58].

68 *Dreigroschenoper*] Brechts Stück nach John Gays ‹The Beggar's Opera› (Mitarbeit: Elisabeth Hauptmann; Musik: Kurt Weill) wurde am 31.8.1928 im Theater am Schiffbauerdamm, Berlin, uraufgeführt. Am 17. 12. 1928 schrieb KT an Kate Kühl: «Drei-Groschen-Oper gesehen; was Sie da machen, ist sehr gut – ich hätte Ihnen nur noch viel, viel mehr Songs gewünscht, von denen ja ein paar Perlen drin sind.»

69 *Lehár*] Der österr. Komponist eingängiger Operettenmelodien, der seinen Durchbruch bereits 1905 mit der ‹Lustigen Witwe› gefeiert hatte, war auch Ende der 20er Jahre äußerst populär. Im Okt. 1929 sollte seine Operette

‹Das Land des Lächelns› mit riesigem Erfolg im Berliner Metropoltheater uraufgeführt werden. Zu Lehár vgl. Bd. 14 [98].

f *Meisel … Nelson*] Edmund Meisel war ab 1926 Hauskomponist der Reinhardt-Bühnen und leitete 1927/28 ein Filmmusikstudio. Er schrieb u. a. die Musik zum Stummfilm ‹Panzerkreuzer Potemkin› (1926) und 1928 die Musik zu Piscators ‹Schwejk›-Inszenierung (s.u. *155*). Walter Kollo war einer der volkstümlichsten Komponisten von Berliner Singspielen, Operetten und Possen. Weill hatte erst wenige Monate zuvor mit der ‹Dreigroschenoper› (s. o. *68*) einen großen Erfolg gefeiert. In seiner Musik verbanden sich avantgardistische Ästhetik und Elemente der Unterhaltungsmusik wie Operette, Jazz, Bänkelsang und Schlager (in D^2 ersetzte KT Weill durch Hindemith; s. Bd. 12, 100, 19). Weills polit.-zeitkritisches Werk steht in Kontrast zu den unterhaltenden Revuen Nelsons (s. o. *0*).

in Moabit, als Zeuge] Vgl. [61], *21*. – Seit Ende Mai 1929 fanden zahlr. Prozesse gegen den früheren Theaterdirektor James Klein statt, der mitverantwortlich für den Zusammenbruch des «Theaters der Fünftausend» in Magdeburg war. Musiker, Tänzerinnen und Dekorationsmaler u.a. gewerbliche Arbeitnehmer klagten gegen ihn und die «Europäische Reisetheater-Gesellschaft», deren künstlerischer Leiter er gewesen war, auf die Zahlung ihrer Gage, s. ‹James Klein wieder vor Gericht›, BVZ 5. 6. 1929, M; ‹Ballett im Arbeitsgericht›, BVZ 11. 6. 1929, M.

Mehring] Walter Mehring war neben KT einer der Hausautoren von Reinhardts 1919 neueröffnetem Kabarett «Schall und Rauch» gewesen. 1921–1922 arbeiteten beide für Hesterbergs «Wilde Bühne» (s. z.B. Bd. 4 [255]). Zu Mehring s. ‹Das neue Lied› (Bd. 4 [242]); in diesem Bd. [71], 259 ff; s. a. ‹Der Brief›, Bd. 13 [170], sowie oben *0*.

Kästner] Kästners satir. Gedichte, Ende der 20er Jahre ersch. in versch. Sammelbänden (s. u. *194*), wurden auch in vielen Kabaretts vorgetragen, z. B. in der «Wilden Bühne», der «Katakombe» oder im «Küka» (Künstler-Kaffee in der Budapester Str.), wo Kästner seine Verse selbst rezitierte. Er schrieb auch direkt für das Kabarett, etwa Chansons für Hesterberg oder Kühl. Vgl. KTs zurückhaltendes Lob Kästners in seiner Rez. von ‹Ein Mann gibt Auskunft›, Bd. 13 [185], 85 ff, sowie [82], 53 ff. An MT schrieb er am 22. 8. 1929 über Kästners Gedicht ‹Kurt Schmidt, statt einer Ballade›, das in der WB vom 6. 8. 1929 (II, 209–210) erschienen war: «Künstlerisch fand ich das nicht so furchtbar doll – natürlich ‹stimmt› es, aber mir ist das zu sehr kleiner Mann; der Stoff hat ihn übermeistert. Immerhin: va bene.»

so geht das nicht] Während der Arbeit an der Reinhardt-Revue (s. o. *0*) äußerte KT wiederholt Zweifel, ob Schauspieler und Auftraggeber die von ihm vorgelegten Texte akzeptieren würden (vgl. u.a. KT an MT 23.6.1926). Am 20.6.1926 schrieb er an MT: «Für Massary einen herrlichen Schmachtfetzen, den sie aber nicht bringen wird. Sie ist nämlich auch ein bißchen ‹Sie irren, wenn Sie glauben, daß meine Hörer ...› und so.» So wie es ausschaue, «meckern sie mir die Hälfte in Garmisch entzwei, die andere in Berlin». In einem Brief an Kommer vom 15.7.1926 verwahrte sich KT vorsorglich gegen jeden Eingriff in seine Revue-Texte. Noch 1932 sollte er sich über die im Theaterbetrieb gängige Praxis beschweren, Dramentexte gegen den Willen des Autors umzuarbeiten (vgl. ‹«Kulissen»›, WB 14.6.1932, I, 893f; D 2739). Vgl. auch [136] in diesem Bd. sowie 1930 ‹Der Mittler› (Bd. 13 [168]).

113 *Marie!*] Die ugs. Bezeichnung «Marie» für Geld geht vermutl. zurück auf den Maria-Theresien-Taler (1753 geprägt).

116 *Reichswehr*] Wohl Anspielung auf das Verbot von Lampels Reichswehrstück ‹Giftgas über Berlin› (UA 5.3.1929 im Theater am Schiffbauerdamm) über die heimliche Wiederaufrüstung, das der Berliner Polizeipräs. Zörgiebel mit der Gefährdung der Sicherheit und Ordnung begründete.

127 f *Und weil ... nicht!*] Schlußverse aus Mehrings Gedicht ‹Der tiefe Grund›, das zugleich die Revue ‹Europäische Nächte› (Berlin 1924) beschließt. Das Gedicht war erstmals am 28.6.1923 in der WB ersch. (I, 751); s.a. Lisa Matthias (1965, 62f): «Einmal sandte er [KT] mir Mehrings Gedicht ‹Der tiefe Grund›. Darunter hatte Tucholsky geschrieben: ‹Eins der schönsten, die er gemacht hat. Det kann ick nich. Es ist alt.›»

130 f *Es liegt ... du kleine –*] Aus Mehrings Gedicht ‹Wiegenlied›, das in den Sammelband ‹Das Ketzerbrevier› (München 1921, 91f) Aufnahme fand, ED in WB 7.10.1920, I, 399. Mehring verbindet eine alte Volksweise («Fischerin, du kleine») mit einem Straßenlied, das die Ermordung der Spartakus-Führerin Rosa Luxemburg und das Auffinden ihrer Leiche im Berliner Landwehrkanal zum Thema hat: «Es liegt eine Leiche im Landwehrkanal, / Lang sie mir mal her, / Aber knautsch sie nich so sehr!».

136 *Polgar*] s.o. *Entstehung*.

136 *Marcellus Schiffer*] Der Librettist verf. in den 20er Jahren Chansons für die «Wilde Bühne» und die «Gondel» (s. Bd. 6 [22]). 1926 schrieb und inszenierte er seine erste zeitkrit. Kabarettrevue ‹Die fleißige Leserin›, die SJ, der über seine Frau mit Schiffer verwandt war, gegenüber KT als «eines der stärksten Kunsterlebnisse meines Daseins» pries (Jacobsohn 1989, 438).

136 f *Roellinghoff*] Der Journalist schrieb auch Texte für das Kabarett, z.B. 1920 für «Schall und Rauch», 1928 für die Revue ‹Bitte einsteigen!› von Friedrich Hollaender, und verfaßte zahlr. Texte für das Repertoire

von Schauspielern und Vortragskünstlern wie Claire Waldoff und Paul Graetz.

f *Ammer ... Brecht*] Anspielung auf die Plagiatsvorwürfe gegen Brecht; s. [58], *6*.

Gesinnung!] s. o. *61*.

Wohnungsnot] s. [134], *3*.

§ 194] «Der Richter kann einen Angeschuldigten von der Anwesenheit bei der Verhandlung ausschließen, wenn zu befürchten ist, daß ein Zeuge in seiner Gegenwart die Wahrheit nicht sagen werde»; s. Strafprozeßordnung nebst Gerichtsverfassungsgesetz. 12., neubearb. Aufl. von Friedrich Doerr. München 1930, 151.

Remarque] Zu Remarques Roman ‹Im Westen nichts Neues› s. [68]; [178]. Zu KTs Vorwurf der Konjunkturreiterei gegen Bronnen s. [73] sowie ‹Die Geschichte eines Witzes›, Bd. 10 [30].

f *Tonfilm*] Piscator ergänzte die Bühnenhandlung häufig durch eingeblendete Filmsequenzen. Zu KTs Kritik am Tonfilm s. [11], 2.

laufenden Treppe] Anspielung auf technische Innovationen auf den Bühnen Jeßners und Piscators. Jeßner hatte 1919 bei seinem Debüt als Intendant des Staatl. Schauspielhauses Berlin Shakespeares ‹Hamlet› auf einer Stufenbühne inszeniert und damit eine Diskussion über adäquate Bühnengestaltung ausgelöst. In den folgenden Jahren setzte sich die sog. «Jeßner-Treppe» jedoch allgemein durch. – Piscator hatte das Fließband (das «laufene Band») erstmals in seiner Inszenierung von Hašeks ‹Die Abenteuer des braven Soldaten Schwejk› eingesetzt (UA 23. 1. 1928). Eloessers Verriß der Aufführung (‹Schwejk›, WB 31. 1. 1928, I, 182–185) war Teil einer langen Kontroverse zwischen Piscator und der WB (vgl. [136], *127*).

Internationale] Piscator ließ viele seiner Inszenierungen mit dem Kampflied der sozialist. Arbeiterbewegung oder geschwenkten roten Fahnen enden, wobei diese Änderungen den Intentionen der Autoren oft zuwiderliefen und zu Spannungen (Alfons Paquets ‹Fahnen›) oder gar Skandalen (Mehrings ‹Kaufmann von Berlin›) führten. Vgl. oben *61*.

schon so oft] KT hat seiner Bewunderung für den Operettenstar Fritzi Massary wiederholt Ausdruck verliehen (s. ‹Massary›, Bd. 1 [207]; ‹Die böhmische Nachtigall›, Bd. 4 [256]; ‹Massary und Roberts›, Bd. 5 [54]) und ihr 1921 ein Chanson gewidmet (vgl. Bd. 5 [248]). Die gemeinsam mit Polgar verfaßte Revue (s. o. *0*) war u. a. auch daran gescheitert, daß Fritzi Massary meinte, die von KT gelieferten Texte nicht singen zu können (vgl. u. a. KT an MT *7. 7.* 1926 sowie oben *99*).

f *Berliner Verkehrsregelung*] Vgl. ‹Berliner Verkehr›, Bd. 8 [164] und [183]; ‹Warten vor dem Nichts›, Bd. 10 [39]; ‹Der Verkehr›, Bd. 12, 199–201.

194 *Herz im Spiegel*] Anspielung auf die Titel der ersten beiden Gedichtbände Erich Kästners ‹Herz auf Taille› (Leipzig, Wien 1928) und ‹Lärm im Spiegel› (Leipzig, Wien 1929).

196 *Schwedenpunsch*] Kalter bzw. eisgekühlter Punsch, gemischt aus Wasser, Zucker und Arak, mit Zugabe von Weißwein oder Schaumwein. – Zu KTs Schwedenreise s. [53], *1*.

198 *Nacht auf dem Blocksberg*] Das 13. Bild von Mehrings Revue ‹Europäische Nächte› ist «Blocksberg» überschrieben.

199 *Jeder einmal in Berlin*] Seit Juni 1927 Werbeslogan des damals einsetzenden Fremden-Werbefeldzuges des Messe- und Fremdenverkehrsamt der Stadt Berlin; s. ‹Jeder einmal in Berlin. Offizieller Führer für Berlin und Umgebung und Potsdam und seine Schlösser›. Hg. vom Ausstellungs-, Messe- und Fremdenverkehrs-Amt der Stadt Berlin.

209 *Alligator*] Die Presse dieser Zeit berichtete vielfach von einer grassierenden Modeerscheinung unter Prominenten und Wohlhabenden, sich Alligatoren als Haustiere zuzulegen und als schmückendes Statussymbol zu benutzen. Von einer ‹Alligatorenfarm am Alexanderplatz›, von der aus Liebhaber exotischer Tiere beliefert wurden, druckte die ‹Illu strierte Reichsbanner-Zeitung› (Jg. 6, Nr. 50, 14.12.1929, 800) einen Bildbericht.

210 *Klöpfer*] KT sprach wiederholt bewundernd von dem Schaupieler Eugen Klöpfer (vgl. u.a. Bd. 3 [166]).

212 *Lied des Kuppelvaters*] Anspielung auf das ursprünglich für Rosa Valetti und die Reinhardt-Revue geschriebene ‹Lied der Kupplerin› (s.o. *54*).

229 *«Das sing ich nicht.»*] s.o. *99*.

240 *Kate*] Wahrscheinlich ist Kate Kühl gemeint, für die KT mehrere Chansons geschrieben hat.

245 *Spielt euch euern Dreck alleine –!*] Nach der sprichwörtl. Äußerung Friedrich August III., König von Sachsen, am Tage seiner Thronenthebung (13.11.1918): «Macht euch euern Dreck alleene!»; s. ‹Ein Königswort›, Bd. 3 [62].

250 f *Stresemann … Bühnenklub*] Der 1903 gegr. Deutsche Bühnen-Klub war eine Vereinigung von Schauspielern und anderen Theaterleuten mit Sitz in Berlin. Stresemann war seit 1924 Mitglied und hielt dort mehrfach Vorträge, so etwa über ‹Goethe und Napoleon› oder am 24.4.1927 über ‹Rätsel um Goethe› (vgl. Fünfundzwanzig Jahre Deutscher Bühnen-Klub 1903–1928. Jubiläumsalmanach. Berlin 1928, 27 und 36). Aus Anlaß seines 50. Geburtstages wurde ihm im Mai 1928 die Ehrenmitgliedschaft verliehen (vgl. das diesbezügl. Sonderheft ‹Deutscher Bühnen-Klub› Jg. 2, Nr. 4/5, Mai/Juni 1928). – 1926 hatte KT einen Auftritt Stresemanns im

Bühnen-Klub zum Anlaß genommen, um die falsche Bewunderung für «stumpfe, geölte, lächerliche Beamte neudeutschen Stils» zu kritisieren, s. ‹Repräsentanten›, Bd. 8 [123], 36.

Schupos] s. [64], *73f.*

f *Lied gegen den Reichstag*] Wohl Anspielung auf KTs Gedicht ‹Die Stunde der Entscheidung› (vgl. Bd. 10 [68], D^2 in DD u. d. T. ‹Das Parlament›, s. Bd. 12, 138–139).

Kronprinzen in der Gerichtsszene] Gemeint ist die Gerichtsverhandlung am 11.7.1927, bei der sich Harry Domela für sein Hochstaplerleben als ältester Sohn des Kronprinzen im exklusiven Korps der Saxo-Borussen verantworten mußte (s. [37], *205*).

f *es ist … Fußtritt zu versetzen*] In Anlehnung an die Äsop. Fabel des Phädrus ‹Der alte Löwe, der Eber, der Stier und der Esel›, 1. Buch, Nr. 21, in der ein Esel dem sterbenden und wehrlosen Löwen einen Tritt versetzt, Zitat aus dem Verteidigungs-Brief Hindenburgs für Wilhelm II. vom 16.8.1920. – KT erwähnte diesen Brief 1922 in ‹Heil, Kaiser, dir –!›, Bd. 5 [102], und brachte ein Faksimile in DD, s. Bd. 12, 112.

Deutsche Tageszeitung] Offizielles Organ des von Großgrundbesitzern dominierten Bundes der Landwirte. Chefred. des reaktionären Blattes war der DNVP-Abgeordnete Paul Baecker.

Vossische Zeitung] Im Ullstein-Verlag ersch. liberal-demokr. Tageszeitung, s. ‹Übersicht über Tucholskys Tätigkeit für Publikationsorgane 1929›. – Im Herbst 1928 waren zwischen Ullstein und KT Auseinandersetzungen um dessen Mitarbeit an der KPD-nahen AIZ ausgetragen worden (s. Bd. 10 [33], *0*). Der schwelende Konflikt brach nach Erscheinen von DD im Münzenberg-Verlag erneut auf und führte letztlich zur Kündigung des Vertrages mit KT durch den Ullstein-Verlag (zum 1.10.1931), der zudem ab 1930 eine zunehmende Anpassung an die polit. Entwicklung in Deutschland betrieb und jüdische Mitarbeiter entließ (s. ‹Dreh dich hin, dreh dich her – kleine Wetterfahne –!›, WB 16.2.1932, I, 239; D 2695). Jahre später bekannte KT Hasenclever gegenüber: «ein großes peccavi – was habe ich da gesündigt, wie viel zu lange war ich bei den Ullsteins, das ist ein dicker Fleck auf meiner Weste» (um den 18.8.1935, s. Bd. 21 [B 95], 165 ff).

Reichstagspräsidenten] Paul Löbe (SPD), vgl. u. a. Bd. 12, 207–208.

Frau Wendriner] Allein in einem für die Reinhardt-Revue geplanten Dialog gesellte KT seiner «Wendriner»-Figur eine Gattin zu. Alle anderen «Wendriner»-Texte sind Monologe. Zu KTs Geschichten um seine berühmteste literar. Figur aus den Jahren 1924–1930 vgl. Bd. 9 [120] und K.

288 *Majolika-Theater*] Fiktiv. – Majolika ist eine nach der Insel Mallorca benannte besondere Art der Fayence: mit farbigen Scherben glasierte und bemalte Tonwaren.

289 *Die Bois*] Die erfolgreiche Bühnen- und Filmkomikerin Ilse Bois trat mit ihren Parodien im «Kabarett der Komiker» auf; im Juni zeigte sie dort ihr Programm ‹Berliner Festspiele›, worin sie die Massary und ihren Kollegen Harry Reso parodierte, s. ‹Festspielprogramm der Komiker›, BVZ 6.6.1929, M; vgl. auch die «Antwort» ‹Festspielgast›, WB 21.5.1929, I, 803f. – Zu den Berliner Festspielen s. [74], *90*.

294 *die Hesterberg*] s.o. *84*.

305 *Presber! Remarque! Ferdinand Bruckner!*] Rudolf Presber, für KT eine «Schießbudenfigur» (Bd. 7 [133], 2f), war ein naiv-volkstümlicher Schwänke-Autor und mit etlichen Kriegsgedichten hervorgetreten. Remarque hatte gerade erst mit dem Roman ‹Im Westen nichts Neues› sein Debüt als Schriftsteller gegeben (s. [68]; [178]). Der Name Ferdinand Bruckner war seit der UA seines Erstlings ‹Krankheit der Jugend› im April 1928 ein Begriff. Die UA der ‹Verbrecher› im Deutschen Theater (23.10.1928) war Bruckners zweiter Sensationserfolg; vgl. [44], *36*, *38*.

324 *Tonfilmsyndikat*] Die Tonbild-Syndikat A.G. («Tobis»), ein Zusammenschluß zwischen der Triergon-Musik AG St. Gallen, der H.J. Küchenmeister KG, der Deutschen Tonfilm AG sowie der Messter-Ton AG, der 1928 zustandegekommen war, um die zahlreichen konkurrierenden europ. Patenthalter und Elektrokonzerne zu konzentrieren. Im Okt. 1928 riefen die beiden großen Konzerne AEG und Siemens & Halske die «Klangfilm GmbH» ins Leben. Um einen Patentkrieg zu vermeiden, wurde 1929 eine Marktaufteilung zwischen Tobis (Produktion von Tonfilmen, Vertrieb von Aufnahmegeräten) und Klangfilm (Herstellung von Aufnahme- und Wiedergabegeräten) beschlossen. Als erster Tonfilm der Tobis wurde 1929 Ruttmanns ‹Melodie der Welt› aufgeführt. Die dt. EA des amer. Warner-Tonfilms ‹The Singing Fool› in Berlin entfesselte neue Patentkriege. Erst im Juni 1930 kam es zum Pariser Abkommen der intern. Tonfilm-Kartelle.

67

Der Skatklub

V: Theobald Tiger
D[1]: WB Jg. 25, Nr. 24, 11.6.1929, I, S. 889
Bibl.: Nd s. Bonitz/Wirtz D 2236; 2 Nd

in Magdeburg] Die SPD hatte ihren Parteitag vom 26.–31.5.1929 in Magdeburg abgehalten und dort die Koalitionsfrage sowie den Panzerschiffbau (s. [86], *57*) kontrovers, aber ohne Beschluß diskutiert.
klöhnt] Norddt. für gemütlich plaudern, schwatzen.
bewilligen ganze Flotten] s. [86], *57*.
schießen] Anspielung auf die Straßenkämpfe am 1.5.1929 in Berlin, s. [64].
küssen dem Papst die Hände] s. [42], *170*.
Verrat] Der v.a. von der KPD erhobene, aber auch von vielen parteiunabhängigen Linksintellektuellen geteilte Verratsvorwurf gegenüber der Sozialdemokratie richtete sich zunächst v.a. gegen die «Novemberverräter» Ebert, Scheidemann und Noske, die maßgeblichen Einfluß auf den Verlauf der Revolution gehabt hatten. Während der WR blieben Verrat und «Sozialfaschismus» zentrale propagandist. Begriffe, die die KPD gegen die sozialdemokr. Politik einsetzte. Vgl. ‹Die Ebert-Legende›, Bd. 8 [11]; ‹Was brauchen wir –?›, Bd. 8 [29]; ‹Das Sozialistengesetz 1878›, Bd. 10 [164].
Reichswehrbetrug] s. [86], *57*.
Zörgiebel] s. [64].
Skat] Auch an anderer Stelle hat KT die SPD-Führer als kleinbürgerliche Kartenspieler karikiert (vgl. Bd. 12, 208, 18f).

68

Endlich die Wahrheit über Remarque!

V: Kaspar Hauser (D[1]); Kurt Tucholsky (D[2])
D[1]: WB Jg. 25, Nr. 24, 11.6.1929, I, S. 902–904
D[2]: Deutschland, Deutschland über alles 1929, S. 216–221
Bibl.: Nd s. Bonitz/Wirtz D 2237; 7 Nd; GW 7

Varianten
Die Varianten sind nach D[2] verzeichnet
0 Remarque!] Remarque **1** berliner] Berliner **14** sogenannter] sog. **16f** hatte] hatte. **17** was?).] was?) **33** berliner] Berliner **61** sind –] sind; **70** Gott-

seidank] Gott sei Dank **76** unsrer] unserer **80** Der deutschen Frau kommt es] Es kommt der deutschen Frau **85** stehe,] stehe **89** höhern] höheren **90** schönern] schöneren **90** unsrer] unserer **93 ff** Aus ... Frau!] *fehlt*

Von Erich Maria Remarques Ende Januar 1929 ersch. Kriegsroman ‹Im Westen nichts Neues› wurden bis Mitte Mai 640000 Ex. verkauft. Die demokr.-bürgerliche Presse reagierte überwiegend begeistert, während die rechtsnationalen Zeitungen eine Hetze gegen Remarque begannen. In der WB sprach Karl Hugo Sclutius in zwei Artikeln dem Bestseller und der gesamten Kriegsbelletristik eine pazifistische Wirkung ab und versuchte, sie als letztlich kriegspropagandistisch zu entlarven: «Mit romantischer Literatur ist die Propaganda gegen den Krieg nicht zu machen. Romantik ist immer für den Krieg. Nur mit der Vernunft. Und Vernunft ist unromantisch.» (‹Pazifistische Kriegspropaganda›, WB 2.4.1929, I, 517–522, hier: 522). Im zweiten Artikel nahm Sclutius zu den zahlr. Zuschriften Stellung, die sein erster Artikel nach sich gezogen hatte (s. ‹Nochmals: Pazifistische Kriegspropaganda›, WB 28.5.1929, I, 826–827). Zuvor hatte Axel Eggebrecht (‹Paul Bäumer, der deutsche Unbekannte Soldat›, WB 5.2.1929, I, 211–213) ein positives Urteil über den Roman abgegeben und die Tendenzlosigkeit hervorgehoben.
Vgl. [178] sowie KT gegen das Verbot der Romanverfilmung, Bd. 14 [33].

Wirkung
s. [114].

1 *berliner Asphaltpresse*] «Asphaltpresse», «Asphaltliterat» oder auch «Asphaltkultur» waren gängige Kampfbegriffe der polit. Rechten, die sich gegen die demokr. Großstadtmoderne wandten und für eine völkische «Blut und Boden»-Kultur eintraten. Vgl. auch [60], *0*.

3 f *Obersten Heeresleitung entlehnt*] Ab Herbst 1917 hatten die Meldungen von der Westfront – im Gegensatz zu ausführlichen Berichten von der Ostfront – häufiger nur den Wortlaut: «Vom (oder «Im») Westen nichts Neues».

6 *‹Süddeutschen Monatshefte›*] Im Juni-Heft der von Paul Nikolaus Coßmann hg. nat.-konserv. Zeitschrift (vgl. auch [73], 250 f) hatte Josef Magnus Wehner in der Bespr. ‹Neue Kriegsbücher› (694 f) dem Roman von Remarque einen Abschnitt gewidmet. Die Rez. enthält keine antisemit. Anwürfe, stellt aber eine «natürlich gegen den Krieg gerichtet[e]» Tendenz fest, die ihn soweit verleugne, «daß sie sich nicht an Ort und Zeit, ja überhaupt kaum an die Geschichte bindet – eine fast exotische Wider-

natürlichkeit, nur dadurch erklärlich, daß der Verfasser das Schicksalhafte des Weltenbrandes, den Gegensatz der Völker, ja das eigentlich Kriegerische des Krieges, also sein Wesen, überhaupt nicht sieht».

Name dieses Judenknäbleins] Parodie der Gepflogenheit der rechtsnat. Presse, polit. Gegnern, so auch Remarque, eine jüd. Herkunft zu unterstellen. CvO sollte noch 1932 auf solche Versuche hinweisen, über den Geburtsnamen Remarques (er hieß ursprünglich Erich Paul Remark) zu spekulieren, s. ‹Der Fall Remarque›, WB 12.4.1932, I, 548, in: Ossietzky 1994, Bd. VI, 349–352.

Synagoge in der Oranienstraße] In unmittelbarer Nähe der Oranienstraße im Berliner Südosten lagen mehrere Synagogen.

«Salatschammes»] Abgeleitet von (jidd.) «Schlattenschammes»: unterster Diener. Die Bedeutung von «Schlatten» ist nicht gesichert, wird meist als «Salat» übersetzt. In der Verbindung mit «Schammes» (Diener) wird die Erklärung vorgeschlagen, daß es sich um die Person handele, die den Salat für die Sederschüssel an Pesach zu besorgen hatte (s. Werner Weinberg: Die Reste des Jüdischdeutschen. Stuttgart usw. 2. Aufl. 1973, 95).

Zinnentzitz] Offenbar fiktiver Ort.

Tateleben] (jidd.) Anrede- und Koseform für Vater (Tate).

Christenkinder … verschwanden] Anspielung auf die antisemit. Legende, derzufolge immer wieder christliche Kinder jüdischen Ritualmorden zum Opfer fallen.

Rosalie Himmelstoß] Vgl. unten *57f.*

berliner Warenhausbesitzers] Viele bekannte Berliner Warenhäuser waren in den 20er Jahren Eigentum jüd. Familien (z.B. N. Israel, A. Jandorf, KaDeWe, Hermann Tietz, Wertheim).

Brechtschen ‹Verbrechern›] ‹Die Verbrecher› war ein Stück Ferdinand Bruckners (s. [44], *36*). Anspielung auf die Plagiatsvorwürfe gegen Brecht, s. [58] sowie die Glosse ‹Brecht im Original› (WB 14.5.1929, I, 764), die scherzhaft annimmt, «daß es sich im Falle Bert Brecht um eine Art Ferdinand Bruckner handelt, um ein bloßes Pseudonym, hinter dem sich namhafte Schriftsteller wie Villon und Kipling verbergen».

Freimaurer und Jesuit] Anspielung auf die Angriffe der polit. Rechten gegen Freimaurer und Jesuiten. Berühmt waren die sektiererischen Aktivitäten des 1925 von Ludendorff und seiner Frau Mathilde gegr. Tannenbergbundes, s. [13], *118*.

Armierungstruppe] Im Nov. 1916 wurde Remarque als Rekrut eingezogen und rückte im Juni 1917 an die Westfront in Flandern ab, wo er in einem Schanztrupp in rückwärtigen Stellungen, die aber noch unter Beschuß lagen, eingesetzt wurde. Am 31. Juli wurde Remarque bei einem Feuerüberfall durch Granatsplitter an Arm und Bein sowie durch einen Halsschuß verletzt. Er wurde in eine Klinik nach Duisburg transportiert und erst Ende Okt. als «garnisonsverwendungsfähig Heimat» entlassen. Der Waffenstillstand kam einem erneuten Fronteinsatz zuvor.

49 *Feind ... gesehen*] KT hat schon in früheren Jahren gespottet, der Kronprinz habe sich im 1. Weltkrieg weitab von seinen Truppen und dem eigentlichen Kampfgeschehen gehalten. So schrieb er in der Vorbemerkung zum Neuabdr. des Vorkriegsartikels ‹Vormärz› (Bd. 2 [52]): «Der ewige junge Mann liebt den Sport, wovon ja jene als Soldaten verkleideten Arbeiter etwas wissen, denen er vor Verdun – weit vor Verdun – mit einem Tennisracket zuwinkte, als sie an ihm vorbeizogen, um sich schlachten zu lassen» (Bd. 8 [190], 5 ff).

50 *Osnabrück*] Remarques Geburtsort.

50 *als Damenschneider*] Nach dem 1. Weltkrieg war Remarque aushilfsweise als Landlehrer, Buchhalter, Grabsteinverkäufer und Klavierlehrer tätig, bevor er 1922 nach Hannover zog, um dort als Werbetexter für die Continental-Gummiwerke zu arbeiten. 1924 ging er nach Berlin und wurde Sportjournalist bei der Illustrierten ‹Sport im Bild›, die im rechtsnationalen Hugenberg-Konzern erschien. Remarques Tätigkeit in der Werbebranche verteidigt KT in [178], 71 ff.

53 *Haarmann*] Fritz Haarmann war einer der berühmtesten Verbrecher der Weimarer Republik. Er hatte in Hannover fast dreißig junge Männer durch Biß in den Kehlkopf getötet, die Opfer zerstückelt und in einen Fluß geworfen. Der Serienmörder wurde 1925 nach einem spektakulären Prozeß hingerichtet. Der Fall Haarmann wuchs sich zum Skandal aus, da Haarmanns Tätigkeit als Polizeispitzel diesen lange Zeit vor Verfolgung durch die Justiz geschützt hatte (vgl. Bd. 6 [118]; Bd. 10 [100], 209 ff).

55 *Baldower*] Von hebr. baal-dabar, Herr der Sache; in der rotwelschen Gaunersprache: Auskundschafter oder Anführer bei Diebesunternehmungen.

57 f *Himmelstoß*] Einer der Ausbilder des Rekruten Remarque in der Osnabrücker Kaserne war ein Unteroffizier Himmelreich, der im Roman als «Himmelstoß» persifliert wird.

60 *grausamer Handlungen*] Zu den Greueltaten der dt. Soldaten in Belgien und Frankreich während des 1. Weltkriegs vgl. [64], *5 f*, sowie v. a. Bd. 3 [13], *22*; [68], *37 ff*.

64 *«Deutschland, Deutschland über alles!»*] Hoffmann von Fallersleben: Das Lied der Deutschen (1841); Strophe 1, Vers 1: «Deutschland, Deutschland über alles»; von 1922–1945 mit Haydns Melodie der österr. Kaiserhymne (1797) dt. Nationalhymne.

65 *gen Paris*] Die dt. Truppen waren im August 1914 mit optimistischen Paro-

len wie «Ausflug nach Paris» oder «Auf Wiedersehen auf dem Boulevard» an die Westfront aufgebrochen, wurden jedoch in der sog. Marneschlacht (5.–9.9.1914) von einer neuformierten frz.-brit. Streitmacht vor Paris gestoppt und zurückgeworfen.
hinten geschlemmt] Der verbreiteten Kritik der Frontkämpfer an den hinter der Front eingesetzten Soldaten (den sog. «Etappenschweinen»), denen ein ausschweifendes Leben nachgesagt wurde, widmete KT den Artikel ‹Militaria II. Verpflegung›, Bd. 3 [9]. Auch KT sah sich nach dem Kriege von rechtsnationaler Seite diesem Vorwurf ausgesetzt (vgl. Bd. 3 [173], *55*).
deutschen Frauen] Vgl. z. B. Bd. 3 [137], *27*, *27f.*
Siegfried Hagen & Co.] Anspielung auf zwei Helden der german. Nibelungensage, die in rechtskonservativen Kreisen als Nationalmythos der Deutschen gefeiert wurde.
Klubabend] Mögl. Anspielung auf den 1924 auf Initiative von Heinrich Freiherr von Gleichen-Rußwurm in Berlin gegr. Deutschen Herrenklub, in dem Großagrarier, Industrielle, hohe Politiker und Beamte verkehrten. Ziel war u. a. die Ablösung des parlamentar. Systems durch eine autoritäre Staatsführung.
angegriffen wird] Anspielung auf die dt. Kriegspropaganda, die die Schuld am Kriegsausbruch den Alliierten zuschob und behauptete, einen Verteidigungskrieg zu führen; vgl. [89].

69

Kleiner Brief

V: Peter Panter
D[1]: WB Jg. 25, Nr. 24, 11.6.1929, I, S. 913–914 [Rubrik:] Bemerkungen
Bibl.: Bonitz / Wirtz D 2238

Wallace-Parodie] Hans Reimann: Männer, die im Keller husten. Parodien auf Edgar Wallace. Berlin 1929. Aus Anlaß des Erscheinens hatte Reimann in der WB vom 28.5.1929 (I, 827–829) den Artikel ‹Der Kriminalroman› veröffentlicht.
f *«Man liest … finden konnte.»*] Reimann: Der Kriminalroman (s.o. *1*), 829.
sind wir uns einig] In seinem Artikel (s. o. *1*) hatte Reimann festgestellt, daß auch Wallace seine Romane wie alle Krimiautoren nach festgelegten Regeln des Genres schreibe, und somit eher konventionell sei. Vgl. von KT ‹Kriminalromane›, Bd. 10 [130].

11 *‹Menschen›*] Edgar Wallace: Menschen. Ein autobiographischer Roman. Übertr. von Richard Küas. Leipzig [1927] (Orig.: People. London 1926).

12 f *betrübliche Dinge*] Vermutl. spielt KT hier auf Wallace's Plädoyer für drakonische Maßnahmen im Strafvollzug, insbes. die Prügelstrafe, an. Im Gegensatz zum Dt. Reich, wo sie 1923 abgeschafft wurde, hielt England auch in den 20er Jahren an der Prügelstrafe als Zusatzstrafe für schwere Verbrechen fest. Bei Wallace hieß es dazu resümierend: «Die Prügelstrafe hat den Erdrosseler ausgetilgt, und Verlängerung und Erschwerung des Strafmaßes haben den bewaffneten Einbrecher zu einer fast erloschenen Spezies gemacht. Es gibt nur eine wirksame Waffe in den Händen des Gesetzes, das mit Verbrechern zu tun hat, und das ist die Waffe des Terrors» (ebd., 228). KT kam noch mehrmals auf Wallace's Befürwortung der Prügelstrafe zurück, vgl. Bd. 13 [129], 1 f, sowie Bd. 14 [66], 182 ff.

17 *meinen Nachttisch*] Gemeint ist die Reihe der unter dem Pseud. Peter Panter seit 1927 in der WB ersch. Sammelrez. mit dem Titel ‹Auf dem Nachttisch›.

20 *zwei verschiedene Ausgaben*] ‹The Four Just Men› (1905) war das erste Buch von Wallace. 1928 erschien die dt. Ausgabe u. d. T. ‹Die vier Gerechten› in der Übers. von C. Meitner. Bereits 1927 war in der Übers. von Richard Küas der Roman ‹The Three Just Men› (1926) u. d. T. ‹Die drei Gerechten› erschienen.

25 *Goldmann*] Der dt. Verleger der Kriminalromane von Wallace, dessen Werk in Deutschland bis Mai 1929 in einer Gesamtaufl. von 1,3 Mio. Ex. erschien (zu KTs Kritik an Goldmanns Verlagspolitik vgl. Bd. 13 [129], 1 ff).

26 *So opfern sich deutsche Verleger*] Vgl. [41].

28 *kudr Mann*] Anspielung auf Reimanns im sächs. Dialekt geschriebene Anekdotensammlungen: ‹Sächsische Miniaturen› (Leipzig, Hannover 1921); ‹Dr Geenij› (Hannover, Berlin 1923); ‹Neue sächsische Miniaturen› (Dresden 1928). KT hat alle Bände rezensiert; s. Bd. 5 [43]; Bd. 6 [57]; Bd. 9 [167], 184 ff. – Reimanns Sprachbuch ‹Sächsisch› (München 1931) besprach KT ebenfalls; s. Bd. 14 [102].

31 *aneinandergeschweißt*] KT greift die Metaphorik Reimanns auf. Dieser hatte geschrieben: «Wer einen Kriminalroman zum wiederholten Male liest, wird der Löt-Stellen inne, der Ritzen und Fugen, der Löcher, der Scharniere, des dürftigen Räderwerks» (Reimann: Der Kriminalroman, s. o. *1*).

33 *Gott aber ist groß*] So heißt es z. B. im Buch Hiob: «Siehe, Gott ist groß und unbegreiflich» (36, 26).

34 f *für ein Fixum*] Wallace hatte die Geschichte zunächst in seinem eigenen Verlag Tallis Press (London) herausgebracht und war darüber bankrott

gegangen. Die Restexemplare verkaufte er inklusive sämtlicher Rechte für 72 Pfund Sterling an den Verlag Georges Newnes (London). An dem Verkaufserfolg konnte er nicht partizipieren (s. Wallace: Menschen, s.o. *11*, 179f).
Es … Allah] Oberstes Glaubensgebot des Islam: «Es gibt nur einen Gott (Allah), und Mohammed ist sein Prophet».
f *grüne … Smaragd*] Zusammenziehung verschiedener Wallace-Titel: ‹Der grüne Bogenschütze› (1928, Orig.: 1923); ‹Der Frosch mit der Maske› (1928, Orig.: 1925); ‹Die gelbe Schlange› (1928, Orig.: 1926); ‹Der viereckige Smaragd› (1929, Orig.: 1926); ‹Die blaue Hand› (1928, Orig.: 1925).
Schälchen Heessen] (sächs.) Tasse Kaffee.

70

[Was soll mit den Zehn Geboten geschehen?]

V: Ignaz Wrobel
D^1: Die Literarische Welt Jg. 5 (1929), Nr. 24, 14.6.1929, S. 4
Bibl.: Nd s. Bonitz/Wirtz D 2239; 1 Nd; GW 7

‹Die Literarische Welt›, Berlin 1925–1933 (bis 1927 ersch. im Verlag Ernst Rowohlt, Berlin); Wochenzeitschrift, hg. von Willy Haas; bedeutende Literaturzeitschrift der WR. KT veröffentl. nur vereinzelt Texte in der ‹Literarischen Welt›, zumeist Antworten auf Rundfragen.

Rundfrage] KT antwortete mit diesem Beitrag auf eine von der ‹Literarischen Welt› veranstaltete Rundfrage, die bereits im vorhergehenden Heft Nr. 23 begonnen und in Nr. 27 beendet wurde. In der red. Einleitung zur ersten Folge hieß es: «Wir fragten im Wesentlichen, ob die 10 Gebote heute noch einen Wert und Sinn haben, und welchen; ob man sie zum internationalen Gesetz erheben oder ob man vielleicht neue 10 Gebote als Ausdruck und Essenz der heutigen Moral schaffen und international sanktionieren lassen sollte. Die Fragen waren übrigens individuell gestellt.» (Die Literarische Welt Jg. 8, Nr. 23, 7.6.1929, 3). – Außer KT antworteten G.B. Shaw, Paul Levi, Martin Buber, Friedrich Muckermann, Leopold Schwarzschild und Ludwig Ebermayer; in Nr. 25 folgten unter dem gleichen Titel Gespräche mit Henri Barbusse, Henri Massis und Julien Benda, in Nr. 27 Antworten von Polgar, Erwin Wexberg und Alain.
Du sollst nicht töten] Das 5. Gebot.
die Kirche nicht] Vgl. [42], *127*.
du sollst nicht stehlen] Das 7. Gebot.

12 *du sollst nicht ehebrechen*] Das 6. Gebot.

13 *du sollst nicht begehren deines …*] Das 9. Gebot: «Du sollst nicht begehren deines Nächsten Haus»; das 10. Gebot: «Du sollst nicht begehren deines Nächsten Weib, Knecht, Magd, Vieh oder alles, was sein ist».

21 *Filmtitel*] Z.B. ‹Thérèse Raquin› (Frankreich/Deutschand 1928) von Jacques Feyder (dt. Titel: ‹Du sollst nicht ehebrechen›); ‹Du sollst nicht stehlen› (Deutschland 1927) von Victor Janson; ‹Die zehn Gebote› (USA 1923) von Cecille B. De Mille (Orig.: The ten Commandments).

23 *an die Wand*] Damals als Wandschmuck gebräuchliche auf Tuch gestickte moralisierende-religiöse Sinnsprüche (vgl. Abb. in DD, s. Bd. 12, 155).

26 f *«Dem … bleiben»*] Sprichwörtl. nach der Eintragung Wilhelms I. in die Altarbibel der Siegesdankkirche zu Altwasser am 6. 11. 1887.

63 *Diskonto-Gesellschaft*] Anspielung auf den spektakulären Einbruch der Brüder Franz und Erich Saß in der Nacht zum 27.1.1929 in den als absolut sicher geltenden Tresorraum der Berliner Disconto-Gesellschaft am Wittenbergplatz, bei dem sie Gold und Schmuck im Wert von ca. 2 Mio. Reichsmark erbeuteten. Sie konnten des Verbrechens nicht überführt werden und mußten im April 1929 aus der Untersuchungshaft entlassen werden. Die Brüder, die auch vor und nach ihrem großen Coup mehrere Einbrüche begingen, genossen in der Berliner Bevölkerung einen legendären Ruf. Sie wurden erst 1934 in Dänemark gefaßt.

69 *Sakrament*] Vgl. CvO: Das lädierte Sakrament. In: Ossietzky 1994, Bd. V, 249–251; KT: ‹Brief an eine Katholikin›, Bd. 13 [16], und ‹Von den Kränzen, der Abtreibung und dem Sakrament der Ehe›, Bd. 14 [19].

74 *trägt wieder katholisch*] Modernisierungsbestrebungen im dt. Katholizismus, bei denen Zeitschriften wie ‹Hochland› oder ‹Die Schildgenossen› mitwirkten, hatten die kulturelle Selbstisolierung, in die der Katholizismus im Zuge des Kulturkampfes (s. [60], *75*) geraten war, aufgebrochen. Am kulturellen Diskurs der WR waren Intellektuelle wie Romano Guardini, Max Scheler, Carl Schmitt, Walter Dirks aus unterschiedlichen Positionen heraus beteiligt. Auch der demokratisch orientierte Teil des Zentrums trug zur Präsenz des Katholizismus in der Öffentlichkeit bei.

76 *fascistischen Snobismus*] Unter den kath. Modernisierern in Deutschland, Italien, Österreich und Frankreich gab es Sympathisanten von Mussolinis Faschismus, mit dem der Vatikan am 11. 2. 1929 die sog. Lateranverträge abgeschlossen hatte (s. [42], *170*).

83 *beim Völkerbund*] Die durch den Lateranvertrag gewonnene staatl. Souveränität des Vatikans (s. [42], *170*) führte in der Presse zu Spekulationen über die Aufnahme des Kirchenstaates in den Völkerbund (s. ‹Der Vatikan Völkerbund-Mitglied?›, Voss 5. 2. 1929), zu der es allerdings nicht kam.

71

Auf dem Nachttisch

V: Peter Panter
D^1: WB Jg. 25, Nr. 25, 18.6.1929, I, S. 935–941
Bibl.: Nd s. Bonitz/Wirtz D 2240; 1 Nd; GW 7
Sammelrez.: Der große Brockhaus. Bd. 1: A–Ast. Leipzig: Brockhaus 1928 – Walther Rode: Justiz. Fragmente. Berlin: Rowohlt 1929 – Franz Alexander und Hugo Staub: Der Verbrecher und seine Richter. Ein psychoanalytischer Einblick in die Welt der Paragraphen. Wien: Internationaler Psychoanalytischer Verlag 1929 – Max Hölz: Vom «Weißen Kreuz» zur Roten Fahne. Jugend-, Kampf- und Zuchthauserlebnisse. Berlin: Malik-Verlag 1929 – Walter Mehring: Die Gedichte, Lieder und Chansons des Walter Mehring. Berlin: S. Fischer 1929

Druckbogen] KT, der sich seit April 1929 in Schweden aufhielt (s. [53], *1*), arbeitete an seinem «Bilderbuch» ‹Deutschland, Deutschland über alles›, das im Aug. 1929 erschien; s. Bd. 12.
Vichy-watten] Vatten (schwed.): Wasser. Heilwasser aus dem frz. Kurort Vichy in der Auvergne.
f *‹Neuen Bücherschau›*] Arthur Rudolf: Und noch ein Briefchen an Tucholsky, in: Die neue Bücherschau Jg. 7, H. 3, März 1929, 136 (im Anschluß an Max Hermann-Neißes Rez. von KTs Sammelband ‹Das Lächeln der Mona Lisa›, Berlin 1928).
vom Ausland] Die im 16. Jh. in Deutschland geschaffene Form der Fraktur-Schrift war noch in den 20er Jahren gebräuchlich, während in Westeuropa die Antiqua verwendet wurde.
in einem Brief] Nicht überliefert.
f *mit der Reaktion*] Die Entscheidung für die Verwendung einer der beiden Schriften gab oft auch über den ideologischen Standort einer Zeitschrift Auskunft: die WB erschien seit 1920 in Antiqua, viele konservative Zeitungen (allerdings auch die liberale Voss) ganz oder teilweise in Fraktur.
f *«Der ‹Kleine Brockhaus› … kommt.»*] Der Brief ist nicht überliefert.
f *‹Kleine Brockhaus›*] Das einbändige Lexikon ‹Der kleine Brockhaus. Handbuch des Wissens, A–Z›. Leipzig: Brockhaus 1929.
Fraktur] Recte: Antiqua.
«völkische Geographie»] Vgl. Bd. 10 [150].
«Frag mich was»] Ein aus Amerika importiertes Wissensspiel; s. F. Bondy: Frag mich was!, WB 16.8.1927, II, 271 f.

62 *Walther Rode*] KT wurde im Juni 1933 persönlich mit Rode bekannt (s. Bd. 20 [B 24], 19ff, *20*).

63 f *‹Beamtenpyramide›*] Walther Rode: Österreichs Beamtenpyramide. Wien 1927.

65 *richtigen Namen*] Rode verwendet in seinen Schilderungen keine Decknamen für die an den unterschiedlichen Justizfällen beteiligten Personen.

67 f *nichts so heiß … wird*] Nach der Redensart «Nichts wird so heiß gegessen, wie es gekocht wird».

70 *Reichsgericht*] 1879–1945 höchster dt. Gerichtshof mit Sitz in Leipzig.

71 *Obersten Gerichtshof*] Vgl. ‹Gericht über den Obersten Gerichtshof›. Rede, gehalten am 23. Juni 1925 vor dem Schwurgericht Wien. In: Rode 1929, 219–271 (als selbständige Schrift: Wien 1925). Es handelt sich um eine Verteidigungsrede in eigener Sache. Rode war angeklagt, in einem Zeitungsartikel zu Haß und Verachtung gegen den Kassationshof (Oberster Gerichtshof in Strafsachen) aufgereizt zu haben, worin er dessen Prozeßführung in einem Mordprozeß attackiert und das Urteil als Justizirrtum kritisiert hatte. Rode wurde freigesprochen. – Schon früher hatte er mit ‹Der Fall Petko Peneff und der mündliche Gerichtstag vor dem Kassationshof› (Wien 1918) den Kassationshof angegriffen.

79 *gegen Piscator*] Rode 1929, 11. – Gemeint ist die jurist. Auseinandersetzung um Tolstois Drama ‹Rasputin, die Romanows, der Krieg und das Volk, das gegen sie aufstand› in der Inszenierung Piscators (UA 10.11.1927 im Theater am Nollendorfplatz), die Wilhelm II. als Figur auf die Bühne brachte. Dagegen setzte sich dieser mit einer Verfügung vom 24.11.1927 zur Wehr, weil er seine Persönlichkeitsrechte verletzt sah. In der entsprechenden Szene wurde daraufhin der Text der Verfügung verlesen (s. Erwin Piscator: Zeittheater. Reinbek 1986, 164–170, dort auch der Text der Verfügung).

84 ff *«Man kann … aufhängen darf.»*] Rode 1929, 12. Mit ähnlicher Formulierung hatte Walther Rode in einem Artikel für die WB argumentiert (‹Das Recht des Exkaisers›, WB 6.12.1927, II, 853–854).

91 *Kernstück des Buches*] ‹Wenn sie nicht wollen. Der rätselhafte Tod der Susi Hauser-Devrient›, Rode 1929, 115–184.

104 *Ehrengerichtsbarkeit*] Standesgerichtsbarkeit der dt. Rechtsanwälte. Die gesetzl. Grundlage für ehrengerichtl. Verfahren war §28 der Rechtsanwaltsordnung. Gegen die fortdauernde Auslegung der beruflichen und außerberuflichen sog. Ehrenvorschriften im «Obrigkeitsgeiste ihrer Entstehungszeit und Anwendung während der Kaiserzeit» wandten sich weite Kreise der Anwaltschaft und forderten die Angleichung an die WRV; vgl. dazu Ludwig Bendix: Die Änderung der anwaltlichen Standespflicht

durch die Weimarer Verfassung, in: Die Justiz Jg. 2, H. 3, Februar 1927, 317–319. Vgl. auch KTs Kritik an der Ständejustiz Bd. 9 [A 1], 10–29.
Kantorowicz … verteidigt] Nicht ermittelt.
neuen Strafgesetzbuch] Vgl. [25], *0.*
der alte Kahl] Vgl. [43], *278.*
Fundamentalwahrheit] Über den Zusammenhang von Trieb, Kriminalität und legitimierter Gewalt vgl. z. B. ‹Der Schädling der Kriminalistik›, Bd. 10 [100], 185 ff.
f *«Der Kriminelle … nehmen.»*] Alexander/Staub 1929, 26.
f *sie wissen nicht, was sie tun*] Nach dem NT rief Jesus am Kreuze aus: «Vater, vergib ihnen; denn sie wissen nicht, was sie tun!» (Lukas 23, 34).
Max Hölzens] Hölz war im März 1921 am Mitteldt. Aufstand beteiligt gewesen und am 22.6.1921 u.a. wegen Hochverrats und Totschlags zu lebenslänglichem Zuchthaus verurteilt worden. 1927 stand Hölz im Mittelpunkt einer Amnestiekampagne der DLfM für die Freilassung polit. Gefangener (s. Bd. 9 [89], *96*; [127]; [143]). Am 18.7.1928 wurde er im Zuge eines Gesetzes über Straffreiheit aus der Haft entlassen. Anfang Juni 1929 hatte das Reichsgericht einen Wiederaufnahmeantrag Hölzens verworfen, mit dem sich dieser angesichts des sich mittlerweile als unzutreffend erwiesenen Tötungsvorwurfes um seine Rehabilitierung bemühte. Die WB kommentierte diese Entscheidung als «einen Rechtsskandal ärgster Art, der eine Analogie nur noch im Dreyfusprozeß findet»; s. die «Antwort» ‹Max Hoelz›, WB 11.6.1929, I, 917.
verdienstvollen Malik-Verlag] s. [41], *3.*
f *demokratische Zeitung … Bürscherhaus –»*] Wohl phonet. Wiedergabe der hess. Mundart, infolgedessen hier mögl. Anspielung auf die Rez. der FZ, die das Buch zwar sehr wohlwollend beurteilte, aber konstatierte, es wirke «mehr durch den Inhalt als durch die etwas ungelenke Form» (A. G.: Erinnerungen eines «Räuberhauptmannes», FZ 27.4.1929, 1. M).
Husaren mit Braut] Hölz 1929, 48 f.
Generalsmemoiren] s. [89], *347 f.*
Verteidigungsrede] Hölz' Abschlußrede im Prozeß vor dem außerordentlichen Gericht beim Landgericht I in Berlin erschien u. d. T.: ‹Max Hoelz' Anklagerede gegen die bürgerliche Gesellschaft. Gehalten vor dem Moabiter Sondergericht am 22. Juni 1921 in Berlin›. Nach dem stenographischen Bericht. Mit einem Vorwort von Felix Halle. Leipzig, Berlin 1921 Vgl. dazu auch Hölz 1929, 208–215. Seit 1925 kam KT immer wieder auf diese Rede zu sprechen.
Kopf verlor] Auf Hölz' Angriffe gegen die Justiz, die er in direkter Ansprache an den Vorsitzenden richtete, reagierte dieser, indem er Hölz das

Wort entzog. Hölz protestierte: «Ihr könnt das Wort verbieten. Ihr tötet nicht den Geist!» (s. ‹Hölz zu Zuchthaus auf Lebenszeit verurteilt›, BT 23. 6. 1921, M).

223 *noch einmal zurückkommen*] KT erwähnte das Buch 1929 nur noch einmal en passant, s. [171], 92 f; 1931 kam er nochmals kurz darauf zu sprechen, s. ‹Wir Zuchthäusler›, Bd. 14 [66], 38 f.

225 f *Ankündigung … Strafvollzug»*] Vgl. [96], *26*; [171].

228 f *ein paar Meilen vom Parlament*] Die Untersuchungshaft verbrachte Hölz im Untersuchungsgefängnis in Moabit (s. [61], *21*), seine Zuchthausstrafe verbüßte er in Münster, Breslau, Groß-Strehlitz und Sonnenburg. Im zweiten Teil seiner Memoiren (‹Acht Jahre in deutschen Zuchthäusern›, 217 ff) schildert er die entwürdigenden Haftbedingungen und die körperlichen wie psychischen Mißhandlungen, denen die Häftlinge ausgesetzt waren.

229 *Wilhelmstraße*] s. [2], *0*.

232 *unterkietigste*] (berlin.) Niederträchtigste, höchst unangenehme.

245 *Partei*] Die KPD, zu der Hölz in einem gespannten Verhältnis stand. Da er deutlich dem Anarchismus zuneigte, besetzte er innerhalb der Partei keine bedeutenden Positionen, wurde aber aufgrund seiner Beliebtheit nach seiner Freilassung gern als Redner eingesetzt. 1920 war Hölz wegen mangelnder Parteidisziplin vorübergehend (Apr.–Dez.) aus der KPD ausgeschlossen worden.

249 *Bülow*] Vermutl. der konserv. Politiker und ehem. Reichskanzler Bernhard Heinrich Martin Fürst von Bülow, vgl. ‹Wie hätte Bülow …›, Bd. 1 [221].

251 *Bildung … nachts stehlen*] Vgl. auch [101], 100 ff.

256 *der Wind saust um das Haus*] Vgl. [53], *1*.

262 *Walter Mehring*] Zu Mehring s. [66], *84*.

267 f *Friedrich Hollaender und W. R. Heymann*] Hollaender vertonte Anfang der 20er Jahre zahlr. Mehring-Texte, so etwa ‹Das Börsenlied›, ‹Jazzband› und ‹Der Rattenfänger von Hameln› (in: Mehring 1929, 31–35, 105–107, 149–154); s. a. unten *318*; [81], *67*. Heymann, 1921–23 musikal. Leiter von Hesterbergs «Wilder Bühne», setzte z. B. Mehrings ‹Kleine Stadt›, ‹Die Kälte› sowie ‹An den Kanälen› in Musik um (in: Mehring 1929, 159–161, 162 f, 167–169).

278 f *haben einmal beide*] Mehrings Couplet ‹Die 4 auf der Walze› (Mehring 1929, 181 f) aus der Revue ‹Europäische Nächte› (Berlin 1924) und KTs ebenfalls 1924 ersch. Lied ‹Auf Wiederseh'n Marie›, Bd. 6 [59].

284 ff *Der Weg … Chausseen*] Mehring 1929, 181–184 (Verse 1 und 2 des Refrains).

ff *Und eh wir … Hallélujah!*] ebd., 183 (Strophe 2, Verse 16–19); im Orig. «gestoßnen» statt «gestoßenen».

‹*Ketzerbrevier*›] Die Sammlung erschien München 1921; Mehring 1929, 47–77, enthält eine Auswahl unter dem um drei Gedichte erweiterten Abschnitt ‹Ketzerbrevier›.

Lieder von der großen Stadt] Im Abschnitt ‹Die Chansons der Fremde. Berlin – Paris – Marseille – Amsterdam – Hamburg›, Mehring 1929, 203–241.

f *die Stras-se … der-Zeit*] Wahrscheinlich Anspielung auf Mehrings Chanson ‹Heimat Berlin›, dessen Refrain lautet: «die Großstadt schreit: / Keine Zeit! Keine Zeit! Keine Zeit!» (Mehring 1929, 205–207).

‹*Music-Hall-Balladen*›] Mehring 1929, 81–124.

‹*Oberammergau*›] ebd., 97–100.

‹*Legenden*›] ebd., 127–154.

f *vom Himmel … her*] Nach dem Titel des Weihnachtsliedes ‹Vom Himmel hoch, da komm' ich her› von Martin Luther (1539; Melodie: Valentin Schumann, 1539).

ff *Karin … Kuß* –] ‹Die roten Schuhe›, Mehring 1929, 127–130, hier: 127.

‹*Schaubude*›] ebd., 137 f. – 1920 von Hollaender vertont.

‹*Schafherde*›] ‹Ziehende Schafherde›, ebd., 146–148.

‹*Die Kälte*›] ebd., 162 f (Abschnitt ‹Die Romanzen›).

‹*Charité*›] ebd., 170–173 (Abschnitt ‹Die Romanzen›).

‹*Wiegenlied*›] ebd., 173 f (Abschnitt ‹Die Romanzen›), KT zit. im folgenden den Beginn des Refrains. Vgl. [66], 130 f, *130 f*.

Paule Graetz] Graetz (s. [66], *54*) hatte ‹Heimat Berlin› im Kabarett «Schall und Rauch» vorgetragen.

ff *Denn wer … Alexanderplatz* –] Mehring 1929, 205–207 (Abschnitt ‹Die Chansons der Fremde›), 3. Strophe, Verse 8–12.

Pariser Chansons] ‹Paris I›, ‹Paris II›, ‹Paris III›, Mehring 1929, 208–222 (Abschnitt ‹Die Chansons der Fremde›).

wie Karl Valentin sagt] In dem Episodenstück ‹Theater in der Vorstadt›, 2. Akt (s. Valentin 1997, 36). KT hatte die Komödie 1924 in einer Gastspielauff. im Neuen Operettentheater am Schiffbauerdamm gesehen, s. ‹Der Linksdenker›, Bd. 6 [138]; dort ist die Szene, jedoch ohne das Zitat, ebenfalls erwähnt (Z. 96 ff).

«Sein Se witzig.»] Vgl. [66].

Poängten dressiert] Vgl. dazu KTs erste Mehring-Rez. ‹Das neue Lied›, Bd. 4 [242], 17.

An der Stelle werde ich] Vgl. dazu [66], 207 ff.

Granowski] Gemeint ist der Moskauer Regisseur und Max-Reinhardt-Schüler Alexander Granowsky, der mit seinem Jüdischen-akademischen

Theater GOSET ein artistisch geprägtes, tänzerisches und vom Futurismus beeinflußtes Bewegungstheater mit Tendenz zur Groteske bot. Von einer Europatournee im Jahr 1928 kehrte er nicht mehr nach Rußland zurück. Er inszenierte u.a. einige Revuen an Reinhardts Deutschem Theater in Berlin.

354 *‹Jiddische Schweiz›*] Mehring 1929, 190–192 (Abschnitt ‹Gassenhauer›). Aufgrund des hohen jüd. Bevölkerungsanteils wurde das Bayerische Viertel in Berlin-Schöneberg «Jüdische Schweiz» genannt.

358 ff *Sonntachs … Schweiz!*] ‹Jiddische Schweiz›, 1. Strophe, mit Auslassung der Verse 3–6.

365 *Levone*] lewóne (jidd.) Mond.

366 *treifne*] (jidd.) nicht koscher.

373 f *Kipling … Herrn Lax*] Anspielung auf die Plagiatsaffäre um Brechts ‹Dreigroschenoper›; vgl. [58], dort insbes. *6*, *8*, *91*.

72

Im Tunnel

V: Peter Panter
D[1]: Vossische Zeitung Nr. 292, 23.6.1929, Sonntags-Ausg.; Unterhaltungsblatt Nr. 144, [S. 4]
Bibl.: Nd s. Bonitz / Wirtz D 2241; 2 NdzL, 2 Nd; GW 7

3 *ius primarum noctium*] Das Recht der ersten Nächte. Das im Mittelalter gelegentlich bezeugte Recht des Grundherrn auf die erste Nacht mit der neu vermählten Frau eines Abhängigen. Hier wohl eher das sittliche Gebot der Jungfräulichkeit vor der Ehe.

5 *Eisenbahntunnel*] Unter der südl. Vorstadt Södermalm hindurchführender Tunnel kurz vor dem Zentralbahnhof von Stockholm.

6 *neulich durchbraust*] s. [53], *1*.

7 *Musch*] s. [36], *48*.

9 *Perlmuttfleck*] Der ursprüngl. nur zur Bezeichnung der Oberseite des Pfeifenmundstücks eingeführte weiße Punkt auf Dunhill-Pfeifen entwickelte sich zum Markenzeichen für Qualität.

11 *Scaferlati Levant*] Oriental. Feinschnittabak.

25 *«Ta mig fan!»*] (schwed.) «Hol mich der Teufel!»

43 *Bourgogne*] Über die berühmte frz. Weinbauregion vgl. ‹Alter Burgunder wird versteigert›, Bd. 10 [190]; ‹Burgunder 1928›, Bd. 10 [218].

«Ça – c'est un Citroën!»] «Wahrhaftig – das ist ein Citroën!» Das frz. Automobilunternehmen besteht seit 1915.

f *«Keine Qualität – nur Ausstattung»*] So auch in KTs Reklame-Parodie ‹Werbekunst oder: Der Text unsrer Anzeigen›, Bd. 9 [182], 27.

f *es ist … Leben*] Von KT häufig gebrauchte Wendung, vgl. u.a. [59], 15f, *15f*.

73

Ein besserer Herr

V: Peter Panter (D^1); Kurt Tucholsky (D^2)
D^1: WB Jg. 25, Nr. 26, 25.6.1929, I, S. 953–960
D^2: Lerne lachen ohne zu weinen 1931, S. 57–68
Bibl.: Nd s. Bonitz/Wirtz D 2242; 1 NdzL, 4 Nd; GW 7
Rez.: Arnolt Bronnen: O.S. Berlin: Rowohlt 1929

Überlieferung
T: 10 pag. Bl., alR mittig vierfach gelochtes Durchschlagpapier, 224 x 283 mm; 1stg., hs. Anm. und Korr. von KT in deutscher und lateinischer Schrift mit schwarzer Tinte, Blei- sowie Buntstift (rot, blau und grün). Soweit nicht anders vermerkt, sind die Korr. mit Bleistift ausgeführt. Die Pag. ist auf den Bl. 2, 5, 6, 8, und 9 ms. (Bl. 10 mit Blaustift) zentriert aoR vorgenommen und z.T. aroR mit blauem Buntstift erg. (Bl. 1, 2, 3 und 4) bzw. korr. (Bl. 5, 6 und 7). Die Änderung der Pag. kommt zustande, weil T von KT an manchen Stellen zerschnitten, mit Ergänzungen versehen und mit diesen auf neuen Blättern des Durchschlagpapiers aufgeklebt wurde. Die ursprüngliche Anordnung ist rekonstruierbar: Nachträgliche Einfügungen sind Z. 56–62 («Jedoch hat … schwarzes Hemd.» [F: Schwarzhemd»]), Z. 98–105 («Es gibt … hebt immer.»), Z. 118–123 («Die Freikorpsknaben … Wohl.») sowie Z. 138–142 («Und wenn … wie gehabt.»). Trennschnitte finden sich zudem nach «alten, ganz» (Z. 74) sowie nach «Kollektivität.» (Z. 211) (Bundesarchiv, RKK, Tucholsky, Kurt, 09.01.1890).
F: 5 Bl., 196 x 333 mm; 1stg., Paginierung aoR, mittig doppelt vierfach gelocht, hs. Anm. und Korr. von KT in deutscher und lateinischer Schrift mit violetter Tinte, Blei- sowie Buntstift (blau, rot und grün). Soweit nicht anders vermerkt, sind die Korr. mit violetter Tinte ausgeführt. 1 unpag. Nachbl. 224 x 283 mm, ungelochtes Durchschlagpapier, aufgeklebt auf F-Papier; 1stg., ms. beschrieben. Bl. 5 ist aus vier Teilen zusammen-

gesetzt: Den oberen Teil bildet der Beginn des fünften F-Bl., diesem folgt ein Auschnitt auf dem Durchschlagpapier von T. Es folgen zwei Ausschnitte auf dem F-Papier. Die drei Teile auf F-Papier sind auf dem Durchschlagpapier aufgeklebt. Die ursprüngl. Anordung ist weitgehend rekonstruierbar: Eine nachträgliche Einfügung ist Z. 337–339 («Wenn dieses … Meinung wäre.»). Auf dem Durchschlagpapier, auf welches der letzte Teil des Bl. 5 so aufgeklebt ist, daß er die Schrift verdeckt, hat KT mit Blaustift notiert: «Andern Schluß!», darunter: «Siehe …». Vermutl. findet sich dieser neue Schluß auf dem unpag. Nachbl., das KT wohl erst nach Erhalt von F dem Bl. 5 als letzten Teil anfügte und in den Satz gab (s. Lesarten Z. 355). AroR findet sich die Druckanweisung «(Schluß zu Bronnen)» (Bundesarchiv, RKK, Tucholsky, Kurt, 09.01.1890; vormals Bestand des Berlin Document Center. Die weitere Provenienz von T und F ist nicht bekannt).

Lesarten und Varianten

Die Varianten sind nach T, F und D^2 verzeichnet

0 Ein besserer Herr] *aroR mit Blaustift, darunter mit schwarzer Tinte* von Ignaz Wrobel *neben gestr. ms. zentriert* Erster Held im Falsett *(darunter mit Blaustift gestr. ms. zentriert* von Ignaz Wrobel*) aoR mittig mit Blaustift und dann mit Blaustift gestr.* Nachruf *und aloR mit Rotstift und unterstr. und dann mit Blaustift gestr.* S.O.S. *T* **1** «Dies] *alR Satzanweisung* Weltbühne borgis *sowie* Petit *(*borgis *mit Bleistift und* Petit *mit Grünstift unterstr.) T* **1 ff** «Dies … Waschzettel] *fehlt D^2* **3** unsres] unseres *T, F* **6** Waschzettel] *arR mit Grünstift unterstr. Satzanweisung* kursiv *T, arR Satzanweisung* eine Zeile tiefer *darunter mit Einweisungsstrich Satzanweisung* Durchschuß *F* **7** Da laßt mich] Nu lasst mir *T, in F gestr. und arR korr. zu* Da laßt mich **7** Dieses] Dies *korr. aus* Denn dieses *T* Dieses *F* **7** sein.] *folgen auf neuer Zeile zwei zentrierte Schrägstriche, rechts daneben Satzanweisung* [Sternchen] *T Asterisk mit Bleistift gestr., alR mit Bleistift Satzanweisung* Sternchen weg. *darunter* Absatz bleibt. *darunter* Kein Durchschuß *F* **8** ist] *gestr., üdZ* heißt *dies wiederum gestr. und darüber* ist: *T* **8** verfaßt] *davor eingefügt und wieder gestr.* ist *T* **8** Arnolt] *davor gestr.* Herrn *T* **8** Bronnen] Bronnen, **9** heißt] *gestr., üdZ aber wiederum* heißt *T* **14** Literatur] *arR mit Grünstift Einweisungsstrich und Satzanweisung* Durchschuß Sternchen *F* **15** *Asterisk fehlt T, D^2* **19** Gesindel;] Gesindel, *D^2* **20** roch] *für gestr.* war *T* **21** Es] *davor gestr.* Die *T* **22** Freikorps] Freicorps *T* **22** mit unerhörter Brutalität] *üdZ ms. eingefügt, davor gestr.* dort *T* **24** die] *korr. aus* diese schwarze *T* **25** ein] *üdZ für gestr.* «jenes *T* **25** «Gemisch] *Anführungszeichen hs. eingefügt T* **25** aus] *für gestr.* von *T* **25 f**

Patriotismus»] *Abführungszeichen hs. eingefügt T* **27** Festsetzung] *davor gestr.* Linie *T* **27** Grenzlinie,] Grenzlinie D^2 **27** die heute läuft,] *fehlt* D^2 **27** durch] *üdZ für gestr.* von *T* **28** Wesentlich] *davor gestr.* Die Abstimmung *T* **28** dann doch] *üdZ eingefügt T* **28 f** gewesen; von] gewesen. Von D^2 **29** damals] *üdZ eingefügt T* **31** gehabt] *korr. aus* dringehabt *T* **32 f** Das … gewesen.] *fehlt* D^2 **33** Auf] *Beginn Bl. 2 T* **34** verraten und] *korr. zu* verraten, *Korrektur zurückgenommen T* **35** verübt worden und] *üdZ eingefügt T* **39** wird] *korr. aus* Wird *dahinter gestr.* hier *T* **41** nicht] *davor gestr.* auf der deutschen? *T* **44** ihre] nur ihre D^2 **45** von] *davor gestr.* die sie *T* **45** nicht] *üdZ für gestr.* weder deligi *T* **46** Bayern] *davor gestr.* München *T* **47** waren] *davor gestr.* da *T* **48** Krach,] *korr. aus* Krach und *T* **48** freies] *gestr. und udZ korr. zu* frisches *T, arR korr. aus* frisches *F* **52** aber] *üdZ eingefügt T* **53** soll] sollte D^2 **56** Jedoch] *Beginn Bl. 3 T* **56** Jedoch hat jede] *üdZ für gestr.* Jede *T* **56** Bewegung] *dahinter gestr.* hat *T* **58** es] *davor gestr.* aber *T* **59** werden;] *arR korr. aus* werden, *F* **59** unsre] *korr. aus* unsere *T* **60** Hamsuns] *korr. aus* Hamsuns, *T* **61** irren] *dahinter gestr.* sich *T* **62** Schwarzhemd] schwarzes Hemd *T, arR korr. aus* schwarzes Hemd *F* **63** Echtheit der] *üdZ ms. eingefügt T* **64** durchaus] *davor gestr.* mässiger Schriftsteller und ein *T* **65 ff** Die … dauern.] *fehlt* D^2 **65** «Vormarsch»] *korr. aus* Vormarsch *T* **67 f** Sie … dauern.] *fehlt T, arR eingefügt F* **68** nicht lange dauern] *korr. aus* sich legen *F* **69** Versteckspiel – wir] Versteckspiel. Wir D^2 **70** sind,] sind D^2 **70** Stärken] *davor gestr.* Charakter *T* **70** Unarten,] Unarten D^2 **71 f** Wie sieht der] *üdZ für gestr.* Der *T* **72** Stil] Ton *T, arR korr. aus* Ton *F* **72** aus?] aus –? *für gestr.* sieht so aus: …? *T* **73** Wenn] *davor gestr.* Es gibt in den alten, alten Reklamebandch *T* **74** Reklambändchen stehen] Reclambändchen stehn D^2 **74** dann] so *dahinter gestr.* finde wrr *T, arR korr. aus* so *F* **76** Torn …),] *korr. aus* Torn …) *T* **77** kindlichen] infantilen *T, arR korr. aus* infantilen *F* **78** daß] *dahinter gestr.* – und das *T* **79** werden.] *korr. aus* werden, *dahinter gestr.* das ist eine Technik, die durch fast alle diewe Also zum Beispiel: *folgt* Etwa: *T, dahinter gestr.* Etwa: *F* **79** treue] *fehlt T, arR eingefügt F* **82** Erbswurst] Erbwurst *davor gestr.* Schwe *T* **83** diente …»,] *korr. aus* diente …» *F* **83** alle] alle diese *T, arR korr. aus* alle diese *F* **84 f** Dieses Deutsch ist eine Affenschande.] *gestr. und erneut üdZ, zusätzlich Zeichen für zurückgenommene Korrektur T* **86** «Herr] *Beginn Bl. 2 F* **90** Pachulke, der Stresemann,] *korr. aus* Pachulke der Stresemann *T* **92** Herr] *fehlt* D^2 **93** wird es] *korr. aus* wirds *T* **93** ja] *üdZ T* **95** ohne] *davor gestr.* also wenn da *T* **96** da die Leute nicht lachen!] *üdZ eingefügt T* **96** Bevor] *korr. aus* bevor *T* **96** berlinere,] *korr. aus* berlinere *T* **97** nicht.] *danach gestr.* Er *T* **98** Es] *Beginn Bl. 4 T* **98** deutschen] *korr. aus* Deutschen *T* **102** Kurz und Knapp] *korr. aus* Kurz, knapp

T, arR Knapp *korr. aus* knapp *F* **103** Schundroman] *korr. aus* Schund-roman» *T* **103** des] *davor gestr.* im neu zwanzigsten *T* **104** deutsches] *korr. aus* Deutsches *T* **105** dergleichen hebt immer] *für gestr.* das hebt Ihnen *(*das *für gestr.* det*)* *T* **105** Bronnen] *nach* immer. *für alR der nächsten Zeile hs. und wieder gestr.* Er *T* **107** Putsch-Killinger] *üdZ ms. korr. aus* Herrn Killinger *T* **108** der] *üdZ für gestr.* in *T* **108** der deutschen Sprache] *fehlt* D^2 **109** kanns Herr Bronnen] kann es Bronnen D^2 **110** Dies ist sein Deutsch:] *üdZ eingefügt* **110** sein Deutsch] *korr. aus* Deutsch *T* **110** offnen] offenen *T* **112** geklaubt] *korr. aus* geklaubt, *T* **114** etwas,] *korr. aus* etwas: *T* so einen Satz, D^2 **116** Geld»,] *korr. aus* Geld.» *T* **116f** und man ermesse daran den Stil.] *ergänzt T* **119** diesen] *üdZ für gestr.* den *(dies bereits Korrektur aus gestr.* von dem*)* *T* **119** Stil] *dahinter gestr.* des Autors *T* **119** haltend] *korr. aus* haltend, *davor gestr.* damit *T* **119** Asch,] *korr. aus* Asch *T* **119** der] *dahinter gestr.* die das *T* **119** Jiddish] Jiddisch D^2 **120** Und] *davor gestr.* Warum? wurde *T* **120** wurde,] wurde: *T, arR korr. aus* wurde: *F* **122** ehm] *davor gestr.* na ja, *T* **123** ehm] *fehlt T, arR eingefügt F* **123** Wohl.] *folgt auf neuer Zeile der Absatz* Hier *(gestr. und udZ eingefügt* An der Stelle mit den Koofmichs *Korr. anschließend mit Rotstift rückgängig gemacht)* wird die Tendenz schon deutlicher –: Bronnen identifiziert sich mit den Korps, muß *(udZ eingefügt* es*)* sich also gefallen *(üdZ eingefügt* lassen*)*, daß wir ihn mit ihnen gleichsetzen. Was will er denn nun eigentlich –? *folgt auf neuer Zeile Einschub, durch rote Korrekturmarkierung verschoben vor* Die Freikorpsknaben *T, Einschub wieder gestr., zuvor* ihn mit ihnen *arR korr. zu* ihn und sie *F* Wohle D^2 **124** Bronnen] Er *Beginn Bl. 5 T, arR korr. aus* Er *F* **124** beschuldigt,] beschuldigt – *T, arR korr. aus* beschuldigt – *F* beschuldigt D^2 **124** Ahnung,] Ahnung – *T, arR korr. aus* Ahnung – *F* Ahnung D^2 **125** Reichs-Regierung] *üdZ korr. aus* Regierung *T* **125f** Nun … Republikaner –] *fehlt* D^2 **126** aber die Regierung] Die Regierung aber D^2 **127** im] *üdZ für gestr.* dem *davor gestr.* in einer ungeher in *(zuvor* ungeher in *üdZ korr. zu* ungeheuern*)* *T* **128** sie] *üdZ T* **131** druff …»,] *arR Komma ergänzt F* **134** Er] *üdZ für gestr.* Der *T* **135** klein,] klein – *T, arR korr. aus* klein – *F* **135** die] *davor gestr.* von den *T* **136f** anzudeuten, daß,] anzudeuten: D^2 **137** waren] sind *üdZ für gestr.* wenn *T, arR korr. aus* sind *F* **137** sie dann] dann sind sie D^2 **137f** Schweine … sind.] *udZ eingefügt (*Schweine *korr. aus* Schweine gewesen sind *dies wiederum korr. aus* Schweine, si*)* *für gestr. arR über der folgenden Zeile* Schweine sind … *T* **138** sind] *fehlt* D^2 *T* **139** Herr] *fehlt* D^2 **139** alles] *davor gestr.* eben *T* **139** wenn] *üdZ für gestr.* wo ein *T* **140** den endgültigen Sieg eines nebulosen Zieles] einen nebulosen Sieg D^2 **142f** Das Minderwertige wird klein geschrieben? Dann aber wollen wir] *üdZ ms. für gestr.* Aber diese *(ms. mit xxx) und* Sodass wir *(hs.), davor gestr. hs.* Schweine sind ... *danach gestr.* also in Zukunft nur *(danach udZ eingefügt und wieder gestr.* mal*) T* Minderwertige *arR korr. aus* Unwichtige *F* **142** aber] üdZ eingefügt *T* **143** dieser] *davor gestr.* kindliche *dies bereits für davor gestr. Schreibansatz* diese tör *T* **143** Deutsche] *üdZ für gestr.* kindliche *T* **144** eine] solche *T, arR korr. aus* solche *F* **145** Wörter] *korr. aus* Wort *T* **146** Nein,] *korr. aus* Nein *T* **147** seine] die *korr. aus* diese *T, korr. aus* die *F* **147** tiefere] *üdZ eingefügt T* **149** kleine,] *korr. aus* kleine *T* **150** andern] Deutschen D^2 **152** Schlageters?] Schlageters –? *T* **152** Wenn die Polen einen] *üdZ für gestr.* Der *T* **152f** haben, so] *üdZ für gestr.* der Polen *T* **153** es] *fehlt T, arR eingefügt F* **153f** Geschichte] *davor gestr.* geschichtli *T* **156** gehabt haben] *üdZ für gestr.* hatten *T* **156** ein Pole] die Polen D^2 **157** seinem] ihrem D^2 **158** ist?] ist –? *T* sind D^2 **158f** Bei ihm ... Mestize».] *eingefügt T* **159f** Er delektiert] *korr. aus* Delektiert *T* **160** aber] *fehlt* D^2 **160** erzählt werden] *durch Streichung und Einfügung üdZ korr. aus* er erzählt *T* **161** Weise.] *folgt ms.* Es ist, wie wenn sich ein weibischer Sadist an einer Auspeitschung *(davor gestr.* fremden*)*, die er nicht einmal selbst vornimmt, aufgeilt – ein sehr fataler Anblick, weil so viel Schwäche in dieser *(korr. aus* diesem*)* Freude *(davor gestr.* Abschmecken Blu*)* am Blutgeschmack ist. *T, Einschub wieder gestr. F* **161** da] *Beginn Bl. 3 F* **161** beim Sturm auf den Annaberg] *üdZ eingefügt T (von KT durch Kommata abgesetzt, die in F fehlen)* **162** bayerischen] bayrischen D^2 **162f** polnische sich flüchtende] fliehende polnische D^2 **164** selber] *Beginn Bl. 6 T* **165** feige-grinsend] feige-grinsend, so *davor gestr.* fein *T, arR korr. aus* feige-grinsend, so *F* **165** was] Was D^2 **166** Annaberg.] *folgt auf neuer Zeile mit Blaustift gestr.* Es wird ein Fememord geschildert, übrigens nicht schlecht geschildert (obgleich man nicht *[üdZ für gestr.* nur*]* an die grandiose Todesscene in den Hamsunschen Landstreichern denken darf *[korr. aus* zu denken hat*]* wo der verliebte Schiffer im Moor versinkt und es so spät merkt, dass er sterben muss ...) dieser Fememord wird durchaus bejaht, durchaus als richtig hingestellt – – *T* **167** denn] eigentlich *T arR für gestr.* eigentlich *F* **170** Vaterlandsliebe?] *folgt* Mit Ausnahme der Artamanen tut das keiner von denen. D^2 **172** drei] *üdZ für gestr.* zwei *T* **175** «enthält dreierlei] *udZ für gestr.* muss *T* **176** Bronnen] *davor gestr.* der *T* **179** Nationalflagge] *Korrekturzeichen für Zeilenumbruch F* **179** auch.] *folgt gestr.* Diese Komik ist unbeschreiblich. *T* **179** Man] *auf neuer Zeile T, Zeilenumbruch getilgt F* **179f** ersten] *üdZ ms. eingefügt T* **180** wenn] [w]ie *Textverlust durch Lochung alR T, arR für gestr.* wie *F* **180** Szene] Scene *T* **182** vor] *davor gestr.* da lieg *T* **182** Paris!] Paris ... *T, arR korr. aus* Paris ... *F* **185** liegt] *dahinter gestr.* dann *T* **186** seltene] *arR korr. aus* seltne *F* **189f** Da steht zum Beispiel gegen] *üdZ für gestr.* Gegen *T* **193** Felsen] *dahinter gestr.* Kreidefelsen *T* **193** schlug] *dahinter gestr.* (Bronnen schreibt: *T* **194f** wird uns als Block teutonischer Solidarität geschildert;] will *(davor gestr.* erzählt*)* uns etwas von *(Beginn Bl. 7)* teutonischer Solidarität erzählen –! *(korr. aus* erzählen;*) T, arR korr. aus* will uns etwas von teutonischer Solidarität erzählen: *F* **195** geschildert; es] geschildert. Aber es D^2 **195** die] *korr. aus* diese *T* **196** immer] *üdZ eingefügt T* **200** wirklich] *dahinter gestr.* ergriffen *T* **201** ergibt!] ergibt –! *T* **205** beglückend] *korr. aus* beglückend, *T* **206** Gegen] gegen *T, arR korr. aus* gegen *F* **207** ja] *arR korr. aus* ja, *F* **207f** Gleichgültigkeit,] *dahinter gestr.* ihrer Müdigkeit, *T* **210** denn] *fehlt T, arR eingefügt F* **212** Ein Mal] Einmal D^2 **212** sich] *davor gestr.* er *dahinter üdZ eingefügt* der faschistische Pikkolo *T* fascistische *F* **215** eignen] *korr. aus* eigenen *T* **217** tiefer,] *korr. aus* tiefer un *T* **219** mir,] mir *T, arR korr. aus* mir *F* **220** eignes] *korr. aus* eigenes *T* **222** angeblich] *üdZ eingefügt T* **222** hinaushebt] *nach gestr. Korrekturansatz üdZ* hinausho *üdZ korr. aus* hinaushebe *T* **223** Vaterlandsbegriff] *davor gestr.* blö *T* **223f** Mystizismus] Mysticismus *T* **224** auch] *davor gestr.* die Ge *T* **224** als] *dahinter gestr.* He *T* **227** lieber] *davor gestr.* tausendmal *T* **227** Sie ist ehrlicher.] *durch Streichung und Umstellung korr. aus* Weil sie ehrlicher ist. *T* **229** Postulate: die Frau] Postulate, die Frau, D^2 **230** gestehen] gestehn D^2 **230** langem] *korr. aus* langen *dahinter gestr.* Jahren *T* **230f** Unappetitliches] unappetitliches *T, arR korr. aus* unappetitliches *F* **231** das] *davor gestr.* die *T* dies D^2 **233** ja] Ja D^2 **235** seine] *üdZ für gestr.* die *T* **235** gar] *üdZ eingefügt T* **236** abgebrannt …] *üdZ für gestr.* entzündet … *T* abgebrannt, D^2 **236** aber] *üdZ für gestr.* und hier sitzt nun das Entscheidende, *T* **237** verlassne] verlassene *T*, D^2 **238** so] *davor gestr.* um *T* **238** schreiben.] *dahinter* Jenen *(üdZ für gestr.* Zu dem *[üdZ gestr. Korr.:* jenem*]* Satz in Goeth Den*)* Satz im Goetz hinzuschreiben, war damals *(dahinter gestr.* so, wie er da steht,*)* nur Goethe fähig – heute ist das gang und gäbe … *T, dahinter gestr.* Jenen Satz im Götz *(arR korr. aus* Goetz*)* hinzuschreiben, war damals nur Goethe fähig – heute ist das gang und gäbe. *(arR korr. aus* gäbe …*) F* **240** besitzen …,] besitzen, D^2 **240** aber] *udZ eingefügt T* **241** Pornographie.] *dahinter üdZ eingefügt* Konjunktur. *für mit Blaustift gestr.* Es gibt da im ‹Jahrgang 1902› von Ernst Gläser, eine Stelle, die mir nie sehr zugesagt hat; aber man fühlt doch: er wollte gestalten, was in ihm war, *(Beginn Bl. 8)* es ist ehrlich, was er da macht – es langt nur nicht zu. Hier, bei Bronnen, riecht man die Konjunktur. *T, dahinter gestr.* Konjunktur. *F* **241** dies] *üdZ korr. aus* das *T* **242** Mutzenbacher›] *korr. aus* Mutzenbacher›, *T* **243** Aber] *Beginn Bl. 4 F* **244** Sorte] *dahinter gestr.* Literatur *T* **246** Bronnen] *üdZ für gestr.* Brecht *T* **246** nichts] *korr. aus* nicht *T* **246** die] *davor gestr.* daa *T* **246** Wirtschaft] *dahinter gestr.* Bescheid *T* **246** gut,] *korr. aus* gut *T* **247** (Drei] Drei D^2 **247** mehr] *davor gestr.* wahrscheinlich *T* **248** Gerümpel.)] Gerümpel. D^2 **249** kümmerlich; im] kümmerlich, im *(korr. aus* kümmerlich. Im*)* *T* **249** werden] *davor gestr.* wird einmal *T* **252** und] *davor gestr.* auch *T* **253** Hand,] *üdZ für gestr.* aus der Lamäng *dahinter gestr.* Jott, *T* **253** lesen!] *korr. aus* lesen. *T* **253 f** Dabei spielt Bronnen] Bronnen spielt *T, arR korr. aus gestr.* Bronnen spielt *F* **256** kalt] so kalt D^2 **256 f** wirklichkeitsnah –] wirklichkeitsnah! D^2 **257** noch] *davor* nicht *T* **260** hingehen] hingehn D^2 **261** von] *davor gestr.* an der Stelle» *T* **265** andeutet] *korr. aus* anzudeuten *T* **266** Reichswehr] zweite Reichswehr D^2 **267** abgeleugnet hat] *üdZ für gestr.* überall ableugnete *T* **269** aber] *davor üdZ eingefügt* er *dahinter gestr.* Arnolt Bronnen *T* **274** dieser] *korr. aus* diesem *T* **274** Syntax] *davor gestr.* grammatischen *T* **275** nichts] *Beginn Bl. 9 T* **276** Ordnungsgardisten] Ordnungsgardisten, *T, arR korr. aus* Ordnungsgardisten, *F* **276** und nichts] *fehlt T, arR eingefügt F* **277** ist;] *arR korr. aus* ist: *F* **277 ff** daß … hinsetzt:] *alR unterstr. Druckanweisung* nicht einziehen! *F* **277** daß] *auf neuer Zeile T, Zeilenumbruch getilgt F* **277** Million] *davor gestr.* zwei Millione *T* **277 f** Volksgenossen] Deutscher D^2 **278** haben,] *korr. aus* haben *T* **278** lustig] *davor gestr.* so *T* **280** daß] *auf neuer Zeile T, Zeilenumbruch getilgt F* **281** diese] *davor gestr.* endlich *T* **281** hier] *dahinter gestr.* hinsetzt: *T* **282** hinsetzt:] *eingefügt T* **283** Grosz,] Grosz. D^2 **283** es] *arR korr. aus gestr.* er *F (hinter* er *gestr.* es *T)* **283 f** es … Waffe.] *fehlt* D^2 **285** Deutschen] *doppelte Unterstr. unter* D *T* **286** Deutschen] *doppelte Unterstr. unter* D *T* **290** flicken] *doppelte Unterstr. unter* l *T* **291 f** daß er das geschrieben hat:] *eingefügt T* **293** das] *arR korr. aus* Das *F* **293** denn doch] *üdZ eingefügt T* **293** eine] *davor gestr.* als eine Per *T* **294** Bronnen] *davor gestr.* Wenn *dahinter gestr.* nicht lügt, dann *T* **294** muß] *dahinter gestr.* er *T* **295** seinem] *üdZ für gestr.* unserm *T* **295** eignen] *korr. aus* eigenen *T* **296** hat;] *eingefügt vor gestr.* haben wie vielleicht nie ein Mensch zuvor; *T* **296** sinnlos] *davor gestr.* alle *T* **298** und Bronnen] *davor gestr.* und ich habe den karen Eindruck: *folgt hs.* aber *T* und *arR korr. aus gestr.* aber *F* **300** hat;] hat – *T, arR korr. aus* hat – *F* **300** er] *davor gestr.* aber *T* **300 ff** Er … weiß es.] *fehlt* D^2 **301** Linken] *fehlt T, arR eingefügt F* **301** hat,] *korr. aus* hat *T* **302** Weise. Er] Weise – er *T, arR korr. aus* Weise – er *F* **306** George] dieser *T, arR korr. aus* dieser *F* **306** dargestellt] *üdZ für gestr.* gezeichnet *T* **307** hat;] hat, *korr. aus* hat: *T* hat, D^2 **307** nur von der andern Seite:] *eingefügt T* **308** bei Bronnen] *fehlt T, arR eingefügt F* **308** gefallenen] *davor* Leichen der *T, davor gestr.* Leichen der *(*Leichen *zunächst arR korr. zu* Körpern*)* *F* **309** Kameraden,] *dahinter gestr.* u*[?]*nter *T* **310** Deutschen] deutschen D^2 **310** Helden] *dahinter gestr.*

zusammeng *T* **312** im] *Beginn Bl. 10 T* **313** Bedauern,] Bedauern; D^2 **317** heißt: Angelus] heißt, *dahinter* wenn ich nicht irre, ‹Angelusläuten in München› *T, arR korr. für gestr.* heißt, wenn ich nicht irre, ‹Angelusläuten in München› *F* **320** Nacken,] Nacken *T, arR korr. aus* Nacken *F* **320** versoffnen] versoffenen *T* **320f** Augen.] *korr. aus* Augen, *T* **321** Wie] *davor gestr.* wie *T* **321** Er] Auch dieser D^2 **321f** Er … an.] *üdZ eingefügt T* **322** Türme] Törme *Unterstr. unter* ö *T* **324** So] *Beginn Bl. 5 F* **325** Auftraggebern.] *arR mit Grünstift Druckanweisung mit Einweisungsstrich* Durchschuß Sternchen *F* **327** barbieren] *ms. üdZ und wieder durch xxx getilgt* rasieren *T* rasieren D^2 **329** ist;] ist, *T, arR korr. aus* ist, *F* **330** Partie] *üdZ korr. aus* Partei *T arR korr. aus* Partei *F* **331** Salonfascismus] *korr. aus* Salonfaschismus *dahinter* auf *T, dahinter gestr.* auf *F* **331f** Bruders der] *davor gestr.* des *T* **332** der amerikanischen] *korr. aus* des amerikanischen *(vor* amerikanischen *gestr.* en*) T* **332** und] *fehlt T* **332** und … Snobs] *arR korr. aus* Snobs, der russischen *F* **332f** jener, die,] jener, die *T, arR korr. aus* jener, die *F* **334f** Großen … vier] *zwei Zeilen arR mit rechteckiger Klammer (Rotstift) umfaßt F* **334** abgelegt] *davor gestr.* ihre Münte *T* **334** haben.] *dahinter gestr.* Da stehlen sie. *T* **334** ein] *korr. aus* einen *T* **335** Hemd] schwarzes Hemd D^2 **335** doch] *fehlt T, arR eingefügt (korr. aus* aber *[?]) F, fehlt* D^2 **336** heraus] raus *T, arR korr. aus* raus *F* **337** Wenn] *üdZ mit Bleistift* (kein Absatz) *F* **337ff** Wenn … Meinung wäre.] *fehlt T, ms. eingefügt, hinter* unsern *gestr.* von den unsern *hs.* wäre *hinter gestr.* ist *F* **340** glaubt] glaube *Endung mit Bleistift unterstr., mit violetter Tinte korr. und arR mit Bleistift unterstr. Fragezeichen F* **343** atemlos] *üdZ eingefügt T* **343** anbiedert] *korr. aus* anmeiert *T* **346** Verlag.] *dahinter arR zunächst eingefügt, dann wieder gestr. (Korrekturzeichen mit Blei- und Rotstift)* Er wird mehr *alR Satzanweisung mit Bleistift* [bleibt] *F* **347** Tiefsten] tiefsten *T, arR korr. aus* tiefsten *F* **348** Der da] *üdZ für gestr.* Er *T* **349** ein … verkleidet] mit seinem angelaufenen Monokel D^2 **349** durchgefallner] durchgefallener *T* **349** Fascist] *korr. aus* Faschist *T* **349** verkleidet.] *folgt auf neuer Zeile* Mit diesem *(dahinter gestr.* Taubendreck aus dem faschist aufgeklaubt*)* auf dem Markusplatz aufgeklaubten Taubendreck hat sich Bronnen aus der anständigen Literatur hinausgeschrieben. Auf Nimmerwiedersehn. *T, Einschub wieder gestr. F* **350** Was] *Beginn Nachbl., aroR ms. Satzanweisung* (Schluß zu Bronnen) *T* **350** die] *davor gestr.* den Wa *T* **350** es] *dahinter gestr.* ja *T* **351** ungünstigen] ungünstigsten D^2 **351** in sie] *üdZ eingefügt T* **351** und] *fehlt T, arR eingefügt F* **352** Klischeewort:] *korr. aus* Klischeewort. *T* **352** umstritten.] *üdZ eingefügt T* **353** die] *Zeile arR mit rechteckiger Klammer (Blaustift) umfaßt F* **354** zwar] *fehlt T, arR eingefügt F* **354** beriechen,] beriechen und *T, arR korr.*

aus beriechen und *F* **354** aber] *fehlt T, arR eingefügt F* **354 f** aus dem Wege gehen] *üdZ für* umgehen *T* **355** gehen] gehn *D²* **355** Buch] *darunter ms. Satzanweisung* Dies ist nunmehr das endgültig korrigierte Schluß-Stück zu B r o n n e n. *(*B r o n n e n *mit Grünstift unterstr.) folgt darunter* Bitte ansetzen. *(beide Sätze wieder mit Bleistift gestr.) F*

Entstehung
In einem Brief an Walter Mehring vom 25. 5. 1929 hatte KT noch überlegt, ob er selbst oder Mehring eine Besprechung für die WB verfassen sollte: «Ja, Bronnen. Also Sie sollten, wenn man überhaupt soll – daran knabbere ich noch. Nicht etwa wegen Rowohlts; der ist darin sehr anständig, er weiß, daß ich das Buch ablehne. Nein – wegen des Helden selbst. Ist das eine Reklame für ihn? Im Waschzettel ‹Ein umstrittenes Buch› ... Andererseits: mich juckt es furchtbar. Meine Notizen sind in Ordnung, aber ich weiß noch nicht. Daher kann ich nicht so ohne weiteres Ihnen zuraten – obgleich Sie das besser machen als ich: Sie haben für diese Fälle eine pfeifende, tödliche Ironie, die in meinem Fett nicht wohnt – da bleibt dann aber wirklich kein Auge trocken. *Wenn* Sie es tun, dann schlagen Sie zu, daß die Fetzen fliegen. Sie brauchen nicht lange zu suchen – das Buch besteht nur aus ‹Stellen› – es ist beispiellos: aus innerer Verlogenheit; an Gemeinheit; an sexueller Schweinerei – das ist wirklich eine, wo man sich die Nase zuhält – von mir aus kann in jeder viel gevögelt werden ... aber das ist nur zum Speien. Eine tolle Nummer.» – An MT schrieb KT kurz darauf (am 26. 5. 1929): «Bei Rowohlt ist leider ein stinknationalistisches Buch von Bronnen erschienen, eine unglaubliche Schweinerei allerbösester Observanz. Na, das ist so.» Vgl. auch KTs Brief an MT vom 16. 6. 1929: «Ja, Bronnen ... das Buch über Oberschlesien ist wirklich das Letzte. Ich habe ihm einen schönen hingemacht.»

Wirkung
In der WB ergänzte Anton Kuh die Rez. KTs um einige Bemerkungen über die jüdische Abstammung von Bronnens Vater Ferdinand Bronner und dessen Drama ‹Schmelz der Nibelunge› (Wien 1905), das den Weg eines jüd. Studenten zu dt.-nat. Burschenschaften schildert. Auch widersprach Kuh der Ansicht, Bronnen habe in seinem Roman sein «neues Gesicht» gezeigt (s. ‹Schmelz, der Nibelunge›, WB 2. 7. 1929, II, 35 f). Auf Kuhs und KTs Artikel wiederum reagierte Wilhelm Stapel in seiner dt.-völk. Monatsschrift ‹Deutsches Volkstum› u. d. T. ‹Ein nicht rangelassener Herr› (Jg. 11, H. 8, August 1929, 628–631). Unter Zuhilfenahme antisemitischer Invektiven entwickelte Stapel ein Psychogramm des Rezensenten: «Was ist einer Fliege ein aufgeschlagener Band Goethe? Ein Ort der Toi-

lette. Was ist einem Tucholsky die Nation der Deutschen? – [...] Da er in der logischen Fähigkeit zu kurz gekommen ist, versagt er vor Aufgaben, die ohne das logische Organon nun einmal nicht zu bewältigen sind. Daß er besonders vor überpersönlichen Zusammenhängen und Qualitäten versagt, ist freilich vielleicht nichts andres als sein Unglück.» Das «innerst[e] Motiv» KTs sah Stapel in dessen Vorwurf an den Verleger Rowohlt am Schluß des Textes aufscheinen: «Die geistige Welt geht vorüber. Man wird nationalistisch. Bronnen geriet an einen Stoff, der ihm den Sinn der Zeit erschloß. Tucholsky aber kann nicht mehr herüber. Er ist zu erkannt. Er wird nicht rangelassen. Er ist festgelegt und sieht wuterfüllt hinter dem Geschickteren her. Das ist herb. Er muß hoffnungslos im liberalen Ghetto zurückbleiben und mit seinem Talent die verschlissenen Themen immer noch einmal aufbügeln» (ebd., 630).
‹Der Widerstand. Zeitschrift für nationalrevolutionäre Politik› (Jg. 4, Nr. 7, Juli 1929, 221) brachte eine anonyme Replik ‹Der Tucholsky›. Dort hieß es, daß KT seine «Bübereien und Landesverrätereien gegen Deutschland» von Frankreich her aus ausübe. «Vielleicht fragt er dort nach, was einem Literaten passierte, der es wagte, so über das *französische* Volk zu schreiben. Nicht nur auspeitschen würde man den Kerl; man würde vermutlich noch viel gründlicher mit ihm verfahren. Er verdiente es, wahrhaftig, er verdiente es!» – Die Wochenschrift ‹Der Ring› (‹Tucholsky und Matthes›, Jg. 2, H. 35, 1.9.1929, 678f) war der Ansicht, daß KTs Rez. «einer Denunziation an den Staatsanwalt verdammt ähnlich» sähe, und sah es als grotesk an, daß sich «ein schlüpfriger Chansonnier gleichsam zum Vorkämpfer des Schmutz- und Schundgesetzes aufwarf, gegenüber einem Buch, daß ihm politisch unangenehm ist. Aber so ist es: ‹die Kunst ist frei›? – wenn sie – linke Tendenz hat.»
Walter Mehring sollte im Sept. 1929 auf KTs Rez. zu sprechen kommen und behaupten, daß die Red. des BT den Bronnen-Verriß KTs für das gereizte Klima in der Berliner Kulturlandschaft verantwortlich mache: Die Rez. habe den Kampf zwischen «politisch andersdenkende[n]» eröffnet und sei folglich auch mitverantwortlich für die rechte Hetze, der Mehrings Schauspiel ‹Der Kaufmann von Berlin› nach der Uraufführung am 6.9.1929 ausgesetzt war (Mehring an KT, o.D.; DLA); s. [136], *0*.
Auch der Verleger Ernst Rowohlt ärgerte sich über diesen Angriff eines seiner Autoren auf den anderen. In dem 1948 ersch. Artikel ‹Brief an einen Unvergessenen› lobte er zwar KT als den zuverlässigsten und korrektesten Autor seines Verlages, ergänzte aber: «Nur einmal haben Sie mich furchtbar angeführt. Ich war in jungen Jahren schüchterner als heute und hatte Sie gebeten, Ihren furchtbaren Verriß von Arnolt Bronnens ‹O.S.›

[...] nicht in Ihre Sammlung ‹Mit 5 PS› [recte: LL] aufzunehmen, weil ich ja auch am persönlichen Umgang mit Bronnen meinen Spaß hatte. Als ich dann das fertige Buch aufschlug [...], war ich doch leicht verbittert, als ich diese Abschlachtung meines Autors Bronnen in meinem eigenen Verlagswerk fand.» (WB, 1. Januardoppelheft 1948, 28–20, hier: 29; zur verlagsinternen Auseinandersetzung um Bronnens ‹O.S.› s. Paul Mayer: Ernst Rowohlt. Reinbek 1967, 98ff).

f *«Dies ist ... und Reinheit.»*] Gerafftes Zitat aus der Vorankündigung des Buches für Ende April 1929; s. Annonce des Rowohlt Verlages in ‹Börsenblatt für den Deutschen Buchhandel› Jg. 96, Nr. 76, 3.4.1929, 2667.
Waschzettel] s. [12], *10*.
Da laßt mich mal ran.] s.o. *0*.
Ausgezeichneter Einband] Über den Schutzumschlag heißt es im Impressum: «Umschlag hergestellt vom Reichsamt für Landesaufnahme, Reichskartenstelle, Berlin»; Abb. in Meyer / Bonitz 1990, 637.
Demarkationslinie] Grenzlinie, die völkerrechtlich nicht als Staatsgrenze, sondern als vorläufige Abgrenzungslinie von Hoheitsbefugnissen gilt. Die von KT «Demarkationslinie» genannte rote Linie auf der Landkarte des Schutzumschlags (auch die Grenze von 1914 ist rot schraffiert eingezeichnet) galt nicht mehr als vorläufig, sondern war die am 20.10.1921 vom Völkerbund festgesetzte endgültige Staatsgrenze zwischen Deutschland und Polen. – Der 1919 abgeschlossene Versailler Vertrag hatte zunächst die vollständige Abtretung Oberschlesiens an Polen vorgesehen. Durch die dt. Gegenvorschläge (Antwortnote vom 29.5.1919) wurde erreicht, daß die Alliierten eine Volksabstimmung über die künftige territoriale Zugehörigkeit des Gebietes beschlossen. Nach der Abstimmung am 20.3.1921, bei der rund 60% der Wahlberechtigten für den Verbleib im Dt. Reich votierten, kam es zu blutigen Auseinandersetzungen zwischen poln. Soldaten und dt. Freikorps.
f *Interessen der Großindustrie*] Die immensen Steinkohle-, Blei- und Zinkerzvorkommen machten das östliche Oberschlesien zu einem der bedeutendsten Industriegebiete Deutschlands. Dreiviertel dieses Gebietes verlor das Dt. Reich 1921 an Polen.
Freikorps] Militär. Freiwilligenverbände (lt. Versailler Vertrag und Entwaffnungsgesetz vom 22.3.1921 verboten), die sich unter stillschweigender Billigung dt. Regierungsstellen zur Niederschlagung des poln. Aufstandes formierten. Die Freikorps- und oberschles. Selbstschutzverbände erlangten die Kontrolle über einen Teil Oberschlesiens zurück. Erst nach Protesten der Alliierten leitete die Regierung Wirth Maßnahmen gegen die

Freiwilligenverbände ein. Sie bildeten den Grundstock der sog. Schwarzen Reichswehr (s. [1], *2*).

25 f *«Gemisch aus … Patriotismus»*] Bronnen 1929, 102.

30 *in die Ruhr*] Im Zuge der Auseinandersetzungen um die dt. Reparationszahlungen waren am 9.1.1923 frz. und belg. Truppen in das Ruhrgebiet einmarschiert. Die Reichsregierung forderte die Bewohner des Ruhrgebiets zum passiven Widerstand gegen die Besatzung auf, was schließlich zur Lahmlegung der gesamten Industrieproduktion führte. Gleichzeitig unterstützte sie die Bevölkerung und die Industrie durch Geld- und Sachleistungen in Milliardenhöhe, was die Inflation zusätzlich anheizte. Zudem verübten Freikorpsverbände Sabotageakte im besetzten Gebiet (vgl. [99], *53*). Die rhein. Separatisten wurden z.T. von der frz. Regierung finanziert.

31 *Hände in diesem Bottich*] Die poln. Regierung hatte im Juni 1920 ein antidt. Witzblatt namens ‹Kocynder› (poln. Tagedieb) gegr., um dieses im oberschlesischen Abstimmungskampf als Propagandaorgan zu nutzen. Die dt. Seite reagierte mit der Gründung der antipoln. Zeitschrift ‹Pieron› (poln. Blitz, hier allerdings in der Bedeutung: «Dich soll der Blitz treffen»), deren Chefredaktion KT übernahm. Ziel und Methoden des Wochenblattes mit einer Auflage von 45 000 Ex. riefen nicht nur in Polen, sondern auch in Deutschland Ablehnung hervor. Nachdem KT wegen seiner Beteiligung an der Oberschlesien-Propaganda durch Mehrheitsbeschluß der Mitarb. die weitere Mitwirkung an den USPD-Blättern ‹Die Freiheit› und ‹Freie Welt› untersagt wurde, beschloß er, die Red. des ‹Pieron› bis zum Jahresende abzugeben (s. KT an Hans Lukaschek 18.12.1920), arbeitete jedoch bis April 1921 weiter für das Blatt. Im Juni 1922 wurde KTs Propagandaarbeit von einer Schiedskommission der USPD als nicht den Zielen der USPD zuwiderlaufend eingestuft (s. den von Franz Künstler und Georg Ledebour unterzeichneten Antrag an das ZK der USPD in: Meyer/Bonitz 1990, 272 f; vgl. auch Bd. 4 [267], *0*).

34 f *bestialische Untaten*] Dt. Freikorps verübten in Oberschlesien zahlr. Fememorde an Deutschen, die als Verräter, Spione oder Polenfreunde galten. Vgl. Emil Julius Gumbel: Vier Jahre politischer Mord (Berlin 1922), worin einige der von Freikorps im 2. poln. Aufstand verübten Morde angeführt werden. Sämtl. Mordtaten blieben aufgrund einer Amnestie vom 1.7.1921 ungesühnt.

46 *aus Bayern*] Unter den Freiwilligen-Einheiten befand sich einer der bedeutendsten Wehrverbände der WR, das im April 1919 in Bayern gegr. Freikorps Oberland (nach Verbot des Freikorps im Dez. 1921 umbenannt in «Bund Oberland») unter der Führung Ernst Horadams. Im Kampf

gegen den 3. poln. Aufstand wurde der Sturm auf den strategisch entscheidenden und in der Folge mythenumwobenen Annaberg am 21.5.1921 durch das Freikorps Oberland angeführt. Das Korps war aufgrund seines rücksichtslosen und brutalen Vorgehens berüchtigt und gefürchtet; vgl. die Erinnerungen des militär. Oberbefehlshabers des Oberschlesischen «Selbstschutzes» Karl Hoefer, dem auch das Freikorps Oberland angehörte, ‹Oberschlesien in der Aufstandszeit 1918–1921. Erinnerungen und Dokumente›, Berlin 1938, 181 f.

ein freies Leben führen wir] Schiller: Die Räuber IV, 5.

Begabung abzusprechen] In der Frage, ob man Bronnen literar. Talent zusprechen könne, waren die Rezensenten uneinig: Kornfeld und Olden bescheinigten Bronnen schriftstellerische Begabung, CvO (‹Der Engel der Verkündung›, s. Ossietzky 1994, Bd. V, 220–226) folgte KTs Einschätzung und sprach sie ihm ab (vgl. Paul Kornfeld: Arnolt Bronnen als Femesänger, TB 18.5.1929, I, 829 ff; Rudolf Olden: Ein politischer Roman, BT 18.5.1929, A).

Botokude] Indianerstamm in Brasilien. Stapel (s. o. *Wirkung*) polemisierte gegen diesen Satz: «Nein, die Botokuden sind ehrliche Leute. Tucholsky transponiert den geistigen Zustand der Linken auf uns.»

wie groß Gottes Tiergarten ist] s. [62], *1 f.*

Schwarzhemd] Uniformstück der ital. Faschisten, die nach diesem auch «Schwarzhemden» genannt wurden.

Friedrich Lienhard] Der völkische Schriftsteller und Vorkämpfer der Heimatkunstbewegung war am 30.4.1929 gestorben.

ehrlicher Mann] Vgl. die ähnliche Einschätzung in KTs Rez. von Grimms ‹Dreizehn Briefe aus Deutsch-Südwest-Afrika›, Bd. 10 [122], 67 ff.

Kreise um den «Vormarsch»] ‹Der Vormarsch›, eine u. a. von Ernst Jünger hg. nationalist. Monatsschrift, wandte sich vordringlich an die Jugend und zählte viele Freikorpskämpfer zu ihren Mitarbeitern. 1928 hatte CvO an einer Diskussion mit dem Redakteur des ‹Vormarsch›·Friedrich Hielscher teilgenommen (vgl. ‹Germanisches Café›, in: Ossietzky 1994, Bd. V, 404–410, hier: 405, Z. 43 ff); und am 31.5.1929 war der ‹Vormarsch›-Autor Franz Schauwecker «Gast-Gegner» bei einem von der GRP veranstalteten Diskussionsabend (s. [77], *254*). Möglicherweise spielt KT auf diese Begegnungen an. – Ernst Jünger feierte Bronnens Roman in seiner Rez. als erstes Werk der literar. Moderne, das den Krieg als elementares Ereignis schildere und resümierte: «Hier auch erfahren wir Nationalisten Unterstützung von einer Seite, auf die wir schon lange gewartet haben» (‹Wandlungen im Kriegsbuch: Arnolt Bronnens Roman ‹O. S.››, Der Tag 23.5.1929).

69 *Sage mir, wie du schreibst …*] Nach Goethes Aphorismus aus ‹Wilhelm Meisters Wanderjahre› (Zweites Buch: Betrachtungen im Sinne der Wanderer, Nr. 19): «Sage mir, mit wem du umgehst, so sage ich dir, wer du bist.»

75 f *Theo von Torn*] Teo von Torn (d.i.: Telesfor Szafranski) veröffentlichte um die Jh.-Wende mehrere Sammlungen von Militärhumoresken, u.a. ‹Offiziersgeschichten. Humoresken› (6 Bde. Leipzig: Reclam's Universal-Bibliothek 1902–1907). Die Bände konnten nur teilweise autopsiert, das Zitat nicht ermittelt werden.

86 f *«Herr von Heydenbreck … Silberstreif …»*] Bronnen 1929, 114.

88 *«der bekannte Silberstreif»*] Geflügeltes Wort nach Außenminister Stresemann, der am 17.2.1924 auf dem DVP-Parteitag in Elberfeld Staatssekretär Bergmann zitierend gesagt hatte, «er sehe zum erstenmal einen Silberstreifen an dem sonst düsteren Horizont.»

90 *Pachulke*] Pachulke: berlinisch für Tölpel, ungehobelter Bursche (aus dem Polnischen entlehnt).

95 *«Neese»*] Bronnen 1929, 286.

100 f *«Herr Pfarrer … Antwort»*] ebd., 255. – Der oberschles. Pfarrer und Zentrumspolitiker Carl Ulitzka war einer der polit. Führer in der dt. Oberschlesien-Propaganda.

107 *Putsch-Killinger*] Gemeint ist der Freikorpskämpfer und NSDAP-Politiker Manfred Freiherr von Killinger, der 1928 in der «Vormarsch-Bücherei» das Buch ‹Ernstes und Heiteres aus dem Putschleben› vorgelegt hatte und noch 1934 Aufzeichnungen aus seiner Oberschlesienzeit veröffentlichte (‹Kampf um Oberschlesien 1921. Bisher unveröffentlichte Aufzeichnungen des Führers der «Abteilung von Killinger», genannt «Sturmkompagnie Koppe»›. Leipzig). Vgl. Bd. 8 [A 1], *18*.

110 f *«Nun stand da … Mädchen …»*] Bronnen 1929, 213.

115 f *«Die ungeladenen … Geld»*] ebd., 304.

119 *Schalom Asch*] Die Anekdote ist ohne Quellenangabe zit. in Salcia Landmann (Hg.): Der jüdische Witz. Soziologie und Sammlung. Olten 1960, 474.

129 *fremde Soldaten*] Seit Inkrafttreten des Versailler Vertrages am 10.1.1920 war das Rheinland von frz. und brit. Truppen besetzt. Zur Ruhrbesetzung s.o. *30*, zu den alliierten Truppen in Oberschlesien s.o. *11*.

130 f *einfach feste druff*] Nach dem vielzit. Wortlaut eines Telegramms des Kronprinzen Wilhelm an Oberst Reuter in Zabern (1913), s. Bd. 2 [52], *1*, u.ö.

136 *«den Deutschen Schweinen»*] Bronnen 1929, 287, 321.

138 f *schreibt Herr Bronnen alles groß*] Vgl. ebd., 409f: «DIE OPFER JENER KÄMPFE FIELEN NICHT VERGEBENS. WENN AUCH

VERRAT DIE ÄUSSERSTEN ERFOLGE NAHM, SO GAB DOCH EIN NEUER HIMMEL EINE NEUE SAAT. DIE ZERSTÖRUNG STOCKTE. DAS ZIEL BLIEB OBEN, FLATTERND IN KÜNFTIGER SIEGE WIND.»

Schlageters] Der Freikorpskämpfer Albert Leo Schlageter hatte 1921 in Oberschlesien gekämpft und war 1923 wegen Beteiligung an Sabotageaktionen gegen die frz. Besatzungsmacht im Ruhrgebiet von einem frz. Kriegsgericht zum Tode verurteilt und hingerichtet worden. Er wurde als Märtyrer zur Symbolfigur nationalist. und rechtsradikaler Kreise. Hanns Johsts Stück ‹Schlageter› wurde am 20.4.1933, dem Geburtstag Hitlers, uraufgeführt.

f *Geschichte ihres Staates*] Polen unterlag drei Teilungen (1772, 1793, 1795), deren Ergebnis zunächst die Schwächung und schließlich Auslöschung der poln. Eigenstaatlichkeit zugunsten der Teilungsmächte Preußen, Rußland und Österreich war. Alle Versuche zur Wiederherstellung des Nationalstaates wurden in den folgenden Jahrzehnten blutig niedergeschlagen. Erst am 11.11.1918 konnte die Proklamation der Republik Polen erfolgen, wobei der Kampf um das Staatsterritorium bis 1921 andauern sollte.

«der schurkische Mestize»] Spielt als Figur des verschlagenen Verräters in Karl Mays Erzählung ‹Der schwarze Mustang› eine herausragende Rolle. Die Erzählung erschien von Sept. 1896 bis März 1897 in der Zeitschrift ‹Der gute Kamerad. Spemans Illustrierte Knaben-Zeitung› (Stuttgart, Jg. 11). Zu der Zeitschrift, die KT in Kindertagen las, s. Bd. 9 [166], 1 ff.

Sturm auf den Annaberg] Vgl. Bronnen 1929, 311–313; s. o. *46*.

f *was dem … Annaberg*] Zur psychoanalytischen Deutbarkeit von Krieg und Gewalt als Ventil sexueller Frustrationen vgl. [71], 179 f.

Annaberg] In T folgt ein von KT wieder gestr. Vergleich mit Hamsuns Roman ‹Landstreicher›; s. Lesart 166.

Ödland] Bereits 1928 hatte KT darauf hingewiesen, s. ‹Ein Schädling der Kriminalistik›, Bd. 10 [102], 110 ff.

f *«Eine gute … Nationalflagge»*] Nicht ermittelt.

‹Cyrano de Bergerac›] Verskomödie von Edmond Rostand (1897), Ende des 1. Aufzugs. In der Übers. von Ludwig Fulda (Stuttgart 1900, 76): «Da liegt Paris im nächt'gen Nebelflor, / Die Dächer blau beglänzt vom Mondesschimmer; / Der Seine Zauberspiegel bebt im Wind / Und läßt den Wiederschein der dunst'gen Lichter / Erzittern? Giebt es schönere Coulissen? / Der Vorhang geht nun auf; das Stück beginnt!»

f *«Und so … Insel schlug …»*] Bronnen 1929, 289; im Orig. «schwersten» statt «schweren».

Kaschuben] Slaw. Volksstamm, westl. von Danzig.

199 *Heimatgefühl … unpolitisch*] Vgl. den Schlußtext ‹Heimat› in DD (s. Bd. 12, 226–231, hier: 227).

202 ff *«Wir waren da … der Nation …»*] Bronnen 1929, 353.

213 ff *«Die meisten … Wyssoka ging.»*] ebd., 320.

231 f *Kapitel*] Kap. VI: ‹Geschichte einer Lyzeistin› (Bronnen 1929, 163–246).

238 *schreiben.*] In T und F folgt ein hier von KT wieder gestr. Vergleich mit Goethes ‹Götz von Berlichingen›; s. Lesart 238.

240 *James Joyce*] Gemeint ist Joyce's Roman ‹Ulysses›, dessen Ausgaben wiederholt von den brit. und amer. Zensurbehörden wegen angeblicher Pornographie beschlagnahmt und verboten worden waren. KT hatte die dt. Übertr. 1927 für die WB besprochen (vgl. Bd. 9 [156]).

241 *Pornographie.*] In T folgt hier ein von KT wieder gestr. Vergleich mit Glaesers Roman ‹Jahrgang 1902› (s. [12], *19 f*; [138], *0*); s. Lesart 241.

241 f *‹Tagebuch der Josefine Mutzenbacher›*] 1906 waren in Wien die derb-erotischen Lebenserinnerungen ‹Josefine Mutzenbacher oder die Geschichte einer Wienerischen Dirne von ihr selbst› anonym erschienen. Bis heute ist die Frage der Autorschaft nicht zweifelsfrei geklärt. U. a. wurde Felix Salten als Verfasser vermutet.

246 *Bronnen*] In T Brecht; s. Lesart 246.

247 *Morus*] Pseudonym des Wirtschaftsjournalisten Richard Lewinsohn, der seit 1921 regelmäßig über wirtschaftspolit. Fragen für die WB schrieb. Nach der oberschles. Volksabstimmung (s. o. *11*) hatte er einen Artikel über die wirtschaftlichen Hintergründe des Abstimmungsergebnisses veröffentlicht (Richard Lewinsohn: Oberschlesien, WB 31.3.1921, I, 347–349).

250 *Cossmannschen Monatshefte*] Vgl. [68], *6*. Bronnen zitierte «nach dem Gedächtnis» aus dem Oberschlesien-Sonderheft der ‹Süddeutschen Monatshefte› (Bronnen 1929, VI, mit Verweis auf 251, 2. Abs.).

251 *bekannt sind*] Anspielung auf Coßmanns Propagierung der «Dolchstoßlegende», die im Dez. 1925 zum sog. Münchner «Dolchstoßprozeß» führte, s. Bd. 7 [199], *100 f.*

254 *«neue Sachlichkeit»*] Die Neue Sachlichkeit wurde in der sog. Stabilisierungsphase der Weimarer Republik 1924–1929 nicht nur zur dominanten Kunstrichtung in Malerei, Architektur und Literatur, sondern auch zum Schlagwort der Zeit. In Abgrenzung vom Expressionismus und psychologischer Darstellung kultivierte sie den dokumentarischen, «kalten Blick» auf das Faktische, die Objektivität des «Kamera-Auges». Verherrlichung der Technik sowie Begeisterung für Amerika kennzeichneten das neusachliche Denken. Die Parolen der Neuen Sachlichkeit wurden, kaum daß sie einer breiteren Öffentlichkeit geläufig waren, auch schon als

«Mode» kritisiert und parodiert (vgl. u.a. Bd. 9 [137], 27f; [181], 41ff; [183], 50f).

allereinfachste Statistik] Bezieht sich wohl auf Lewinsohns Artikel (s.o. *247*), in dem anhand konkreter Zahlen die große Kluft zwischen armen und reichen Bauern in Oberschlesien aufgezeigt wird.

f *«Unter den Augen … zu halten»*] Bronnen 1929, 105.

in den Kerkern] Publizisten, die über die illegalen Aktivitäten der Schwarzen RW berichtet hatten, sahen sich Ende der 20er Jahre verstärkt gerichtlicher Verfolgung wegen angeblichen Landesverrats ausgesetzt (s. ‹Über den sogenannten «Landesverrat»›, Bd. 8 [150]), die Zahl der eingeleiteten Verfahren überstieg jedoch bei weitem die der Verurteilungen; z.T. mehrfach angeklagt wurden Autoren der WB wie Berthold Jacob, Walter Kreiser und Carl Mertens sowie die Hg. SJ und CvO; s. ‹Der Fall Röttcher›, Bd. 9 [161]; ‹Die großen Familien›, Bd. 10 [35]. Wenige Monate vor Erscheinen von ‹Ein besserer Herr› war in der WB (12.3.1929, I, 402–407) der Artikel ‹Windiges aus der deutschen Luftfahrt› publiziert worden, der die Verwendung von Haushaltsmitteln des RW-Ministeriums im Luftfahrtwesen kritisierte. Der Autor Walter Kreiser und CvO als verantwortl. Red. der WB wurden 1931 aufgrund dieses Artikels wegen Vergehens gegen § 1 des «Gesetzes über den Verrat militär. Geheimnisse» zu jeweils anderthalb Jahren Gefängnis verurteilt (s. Ossietzky 1994, Bd. VI, 247–260, 368–392, und jeweils K). Einen Überblick über die Rechtsprechung wegen Landesverrats gibt die Denkschrift der DLfM ‹Acht Jahre politische Justiz› (Berlin 1927), die KT in der WB vorstellte (Bd. 9 [134]); vgl. auch E.J. Gumbel: Landesverrats-Statistik, in: Die Menschenrechte Jg. 3, Nr. 4, 15.5.1928, 1–8.

abgeleugnet hat] Auch nach der Enttarnung der Schwarzen RW durch den gescheiterten Küstriner Putsch 1923 (s. [1], *2*) setzte RW-Minister Geßler alles daran, ihre Existenz weiterhin zu leugnen und die lt. Versailler Vertrag verbotene Aufrüstung weiterhin zu bestreiten. Erst am 28.5.1925 gestand er anläßlich der Beratung des RW-Etats im RT ein, daß tatsächlich sog. «Zeitfreiwillige» militär. Operationen ausgeführt hätten. Doch habe er rasch auf Abschaffung dieses außenpolit. unmöglichen und militär. sinnlosen Systems gedrängt, und die Chefs der Heeres- wie der Marineleitung hätten ihm gemeldet, daß «Zeitfreiwillige» nicht mehr eingestellt würden, s. Verh. d. RT, Bd. 385, 2134f, sowie Bd. 7 [92]. Vgl. auch Bd. 8 [209], *17*; [210].

f *«… durch soviel … Herrn Kun»*] Bronnen 1929, 370.

Argonnen Rückzug] Die Argonnen, ein dicht bewaldetes, zwischen der Champagne und dem Maas-Tal gelegenes Hochplateau, waren während des 1. Weltkrieges Schauplatz eines langwierigen Stellungskrieges jenseits der großen Entscheidungsschlachten. Im Rahmen der alliierten Schlußoffensive an der Westfront (s. [64], *53*) wurden die Argonnen im Sept. 1918 von den amer. Truppen erobert, der Widerstand der dt. Armee brach zusammen.

271 *Revolution*] Vgl. [94], *69*.

273 *Toller ... Kun*] Der Schriftsteller Ernst Toller war als USPD-Mitglied an der Münchner Räterepublik beteiligt, die bereits am 2.5.1919 durch reguläre RW-Truppen und Freikorpsverbände zerschlagen worden war. Toller wurde wegen Hochverrats zu fünf Jahren Festungshaft verurteilt. – Unter Führung von Béla Kun war in Budapest (Bronnen schreibt die Kurzform «Pest») bereits am 21.3.1919 die ungar. Räterepublik ausgerufen worden. Nach deren Zusammenbruch am 1.8.1919 floh Kun nach Österreich, von wo er 1920 nach Sowjetrußland ausgewiesen wurde.

278 ff *«Krenek konnte ... noch ablehnte»*] Bronnen 1929, 387.

283 ff *«Ihr Vater ... niedrigsten Weise› »*] ebd., 211 f.

283 *Album von George Grosz*] Es ist wohl die Mappe ‹Ecce Homo› (1922) gemeint, s.u. *303*.

299 *«Vatermord»*] Bronnens 1920 ersch. nachexpressionistisches Schauspiel, das am 22.4.1922 am Schauspielhaus Frankfurt zur UA gelangt war. Das Stück fußt auf einem zeittypischen, z.B. auch von Wedekind, H. Mann, Hesse, Musil literar. bearbeiteten Erfahrungshintergrund, dem Konflikt einer revoltierenden Jugend mit dem meist bürgerl. Elternhaus und zeigt insbes. thematische Verwandtschaft mit Hasenclevers prototypischem expressionist. Drama ‹Der Sohn› (1914; UA 1916).

303 *welche Gegner*] Bereits 1920 war Grosz wegen der Mappe ‹Gott mit uns› («Beleidigung der Reichswehr») und 1924 wegen der Mappe ‹Ecce Homo› («Verbreitung unzüchtiger Abbildungen») verurteilt worden; s.a. [42].

304 *Siegert*] s. [42], *1f*.

311 ff *«Sie waren ... von ihm?»*] Bronnen 1929, 333.

317 *Angelus*] Das dritte Blatt aus dem Mappenwerk ‹Gott mit uns› (Juni 1920), betitelt ‹Feierabend› (frz. Titel ‹L'angelus à Munich›). Grosz' Zeichnung spielt an auf das brutale Vorgehen der Freikorps bei der Zerschlagung der Münchner Räterepublik im Mai 1919. Bereits bei ihrem Erscheinen hatte KT die Mappe euphorisch gelobt (vgl. Bd. 4 [153], 30ff). – Das Blatt ist mit dt. Titel ersch. auch in: George Grosz: Das Gesicht der herrschenden Klasse. 3. erw. Aufl., Berlin 1921, 49. KT hatte diese Ausg. von Grosz geschenkt bekommen mit der Widmung: «11. März 1922 Dr. Kurt Tucholsky mit kameradschaftlichen Grüßen George Grosz» (Gode-

bert M. Reiss. Auktionskatalog Nr. 8, Okt. 1974, 242). Vgl. KTs Rez. ‹Fratzen von Grosz›, Bd. 5 [45].
‹Reparationen› und ‹Rheinische Rebellen›] ‹Reparationen›. Lustspiel (Berlin 1928); ‹Rheinische Rebellen›. Schauspiel (Berlin 1925).
Klischeewort: umstritten] Vgl. z. B. die Verlagsanzeige im ‹Börsenblatt für den Deutschen Buchhandel› Jg. 96, Nr. 115, 22. 5. 1929, 4032 f, die die erste Rez. aus der ‹Kreuz-Zeitung› vom 17. 5. 1929 auszugsweise wiedergibt. Dort hieß es über das Buch: «Es wird schwer umstritten sein, denn es ist ein eminent politisches Buch und eine jede Konjunkturspekulation des Verfassers ausschließende zeitgeschichtliche Tat, deren Bedeutung weit über jeder rein literarischen Bewertung steht» (s. o. *Entstehung*).

74

Herr Wendriner läßt sich massieren

V: Kaspar Hauser
D[1]: WB Jg. 25, Nr. 26, 25. 6. 1929, I, S. 976–978
Bibl.: Nd s. Bonitz / Wirtz D 2243; 1 NdzL, 7 Nd; GW 7

Zu der Figur des «Herrn Wendriner» vgl. [66], *284*.

Für Emil Ludwig] Elga und Emil Ludwig hatten KT im Mai 1928 eingeladen, sie in Moscia (bei Ascona) zu besuchen (Emil Ludwig an KT 9. 5. 1928; Elga Ludwig an KT 12. 5. 1928; beide DLA). KT bedankte sich für das Angebot (KT an Emil Ludwig 19. 5. und 24. 5. 1928), zog aber eine Kur vor (s. u. *4*). Wahrscheinlich bot die Einladung – Emil Ludwig hatte seinen Brief an den «Liebe[n] Vendriner» gerichtet – den Anlaß für KTs Widmung.
unten in Dresden] Vom 10. 6. bis zum 13. 7. 1928 war KT zur Kur im Sanatorium am Königspark in Dresden-Loschwitz gewesen. Vermutl. bildete der eigene Kuraufenthalt die Anregung zu dieser «Wendriner»-Geschichte.
kommt … nich raus] Vgl. KTs Notizbuch ‹Unreines› («Sudelbuch»), Nr. 58: «Er kommt nicht aus dem Schlafwagen raus.»
Die in Paris] Gemeint ist die Pariser Sachverständigenkonferenz zur Reparationsfrage, die am 7. 6. 1929 geendet hatte.
Börsenkurier] Der ‹Berliner Börsen-Courier›, 1915 gegr. Tageszeitung, die sich unter der Führung von Emil Faktor der DDP annäherte.

33 *Achtuhrahmblatt*] Das ‹8-Uhr-Abendblatt›, 1910 gegr. demokr. Berliner Tageszeitung, die gegen fünf Uhr nachmittags erschien.

34 f *Das geb … Ruhe*] Vgl. ‹Unreines› («Sudelbuch»), Nr. 6: «*Wendriner*: 8 Uhr-Kuß geb ich meiner Frau, und dann hab ich meine Ruhe!»

47 f *Ihr Bauch … Rothschilds Geld*] In Anlehnung an das Lied ‹Seine Sorgen und Rothschilds Geld› aus der Operette ‹Monsieur Troulala› von Hugo Hirsch (Musik) und Kurt Robitschek (Text). Berlin 1925.

56 *Freie Bahn dem Seitensprung!*] Notat Nr. 65 aus ‹Unreines› («Sudelbuch»).

71 *Son Tod … keiner!*] Vgl. ebd., Nr. 55: «Son Tod – denn lieber jar keen –!»

85 f *«Also … im Haus!»*] Vgl. ebd., Nr. 42: «Ich wollte nur sagen: mit einer Leiche bleib ich nicht im Haus.»

90 *Festspielen in Berlin*] Vom 19.5. bis 23.6. fanden erstmals seit 1914 wieder «Berliner Festspiele» statt. Sie wurden mit der Auff. der ‹Meistersinger von Nürnberg› von Richard Wagner in der Staatsoper Unter den Linden eröffnet. Ein Höhepunkt war das einwöchige Gastspiel der Mailänder Scala (vgl. Harry Kahn: Berliner Festspiele, WB 23.4.1929, I, 643 f, sowie die «Antwort» ‹Festspielgast›, WB 21.5.1929, I, 803 f).

92 *viele Amerikaner*] Vgl. Bd. 10 [92], *105*.

93 *Kurfürstendamm*] Vgl. [52], *37*.

102 f *Kameradschaftsehe*] Das Erscheinen des Buchs ‹Die Kameradschaftsehe› von Benjamin Barr Lindsey und Wainwright Evans (‹The Companionate Marriage›; dt.: Stuttgart usw. 1928; übers. von Rudolf Nutt) löste in der dt. Öffentlichkeit eine anhaltende Diskussion über die Akzeptanz nichtehelicher bzw. eheähnlicher Lebensgemeinschaften aus; vgl. Bd. 10 [223], *23*.

112 *in den Sielen sterben.*] Sprichwörtl. in Anlehnung an Bismarcks Ausspruch vor dem preuß. Abgeordnetenhaus am 4.2.1881 zur Forderung nach seinem Rücktritt: «Ein braves Pferd stirbt in den Sielen.» – Sielengeschirr: Brustblattgeschirr, Vorrichtung zum Anschirren von Zugtieren an Fahrzeuge, bes. zur Anspannung von leichten Kutschpferden.

115 f *Ich seh … ähnlich.*] Notat Nr. 50 aus ‹Unreines› («Sudelbuch»).

75

Ein schönes Bild

V: Kurt Tucholsky
D[1]: AIZ Jg. 8 (1929), Nr. 27, S. 2
Bibl.: Bonitz/Wirtz D 2169 u.d.T. ‹Deutschland, Deutschland über alles!›

Mit einer Photographie

Datierung
27.6.1929; zur Datierung der AIZ-Texte s. [1], *0*

Die Bild-Text-Montage wurde zusammen mit drei weiteren Texten (‹Wo ist der Löwe?›; ‹Der Naturforscher›; ‹Völkische Anfrage›) abgedruckt, die dann in DD erschienen. In einer red. Nachbemerkung hieß es dazu: «Wir entnehmen die vorstehenden Bilder und Texte dem Ende Juni im Neuen Deutschen Verlag, Berlin W 8, erscheinenden Bilderbuch von vielen Fotografen und Kurt Tucholsky. [...]». Entgegen dieser Mitteilung wurde vorliegender Text nicht in DD aufgenommen, das erst im Aug. 1929 erschien; zur Entstehung s. Bd. 12, 256f.

«der verdienstvolle ... Industrie-Gebiet»] Wissell, als Reichsarbeitsmin. letzte Instanz im Schlichtungswesen, hatte am 31.10.1928 den Schiedsspruch im Ruhreisenstreit für verbindlich erklärt. Bei dem Konflikt, begonnen im Herbst 1928 mit der Kündigung des Lohntarifvertrags durch die Gewerkschaften, ging es wesentlich um die 1923 eingeführte staatl. Zwangsschlichtung, die von den Arbeitgebern als System der «politischen Löhne» abgelehnt wurde. Der Schiedsspruch wurde daher von ihnen nicht anerkannt, es kam zur Aussperrung von etwa 230000 Arbeitern, zur gerichtl. Auseinandersetzung und am 21.12.1928 schließlich zu einem Sonderschlichtungsspruch Severings, der sich für die Arbeitgeberseite weit günstiger auswirkte als der vom Oktober. Dieser erste Schiedsspruch wurde ebenso wie Wissells Verbindlichkeitserklärung am 22.1.1929 vom Reichsarbeitsgericht, das damit die Position der Arbeitgeber stützte, aus formalen Gründen für rechtsungültig und damit nichtig erklärt; s. dazu ‹Aussperrung› in DD, Bd. 12, 58.
60. Geburtstag] Am 8.3.1929. Eine Abordnung der Kieler Universität überbrachte Wissell aus diesem Anlaß die Ernennung zum Ehrendoktor der rechts- und staatswissenschaftl. Fakultät (s. ‹Ehrendoktor Wissel›, Voss 9.3.1929).
Ludendorff ... Mackensen] Ludendorff hatte 1921 die Ehrendoktorwürde der Med. Fakultät der Universität Königsberg erhalten; Generalfeldmarschall August von Mackensen war Ehrendoktor der Universitäten Halle und Budapest, der Hochschule für Bodenkultur in Wien und der Techn. Hochschule Danzig.
Professores] Die Photographie zeigt die Kieler Professoren Gerhart Husserl, August Skalweit und Ferdinand Toennies.

19 f *Bratenrockwürde*] Bratenrock: scherzhaft für den bei festl. Anlässen getragenen Gehrock.

24 ff «*Wer zuerst … vollbracht.*»] Nicht ermittelt.

31 f «*Hüten … tragen.*»] Vermutl. Äußerung der damals hochbetagten Schriftstellerin Juliette Adam, die zur Zeit Napoleons III. einen von vielen Politikern und Literaten besuchten Salon in Paris führte. In der Zeitschrift ‹La Nouvelle Revue› veröffentlichte sie ihre ‹Briefe über die auswärtige Politik›, daneben publizierte sie unter ihrem Mädchennamen Juliette Lamber Bücher zu Literatur, Geschichte und Politik sowie Romane und Novellen. KT zit. den originalen Wortlaut in ‹Das Ding das fliegt›, Bd. 9 [116], 40: «Méfiez-vous des gens, qui portent un costume!»

76

Die Kunst, falsch zu reisen

V: Peter Panter
D[1]: Uhu Jg. 5 (1928/29), H. 10, Juli 1929, S. 12–16
Bibl.: Nd s. Bonitz/Wirtz D 2244; 38 Nd; GW 7
Mit Zeichnungen von Fritz Eichenberg und Walter Trier

Lesart
73 schwankenden] *emend. aus* schwanken

Zu der Zeitschrift ‹Der Uhu› s. [46], *0*.

1 ff *Wem Gott … weite Welt!*] Eingangsverse des ersten Liedes im 1. Kap. der Novelle ‹Aus dem Leben eines Taugenichts› von Joseph von Eichendorff (1826), vertont von F. Th. Fröhlich (‹Der frohe Wandersmann›, 1833).

2 *Peter! Sonja!*] Peter und Sonja (Sternberg) hießen die Kinder von Lisa Matthias.

10 f *vorn die Ostsee … Leipziger Straße*] Die Leipziger Straße lag im Zentrum Berlins und führte vom Potsdamer Platz in Richtung Osten. An der Leipziger Straße lag u. a. das renommierte Kaufhaus Wertheim. Vgl. auch ‹Das Ideal›: «Eine Villa im Grünen mit großer Terrasse, / vorn die Ostsee, hinten die Friedrichstraße; / mit schöner Aussicht, ländlich-mondän, / vom Badezimmer ist die Zugspitze zu sehn – / aber abends zum Kino hast du's nicht weit» (s. Bd. 9 [98], 2 ff).

39 *Retiraden*] Toiletten.

40 *Baedeker*] Metonymisch für Reiseführer, nach dem Reisehandbücherver-

lag Karl Baedeker (gegr. 1827). Ausgewählte Sehenswürdigkeiten wurden im Baedeker seit 1844 durch Sterne hervorgehoben.
Weinabteilung] Vgl. ‹Die drei Gläser›, Bd. 12, 20f: «[…] das Wort ‹Weinabteilung› ist eines der allerabscheulichsten deutschen Worte, die es überhaupt gibt. Bei uns sieht die Eleganz vielfach so aus wie diese Weinabteilungen der Bierrestaurants: künstlich hochgeschraubt, nach oben gedreht, durch eine Barriere vom gemeinen Volk abgeschlossen, ohne den Zaun wäre alles aus» (ebd., 21).
aufgewachsen bei …] Die Redewendung «aufgewachsen bei den grünen Jalousien» (i. S. v. «aus besserem Haus stammen») wurde im Österreich der Zwischenkriegszeit häufig gebraucht für die Angehörigen des mittleren und v. a. des gehobenen Bürgertums, die es zu einem gewissen Wohlstand gebracht hatten; von KT mehrfach verwendet.

77

Die Inseln

V: Peter Panter
D^1: WB Jg. 25, Nr. 27, 2. 7. 1929, II, S. 1–6
Bibl.: Bonitz / Wirtz D 2245; GW 7

f *Deutschland … Vereinsgequirl …*] Alfons Goldschmidt: Deutschland heute. Berlin 1928, 42f (im Orig. «Abnormalen» statt «Anormalen»). Vgl. KTs Rez. in [37], 138–184.
Sporaden] (griech.: «die Zerstreuten») Inselgruppen vor der Ostküste Griechenlands.
Secessio] Trennung.
«Ich grüße ihn nicht mehr …»] Vgl. den Brief KTs an den Hg. des ‹Deutschen Volkstums› Wilhelm Stapel (s. [73], *Wirkung*) vom 10. 4. 1929, in dem KT zu einer Polemik gegen seine Person Stellung nahm: «es ist in Deutschland üblich, daß sich politische Gegner nicht umeinander kümmern – der Satz ‹Ich grüße ihn nicht mehr› ist bestimmt zwischen Maas und Memel entstanden. Ihre kleine Glosse ‹Eine Offerte› veranlaßt mich, über den Abgrund hinweg Ihnen ein Wort zu sagen.» Vgl. dazu Bd. 19. Zur späteren Auseinandersetzung KTs mit Stapel s. Meyer / Bonitz 1990, 604–630.
was Rechtes zu sehen] Vermutl. Anspielung auf die Annäherung zwischen der linkslib. DDP und dem rechtsnat. Jungdeutschen Orden, die 1930 schließlich zur Vereinigung in der Dt. Staatspartei führte (vgl. Jakob

Links: Die Demokraten beim Jungdo, WB 25.6.1929, I, 960–962; zum Jungdeutschen Orden s. [53], *55*).

68 f *schwarz-rot-goldenen Wolke*] s. [53], *7*.

69 f *gelinde verdächtig*] Der Vors. der rechtslib. DVP war Gustav Stresemann, der als Außenminister die Aussöhnung mit Frankreich anstrebte und deshalb in rechtsnationalen Kreisen als «Erfüllungspolitiker» abgelehnt wurde.

70 *Knoblauch*] Anspielung auf die zahlreichen Mitglieder bzw. Wähler aus dem wohlhabenden jüd. Bürgertum, die mit der unternehmer- und mittelstandsorientierten Politik der DVP sympathisierten. Vgl. KT im ‹Brief an eine Katholikin›, Bd. 13 [16], 238ff: «Hätten die deutschen Nationalisten nicht diese fast tierische Stalldumpfheit von pommerschen Bereitern aus dem vorigen Jahrhundert: sie hätten längst auf die allerdings zugkräftige Volksparole ‹Haut die Juden!› verzichtet – und dreiviertel der deutschen Juden säßen heute da, wo sie klassenmäßig hingehören: bei der Deutschen Volkspartei. Sie tun es nicht, weil sie der Antisemitismus abstößt; sie tun es zum Teil doch, weil ihnen ihr Bankkonto lieber ist als eine Religion, von der sie nur noch das Weihnachtsfest und die ‹Frankfurter Zeitung› halten.»

83 ff *«Leg an … gelungen sein.»*] Der Aphorismus ‹Kritik› im Abschnitt ‹Sätze – Grundsätze›, in: Alfred Polgar: Noch allerlei Theater. Berlin 1926, 142f. (= Polgar: Ja und Nein. Schriften des Kritikers, Bd. 3).

88 f *Kraus … Kerr Kraus*] Harden hatte sich einst kritisch über Kerr geäußert (‹Der Tag›, in: Die Zukunft Jg. 9, Nr. 20, 16.2.1901, 273–283, hier: 278), der ihn in den folgenden Jahrzehnten unentwegt und bis über den Tod hinaus in zahlr. Artikeln und Büchern befehdete. 1928 veröffentlichte Kerr in einem Sammelband auch Aufzeichnungen über Harden: «Ich lachte gestern (sehr angewidert immerhin) über Harden, der mit fetter Unechtheit zur Verminderung schmerzlicher Launen beiträgt. Er hat, statt Muttermilch, Schminke gelutscht» (Kerr: Es sei, wie es wolle, Es war doch so schön! Berlin 1928, 315). Kurz vor seinem Tode hatte Harden gegenüber Franz Pfemfert geäußert, daß Kerr seine Anstellung beim BT nur der ihm abgerungenen Erklärung verdanke, seine vehemente Kritik an Max Reinhardt einzustellen (s. Pfemfert: Der große Gegenspieler Wilhelms II. Mit Maximilian Harden während der letzten Tage seines Lebens, in: Prager Presse Jg. 7, Nr. 326, 27.11.1927, 3 f). Diese Behauptung nutzte Kraus für eine massive Attacke gegen Kerr, die ein ganzes ‹Fackel›-Heft füllte (‹Der größte Schuft im ganzen Land›, in: Die Fackel Jg. 30, Nr. 787–794, Anfang Sept. 1928, 204). Wie schon in den Jahren zuvor griff Kraus darin Kerr an wegen dessen nach 1914 unter den Pseudonymen Gottlieb und Peter verfaßter patriot. Kriegslyrik und anderer kriegsbeja-

hender Schriften (s. auch ebd., ‹Der größte Schriftsteller im ganzen Land›, in: Die Fackel Jg. 30, Nr. 795–799, Anfang Dez. 1928, 52–194); zum «Krieg Kerr/Kraus» s. KT an Hiller am 14.7.1929 und K, Bd. 19. – Harden hatte Informationen über die Homosexualität von Fürst Philipp zu Eulenburg und Graf Kuno Moltke, enge Vertraute Wilhelms II., publizistisch ausgenutzt, um gegen die Hofkamarilla vorzugehen. Beide wurden daraufhin aus ihren Ämtern entfernt und prozessierten gegen Harden. Kraus, der schon zuvor mehrfach über Hardens manirierten Schreibstil gespottet hatte, prangerte nun auch dessen Enthüllungsjournalismus an in dem Pamphlet ‹Maximilian Harden. Eine Erledigung› (Wien, Leipzig 1907). Vgl. KTs Kritik an Harden in ‹Hardens Prozesse›, Bd. 2 [4]. In seinem Nachruf auf Harden 1927 kam KT auf die Affäre und Kraus' Angriffe zurück, s. Bd. 9 [149], 64 ff, *64*. – Auch SJ trug als Hg. der WB etliche publizistische Fehden aus, wohingegen KT sich stets zurückhielt und derartige Angriffe gegen seine Person meist ignorierte. Am 29.6.1920 hatte SJ an KT mit Bezug auf eines seiner «Duelle» geschrieben: «Ich bitte Sie sehr, mich in dieser Sache nicht erziehen zu wollen und ‹zu meinem Besten› sie so zu handhaben, wie Sie es für sich tun würden: nämlich zu lesen und zu schweigen – sondern zu begreifen, daß ich nun einmal anders bin: ich stelle mich zur Polemik und höre nicht auf, bevor nicht einer kampfunfähig ist. Laß mir doch mein Sommervergnügen.» (s. Jacobsohn 1989, 74). Angesichts mehrerer Polemiken von Karl Kraus machte KT gegenüber CvO unmißverständlich deutlich, daß er nicht reagieren würde: «Kraus hat mich durch Ernst Krenek (wer ist das?) in der Frankfurter Zeitung angreifen lassen, und wenn er platzt, ich antworte nicht. Leider platzt er nicht.» (KT an CvO 4.4.1932)

Herrn Keyserling] Vgl. KTs Polemik gegen den Philosophen Hermann Graf Keyserling und dessen «Schule der Weisheit» in ‹Der darmstädter Armleuchter› und ‹Le Comique Voyageur›, Bd. 10 [82] und [85].

f *nationalen Knaben*] Vgl. 1929 z.B. KTs Reaktionen auf Angriffe nationaler Zeitungen [166] und [167] sowie seine Auseinandersetzung mit Wilhelm Stapel (s. [73], *Wirkung*).

Sombart] Bei KT wird der Soziologe Werner Sombart v.a. als Verf. der nationalist., englandfeindlichen Kriegsschrift ‹Händler und Helden› (München 1915) mehrfach erwähnt. Vgl. aber auch KTs Kritik in ‹Auf dem Nachttisch›, Bd. 13 [40], 75 ff: «Es gibt eine Art Soziologie, deren fettigglänzendster Vertreter der unsägliche Sombart ist, eine Soziologie, die über alles und jedes klug daher redet, ohne jemals zu irgendwelchen Resultaten zu kommen.»

f *Villon ... Dichter*] Vgl. [58], 6.

103 *«Kreise»*] Wohl Anspielung auf Heidelberg, wo im Umfeld der Universität zahlr. Gelehrtenkreise wirkten, so in den ersten Jahrzehnten des 20. Jh. etwa der George-Kreis oder der Kreis um Max Weber (vgl. Hubert Treiber und Karol Sauerland [Hg.]: Heidelberg im Schnittpunkt intellektueller Kreise. Zur Topographie der «geistigen Gesellschaft» eines «Weltdorfes» 1850–1950. Opladen 1995).

117 f *Wer seine Kinder liebt, der*] «Wer sein Kind lieb hat, der züchtigt es». Sprichwörtl. in Anlehnung an das Bibelwort «Wer seine Rute schont, der haßt seinen Sohn; wer ihn aber liebhat, der züchtigt ihn bald» (Sprüche Salomons 13, 24; vgl. auch Sirach 30, 1).

134 f *Sozialdemokraten Noske*] Vgl. [13], *119f*; [43], 66f.

140 *Ferne sei es von mir*] Nach 1. Mose 44, 17 und 18, 25.

166 *Schnitzler*] Anspielung auf Schnitzlers Novelle ‹Lieutenant Gustl› (1900). Der Leutnant wird von einem Bäckermeister als «dummer Bub» beleidigt und ist unfähig, sich Satisfaktion zu verschaffen. Wegen des empfundenen Ehrverlusts beschließt er, sich zu erschießen. Als er am nächsten Morgen erfährt, daß der Bäckermeister in der Nacht am Schlagfluß gestorben ist, sieht er sich von der Schande befreit, was ihm den Selbstmord erspart.

186 *«Kind des Gesprächs»*] Nicht ermittelt.

193 f *einmal im Jahr nach Berlin*] KT hielt sich seit seiner Übersiedlung nach Frankreich im April 1924 ein- bis zweimal jährlich für kurze Zeit in Berlin auf. Meist führten ihn berufliche Pflichten in die Reichshauptstadt, der er zunehmend distanziert gegenüberstand. Allein von Dez. 1926 bis Mai 1927 weilte KT notgedrungen länger in Berlin, um nach dem Tode SJs die WB zu leiten. Im Mai 1927 übergab er die Redaktion an CvO und verließ Deutschland wieder.

194 f *gehen mir die Mühlräder im Kopf herum*] Nach Goethe: Faust I, Vers 1947: «Als ging' mir ein Mühlrad im Kopf herum.»

200 *immer weiter, ohn' Ermatten*] Möglicherweise in Anlehnung an Schillers Ballade ‹Die Kraniche des Ibykus›, 17, 5: «So jagen wir ihn, ohn Ermatten».

205 ff *«Jedenfalls … audiendi›.»*] Jacob Burckhardt: Griechische Kulturgeschichte. Hg. von Jakob Oeri. 4 Bde. Berlin, Stuttgart 1898–1902. Bd. 3. 2. Aufl. Berlin, Stuttgart o.J., 410 (Abschnitt IV: Die freie Persönlichkeit).

210 f *‹de recta ratione audiendi›*] Vom richtigen Zuhören (griech.: Peri tou akuein). Abhandlung aus Plutarchs Sammlung ‹Moralia›.

241 *Listenwahlsystem*] In der WR galt das Verhältniswahlrecht mit festen Listen, auf deren Zusammensetzung und Reihenfolge die Wähler keinen Einfluß hatten, was immer wieder zur Kritik führte. In ‹Die genialen Syphilitiker› sprach KT von der «Schande des Listenwahlsystems», in dessen Folge «Beamte, parlamentarische Wichtigtuer und Duckmäuser» einen

«lächerliche[n] Zufallsbrei» zusammenkochten, der hinterher Gesetz werde (Bd. 9 [13], 64 ff).
Rundfunk] Die privatrechtl. organisierten Rundfunkgesellschaften unterlagen in der WR staatl. Kontrolle und waren per Gesetz zur strikten Überparteilichkeit verpflichtet. Dieses Gebot wurde in der zeitgenöss. rundfunkpolit. Diskussion als Entpolitisierung kritisiert, die zudem als Deckmantel für eine gegen links gerichtete Sendepraxis benutzt werde. KT hat sich mehrfach mit dem vermeintlich unpolit. Rundfunk und einer durch staatl. Kontrollgremien ausgeübten Rundfunkzensur auseinandergesetzt; s. ‹Ohne Zensur›, Bd. 10 [46], dort weitere Verweise.
Gruppe Revolutionärer Pazifisten] Die 1926 von Kurt Hiller gegr. GRP vertrat einen radikalen Pazifismus und stand im Spektrum der dt. Friedensbewegung weit links. Sie lehnte jeden Krieg ab, auch den Verteidigungs- und Exekutionskrieg, propagierte Kriegsdienstverweigerung und vertrat sozialist. Auffassungen. KT gehörte seit Juli 1926 dem Vorstand der GRP an (s. Bd. 8 [150], *67*). – Vermutl. bezieht sich KT hier auf den von der GRP am 31.5.1929 veranstalteten öffentl. Diskussionsabend im Berliner Rathaus zum Thema ‹Remarquismus und Aktivismus›, bei dem Walter Karsch als Referent der GRP und als «Gast-Gegner» der nationalist. Schriftsteller Franz Schauwecker (als Vertreter des Stahlhelm) geladen waren (s. die Ankündigung in WB 28.5.1929, I, 840, sowie ‹Daniel in der Löwengrube›, Der Jungdeutsche 7.6.1929).
Allah il Allah] Vgl. [69], *36*.

78

Junge Autoren

V: Theobald Tiger
D[1]: WB Jg. 25, Nr. 27, 2.7.1929, II, S. 17
Bibl.: Nd s. Bonitz/Wirtz D 2246; 7 Nd; GW 7

Vgl. KTs Auseinandersetzung mit der jungen und jüngsten Autorengeneration, insbes. der Gruppe um Klaus Mann, in [33] sowie in ‹Jahrgang 1905›, Bd. 10 [104], sowie ebd. [22], *206 f*, 207 ff.

stieke] (jidd.) schweigen, still sein.
Speelt man god] Vgl. [60], *100*.

79

Deutsch für Amerikaner

V: Kaspar Hauser (D^1); Kurt Tucholsky (D^2)
D^1: WB Jg. 25, Nr. 27, 2.7.1929, II, S. 23–25
D^2: Lerne lachen ohne zu weinen 1931, S. 344–347. Neuer Untertitel: Ein Sprachführer
Bibl.: Nd s. Bonitz / Wirtz D 2247; 1 NdzL, 15 Nd; Ackermann: 1 NdzL; Ackermann / Nickel: 1 NdzL; GW 7

Varianten
Die Varianten sind nach D^2 verzeichnet
0 Amerikaner] *folgt Untertitel* Ein Sprachführer **1** *Dem … Züchten*] *fehlt* **49** Marken] *folgt* und die Briefschaukel **94** gemeint.] gemeint!

1 *Fremden-Ssiehsn*] Phonetisch für engl. season (Saison); vgl. Bd. 10 [92], 104 ff. Anspielung auf die großangelegte Fremdenverkehrswerbung der Stadt Berlin seit 1927, vgl. [103], *163 f.*

8 *einen Sonnabend daraus machen*] s. [8], *137 f.*

12 *ist es nicht?*] Der im Engl. übliche vergewissernde Nachsatz («isn't it?»).

15 *Geh an!*] Wörtliche Übertr. von «Go on!» («Weiter!», «Los!»).

31 *wir leben von der Differenz*] Vgl. KTs Notizbuch ‹Unreines› («Sudelbuch»), Nr. 3: «Wovon lebt der? Von der Differenz.»

36 f *Zitronenschleim*] Vgl. ebd., Nr. 5: «es gab Zitronenschleim».

40 *Verhinderung*] Wörtliche Übertr. von «prohibition», dem gesetzlichen Verbot des Alkoholkonsums in den USA 1920–1933.

49 *kindlich*] Nach engl. «kindly» (freundlich).

51 *Ich wünsche eine Nummer zu haben*] Wörtliche Übertr. von «I want to have a number» («Ich hätte gern eine Nummer»).

54 *Paßhafen*] Wörtliche Übertr. von «passport» (Reisepaß).

60 f *nicht vorhanden sein*] Harry Kahn hatte anläßlich der Berliner Festspiele (s. [74], *90*) in der WB vom 23.4.1929 (I, 643 f) über den «gradezu kümmerlichen, durch die Abwesenheit von Darstellern internationaler Geltung (Krauß, Pallenberg u. a.) […] verkümmerten Schauspielteil des Festprogramms» geklagt und zugleich festgestellt, daß Berlin auf Hermes, «den flügelfüßigen Gott des Fremdenverkehrs» vertraue: «Ein schöner Zug neuer Sachlichkeit, daß Berlin seine ‹Season› ohne viel Brimborium unter das Zeichen des praktischen Gottes stellt».

65 *Von wem ist also dieses Stück?*] Anspielung auf die Plagiatsaffäre um Brechts ‹Dreigroschenoper› (s. [58]).

blaue Bluse der Romantik] Die Formulierung findet sich auch im Notizbuch ‹Unreines› («Sudelbuch»), Nr. 48. – Verballhornung der «blauen Blume» als Symbol romantischer Poesie in Novalis' Roman ‹Heinrich von Ofterdingen› (1802). Die Suche nach der blauen Blume steht in der Romantik für die Sehnsucht nach Aufhebung aller Erfahrungsgrenzen. – «Blaue Blusen» hieß eine 1923 entst. sowjet. Agitproptheater-Bewegung von Amateuren und einigen professionellen Schauspielern. Der Name leitete sich von ihrer Kleidung (lange blaue Hosen und Arbeitsblusen) her. Im Okt. 1927 startete auf Einladung der IAH eine der professionellen Gruppen zu einer mehrmonatigen erfolgreichen Deutschlandtournee, in deren Folge sich auch in Deutschland zahlreiche Agitpropgruppen bildeten. Der Auftakt des Gastspiels erfolgte an der Piscatorbühne am Nollendorfplatz in Berlin (s. dazu die Rez. von Harry Kahn: Blaue Bluse, WB 11.10.1927, II, 569).
Süßherz] Wörtliche Übertr. von «sweetheart» («Liebste/r»).
berliner Festspiele] s. [74], *90*.
Funkturm] Der 1924–1926 erbaute, 150 m hohe Funkturm ist eines der Wahrzeichen Berlins.
berliner Verkehr] Vgl. [66], *188f.*

80

Kintopp, Glaube oder Kurpfuscherei. Der Wallfahrtsort Lourdes in Frankreich

V: Ignaz Wrobel
D[1]: AIZ Jg. 8 (1929), Nr. 28, S. 4–5
Bibl.: Bonitz / Wirtz D 2170; DT
Mit Photographien

Lesart
35 erklären] *emend. aus* klären

Datierung
3.7.1929; zur Datierung der AIZ-Texte s. [1], *0*

Red. Nachbemerkung: «Für Arbeiterbibliotheken: Näheres über Lourdes findet sich vom gleichen Verfasser in ‹Peter Panter, ein Pyrenäenbuch› (erschienen bei Ernst Rowohlt, Berlin).»

Vgl. ‹Ein Pyrenäenbuch›, Bd. 9 [1], entstanden nach einer Pyrenäenreise vom 18.8.–18.10.1925. Der Abschnitt über Lourdes, hier zusammengefaßt, ist der zentrale und umfassendste Teil des Reisebuches (s. Bd. 9 [1], 2229 ff).

58 *Lektüre*] Zu der umfangreichen Literatur, die KT der Niederschrift des Lourdes-Kapitels im ‹Pyrenäenbuch› zugrundelegte, s. den K zu Bd. 9 [1].

64 f *Flucht in die Krankheit*] Mit der Verbreitung der Psychoanalyse populär gewordene, zunächst auf die Hysterie, dann auf verschiedene Krankheiten angewandte Auffassung. Vgl. grundlegend Freuds Schriften ‹Allgemeines über den hysterischen Anfall› (1909); ‹Bruchstück einer Hysterie-Analyse› (1910). – KT hat sich früh mit der Psychoanalyse auseinandergesetzt und war ein Kenner des Freudschen Werks. Im Lourdes-Kapitel des ‹Pyrenäenbuchs› beschäftigt er sich u.a. mit der Abgrenzung der Massensuggestion von der Hysterie, s. den Abschnitt ‹Der Sardellenkopf›, Bd. 9 [1], 3218 ff.

81

Mauserzeit in geflügelten Worten

V: Peter Panter
D^1: Vossische Zeitung Nr. 157, 3.7.1929, Post-Ausg.; Unterhaltungsblatt Nr. 152, [S. 1]
Bibl.: Bonitz / Wirtz D 2248; Rep

1 *Büchmann*] Die nach seinem Hg. Georg Büchmann benannten ‹Geflügelten Worte. Der Zitatenschatz des deutschen Volkes› (1864, seitdem in vielen Aufl.). Die von KT benutzte Auflage konnte nicht ermittelt werden. Im Folgenden der Nachweis aus: Geflügelte Worte. Der Zitatenschatz des deutschen Volkes gesammelt und erläutert von Georg Büchmann. Fortgesetzt von Walter Robert-tornow [!], Konrad Weidling, und Eduard Ippel. Volks-Ausg. auf Grund der 26. Aufl. des Hauptwerkes bearb. von Bogdan Krieger. Berlin: Haude und Spenersche Buchhandlung Max Paschke 1919.

16 *die um Remarque*] Gemeint ist die Generation der um 1900 Geborenen; vgl. ‹Jahrgang 1905›, Bd. 10 [104].

18 *Hekuba*] Geflügeltes Wort nach Shakespeares ‹Hamlet›: «Was ist ihm Hekuba, was ist er ihr, / Daß er um sie soll weinen?»; Büchmann 1919, 238.

26 f *kälter geworden, härter, sachlicher*] Parameter neusachlicher Literatur, vgl. [73], *254*.

Fürst Bülow] Der Reichskanzler war für seine mit Zitaten durchwirkten polit. Reden bekannt, was er am 22.9.1908 anläßlich eines Empfangs für die Teilnehmer des Internationalen Pressekongresses in Berlin kommentierte: «Ich bin überzeugt, daß es wirklich Leute gibt, die glauben, daß ich mich auf meine Reden vorbereite mit dem Büchmann in der Hand. Der harmlose Scherz eines Journalisten, noch dazu eines mir befreundeten Journalisten, [...] brachte die Vorstellung in Umlauf und nun sitzt sie fest. In Wirklichkeit habe ich den Büchmann, der übrigens ein gutes Buch ist, ein mit Liebe zusammengestelltes Buch, erst vor wenigen Jahren in die Hand bekommen, als es mir ein leider seither verstorbener Parlamentarier zum Geschenk machte, als Aprilscherz. Zitiert habe ich immer. [...] Aber ich habe immer aus dem Gedächtnis zitiert. [...] Ich freue mich immer, wenn ich mich in den Witzblättern abgebildet finde mit dem Büchmann in der Hand und mit meinem braven Pudel neben mir.» (Fürst Bülows Reden nebst urkundlichen Beiträgen zu seiner Politik. Bd. 3: 1907–1909. Hg. von Otto Hoetzsch. Berlin 1909, 332–335, hier: 334). – Bülow war in der Öffentlichkeit häufig in der Begleitung seines Pudels Mohrchen und seiner anderen Hunde zu sehen. Befördert durch die Karikaturen v.a. des ‹Simplicissimus›, war die Erinnerung an seine Person in der dt. Öffentlichkeit mit diesem Bild verbunden. Vgl. Bd. 13 [201], 1 ff, *1 ff.*
Jahrgang 1902] Titel eines Romans von Ernst Glaeser (Potsdam 1928), auf den KT auch in ‹Jahrgang 1905› (s.o. *16*) anspielt.
auch Patroklus ... als du] Sprichwörtlich nach Schillers Drama ‹Die Verschwörung des Fiesco› (III, 5); dort wiederum zit. nach Homers ‹Ilias› 21, 106 f; Büchmann 1919, 255.
Wen die ... stirbt jung] In der Plutarch zugeschriebenen ‹Trostschrift an Apollonios›, dessen Sohn gestorben war, überlieferter Vers Menanders; Büchmann 1919, 266.
«Geflügelte Worte aus der Geschichte»] Die Geflügelten Worte waren im Büchmann (1919) eingeteilt in die Rubriken «Aus der Bibel», «Aus Sagen und Volksmärchen», «Aus deutschen [nordischen, französischen, englischen etc.] Schriftstellern», «Aus der Geschichte», «Aus dem Weltkriege» und mit einem Anhang fremdsprachiger Zitate versehen.
f *«Volldampf voraus!»*] Letzte Worte Wilhelms II. im Beileidstelegramm an den Kapitän des Panzerschiffs «Brandenburg» vom 16.2.1894. Auf dem Schiff waren zuvor infolge einer Explosion 40 Personen gestorben; Büchmann 1919, 345.
«Wir müssen aus dem Turm heraus!»] Geht zurück auf einen im März/April 1906 in den ‹Historisch-Politischen Blättern für das katholische Deutschland› ersch. programmatischen Artikel des Zentrumpolitikers Julius

Bachem mit dem Titel ‹Wir müssen aus dem Turm heraus!›; Büchmann 1919, 340.

53 *«die Klinke zur Gesetzgebung»*] Ausspruch Bismarcks in seiner Rede vom 4.3.1881 vor dem Deutschen Reichstag; Büchmann 1919, 341.

53 *«The germans to the front!»*] «Die Deutschen an die Front»; Ausspruch des engl. Befehlshabers der Chinaexpedition gegen den Boxeraufstand Lord Edward Hobart Seymour; Büchmann 1919, 379.

60 *Modewörter*] KT widmete sich von Anbeginn seiner journalist. Arbeit der «Jagd auf Modewörter» (s. ‹Die Angelegenheit›, Bd. 8 [82]). Vgl. ‹«Dienstlich»›, Bd. 1 [180]; ‹«Aufgezogen»›, Bd. 3 [183]; ‹Die Einstellung›, Bd. 6 [114]; ‹eigentlich›, Bd. 10 [29]. Vgl. auch ‹Neudeutsch›, Bd. 2 [179]; ‹Der neudeutsche Stil›, Bd. 8 [65]. Er folgte damit dem von ihm geschätzten Buch ‹Allerhand Sprachdummheiten. Kleine deutsche Grammatik des Zweifelhaften, des Falschen und des Häßlichen. Ein Hilfsbuch für alle, die sich öffentlich der deutschen Sprache bedienen› (Leipzig 1891 u.ö.) von Gustav Wustmann. KTs Exemplar (5. Aufl.) mit zahlr. Anstreichungen ist in Privatbesitz erhalten (Kopie KTF).

60 *«scies»*] Abgedroschene Redensarten.

63 *«A la gare»*] Laß mich in Ruhe! Hau ab!, s.a. Brief an MT vom 20.6.1924. Darin spricht KT über «die alte leider unmoderne Redensart: ‹à la gare›, die zwar keinen Sinn hat – aber noch alle Tage so schön ist wie ‹Du – mir auch›.»

64 *«Ça fait riche»*] «Das sieht nach viel Geld aus».

64 *«Sans blague»*] Im Ernst. Ohne Scherz. Tatsächlich.

65 *Grock*] Als begeisterter Anhänger von Grock hat KT v.a. in seiner Pariser Zeit Vorstellungen des «göttlichen Clown[s]» (Bd. 7 [73], 1) besucht (s.a. KT an SJ 9.3.1925 und an MT 27.6.1927).

67 *Revuen davon gelebt*] Ausrufe und Schlagworte aus Alltag und Reklame wurden in den 20er Jahren häufig in Revuetexte aufgenommen. So hießen 1928 zwei Hollaender-Revuen ‹Es kommt jeder dran!› bzw. ‹Bitte einsteigen!›. Von Hollaender vertonte Chansons hatten Titel wie ‹Immer um die Litfaßsäule rum …› (1920, Text: KT, s. Bd. 4 [9]), ‹Berlin simultan› (1921, Text: Walter Mehring) oder auch ‹Kurse gesunken, Kurse gestiegen› (1927, Text: Friedrich Hollaender). Die Nelson-Revuen, für die KT arbeitete hießen ‹Total Manoli› (1920), ‹Bitte, zahlen!› (1921) und ‹Wir steh'n verkehrt› (1922). Zu KTs Mitarbeit an Revuen vgl. auch [66], *0*.

69 f *«Sei sparsam, Brigitte!»*] «Sei sparsam Brigitte, nimm Ullstein-Schnitte», so lautete der Werbeslogan der seit 1886 hg. ‹Ullstein-Schnitte› für die nähende Hausfrau.

74 *Dachreklamen*] So war das von KT getextete Titelcouplet für die Nelson-

Revue ‹Total Manoli› (vgl. Bd. 4 [221]) angeregt durch eine aufsehenerregende Reklame der Zigarettenfirma Manoli über den Dächern Berlins. Der Zigarettenfabrikant Max Mandelbaum hatte sein Unternehmen nach seiner Frau Ilona M. benannt, indem er ihren Namen zu «Manoli» verdrehte. Abgeleitet von dieser Reklamekonstruktion hieß «total manoli» im Berlin der Zeit soviel wie durchgedreht, verrückt (s. Bd. 4 [18], *24*).

«Song»] s. [66], *65*.

Herr Lax] s. [58], *8*.

«Sich mit fremden Federn schmücken.»] Aus Äsops Fabeln ‹Die Dohle und die Eule› und ‹Die Dohle und die Vögel› (s. Wander 1867ff, Bd. 1, 954).

im Kriege 1866] Krieg Preußens und seiner Verbündeten gegen Österreich und seine Verbündeten um die Vorherrschaft in Deutschland. Die Entscheidung fiel durch den preuß. Sieg bei Königgrätz am 3.7.1866.

f *«affenartiger Geschwindigkeit»*] Umgestaltet aus «affenähnliche Beweglichkeit», die während des Deutschen Krieges in einem Artikel von August Krawani in der Wiener Zeitung ‹Die Presse› vom 14.2.1866 den preuß. Truppen zugeschrieben wurde; Büchmann 1919, 330.

«Lenchen hatte einen Piepmatz.»] Recte: ‹Röschen hatte einen Piepmatz›, Lied aus der Gesangsposse ‹Die Mottenburger› von David Kalisch und August Weihrauch; Musik: Rudolf Bial (Berlin 1868).

f *Regie wird … kann jeder.*] Kompilation aus mehreren Gedichten von Wilhelm Busch: Verse 1, 2 aus ‹Dideldum!› (1874): «Musik wird oft nicht schön gefunden / Weil sie stets mit Geräusch verbunden». Verse 3, 4 aus ‹Die fromme Helene› (1872): «Doch jeder Jüngling hat wohl mal / 'n Hang zum Küchenpersonal» (Büchmann 1919, 221f). Verse 5, 6 möglicherweise in Anlehnung an die Wendung «Die Kritik ist leicht, die Kunst ist schwer» aus der Komödie ‹Der Ruhmredige› von Destouches (‹Le Glorieux›, 1732; dt. 1745).

82

Bänkelbuch

V: Peter Panter
D[1]: WB Jg. 25, Nr. 28, 9.7.1929, II, S. 58–60
Bibl.: Nd s. Bonitz / Wirtz D 2249; 1 Nd; GW 7
Rez.: Bänkelbuch. Hg. von Erich Singer. 12.–15. Tsd. Wien: E.P. Tal 1929 (zuerst: 1920)

7 *Freikorps*] Vgl. [73], *22*.

8 *Arnolt Bronnen*] Vgl. KTs Rez. von Bronnens ‹O.S.›, [73].

11 *hübschen Versen*] Singer 1929, 151–157.

14 ff *«Er bedauert … zu beseitigen.»*] ebd., 8 («Bemerkung zur dritten Auflage»).

28 *bänkelbedürftigen Leser*] Der Bänkelsang war im 18. und 19. Jh. der durch Bildtafeln unterstützte öffentliche Vortrag von sog. Moritaten (Lieder über ein schauerliches oder auch rührseliges Thema mit moralisierender Tendenz). Er wurde im 20. Jh. als literarische Form wieder aufgegriffen von Autoren wie Wedekind, Brecht, Kästner, Walter Mehring und auch KT.

29 *Bücher*] Neben Brechts Lyriksammlung ‹Hauspostille› von 1927 (s. KTs Rez. in Bd. 10 [23]) auch die Ende 1928/Anf. 1929 ersch. Ausg. ‹Die Songs der Dreigroschenoper› (vgl. [58], *6*). – Ringelnatz lieferte mit seinen bänkelsängerischen Liedern aus dem Band ‹Kuttel Daddeldu› (Berlin 1920, erw. Aufl. München 1923) Programmnummern für das Kabarett «Schall und Rauch», sie bildeten auch den Kern seines Vortragsprogramms, mit dem er in den 20er Jahren in Deutschland auf Tournee ging.

30 *Da habe ich hier*] Am 25.6.1914 hatte KT in der SB für die Verse Hans Adlers geworben, s. ‹Lieber Simplicissimus!›, Bd. 2 [83].

31 *Simplicissimus*] Die 1896 in München gegr. illustrierte Wochenschrift wurde von KT 1912 als das «A und O der politischen deutschen Satire» gewürdigt (vgl. Bd. 1 [38]). 1913 wurde er durch die Vermittlung des Redakteurs Blaich («Dr. Owlglaß») gelegentlicher Beiträger des Blattes. Seine Kritik an der nationalist. Haltung des ‹Simplicissimus› während des Weltkrieges (s. ‹Ludwig Thoma›, Bd. 4 [37]) führte 1920 zum Bruch mit Blaich (s. Meyer/Bonitz 1990, 135 ff). Erst seit 1926 publizierte KT hin und wieder im ‹Simplicissimus›.

34 *‹Affentheater›*] Hans Adler: Affentheater. Gedichte. Wien: E.P. Tal 1920, neue verm. Aufl. 1929. Vgl. KTs Rez. ‹Affentheater›, Bd. 5 [32].

39 ff *Wem es bestimmt … das Leben.*] Schluß des Gedichts ‹Schicksal›, ebd., 73; Singer 1929, 17 f.

46 *Hermann Hesse*] Noch im August 1927 hatte KT zum fünfzigsten Geburtstag Hesses einen zwar kritischen, aber wohlwollenden Aufsatz geschrieben (vgl. Bd. 9 [113]). 1928 sollte er hingegen in Hesses Roman ‹Steppenwolf› (1927) eine peinliche Erotik entdecken (vgl. Bd. 10 [53], 177 ff), auf die er wohl auch hier anspielt.

52 *‹Ohne dich›*] Singer 1929, 40 f.

53 *‹Stammelverse nach durchwachter Nacht›*] In: Liliencron: Nebel und Son-

ne. Der Gesammelten Gedichte dritter Band. 7. Aufl. Berlin, Leipzig [o.J.], 69 (= Sämtliche Werke, Bd. 9).

Man hat … beschäftigt!] Singer 1929, 57f (zit.: 8. Strophe). Im Orig. «zu lange» statt «zu viel».

‹Herz auf Taille› und ‹Lärm im Spiegel›] Vgl. [66], *194*. In Singer 1929, 37–72.

Verse Kerrs] Singer 1929, 75–79. Abgedr. sind Gedichte aus Kerrs Lyrikband ‹Die Harfe› (Berlin 1917).

Verse Klabunds] ebd., 83–93: ‹Lebenslauf›, ‹Pubertät›, ‹Liebeslied›, ‹Resignation›, ‹Matrosenlied›, ‹Ballade›, ‹Fünf Mark›, ‹Hamburger Hurenlied›, ‹Drei wilde Gänse›, ‹Ich baumle mit de Beene› und ‹Liebeslied›. Aus: Klabund: Morgenrot! Klabund! Die Tage dämmern! (Berlin 1913) und ders.: Die Harfenjule (Berlin 1927).

«Und ick baumle … her …›] ebd., 91f. Blandine Ebinger hatte das Lied 1921 mit der Musik von Friedrich Hollaender in Rosa Valettis Kabarett «Größenwahn» vorgetragen. – In ihren Memoiren berichtet Ebinger, sie sei KT nur selten begegnet und habe ihn lediglich einmal bei der Arbeit getroffen. Über eine Einladung KTs an sie und Hollaender schreibt sie: «Eine solche Einladung war etwas Besonderes, wir freuten uns beide darauf.» («Blandine …». Erinnerungen der Schauspielerin und Diseuse Blandine Ebinger. Hamburg, Zürich 1992, 141); s. den Brief von Hollaender und Ebinger an KT 17.10.1920, DLA.

getötet im Jahre 1914] Lichtenstein fiel nur wenige Wochen nach Beginn des 1. Weltkrieges an der Westfront.

‹Der Türke› und ‹Der Fall in den Fluß›] Singer 1929, 98–101.

wie Kate Kühl] Friedrich Hollaender hatte das Gedicht unter dem Titel ‹Lene Levi› 1921 vertont.

neulich schon unterhalten] Vgl. [71], 256–375.

«kleine Form»] Vgl. Alfred Polgar: Die kleine Form (quasi ein Vorwort). In: Polgar: Orchester von oben. Berlin 1926, 11ff (Polgar 1984, Bd. 3, 369ff).

‹Schreie auf dem Boulevard›] 1913 hatte KT das Paris-Buch René Schickeles begeistert besprochen, vgl. Bd. 1 [141].

Am Nebentisch … ick nich.] Singer 1929, 141f (Strophe 1 und 2).

Jugendsünden] Von KT waren überwiegend Gedichte aus dem Jahr 1919 enthalten: ‹Sehnsucht nach der Sehnsucht› (Bd. 3 [72]), ‹An die Berlinerin› (Bd. 5 [127]), ‹Mißachtung der Liebe› (Bd. 3 [172]), ‹An ihren Papa› (Bd. 3 [193]), ‹Schwere Zeit› (Bd. 3 [42]), ‹Auf ein Frollein› (Bd. 5 [147]), ‹Die Schweigende› (Bd. 3 [104]), ‹Blick in die Zukunft› (Bd. 4 [64]) aus ‹Fromme Gesänge› (Berlin 1919) und ‹Mit 5 PS› (Berlin 1928) sowie aus dem Manuskript (Singer 1929, 161–171).

103 *lassen stahn*] Nach dem Vers «Das Wort sie sollen lassen stahn» aus Martin Luthers Lied ‹Ein feste Burg ist unser Gott› (1529).

105 *in der ‹Fackel›*] s. Die Fackel Jg. 13, H. 334/335, 31.10.1911, 37.

106 ff *Wenn der Tag … Stühle stehn.*] Singer 1929, 175 (Strophe 1).

110 *wie … Abonnenten?*] Anspielung auf das Aufklärungsbuch ‹Wie sag' ich's meinem Kinde? Gespräche über Entstehung von Pflanzen, Tieren und Menschen› von Friedrich Siebert (München 1904). 1912 hatte KT Wedekind in seinem Stück ‹Erdgeist› erlebt und die Aufführung euphorisch besprochen (vgl. Bd. 1 [45]). Bereits 1914 hingegen äußerte sich KT kritisch über eine Berliner Wedekind-Matinee: «Hier hats einmal Lava gespien. Aber das ist lange her» (‹Der Konsumvereinsteufel›, Bd. 2 [48], 13 f).

111 *Franz Blei*] Zentraler Gedanke des Wedekind-Kapitels von Bleis Schrift ‹Über Wedekind, Sternheim und das Theater› (Leipzig 1915, 28–53).

114 *Herodes*] Bezug nicht ermittelt.

116 *Schnapsorgel*] Ausschankgefäß für sog. «lose Spirituosen», das in der Regel aus zylindrischen, nebeneinander oder im Halbrund angeordneten Standrohren aus Glas bestand, die am unteren Ende mit einer Zapfvorrichtung versehen waren.

118 ff *In der Esse … und ab*] Erste von acht Strophen von Wedekinds Gedicht bzw. Lied ‹Der Dampfhammer› (entst. 1886/87, u.d.T. ‹Im Dampfhammer›. ED: Die Fackel Jg. 9, Nr. 229, 2.7.1907, 19 f, mit dem Titelzusatz «Nach der Melodie ‹Ist denn Lieben ein Verbrechen …›»). Im Orig. «Mägdekammer».

123 *den A.R. Meyer entdeckt hat*] Der von KT geschätzte Verleger und Autor Alfred Richard Meyer hatte 1919 Konrad Weichbergers Novelle ‹Mein Hund und Mara Miroh› in seinem Verlag A.R. Meyer (Berlin) als Nr. 60 der Reihe ‹Lyrische Flugblätter›, einer 1907–1927 ersch. Heftreihe vornehmlich expressionist. Dichtung (s. Bd. 5 [26]), herausgegeben.

126 f *deutsche Sprache selber dichtet*] Ähnlich in Bd. 14 [50], 32 f; dort als Goethe-Zitat ausgewiesen; wörtlich aber nicht nachgewiesen; s. Bd. 14 [50], *32*.

130 ff *Laß du … die Bahn –*] Singer 1929, 203. Erste Strophe des Gedichts ‹Abschied› (in: Konrad Weichberger: Schorle morle. Leipzig 1903, 59); KT hatte aus diesem Gedicht bereits 1927 zweimal zitiert (vgl. Bd. 9 [1], 1922 ff; [141], 40 ff).

142 *Jahrhundertkerl*] So bezeichnete SJ Heine im Brief an KT vom 20.9.1925; s. Bd. 9 [1], *4035 f*.

143 *letzten Lieder*] Wohl die fünf Gedichte, die der schwerkranke Heine kurz vor seinem Tod der von ihm «Mouche» genannten Elise Krinitz widmete

(s. Heinrich Heine. Historisch-kritische Gesamtausgabe der Werke. In Verbindung mit dem Heinrich-Heine-Institut hg. von Manfred Windfuhr. Bd. 3/I. Bearb. Von Frauke Bartelt und Albert Destro. Hamburg 1991, 389–397).

Die Zahl … Geist.] Diesen Satz verwendete KT nochmals in DD (s. Bd. 12, 16), als Bildunterschrift zu einer Photographie des leeren Denkmalssockels des Hamburger Heine-Denkmals (eines von dreien in Deutschland); zu den Streitigkeiten um das Heine-Denkmal s. Bd. 12, 270f.

83

Befürchtung

V: Kaspar Hauser (D^1); Kurt Tucholsky (D^2)
D^1: WB Jg. 25, Nr. 28, 9.7.1929, II, S. 71 [Rubrik:] Bemerkungen
D^2: Lerne lachen ohne zu weinen 1931, S. 266–267
Bibl.: Nd s. Bonitz/Wirtz D 2250; 16 Nd; GW 7

Varianten
Die Varianten sind nach D^2 verzeichnet
4 lebe –] lebe … **8** müde] Müdigkeit **15** beibringen –?] beibringen? **16** gesehen] gesehn **17** sehen] sehn **21** Tod … es] Tode. Es **22** wird …» –] wird …» **22f** allein wahre Demokratie –] wahrste aller Demokratien, **24** wären] seien **28** helfen] helfen,

«Es lebe –»] Vgl. ‹Der letzte Ruf›, Bd. 10 [87].
Gasangriff] Der erste systematische (und völkerrechtswidrige) Einsatz von Giftgas (Chlorgas) im 1. Weltkrieg und damit zugleich der erste größere Einsatz von chem. Kampfstoffen in der Kriegsgeschichte überhaupt erfolgte am 22.4.1915 durch dt. Truppen nahe der belg. Stadt Ypern. Vgl. [13], *67*.
Karlchen] Erich Danehl, genannt Karlchen, war neben Hans Fritsch, genannt Jakopp, der zweite Kriegskamerad KTs, mit dem ihn eine lebenslange Freundschaft verband. Immer wieder ließ KT «Karlchen» und «Jakopp» in seinen Texten auftreten, so z.B. 1927 im ‹Pyrenäenbuch› (vgl. Bd. 9 [1], 1654ff) sowie in ‹Das Wirtshaus im Spessart› (vgl. Bd. 9 [154]) und 1931 in ‹Schloß Gripsholm› (vgl. Bd. 14 [51]). Am 22.5.1918 hatte KT an seine Freundin Mary geschrieben: «Wobei denn zu bemerken ist, daß mein Freund hier wundervoll aufstoßen kann. Du bist gewiß eine große Künstlerin, aber dieser ist ein Klassiker in seinem Fach. Er kann hun-

dertundneun Arten: den ‹Kehlkopfroller› und den ‹Zungenschnalzer› und beide zusammen [...].»

16 *Hinrichtung gesehen*] Am 18.2.1917 war KT in Alt-Autz als Gerichtsschreiber bei der Erschießung zweier Russen zugegen gewesen. Am 20.2.1917 schrieb er an Blaich: «Vorgestern haben sie ein paar Russen erschossen, zwegn Spionage, ich habe assistiert – natürlich nur mit denen Gerichtsakten und nicht etwa mit dem Karabiner – und es war eigentlich nur jämmerlich. Die Menschheit hackt sich durch Fleisch und Blut einen Weg der ‹Idee› durch lebendige Menschen – in den Fibeln liest sich das nachher recht hübsch, man darf nur nicht dabeisein.» 1921 hatte KT diese Hinrichtung u.d.T. ‹Kleine Begebenheit› beschrieben (vgl. Bd. 5 [37]). Vgl. auch ‹Hinrichtung›, Bd. 1 [22].

84

Der Gruß

V: Peter Panter

D^1: Vossische Zeitung Nr. 165, 12.7.1929, Post-Ausg.; Unterhaltungsblatt Nr. 160, [S. 1]

Bibl.: Nd s. Bonitz / Wirtz D 2251; 1 NdzL; Rep

3 *‹Vossischen Zeitung›*] s. ‹Übersicht über Tucholskys Tätigkeit für Publikationsorgane 1929›.

6 *Hier stock ich schon*] Zit. aus Goethes ‹Faust I›, Vers 1225.

36 *Vater Seldte*] Franz Seldte, Gründer und 1. Bundesführer des rechtsradikalen «Stahlhelm, Bund der Frontsoldaten» (s. [126], *85*).

44 ff *Geburtshelfer ... Korkenzieher-Fabrikanten-Gruß*] KT verwendete mehrfach den berlin. Ausspruch: «Eine Hebamme is noch keen Korkenzieher!», s. z.B. ‹Der verengte Gesichtskreis›, Bd. 12, 118, 3.

53 *Mit deutschem Dobermanngruß*] Vgl. die Grußformel in KTs Brief an George Grosz 21.8.1927: «in deutscher Dobermannstreue».

59 *Mahrenzeller*] Wohl berlin. Aussprache für «Magenzeller», wie KT sich selbst in Briefen ab 1929 hin und wieder nannte; s. z.B. KT an Sonja Sternberg 15.6.1929 (Bd. 19); Bd. 20 [B 209], 50; [B 216Q], 59.

90 ff *Gott sieht ... Einkommen*] In Abwandlung des Sprichworts «Gott sieht aufs Herz» (nach 1. Sam. 16, 7: «der Herr aber siehet das Herz an»).

94 *Hip-Hep-Hurra*] «Hep(p)-Hep(p)» war ein antisemit. Hetzruf bei den judenfeindlichen Ausschreitungen von 1819 in mehreren dt. Städten, den sog. «Hep-Hep-Krawallen». Die Bedeutung ist nicht eindeutig geklärt,

vermutl. ist «hep» die Abk. des ursprüngl. röm. Schmährufes «Hierosolymna est perdita» («Jerusalem ist verloren»); vgl. auch die beiden Artikel KTs u.d.T. ‹Hepp Hepp Hurra!›, Bd. 4 [206] und Bd. 5 [15].
Kassenwart ... Wilddiebe] Vgl. KT an Mehring 23.3.1929 mit der Unterschrift «Mitglied des Reichs-Wildschützen-Vereins».

85

Über die Nennung von Frauennamen

V: Peter Panter
D^1: Vossische Zeitung Nr. 167, 14.7.1929, Post-Ausg.; Unterhaltungsblatt Nr. 162, [S. 2]
Bibl.: Nd s. Bonitz / Wirtz D 2252; 1 NdzL; Ackermann: 1 NdzL; GW 7

f *«... die Dunhillpfeife ... geschenkt hat ...»*] s. [72], 6ff.
f *Dies ist ein weites Feld.*] s. [36], *70*.
f *Edschmied kopieren*] Bereits 1918 hatte KT mit Bezug auf Novellen Paul Bussons über den Schriftsteller Kasimir Edschmid geschrieben: «Und lange, bevor Edschmid (von dem ich immer annehme, daß er eigentlich Kasimir Eduard Schmid geheißen hat, einfach Schmid) in gewundener Qual mit der imaginären Kraft Andrer protzte, lange, bevor es Mode war, seine Helden mit verächtlich geschürzten Lippen einen ganzen Harem ausschlagen zu lassen (‹Sie würden das nicht können!›) – lange vor dieser schönen Zeit lag in diesen Geschichten so eine Art Romantik spielender Kraft» (‹Nette Bücher›, Bd. 2 [154]). Vgl. [43], 219.
«Musch» ... Lottchen] s. [36], *48*, *49*.
‹Vossischen Zeitung›] Alle Texte, in denen eine Frau mit dem Namen Musch Erwähnung findet (s.o. *21*), sind ebenso wie die ‹Lottchen›-Monologe (s. Bd. 10 [126], *0*) in der Voss erschienen.
Karlchen] s. [83], *13*.
bei der Polizei] Erich Danehl war seit 1926 im Polizeidienst und seit 1928 stellvertretender Polizeipräsident in Elberfeld.
Nachtmusik] Serenade, Abendmusik, vgl. ‹Komm' erschein' auf dem Balkone. Serenaden von Gestern und Heut›, Bd. 9 [66].
«Ich saß ... beim Lunch ...»] Mögl. Anspielung auf Fanny Jarosy, die Ehefrau des in Paris lebenden und mit KT befreundeten Musikers Albert Jarosy. In einem Brief KTs an A. Jarosy von Ende Nov. 1928 heißt es: «Sehr geehrter Herr Professor, muß Ihnen leider mitteilen, daß Ihre werte Frau sie bedriegt. Dieselbe hat es mit einem dicken Schriftsteller, der Ih-

nen vielleicht dadurch aufgefallen ist, daß er nachts – als Hund verkleidet – vor Ihrem Haus bellt. […].» Vgl. auch Brief KT an Jarosy, Herbst 1928, sowie an Fanny Jarosy am 9.11.1928.

43 ff *«Frauen … auszuführen.»*] Auf zwei Rollen verteiltes Bonmot in einer Komödie Alexandre Dumas' d. J.: «*Madame Leverdet.* […] c'est la femme qui inspire les grandes choses. *de Ryons.* Et qui empêche de les accomplir.» (A. D. fils: L'ami des femmes, 1. Akt, 1. Szene; 2. Aufl. Paris 1964, 19).

63 *Kriminalnovelle E.A. Poes*] Gemeint ist die Erzählung ‹The Purloined Letter› (1845; dt. ‹Der entwendete Brief›), in der die Polizei bei einer Hausdurchsuchung den gesuchten Brief, der offen in einem Briefständer steckt, übersieht, da sie nur nach möglichen Verstecken fahndet.

71 *«Was ist … Papagei!»*] Nicht ermittelt.

72 *«ein alter Casanovian»*] Zu Pallenbergs improvisierten Sprachspielen und seiner Wortkomik vgl. KTs Rez. Bd. 1 [79]; [188].

75 *Du aber sollst … neben ihr.*] Verballhornung des ersten Gebots: «Du sollst keine anderen Götter haben neben mir» (2. Mos. 20, 3). Vgl. [70].

83 *Ninon de Lenclos*] Bis heute ist nicht gesichert, ob die berühmte Kurtisane des 17. Jh. Anne Lenclos, gen. Ninon de Lenclos, in deren Salon zahlr. Persönlichkeiten des Pariser Lebens verkehrten, wirklich die Verf. der ihr zugeschriebenen Briefe ist (s. ‹Briefe der Ninon de Lenclos›, Berlin 1906).

89 *«Alle zu … zu viel.»*] Der Aphorismus wurde KT von MT mitgeteilt (s. MT an KT 30.4.1929), später gedr. in: Polgar: In der Zwischenzeit. Amsterdam 1935; heute in: Polgar 1984, Bd. 3, 24: «Erotiker in der Klemme: ‹Alle sind zu wenig …, eine ist zuviel!›».

86

Die Sonne, hoch zwei

V: Peter Panter
D^1: Simplicissimus Jg. 34 (1929/30), Nr. 16, 15.7.1929, S. 194
Bibl.: Nd s. Bonitz/Wirtz D 2253; 2 Nd; GW 7

Zum ‹Simplicissimus› s. [82], *31*.

1 *«Du mußt es dreimal sagen!»*] Mephisto in Goethes ‹Faust I›, Vers 1533. Anspielung auf die Plagiatvorwürfe gegen Brecht, s. [58].

4 *Treptower Parks*] Parkanlagen im Südosten Berlins. Vgl. ‹Treptow›, Bd. 12, 180f; dort findet sich ebenfalls das Motiv der zwei Sonnen.

Freiheit der Person] Art. 114, Abs. 1 WRV: «Die Freiheit der Person ist unverletzlich. Eine Beeinträchtigung oder Entziehung der persönlichen Freiheit durch die öffentliche Gewalt ist nur auf Grund von Gesetzen zulässig.»

Wissenschaft und ihre Lehre frei] Art. 142 WRV: «Die Kunst, die Wissenschaft und die Lehre sind frei. Der Staat gewährt ihnen Schutz und nimmt an ihrer Pflege teil.»

Zensur] Art. 118, Abs. 2 WRV: «Eine Zensur findet nicht statt, doch können für Lichtspiele durch Gesetz abweichende Bestimmungen getroffen werden. Auch sind zur Bekämpfung der Schund- und Schmutzliteratur sowie zum Schutz der Jugend bei öffentlichen Schaustellungen und Darbietungen gesetzliche Maßnahmen zulässig.» – Zum Schund- und Schmutzgesetz von 1926 s. [47], *32*. Zur Zensur des Rundfunks s. [115], des Films s. [126], *59*. Darüber hinaus bildete das StGB, insbes. mit den §§ 164 (falsche Anschuldigung), 166 (Gotteslästerung), 184 (Unzucht bzw. Unsittlichkeit), 185–187 (Beleidigung), die Rechtsgrundlage zahlreicher Zensurprozesse. Hinzu kam die auf den Hochverratsparagraphen 85 und 86 StGB basierende Konstruktion des «Literarischen Hochverrats» (vgl. Bd. 9 [38], *15*).

«Alle Herrschaft … Volke aus!»] Art. 1, Abs. 2 WRV: «Die Staatsgewalt geht vom Volke aus.»

Artikel 48] Art. 48, Abs. 2 der WRV: «Der Reichspräsident kann, wenn im Deutschen Reiche die öffentliche Sicherheit und Ordnung erheblich gestört oder gefährdet wird, die zur Wiederherstellung der öffentlichen Sicherheit und Ordnung nötigen Maßnahmen treffen, erforderlichenfalls mit Hilfe der bewaffneten Macht einschreiten. Zu diesem Zwecke darf er vorübergehend die in den Artikeln 114, 115, 117, 118, 123, 124, 153 festgesetzten Grundrechte ganz oder zum Teil außer Kraft setzen.» Insbes. Anfang der 20er Jahre waren Notverordnungen nach Art. 48, Abs. 2 von Reich wie Ländern ausgiebig und bis zur jurist. Unübersichtlichkeit genutzt worden, um gegen polit. Extremisten von rechts wie links vorzugehen. Hierbei kam es wiederholt zu massiven Konflikten zwischen der bayr. und der Reichsreg. Hier bezieht sich KT vermutl. auf die gescheiterte Verlängerung des Republikschutzgesetzes am 28.6.1929: Nach der Ermordung Rathenaus wurde am 21.7.1922 ein auf 5 Jahre befristetes «Gesetz zum Schutz der Republik» vom RT verabschiedet (1927 mit Abänderungen verlängert), das scharfe Strafmaßnahmen gegen republikfeindliche Handlungen und Vereinigungen vorsah. Ein unter der Federführung von Innenminister Severing vorgelegter Entwurf zur Verlängerung des Gesetzes um weitere drei Jahre scheiterte am 28.6.1929 in der 3. RT-

Lesung. Severing kündigte daraufhin die Wiedervorlage des Gesetzes an und drohte für den Fall des erneuten Scheiterns ersatzweise mit der Anwendung des Art. 48, was zu Tumulten im RT führte (s. ‹Das Republikschutzgesetz gefallen›, Voss 29.6.1929).

24 *hinter dem Bahnviadukt*] An der Nordwestseite des Treptower Parks lagen die Gleise der Berliner Ringbahn.

39 *Achtstundentag*] Der 1918/19 gesetzl. eingeführte Achtstundentag wurde 1923/24 «im Hinblick auf die Not von Volk und Staat» bei weiterhin grundsätzlicher Geltung durch Ausnahmeregelungen faktisch aufgehoben und auf bis zu zehn Stunden verlängert (vgl. ‹Der Achtstundentag›, Bd. 6 [103]). Mit dem Arbeitszeitnotgesetz vom 14.4.1927 wurde er wieder stärker gegen mögliche Durchbrechungen gesichert, dafür aber wurde durch dehnbare Bestimmungen die gesetzl. Mehrarbeit erleichtert, die nun mit Lohnzuschlägen vergütet werden sollte. Die von den Arbeitgebern hinausgezögerte und infolge des konjunkturellen Aufschwungs 1927 von den Gewerkschaften immer offensiver geforderte Rückkehr zum Achtstundentag war Gegenstand der Arbeitskämpfe um die Jahreswende 1927/28.

48 *Arbeitslosen*] Noch vor dem Börsenkrach am 25.10.1929 («Schwarzer Freitag») hatte angesichts der angespannten wirtschaftlichen Situation die Arbeitslosigkeit in Deutschland mit 3,1 Mio. Arbeitslosen im Februar ihren vorerst höchsten Stand erreicht; im Juli ging deren Anzahl saisonbedingt auf 1,4 Mio., und damit auf den niedrigsten Stand des Jahres, zurück. Ende des Jahres waren wieder 2,9 Mio. Menschen offiziell ohne Arbeit.

53 *Hilferding*] Rudolf Hilferding amtierte von Aug. bis Okt. 1923, dann nochmals vom Juni 1928 bis Dez. 1929 als Reichsfinanzminister; in dieser Funktion wurde er wiederholt von der WB kritisiert. – Vgl. dazu z.B. KTs Artikel ‹Dienstzeugnisse›, Bd. 7 [40], 85ff. Vgl. [125], 77ff; [178], 105.

57 *Reichswehretat*] Am 27.6. wurde der Reichwehretat in 3. Lesung vom RT gebilligt. Der Antrag der KPD, die zweite Rate für den Bau des Panzerkreuzers A zu streichen, wurde abgelehnt. Für den Etat und damit gegen die eigene Fraktion stimmten Reichskanzler Müller (SPD) und die SPD-Minister Severing, Hilferding und Wissell, um die große Koalition nicht zu gefährden. Noch im Wahlkampf zur RT-Wahl 1928 hatte die SPD mit der Parole «Kinderspeisung statt Panzerkreuzer» agitiert und sich in der Folge als stärkste Partei durchsetzen können. – Die DLfM veröffentlichte im Juni 1929 eine Broschüre gegen den RW-Etat: ‹Kanonen oder Brot›, bearb. von Konrad Widerhold, Otto Lehmann-Rußbüldt. Die Endredaktion übernahm KT (s. Die Menschenrechte Jg. 4, Nr. 4/5, 20.4.1929, 20).

Länder] Anspielung auf die seit 1918 geführte Diskussion um die Umgestaltung des Verhältnisses zwischen Reich und Ländern mit dem Ziel der Abschaffung der dt. «Kleinstaaterei» und des Dualismus zwischen dem Reich und Preußen. Die Herstellung eines dezentralisierten Einheitsstaats nach unitarischem Prinzip scheiterte immer wieder am Widerstand v.a. der süddt. Länder. Die Reform scheiterte 1929 am Veto der bayr. Regierung (vgl. dazu Huber 1960ff, Bd. 7, 672–679). Vgl. ‹Das Reich und die Länder›, Bd. 5 [195], das Gedicht ‹Einigkeit und Recht und Freiheit›, Bd. 9 [34], sowie Bd. 9 [A 10], 1ff.

Nur die Bayern] Vgl. [42], *182*; Bd. 12, *77*, *13f.*

Zentrum] Die kath. Zentrumspartei kämpfte für die Beibehaltung des §218 StGB, der einen Schwangerschaftsabbruch unter Strafe stellte (s. [150], *Tabelle*).

Illing] Verballhornung von Zwilling.

f *Gertrud Bäumers … Heußens*] Beide DDP-Politiker hatten sich 1926 für das Schund- und Schmutzgesetz eingesetzt und wurden deswegen von Schriftstellern und Journalisten scharf kritisiert, so auch von KT (vgl. u.a. ‹Old Bäumerhand, der Schrecken der Demokratie›, Bd. 8 [206]).

f *Internationale*] Vgl. [66], *169*.

Stahlhelmlied] s. [13], *120f.*

Arnolt Bronnen] s. [73].

Magnus Hirschfelds Institut] s. [25], *14*.

Jagow-Zörgiebel] Traugott von Jagow, 1909–16 Polizeipräs. von Berlin, war bekannt für seine zahlr. Verbote und Erlasse, 1920 gehörte er zu den Initiatoren des Kapp-Putsches. Zu Zörgiebel, seit 1926 Berliner Polizeipräs., s. [64].

Berliner Fremdenfestspiele] Vgl. [74], *90*.

Dolly-Dolly-Sisters] KT hatte die von «Klatsch angenehm umwehten» Tänzerinnen 1926 in Paris erlebt (Bd. 8 [18], 125).

Singulare tantum] Substantiv, das ausschließlich im Singular gebräuchlich ist. Anspielung auf die von KT häufig kritisierte Dominanz reaktionärer Richter am Leipziger Reichsgericht (vgl. [43], *260*).

Völkerbünde] Zum Völkerbund in Genf s. [8], *84*.

87

Lehrgedicht

V: Theobald Tiger (D^1); Kurt Tucholsky (D^2)
D^1: WB Jg. 25, Nr. 29, 16.7.1929, II, S. 105
D^2: Lerne lachen ohne zu weinen 1931, S. 401
Bibl.: Nd s. Bonitz / Wirtz D 2254; 5 Nd; GW 7

Varianten
Die Varianten sind nach D^2 verzeichnet
15 nicht] gar nicht **19** Essais] Essays

0 *Lehrgedicht*] Vgl. KTs Brief an Kurt Hiller vom 12.6.1929, der auf Hillers am 11.6.1929 in der WB (I, 889–893) ersch. Artikel ‹Volksfremdwörterbuch› Bezug nimmt, in dem Hiller ein deutliches Bekenntnis zur Verwendung von Fremdwörtern – speziell auch zu «Logos» und «Eros» – abgibt: «[...] ich lese grade Ihre prachtvollen Auslassungen [...] über Fremdwörter. Drei Hoche! (Three cheers!) Nun steht da ein Gedicht von mir in Satz, in dem ich mich über ‹Logos und Eros› lustig mache – da es *nach* Ihrem Aufsatz erscheint, möchte ich Ihnen kollegialiter [...] sagen, daß wir einig sind. Natürlich meine ich nicht nur nicht Sie, sondern die Karikaturen der Philosophen.»

12 *Dionysos*] Griech. Gott des Weines und der Fruchtbarkeit, der in einem orgiastisch-ekstatischen Kult gefeiert wurde. In Anknüpfung an Nietzsche zum Topos des Zeitgeistes geworden.

19 *Essais*] Vgl. ‹Die Essayisten›, Bd. 14 [50].

88

Später

V: Peter Panter
D^1: WB Jg. 25, Nr. 29, 16.7.1929, II, S. 110–111 [Rubrik:] Bemerkungen
Bibl.: Bonitz / Wirtz D 2255; GW 7

2 *schwedische*] s. [53], *1*.

3 *organisiert*] Bürokratische Überorganisation und Vereinsmeierei als Ausdruck dt. Mentalität hat KT oft glossiert, vgl. u.a. ‹Der Apparat›, Bd. 2 [171]; ‹Wie mit unserer Arbeitskraft umgegangen wurde›, Bd. 3 [65]; ‹Sport›, Bd. 7 [117]; ‹Die tote Last›, Bd. 8 [197].

Emil Ludwig] ‹Bismarck. Geschichte eines Kämpfers› (Berlin 1926). Den auszugsweisen Vorabdruck brachte die WB (16.11.1926, II, 760f) u.d.T. ‹Bismarck und die Fürsten›.
Auskultator] Gerichtsreferendar.
im Jahre 1870] Gemeint ist offenbar Bismarcks außenpolit. Geschick im dt.-frz. Krieg 1870/71 (Neutralität Englands, Italiens und Österreichs), der die Hegemonialstellung Deutschlands in Mitteleuropa befestigte und 1871 die Gründung des Dt. Reiches beförderte.
«... in den erblichen Fürstenstand erhoben ...»] 1871 wurde Bismarck in den Fürstenstand erhoben.
als Mensch] Vgl. ‹Das «Menschliche»›, Bd. 10 [77].
theosophischen Standpunkt] s. [97], *27f.*
zersetzender berliner ... Kulturbolschewismus] Schlagworte der rechtsnat., großstadt- und modernefeindlichen Presse in einem gegen Ende der 20er Jahre zunehmend aggressiv geführten Kampf um kulturelle Hegemonie (vgl. [54]; Ludwig Marcuse: Kultur-Bolschewismus, TB 4.10.1930, II, 1596–1599; CvO: «Kulturbolschewismus», WB 21.4.1931, I, 559–563; s. Ossietzky 1994, Bd. VI, 83–88; Joseph Roth: Der Kulturbolschewismus, TB 9.7.1932, I, 1050–1057).
Antenne geerdet] Durch den am Rundfunkempfänger angebrachten Umschalter (Erdschalter) war das Gerät gegen Überspannung geschützt und konnte bei Nichtgebrauch abgeschaltet werden.

89

Juli 14

V: Ignaz Wrobel
D[1]: WB Jg. 25, Nr. 30, 23.7.1929, II, S. 119–125
Bibl.: Nd s. Bonitz/Wirtz D 2256; 2 NdzL, 1 Nd; GW 7
Rez.: Emil Ludwig: Juli 14. Berlin: Rowohlt 1929

Am 12.6.1929 hatte KT an Joseph Friedrich Matthes geschrieben: «Über Emil Ludwig ‹d'accord›. Er bringt jetzt einen großen Schläger heraus, ‹Juli 14› – wunderbar gemacht. These: Die armen verführten Völker und die bösen Diplomaten. Das zweite ist richtig – die Verantwortungslosigkeit und Verkommenheit dieser Kerle *(Iswolski)* ist natürlich fürchterlich. Aber die armen Völker ... das deutsche hat den Krieg gewollt, es wäre eine verdammte Lüge, das zu verschweigen. Ich werde das befummeln und über das Buch, das ich übrigens für nützlich und in seiner Art für sehr tapfer halte, schreiben.»

Wirkung

Die Rez. veranlaßte Arnold Zweig zu einem kritischen Kommentar. Im Brief vom 25.7.1929 an KT hieß es: «Ich bin aber der Meinung, dass, wenigstens privatim, wir uns über eines klar sein sollten: dieser neueste Ludwig verdiente im Grunde genommen gerade in der ‹Weltbühne› eine viel schärfere Zurechtweisung als Sie sie ihm gegeben haben. Er ist noch mehr zur Entlastung der Herren Wendriner [s. [66], *284*], von Kamicke und Tünnes geschrieben worden als jenes Wilhelmbuch [s.u. *4*]. Und gerade wir in der ‹Weltbühne› sollten darauf verweisen. Denn in der ‹Weltbühne› hat Heinrich Kanner die entscheidenden Aufdeckungen gemacht, von denen Sie ein Stück zitieren, und die zum Verständnis der Juli-Tage allererst führen. [...] Ich weiss, lieber Tucholsky, wir können das nicht öffentlich sagen, nicht weil wir Emil Ludwig schonen müssten – niemand von uns denkt daran, Schonung zu verlangen, und auch er hat keinen Anspruch darauf – sondern weil dieser Emil Ludwig mit seiner ganzen Breslauer Gebrechlichkeit einfach eine Lebensnotwendigkeit für linke Leute zu sein scheint und gegenüber denen, die unfassbar viel weniger wissen als er, immer noch eine Leuchte ist.»

In der Rubrik «Antworten» des folgenden WB-Heftes (27.8.1929, II, 339) findet sich eine, möglicherweise von KT verf. Glosse zu einer Rez. des Buches: «Potsdamer. Deine ‹Potsdamer Tageszeitung› bespricht Emil Ludwigs ‹Juli 14›. Wie man eben so etwas in Potsdam bespricht. ‹Man kann›, spricht der Weise, ‹Bücher dazu benutzen, um einen wackelnden Tisch zu stützen; man kann sie kritisieren; man kann sie aber auch lesen.› Die ‹Potsdamer Tageszeitung› hat das Buch Ludwigs nicht gelesen; sie hat es sicherlich noch nicht einmal gesehen. Denn sie nennt es beharrlich ‹August 14›. Das ist eine Kleinigkeit: aber so werden die bedauernswerten Leser dieses Organs unterrichtet. Nun, es ist gut genug für sie.»

Zur Wirkung s. auch unten *167ff* sowie *307*.

1 f *«Lassen Sie ... schon lange.»*] Zit. bei Ludwig 1929, 128 (Äußerung Berchtolds aus dem Jahr 1916).

4 *stärkste Buch Emil Ludwigs*] KT hatte 1925 schon Ludwigs Biographie ‹Wilhelm II.› rezensiert; s. ‹Das Buch vom Kaiser›, Bd. 7 [207].

9 f *Domela und Remarque*] Sowohl Harry Domelas Memoiren (vgl. [37], *205*) als auch Remarques ‹Im Westen nichts Neues› (vgl. [68], *0*) avancierten innerhalb kürzester Zeit zu Bestsellern.

«dümmsten aller Kriege»] Äußerung des Hamburger Reeders Albert Ballin, entnommen dem Motto, das Ludwig seinem Buch voranstellte: «Man braucht kein Bismarck zu sein, um diesen dümmsten aller Kriege zu verhindern» (Ludwig 1929, [3]).
österreichische Thronfolger ermordet] Die Ermordung des österr.-ungar. Thronfolgers Franz Ferdinand in Sarajewo durch serb. Nationalisten am 28.6.1914 veranlaßte die österr. Regierung am 23.7. zu einem nahezu unannehmbaren Ultimatum an Serbien, das faktisch die Aufgabe seiner polit. Eigenständigkeit bedeutete und Rußlands Widerstand hervorrief. Die dt. Regierung vermittelte nur zögernd, da sie auf die Erhaltung der Großmachtstellung ihres österr.-ungar. Verbündeten angewiesen zu sein glaubte. Obwohl Serbien die Forderungen am 25.7. weitgehend akzeptierte, brach Österreich noch am selben Tag die diplomatischen Kontakte ab und leitete die Mobilmachung ein.
österreichische Botschafter] Wladimir Freiherr Giesl von Gieslingen.
Lord Grey] Zu der im folgenden beschriebenen Bündnispolitik des brit. Außenministers Sir Edward Grey vgl. Ludwig 1929, 89–93.
«Entente cordiale»] Das einem polit. Bündnis nahekommende brit.-frz. Verhältnis, das seit 1904 entstanden war und später auch militär. Absprachen für den Fall eines Krieges gegen Deutschland einschloß, wurde 1907 durch Bündnisse mit Rußland zur Tripleentente erweitert, welcher der dt.-österr.-ital. Dreibund gegenüberstand.
f *«moralische … Verpflichtungen»*] Ludwig 1929, 91.
Iswolski] Vgl. ebd., 100–104.
lothringischen Jugend] Vgl. ebd., 81.
schritt er in Petersburg] Vgl. ebd., 68 f.
f *«Ich rechne … aussichtslos.»*] ebd., 97.
Nibelungentreue] Sprichwörtl. für unbedingte Gefolgschaft und Loyalität. Der auf die im Nibelungenlied besungene heldische Treue bezugnehmende Ausdruck geht zurück auf eine RT-Rede Reichskanzler Bernhard von Bülows 1909 während der Bosnienkrise, in der er die Bündnistreue des Dt. Reichs zu Österreich-Ungarn charakterisierte.
«ungelüfteten Räumen»] Vgl. etwa Ludwig 1929, 104: «die dumpfe Luft der Kabinette».
«die Herausforderung annahm»] ebd., 161 ff. Die in der Kriegserklärung formulierten Modalitäten waren Weigerung oder Schweigen des Gegners gegenüber den dt. Forderungen.
f *Hier ist … wir ab.»*] ebd., 163 (KT gibt Sasonows Äußerung nur sinngemäß wieder).
f *«Aber nach … gemacht werden.»*] ebd.

111 *Verlustliste Nr. 1*] Die Julikrise 1914 hatte sich nach der Kriegserklärung Österreich-Ungarns an Serbien (28.7.) innerhalb einer Woche mit Kriegserklärungen Deutschlands an Rußland (1.8.) und Frankreich (3.8.) zum 1. Weltkrieg entwickelt. Am 4.8. war die brit. Kriegserklärung gegen Deutschland gefolgt.

118 *Historiker*] Ludwig sah sich aus den Reihen der Fachhistoriker wiederholt dem Vorwurf ausgesetzt, in seinen außerordentlich erfolgreichen und in mehrere Sprachen übersetzten psychologisierenden Biographien (z.B. ‹Goethe›, 1920, ‹Rembrandt›, 1923, ‹Napoleon›, 1925, ‹Wilhelm II.›, 1925) zugunsten belletristischer Breitenwirkung auf wissenschaftl. Exaktheit zu verzichten. Ende 1928 entfachte die von der ‹Historischen Zeitschrift› hg. Broschüre ‹Historische Belletristik› (München) die seit Mitte der 20er Jahre andauernde Kontroverse um das populäre Genre erneut (vgl. CvO: Die Historiker sind ernstlich böse. In: Ossietzky 1994, Bd. IV, 550–553 und K; s.a. die Hinweise in Bd. 10 [170], *5*). Insbes. die Betrachtung großer historischer Persönlichkeiten aus republikanischer Perspektive, die einige Vertreter des Genres pflegten, führte mit den häufig national gesinnten akadem. Geschichtswissenschaftlern zu einem Streit um die Deutungshoheit. Ludwig antwortete auf die Kritik mit dem Artikel ‹Historie und Dichtung› in der ‹Neuen Rundschau› (März 1929), der auch als kostenlose Broschüre vom Verlag vertrieben wurde (s. Anzeige in WB 2.7.1929, II, 34). Mit Werner Hegemanns Artikel ‹Emil Ludwig zum 50. Geburtstag› (WB 20.1.1931, I, 96–100), einer polemischen Abrechnung mit Ludwigs biograph. Methode, erfuhr der Konflikt eine Fortsetzung; vgl. die Briefe KTs an Ludwig vom 22.5. und 14.7.1932. – Zu der von KT prognostizierten Kritik an ‹Juli 14› aus nationaler Perspektive s. z.B. Niels Hansen: Der Fall Emil Ludwig. Oldenburg 1930, 146–173.

126 f *«Uns vorzuwerfen … nicht lieben!»*] Ludwig 1929, 77.

131 *prophetische Artikel*] Arthur Bernsteins Artikel ‹Die letzte Warnung› sollte am 29.7.1914 in der ‹Berliner Morgenpost› erscheinen, fiel aber der Zensur zum Opfer. Erst 1923 wurde der Artikel zufällig wieder aufgefunden und am 20.9.1923 anläßl. des 25jährigen Jubiläums der Morgenpost publiziert (ausführlich zit. bei Ludwig 1929, 112–114).

148 f *«Deutschland … Unschuld.»*] Stark gerafftes Zitat aus dem Antikriegsdrama ‹Die letzten Tage der Menschheit› (III, 41) von Karl Kraus (1922). Dort heißt es: «Und Deutschland hat Österreich in jenen Krieg getrieben, den es nicht gewollt hat. Die dort sind die verfolgende Unschuld und mir san eh die reinen Lamperln» (Kraus 1986, Bd. 10, 409). Von KT mehrfach zit., s. Bd. 9 [102], 181; Bd. 10 [122], 1.

berliner Lokalanzeigers] s. [34], *45*.
Falschmeldung] Der ‹Berliner Lokal-Anzeiger› hatte am 31.7.1914 ein ‹Extrablatt› herausgegeben, das ohne amtl. Autorisation den Befehl zur dt. Mobilmachung meldete (vgl. Ludwig 1929, 153f). Über die Urheberschaft dieser als schicksalshaft bewerteten Veröffentlichung, die die russ. Mobilmachung und in Folge die deutsche beschleunigt haben sollte, wurde seither spekuliert; eine amtl. Untersuchung war nie betrieben worden. U.a. wurde vermutet, daß der damalige Chef der militär. Nachrichtenabteilung, Major Nicolai, der Drahtzieher gewesen sei (vgl. ‹Tagebuch der Zeit›, TB 20.2.1926, I, 277).
Gabriele Princips] Der Attentäter von Sarajewo (s.o. *20*) Gavrilo Princip wurde zu 20 Jahren Kerker verurteilt; er starb 1918 im österr. Hochsicherheitsgefängnis in Theresienstadt (vgl. Ludwig 1929, 26f).
Im Jahre … zuzuschieben.] Thesen 1 und 2 der ‹Vier Thesen› zum Kriegsschuldproblem, die Kanner im ersten Heft der von ihm selbst hg. polit. Monatsschrift ‹Der Krieg› publizierte (Jg. 1, Nr. 1, Febr. 1928, 3–5, Zitat: 4). Im Juniheft druckte Kanner seine vier Thesen u.d.T. ‹Unsere Thesen› erneut ab (Nr. 18, hintere Umschlagseite innen) und ergänzte diese um zwei «Nebenthesen», deren erste KT hier als dritte These ebenfalls zitiert. Im Septemberheft seiner Zeitschrift geht Kanner auf die Rezeption seiner Thesen ein und erwähnt hierbei auch die WB: «Einige deutsche Blätter haben unsere Thesen zur Kriegsschuldfrage zustimmend übernommen, so der ‹Dortmunder Generalanzeiger› in einem Artikel von L. Persius, die Berliner ‹Weltbühne› in einem Artikel von Ignaz Wrobel» (‹Unsere Thesen›, Nr. 21, 142f). – Kanner hatte seit 1922 mehrere Artikel zur Kriegsschuldfrage in der WB publiziert.
casus belli] Kriegsfall, kriegsauslösendes Ereignis.
casus foederis] Vertragsfall, Ereignis, das die Bündnispflicht eines Staates auslöst.
Dolus] Arglist, auf Täuschung gerichteter Wille.
«Die Gesamtschuld … Europas»] Ludwig 1929, 9 (Vorwort).
Wendriner und Kulicke] Zu Wendriner vgl. [66], *284*. Kulicke war ein gängiger Witzname für den Durchschnittsberliner und KTs Spitzname für die Diseuse Kate Kühl.
Petroleumkrieg] Anspielung auf den Konkurrenzkampf der amer., brit. und russ. Ölkonzerne Standard Oil, Dutch-Shell und Naphta um den intern. Ölmarkt. Vgl. etwa Alfons Goldschmidt: Oil-Imperialismus, WB 2.8.1927, II, 163–165.
Basil Zaharoff] Richard Lewinsohns Biographie ‹Der Mann im Dunkel: Die Lebensgeschichte Sir Basil Zaharoffs des ‹Mysteriösen Europäers››,

war im Frühjahr 1929 bei S. Fischer in Berlin erschienen (vgl. auch die «Antwort» ‹Morus›, WB 5.3.1929, I, 393).

234 f *Not kennt kein Gebot.*] Sprichwörtl. nach Ciceros ‹De officiis› (II, 21, 74): «Necessitati parendum est» («Der Notwendigkeit muß man gehorchen»). Bei Ludwig zit. Ausspruch des Reichskanzlers Bethmann Hollweg, der am 2.8.1914 vor dem RT den dt. Angriff auf das neutrale Belgien u.a. mit den Worten legitimierte: «Wir sind jetzt in der Notwehr, und Not kennt kein Gebot». Ludwig vermerkt dazu, Bethmann Hollweg habe bei der Erklärung des Ursprungs des Konfliktes «alle entscheidenden Faktoren weg[gelassen]» (Ludwig 1929, 236).

245 *militaristische Erziehung*] Vgl. ‹Die Nation der Offiziersburschen›, Bd. 12, 14; *14, 0.*

252 *Verlumpung*] Zur Korruption der frz. Presse vgl. die 1929 in der WB ersch. Serie ‹Pariser Presse› von Simson Carasco, insbes. ‹III. Die organisierte Korruption›, WB 14.5.1929, I, 741–744.

255 ff *Streng geheim ... 1000 ...*] ‹L'Humanité›, das Organ der frz. KP, hatte vom 5.12.1923 bis zum 30.3.1924 Dokumente aus russ. Archiven veröffentlicht, die regelmäßige Zahlungen aus Geheimfonds der russ. Regierung an die frz. Presse in den Jahren 1904–1913 belegten; s. ‹Histoire générale de la presse française›. Hg. von Claude Bellanger u.a. Bd. III. Paris 1972, 270–275.

276 *‹Zeitgemäßes über Krieg und Tod›*] In: Imago Bd. IV, 1, 1915, 1–24; 1924 in: Sigmund Freud: Gesammelte Schriften. Bd. X. Leipzig, Wien, Zürich, 315–346.

278 ff *«Der einzelne ... und Tabak.»*] Freud: Zeitgemäßes über Krieg und Tod. In: Freud 1940 ff, Bd. 10, 324–355, hier: 329.

285 ff *«Den bisherigen ... glaubten.»*] ebd., 336. Vgl. [71], 177; [73], 165 f.

304 f *Verrat der Sozialisten*] Gemeint ist die Bewilligung der Kriegskredite mit den Stimmen der SPD im RT am 4.8.1914. Die SPD stützte sich auf das Argument, es handele sich um einen Verteidigungskrieg. Trotz zunehmender Unstimmigkeiten innerhalb der Fraktion (am 2.12.1914 stimmte Liebknecht gegen die Kriegskreditvorlage, im März und Aug. 1915 blieben SPD-Abg. den Abstimmungen fern, am 21.12.1915 wandten sich erstmals 20 Abg. offen gegen die Bewilligung) blieb die Majorität der Partei bei ihrer Zustimmung der Kredite.

307 *ideologischer Überbau*] Am 22.4.1930 sollte W. Reimer auf diese von KT auch an anderer Stelle (s. [160]) vertretene These in der WB entgegnen, daß neuere sowjet. Forschungen einen Einfluß des Seins auch auf das Unterbewußtsein belegen würden: «Das beweist, daß auch der unterbewußte Grausamkeitsdrang immer aus einem sozialen Milieu mit grausamen öko-

nomischen Kämpfen hervorgeht, also sehr wohl marxistisch zu erklären ist» (‹Psychoanalyse und Marxismus›, WB, I, 609f, hier: 610). KT veröffentlichte im selben Heft eine ‹Replik› auf Reimer (vgl. Bd. 13 [64]) und kam am 14. 10. 1930 in der WB nochmals auf dessen Entgegnung zu sprechen (s. ‹Gesunde und kranke Nerven›, Bd. 13 [150], 62ff). – Der ideologische Überbau ist in der Theorie des Marxismus die auf der Basis der realen Produktionsverhältnisse aufbauende polit., jurist., kulturelle und religiöse Struktur, der bestimmte gesellschaftliche Bewußtseinsformen entsprechen.

f *Schulbüchern*] 1928 hatte KT Nikolaus Wührer, dem Bearbeiter eines Geographielehrbuchs, Geschichtsfälschung und nationalist. Hetze vorgeworfen (s. Bd. 10 [150]). Wührer reagierte mit einer Privatklage wegen Beleidigung. Der daraufhin stattfindende Prozeß endete mit einem Vergleich.

Erklärung] Anläßlich des 10. Jahrestages der Unterzeichnung des Versailler Vertrages am 28. 6. 1929 initiierten Reichspräs. und Reichsregierung eine Kundgebung, in der die dt. Alleinschuld am Weltkrieg (s. u. *337*) zurückgewiesen wurde (s. Schulthess' Europäischer Geschichtskalender N.F. Jg. 45, 1929. Hg. von Ulrich Thürauf. München 1930, 140f).

Artikel 231] Der sog. Kriegsschuld-Artikel des Versailler Vertrages lautete: «Die alliierten und assoziierten Regierungen erklären, und Deutschland erkennt an, daß Deutschland und seine Verbündeten als Urheber für alle Verluste und Schäden verantwortlich sind, die die alliierten und assoziierten Regierungen und ihre Staatsangehörigen infolge des ihnen durch den Angriff Deutschlands und seiner Verbündeten aufgezwungenen Krieges erlitten haben.» Dieser Artikel bildete die jurist. Grundlage für die Reparationsansprüche der Alliierten. Der Bekämpfung der sog. «alliierten Kriegsschuldlüge» hatten sich nicht nur rechtsstehende Parteien und Verbände verschrieben. Auch das 1919 gegr. Kriegsschuldreferat des AA beteiligte sich im Interesse einer Revision des Friedensvertrages aktiv an der «Unschuldspropaganda», v. a. über die 1921 vom AA gegr. und von ihm finanzierten Organisationen «Zentralstelle für Erforschung der Kriegsursachen» und «Arbeitsausschuß Deutscher Verbände». Vgl. ‹Schuldbuch›, Bd. 3 [140].

nicht für gerecht] s. ‹Friede?›, Bd. 3 [83].

Kriegsdokumente] Die vom Reichsarchiv seit 1925 hg. Aktenpublikation ‹Der Weltkrieg 1914 – 1918› (Bde 1 – 14 und 3 Ergänzungsbde). Ab 1921 erschienen unter Mitwirkung des Reichsarchivs ‹Schlachten des Weltkriegs 1914 – 1918›. – Zu KTs Kritik am tendenziösen Wirken des Reichsarchivs vgl. ‹Die Akten›, Bd. 5 [207]; ‹Das Reichsarchiv›, Bd. 8 [33].

347 f *Entschuldigungsmemoiren*] Zahlreiche Würdenträger und Militärs des Kaiserreichs publizierten schon bald nach Kriegsende ihre apologetischen Memoiren, z.B.: Wilhelm II.: Ereignisse und Gestalten aus den Jahren 1878–1918. Leipzig 1922 (vgl. KTs satirisches Gedicht ‹Händler und Helden›, Bd. 5 [179]); Kronprinz Wilhelm: Erinnerungen des Kronprinzen Wilhelm. Hg. von Karl Rosner. Berlin 1922 (vgl. ‹Wenn der Vater mit dem Sohne …!›, Bd. 5 [155]); Erich Ludendorff: Meine Kriegserinnerungen 1914–1918. Berlin 1919; Alfred von Tirpitz: Erinnerungen. Leipzig 1919/1920; Paul von Hindenburg: Aus meinem Leben. Leipzig 1920; Erich von Falkenhayn: Der Feldzug der 9. Armee gegen die Rumänen und Russen 1916/17. Berlin 1921. Vgl. auch KTs Satire ‹Memoiren aus der Kaiserzeit›, Bd. 14 [34].

348 *Farbbüchern*] Von der Farbe des Bucheinbandes abgeleitete Bezeichnung für Sammlungen amtl. Schriftstücke, die von den Außenministerien der Öffentlichkeit zugänglich gemacht wurden. – Vgl. Ludwig 1929, 208–213.

353 *«letzten Tage der Menschheit»*] s.o. *148f.*

354 f *«räudige Zeit»*] Nicht ermittelt.

90

Einkehr

V: Theobald Tiger
D^1: WB Jg. 25, Nr. 30, 23.7.1929, II, S. 139
Bibl.: Nd s. Bonitz/Wirtz D 2257; 4 Nd; GW 7

1 *vierzig Jahren*] Am 9.1.1930 sollte KT seinen vierzigsten Geburtstag begehen.

28 *«Es zieht … hinein.»*] Morgensterns Vierzeiler ‹In so vielem› lautet: «Wie hat man oft im tiefsten Mark/gefühlt: nein, nein und aber nein!/Aber das Leben ist so stark/es reißt einen immer wieder hinein». In: Morgenstern: Melancholie. Berlin 1906, 75.

91

Jonathans Wörterbuch

V: Peter Panter
D^1: Vossische Zeitung Nr. 179, 28.7.1929, Post-Ausg.; Unterhaltungsblatt Nr. 174, [S. 2]
Bibl.: Nd s. Bonitz/Wirtz D 2258; 2 NdzL, 4 Nd; GW 7

Rez.: K[atharine] Ashe: Neues Taschen-Wörterbuch. Deutsch-Französisch und Französisch-Deutsch / Nouveau dictionnaire de poche. Français-allemand et allemand-français. Paris: T. Nelson [1915] (= The E.F.G. Pocket Series)

Jonathan] Engl. ugs. für die männlichen Genitalien.
Tallywags] Engl. ugs. für die männlichen Genitalien (vgl. Francis Grose: A Classical Dictionary of the Vulgar Tongue. London 1785).
Gallone] Engl. Maßeinheit: 4,55 l.
Nutmegs] Engl. «Muskatnüsse»; ugs. für die männlichen Genitalien (vgl. Grose 1785, s. o. *1*).
verlorene Sohn] Anspielung auf das Bibelgleichnis vom «verlorenen Sohn»: Ein Sohn bittet seinen Vater um Auszahlung der ihm zustehenden Erbschaft, zieht in ein fernes Land und bringt dort sein Erbe durch. Als er reumütig zu seinem Vater zurückkehrt, wird er von diesem herzlich empfangen: «er war verloren und ist wiedergefunden» (Lukas, 15, 32).
«Fireship»] Engl. «Feuerschiff»; ugs. für eine syphilitische Prostituierte (vgl. Grose 1785, s.o. *1*).
Abraham] Engl. ugs. für die männlichen Genitalien (vgl. Slang and Its Analogues. Hg. von John S. Farmer und W.E. Henley. Bd. 5. [London] 1902, 288).
Gingambobs] Engl. ugs. für die männlichen Genitalien (vgl. Grose 1785, s.o. *1*).
vier Pfund] 1 Pfund Sterling entsprach damals etwa 20 RM.
Kitty] Engl. ugs. für die weiblichen Genitalien (vgl. Slang and Its Analogues s.o. *39*, Bd. 4. 1896, 338).
Cauliflower] Engl. «Blumenkohl»; ugs. für die weiblichen Genitalien (vgl. Grose 1785, s.o. *1*).
‹Söndagsnisse Strix›] 1924 gegr. schwed. Satiremagazin, entstanden aus der Vereinigung von Hasse Zetterströms Zeitschrift ‹Söndags-Nisse› und dem von Albert Engström 1897 gegr. Blatt ‹Strix›.
‹The New-Yorker›] 1925 von Harold Ross gegr. New Yorker Kulturmagazin, das zahlr. humorist. und satir. Zeichnungen enthält und besonders für seine Titelzeichnungen bekannt ist. In dem Blatt publizierten die namhaftesten amer. und europ. Zeichner. Die Bildergeschichten ‹The Little King› des amer. Zeichners Otto Soglow begeisterten KT und waren monatelang Gesprächsthema in Briefen an Hedwig Müller; s. Bd. 20, dort z.B. [B 162], 93 ff; [B 45], *62*.
«abarten? Dégénérer] Ashe o.J., 1; übers. aus: «s'abâtardir» (Kopie KTF).

100 *«abäschern»*] ebd.; übers. aus: «ôter avec de la cendre».
101 *«Abbiß»*] ebd.; «morsure», übers. aus: «endroit *(m.)* mordu».
101 *«abblatten»*] ebd.; übers. aus: «effeuiller; effaner».
102 *«Mutzen»*] ebd., 159; übers. aus: «bonneter; casquetter».
103 *«Diskretionstags»*] ebd., 62; übers. aus: «jours (*m.*) de grâce, de répit».
104 *«fragselig»*] ebd., 83; übers. aus: «questionneur».
104 *«erbittlich»*] ebd., 75; übers. aus: «qui se laisse fléchir».
105 *«Hausverstand»*] ebd., 103; übers. aus: «gros bon sens».
106 *«Leichenbuch»*] ebd., 134; übers. aus: «registre (*m.*) mortuaire».
106 f *«Strafengesetz»*] ebd., 231; übers. aus: «loi (f.) pénale».
107 *«Facklei»*] ebd., 78; übers. aus: «lanternerie».
108 *«Bahnzug»*] ebd., 32; übers. aus: «train».
109 *«Sicherheitsanstalt»*] ebd., 221; übers. aus: «établissement (m.) pour la sûreté publique».
109 *«Seitengespräch»*] ebd., 220; übers. aus: «aparté».
113 *«Die großblumische Esche»*] ebd., 473; übers. aus: «Orne».
114 *großen Seestadt*] Anspielung auf ein Gedicht ‹Die Wassernot in Leipzig› von J. F. Hansen, das einsetzt: «In der großen Seestadt Leipzig».
115 *«Schüppe»*] Ashe o. J., 483; übers. aus: «pelle».
115 *«Kupferstüchsammler»*] ebd., 469; übers. aus: «Œuvriste».
117 *«Demutspflanze»*] ebd., 58; übers. aus: «sensitive».
136 *«Hühnerwerter»*] ebd., 112; übers. aus: «poulailler».
141 *Vandervelde*] Der niederl. Frauenarzt und Sexualforscher Theodor van de Velde, dessen Buch ‹Die vollkommene Ehe. Eine Studie über ihre Physiologie und Technik› (1926) zu einem Welterfolg wurde.

92

Das Feuilleton mit einem Knacks

V: Peter Panter
D[1]: WB Jg. 25, Nr. 31, 30. 7. 1929, II, S. 174–176
Bibl.: Nd s. Bonitz / Wirtz D 2260; 1 Nd; DT

3 *Berzeliipark*] Nach dem schwed. Chemiker Jöns Jakob Freiherr von Berzelius benannter Park im Zentrum Stockholms.
13 *die Bibel*] In der Religions- und Kulturgeschichte gilt die Taube schon sehr früh als Seelentier mit symbolischer Bedeutung (das Weibliche, Liebe). Im NT wird sie zum Sinnbild des Heiligen Geistes (vgl. Matthäus 3,

16), während die christliche Kirche sie zudem als Symbol für die Kirche selbst, für Maria und auch für die Eucharistie kennt.

f *‹Der Sportfischer›*] ‹Der Sportfischer. Die Kunstzeitschrift. Illustrierte Zeitschrift für die Sportfischerei›. München: Fischereisportverlag Hanns Schindler 1924–1940. Die Ztschr. konnte nicht autopsiert werden.

Ja, Hechtsuppe] In Abwandlung der berlin. Redensart «Ja, Kuchen» i. S. v. «denkste», «Irrtum».

Staatsbibliothek] Die Unter den Linden gelegene Preuß. Staatsbibliothek in Berlin. Zahlreiche erhaltene Leihscheine (DLA) weisen den jungen KT als häufigen Besucher aus, der «die Weisheit der Welt in aufgeplatzten Mappen aus der berliner Staatsbibliothek nach Hause trug» (s. ‹Der darmstädter Armleuchter›, Bd. 10 [82], 1 ff).

Fachmann] Vgl. ‹Das Fach-Adverbium›, Bd. 7 [106].

ff *«Es ist … Schriftsteller ist …»*] Meyrink hatte München 1911 verlassen und sich ins abgeschiedenere Starnberg zurückgezogen, wo er vor allem als leidenschaftlicher Segler bekannt war. Zitat nicht ermittelt.

Auf Inseln leben sie.] Vgl. [77].

telephonieren müssen] s. [66], *23*.

f *Henri Fabre*] Der frz. Entomologe hatte anschauliche Schilderungen der Insektenwelt veröffentlicht. 1879–1907 erschien sein Lebenswerk, die zehnbändige Naturbeschreibung ‹Souvenirs entomologiques›.

93

In aller Eile

V: Theobald Tiger
D[1]: WB Jg. 25, Nr. 31, 30. 7. 1929, II, S. 180
Bibl.: Nd s. Bonitz / Wirtz D 2261; 7 Nd; GW 7

Faktur] Rechnung.

ich telephoniere] s. [66], *23*.

Lichterfelde-Ost] Bahnstation Lankwitz (Lichterfelde-Ost) im Süden Berlins.

Putti] Vermutl. die Stummfilmdiva Lya de Putti.

unterbrochen] Laut der 1929 gültigen Fernsprechordnung vom 15. 2. 1927 in der Fassung der Verordnung zur Änderung der Fernsprechordnung vom 18. 10. 1928 durften Ortsgespräche von der Dt. Reichspost nach 15 Minuten (Ferngespräche nach 15 bzw. 6 Minuten; § 17, IX Abs. 2) unterbrochen werden, wenn «der Betrieb es erfordert» (§ 16, V Abs. 1).

94

Die Karikatur Preußens

V: Ignaz Wrobel
D[1]: WB Jg. 25, Nr. 31, 30.7.1929, II, S. 183–184 [Rubrik:] Bemerkungen
Bibl.: Nd s. Bonitz/Wirtz D 2262; 2 NdzL, 1 Nd; GW 7
Rez.: Margarethe Ludendorff: Als ich Ludendorff's Frau war. Hg. von Walther Ziersch. München: Drei-Masken-Verlag 1929

1 f *obgleich … verloren*] Anspielung auf die Rechtfertigungs-Memoiren Ludendorffs und anderer führender Militärs, s. [89], *347f.*

17 *«stramm»*] Ludendorff 1929, 13f.

19 ff *«Welche Würde … geben will.»*] ebd., 124 (mit leichten Abweichungen zit.: «Stubenältester» sowie mündl. Rede in Anführung).

26 f *Erinnerungen Leopold von Wieses*] KT hatte 1924 Leopold von Wieses ‹Kindheit. Erinnerungen aus meinen Kadettenjahren› rezensiert, s. ‹Eine deutsche Kindheit›, Bd. 6 [152].

31 ff *«Selbst … gefordert …»*] Ludendorff 1929, 198.

31 *Ober-Ost*] Abk. für: Oberbefehlshaber Ost; seit Sept. 1914 die höchste dt. Kommandostelle auf dem russ. Kriegsschauplatz; bis Aug. 1916 unter Hindenburg, dann unter Prinz Leopold von Bayern; umfaßte militärisch seit Juli 1916 die Gesamtfront von der Ostsee bis in die Höhe von Lemberg, verwaltungsmäßig etwa Kurland und Litauen und Teile von Polen.

33 f *Absatz seiner Bücher*] Der 1922 ermordete Industrielle und dt. Außenmin. Walther Rathenau war auch Autor vielgelesener kulturphilosoph. Abhandlungen.

34 *das rein Geistige*] Anspielung auf Rathenaus Bestseller ‹Zur Mechanik des Geistes› (1913), einem kulturkrit. Plädoyer gegen den Zweckrationalismus und für die Wiedergewinnung von Geist und Seele. Vgl. KTs Kritik, die er bereits 1919 ausgeführt hatte (‹Der Schnellmaler›, Bd. 3 [85]).

37 ff *«Die größte … baumeln sehen!»*] Ludendorff 1929, 209.

42 f *Wilden … bessere Menschen*] s. [32], *29.*

46 *beschwerliche Fahrt*] Vgl. Ludendorff 1929, 248ff.

48 *Herr Hussong*] Gemeint ist Friedrich Hussong, der Chefred. und Leitartikler des nationalistischen ‹Berliner Lokal-Anzeigers›, s. [34], *45.*

48 ff *«Die Spartakisten … schießen»*] Ludendorff 1929, 260.

51 *ein Idyll erzählt*] ebd., 322.

52 *auf dem Münchener Pflaster gefallen*] Gemeint ist der mißlungene Hitler-Putsch am 9.11.1923. Der sog. Marsch auf die Feldherrnhalle, an dem auch Ludendorff führend teilnahm, war durch die Münchener Polizei mit Waf-

fengewalt gestoppt worden, wobei mehrere Putschisten und Polizisten zu Tode kamen. Kurt Neubauer, der Bedienstete Ludendorffs, war unter den Toten. Zum Hochverratsprozeß gegen die Putschisten im Frühjahr 1923 s. ‹Die Münchner Bockbierjustiz›, Bd. 6 [58].

f *Inflationszeit*] Vgl. [8], 222.

geflohenen Lindström] Versehen mit einem auf «Lindström» lautenden falschen Paß war Ludendorff bei Kriegsende nach Schweden geflüchtet.

f *«Ich war … Gastfreundlichkeit …?»*] Ludendorff 1929, 232 (im Orig. ohne Fragezeichen).

Söhne Ludendorffs] ebd., passim. Ludendorffs drei Stiefsöhne Franz, Erich und Heinz Pernet aus der ersten Ehe seiner Frau hatten sich im 1. Weltkrieg als Freiwillige gemeldet. Franz und Erich fielen 1917 und 1918, beide im Rang eines Fliegeroffiziers.

«Revolution»] KT hat die dt. Novemberrevolution 1918 gelegentlich als «Saalrevolution» bezeichnet (z.B. [109], 99; Bd. 10 [17], 360; [168], 24f; [174], 1).

Liebesbriefe] Vgl. Ludendorff 1929, 76f und 212ff.

f *«Na, denn mit Gott!»*] ebd., 335.

f *Ehrenmitglied des Stahlhelm*] Hindenburg hatte die Stahlhelmführer Seldte und Duesterberg am 26.2.1929 zu einem Informationsgespräch geladen, nachdem der Stahlhelm am 27.1.1929 anläßl. des 70. Geburtstages Wilhelms II. eine Treueerklärung für den Exkaiser abgegeben hatte, was im Widerspruch zum Verfassungseid der Weimarer Beamten stand. Nach der Unterredung erklärte der Reichspräsident, er sehe keine Veranlassung, seine Ehrenmitgliedschaft im Stahlhelm aufzugeben, da dieser zwar in Opposition zum parlamentar. System stehe, aber seine Ziele nur auf legalem Weg verfolge (s. ‹Hindenburg bleibt Ehrenmitglied des Stahlhelm›, DAZ 26.2.1929, Ausg. für Groß-Berlin). Etwa gleichzeitig faßte die preuß. Regierung den Plan, den Beamten die Mitgliedschaft im Stahlhelm zu verbieten. «Aber», so ‹Das Tage-Buch›, «kann man Justizwachtmeistern, Schullehrern und Steuersekretären untersagen, was der höchste Beamte des Reiches vormacht?», ‹Tagebuch der Zeit›, TB 23.2.1929, I, 290.

95

Was man andern übel nimmt

V: Peter Panter
D[1]: Uhu Jg. 5 (1928/29), H. 11, August 1929, S. 98–100

Bibl.: Nd s. Bonitz / Wirtz D 2263; 1 Nd; GW 10
Mit Zeichnungen von Martin Koser

Zu der Zeitschrift ‹Der Uhu› s. [46], *0*.

7 f *auseinanderverposamentieren*] Verposamentieren: genau erklären (s. Preußisches Wörterbuch. Deutsche Mundarten Ost- und Westpreußens. Hg. von Reinhard Goltz. Bd. 6. Neumünster 2000, Sp. 384).

79 f *Tante … übel.*] In Anlehnung an ‹Die Familie› von Alexander Moszkowski: «Wo ist der Vater? – Der ist auf Reisen und macht Geschäfte. Und die Mutter?/– Die ist in der Küche und kocht./Und der Bruder?/– Der ist auf der Börse und spekuliert./Und die Tante?/– Die sitzt auf dem Sofa und nimmt übel» (in: Moszkowski: Die jüdische Kiste. Berlin 1911, 91). Von KT mehrfach zitiert; s. z.B. Bd. 3 [12], 6 f; Bd. 4 [34], 12 f; Bd. 5 [58], 46 f; Bd. 6 [1], 24 ff.

96

Merkblatt für Geschworene

V: Ignaz Wrobel
D[1]: WB Jg. 25, Nr. 32, 6. 8. 1929, II, S. 202–204
Bibl.: Nd s. Bonitz / Wirtz D 2264; 1 NdzL, 9 Nd; GW 7

Vgl. ‹Geschworene›, Bd. 9 [27].

23 *strafe nicht – sondern schütze*] s. [1], *6*.

26 *Zuchthaus zu besichtigen*] KT hatte den dt. Strafvollzug wiederholt als menschenunwürdig kritisiert und sich seit 1927 in der Roten Hilfe Deutschland, einer von der KPD initiierten Gefangenenfürsorge, engagiert (vgl. u. a. Bd. 9 [61]; Bd. 12, 27 f; Bd. 14 [124] und [139]).

29 f *Max Hölz, Karl Plättner*] s. [71], 189 ff; [141], 87 ff, *103*, sowie Bd. 9 [143].

50 *Beweisaufnahme*] Vgl. Bd. 10 [176].

62 *hat sie zerstört*] Die Reform des Reichsjustizministers Erich Emminger (BVP) bestand aus Verordnungen zur Gerichtsverfassung, die aufgrund des Ermächtigungsgesetzes vom 8.12.1923 erlassen wurden. Stark kritisiert wurde die Umbildung der Schwurgerichte (Verordnung vom 4. 1. 1924): Das Verhältnis von Richtern zu Laien verschob sich von 3:12 auf 3:6. Während vorher die Laien allein über die Schuldfrage und die Richter über das Strafmaß entschieden hatten, so waren nach der Reform auch die

Richter am Schuldspruch beteiligt. Beklagt wurden die richterliche Beeinflussung der Geschworenen, deren mangelhafte Rechtsbelehrung sowie die Auswahl der Schöffen und Geschworenen vorzugsweise aus höheren Ständen. Vgl. KTs Bespr. der von der DLfM hg. Denkschrift ‹Acht Jahre politische Justiz. Das Zuchthaus – Die politische Waffe› (Berlin [1927]), Bd. 9 [134].

Richter] Vgl. KTs Serie ‹Deutsche Richter›, Bd. 9 [52], [55], [59] und Bd. 12, 156–168.

Entscheidungen des Reichsgerichts] Vgl. u. a. [43], *260*.

«Freches Verhalten vor Gericht»] Vgl. auch [7].

Geständnis] Vgl. ‹Wiedersehen mit der Justiz›, Bd. 9 [48], 56 ff.

97

Auf dem Nachttisch

V: Peter Panter
D[1]: WB Jg. 25, Nr. 32, 6. 8. 1929, II, S. 210–214
Bibl.: Bonitz / Wirtz D 2265; Rep
Sammelrez.: Louis Lewin: Phantastica. Die betäubenden und erregenden Genußmittel. Berlin: Stilke 1924; 2. Aufl. 1927 – Friedrich Schulze-Maizier: Die Osterinsel. Leipzig: Insel-Verlag [1926] – Walter A[rthur] Berendsohn: Knut Hamsun. Das unbändige Ich und die menschliche Gemeinschaft. München: Langen 1929

«vient de paraître»] Soeben erschienen. Auch Titel einer frz. Literaturzeitschrift (‹Vient de paraître. Revue mensuelle des lettres et des arts›. Paris 1921–1931), die KT in seiner Pariser Zeit gelesen hat (s. Bd. 10 [55], *55*).

aus Darmstadt] Anspielung auf die von Hermann Graf Keyserling in Darmstadt gegr. «Schule der Weisheit»; vgl. [77], *90*.

boeufs à la mode] Garnierte Rinderbraten. Wörtl.: Ochsen nach der neuesten Mode.

Weißenberg] Joseph Weißenberg trat seit 1901 in Berlin als Heilmagnetiseur und «Jenseitsforscher» auf. Er wurde von seinen Anhängern als Wunderheiler und Inkarnation des Hl. Geistes verehrt. 1926 gründete er die nationalist. geprägte Sekte «Evangelisch-Johannische Kirche nach der Offenbarung St. Johannes».

Theosophie und Anthroposophie] Die Theosophie kennzeichnet der Versuch, die Welt in pantheistischem Sinn als Entwicklung Gottes zu erkennen und in mystischer Schau zu erfassen. Die 1875 gegr. Theosophische Gesellschaft hatte die Anschauungen der Theosophie popularisiert. Nach seinem Bruch mit der Theosophie gründete Rudolf Steiner 1913 die Anthroposophische Gesellschaft, welche sich ebenfalls um mystische Welterkenntnis bemühte. 1924 hatte KT in Paris einen Vortrag Rudolf Steiners besucht und anschließend voller Spott über den «Jesus des kleinen Mannes» geschrieben; vgl. ‹Rudolf Steiner in Paris›, Bd. 6 [87].

38 *«Anhalonium Lewinii»*] Lewin 1924, 86–100.

45 f *tabakrauchenden Frauen*] ebd., 319–321. Das Begehren nach Tabak sei, so Lewin, in den modernen Gesellschaften auch auf die «jugendliche weibliche Blüte der Nationen, auf die ‹Emancipata fumans vulgaris›» übergegangen, «die später Früchte treiben soll, und sie vielleicht auch deswegen oft nicht ansetzt, weil ihre durch unsinniges Zigarettenrauchen rauch- und nikotingeschwängerten Sexualorgane in chronische Reiz- und Entzündungszustände versetzt worden sind. Ein ganz anderes Feuer als das der Zigaretten sollen die Frauen als heimische Vestalinnen unterhalten! Und schließlich ist doch der Mund des Weibes zur Betätigung von besserem geschaffen als, einer Esse gleich, zu rauchen und nach der Tabaksauce von Zigaretten zu riechen!» (Lewin 1924, 320 f).

49 ff *«Es ist eine … anzusprechen.»*] ebd., 185.

56 *«Verkappten Religionen»*] Die von KT mehrfach lobend erwähnte Untersuchung von Carl Christian Bry: Verkappte Religionen. Gotha, Stuttgart 1924 (vgl. Bd. 9 [13], 1 ff, sowie Bd. 13 [64], 25 ff).

61 *an einer Stelle*] Lewin 1924, 39–66.

63 *Mohn*] Aus der unreifen Fruchtkapsel des Schlafmohns wird Opium gewonnen. Morphium ist ein Hauptalkaloid des Opiums. Schlafmohn gedeiht nur im östlichen Mittelmeerraum.

68 *Völkerbund*] s. [8], *84*.

78 *Gott strafe die Monisten*] Nach «Gott strafe England!», einem im 1. Weltkrieg verbreiteten, gegen den «Erzfeind» gerichteten Schlagwort. – Monismus wird jede philosoph. Auffassung genannt, die Bestand oder Entstehung der Welt aus einem Stoff, einer Substanz oder einem Prinzip erklärt. KT spielt an auf den 1906 von dem Darwinisten Ernst Haeckel gegr. Monistenbund, einer Vereinigung von Freidenkern, welche die Alleingültigkeit der Naturgesetze propagierte und auf dieser Basis eine monistisch-materialistische Welterklärung postulierte. Der Monistenbund war antiklerikal eingestellt und forderte die strikte Trennung von Staat und Kirche. Nach 1920 verbreiteten sich im Monistenbund auch sozialist. und pazifist. Ideen, wobei die Entwicklung einer Sozialethik, der Weltfriedensgedanke und die Gegnerschaft zu Antisemitismus und Rassismus in den Vorder-

grund traten. Bereits 1914 hatte KT kritisch angemerkt: «Wir blicken doch nicht zum Vereinsvorsitzenden Haeckel auf und wissen sehr gut, daß es auch noch andre treibende Kräfte als die materiellen gibt» (‹Vormärz›, Bd. 2 [52], 74ff; neue Fassung von 1926 in Bd. 8 [190], 89ff). In ‹Rheinsberg› lieferte KT mit der Figur Lissy Aachner ein wenig schmeichelhaftes Porträt einer Monistin (Bd. 1 [72], 968ff).

«Haben Halluzinationen … nach: ja!»] Lewin 1924, 80. Im Orig. kein Doppelpunkt hinter «nach».

«neurasthenisch»] Nervenschwach. Die Auseinandersetzung mit den unterschiedlichen Lehren von den Nerven und der Nervosität war seit der Jahrhundertwende ein Modethema unter Schriftstellern, Ärzten und Intellektuellen. Insbes. die Großstadt galt als Ort erhöhter Nervosität (vgl. Joachim Radkau: Das Zeitalter der Nervosität. Deutschland zwischen Bismarck und Hitler. München, Wien 1998). Vgl. auch ‹Gesunde und kranke Nerven›, Bd. 13 [150].

Ignorabimus] Wir werden es nie wissen. Ausdruck des positivist. Verzichts auf die Erkenntnis des Übersinnlichen. Der Physiologe Emil Du Bois-Reymond hatte einen am 14.8.1872 gehaltenen Vortrag über die Grenzen des Naturerkennens mit diesem Wort geschlossen.

In Frankreich wüßte man: aha!] KT fand den Pariser Literaturbetrieb «schauerlich […] mit seinen bezahlten und beeinflußten Kritiken, seinem klaren Zusammenhang zwischen Geschäft und Besprechung» (‹«Neu-Erscheinung»›, Bd. 10 [21], 118ff).

Großen Ozean] Pazifik.

Ensor] Der belg. Maler James Ensor, der für seine grellfarbigen, maskenhaft und gespenstisch anmutenden Szenen bekannt ist.

alter und neuerer Literatur] Im Nachwort formuliert der Verfasser sein Anliegen, «das Fazit der bisherigen Osterinselforschung zu ziehen und die gesamte, weitverstreute und vielfach widerspruchsvolle Literatur synthetisch zu verarbeiten», und nennt einige Autoren, deren Arbeiten er sich besonders verpflichtet fühlt (Schulze-Maizier 1926, 214). Genaue bibliograph. Angaben der verwendeten Studien oder ein Literaturverzeichnis enthält der Band nicht.

«Völkchen»] ebd., 43: «Ein merkwürdiges Völkchen, diese alten Osterinsulaner! Sie sind passionierte Menschenfresser – und lassen sich von metaphysischen Motiven aufs stärkste inspirieren. […] Sie feiern wochenlang Feste und verwenden ihre beste Arbeitskraft darauf, ihr kahles Eiland mit hunderten von Steingiganten zu bevölkern.»

Wiehk-End] Phonetisch für week-end. – In einer breit angelegten Kampagne mit einem eigens ins Leben gerufenen «Berliner Wochenend-Ausschuß» unter dem Vorsitz von Karl Vetter wurde, v.a. aus volkswirtschaftl. Motiven, das «Wochenende» propagiert, und in versch. Veranstaltungen wurden Anregungen zur Freizeitgestaltung gegeben. Mit dem Aufsatz ‹Wochenende. Von der Idee zur Tat› zog Vetter im Mai 1929 eine kurze Bilanz der Wochenendkampagne in: ‹Die deutsche Elite› Jg. 6, Maiheft 1929, 227. Vgl. auch Karl Vetter und K.A. Tramm (Hg.): Das Wochenende. Anregungen zur praktischen Durchführung. Berlin 1928, sowie KTs Gedicht ‹Week-end›, Bd. 9 [63].

132 f *«Sie sind … inspirieren.»*] Schulze-Maizier 1926, 43.

135 ff *«Wir stünden … annehmen muß …»*] ebd., 81.

138 f *zu einem Wasserklosett betet*] Evtl. Anspielung auf Brechts ‹700 Intellektuelle beten einen Öltank an›, einem Spottgedicht auf die Ästhetik der Neuen Sachlichkeit (vgl. [73], *254*), das 1928 erstmals erschienen war (s. BFA Bd. 11, 174–176, 355).

142 *Kanaken*] (polynes.) Menschen. (Abwertende) Bezeichnung für die Bewohner der Südseeinseln.

143 f *«So bitter … und Politik.»*] Schulze-Maizier 1926, 170 (im Orig. folgt hinter «waren» «auf Rapanui»).

146 ff *«So ist … zu nehmen …»*] ebd., 210 [!]; im Orig. «nun doch» statt «doch».

155 *Walten der katholischen Missionare*] Vgl. ebd., 156.

160 ff *«Die moderne … auseinanderklaffen.»*] Im Orig. hinter «Technisches» ein Komma; «so quälend» statt «quälend».

162 *‹Homo divinans›*] Der magische Mensch.

163 *‹Homo faber›*] Der Mensch als Verfertiger. Typologische Charakterisierung des Menschen im technischen Zeitalter.

169 *französischen Reisenden*] Die Expedition von La Pérouse, der am 9.4.1786 für wenige Stunden auf der Insel anlandete. Im Anhang ist der Bericht gedruckt aus ‹La Pérouses Entdeckungsreise in den Jahren 1785–1788›. Hg. von M.C.A. Milet Mureau, übers. von J.R. Forster und C.L. Sprengel. Bd. 1. Berlin 1799, 198–214 (s. Schulze-Maizier 1926, 227–234).

178 *Marxismus und der Freudschen Lehre*] Vgl. [89], *307*.

183 f *siebzig Jahre alt geworden*] Am 4.8.1929. Vgl. [37], *50*.

186 *Hier ist ein Wunder, glaubet nur*] Goethe: Faust I, Vers 2290.

187 *«größte Lebende»*] Die Formulierung «der Größte unter den Lebenden» gebraucht Mann in dem Essay ‹Pariser Rechenschaft› (Berlin 1926, 79).

188 ff *wann verfaßt … plakatiert sieht?*] Die Frage führte zu einem Briefwechsel zwischen Hans Natonek und KT. Natonek zitierte daraus in seinem Artikel ‹Dichter an der Propagandafront. Helfer: ja, – Propagandist: nein! Offener Brief an Thomas Mann› (Neue Leipziger Zeitung 27.10.1929; in

KTs ZAS, DLA, erhalten). KT ging 1930 auf diese Auseinandersetzung ein; s. ‹Auf dem Nachttisch›, Bd. 13 [159], 148 ff, *148*, *150*.

f *Pompom*] Quaste aus Wolle oder Seide.

Habeat] Wörtl.: «Mögen sie es haben»; etwa: «Sollen sie doch». Möglicherweise nach: «Habeat sibi» (wörtl.: «er mag es für sich haben») i. S. v. «meinetwegen», «das mag er sich selbst zuschreiben».

Richard Strauß] Der Komponist und Dirigent hatte am 11. 6. 1929 seinen fünfundsechzigsten Geburtstag begangen.

die Bilder] Berendsohns Buch sind Photographien Hamsuns und seiner Familie sowie Landschaftsaufnahmen seiner Heimat beigegeben.

«Neuromantik»] Berendsohn ordnet Hamsun nur mit Vorbehalten in die europ. Neuromantik ein. Zwar finde sich auch bei ihm die Abwendung vom «sozial-ethisch gerichteten Naturalismus» und eine Hinwendung zum Individualismus, zum «verfeinerten Realismus der seelischen Erscheinungen», indes kreise «seine ganze realistische Welterfassung um sein Naturgefühl», welches gerade nicht die «sentimentale Sehnsucht des Stadtmenschen» sei (Berendsohn 1929, 129, vgl. auch ebd., 145).

f *«bedauern»*] Vgl. ebd., 148 f.

abweisende Gebärde] Vgl. ebd., 125 f.

«Dionysos»] s. [87], *12*.

f *Edschmid zu zitieren*] Berendsohn zur Hamsun-Rezeption in Deutschland: «Der feurige Kasimir Edschmid hielt im Jahre 1920 seine groß angelegte Rede, die Hamsun als den Verkörperer germanischen Geistes im Roman zwischen die Franzosen und die Russen stellt» (Berendsohn 1929, 118). Vgl. Kasimir Edschmid: Hamsun. In: Edschmid: Hamsun / Flaubert. Zwei Reden. Hannover 1922, 9–37. Die Rede wurde erstmals 1920 im Hessischen Landestheater Darmstadt anläßlich der Verleihung des Nobelpreises an Hamsun gehalten.

Gesamtausgabe] Knut Hamsun: Gesammelte Werke in zwölf Bänden. Dt. Originalausg. hg. von Julius Sandmeier. München: Langen 1921 – 1928.

in Nörholmen] Berendsohn 1929, Abb. 160.

Freikorps] Vgl. [73], *22*.

Nerven] s. o. *88 f*.

98

Warum –?

V: Kaspar Hauser
D^1: WB Jg. 25, Nr. 32, 6. 8. 1929, II, S. 220 [Rubrik:] Bemerkungen
Bibl.: Bonitz / Wirtz D 2266

1 f *Heidelberger Festspielberichten*] Vom 20. 7.–15. 8. 1929 fanden unter der Leitung von Gustav Hartung die Heidelberger Festspiele für junge Dramatiker statt (s. Monty Jacobs: Festliche Tage in Heidelberg, Voss 24.7.1929; Fritz Engel: Der Schloßberg. Festspiele in Heidelberg, BT 22. 7. 1929, A).

3 *Thomas Mann*] Mann wandte sich in der Eröffnungsrede der Festspiele gegen eine infolge der modernen Massenmedien und fortschreitenden Mechanisierung vieler Lebensbereiche zunehmende «Kulturhypochondrie» (‹Rede über das Theater›, in: Th. Mann: Gesammelte Werke in 12 Bdn. Bd. 10: Reden und Aufsätze. Frankfurt / M. 1960, 281 – 298, hier: 294).

4 f *Beflaggung*] Zur Eröffnung wurde Hauptmanns Stück ‹Florian Geyer› in der Inszenierung von Rudolf Rittner mit Heinrich George in der Titelrolle gegeben. – Der Heidelberger Oberbürgermeister hatte die Einwohner aufgefordert, «die Stadt den Dichtern Hauptmann und Mann zu Ehren in Flaggenschmuck zu hüllen» (M[onty] J[acobs]: Beginn der Heidelberger Festspiele, Voss 21. 7. 1929).

5 *Preise*] Die mit dem Auftrag zur Schaffung eines neuen Werks verbundenen Dichterpreise gingen am 21.7.1929 an Carl Zuckmayer, René Schickele und Max Mell.

18 *Larissa Reissner*] Vgl. ‹Im Lande Hindenburgs. Eine Reise durch die deutsche Republik›, Berlin 1926, 23. Reissner schrieb über den Verleger Ullstein, in dessen Verlagsprogramm nehme sich die Kulturzeitschrift ‹Der Querschnitt› aus wie eine «Lilie, der man den Duft jener Mistgrube nicht anmerkt». Mit den Ästheten in der ‹Querschnitt›-Redaktion, so Reissner, sei «zwar kein Geschäft zu machen, aber dafür locken sie Leute mit Geschmack und guter Position, es macht sich gut, wenn man im Vorzimmer eine klassische Venus stehen hat».

19 *Venus von Milo*] Berühmtes Aphroditestandbild im Pariser Louvre.

24 *es bleibt … peinlich*] Goethe: Faust II, Vers 11954 f.

99

Für Joseph Matthes

V: Ignaz Wrobel
D[1]: WB Jg. 25, Nr. 33, 13. 8. 1929, II, S. 233–236
Bibl.: Nd s. Bonitz / Wirtz D 2267; 1 Nd; GW 7

9 11. Januar] *emend. aus* 1. Januar *gemäß zit. Vorlage*

KTs Quelle für diesen Text waren wohl Auskünfte von Matthes selbst, der 1936 notierte: «Kurt Tucholsky als ‹Ignaz Wrobel› schrieb ein Jahr später einen großen Artikel für mich [...]. Er kannte alles und war, wie immer, sehr gründlich. Ein Jahr lang trug er diese Idee in sich, 1928 / 1929.» (‹Kurt Tucholsky: Testament an Frankreich›, AB 2, 233). – In seinem Artikel ‹Wie lange noch Matthes?› (in: Politik und Gesellschaft Jg. 4 [1930/31], H. 3, 17. 11. 1930, 12–21) behauptete Edgar von Schmidt-Pauli: «Ursprünglich hatte nämlich Matthes diese Ehrenrettung in seinem eigenen Namen verfaßt und sie mit genau denselben Angriffen auf die deutsche Botschaft an eine andere deutsche Zeitschrift eingereicht; von dieser war sie Herrn Matthes prompt zurückgeschickt worden. Der Herausgeber der ablehnenden Zeitschrift las dann mit einigem Erstaunen einige Zeit später den ihm angebotenen Artikel nunmehr in der ‹Weltbühne› als Elaborat von Ignaz Wrobel, dem bekannten Pseudonym für Tucholsky.»

Wirkung
KT hat in seiner Zeitungsausschnittsammlung (ZAS; DLA) mehrere kritische Reaktionen auf seinen Artikel verwahrt. In der von Albert Pass hg. Zeitungs-Korrespondenz ‹Das Rheinland. Blätter für Erhaltung deutscher Art am Rhein› (Köln) Jg. 10, Nr. 9, 1. 9. 1929, 13 f, warf Rhenanus (d. i. Heinz Gorrenz) in seinem Artikel ‹Kurt Tucholsky als Separatistenanwalt› KT vor, für einen Kriminellen Partei zu ergreifen, der für den Tod mehrerer Menschen verantwortlich sei. Möglicherweise sei KT von Matthes mißbraucht und «nach Strich und Faden angelogen» worden. In der Oktober-Nummer (nicht in ZAS) folgte vom gleichen Verf. u. d. T. ‹Separatistenhäuptling Matthes meldet sich› (Nr. 10, 1.10.1929, 10–13) ein biograph. Bericht über Matthes; u. a. wurde behauptet, sowohl KT als auch CvO gäben sich «in privaten Erwiderungen alle Mühe», ihre Überzeugung aufrechtzuerhalten, einer gerechten Sache gedient zu haben, scheuten sich aber vor einer Stellungnahme in der WB. Das folgende Heft (Nr. 11, 1. Nov. 1929, 15–18; nicht in ZAS) brachte u. d. T. ‹Noch einmal: Separa-

tistenhäuptling Matthes› eine Gegendarstellung von Matthes, die der Darstellung seiner Biographie in etlichen Punkten widersprach. Die ‹Deutsche Zeitung› (‹Presse des Tages›, 17.8.1929, A) befand, KT solle sich «in seinem ureigensten Interesse darüber freuen, daß das wahre und gesunde Rechtsgefühl in Deutschland noch immer im tiefsten Schlaf liegt» (vgl. Z. 160ff). Unter dem Titel ‹Tucholsky und Matthes› zeigte sich die nat. Wochenschrift ‹Der Ring› (Berlin, Jg. 2, H. 35, 1.9.1929, 678f) beruhigt, daß trotz KTs Bemühungen der Staat sich klar gegen Separatisten und Vaterlandsverräter abgrenze, daß also das «gesunde Staatsgefühl» noch nicht abhanden gekommen sei. Edgar Schmidt-Pauli (s.o. *0*) kommentierte: «Das darf in Deutschland von einem deutschen Schriftsteller gedruckt werden. Man faßt sich an den Kopf. Unwillkürlich ballt sich einem die Faust, und man begreift es, wie aufgrund solcher und ähnlicher Fälle weite Teile der deutschen Bevölkerung die große Reinigung durch eine nationale Erhebung und den Tag der Abrechnung mit derartigen Elementen ersehnen.»
1931 wies KT auf die «Rheinländer» hin, die «sich gar nicht genug ereifern konnten, als ich hier für Joseph Matthes eine Gerechtigkeit gefordert habe, wie sie jeder, jeder zu fordern hat» (s. Bd. 14 [3], 174ff).

2 *Abkommen unterzeichnet*] Am 30[!].8.1924 wurden die Ergebnisse der Londoner Konferenz zur Reparationsfrage von den Alliierten und der dt. Regierung in einem Abkommen festgehalten, das den Dawes-Plan (s. [37], *148f*) in Kraft setzte. In Art. 7 war eine Amnestie für polit. Straftaten festgeschrieben.

4 ff *Um eine … jenen Behörden.*] s. ‹Abkommen vom 30. August 1924 zwischen den Alliierten Regierungen und Deutschland. Anlage III›, in: RGBl., 1924, II, Nr. 32, 30.8.1924, 329–349, hier: 345.

9 *11. Januar 1923*] Am 9.1.1923 hatten frz. und belg. Truppen das Ruhrgebiet besetzt (vgl. [73], *30*).

35 *besetzten Wiesbaden*] Bis zur vollständigen Räumung im Sommer 1930 war das Rheinland von frz. und brit. Truppen besetzt; vgl. [73], *129*, sowie [139].

41 *Zeit des Ruhrkampfes*] Vgl. [73], *30*.

41 f *Milliarden*] Ende 1924 leistete die Reichsregierung unter Umgehung des RT an die Großindustrie von Rhein und Ruhr Entschädigungszahlungen in Höhe von 700 Mio. RM für die während der Ruhrbesetzung entstandenen Okkupationsschäden. Nach Bekanntwerden der Zahlungen im Jan. 1925 wurde ein parlamentar. Untersuchungsausschuß gebildet, der eine «soziale Ruhrentschädigung» für Kleingewerbe und Arbeitnehmerschaft

empfahl. Erst im März 1927 wurde ein Fonds in Höhe von 30 Mio. RM bereitgestellt. Davon wurden 9 Mio. RM direkt den Richtungsgewerkschaften (ADGB, DGB, Hirsch-Dunckersche-Gewerkvereine) zugeteilt.
französischen Presseausweis] Auch KT besaß einen von der «Association de la Presse Judiciaire Parisienne» ausgestellten Presseausweis (DLA), der ihn vom 26.–30.11.1928 als Vertreter der Voss zum Besuch des Prozesses di Modugno vor dem Pariser Schwurgericht berechtigte, vgl. ‹Wahnsinn Europa› (Bd. 10 [219]).
coup-file] Passierschein, Presseausweis.
Generals Watter] Unter der Leitung Watters, als Befehlshaber des Wehrkreises VI verantwortlich für die militär. Sicherheit im Ruhrgebiet, und des ihm beigeordneten Reichs- und preuß. Staatskommissars Severing war 1920 der Märzaufstand an der Ruhr im Anschluß an den Kapp-Putsch niedergeschlagen worden. – Im Nov. 1926 gelangte eine Denkschrift des Jungdoführers Mahraun an die Öffentlichkeit (s. Bd. 8 [113], *120*), durch die bekannt wurde, daß 1923 mit Wissen der RW militär. Verbände gegr. worden waren, die einen Überfall auf die frz. Besatzungstruppen im Rheinland geplant hatten. In diesem Zusammenhang wurde auch Watter (seit 1920 a.D.) genannt. RW-Minister Geßler bestätigte im RT die «verrückten Pläne» Watters, stellte aber fest, daß das RW-Ministerium diesen sofort entgegengetreten sei (s. ‹General von Watters Wahnsinns-Pläne›, Voss 25.11.1926). In der WB wurde daraufhin behauptet, Watter sei 1923 von der Regierung Cuno «mit amtlichen Aufträgen gegen die Franzosen und Belgier und mit Reichsgeldern zur Durchführung eben dieser ‹verrückten› Pläne bestellt» worden (s. ‹Geßler-Nicolai›, von einem alten Soldaten, WB 30.11.1926, II, 846–849, hier: 846).
Smeets-Partei] Der rhein. Separatistenführer Joseph Hubert Smeets hatte 1920 in Köln die Rheinisch-Republikanische Volkspartei gegr., die für ein unabhängiges Rheinland kämpfte. Matthes organisierte im Raum Düsseldorf aus von Smeets abgefallenen Leuten die Gruppe «Frei Rheinland» und den «Rheinischen Unabhängigkeitsbund».
f *die Geistlichen*] Vgl. Bd. 12, *97*, *30*.
f *Hölle der Inflation*] Vgl. [8], *222*.
eignen Währung] Der Kölner Bankier Louis Hagen hatte mit dem frz. Präs. der Rheinlandkommission Tirard die Schaffung einer Rhein. Goldnotenbank und eine auf das besetzte Gebiet beschränkte Währungsumstellung ausgehandelt. Der Plan wurde nicht realisiert, nachdem Schacht am 15.11.1923 die Rentenmark eingeführt hatte.
Dorten] Hans Adam Dorten war als Präsident der rhein. Provinzen während der Besetzung leitender Führer der Separatistenbewegung, er grün-

dete die «Rheinische Volksvereinigung», die aber kein offenes Bekenntnis zur Loslösung vom Reich ablegte. Dies geschah erstmals am 15.8.1923 auf einer Tagung in Koblenz, auf der der Zusammenschluß von Dorten und Matthes besiegelt wurde.

67 *ermordet worden*] Im Frühjahr 1923 wurde Smeets durch ein Attentat schwer verletzt; gegen den Täter, der nach Bayern floh, wurde nie ein Strafverfahren angestrengt. Smeets erlag 1925 seinen Verletzungen, s. Klaus Reimer: Rheinlandfrage und Rheinlandbewegung (1918–1933). Ein Beitrag zur Geschichte der regionalistischen Bestrebungen in Deutschland. Frankfurt/M., Bern, Las Vegas 1979, 264f.

70 *verlangte Stresemann*] Schon vor dem Londoner Abkommen hatte die dt. Reichsregierung erklärt, sie sei bereit, alle Personen freizugeben, die gegen die dt. Ruhrverordnungen verstoßen hätten. Dagegen bestanden Bedenken, die Amnestie auch auf «separatistische Hochverräter» auszudehnen. Unter der Bedingung, daß sich die Besatzungsbehörde der Verfolgung künftiger separatist. Umtriebe durch dt. Behörden nicht entgegenstellen würden, willigte man schließlich in die Amnestie auch der Separatisten ein (s. Friedrich Grimm: Das Amnestieabkommen in London für die Rhein- und Ruhrgefangenen, in: Deutsche Juristen-Zeitung Jg. 29, H. 17/18, 1.9.1924, Sp. 705–707. Vgl. auch Grimm: Amnestie, ebd., H. 15/16, 1.8.1924, Sp. 569–579).

106 f *Herr von Hoesch*] Dt. Botschafter in Paris.

113 f *Ich kenne die pariser Polizei*] s. [20], *2*.

114 *Matthes ganz gut*] Die gute Bekanntschaft dokumentiert Matthes' ‹Kurt Tucholsky: Testament an Frankreich› (AB 2, 227–238).

114 f *Poincaré*] Laut seinem Erinnerungstext (s.o. *0*) hatte Matthes auch KT mit Poincaré bekannt gemacht (vgl. AB 2, 233).

118 f *zwischen zwei Stühlen*] s. [109], 81ff.

119 f *in der Presse nicht nimmt*] Vgl. [89], *255ff*; [97], *107f*.

124 f *diplomatischen Fähigkeiten*] 1928 war KT mit Hoesch in Kontakt gekommen, als er in der dt. Botschaft um die Legitimation für ein Interview mit Poincaré nachsuchte. Hoesch hatte die Genehmigung zunächst verweigert, erst nach längeren Mühen kam die Botschaft KTs Bitte nach. Aufgrund dessen kam es zwischen KT und Hoesch später zu einem heftigen persönlichen Schlagabtausch (vgl. KT an Emil Ludwig 5.5.1928, sowie Bd. 10 [76], *0*).

135 *Reichsinnenminister*] Carl Severing (SPD).

148 *verschuldetes Stückchen Unglück*] Anspielung auf die hohen Reparationszahlungen, zu denen der Versailler Vertrag das Dt. Reich verpflichtet hatte.

Itzehoe] Anspielung auf die von Mitgl. der Landvolkbewegung in Schleswig-Holstein begangene Serie von Attentaten und Anschlägen, darunter eine Explosion im Landratsamt von Itzehoe am 22./23.5.1929. Die bäuerliche Protestbewegung hatte sich Anfang 1928 gegen die hohe Steuerbelastung formiert und mit Demonstrationen und Steuerstreiks protestiert. Ein radikaler Flügel führte in Zusammenarbeit mit Freikorpsleuten die Anschläge auf kommunale Einrichtungen durch. Vgl. ‹Bauern, Bonzen und Bomben›, Bd. 14 [41].
Fememörder] Selbstjustiz an sog. Verrätern und Abtrünnigen praktizierten rechtsradikale Wehrverbände und die Schwarze RW seit den Anfängen der WR. Durch die Presseberichte über einen der ersten Fememordprozesse im Juli 1925 (gegen Mitgl. des «Stahlhelms»), v.a. aber durch die Artikelserie von Mertens in der WB 1925/26 (später in: Carl Mertens: Verschwörer und Fememörder. Berlin-Charlottenburg: Verlag der Weltbühne 1926; s. KTs Rez in Bd. 8 [74]) wurden die Fememorde und ihre polit. Hintergründe einer breiteren Öffentlichkeit bekannt und weitere Verfahren nach zweijährigen verdeckten polizeilichen Ermittlungen eröffnet (vgl. Berthold Jacob: Polizei und Fememorde, WB 13.10.1925, II, 583–584). Die meisten der Angeklagten, ehem. Offiziere oder Feldwebel, sowie ihre Opfer gehörten der Schwarzen RW an, etliche wurden freigesprochen oder waren flüchtig. Vgl. dazu die Bestandsaufnahme bei E.J. Gumbel (unter Mitwirkung von Berthold Jacob und Ernst Falck): «Verräter verfallen der Feme». Opfer/Mörder/Richter 1919–1929. Berlin 1929, 386–389.
Herr von Arco] Der Offizier hatte im Febr. 1919 den bayr. Ministerpräs. Eisner erschossen. 1920 wurde er dafür zunächst vom Volksgericht zum Tode verurteilt, einen Tag später wurde die Strafe vom bayr. Ministerium Hoffmann in eine lebenslange Freiheitsstrafe umgewandelt; 1924 folgte die Aussetzung des Strafvollzuges, 1927 die Begnadigung.
Lohmann-Affäre] Nach dem Konkurs der Phoebus-Film AG kam Ende 1927 ans Licht, daß das Unternehmen hohe Reichsbürgschaften durch Vermittlung des Leiters der «Seesport»-Abteilung der Marineleitung, den Kapitän zur See Walter Lohmann, erhalten hatte. Zunächst entstand der Verdacht, daß nationalist. Einfluß auf die Filmproduktion genommen werden sollte. Später stellte sich heraus, daß die Marine mit Hilfe solcher privatwirtschaftlicher Kapitalanlagen illegale Rüstungen finanzierte. Die mit der Untersuchung der Vorfälle betraute Saemisch-Kommission erstellte einen Bericht, der allerdings nie veröffentlicht wurde.
Herr Matthes wird verbrannt] Anspielung auf den Ausspruch «der Jude wird verbrannt» in G.E. Lessings Drama ‹Nathan der Weise› (IV, 2).

165 *alten Liberalen*] Gemeint ist die ursprünglich linkslib., seit 1929 allerdings nach rechts tendierende DDP (vgl. [77], *66*).

168 *Rückkehr in die Heimat*] 1930 kehrte Matthes nach Deutschland zurück.

100

Die geschiedene Frau

V: Theobald Tiger (D^1); Kurt Tucholsky (D^2)
D^1: WB Jg. 25, Nr. 33, 13. 8. 1929, II, S. 248
D^2: Lerne lachen ohne zu weinen 1931, u. d. T.: Die Frau spricht. 1. Die geschiedene Frau, S. 374–375
Bibl.: Nd s. Bonitz / Wirtz D 2268; 13 Nd; GW 9 u. d. T.: Die Frau spricht. 1. Die geschiedene Frau

Varianten
Die Varianten sind nach D^2 verzeichnet
6 dumm –] dumm; **15** Seele –] Seele. **16** quält] Quält **17** anders – lastet –] anders, lastet, **22** stolz – so] stolz. So 34 hat.] hat,

Unter dem Titel ‹Die geschiedene Frau› plante KT, im Anschluß an die Fertigstellung von ‹Schloß Gripsholm› einen Roman zu schreiben (s. KT an M. Fuchs 13. 6. 1931). Laut Verlagsvertrag mit Rowohlt vom 12. 12. 1931 (DLA) sollte im Febr. 1933 Manuskript-Abgabe sein. KT sandte am 2. 8. 1932 ein Exposé an den Verlag, das nicht erhalten ist, doch finden sich Vorstudien für den Roman in KTs Notizbuch ‹Unreines› («Sudelbuch»; vgl. insbes. die Einträge Nr. 631, 645, 719, 722, 723, 732, 743, 765, 766, 770) sowie in dem Beitrag ‹Romanwürfel› (Bd. 14 [116]). Zum Scheitern s. die vage Aussage gegenüber Walter Hasenclever, Bd. 20 [B 24], 7 ff. Vgl. Renke Siems: Die Autorschaft des Publizisten. Schreib- und Schweigeprozesse in den Texten Kurt Tucholskys. Heidelberg 2004, 204 ff.

101

Der Mann mit den zwei Einjährigen

V: Peter Panter
D^1: Vossische Zeitung Nr. 197, 18. 8. 1929, Post-Ausg.; Unterhaltungsblatt Nr. 192, [S. 2–3]
Bibl.: Nd s. Bonitz / Wirtz D 2269; 2 NdzL, 5 Nd; GW 7

Einjährigen] Das «Einjährige», Zeugnis der Mittleren Reife nach Abschluß der Untersekunda, das auch dazu berechtigte, die aktive Dienstzeit beim Militär auf ein Jahr zu verkürzen. Voraussetzung dafür war außerdem, daß sich der «Einjährig-Freiwillige» selbst einkleidete, ausrüstete und verpflegte und nicht Berufssoldat werden wollte.

zu Büchern gerinnen] s. [89], *347f.*

f *die Höhensonne ... Tag*] In Anlehnung an Refrain und Titel des Gedichts ‹Die Sonne bringt es an den Tag› von Adelbert von Chamisso (1827), der wiederum auf Nr. 115 der Grimmschen ‹Kinder- und Hausmärchen› mit dem Titel ‹Die klare Sonne bringt's an den Tag› rekurriert.

f *er hat es ... es mehr*] Nach Fontanes Ballade ‹Archibald Douglas› (1856), dessen erste Strophe lautet: «Ich hab' es getragen sieben Jahr / Und ich kann es nicht tragen mehr, / Wo immer die Welt am schönsten war, / Da war sie öd' und leer.» (Theodor Fontane: Sämtliche Werke. Hg. von Edgar Groß u.a., 25 Bde. München 1959–1975. Bd. 20, 120).

Obersekunda] Siebente Klasse im Gymnasium. KT wurde Ostern 1906 in die Obersekunda versetzt.

Schülerselbstmorde] Die Ursachen und Motive der zahlr. Schülerselbstmorde wurden Anfang des 20 Jh. Gegenstand zunehmender Kritik am wilhelmin. Schulsystem, die sich in einer umfangreichen Literatur zum Thema niederschlug. Die Schulreformer führten sie v.a. auf die Prügelstrafe, harte und ungerechte Behandlung, den Ehrgeiz und die «Prügelpädagogik» in den Familien oder auch auf schulische Überforderung zurück; s. Joachim Schiller: Schülerselbstmorde in Preußen. Spiegelungen des Systems? Frankfurt/M. 1992. Schülertragödien waren in jenen Jahren auch häufig Gegenstand literar. Gestaltung; z.B. Emil Strauß: Freund Hein (1902); H. Hesse: Unterm Rad (1905); Musil: Die Verwirrungen des Zöglings Törleß (1906); s. KTs Rez. von Friedrich Torbergs Roman ‹Der Schüler Gerber hat absolviert› (Wien 1930), Bd. 13 [65].

Verben auf ‹μι›] Eine der beiden altgriech. Konjugationen. – Zahlr. griech. Übersetzungsübungen des Schülers KT sind überliefert (DLA).

vier werden sollten] KT nahm vom April 1915 bis Kriegsende als Soldat am Ersten Weltkrieg teil.

f *Einstellung ist irgendwie*] Anspielung auf Modewörter; s. ‹Die Einstellung›, Bd. 6 [114].

eingebildeten Kranken] ‹Der eingebildete Kranke› (‹Le malade imaginaire›), Titel einer Komödie von Molière.

f *Bellevuestraße*] Dort lag das von KT besuchte Königliche Wilhelms-Gymnasium.

32 *Klippschule*] Abwertend für Elementarschule.

32 *Reichswirtschaftsrat*] Ein durch Art. 165 WRV (Räteorganisation) vorgesehenes, aber nie wirksames oberstes Reichsorgan zur Erfüllung der gesamten wirtschaftl. Aufgaben und zur Mitwirkung bei der Ausführung der Sozialisierungsgesetze. Der durch Verordnung vom 4.5.1920 gebildete vorläufige Reichswirtschaftsrat, paritätisch aus 326 Arbeiter-, Angestellten- und Unternehmervertretern zusammengesetzt, besaß ein Vorschlags- und Beratungsrecht im Bereich der Sozial- und Wirtschaftsgesetzgebung, hatte aber an der Legislativ- oder Budgetgewalt sowie an der Regierungskontrolle keinen entscheidenden Anteil.

56 *eine dicke IV*] Das Notenspektrum umfaßte damals fünf Abstufungen: sehr gut, gut, genügend, mangelhaft, ungenügend. In KTs Nachlaß (DLA) erhalten sind KTs Schulaufsatz vom 16.5.1906 ‹Ein Frühling in Berlin› mit Anm. des Lehrers (Faks. s. Soldenhoff 1985, 20; in der GA Bd. 15) und KTs Zeugnis des Kgl. Wilhelms-Gymnasiums zu Berlin vom 1. Vierteljahr des Schuljahres 1906/1907; Faks. in Soldenhoff 1985, 22: «Deutsch: genügend», «Griechisch: genügend».

58 *Unterprima*] Achte Klasse im Gymnasium.

59 *ging ich von der Schule ab*] 1907 verließ KT das Wilhelms-Gymnasium und besuchte statt dessen den Privatunterricht des Oberlehrers Wilhelm Kraßmöller, um sich auf die Abiturprüfung vorzubereiten.

63 *Reform des Unterrichts*] Auch in den 20er Jahren berichteten die Zeitungen häufig über Schülerselbstmorde (vgl. oben *10*), an denen sich stets die Debatte um die Krise der Jugend, die Verantwortung der Schule und die Notwendigkeit einer Schulreform entzündete. Besonderes Aufsehen erregte 1927/28 der als «Steglitzer Schülertragödie» bekannt gewordene gemeinschaftlich geplante und zum Teil auch durchgeführte (Selbst-)mord von vier Jugendlichen, in dessen Folge der preuß. Kultusmin. Becker mit Erlaß vom 29.3.1928 das Züchtigungsrecht der Lehrer stark einschränkte. Zu durchgreifenden Reformen kam es infolge polit. Differenzen während der WR nicht.

69 *mein Pauker*] Kraßmöller (s.o. *59*), mit dem KT auch in späteren Jahren einen freundschaftlichen Umgang pflegte und mit dem er eine Privatschule eröffnen wollte (vgl. Antje Bonitz, Viktor Otto und Bernhard Tempel: Kurt Tucholsky und die Reformpädagogik. Sieben neu entdeckte Texte, in: Pädagogische Rundschau Jg. 54, 2000, H. 6, 635–661). Am 21.9.1909 erhielt KT als Externer am Königlichen Luisen-Gymnasium sein Abiturzeugnis.

78 *Joachim Friedrich*] Wohl Joachim Friedrich, 1598 bis 1608 Kurfürst von Brandenburg. Seit 1566 Administrator des Erzstiftes Magdeburg, setzte er

1599 den Geraischen Hausvertrag über die Unteilbarkeit des Hohenzollern-Besitzes mit Ausnahme der fränk. Lande durch.
Tunguska] Name mehrerer Flüsse in Ostsibirien.
Kommission in der Heidestraße] KT hat seine zweite Einjährigenprüfung am 14.5.1908 vor einer militärischen Prüfungskommission abgelegt.
Tante Voß] Gängiger Scherzname für die in Berlin erscheinende ‹Vossische Zeitung›, s. ‹Übersicht über Tucholskys Tätigkeit für Publikationsorgane 1929›.
Gotteslästerungsprozeß] Vgl. u.a. [42].
Fähnriche] Militär. Dienstgrad der Offiziersanwärter.
Pressen] Umgangssprachlich für private Nachhilfeschulen.
gewisser Salter] Nicht ermittelt.

102

Das Nachschlagewerk als politische Waffe

V: Ignaz Wrobel
D[1]: WB Jg. 25, Nr. 34, 20.8.1929, II, S. 271–274
Bibl.: Bonitz / Wirtz D 2270; GW 7
Rez.: Handbuch des öffentlichen Lebens. Staat, Politik, Wirtschaft, Verkehr, Kirche, Presse, Bildungswesen, Gemeindewesen, Verbände, Ausland, Statistik. Hg. von Maximilian Müller-Jabusch. 5. Ausg. des Politischen Almanachs. Leipzig: Koehler 1929

Maximilian Müller-Jabusch reagierte in einem Brief an die WB auf KTs Kritik an dem von ihm hg. ‹Handbuch des öffentlichen Lebens›, indem er zu den einzelnen Kritikpunkten KTs Stellung nahm. Müller-Jabuschs ausführliches Schreiben wurde in der WB vom 5.11.1929 (vgl. II, 714–716) in der Rubrik «Antworten» veröffentlicht.

«Das Handbuch … Stellungnahme.»] Müller-Jabusch 1929, [4], Vorbemerkung für die Benutzer, Abs. 2.
Brockhaus] Vgl. KTs Rez. des ‹Großen Brockhaus›, [71], 6ff.
kaiserlichen Verlag] Bei Köhler waren 1927 Wilhelms II. Memoiren ‹Aus meinem Leben› erschienen.
Danzig] Vgl. [2], *78f.*
«Statistik … Welt»] Müller-Jabusch 1929, 530. KT gibt jeweils gerundete Zahlen aus der Statistik an.

46 *«Der Versailler Vertrag»*] ebd., 484–520 (= I. Deutschland/P. Die große Politik/1. Der Vertrag von Versailles und seine Durchführung). – Vgl. [89], *337*.

46 *«Biographische Teil»*] Teil VI; ebd., 736–845.

54 *Anhang*] ‹Die Bewaffnung der anderen Mächte›, ebd., 488f (I. P. 1. Teil V. Entwaffnung. Artikel 159–213, Anhang).

56 *entwaffnete Deutschland*] Vgl. [1], *2*.

57 *«Ruhrbesetzung»*] Müller-Jabusch 1929, 492f. – Vgl. [73], *30*.

58 *«Ausschreitungen der Besatzungsangehörigen»*] Abschnitt im Kap. I. P. 1. Teil XIV. ‹Die Rheinlandbesatzung›, ebd., 513–520, hier: 517.

59 *Separatismus*] ebd., 518. Zum rhein. Separatismus s. [99].

60 *Reichstreue*] Der Behauptung, die rhein. Separatisten seien am Widerstand der dt. Bevölkerung gescheitert, trat in der WB 1925 Reinhold Strümpel entgegen (‹Die Wahrheit über den rheinischen Separatismus›, WB 25.8.1925, II, 286–289).

62 *«widerrechtlicher Besetzung»*] Z.B. Müller-Jabusch 1929, 513f.

67 *«Mitschuldig am Kriegsausbruch»*] ebd., 810.

72 ff *«Versuchte 1924 … richtige Art.»*] ebd., 740.

76 f *«Nach einer … Bankdirektor …»*] ebd., 763.

79 *Inflations-Cuno*] s. ebd., 753. – Unter der Reichskanzlerschaft Wilhelm Cunos während des Ruhrkampfes erreichte die Inflation in Deutschland ihren Höhepunkt (vgl. [73], *30*). Im Aug. 1923 sah sich Cuno aufgrund des Ruins der dt. Staatsfinanzen zum Rücktritt gezwungen.

81 f *Reichsentschädigungen der Reedereien*] Cuno, der im 1. Weltkrieg an der Organisation der Kriegswirtschaft beteiligt war, wurde 1918 Generaldirektor der Hapag und nahm als Wirtschaftsexperte für die Regierung 1919 an den Versailler Reparationsverhandlungen teil. Nach seinem Rücktritt als Reichskanzler am 12.8.1923 ging er wieder in den Vorstand der Hapag und übernahm 1926 deren Vorsitz als Generaldirektor.

83 *Hapag*] 1847 gegr. Hamburger Schiffahrtsunternehmen Hamburg-Amerikanische Packetfahrt-Actien-Gesellschaft (Hamburg-Amerika-Linie).

83 f *So … Leben*] Titel einer Aphorismen-Serie KTs (s. Bd. 10 [15], *0*).

85 *«eigentlich Sobelsohn»*] Müller-Jabusch 1929, 812.

87 *«Fabrikbesitzer»*] ebd., 825. Der DNVP-Politiker und Stahlhelm-Bundesführer Franz Seldte besaß in Magdeburg eine Fabrik für ätherische Öle.

87 f *es ist der Ton … macht*] Nach sprichwörtl. «Der Ton macht die Musik».

95 *«Dänemark. Allgemeine Wehrpflicht.»*] Müller-Jabusch 1929, 583.

107 *«Schweden. Allgemeine Wehrpflicht.»*] ebd., 631.

113 *«Norwegen. Allgemeine Wehrpflicht.»*] ebd., 623.

116 *«Holland. Allgemeine Wehrpflicht.»*] ebd., 621 (dort: «Niederlande»).

«Finnland. Allgemeine Wehrpflicht.»] ebd., 586.
immer wieder aufzeigen] Vgl. z. B. Bd. 9 [6]; Bd. 10 [146], [150].

103

Schmiede und Schmiedegesellen

V: Kurt Tucholsky
D[1]: WB Jg. 25, Nr. 34, 20. 8. 1929, II, S. 284–289
Bibl.: Bonitz / Wirtz D 2271; DT

KTs Kontakt zum Verlag Die Schmiede bestand seit 1925, seit der Lektor Rudolf Leonhard ihn aufgefordert hatte, einen Band für die Reihe ‹Außenseiter der Gesellschaft› zu schreiben (s. KT an SJ 17. 2. 1925; zu Leonhard vgl. [44]). Als KT im April 1926 SJ von seinen Plänen berichtete, sein ‹Pyrenäenbuch› dort zu publizieren, reagierte dieser zurückhaltend und führte Probleme an, die er und seine ebenfalls verlegerisch tätige Frau Edith mit der Schmiede hatten: «Ich habe nichts dagegen, daß Du es mit der Schmiede versuchst. Aber ohne meine Vermittlung. Gegen mich haben sich die Leute so unmanierlich benommen, und meine Dicke hat solche finanziellen Scherereien mit ihnen, daß ich keinerlei Berührung mehr wünsche» (Jacobsohn 1989, 400). Die Schmiede nahm das ‹Pyrenäenbuch› an, im März 1927 erschien es in einer Aufl. von 5000 Exemplaren, nach dem Konkurs des Verlags 1929 übernahm Rowohlt die Restbestände (s. Bd. 9 [1], *0*).
Zur Verlagsgeschichte s. Frank Hermann und Heinke Schmitz: Der Verlag Die Schmiede 1921–1929. Eine kommentierte Bibliographie. Morsum/Sylt 1996, 9–30.

Verlag Die Schmiede A.-G.] Die Schmiede wurde im Nov. 1921 zunächst als GmbH gegründet. Gesellschafter neben Salter und Wurm waren ein Heinz Wendriner sowie Salters Bruder, der Illustrator und spätere Buchgestalter des Verlags Georg Salter. Der Verlag befand sich zunächst in der Augsburger Str. 52 im Zentrum Berlins in den Räumen der Theateragentur von Salters Vater Norbert Salter, der auch das Gründungskapital zur Verfügung stellte. Nach Inflation und Einführung der Rentenmark suchte sich der Verlag im April 1924 durch die Umwandlung in eine Aktiengesellschaft eine breitere Kapitalbasis zu sichern. Der angeschlossene Bühnenvertrieb blieb eine selbständige GmbH.

7 *Schutzverband Deutscher Schriftsteller*] Der 1909 in Berlin gegr. SDS wurde die mitgliederstärkste und einflußreichste Berufsorganisation der dt. Schriftsteller in der WR. KT war seit 1913 Mitglied und 1920/21 Schriftführer. Vgl. ‹Schriftsteller›, Bd. 4 [120]; ‹Solidarität›, Bd. 5 [1]. Am 18.8.1931 trat KT aus Ärger über den mangelnden Widerstand gegen die Pressenotverordnung aus dem Verband aus; s. ‹Erklärung›, Bd. 14 [94].

12 *zugrunde gegangene*] Am 20.7.1929 war ein Vergleichsverfahren zur Abwendung des Konkurses über das Vermögen des Verlages, des angeschlossenen Bühnenvertriebes und der beiden Verleger eröffnet worden. Im März 1930 sollte die Liquidation der Gesellschaft beschlossen werden. Die im Verlagswesen unerfahrenen Salter und Wurm suchten den Verlag mit einem literar. ambitionierten Programm zu profilieren, das ökonomisch jedoch wenig erfolgreich war. Die schwierige ökonom. Lage des Verlags konnte längere Zeit durch Finanzspritzen der väterlichen Theateragentur (s.o. *1*) verdeckt werden.

17 *Abrechnungen*] Schon früh war in der literar. Szene vom unseriösen Geschäftsgebaren des Verlages die Rede. Max Brod löste bspw. im April 1925 seinen erst im Jahr zuvor geschlossenen Vertrag über die Publikation der Werke aus dem Nachlaß Kafkas, nachdem Die Schmiede mehrere Monate lang ihren Zahlungsverpflichtungen nicht nachgekommen war. Seit Anfang 1928 wurde die Lage des Verlages immer prekärer, Honorarzahlungen konnten nicht mehr pünktlich geleistet werden, die Folge waren Vertragskündigungen und gerichtliche Verfahren.

35 *marxistischen Grundbedingungen*] Hier offenbar gemeint der Doppelcharakter des Produkts als Gebrauchs- und Tauschwert, wie ihn Marx am Beginn seines Hauptwerks ‹Das Kapital› in seiner Analyse der Ware beschreibt. Der Tauschwert ist die notwendige Erscheinungsform des abstrakten Werts, der wiederum durch das Quantum der in der Ware enthaltenen abstrakten menschlichen Arbeit bestimmt ist (Karl Marx: Das Kapital. Bd. 1. In: Karl Marx/Friedrich Engels: Werke. Bd. 23. Berlin Ost 1962, 49–98).

47 f *lyrisches Mondkalb*] Wohl Anspielung auf Morgensterns Gedicht ‹Das ästhetische Wiesel› (in: Morgenstern: Galgenlieder. Berlin 1905, 25): «Ein Wiesel / saß auf einem Kiesel / inmitten Bachgeriesel. / Wißt ihr / weshalb?/ Das Mondkalb / verriet es mir / im Stillen: / Das raffinier- / te Tier / tat's um des Reimes willen.»

64 *Papa gibt etwas Geld*] s.o. *12*.

79 *bei Gott ist kein Ding unmöglich*] Nach Lukas 1, 37.

99 *Serien*] Etwa die 1924 von Leonhard konzipierte und hg. Reihe ‹Außenseiter der Gesellschaft. Die Verbrechen der Gegenwart› (vgl. oben *0*), für

die zahlr. renommierte Autoren wie Döblin, Kisch, Kersten oder Holitscher gewonnen werden konnten. 1924/25 erschienen 14 Titel der Reihe, wegen des ökonom. Mißerfolgs konnten jedoch zahlreiche bereits angekündigte Bände nicht realisiert werden (s. Hermann/Schmitz 1996, 101–104). So wurde auch die seit 1925 von Walther Petry hg. Reihe ‹Klassiker der erotischen Literatur› 1926 nach fünf Bänden eingestellt und später vom Verlag Hans Heinrich Tillgner übernommen, die Luxusdruckreihe ‹Officina Fabri› (1923/24) mußte bereits nach zwei Bänden eingestellt werden, ‹Der unbekannte Balzac› in der Übertragung von Hans Jacob (1923/24) nach 5 Bänden.

«ganz groß aufziehen»] Von KT glossiertes «Modewort»; s. ‹«Aufgezogen»›, Bd. 3 [183].

Traffic must be] Geschäft muß sein.

«sie haben … Geschmacks»] KT zitierte diesen Satz auch in einem Brief an Hasenclever als Ausspruch des Schriftstellers Wilhelm Speyer, der ihn auf den Ullstein-Verlag gemünzt haben soll (s. Bd. 20 [B 266], 46 ff).

Georg Kaiser … Daudistel] Kaiser, der eng mit dem Ehepaar Wurm, das in Berlin einen literar. Salon betrieb, befreundet war, wechselte 1922 vom Kiepenheuer Verlag zur «Schmiede». Dort erschienen seine Stücke ‹Juana› (1919), ‹Die Flucht nach Venedig› (1923), ‹Kolportage› (1924), ‹Zweimal Oliver› (1926). Als einer der meistgespielten dt. Dramatiker wurde Kaiser der wichtigste Autor von Verlag und Bühnenvertrieb, die mit Kiepenheuer eng kooperierten. – Der proletarisch-revolutionäre Schriftsteller Daudistel debütierte 1924 mit seinem in der Festungshaft entstandenen autobiograph. Erzählungsband ‹Die lahmen Götter›, 1925 erschien der Roman ‹Das Opfer›.

deutsche Judikatur entschieden] Nicht ermittelt.

Société des Gens de Lettres] Die 1838 von Balzac, Hugo, Dumas und George Sand gegr. Schriftstellerorganisation setzt sich für die rechtlichen wie die sozialen Belange der frz. Autoren ein.

Berlin im Licht] Vom 13.–16. 10. 1928 fand ein von der Stadt und der Berliner Wirtschaft finanziertes Lichterfest unter dem Motto «Berlin im Licht» statt, das sowohl zum Konsum anreizen als auch die Stadt im Rahmen der Fremdenverkehrswerbung als zukünftige Weltstadt präsentieren sollte; s. das Veranstaltungsprogramm in BT 13. 10. 1928, M, sowie ‹Der umstrittene Weg Berlins zur Lichtstadt›, BT 14. 10. 1928, Sonntagsausg.

«Der ist für den Meineid da.»] Nicht ermittelt.

«literarischen Salon»] s. o. *108 f.*

‹Schriftsteller›] ‹Der Schriftsteller›, Verbandszeitschrift des SDS (s. o. *7*), Berlin 1910–1933, in der KT zwei Artikel publizierte, s. ‹Solidarität›, Bd.

5 [1]; ‹[Rundfunk-Geheimnisse]›, Bd. 13 [1]. – Die Rubrik «Schwarze Liste» findet sich ab dem Jg. 1929 nicht mehr.

219 *Herumtaumeln im Irrgarten*] Anspielung auf ‹Der im Irr-Garten der Liebe herum taumelnde Cavalier›, Roman von Johann Gottfried Schnabel (1738).

238 f *schockweise*] Das Schock ist ein altes dt. Zählmaß (= 60 Stück).

246 f *James Klein*] Der Berliner Theaterdirektor und Produzent ließ 1918 im Apollo-Theater erstmals ein Nacktballett auftreten und wurde in der Folge berühmt für seine großen, gleichfalls oft mit Nackttänzen versehenen Ausstattungsrevuen an der Komischen Oper.

104

Diskretion

V: Theobald Tiger
D^1: WB Jg. 25, Nr. 34, 20. 8. 1929, II, S. 295
Bibl.: Nd s. Bonitz / Wirtz D 2272; 4 Nd; GW 7

13 *large*] (engl.) groß, lang.

15 *Berlin W 8*] Zustellbezirk des Postamtes 8 in der Französischen Str. 9–12 bzw. der Jägerstraße 67/68 im alten Stadtzentrum um die Friedrichstraße.

105

Grammophonplatten

V: Peter Panter
D^1: WB Jg. 25, Nr. 34, 20. 8. 1929, II, S. 297 – 298 [Rubrik:] Bemerkungen
Bibl.: Nd. s. Bonitz / Wirtz D 2273; 1 NdzL; DT

2 *Platten empfiehlt*] Reimann war seit 1917 Mitarb. der SB / WB und veröff. dort seit 1929 auch Plattenkritiken; z. B. ‹Whiteman›, WB 22. 1. 1929, I, 144 – 146; ‹Jack Hylton›, 26. 3. 1929, I, 485 – 487; ‹Schallplatten-Baedeker›, 14. 5. 1929, I, 752 – 754; ‹Vortragsplatten›, 2. 7. 1929, II, 25 – 28.

9 *Mirjam … schlaf ein*] Letzter Vers von Richard Beer-Hofmanns ‹Schlaflied für Mirjam› (vertont von Carl Orff, op. 6, no. 2; 1911).

11 *Gebember*] Gebimmel («bembern» bezeichnet den Ton des Glockengeläuts, der Uhr u. ä.), auch in der Bedeutung von «Gerede» («Wortgeklin-

gel»), z.B. «einem etwas vorbembern», «die Ohren vollbembern» (Sanders 1876, Bd. 1, 114; s.a. [157], *14*).

«Jeder versteht … Poesie.»] Peter Altenberg: Marionetten-Theater. In: Altenberg: Was der Tag mir zuträgt. 7. und 8. verm. und veränd. Aufl. Berlin 1919, 123–129, hier: 128.

f *«Dies Orchester … Nähmaschine.»*] Nicht ermittelt.

Jonnys Triumphlied] ‹Leb' wohl, mein Schatz› aus Ernst Kreneks Erfolgsoper ‹Jonny spielt auf› von 1927. Vgl. die Einspielung der Charleston Serenaders (Columbia 14050) von 1928 auf der CD ‹Theobald Tigers Trichter. Aus Kurt Tucholskys Plattenschrank›. Prod.: Gerhard Zeyen, Alan Lareau. Archiphon ARC 001 (1997).

bei jenem Kapellmeister] Ähnlich in Christian Knayer (Hg.): Neues musikalisches Witz- und Anekdoten-Büchlein. Berlin [1926], 32.

f *blau muß eine Platte sein*] Hier etwa: in der Art des Blues.

f *«Wir stellen … entspricht ..»*] Stark abgewandeltes Zitat nach Emil Ludwig: Thomas Alwa Edison, Voss 24.5.1928: «Die deutsche Musik steht obenan, natürlich liebt er *Schubert* am meisten: der hat genau sein Temperament. ‹Von Beethoven alles, Mozart viel weniger. Ich habe ihn immer halb so schnell spielen lassen auf dem Grammophon. Vielleicht liegt es auch am Alter. Die Kinder wollen immer schnelle Musik hören, die Alten langsame, das hängt mit dem Herzschlag zusammen. Ich glaube, die beste Musik ist gerade die, deren Tempo der Hälfte unseres Herzschlages entspricht.›»

Lieblingsplatten] s. [173], *21 f.*

«A room with a view –»] Vermutl. ist das Lied aus der Broadway-Revue ‹This Year of Grace› (1928) von Noël Coward gemeint.

Kulturdichters Binding] Der national-konservativ gesinnte, einem klassizistischen Dichtungskonzept verpflichtete Schriftsteller Rudolf G. Binding galt in großbürgerl. und adeligen Kreisen als Verkörperung des «deutschen Dichters». Später wurde er von den Nationalsozialisten in den Rang eines nationalen Erziehers erhoben. KT bezeichnete Binding wiederholt als «Kulturdichter», vgl. Bd. 9 [19], 53; Bd. 10 [17], 110; Bd. 14 [52], 187.

106

Berolina … Claire Waldoff

V: Theobald Tiger
D^1: WB Jg. 25, Nr. 35, 27.8.1929, II, S. 319
Bibl.: Nd s. Bonitz/Wirtz D 2274; 1 NdzL, 5 Nd; GW 7

0 *Berolina*] 1895 auf dem Alexanderplatz aufgestelltes monumentales Frauenstandbild von Emil Hundrieser, das die Stadt Berlin personifizierte. Es wurde 1927 im Rahmen der Neugestaltung des Platzes abmontiert und lagerte seitdem, stark reparaturbedürftig, auf einem Platz an der Treptower Eisenbahnbrücke (s. ‹Treptow lehnt die «Berolina» ab›, BVZ 22.6.1929, M). Zunächst hatte der Magistrat beschlossen, die Statue einzuschmelzen, hob den Beschluß aber nach den Protesten zahlr. Vereine auf und setzte eine Kommission ein (‹Was wird aus der Berolina? Der Umzug soll 50000 Mark kosten›, BBC 17.8.1929, A). Die Berolina wurde erst 1932 wieder aufgestellt.

0 *Claire Waldoff*] Die Kabarettistin und Schauspielerin Claire Waldoff, die auf der Bühne die kecke Berliner Proletarierin verkörperte, trug den Beinamen «Berolina des Chansons». Sie interpretierte mehrere Chansons von KT (s. z.B. ‹Dirndl-Lied›, Bd. 5 [57]; ‹Fang nie was mit Verwandtschaft an!› [58]), der vor dem Krieg ihr bedeutendster Rezensent in der SB war, s. z.B. Bd. 1 [84], 49ff; [199], 15ff.

3 *Lektrischen*] Elektrische; Bezeichnung für die Straßenbahn.

9 *mank*] (niederdt.) «zwischen» (Wossidlo-Teuchert 1996, Bd. 4, 1094).

10 *Brünhilde*] German. Sagengestalt. In der nordgerman. Mythologie eine Walküre, die wegen Ungehorsams gegenüber Odin als dem Herrn der Götter verstoßen und zur Strafe in den Schlaf versenkt wird. Im ‹Nibelungenlied› ein Riesenweib.

12 *perdü*] Phonetisch für frz. perdu (verschwunden, verloren).

14 *Schüh*] Phonet. für jus (Saft, Brühe).

19 *Schwoof*] Tanz.

24 *geschieden, das muß sein*] Vers aus Justinus Kerner: Wanderlied («Wohlauf! noch getrunken/Den funkelnden Wein!/Ade nun, ihr Lieben!/Geschieden muß sein»), vertont von Robert Schumann. op. 35, Nr. 3.

33 *Ick hab … jewesen*] «Behüt' Euch Gott, es wär so schön gewesen, behüt' Euch Gott, es hat nicht sollen sein». Refrain von Joseph Viktor von Scheffels Lied ‹Behüt' dich Gott› aus dem Versepos ‹Trompeter von Säckingen, ein Gesang vom Oberrhein› (1854); s.a. Bd. 3 [178], 7f.

107

Neues Licht

V: Peter Panter
D^1: WB Jg. 25, Nr. 35, 27.8.1929, II, S. 323–327
D^2: Das Deutsche Lichtbild. Jahresschau 1930. Berlin: Robert & Bruno Schultz 1929, [7–10]
Bibl.: Nd s. Bonitz/Wirtz D 2275; 1 NdzL, 1 Nd; DT

Varianten
Die Varianten sind nach D^2 verzeichnet
75 alledem] alledem zusammen **90** Wer photographiert?] *durch Sperrung hervorgehoben* **128** eignen] eigenen **136** hoffentlich] selbstverständlich **148** nur, aber] nur. Aber **177** unsre] unsere **198** Bildnissen;] Bildnissen. **210f** Dessau,] Dessau;

‹Deutschen Lichtbild 1929/30›] s. D^2. – Vgl. ‹Neues Licht›, Bd. 10 [24] (Rez. von ‹Das deutsche Lichtbild. Jahresschau 1927›. Bd. 1. Hg. von Hans Windisch. Berlin: Schultz 1927), dort auch Hinweise auf weitere Artikel KTs zur Photographie.
Herausgeber] Die Verleger Robert und Bruno Schultz.
Photographie-Album] Vgl. ‹Aus einem alten Photographie-Album›, Bd. 9 [145].
malerischen Fimmel] Vgl. ‹Altes Licht›, Bd. 9 [137], 50ff.
f *Expressionismus … gezackt*] Vgl. die ähnliche Formulierung in ‹Die Aussortierten›, Bd. 14 [6], 4ff, worin KTs spöttische Distanz zum Expressionismus zum Ausdruck kommt. Vgl. auch Bd. 3 [177], *77*; Bd. 6 [81], 1ff; Bd. 7 [161], 93ff.
«neue Sachlichkeit»] Vgl. [73], *254*.
«Indianerstaunen … Zivilisation»] Aus einem Aphorismus in ‹Die Fackel› (Jg. 10, Nr. 259–260, 13.7.1908, 35; wieder in: ‹Sprüche und Widersprüche›. Wien, Leipzig 1924; jetzt in: Kraus 1986, Bd. 8, 109).
wes Geistes Kind] Nach dem NT (Lukas 9, 55).
f *Pflanzenbutter*] Die als billiger Buttersatz entwickelte Margarine.
Versuchen der Arbeiterschaft] Die 1926 von der Redaktion der AIZ angeregte Gründung der «Vereinigung der Arbeiter Fotografen Deutschland» erfolgte mit dem Ziel, proletarische Photographen technisch zu schulen und die Arbeiterphotographie in den Dienst des Klassenkampfes zu stellen. Die AIZ suchte zudem, auf diesem Wege zur Unabhängigkeit von bürgerl. Photoagenturen zu gelangen. Das ebenfalls 1926 gegr. Verbands-

organ ‹Der Arbeiter Fotograf› erschien wie die AIZ in Münzenbergs Neuem Deutschen Verlag. KTs Arbeiten in der AIZ waren Arbeiterphotographien beigegeben, auch in DD sind viele Photos von Arbeiterphotographen aufgenommen.

126 *Visit*] Visitformat: Portraitbildformat der Größe 54 x 92 mm oder 56 x 94 mm.

127 *Wort Leo Trotzkis*] Nicht ermittelt. Von KT nochmals zit. in ‹Die Zeit›, Bd. 13 [22], 1 f.

171 *«Kunst … Sein»*] Untertitel von ‹Sybille Binder›, in: Polgar: Stichproben. Berlin 1926, 224 ff (heute in: Polgar 1982 ff, Bd. 6, 332–334).

174 *29000 Bilder*] Vgl. ‹Dank an die Mitarbeiter›, Das Deutsche Lichtbild 1930, Anhang [S. 33]; dort ist von «annähernd 30000 Lichtbildern» die Rede.

183 *The Mask and the Man*] ‹Photograms of the year› Jg. 33 (1927).

197 *Hugo Erfurth*] Vertreten mit den Bildnissen ‹Hans Thoma› und ‹F. R. Fraprie›, sowie der Photographie ‹Palucca›, die die Tänzerin im Sprung zeigt (Das Deutsche Lichtbild 1930, 29, 56, 62).

198 *Moholy-Nagy*] ‹Portrait› und ‹Katze› (ebd., 23, 76).

201 *E. O. Hoppé*] ‹Funkturm›, ‹Flugzeug›, ‹Detroit› (ebd., 20, 33, 40).

203 *Erich Salomon*] Die Momentaufnahme ‹Ministerbesprechung in Lugano› (ebd., 38).

207 *Hannes Flach*] ‹Im Atelier› (ebd., 53).

209 f *Hinnrich Scheper*] ‹In der Adria› (ebd., 52).

210 f *Bauhaus Dessau*] 1919 von Walter Gropius in Weimar gegr. Hochschule für Gestaltung. Das Bauhaus strebte eine Verbindung von Technik, Handwerk und Kunst an, Materialgerechtigkeit, Funktionalität und Ästhetik sollten Hand in Hand gehen. Der Bauhaus-Stil wurde zur Grundlage moderner Architektur und des modernen Produktdesigns. Seit 1925 befand sich die Hochschule in Dessau.

212 f *Walter Süßmann*] ‹Portrait› (Das Deutsche Lichtbild 1930, 63).

216 *Rudolph Zimmermann*] ‹Zwergrohrdommeln›, ‹Sumpfohreule beim Schlagen einer Beute›, ‹Igel plündert ein Rebhuhngelege› (ebd., 55, 80, 107).

216 *F. Schensky*] ‹Möwen vor Helgoland›, ‹Seewölfe›, ‹Hummer mit aufgewachsener Seenelke› (ebd., 54, 104, 105).

217 *Albert Leon*] ‹Junge Eichelhäher›, ‹Goldenes Frauenhaar (Moospolster)› (ebd., 50, 95).

217 *Paul Unger*] ‹Karpfen›, ‹Macropodenpärchen› (ebd., 32, 110).

218 *Hedda Walther*] ‹Gorilla›, ‹Pelikan›, ‹Bildnis eines Kindes› (ebd., 1, 51, 83).

222 f *«Zu klug … Himmel.»*] «So steht das Geschlecht der Jetztlebenden, arm,

ohne Unschuld und ohne Geist, zu klug für die Erde, zu feig für den Himmel» (s. Ernst Moritz Arndt: Geist der Zeit I [1806] 3. Kap.: Das Zeitalter und die Zeitgenossen. In: Arndts Werke. Auswahl in zwölf Teilen. Hg. von August Leffson und Wilhelm Steffens. Sechster Teil. Berlin, Leipzig, Wien, Stuttgart o.J., 58).
In Paris habe ich] In ‹Altes Licht›, Bd. 9 [137], hatte KT über den «22. Salon international d'art photographique» berichtet, der vom 1.–16.10.1927 in Paris stattgefunden hatte. Über den am 14.10.1928 eröffneten 23. Pariser Photosalon berichtete er in ‹Neues Licht›, Bd. 10 [160].

108

Blutrache in Leipzig

V: Ignaz Wrobel
D[1]: WB Jg. 25, Nr. 35, 27.8.1929, II, S. 333 [Rubrik:] Bemerkungen
Bibl.: Bonitz/Wirtz D 2276; Rep

Leipzig] Sitz des Reichsgerichts.
durch die Zeitungen] Der Fall konnte nicht ermittelt werden. Vermutl. stand die Pressemeldung in Zusammenhang mit der vom Bund ehem. frz. Fremdenlegionäre veranstalteten Ausstellung, die im Juli 1929 im Lunapark in Berlin eröffnet wurde (s. ‹Marschiere oder krepiere!›, Vorwärts 20.7.1929, M).
Ruhrbesetzung] Vgl. [73], *30*.
Fritz Eberts] Vgl. [4], *61*.
Pension zahlst] Am 2.12.1926 hatte das Reichsfinanzministerium eine Denkschrift über die Pensionszahlungen der Reichsregierung an ehem. Politiker und Militärs veröffentlicht. Die jährl. Auszahlungssumme wurde mit 23 Mio. RM angegeben, wobei die Hälfte der an Zivilpersonen gezahlten Pensionen an Politiker aus der Kaiserzeit ging, die Zahlungen an ehem. Militärs gingen fast ausschließl. an Offiziere der kaiserl. Armee. Die Jahrespensionen lagen zwischen 10000 und 30000 RM. In der Presse wurde kolportiert, daß Wilhelm II. eine mtl. Abfindung von 50000 Goldmark beziehe (vgl. ‹Was Wilhelm II. schon erhalten hat›, BT 19.6.1926, M). Auch von KT wurde diese Summe mehrfach genannt (s. ‹Staatsmorphium›, Bd. 7 [179], 8, *8*; ‹Das Buch vom Kaiser›, Bd. 7 [207], 121f). Wiederholt hat KT auch kritisiert, daß selbst die am Kapp-Putsch beteiligten Generäle Ehrhardt, Lüttwitz und Jagow von der Republik Pensionen bezogen (vgl. Bd. 9 [A 10], 48, *48*; Bd. 12, 50–51, *51, 2ff*).

109

Die Rolle des Intellektuellen in der Partei

V: Kurt Tucholsky
D[1]: Die Front Jg. 2 (1929), Nr. 9, S. 250–253
Bibl.: Nd s. Bonitz / Wirtz D 2175; 3 Nd; Ackermann II: 1 NdzL; GW 7

Datierung
Wie aus einer red. Notiz auf dem hinteren Heftumschlag hervorgeht, kam ‹Die Front› zu diesem Zeitpunkt noch monatlich heraus, erst später halbmonatlich (vgl. ‹Lexikon sozialistischer Literatur›, hg. von Simone Barck u. a., Stuttgart 1994, 153). Heft Nr. 9 erschien demnach im Sept. 1929.

‹Die Front›, Berlin (zeitweise Halle und Zürich): Front-Verlag, Sept. 1928 bis Dez. 1931; Untertitel ab 1930, H. 5: ‹Zeitschrift für Wirtschaft / Politik / Kultur der Arbeiterbewegung›, geleitet von Hans Conrad (d.i. vermutl. ein schweizer Kommunist namens H[ans?] Hürlimann; vgl. Heinz Wunderlich: ‹Die Front› 1928–1931. Eine Monographie. Leipzig 1959; Kopie der unveröffentl. Diplomarbeit in KTF). Ab Ende 1928 (bis Aug. 1929) Bundesorgan des «Bundes proletarisch-revolutionärer Schriftsteller» (BPRS), ab Jan. 1929 «Mitteilungsorgan» der «Assoziation revolutionärer bildender Künstler in Deutschland» (ARBKD). Die der KPD nahestehende polit.-kulturelle Zeitschrift sollte als Forum für bekannte wie unbekannte Autoren eine Brücke zwischen Intellektuellen und Proletariat schlagen.

In Zusammenhang mit der innerhalb der KPD geführten Debatte um die Bedeutung linksbürgerlicher Intellektueller für die Arbeiterbewegung übten die Kommunisten massive Kritik an der «freischwebenden Intelligenz». Sie richtete sich insbes. gegen die Mitarbeiter der WB, KT wurde wiederholt namentlich angegriffen (s. Bd. 10 [132], *Wirkung*; [193], *Wirkung*; Bd. 14 [4], *42f*). KT hatte bereits 1928 mit dem Aufsatz ‹Gebrauchslyrik› in die Diskussion eingegriffen (Bd. 10 [193]). Vgl. auch ‹Was brauchen wir –?›, Bd. 8 [29]; ‹Was haben wir –?›, Bd. 8 [64].
Vgl. in diesem Zusammenhang u. a. auch Kurt Hiller: Was eint uns? Rede vor revolutionären Pazifisten, WB 26. 3. 1929, I, 465–469; Hiller: Die Rolle der Geistigen in der Politik, WB 15. 4. 1930, I, 568–573; Werner Ackermann: Proletariat und radikale Literaten, WB 9. 7. 1929, II, 57 f.

Wirkung
‹Die Front› (Jg. 2, Nr. 10, [Okt.] 1929, 268–270) druckte u. d. T. ‹Über

«Deutschlands Tragödie»› die Entgegnungen zweier Arbeiter auf KTs Artikel. Ein «Carolus» warf KT vor, «seinem literarischen Schaffen direkt ins Gesicht» zu schlagen (ebd., 268). KTs Texte signalisierten sehr wohl einen Führungsanspruch, folglich habe er auch Verantwortung zu übernehmen und sich klar an die Seite der KPD zu stellen. Die Antwort eines Arbeiterkorrespondenten «Kavau» zielte in die gleiche Richtung: Er forderte von den Intellektuellen die konstruktive Mitarbeit in der KPD und ihren Betriebszellen-Zeitungen.
In ‹Die Front› Nr. 11 erschien Conrads Entgegnung, die im wesentlichen die Punkte seiner gegen Hiller gerichteten Polemik wiederholt, im Ton aber moderater gehalten ist. So apostrophierte Conrad KT nun als «Kamerad[en]» (‹Über die Rolle des Intellektuellen in der proletarischen Revolution›, Jg. 2, Nr. 11, [Nov.] 1929, 280–283, hier: 282; u.d.T. ‹Arbeiter und Intellektuelle› bereits in WB 15.10.1929, II, 585–598). Im gleichen Heft war unter der Rubrik «Arbeiter schreiben –» eine Leserzuschrift abgedruckt, die KTs Kritik an dem Mißtrauen der KPD-Führung gegenüber Intellektuellen zustimmte und Besserung forderte (Max Zimmering: Die Partei und der Intellektuelle, ebd., 284).

Nr. 7 dieser Zeitschrift] Hans Conrad: Deutschlands Tragödie, in: Die Front Jg. 2, Nr. 7, 1929, 195–199.
Aufsatz] Kurt Hiller: Rede vor roten Studenten, WB 1.1.1929, I, 1–4. Ausgehend von der Feststellung: «Die Tragödie Deutschlands ist: die Gespaltenheit der Arbeiterbewegung», beklagte Hiller das Fehlen einer «nach außen einheitlich wirksamen Linken» (ebd., 1) und forderte eine Beendigung des «unfruchtbare[n] Bruderkampf[s]» (ebd., 2) zwischen den beiden großen Arbeiterparteien SPD und KPD. Als mögliches einigendes Element benannte Hiller unabhängige sozialist. Gruppierungen, welche die Massen binden könnten: «Ich bitte Sie, zu bedenken, was für eine Anziehungskraft auf diese Massen ein von dem Bruderzwist absehender, den Parteistunk ignorierender, im Sinne des revolutionären Sozialismus sachlich-konkret arbeitender Kreis intelligenter Proleten und proletarischer Intellektueller ausüben würde» (ebd., 4).
meines Freundes] KT und Hiller kannten sich durch die Mitarbeit an der WB. Ferner gehörten beide zeitweise dem Vorstand des SDS sowie der 1926 von Hiller gegr. Gruppe Revolutionärer Pazifisten an, s. [77], *254*.
erbitte das Gastrecht] KTs Artikel war eine «Anmerkung des Herausgebers» vorangestellt: «Wir geben gerne Kurt Tucholsky das Wort zu nachstehender Erwiderung. ‹Die Front› soll ja eine Tribüne der Diskussion sein. Das schließt nicht aus, daß wir ein festumrissenes Programm

haben. Auf die Ausführungen Kurt Tucholskys werden wir im nächsten Heft prinzipiell antworten».

6 ff *«Es ist … solidarisieren.»*] Conrad (s. o. *1*), 195.

7 *Herausgeber*] CvO und KT.

13 *Lehrmeister*] Der Gründer der SB / WB Siegfried Jacobsohn war für KT ein Mentor und väterlicher Freund gewesen (s. Bd. 9 [160], [173]). Als SJ am 3. 12. 1926 überraschend starb, mußte KT umgehend aus Paris nach Berlin kommen, um dort die Redaktionsgeschäfte zu übernehmen, wie es sein Vertrag mit der WB vorsah. Im Mai 1927 gab er die Leitung der WB an CvO ab, vgl. Bd. 8 [200] und [205].

19 *im Jahre 1913*] KTs erster Artikel war am 9. 1. 1913 in der SB ersch. (‹Die beiden Brüder H.›, Bd. 1 [73]). Bereits das Autorenregister im zweiten Halbband des selben Jahrgangs weist KT als den mit Abstand am häufigsten vertretenen Mitarb. aus.

20 *mit Politik zu befassen*] Die von SJ 1905 als Theaterzeitschrift gegr. SB begann sich seit 1913 allmählich polit. Themen zu öffnen. Dementsprechend strich SJ im Jan. 1913 den Untertitel ‹Wochenschrift für die gesamten Interessen des Theaters›. Diese Entwicklung mündete in die Umbenennung der SB in ‹Die Weltbühne. Wochenschrift für Politik, Kunst, Wirtschaft› am 4. 4. 1918.

29 ff *«Die Tragödie … zu bringen.»*] Conrad (s. o. *1*), 198.

31 *‹einem in … wird›*] Nicht ermittelt.

39 f *Ullstein*] Der 1887 in Berlin gegr. lib.-demokr. Ullstein-Konzern war einer der größten Buch- und Presseverlage Deutschlands. KT arbeitete seit 1924 regelmäßig für Periodika des Verlags (‹Vossische Zeitung›, ‹Uhu›, ‹Tempo› und ‹Die Dame›). Zu den Auseinandersetzungen zwischen Ullstein und KT seit 1928 s. [66], *271*.

44 *‹Gebrauchslyrik›*] s. Bd. 10 [193].

54 *Lenin*] Lenin gab seine Karriere als Rechtsanwalt zugunsten seiner revolutionären Ideen auf, wurde wegen polit. Agitation verhaftet und von 1897–1900 nach Sibirien verbannt. Bis 1917 lebte er, mit Unterbrechung 1905–07, in der Emigration, wo er sich sowohl wissenschaftlich mit der marxistischen Philosophie auseinandersetzte als auch seine praktische parteipolit. Tätigkeit fortführte.

66 *Vorwurf*] Conrad (s. o. *1*), 199: «[…] man kann nicht dem Proletariat die Revolution *predigen* und selbst wie ein *Bürger leben* oder leben wollen!»

86 f *mißtraut uns von der Funktionärseite*] Vgl. [125].

99 *Saal-Revolution*] s. [94], *69*.

103 *Zwischengruppen*] Conrad hatte den Vorschlag Hillers kritisiert (Conrad, s. o. *1*, 196). Dieser hatte als «Orte in der revolutionären Bewegung» eine

Reihe von Organisationen, wie die «Rote Hilfe», die «Internationale Arbeiterhilfe», den Internationalen Sozialistischen Kampfbund, die Gruppe revolutionärer Pazifisten genannt (Hiller, s. o. *1*, 3).
Ebert, Wels, Noske] s. [4], *61*.
Typus] Vgl. DD, Bd. 12, 34.
sozialdemokratische Redakteur] Bis Anfang der 20er Jahre hatte KT selbst für die SPD-Presse geschrieben: 1911–1914 war er Mitarbeiter des SPD-Zentralblattes ‹Vorwärts›, 1919–1922 arbeitete er für das USPD-Organ ‹Die Freiheit›. – Vgl. KT an Hedwig Müller 3.6.1935: «Du bist ja gut durchs Leben gekommen und hast den Vorwärts nie zu lesen brauchen. Er war die am schlechtesten gemachte Zeitung Berlins» (Bd. 21 [B 76Q], 25 ff).
Mosse] Im 1867 in Berlin gegr. lib.-demokr. Mosse-Verlag erschienen bedeutende Tageszeitungen wie das BT und die BVZ, für welche KT bis Anfang der 20er Jahre regelmäßig geschrieben hatte. Vom Dez. 1918 bis März 1920 war KT Chefred. des Witzblattes ‹Ulk›, einer Wochenbeilage von BT und BVZ, gewesen. Er gab den Redakteursposten auf wegen zunehmender Differenzen mit dem Chefred. des BT Theodor Wolff über die literar. und satir. Konzeption und insbes. über die polit. Ausrichtung des Blattes (s. Bd. 2 [187], *0*; Bd. 3 [151], *0*, und [257], *0*).

110

«Ober – Herrr Ober –!»

V: Peter Panter
D[1]: Vossische Zeitung Nr. 209, 1.9.1929, Post-Ausg.; Unterhaltungsblatt Nr. 204, [S. 3]
Bibl.: Nd s. Bonitz / Wirtz D 2277; 2 NdzL; DT

f *aus Frankreich kommt*] KT, der seit 1924 in Paris seinen Wohnsitz hatte, hielt sich seit April 1929 in Schweden auf; s. [53], *1*.
Herr Ludendorff] Anspielung auf die von Ludendorff und seiner Frau Mathilde vertretenen Verschwörungstheorien, s. [68], *41*.
Pikkolostadium] Pikkolo: Kellnerlehrling.
Brockhaus] Vgl. [71], *6 ff*.
Amalaswintha] Auch: Amalasuntha: Tochter Theoderichs d. Gr., führte nach dessen Tod (526) die Regentschaft für ihren unmündigen Sohn Athalarich.

43 *Smörgasbord*] Smörgåsbord, Smörgås, ein reichhaltiges Delikatessenbuffet mit allen regionalen Gerichten. Wörtl. Buttergans, ursprüngl. die weißen Fettklümpchen, die beim Buttern im Faß obenauf schwimmen.

44 *«Tack!»*] Danke.

58 *Frank Heller*] Der Schwede Frank Heller gehörte zu den von KT hoch geschätzen Krimi-Autoren (s. ‹Auf dem Nachttisch›, Bd. 10 [22], 13 ff).

58 *Philippe Collin*] Die von Heller geschaffene Figur des kultivierten Hochstaplers Filip Collin z.B. in ‹Herrn Collins Abenteuer› (München 1917); vgl. auch Bd. 9 [45], 83.

60 *Hasse Zetterström*] Von KT verehrter humoristischer Schriftsteller (vgl. Bd. 3 [92]). Die Geschichte mit dem Titel ‹Bedienung› handelt vom vergeblichen Warten auf das bestellte Essen im Restaurant (s. Zetterström: Meine merkwürdigste Nacht und andere Grotesken. 17.–24. Tsd. Berlin 1922, 84–88). In seiner Erzählung ‹Träume› läßt Zetterström den Erzähler mehrfach vergeblich nach dem Zahlkellner rufen (s. Zetterström: Schwedenpunsch. Fünfundzwanzig fröhliche Geschichten. Hamburg, Berlin 1925, 35–40).

75 f *Ausgabe seiner Gedichte*] Eine Auswahl der um 1770 entst., in Schweden sehr populären Trink- und Liebeslieder (‹Fredmans Epistlar›. Stockholm 1790) des schwed. Rokokodichters Carl Michael Bellman erschienen u.d.T. ‹Aus Fredmans Episteln und Liedern. Bellman-Brevier›. Dt. von Hanns von Gumppenberg, Buchschmuck von Alfons Woelfle. München 1909.

111

Aus aller Welt

V: Peter Panter
D[1]: WB Jg. 25, Nr. 36, 3.9.1929, II, S. 360–363
Bibl.: Nd s. Bonitz / Wirtz D 2278; 1 Nd; GW 7

Vgl. ‹Frau Übersee›, Bd. 3 [1].

1 *Kollege vom Bau*] Offenbar hatte Emil Ludwig KT vorgeschlagen, eine Weltreise zu unternehmen und eine Reisereportage zu verfassen, da KT ihm im Brief vom 20.1.1929 antwortete: «Weltreise. Sicher ist das zu machen. Was kommt da raus –? Noch ein paar lustig aufgeklebte Adjektive, die Perlmuttschale in Port-Said, die Sache mit dem Pflaumenkuchen in Cadix; das ‹Propplem der Meerenge von ...› ich denke, daß das so nicht

geht. Ein festes Weltbild – wie etwa das katholische – nenne ich nicht mein eigen, wo sollte das in diesem Getriebe auch herkommen? – und nach der Lektüre von etwa zwanzig französischen und deutschen Reisebüchern muß ich sagen: man will das nicht. Auch dann nicht, wenn es etwas besser gemacht ist – man will es nicht. Lieber E. L., Sie halten mich für einen viel bessern Journalisten, als ich verdiene». – Die Bezeichnung «Männer vom Bau» geht auf den Einakter ‹Das Fest der Handwerker› (1828) von Louis Angely zurück.

fröhliche Wissenschaft] «Gaya cienca»; altprovenzal. Bezeichnung der von der Toulouser Meistersingerschule (gegr. 1323) gepflegten, hauptsächlich der Verherrlichung der Jungfrau Maria gewidmeten Poesie. – Auch Titel eines philosoph. Werks in Aphorismen von Friedrich Nietzsche (‹Die fröhliche Wissenschaft›, 1882, 2. Ausg. 1887).

f *guten Klang … Tönen bringt*] In Anlehnung an Lichtenbergs Aphorismus «Wenn ein Buch und ein Kopf zusammenstoßen und es klingt hohl, ist das allemal im Buch?» (‹Sudelbücher›, Heft D, 399, in: Lichtenberg 1967 ff, Bd. 1, 291).

flüstert Jack Smith] Der Sänger trug infolge einer Kriegsverletzung seinen Gesang flüsternd vor (s. Bd. 9 [22]; Bd. 10 [101], 15 ff).

Spittelmarkt] Verkehrsknotenpunkt im Osten Berlins, vgl. [56], *71 f.*

Pariser Stunden] s. [20], *2.*

Imponierklammer] s. ‹Der darmstädter Armleuchter›, Bd. 10 [82], 223 ff, und ‹Le Comique Voyageur›, Bd. 10 [85], 67 f.

Das kann … auch.] «Det kann Lehmanns Kutscher ooch!» Berlin. Redewendung: das ist kein Kunststück (s. Der Richtige Berliner in Wörtern und Redensarten. Von Hans Meyer. 9. Aufl. von Siegfried Mauermann. Berlin 1925, 112).

Als ich neulich] s. [34].

‹Berliner Tageblatt›] 1871 gegr. lib.-demokr. Tageszeitung. Mit zeitweise 12 Ausg. und 12 Beil. wöchentlich war das BT die am meisten gelesene dt. Tageszeitung.

bitterbösen Brief] Der Brief ist nicht überliefert. Klötzel, auch ein gelegentlicher Mitarb. der WB, publizierte 1929 im BT z.B. Reiseberichte aus Indien, die 1930 u.d.T. ‹Indien im Schmelztiegel› als Buch erschienen (Leipzig); vgl. die Rez. CvOs in: Ossietzky 1994, Bd. V, 342 f.

f *«Fachmann» und «Laien»*] Vgl. ‹Das Fach-Adverbium›, Bd. 7 [106].

f *Stresemann hat das neulich*] In der RT-Sitzung vom 24.6.1929 zur 2. Beratung des Reichshaushaltsplans für 1929 sagte Stresemann, nachdem er die frz. Kulturpolitik des AA als positives Beispiel gewürdigt hatte: «Und wenn wir vor dem Kriege statt der blöden Witze mancher Blätter über manche Balkanstaaten uns lieber mit diesen Staaten in Verbindung gesetzt hätten auf dem Boden gegenseitiger Achtung, dann würden wir etwas ganz anderes erreicht haben» (Verh. d. RT, Bd. 425, 2881).

168 *amerikanischen Reportage*] Schon 1913 hatte KT dem amer. Journalismus aus Anlaß der ersten publizist. Gehversuche des amer. Zeitungsmagnaten Hearst in Deutschland Niveaulosigkeit vorgeworfen (s. Bd. 1 [179]). In den folgenden Jahren kritisierte KT die amer. Presse am Rande wiederholt als oberflächlich und sensationshungrig. Als Mitte der 20er Jahre im Zuge der Neuen Sachlichkeit die Reportage als (vermeintlich) amer. Textsorte in Deutschland an Beliebtheit gewann, rez. KT Reportage-Autoren wie Kisch und Reissner positiv (s. Bd. 7 [33]; Bd. 9 [19]). 1931 bezichtigte er aber die Masse der ersch. Reportagen der Seichtheit und Unkenntnis (s. Bd. 14 [13]).

170 *Volk der Dichter und Denker*] Sprichwörtl.; geht zurück auf Johann Karl Musäus' Schrift ‹Physiognomische Reisen›, 3. Heft (1779), 101.

173 *Pyrenäenbuch*] s. [80], *0*.

175 f *Kapitel über Lourdes*] s. [80], *0*.

183 f *mit der Hand übern Alexanderplatz*] Zitat aus Walter Mehrings Chanson ‹Heimat Berlin› aus dem Kabarettprogramm ‹Das Ketzerbrevier› (1921), gesungen von Paul Graetz, s. [71], 330ff, *330*.

112

Heinrich Zille

V: Theobald Tiger (D^1); Kurt Tucholsky (D^2)
D^1: WB Jg. 25, Nr. 36, 3. 9. 1929, II, S. 366
D^2: Lerne lachen ohne zu weinen 1931, S. 363–364
Bibl.: Nd s. Bonitz / Wirtz D 2279; 19 Nd; GW 7

Varianten
Die Varianten sind nach D^2 verzeichnet
11 Schmiß –] Schmiß … **12** du] Du **19** In] Int

Geschrieben aus Anlaß des Todes von Heinrich Zille. Der von KT bewunderte Maler, Zeichner und Photograph (vgl. [56], *32*) war am 9. 8. 1929 in Berlin gestorben.

1 *Zweeter Uffjang, vierta Hof*] Zille fand seine Motive vor allem in den Mietshäuserquartieren der Armen- und Arbeiterviertel im Berliner Osten.

Zur sog. Zilleburg («Meyer's Hof», Bezirk Wedding) s. DD 124ff (Bd. 12, *124, Ph, 125, 1*).
vastandn ham se dir nie] Zilles sozialkritischer und politischer Impetus war vom bürgerlichen Publikum zum Leidwesen des Künstlers weitgehend ignoriert worden. Auch KT hatte 1925 auf diese Fehleinschätzung hingewiesen, s. ‹Berlins Bester›, Bd. 7 [15].
Stirb oda friß!] Nach sprichwörtlich: «Friß Vogel oder stirb», dem Titel einer gegen Luther gerichteten Schmähschrift von Johann Nikolaus Weislinger aus dem Jahre 1723.
Meista] Im Volksmund wurde der Künstler «Meister Zille» genannt.

113

Woran liegt das –?

V: Ignaz Wrobel
D[1]: WB Jg. 25, Nr. 36, 3.9.1929, II, S. 373–374 [Rubrik:] Bemerkungen
Bibl.: Bonitz/Wirtz D 2280; DT

Tagung] Die Hauptversammlung der dt. Eisenhüttenleute, der technisch-wissenschaftl. Organisation der dt. Eisenindustrie zur Ausbildung und Förderung des dt. Eisen- und Stahlhüttenwesens (Vors. Vögler, stellvertr. Vors. Springorum), hatte am 4./5.5.1929 stattgefunden.
«Er klagte … gewesen sei.»] Springorums Abschlußrede auf der Hauptversammlung am 5.5.1929; s. ‹Tagung des Vereins deutscher Eisenhüttenleute›, FZ 6.5.1929, Express-Morgenblatt.
System der «Rationalisierung»] Vgl. [56], *70*.
Der deutsche Arbeiter] Vgl. ‹Das Volk›, Bd. 12, 17–18.
Inflation] s. [8], *222*.

114

[Antwort: Le Quotidien, Paris]

V: Anonym
D[1]: WB Jg. 25, Nr. 36, 3.9.1929, II, S. 380 [Rubrik:] Antworten

Zuschreibung
Offenbar hatte MT den ‹Quotidien›-Artikel, der KT zu vorliegender «Antwort» veranlaßte (s.u.), ins schwed. Läggesta geschickt, wo KT sich

seit April 1929 aufhielt (s. [53], *1*). Im Brief an MT vom 22.8.1929 kommentierte er: «Quotidien herrlich – bereits verarztet; darf ich das behalten?»

Replik auf den groß aufgemachten Artikel ‹La vérité fait peur. Comment les nationalistes jugent en Allemagne l'œuvre de E.-M. Remarque: A l'Ouest, rien de nouveau› auf der Titelseite des ‹Quotidien› vom 8.8.1929 (s.u. *1*), dessen Verfasser Robert Bobin der satir. Charakter von KTs WB-Artikel über Remarque (s. [68]) entgangen war.

1 *Le Quotidien*] 1923 von Henri Dumay gegr. und bis 1928 von diesem geleitete Pariser Tageszeitung, die dem Parti radical nahestand und die Politik des Cartel des gauches unterstützte. Chefred. war Pierre Bertrand, im polit. Beirat saßen Fernand Buisson, Pierre Renaudel und Alphonse Aulard. Zur Leserschaft zählten v.a. kleinbürgerliche Angestellte und Beamte.

1 f *Vor einigen Wochen*] s. [68].

8 *Süddeutschen Monatshefte*] s. [68], *6*.

15 ff *‹Die Weltbunke› … begünstigt habe*] s. [68], 52 ff, *53*.

20 f *zitierten Barbusse*] In Bobins Artikel heißt es (in dt. Übers.): «Und ebenso wie jüngst Barbusse angeprangert wurde, weil er geschrieben hat, daß nicht alle französischen Soldaten Helden gewesen seien, so wird jetzt Remarque dafür angeklagt, daß er die deutschen Helden nicht von den nichtdeutschen Feiglingen unterscheidet.»

21 *Gesinnungsfreund*] Zu Barbusse, dem Begr. der frz. Pazifistenbewegung «Clarté», vgl. [160].

27 f *Il a pissé de la copie*] Journalistenjargon; etwa: einen Text absondern.

115

Fort mit der Zensur

V: Peter Panter
D^1: Der Deutsche Rundfunk Jg. 7 (1929), H. 36, 6.9.1929, S. 1145–1146
Bibl.: Nd s. Bonitz / Wirtz D 2281; 1 Nd; Rep

‹Der Deutsche Rundfunk. Rundschau und Programm für alle Funkteilnehmer. Zeitschrift der am deutschen Rundfunk beteiligten Kreise›. Die illustrierte Rundfunkzeitschrift, die erste ihrer Art, erschien wöchentlich

von 1923–1941 in Berlin; Schriftleiter war seit 1924 Hans Siebert von Heister.
KT antwortet auf die Umfrage ‹Rundfunk und Kunst der Lebenden›. Die Fragen der Red. hatten gelautet: «1) Fördert der Rundfunk Musik und Literatur der Lebenden? 2) Genügt Ihnen die bisherige Leistung auf diesem Gebiet? Welche Forderungen stellen Sie noch?» Erste Antworten auf die Umfrage waren bereits in H. 35 (30.8.1929, 1106–1107) gedruckt worden, von Stefan Zweig, Franz Schreker, Hans Flesch, Norbert Falk, Edwin Redslob, René Schickele. Neben KTs Stellungnahme fanden sich in H. 36 auch die von Walter von Molo, Kurt von Boeckmann, Monty Jacobs, Fritz Walter Bischoff, Herbert Ihering, Kurt Pinthus, Günther Weisenborn, Kurt Kersten.

f *«Bücherstunde»*] Titel der halbstündigen Literatursendung im Westdeutschen Rundfunk, in der Neuerscheinungen vorgestellt wurden (ab März 1929: ‹Die Welt im Buch›).
Zensur] s. [77], *243*.
steuerfeindliche Bauer] s. [99], *151*.
Gebärzwang] s. [150], *Tabelle*.
Antenne erden] s. [88], *43*.
Druckbriefe] s. [60], *90*.

116

Herr Ahlmann

V: Peter Panter
D[1]: Vossische Zeitung Nr. 215, 8.9.1929, Post-Ausg.; Unterhaltungsblatt Nr. 210, [S. 3–4]
Bibl.: Nd s. Bonitz / Wirtz D 2282; 1 NdzL; GW 7

Baedecker Seite 219] ‹Schweden, Finnland und die Hauptreisewege durch Dänemark›. Handbuch für Reisende von Karl Baedeker. 14. Aufl. Leipzig 1929 (vgl. [76], *40*). Die kleine Handels- und Industriestadt Ludvika im südl. Dalarne, einer gebirg. Landschaft Nordschwedens gelegen, ist im Baedeker als Station der Reiseroute von Göteborg nach Falun (Hauptstadt von Dalarne) verzeichnet.
Gotenburg] schwed. Göteborg.
«guide»] Führer.
Amnestie] Gemeint ist wohl die vom Rat der Volksbeauftragten erlassene Generalamnestie für militärische Vergehen vom 7.12.1918 (RGBl. 1918, 1451).

113 *geklöhnt*] (norddt.) gemütlich geplaudert, geschwatzt.
126 *Hugenberg*] Anspielung auf das Medienimperium des dt.-nat. Politikers (vgl. [54], *59*).

117

Nr. 1

V: Ignaz Wrobel
D[1]: WB Jg. 25, Nr. 37, 10.9.1929, II, S. 381–386
Bibl.: Nd s. Bonitz / Wirtz D 2283; 3 Nd; GW 7
Rez.: Nachrichtendienst zur Bekämpfung von Schund- und Schmutzschriften. Hg. vom Preuß. Ministerium für Volkswohlfahrt Jg. 1, Nr. 1

s.a. [138].

1 f *«Man kann … Lieder.»*] Zitatquelle nicht ermittelt.
4 f *‹Nachrichtendienst … Nr. 1›*] Erstes Heft der zweimtl. ersch. Publikation (Juni 1929).
8 *Gesetz*] s. [47], *32*.
11 f *«betreffend … Schmutz»*] Erlaß des Preuß. Ministers für Volkswohlfahrt Hirtsiefer vom 1.2.1929 (Nachrichtendienst Nr. 1, 1); abgedr. ebd., 6f.
18 ff *«Findet … mitzuteilen.*] Nachrichtendienst Nr. 1, 2 (Zitat aus dem Abschnitt: ‹Wie kommt ein Antrag, eine Schrift in die Liste der Schund- und Schmutzschriften aufzunehmen, zustande?›).
28 ff *Um das … und dergl.»*] Punkt 7 des Erlasses vom 1.2.1929 (s.o. *11f*).
44 *Herrschsucht … Erotik*] Einen solchen Frauentypus zeichnete KT in der Figur der Heimleiterin Adriani in ‹Schloß Gripsholm›, s. Bd. 14 [51]; vgl. auch [163], 378ff.
48 *vorsitzenden Frauen*] Vgl. [126], 82ff.
53 *romanistische Scholastik*] Die Abstraktheit des römischen Rechts, seine strenge Systematik, die begriffliche Präzision und der Verzicht auf erläuternde Beispiele, blieb auch im BGB von 1900, insbes. im Schuldrecht, bestimmend. Vgl. dazu in DD ‹Der verengte Gesichtskreis›, Bd. 12, 118–119 und K, sowie in Bd. 2 [9] und [12].
54 *Kahl und Ebermayer*] Der ehemalige Oberreichsanwalt Ludwig Ebermayer, seit 1927 Prof. für Strafrecht in Leipzig, hatte bedeutenden Anteil an der Strafrechtsreform. Zu Kahl s. [43], *278*.
58 ff *«Was ich … Schmutz.»*] Reichsinnenminister Wilhelm Külz (DDP), der das Gesetz gegen zahlreiche Widerstände auf den Weg gebracht hatte, legte in der Sitzung des RT vom 27.11.1926 zur Unterscheidung von Schmutz

und Schund Anschauungsmaterial vor mit den Worten: «Was ich in der rechten Hand halte, ist Schmutz, und was ich in der linken Hand halte, ist Schund. Sie können sich also selbst davon überzeugen» (s. Verh. d. RT, Bd. 391, 8257). KT spielt auf diesen Vorfall bereits an in ‹Old Bäumerhand, der Schrecken der Demokratie›, Bd. 8 [206], 1 ff.

ff *Eine Schundschrift … geben.*] Im Abschnitt ‹Grundsätzliche Entscheidungen› aufgelistete Merkmale der Schundschriften, die sich durch die Spruchpraxis der Oberprüfstelle herausgebildet hatten (Nachrichtendienst Nr. 1, 4). Zitat mit Auslassungen; vgl. unten Z. 262 ff.

f *gegen Bronnen*] In seiner Rez. von Bronnens ‹O. S.› hatte KT dem Autor die vielen sprachlichen und orthographischen Fehler vorgehalten, s. [73].

f *Beleidigung der Landeskirchen*] s. [47], 5.

f *‹Die Braut von Venedig›*] ‹Braut von Venedig›, 100 Hefte. Von Carlo v. Falkoni. Berlin: Verlagshaus für Volksliteratur und Kunst (zuerst ersch.: 1896/97). Entscheidung der Prüfstelle vom 10. 4. 1928; s. Liste der Schund- und Schmutzschriften Nr. 10 (Nachrichtendienst Nr. 1, 9).

f *‹Die Hand … Kirchhofsmauer›*] Nicht nachgewiesen.

f *‹Röschen … Irrenhaus›*] 100 Lieferungshefte. Berlin: Verlagshaus für Volksliteratur und Kunst 1926. Entscheidung der Oberprüfstelle Leipzig vom 6. 6. 1928; s. Liste der Schund- und Schmutzschriften Nr. 18 (Nachrichtendienst Nr. 1, 10).

f *‹Das echte … Wahrsagern›*] Reutlingen: Robert Bardenschlager, s. ‹Liste der einer Vorprüfung unterliegenden Schriften›, Nr. 9 (ebd., 14).

‹Galanten Abenteuer des Doktor Ribera›] Roman von Edward Stilgebauer. Berlin: Eden-Verlag 1927, s. ‹Liste der einer Vorprüfung unterliegenden Schriften›, Nr. 13 (ebd., 15).

f *‹Vertrieben am Hochzeitsabend›*] Untertitel: ‹Der Roman eines Mädchens aus gutem Hause›. 110 Hefte von Victor von Falk. Berlin: Verlagshaus für Volksliteratur und Kunst 1914. Entscheidung der Prüfstelle Leipzig vom 11. 5. 1928; s. Liste der Schund- und Schmutzschriften Nr. 10 (ebd., 9).

Zentrumsmann] Gemeint ist der Zentrumspolitiker Heinrich Hirtsiefer.

Brunner] Karl Brunner war seit 1919 Referent im preuß. Wohlfahrtsministerium, der Zentralstelle für die Prüfung unzüchtiger Darstellungen und Schriften. 1920/21 sorgten seine konservativen Gutachten in Sittlichkeitsprozessen gegen Schnitzler und andere Autoren für Empörung. Auch KT gehörte zu den Kritikern, vgl. u. a. in Bd. 5 ‹Brunner› [77]; ‹Brunner im Amt› [237].

Recht auf Erektion] In einer von der WB veranstalteten Umfrage hatte Polgar geantwortet: «Ich bin der Überzeugung, daß bei Aufführungen wie ‹Reigen›, bei Publikationen wie ‹Venuswagen› und dergleichen selbstverständlich die sexuelle Reizung des Hörers oder Lesers ins Kalkül gezogen wird. [...] Nun ist natürlich dagegen gar nichts einzuwenden, und ich bin durchaus für Kunst, bei deren Genuß man eine Erektion hat. Nur soll man nicht sagen, daß man diese um jener willen (seufzend) in den Kauf nimmt, sondern zugeben, daß es umgekehrt ist» (‹Gutachten über Brunner. VI.›, WB 22.12.1921, II, 625).

133 *Strafgesetzbuch*] s. [86], *11*.

158 ff *«Lfd. Nr. ... Krische.»*] ‹Liste der einer Vorprüfung unterliegenden Schriften› (Nachrichtendienst Nr. 1, 15). Zu Hirschfeld s. [25], *14*.

167 *Schande des Strafgesetzentwurfs*] s. [25], *0*.

186 *‹Ladenprinz›*] Kurt Münzer: Der Ladenprinz oder das Märchen vom Kommis. München: Georg Müller 1914. Entscheidung der Prüfstelle München vom 27.3.1928; Liste der Schund- und Schmutzschriften, Nr. 18 (Nachrichtendienst Nr. 1, 10). Der Roman schildert die tragischen Folgen inzestuöser Liebe. – KTs Verweis auf Heinrich Mann bezieht sich vermutlich auf dessen 1902 ersch. Romantrilogie ‹Die Göttinnen oder Die drei Romane der Herzogin von Assy›, der die Lebensstationen einer mondänen Frau schildert, die sich nacheinander den Idealen der Freiheit, der Kunst und der Liebe verschreibt. Der letzte, ‹Venus› betitelte Teil der Trilogie handelt von ihren sexuellen Ausschweifungen, ihrer Vereinsamung und ihrem Verfall.

201 *Arsène Lupin*] Von Maurice Leblanc mit seinen zahlr. Kriminal- und Abenteuerromanen geschaffene bekannte Figur des Gentleman-Einbrechers. Auf der ‹Liste der vorgeprüften Schriften› sind die ‹Abenteuer des Arsène Lupin 813› sowie ‹Die drei Verbrechen des Arsène Lupin› (beide Leipzig: Schreibersche Verlagsbuchhandlung) verzeichnet (Nachrichtendienst Nr. 1, 13); s. [138], *54*.

203 *‹Paris Plaisirs, Jahrgang 7, Nr. 67›*] Paris: Verlag Paris Plaisiers. Entscheidung der Prüfstelle Berlin vom 5.6.1928; Liste der Schund- und Schmutzschriften, Nr. 25 (ebd., 10).

207 *‹James, ein Roman aus Berlin W›*] Der seit Erscheinen oft nachgedruckte Roman ‹James Grunert. Roman aus Berlin W.› 2. Bde. Mit farbigen Illustr. von Emil Sartori. Wien: C.W. Stern 1908. Roman über die Liebesabenteuer eines jungen Mannes aus gutem Hause. Der Verf. war der österr. Journalist Ernst Klein, der unter dem Pseud. Richard Werther zahlr. vielgelesene Gesellschafts-, Abenteuer- und Prostitutionsromane schrieb. Auf der ‹Liste der einer Vorprüfung unterliegenden Schriften› (Nr. 26 und Nr. 39) lautet der Titel wie bei KT angegeben, als Verf. wird Carl Sellenthin, als Verlag der Elite-Verlag, Leipzig, genannt (ebd., 15); möglicherweise handelt es sich um eine Nachdichtung.

‹Jésus la Caille›] Roman über das Prostituiertenmilieu auf dem Pariser Montmarte von Francis Carco (Paris 1914). Die dt. Ausg. im Gustav Kiepenheuer Verlag, Potsdam (1922), ist als Nr. 36 auf der ‹Liste der einer Vorprüfung unterliegenden Schriften› verzeichnet (ebd., 16).

Primäraffekt] Erstes Anzeichen bestimmter Infektionskrankheiten (z.B. bei Syphilis).

Clément Vautel] Die ‹Liste der einer Vorprüfung unterliegenden Schriften› verzeichnet als Nr. 45 Vautels Roman ‹Das Paradies wird neu eröffnet›. Leipzig, Wien: Schneider 1928 (ebd., 16). – Zu KTs Kritik an Vautel s. [19], 20ff, *23f.*

‹Kriminal-Magazin›] ‹Das Criminal-Magazin›. Hg. von Edgar Wallace [und Robert Heymann]. Leipzig: Wilhelm Goldmann. Jg. 1, April 1929, s. ‹Liste der einer Vorprüfung unterliegenden Schriften›, Nr. 42 (ebd., 16). – Zu Wallace s. [69].

‹Glossen … Fromme›] Von Karl Marchionini. Berlin-Lindenau: Verlagsanstalt für proletarische Freidenker 1923, s. ‹Liste der einer Vorprüfung unterliegenden Schriften›, Nr. 3 (ebd., 14).

‹Die Schlacht … Jahrhunderten›] Nach Touchard de la Fosse, bearb. von Rudolf Franz. Berlin-Lindenau: Verlagsanstalt für proletarische Freidenker 1925, s. ‹Liste der einer Vorprüfung unterliegenden Schriften›, Nr. 2 (ebd., 14).

Demokraten] Hier: DDP-Politiker.

Theodor Heuß … Bäumer] s. [86], *67f.*

Zentrums] s. [42], *163*; [134], *13.*

die weiblichen Herren und Damen] s. [129], *23f.*

bei den Banken] Im Zuge der Finanzkrise des Jahres 1929 hatte das Reich mehrere Millionenkredite bei in- und ausländischen Bankenkonsortien aufgenommen.

Wohnungen] Zur Wohnungsnot s. [134], *3.*

Schutzverbandes Deutscher Schriftsteller] s. [103], *7.*

Paragraphen 48] s. [86], *15.*

«Eine Schundschrift … erregen.»] Begriffsbestimmung von «Schund und Schmutz» lt. Inhaltsverzeichnis der Schrift ‹Der Kampf gegen die Schund- und Schmutzschriften in Preußen auf Grund des Gesetzes zur Bewahrung der Jugend vor Schund- und Schmutzschriften vom 18. Dezember 1926› von Ministerialrat Richter (Heft VIII der Veröffentlichungen des Preuß. Ministeriums für Volkswohlfahrt aus dem Gebiete der Jugendpflege, der Jugendbewegung und der Leibesübungen. Berlin 1929). Mitgeteilt in: Nachrichtendienst, 5 (Fußnote), Abschnitt: ‹Grundsätzliche Entscheidungen›.

118

Ja, Bauer, das …!

V: Theobald Tiger
D[1]: WB Jg. 25, Nr. 37, 10. 9. 1929, II, S. 403
Bibl.: Nd s. Bonitz / Wirtz D 2284; 5 Nd; GW 7

2 *Kriegsbüchern und Romanen*] Vgl. [12], *19f*; [73]; [89], und dort *347f.*

13 *unschuldig deutsches Wesen*] Zur Kriegsschulddiskussion vgl. [89] und K.

23 *Korridor*] s. [2], *78f.*

28 *Panier*] Fahne, Wahlspruch. In der Verbindung «sei's Panier» häufig Bestandteil des Wahlspruchs student. Verbindungen, deren Name (z. B. Germania, Teutonia, Saxonia o. a.) jeweils vorangestellt wird.

30 *Burschen heraus!*] Dt. Burschenschaftslied, vermutl. von Franz von Kobell (1844), s. Lieder der Bündischen Jugend. Ausw. und musikal. Bearb. Theodor Warner. Potsdam 1929, 68. Auch: August Sperl: Burschen heraus! Roman aus der Zeit unserer tiefsten Erniedrigung. München 1914.

31 *Salamanders*] Anspielung auf das sog. Salamanderreiben, eine Trinksitte der Studentenverbindungen, bei der auf Kommando die Gläser auf dem Tisch gerieben, ausgetrunken, auf den Tisch getrommelt und mit einem Schlag niedergesetzt werden.

32 *Ja, Bauer … anders –!*] Sprichwörtl. nach Karl Wilhelm Ramlers Fabel ‹Der Junker und der Bauer› (Fabellese. Berlin 1783–90, I, 45). KT hat die Redensart oft verwendet und variiert.

119

Die Belohnung

V: Peter Panter
D[1]: WB Jg. 25, Nr. 37, 10. 9. 1929, II, S. 414 [Rubrik:] Bemerkungen
Bibl.: Nd s. Bonitz / Wirtz D 2285; 4 Nd; GW 7

Wirkung
In einem undatierten Brief schrieb Walter Mehring an KT: «Meister! Ihr ‹Mehring bedankt sich› ham se doch richtig falsch verstanden. Eine Zeitung hat mich (wahr – und – wahrhaftig!) aufgepfordert, mich zu der Bestechung zu äußern!»
Am 17. 9. 1929 lautete eine vermutl. von CvO verfaßte «Antwort» in der

WB: «Walter Mehring. Sie haben es nicht leicht (siehe auch S. 437ff.) [dort findet sich CvOs Besprechung von Mehrings ‹Kaufmann von Berlin› in der umstrittenen Inszenierung von Piscator; s. Ossietzky 1994, Bd. V, 189–197; s. [136], *0*]. Neulich hat Peter Panter hier den lustigen Brief abgedruckt, mit dem Sie sich bei ihm für die Besprechung Ihres Buches bedankt haben. Kaum ist die Nummer heraus, da stürzen gute Freunde auf Sie zu und rufen: ‹Du bist in der ‹Weltbühne› angegriffen. Peter Panter bezichtigt dich der Bestechung!› Ja, die Ironiker haben heute kein Publikum. Wir werden noch allesamt zum Trauerspiel übergehen müssen» (WB 17.9.1929, II, 460).

f *Nachttischschublade*] s. die Sammelrez. ‹Auf dem Nachttisch›, [71], 259ff.
Groß-Stötteritz] Stötteritz: Ortsteil im Südosten von Leipzig.
Epitheta ornantia] Schmückende Beiworte.
Theobald Tiger] Pseudonym, unter dem KT v.a. Gedichte und Chansons veröffentlichte.
George Grosz] s. [71], 306f.
Villjon] François Villon, s. [71], 372ff.
Arnolt Lax] Anspielung auf Arnolt Bronnen, vgl. [73], und Bertolt Brecht, den KT seit der Plagiatsaffäre um die ‹Dreigroschenoper› manchmal «Herr Lax» nannte, [58], *8*.
f *Inflation*] s. [8], *222*.
Dank vom Hause Habsburg!] Nach Schillers Drama ‹Wallensteins Tod›, II, 6, Vers 1099: «Dank vom Haus Östreich!»

120

Herr Bedel liebt auf dem 48. Grad

V: Peter Panter
D[1]: Vossische Zeitung Nr. 218, 12.9.1929, Post-Ausg.; Unterhaltungsblatt Nr. 213, [S. 1–2]
Bibl.: Bonitz/Wirtz D 2286
Rez.: Maurice Bedel: Molinoff, Indre-et-Loire. Paris: Gallimard 1928

‹Jérôme›] Bedels ironischer Bericht über eine Skandinavienreise ‹Jérôme: 60° latitude nord› (Paris 1927; dt. ‹Jerome liebt auf 60° nördlicher Breite›, Hamburg 1928) hatte Bedel heftige Proteste seitens der norweg. Presse eingetragen.

4 *Touraine*] Histor. Gebiet im westlichen Pariser Becken.

7 f *aber in seinem Vaterlande* ..] Anspielung auf die Redewendung «Der Prophet gilt nichts in seinem Vaterlande» (nach Matth. 13, 57).

25 *Goncourt-Preis*] Bedel erhielt für ‹Jérôme› (s.o. *1*) 1927 den Prix Goncourt. Der undotierte, aber höchst renommierte Literaturpreis wird seit 1903 jährl. von der Académie Goncourt für ein modernes Prosawerk in frz. Sprache verliehen. Die testamentar. von Edmond Goncourt gegr. Akademie besteht aus zehn Mitgliedern, die nicht der «großen» Académie française angehören dürfen.

29 *‹Feuer› von Barbusse*] Der 1916 ersch. Antikriegsroman wurde 1917 nachträglich mit dem Prix Goncourt für das Jahr 1914 ausgezeichnet.

30 *für den Deutschen*] 1929 ersch. im Hamburger Verlag Enoch die dt. Ausgabe u.d.T. ‹Graf Molinoff erobert die Touraine› in der Übers. von Lucy von Jacobi.

40 f *«der Betriebsstörungen … konnten»*] Bedel 1928, 11. Im Orig.: «[…] et tout particulièrement l'ascenseur exposé à des défaillances qui pouvaient être fatales […].» In der Übers. von Jacobi (s.o. *30*): «[…] und ganz speziell den Lift, der noch der besonderen Gefahr gelegentlichen Versagens ausgesetzt war.» (Bedel 1929, 8)

42 ff *«Schwedische … française.»*] ebd., 26. Im Orig.: «On eut des danseurs suédois, un acte de la fameuse opérette Women prefer money, des chanteurs caucasiens, un feu d'artifice réglé par Luigi Pilazzoli; en somme, une fête bien française.» In der Übers. von Jacobi: «Schwedische Tänzer produzierten sich; man spielte einen Akt der berühmten Operette ‹Women prefer money›. Don-Kosaken sangen im Chor, das Feuerwerk leitete Luigi Piazolli. Kurzum, ein echt französisches Fest.» (Bedel 1929, 20)

43 *‹Women prefer money›*] Anspielung auf Anita Loos' Weltbestseller ‹Gentlemen prefer blondes› (1925; dt. 1927), dessen Heldin Liebesverhältnisse mit reichen Männern sucht.

47 f *«er sah … Ohnmacht.»*] Bedel 1928, 18. Im Orig.: «[…] car c'est un travers des gens d'âge de prévoir le pire, c'est la justification de leur impuissance.» In der Übers. von Jacobi: «Alte Leute setzen es sich in den Kopf, immer nur Schlimmes vorauszusehen, damit rechtfertigen sie ihre Schwäche gegenüber dem Leben.» (Bedel 1929, 14)

50 ff *«Vielleicht … Haare?»*] ebd., 140. Im Orig.: «Une blonde? dit Molinoff. Je … je ne sais pas … C'est peut-être la sœur Encarnacion. […] – Vous êtes fou, mon ami. Est-ce qu'une religieuse a des cheveux?» In der Übers. von Jacobi: «‹Eine Blondine?› sagte Molinoff. ‹Ich kenne keine. Vielleicht Schwester Encarnacion –?› […] ‹Sie sind wohl verrückt, mein Lieber? Eine Nonne hat doch kein Haar.›» (Bedel 1929, 115)

englischen Namensvetter] Der engl. Schriftsteller und Journalist Jerome Klapka Jerome, Verf. von zahlr. Reisehumoristika, Lustspielen und Romanen. Am bekanntesten: ‹Three Men in a Boat› (1889; dt. ‹Drei Männer in einem Boot›, 1898).

«Er küßte … gewesen.»] Bedel 1928, 128. Im Orig.: «Il baisait la croix qui pendait au chapelet de la religieuse, se frappait le front contre le carrelage. La sœur était faite à toutes les manifestations de la fièvre, étant garde-malade.» In der Übers. von Jacobi: «Er küßte das Kreuz, das von ihrem Rosenkranz herabhing. Er schlug mit der Stirn gegen die Küchenwand. Die Nonne war als Krankenschwester an allerhand gewöhnt.» (Bedel 1929, 106)

«Action Française»] 1898 gegr. einflußreiche rechtsradikale, antisemit. Bewegung in Frankreich unter Federführung von Léon Daudet und Charles Maurras, die eine autoritär-antiparlamentar. Politik verfocht und die Errichtung einer erblichen Monarchie anstrebte. Sie unterhielt ein gleichnamiges Presseorgan und den Wehrverband «Camelots du Roi». Vgl. ‹Herr Maurras vor Gericht›, Bd. 7 [153]; ‹Camelots›, Bd. 8 [81]. – Die im Roman geschilderten Adelskreise der Touraine sind Mitglieder der Bewegung, und man versucht, auch Molinoff als Verbündeten zu gewinnen.

die fine fleur] Die Blüte; die Besten; die Elite.

beschrieben … Kunstgewerbe ersetzt] Vgl. Bedel 1928, 9.

selige Abendland] Anspielung auf Oswald Spenglers kulturpessimistisches Werk ‹Der Untergang des Abendlandes› (2 Bde, 1918/1922).

deutschen Schulbücher] Vgl. ‹Verhetzte Kinder – ohnmächtige Republik›, Bd. 10 [150], 18ff; ‹Wie sieht der Deutsche das Ausland?›, Bd. 10 [180], 120ff.

fehlt … Generation] Vgl. Bedel 1928, 16. – Vgl. ‹Die fehlende Generation›, Bd. 8 [110].

Combes] Der frz. Politiker (Radikale) betrieb als Ministerpräs. eines Linkskabinetts (1902–1905) und gleichzeitiger Innen- und Kultusminister die Trennung von Kirche und Staat; 1904 kam es zum Bruch mit dem Vatikan.

Empfang] Vgl. Bedel 1928, 86–90.

in Tours] KT hat 1926 eine Veranstaltung der «Action Française» in der Bretagne beschrieben, bei der er anwesend war, s. ‹Königsmacher in der Bretagne›, Bd. 8 [163].

Guise darf nicht nach Frankreich] Herzog Jean de Guise wurde 1926 als Jean III. das neue Oberhaupt des Hauses Bourbon-Orléans. Das Gesetz von 1886 über das Exil der Thronprätendenten verbot den Oberhäuptern der ehem. frz. Königshäuser (Bourbon-Orléans und Bonaparte) und ihren direkten Nachfolgern den Aufenthalt in Frankreich. Die Herzogin, in der

‹Action Française› stets als Königin bezeichnet, konnte einreisen; s. ‹Jean III. Vive le Roi –!›, Bd. 8 [73].

116 ff *«Er war … Vorfahren.»*] Bedel 1928, 96. Im Orig.: «Petit-fils du marchand de biens Lefort, il parlait peu de son grand-père, mais de ses aïeux avec abondance.» In der Übers. von Jacobi: «Als Enkel des Gütermaklers Lefort machte er nicht viel Aufhebens von seinem Großvater; um so mehr redete er von seinen Ahnen.» (Bedel 1929, 80)

119 *Albert Thomas*] ebd., 14 f. Molinoffs Erzählung, er habe als Koch in einem Genfer Luxusrestaurant das Lob des frz. soz. Politikers Albert Thomas für ein mit Trüffeln und Gänseleber gefülltes Spanferkel erhalten, veranlaßt Cortès, ihn als Koch anzustellen.

129 *Heilige Therese*] Therese von Lisieux trat 1888, mit 15 Jahren, in den Karmeliterorden ein und begann 1895 mit der Niederschrift ihrer Autobiographie ‹Geschichte meiner Seele›, die postum (1898) erschien. Sie wurde 1923 selig, 1927 heilig gesprochen. Seit 1927 ist sie Patronin aller Missionen.

131 ff *«Ist dieses … Steuern …?»*] Nicht ermittelt.

135 f *Erfinden … Spitta!*] Zitat aus Gerhart Hauptmanns Schauspiel ‹Die Ratten›, am Schluß des 3. Aktes: «Erfinden Sie so was mal, guter Spitta».

138 *hundertsten Breitengrad*] Nicht existent.

121

Geduld

V: Theobald Tiger (D^1); Kurt Tucholsky (D^2)
D^1: WB Jg. 25, Nr. 38, 17. 9. 1929, II, S. 448
D^2: Lerne lachen ohne zu weinen 1931, S. 418–419
Bibl.: Nd s. Bonitz / Wirtz D 2287; 6 Nd; GW 7

Varianten
Die Varianten sind nach D^2 verzeichnet
5 der] Der **8** er;] er. **11** der] Der **12** zitternd, *dahinter kein Zeilenumbruch* **15** Leben –] Leben: **17** der] Der **21** das] Das **30** schuld –] schuld

6 *Curare*] Alkaloidgemisch mit muskelerschlaffender Wirkung.

21 *Megäre*] Vgl. [117], *44*.

122

Indizien

V: Ignaz Wrobel
D^1: WB Jg. 25, Nr. 38, 17.9.1929, II, S. 455 [Rubrik:] Bemerkungen
Bibl.: Nd s. Bonitz / Wirtz D 2288; 1 Nd; GW 7

Wirkung
In der WB erschien unter der Rubrik «Antworten» eine Richtigstellung: «Landgerichtsrat Löwenthal, Berlin. Wenn sich einer geirrt hat, dann muß er das sagen. Ignaz Wrobel hat geirrt und sagts. Er hat hier neulich – gestützt auf mehrere gleichlautende Zeitungsmeldungen – geschrieben, Sie hätten den des Mordes an der kleinen Zäpernick beschuldigten Wächter Schulz aus der Untersuchungshaft entlassen, weil er ‹ein vorbildliches Familienleben führe›. Das ist nicht richtig. In der Begründung hat gestanden: ‹Nach der Vergangenheit, dem Familienleben und dem sonstigen Verhalten – Schulz war niemals vorbestraft – gibt es keinen Anhaltspunkt dafür, daß das Geschenk des Bildes und das Angebot eines Kusses gegenüber der ermordeten Hilde Zäpernick einer sexualbetonten Neigung des Beschuldigten zu ihr entsprungen ist.› Dagegen ist nichts zu sagen – alle Folgerungen Wrobels für diesen Fall entfallen. Alle Folgerungen bleiben bestehen für die zahllosen Fälle, in denen solche Fibelvorstellungen zur Belastung eines Beschuldigten herangezogen werden.» (WB 22.10.1929, II, 643–644)

«In der … führe …»] s. z. B. ‹Der Mord an Hilde Zäpernick bleibt weiter ungeklärt›, Voss 5.9.1929.
Fibelvorstellungen] Vgl. ‹Ich bin ein Mörder›, Bd. 10 [176]; ‹Wie benehme ich mich als Mörder?›, Bd. 10 [26]; ‹Der sympathische Mörder›, Bd. 10 [83]; ‹Zuzutrauen›, Bd. 14 [83].

123

Mir fehlt ein Wort

V: Peter Panter (D^1); Kurt Tucholsky (D^2)
D^1: WB Jg. 25, Nr. 38, 17.9.1929, II, S. 459 [Rubrik:] Bemerkungen
D^2: Lerne lachen ohne zu weinen 1931, S. 263–264
Bibl.: Nd s. Bonitz / Wirtz D 2289; 15 Nd; GW 7

Varianten

Die Varianten sind nach D[2] verzeichnet

4 «Flirren»] Flirren **4** das Licht flirrt auf ihnen] auf ihnen flirrt das Licht **6** Bewegung –] Bewegung, **8f** «Blattgeriesel»? – ich] «Blattgeriesel»? Ich **23f** wie ... Bronnen,] *fehlt* **29** dies] dieses **30** andern] andren **38** manche] und manche

13 f *Hans Grimm*] In ‹Grimms Märchen› hatte KT dem völk. Schriftsteller u.a. einen «seltsame[n] und ekle[n] Stil, den man etwa mit ‹Grammatik in Latschen› umschreiben» könne, attestiert (s. Bd. 10 [122], 12–19, 71–91, hier: 83ff).

14 *Antenne geerdet*] s. [88], *43*.

19 *Upton Sinclair*] KT betonte wiederholt, daß die Lauterkeit von Sinclairs polit. Gesinnung in keinem Verhältnis zu dessen schriftstellerischem Talent stehe, vgl. u.a. ‹Sein spannendster Roman›, Bd. 14 [27].

24 *Bronnen*] s. [73].

27 f *Alfons Goldschmidts ‹Deutschland heute›*] Das Kap. ‹Die Sprache› in Goldschmidt 1928, 85–99; vgl. zu dem Buch [37], 138ff.

35 *österreichische Dichterschule*] Der sich um Hermann Bahr gruppierende Dichterkreis Jung-Wien. Er repräsentierte den gegen den Naturalismus gerichteten, vom Empiriokritizismus Ernst Machs beeinflußten literar. Ästhetizismus, Impressionismus und Symbolismus des Fin de Siècle.

124

Die kleinen Freuden des Lebens

V: Peter Panter

D[1]: Vossische Zeitung Nr. 225, 20.9.1929, Post-Ausg.; Unterhaltungsblatt Nr. 220, [S. 1]

Bibl.: Nd s. Bonitz/Wirtz D 2290; 1 Nd; GW 7

41 *Anna Ferenczy-Dülbög*] Anspielung auf die Psychoanalytiker Anna Freud und Sándor Ferenczi.

53 *Zirbeldrüse*] Die Hormondrüse im Zwischenhirn, von der der Philosoph Descartes annahm, sie sei der Sitz der Seele.

125

Hoppe – hoppe – Reiter!

V: Kurt Tucholsky
D[1]: Arbeiterstimme (Dresden) Jg. 5, Nr. 221, 21.9.1929

Lesart
60 ist] *emend. aus* bin

Entstehung
Ende August war Walter Fabians Artikel ‹Salonkommunisten und Kritikaster› in mehreren sozialdemokr. Zeitungen ersch. (der Artikel aus der ‹Leipziger Volkszeitung› vom 31.8.1929 ist überliefert in KTs ZAS, DLA). Fabian nahm KTs kürzlich ersch. DD (s. Bd. 12) zum Anlaß, um die parteilose Linke, die er vor allem im Umkreis der WB ausmachen zu können glaubte, als destruktiv und realitätsfern zu kritisieren.
KTs ‹Antwort an die Volkszeitung› in der kommunist. ‹Arbeiterstimme› (Dresden) war folgende red. Notiz vorangestellt: «Kurt Tucholskys Buch ‹Deutschland, Deutschland über alles› ist der herrschenden Klasse so in die Knochen gefahren, daß es nicht nur ablehnende Kritik der Sozialfaschisten fand, sondern auch von den Buchhändlern offen boykottiert wird. Das ‹Börsenblatt für den deutschen Buchhandel› weigert sich bezeichnenderweise, Inserate für das Buch aufzunehmen. Im nachfolgenden eine Antwort Kurt Tucholskys an die Volkszeitungsschmierfinken, die sich vor kurzem ‹kritisch› mit seinem Buch beschäftigten.» Zum Boykott des ‹Börsenblattes› s. [126].

Hoppe – hoppe – Reiter!] Titel eines Kinderliedes.
Korrespondenz] Materndienst; Pressebüro zum Vertrieb von Artikeln an verschiedene Zeitungsredaktionen (meist für die Provinz); vgl. [54], *59*.
Dresdner Volkszeitung] Ausg. vom 30.8.1929.
Wer in … getrudelt hat.] Das Sprichwort wird Moses Mendelssohn zugeschrieben, der 1759 in den ‹Briefen, die neueste Litteratur betreffend› ein Gedicht Friedrichs II. kritisiert hatte. Als er vom Generalfiskal dafür zur Verantwortung gezogen wurde, soll er geäußert haben: «Wer Verse macht, schiebt Kegel; und wer Kegel schiebt, es sei ein König oder ein Bauer, muß sich gefallen lassen, daß der Kegeljunge sagt, wie er schiebt» (vgl. Klein: Israelitscher Volkskalender für 1847, 143. Zit. nach Wander 1867ff, Bd. 2, 1231). Vgl. auch KT an Hans Reichmann 4.5.1929.
«Du wirst … mehr –»] s. DD (Bd. 12, 117, 14–18).
Ruhrsubventionen] s. [99], *41f*.

66 f ‹*Soziologie des Parteiwesens*›] Robert Michels: Zur Soziologie des Parteiwesens in der modernen Demokratie. Untersuchungen über die oligarchischen Tendenzen des Gruppenlebens. Leipzig 1911 (2. Aufl. 1925). KT hat mehrfach auf Michels' Untersuchung hingewiesen (vgl. Bd. 6 [134], 51; Bd. 8 [169], 37f), aus der sich in KTs Notizbüchern ‹Fremdes› und ‹Eignes› auch Exzerpte finden, s. Bd. 15.

68 *Art von Gesetz*] Vgl. Teil IV: ‹Soziale Analyse der Führerschaft›, der sich in mehreren Kap. den «durch die Organisation hervorgerufenen sozialen Veränderungen» (Kap. 3), dem «Abhebungsbedürfnis in der Arbeiterschaft» (Kap. 4) und der Arbeiterführerschaft (Kap. 5) widmet; s. Michels 1911 (s. o. *66f*), 255–302.

70 f *dem Gegner anpaßt*] Vgl. ‹An die Bonzen›, Bd. 6 [38].

71 *Urmaß*] Muß vermutl. heißen «Unmaß».

82 *Fall Südekum*] Anspielung auf die Rolle des preuß. Finanzministers bei der Abfindungsregelung des Hohenzollernvermögens. Südekum hatte am 22. 1. 1920 einen Vergleich mit den Hohenzollern unterzeichnet, der für Preußen so nachteilig war, daß er sich polit. nicht durchsetzen ließ. Südekum mußte zurücktreten. Vgl. auch Bd. 8 [135], 8, *8*.

84 *Arbeiterverräter*] s. [67], *29*.

112 *klebt an den Steinen*] s. [64].

118 f *«die Bahn … Lassall»*] Refrain der sog. ‹Arbeiter-Marseillaise› von Jakob Audorf (1864).

122 ff *«Fressen ihn … Plumps …»*] Im Lied heißt es: «fällt er in den Graben,/ fressen ihn die Raben,/ fällt er in den Sumpf,/ macht der Reiter plumps.»

126

Das Buchhändler-Börsenblatt

V: Kurt Tucholsky
D^1: WB Jg. 25, Nr. 39, 24. 9. 1929, II, S. 481–484
Bibl.: Nd s. Bonitz / Wirtz D 2291; 3 Nd; GW 7

Wirkung

Der Frankfurter Verlagsangestellte und Leiter der Vereinigung «Jungbuchhändler» Walter Bernays (s. Bernays an MT 17. 6. 1963; DLA) hatte KT auf diesen Artikel hin einen Leserbrief geschrieben (nicht überliefert). KT antwortete am 30. 9. 1929: «Ich habe die Sache dem Schutzverband Deutscher Schriftsteller übergeben […]. Der SDS hat sich also der Sache recht kollegial und gut angenommen. Das Börsenblatt hat ihm geant-

wortet. Traurig. ‹Eine rein verwaltungstechnische Maßnahme› – so ein Einspruch müsse doch dem Börsenblatt bleiben, zum Beispiel bei Anzeigen, die gegen den unlautern Wettbewerb verstoßen (also gegen das geltende *Recht!*); der Verlag habe ja inzwischen inseriert und zwar ohne die Umschlagsreproduktion, *also* damit anerkannt, daß der Einspruch wohl nicht unberechtigt gewesen sei ... kurz: treudeutsch. [...] Das Börsenblatt besteht heute noch auf der Rechtmäßigkeit seines Verhaltens; in Wahrheit hat es einen Zurückzieher gemacht, weil sich ein Teil der anständigen Blätter (mit Ausnahme der großen Zeitungen) der Sache angenommen hat. Es wurde ihnen flau. Und wo bleibt der Buchhandel? Läßt er sich das gefallen –?»
Die Zensur durch das ‹Börsenblatt› stieß in der Presse aller polit. Lager auf Kritik, da das Blatt als offizielles Anzeigenorgan für den gesamten Buchhandel und die Verlage eine Monopolstellung innehatte. Einzelne Reaktionen, aufbewahrt in KTs ZAS (DLA), s. Bd. 12, 257–261, s.a. den Pressespiegel ‹Freiheit im Buchhandel›, in: Die Stimme der Freiheit Jg. 1, Nr. 12, Dez. 1929, 193 f. Von der Linkspresse wurde die Vorgehensweise des Börsenvereins als Symptom für die reaktionären Zustände in Deutschland und als Bestätigung von KTs Kritik im ‹Deutschland-Buch› gewertet (s. z.B. ‹Ein reaktionärer Streich der Buchhändler-Börsenvereine›, Hamburger Volkszeitung 17.9.1929). Auch ausländische Blätter kommentierten den Vorfall in diesem Sinne.
1931 sollte der Fall in der WB noch einmal in der Rubrik «Antworten» u.d.T. ‹Buchhändler-Börsenblatt› aufgegriffen werden. Aus Anlaß des Erscheinens des Bandes ‹Das Gesicht der Demokratie: ein Bilderbuch zur Geschichte der deutschen Nachkriegszeit›, hg. von Edmund Schultz (Leipzig 1931) hieß es: «[...] Und dieses, Buchhändler-Börsenblatt, ist auf einmal ganz anders. Das verletzt keinen. Nicht die sehr bösartig ausgesuchte Photo des verstorbenen deutschen Außenministers Stresemann, der bei den Hitlern aller Prägungen langsam zum zweiten Erzberger geworden ist; es verletzt auch keinen, wenn über den Bildern Liebknechts und von Proletariern am Maschinengewehr eine Tafel anzeigt: ‹Das deutsche Volk, einig in seinen Stämmen und von dem Willen beseelt, sein Reich in Freiheit und Gerechtigkeit zu erneuern ...› also eine klare Verhohnepipelung der Reichsverfassung. Uns ist das gewiß gleichgültig. Aber welches Gebrüll der edeln Seelen, wenn sich die Linke das erlaubt, was hier die Rechte mit voller Genehmigung aller reaktionärer Buchhändler vollführt. Nach wie vor: das Börsenblatt für den deutschnationalen Buchhandel.» (WB 6.10.1931, II, 539)

1 *Neuen Deutschen Verlag*] Ein 1924 von Willi Münzenberg gegr. Verlag, der u.a. auf ein Arbeiterpublikum zugeschnittene Massenblätter wie die AIZ herausbrachte. Zu KTs Mitarbeit (1928–1930) s. Bd. 10 [33], *0* und Bd. 14 [117], *0*.

2 f *‹Deutschland, Deutschland über alles!›*] Deutschland, Deutschland über alles. Ein Bilderbuch von Kurt Tucholsky und vielen Fotografen. Montiert von John Heartfield. Berlin: Neuer Deutscher Verlag 1929. Faksimile der 1. Aufl. und Angaben zu weiteren Auflagen s. Bd. 12, 254f.

5 *Probe veröffentlicht*] Am 23.7.1929 war von KT in der WB ‹Der verengte Gesichtskreis› mit folgendem red. Vermerk erschienen: «Aus ‹Deutschland, Deutschland über Alles!› von Kurt Tucholsky, soeben im Neuen Deutschen Verlag, Berlin, erschienen.» (WB, II, 134)

8 f *‹Börsenblatt für den Deutschen Buchhandel›*] s. [41], *39*.

15 ff *Sehr geehrte … Buchhandel.*] Der Brief ist nicht im Orig. überliefert.

51 f *öfter gesprochen*] Vgl. KTs Artikel ‹Die Sittlichen›, Bd. 4 [173]; ‹Wo›, Bd. 7 [99]; ‹Auch ein Buchhändler›, Bd. 9 [130]; s.a. CvO: Ketzereien zum Büchertag, WB 19.3.1929, I, 441–445 (Ossietzky 1994, Bd. V, 73–78).

58 f *Gesetz gegen Schmutz und Schund*] s. [47], *32*, sowie [117].

59 *Filmzensur*] Nach dem Reichslichtspielgesetz von 1920 unterlagen Filme einer Vorzensur (s. ‹Kino-Zensur›, Bd. 4 [189]). Am 8.7.1929 hatte die DNVP einen Entwurf für die Verschärfung des Lichtspielgesetzes vorgelegt, der die Kritik der Kirchen und süddt. Länder berücksichtigte (vgl. Rudolf Arnheim: Der Film und seine Stiefmutter, WB 17.9.1929, II, 434–437). Der Entwurf scheiterte jedoch Ende 1930 im RT insbes. am Einspruch von SPD und KPD.

59 f *Rundfunkzensur*] s. [77], *243*.

66 *Grelling*] Bereits 1919 hatte sich das ‹Börsenblatt› geweigert, ein Inserat für Richard Grellings 1915 ersch. pazifistische Anklageschrift ‹J'accuse› anzunehmen; s. ‹Eine neue Bücherzensur›, Bd. 3 [213]; vgl. auch ‹Das politische Feigenblatt›, Bd. 4 [116].

69 *förmliche Ablehnung*] KT hatte seinerzeit selbst auf die briefliche Begründung des ‹Börsenblatts› hingewiesen (Bd. 3 [213], 50f). Die Begründung war in der Rubrik «Antworten» der WB (23.10.1919, II, 524) erschienen. Der angefügte Kommentar stammt möglicherweise von KT, s. Bd. 3 [213], *51*.

82 f *«Deutschen Frauenkampfbund»*] «Deutscher Frauenkampfbund gegen die Entartung des Volkslebens», 1926 gegr. Dachorganisation verschiedener Sittlichkeitsvereine und nat. gesinnter Organisationen, die sich bes. im Kampf gegen sog. Schund- und Schmutzschriften hervortat.

85 *Stahlhelm*] Der «Bund der Frontsoldaten» war 1918–1935 der größte dt.

Wehrverband. Er hatte einen autoritär geführten Ständestaat sowie die Vorherrschaft Deutschlands im mitteleurop. Raum zum Ziel und gehörte mit NSDAP und DNVP der 1931 gebildeten «Harzburger Front» an.

pp.] Abkürzung für lat. «perge, perge»: fahre fort, fahre fort.

ff *«Die Schlußrubrik … Kästner.»*] Erich Kästner: «Schmutzsonderklasse», WB 14.5.1929, I, 745–747, hier: 747.

f *«So sieht … Welt.»*] Bd. 12, 191. Unter der beschriebenen Photographie der Text ‹Von unten›, in dem es heißt: «Dieses Bild ist dem ‹Deutschen Frauenkampfbund› und den ihm angeschlossenen Unsittlichkeitsschnüfflern in Züchten gewidmet.»

Waih geschrien!] Im jidd. gebräuchliche Wehklage (waih: weh).

Kaiser der Reserve] Wilhelm II. hoffte bis zu seinem Tod auf eine Restauration der Monarchie in Deutschland.

mir zahlt die Republik nichts] s. [108], *40.*

Zörgiebeln] Wohl Anspielung auf den sog. Berliner Blutmai, s. [64].

Hugenberg] s. [54], *59.*

f *«In Ergänzung … geben.»*] Der Brief ist nicht überliefert.

f *Bildwiedergabe*] Der Umschlag bzw. der vordere und hintere Buchdeckel von DD zeigte eine Photomontage von John Heartfield: Aus dem Mund eines Mannes, dessen Pickelhaube notdürftig von einem übergestülpten Zylinder verdeckt wird und der zur einen Hälfte in Militäruniform, zur anderen in einen bürgerlichen Anzug gekleidet ist, quellen in Frakturschrift und monarchistischem schwarz-weiß-rot (zu den dt. Flaggenfarben vgl. [53], *7*) die Worte «Deutschland Deutschland über alles», s. das kolorierte Faksimile in Bd. 12.

Nationalhymne] s. [68], *64.*

Matern von Hugenberg] s. [54], *59, 60f.*

127

Holder Friede

V: Theobald Tiger
D[1]: WB Jg. 25, Nr. 39, 24.9.1929, II, S. 490
Bibl.: Nd s. Bonitz / Wirtz D 2292; 3 Nd; GW 7

getretener Quark wird weich und breit] Anspielung auf einen Aphorismus aus Goethes ‹West-östlichem Divan› (‹Hikmet Nameh. Buch der Sprüche›, 49): «Getretner Quark / Wird breit, nicht stark.»

Engel sich mit Brechten zankt] Der Regisseur Erich Engel hatte sich bereits Anfang der 20er Jahre für Brechts dramatisches Talent engagiert und immer wieder dessen Stücke inszeniert, so u.a. die erfolgreiche UA der ‹Dreigroschenoper› im Aug. 1928. Während der Proben war es wegen der andauernden Änderungen in Text und Musik zu Spannungen im Ensemble gekommen (s. BFA, Bd. 2, 437).

17 *Kornter Jessner engagiert?*] Leopold Jeßner hatte 1919 den Schauspieler Fritz Kortner an das von ihm geleitete Berliner Staatstheater geholt. Kortner fungierte häufig faktisch als Co-Regisseur und übte so als Schauspieler großen Einfluß auf die Inszenierungen aus. Jeßner hatte seine Theaterkarriere als Schauspieler begonnen. – Möglicherweise auch Anspielung auf die Finanzkrise des Staatl. Schauspielhauses, s. [50], *11*.

18 *Baut Lämmle pappene Pyramiden?*] Der Bezug konnte nicht ermittelt werden. Der von Carl Laemmle bei Universal Pictures in Hollywood produzierte Mumienfilm ‹The Mummy› (‹Die Mumie›) mit Boris Karloff in der Titelrolle wurde erst 1932 gedreht.

27 *Inflation*] s. [8], *222*.

32 *Metternich-Epoche*] Der österr. Staatsmann Fürst von Metternich betrieb 1814/15 auf dem unter seinem Vorsitz tagenden Wiener Kongreß erfolgreich die Restauration der vorrevolutionären Ordnung. Im Dt. Bund setzte er 1819 im Zusammenwirken mit Preußen die Karlsbader Beschlüsse als Grundlage einer umfassenden Zensur und «Demagogen»-Verfolgung durch.

128

Erfüllung

V: Kaspar Hauser (D^{1}); Kurt Tucholsky (D^{2})
D^{1}: WB Jg. 25, Nr. 39, 24.9.1929, II, S. 494–495 [Rubrik:] Bemerkungen
D^{2}: Lerne lachen ohne zu weinen 1931, S. 265–266
Bibl.: Nd s. Bonitz/Wirtz D 2293; 10 Nd; GW 7

Varianten
Die Varianten sind nach D^{2} verzeichnet
3 eines] das eine **6** andre] zweite **9** hinhält ...] hinhält. **11** das] die **15** stillen ... die] stillen, und die **27** zuzusehen] zuzusehn **36** Friedrich] Fridericus *es folgt* in seiner Muttersprache

35 *«La race ... appartenons ...»*] Ausspruch Friedrichs II. gegenüber Johann Georg Sulzer: «Je vois bien, mon cher Sulzer, que vous ne conaissez pas comme moi cette race maudite à laquelle nous appartenons» («Ich sehe

wohl, mein lieber Sulzer, Er kennt nicht so wie Ich, das verwünschte Geschlecht, zu dem wir gehören»), s. Friedrich Nicolai: Anekdoten von König Friedrich II. von Preußen und einigen Personen, die um ihn waren. 3. Heft, Berlin, Stettin 1789, 274f (Reprograph. Nachdruck in: Nicolai: Gesammelte Werke. Hg. von Bernhard Fabian und Marie-Luise Spieckermann. Band 7. Hildesheim, Zürich, New York 1985).

129

[Gewichtige Stimmen zum Londoner Kongreß]

V: Kurt Tucholsky
D[1]: Die Neue Generation Jg. 25 (1929), H. 10, Oktober 1929, S. 289
Bibl.: Bonitz / Wirtz D 2294; NdzL: Weltliga für Sexualreform. Bericht des dritten Kongresses. Hg. von Norman Haire. London 1930, XXXIX

Magnus Hirschfeld hatte positive Stellungnahmen von «Geistesgrößen der Zeit» zum Dritten Internationalen Kongreß für Sexualreform, der vom 8. bis 14.9.1929 in London stattgefunden hatte, für ‹Die neue Generation› zusammengestellt. Hirschfeld zitierte u.a. Stellungnahmen von Thomas Mann, Albert Einstein, Graf Georg von Arco, Rudolf Leonhard, Auguste Forel.
‹Die Neue Generation›, 1905 von Helene Stöcker gegr. und hg. Publikationsorgan des Bundes für Mutterschutz und Sexualreform (bis 1908 u.d.T. ‹Mutterschutz. Zeitschrift zur Reform der sexuellen Ethik›).

Erregung öffentlichen Ärgernisses] § 183 StGB: «Öffentliche Erregung eines geschlechtlichen Ärgernisses», Bestrafung mit Gefängnis bis zu zwei Jahren oder mit Geldstrafe; neben der Gefängnisstrafe kann auf Verlust der bürgerl. Ehrenrechte erkannt werden (Strafgesetzbuch für das Deutsche Reich mit Nebengesetzen. Bearb. von Eduard Kohlrausch. 28. Aufl. Berlin, Leipzig 1928, 207).
Schutz … Unentwickelten] § 176 StGB, Abs. 3: «Unzucht mit Kindern»; bestraft mit Zuchthaus bis zu zehn Jahren (ebd., 197f).
Ausbeutung eines Abhängigkeitsverhältnisses] § 174 StGB: «Unzucht unter Verletzung eines Abhängigkeitsverhältnisses»; Bestrafung mit Zuchthaus bis zu fünf Jahren (ebd., 194f).
Übertragung von Krankheiten] § 5 des Gesetzes zur Bekämpfung der Geschlechtskrankheiten vom 18. Febr. 1927: «Wer den Beischlaf ausübt, obwohl er an einer mit Ansteckungsgefahr verbundenen Geschlechtskrank-

heit leidet und dies weiß oder den Umständen nach annehmen muß, wird mit Gefängnis bis zu drei Jahren bestraft, sofern nicht nach den Vorschriften des Stafgesetzbuches eine härtere Strafe verwirkt ist [...].» (ebd., 572, Anhang).

14 *Vereinsbestrebungen Übereifriger*] Vgl. [126], 82ff.

23 f *Damen beiderlei Geschlechts*] Vermutl. in Anlehnung an eine Wendung Nietzsches in ‹Die fröhliche Wissenschaft› (2. Ausg. 1887): «die alten Jungfern beiderlei Geschlechts, die Nichts vom Leben haben als ihre Unschuld» (5. Buch: Wir Furchtlosen. Aphorismus 381). 1926 hatte KT in ‹Der Hund und der Blinde› den ersten Teil dieser Nietzsche-Wendung wörtlich zitiert (s. Bd. 8 [108], 14f). Vgl. auch die Formulierung «die weiblichen Herren und Damen» in [117], 244.

28 *Schmutz und Schund*] s. [47], *32*, sowie [117].

130

[Arthur Holitscher 60 Jahre]
Der Mann mit den Augen

V: Kurt Tucholsky
D^{1}: Die Menschenrechte Jg. 4, Nr. 9/10, 1.10.1929, S. 22–23

‹Die Menschenrechte›, seit 1926 das mtl. ersch. Publikationsorgan der DLfM, deren Vorstandsmitglied KT seit 1926 war.

0 *60 Jahre*] Holitscher hatte am 22.8.1929 seinen 60. Geburtstag begangen.

3 *kam er nach Paris*] KT und Holitscher hatten sich Ende Mai/Anfang Juni 1924 mehrmals in Paris getroffen, wo KT seit April 1924 lebte, s. [20], *2*.

7 f *‹Narrenbaedeker durch Paris und London›*] Nach Einspruch des Baedeker-Verlages mußte der ursprüngliche Titel ‹Der Narrenbaedeker. Aufzeichnungen aus Paris und London› (Berlin 1925) geändert werden: der neue Titel lautete ‹Der Narrenführer durch Paris und London› (Berlin 1925). Zu Holitschers Reiseberichten s. [34], *25f*.

15 *Fontane*] Fontanes Karriere als unabhängiger Schriftsteller begann erst in den 80er Jahren des 19. Jh., in denen in rascher Folge seine Ehe- und Gesellschaftsromane erschienen, u.a. ‹Irrungen, Wirrungen› (1888), ‹Frau Jenny Treibel› (1893) und als bekanntester ‹Effi Briest› (1895).

19 f *zu kämpfen*] Holitscher hatte sich bereits im Krieg dem pazifist. Bund Neues Vaterland angeschlossen und wurde 1918 zum Beauftragten des Berliner Arbeiter- und Soldatenrats gewählt. Er blieb zwar parteilos,

unterstützte jedoch von der KPD getragene Initiativen zur Unterstützung der Sowjetunion. Er arbeitete sowohl in der 1926 gegr. Liga gegen koloniale Unterdrückung mit als auch in der DLfM, deren Vorstand er seit 1927 angehörte.

f *«dem brennenden ... fließt»*] Zitat aus Gerhart Hauptmanns Drama ‹Florian Geyer› (Berlin 1896, 1. Akt): «Ein brennendes Recht fließt durch sein Herz.»

autobiographischen Bänden] Arthur Holitscher: Lebensgeschichte eines Rebellen. Meine Erinnerungen. Berlin 1924 [Bd. 2: Berlin 1928]. Den ersten Band hatte KT 1925 begeistert besprochen; s. ‹Lebensgeschichte eines Rebellen›, Bd. 7 [103].

131

Schulkampf

V: Ignaz Wrobel
D[1]: WB Jg. 25, Nr. 40, 1.10.1929, II, S. 514–518
Bibl.: Nd s. Bonitz/Wirtz D 2295; 2 Nd; Ackermann II: 1 NdzL; Rep

Dem Artikel war die red. Bemerkung nachgestellt: «Das Blatt erscheint im Verlag ‹Der Schulkampf›, Berlin-Neukölln, Pannierstraße 21. Das Abonnement kostet 45 Pfennig vierteljährlich; Postscheckkonto Berlin 403 91 (Schneider, Berlin).» Darunter folgte ein Artikel eines Schülers ‹Bericht über unser Abitur› (518–520).
Bereits im März hatte die WB in der «Antwort»: ‹Schüler› (WB 19.3.1929, I, 461–462) auf die Zeitschrift aufmerksam gemacht: «Da gibt der Sozialistische Schülerbund eine kleine Zeitschrift ‹Der Schulkampf› heraus, die ungewöhnlich vernünftig und zweckmäßig gemacht ist.» Im Anschluß an die Aufzählung einzelner Fälle aus dem Schulalltag, über die der ‹Schulkampf› berichtet hatte, heißt es: «Wir hoffen, der tapfere ‹Schulkampf› wird Sieger bleiben und seine Reinigungsaktion fortsetzen. Er kann eine wichtige Waffe sein gegen den unverständigen Hochmut empfindlicher Schulfeldwebel, denen ihr studentischer Ehrenkomment wichtiger ist als das Wohl ihrer Schutzbefohlenen.» Hingewiesen wurde zudem auf eine Kundgebung des SSB gegen Abitur, Zensuren und Prüfungen; als Diskussionsteilnehmer wurden Arnold Zweig, Leo Lania und Kurt Hiller angekündigt. – Im Pressespiegel ‹‹Der ‹Schulkampf› im Urteil von Freund und Feind›, Schulkampf Jg. 2, H. 5/6, Mai/Juni 1929, 27f, wurde aus dieser «Antwort» zitiert.

Wirkung
Im ‹Schulkampf› Jg. 2, H. 10, Oktober 1929, 19, findet sich folgende Notiz: «Ignaz Wrobel schreibt in der ‹Weltbühne› vom 1. Oktober einen vier Seiten langen Bericht über den ‹Schulkampf›. Verbreitet diesen Artikel – er wird uns viel helfen. (Verlag der ‹Weltbühne›, Berlin-Charlottenburg, Kantstr. 152).»

1 *«Wer … wagt …!»*] Direktor Freitag nach einer Kundgebung des SSB für Schülerrecht und -selbstverwaltung; s. ‹Aufbauschule am Lessing-Gymnasium Berlin›, in: Der Schulkampf Jg. 2, H. 4, April 1929, 13.

4 *‹Der Schulkampf›*] Organ der sozialistischen höheren Schüler. Hg. vom Sozialistischen Schülerbund (SSB), einer Jugendorganisation der KPD. Ersch. mtl. im Verlag ‹Der Schulkampf›, Berlin-Neukölln (1928–1930). KT veröffentl. dort einen Artikel, s. ‹[Der Schulkampf ist ein Fanal]›, Bd. 13 [120].

9 *deutsche Jugendbewegung*] Z. B. die Wandervogelbewegung (s. [141], *102*); vgl. dazu ‹Alte Wandervögel›, Bd. 8 [113]; ‹Die tote Last›, Bd. 8 [197].

27 *«Selbstverwaltung»*] Die Grundlagen einer Schülerselbstverwaltung hatte im Nov. 1918 der damalige preuß. Kultusminister Haenisch per Erlaß gelegt (vgl. ‹Lieber Onkel Haenisch!›, Bd. 2 [195*]). Die genauen Bestimmungen waren in den ‹Richtlinien für die Schülerselbstverwaltung vom 21.4.1920› festgeschrieben (in: Zentralblatt für Erziehung und Unterricht Jg. 1920, 319), aus denen der ‹Schulkampf› in dem Aufruf ‹Richtet Schulgemeinden ein!› (Jg. 2, H. 1, Jan. 1929, 9f) Auszüge wiedergab. Daraus KTs Zusammenfassung.

39 *in einer großen Stadt*] KTs Schullaufbahn in der Reichshauptstadt Berlin begann im April 1899 mit dem Besuch des Französischen Gymnasiums. 1903 wechselte er an das Kgl. Wilhelms-Gymnasium, das er 1907 wieder verließ, um sich extern auf das Abitur vorzubereiten, das er im September 1909 am Kgl. Luisen-Gymnasium bestand.

45 *Hans J.*] Vermutl. Hans Jüdell, s. dessen Erwähnung in einem Brief eines weiteren Schulfreundes, Werner Hirschel, an KT vom 24.11.1931: «Neulich besuchte mich Hans Jüdell, der ein vornehmer Mann und Direktor der Dresdner Bank in Mannheim ist.» (DLA)

60 *diese Dinge verfolge*] Wohl von 1911 bis 1915 war KT als Privatlehrer tätig gewesen und hatte wiederholt in pädagogischen Fachorganen über seine praktischen Erfahrungen berichtet sowie sich für die Reformpädagogik eingesetzt, s. Bd. 1 [41], 20ff; Bd. 2 [1], [80] und Bd. 15 (Nachträge).

62 f *Glaßbrennersches Wort*] Als Glaßbrenner-Zitat nicht ermittelt. Bei G. C. Lichtenberg jedoch findet sich der Aphorismus: «Sie fühlen mit dem

Kopf und denken mit dem Herzen» (Sudelbücher I, Heft F, Nr. 1047. In: Lichtenberg 1967ff, Bd. 1, 610).

ff *«Louis ... Pflaume»*] Notiz in der Rubrik «Aus den Schulen»: ‹1000 Worte Dr. Neustadt›, in: Der Schulkampf Jg. 2, H. 5/6, Mai/Juni 1929, 29f.

gebimst] Bimsen: ursprüngl. putzen, mit Bimstein abreiben; auch: drillen, das Schleifen der Soldaten; hier in der verwandten Bedeutung von pauken, lernen mittels angedrohter oder vollzogener Prügel (seit dem späten 19. Jh.) (s. Küpper 1997, 108).

Emilia Galotti] Gotthold Ephraim Lessings Tragödie ‹Emilia Galotti› (1772).

ff *«Wer ... Wilde ...»*] Nicht ermittelt.

in den Schulen verboten] Einer Notiz im ‹Schulkampf› (Jg. 2, H. 9, Sept. 1929, 11) zufolge war nur der Vertrieb des Blattes in den Schulen verboten, was die Redaktion durch eine hohe Anzahl von Abonnenten zu unterlaufen suchte.

Klaus Mann sel. Erben] KT hat mehrfach Klaus Manns jugendliche Selbststilisierung verspottet (vgl. u.a. [33]), s.a. Bd. 10 [22], 206ff, *206f*, und Bd. 10 [104].

traurige «Aufklärung»] s. ‹Dosierte Aufklärung›, in: Der Schulkampf Jg. 2, H. 3, März 1929, 4–6. Bericht über einen Vorfall am Mommsen-Gymnasium in Berlin. Die Abiturientenklasse (Oberprima) hatte das Angebot des Schularztes, sich mit ihm «eine Stunde zwanglos über Geschlechtsfragen zu unterhalten», als einerseits völlig unzureichend, andererseits als völlig verspätet und daher überflüssig für eine Abschlußklasse abgelehnt. – Auch die «Antwort» in der WB (s.o. *0*) hatte diesen Bericht exemplarisch aufgegriffen.

f *Kommunistische Manifest*] ‹Manifest der Kommunistischen Partei›; polit. Programmschrift von Karl Marx und Friedrich Engels zur Revolution von 1848.

«Verein für das Deutschtum im Ausland»] Der VDA (1908–1933), hervorgegangen aus dem Allgemeinen Deutschen Schulverein zur Erhaltung des Deutschtums im Ausland gehörte zu den einflußreichsten Organisationen der Deutschen im Ausland. Er verfolgte in den 20er Jahren revanchistische Ziele. – Der ‹Schulkampf› griff wiederholt die ‹Imperialistische Kulturpolitik in den höheren Schulen› an (Jg. 2, H. 2, Febr. 1929, 4–8), insbes. die von Kultusministerium, Schulbehörden oder einzelnen Lehrern geförderte schulische Propagandatätigkeit des VDA (z.B. Bildung von Schülergruppen, Verteilung der VDA-Jugendzeitschrift ‹Jung-Roland›, Zwangsbeitritte). Vgl. Bd. 13 [120], *4*.

bramsige] Prahlerische, anmaßende.

152 *«kläfften, während sie reiten»*] Formulierung von Walter Fabian; s. [125], 0, 46.

168 *Dralles Blüten-Illusion*] Anspielung auf das 1854 gegr. Hamburger Parfümerie- und Feinseifenwerk Dralle.

132

Ich habe mich erkältet

V: Theobald Tiger
D^1: WB Jg. 25, Nr. 40, 1. 10. 1929, II, S. 520
Bibl.: Nd s. Bonitz / Wirtz D 2296; 1 Nd; GW 7

Bereits in dem Artikel ‹Zeppelin› (s. Bd. 6 [145]) sowie dem Gedicht ‹Zeppelin-Spende› (s. Bd. 8 [10]) hatte KT den nationalistischen Rummel um die dt. Luftschiffahrt kritisiert.

7 *Zeppeliend*] Das Luftschiff Graf Zeppelin war am 15. 8. 1929 zu einem vielbeachteten Flug um die Welt gestartet. Die Rückkehr nach Friedrichshafen am 4. 9. hatten mehr als 200 000 Menschen erlebt.

14 *Underwoodn*] Amerikan. Schreibmaschine, benannt nach John T. Underwood, der sie 1895 auf den Markt brachte.

18 *Eckners*] Der Flugtechniker und Chefingenieur der Zeppelinwerke Hugo Eckener hatte die Weltreise des Luftschiffes geleitet. KT hatte ihn in der Vergangenheit öfter angegriffen, vgl. z. B. ‹Zeppelin-Spende›, Bd. 8 [10].

23 *Biß Babbitt*] Wohl Anspielung auf den amer. Geschäftsmann Babbitt, die Hauptfigur im gleichnamigen Roman von Sinclair Lewis; vgl. KTs Rez. ‹Babbitt›, Bd. 7 [75].

133

Konjunktur

V: Peter Panter
D^1: WB Jg. 25, Nr. 40, 1. 10. 1929, II, S. 529–530 [Rubrik:] Bemerkungen
Bibl.: Nd s. Bonitz / Wirtz D 2297; 1 NdzL, 3 Nd; GW 7

Vgl. [73].

Freikorpskämpfe] s. [73], *22*.
amerikanischen Kriegsfilme] Etwa ‹What Price Glory› (‹Rivalen›), s. [58], *69*; ‹The Big Parade› (1925), s. Bd. 8 [166]; der Anfang 1929 in dt. Kinos gezeigte Fliegerfilm ‹Wings› (1929); Regie: William Wellman, Buch: Hope Loring, nach einer Idee von John Monk Saunders; mit Clara Bow, Charles Rogers u. a.
f *vergiß der Liebe nicht*] Wohl in Anlehnung an 1. Korinther 13, 1: «Wenn ich mit Menschen- und mit Engelszungen redete, und hätte der Liebe nicht, so wäre ich ein tränend Erz oder eine klingende Schelle.»
das Gute, Wahre und Schöne] Begriffstrias der idealistischen Ästhetik, seit Ende des 18. Jh. sprichwörtlich.
f *Diät – ohne Berufsstörung*] Vgl. ‹Kritik als Berufsstörung›, Bd. 14 [131].
an dem die Welt einst genas] Nationalist. Schlagwort nach den letzten Versen des Gedichts ‹Deutschlands Beruf› von Emanuel Geibel: «Und es mag an deutschem Wesen / Einmal noch die Welt genesen.»

134

Das Gesetz

V: Theobald Tiger
D^1: AIZ Jg. 8 (1929), Nr. 41, S. 8
Bibl.: Nd s. Bonitz / Wirtz D 2172; 1 NdzL, 4 Nd; GW 7
Mit einer Photographie Rosa Valettis von Elli Marcus

Datierung
2. 10. 1929; zur Datierung der AIZ-Texte s. [1], *0*

Das Photo zeigt Rosa Valetti als Bettelweib in Erich Engels Inszenierung von John Gays ‹Dreigroschenoper› in der Bearbeitung von Brecht und Weill, UA am 31. 8. 1928 am Theater am Schiffbauerdamm, Berlin (s. ‹Scherl's Magazin›, Nov. 1928, S. 1265; dort Abdruck des Photos mit Begleittext).

Dem Gedicht war folgende red. Notiz vorangestellt: «Dieses Chanson schrieb Theobald Tiger für *Rosa Valetti*, eine der wenigen warmherzigen und großen Schauspielerinnen Deutschlands. In den Berliner Amüsierbetrieben ist ihr nur der Vortrag ‹pikanter› Chansons gestattet. Dieses Lied der sozialen Anklage soll die Arbeiterschaft durch die A-I-Z kennen lernen.» – Rosa Valetti war eine der berühmtesten Interpreten von KTs

Chansons, z. B. ‹Die rote Melodie›, Bd. 4 [264]; ‹Lied der Kupplerin›, Bd. 9 [136]. Am 8.7.1929 hatte sie KT geschrieben: «Du weisst, wie sehr ich nach Chansons für mich ‹giepere› – denn es gibt keine, und wenn einer eins schreiben kann, bist Du es. Deine Ansicht über meine politische Unfähigkeit teile ich. Ich verstehe nichts von diesem Ding, und ich will auch nicht Politik machen; aber ich glaube, ich kann politische Sachen vortragen, wenn die Tendenz auf meiner Linie liegt. Und je deutlicher ein Text ist, desto lieber ist er mir in artistischer Hinsicht.» (DLA). Ob das hier vorliegende Gedicht gemeint ist, konnte nicht geklärt werden.

2 *nach dem Happy End*] s. auch 1930 das Gedicht ‹Danach›, Bd. 13 [49].

3 *Wohnungsnot*] Die Wohnungsnot in Berlin war während der 20er Jahre eines der brennendsten sozialen Probleme. Zwischen 1925 und 1929 war die Anzahl der eingetragenen Wohnungssuchenden von 75 000 auf 179 000 gestiegen. Dazu kamen Zehntausende, die in Baracken und Behelfswohnungen oder in abbruchreifen Häusern lebten. Trotz einiger Ansätze des modernen sozialen Massenwohnungsbaus (z. B. die Berliner Siedlungsprojekte «Hufeisensiedlung», Britz und «Onkel Toms Hütte», s. Bd. 12, *128, 1*) reichte der öffentl. subventionierte Wohnungsbau nicht aus, die Not auch nur zu verringern. Zudem waren die Neubaumieten für Arbeiterfamilien meist zu hoch, und auch die Mieten für Altbauwohnungen wurden seit der schrittweisen Aufhebung der Mietpreisbindung für kleine Einkommen zunehmend unerschwinglich (s. Annemarie Lange: Berlin in der Weimarer Republik. Berlin/Ost 1987, 635–346). Zur Wohnungsnot der Nachkriegszeit vgl. ‹Die Wohnungssuche›, Bd. 3 [46]; ‹Die Obdachlosen›, Bd. 4 [199]; ‹Nie allein›, Bd. 12, 124–131.

12 *neue Gesetze*] Gemeint sind die RT-Debatten um die Reform des Strafrechts (s. [25], *0*).

13 *Scheidung*] Die Ehe als Grundlage des Familienlebens und der Erhaltung und Vermehrung der Nation stand unter dem besonderen Schutz der WRV (Art. 119). Ihre Auflösung war nur unter Voraussetzung der im BGB festgelegten Gründe, zumeist Ehebruch (§ 1565) und Zerrüttung der Ehe durch schwere Verletzung der ehelichen Pflichten (§ 1568) möglich, die, mit Ausnahme einer Scheidung wegen Geisteskrankheit, dem Verschuldensprinzip unterstanden. Bereits seit 1922 hatte es zahlr. parlamentar. Ansätze zur Reform des Ehescheidungsrechtes gegeben, die stets am Widerstand des Zentrums gescheitert waren. Seit dem 2. 10. 1929 wurde ein Gesetzentwurf im Rechtsausschuß des RT diskutiert, der nur noch das einfache Zerrüttungsprinzip vorsah und die Frage nach der Schuld ausklammerte. Nach dem Protest des Abg. der BVP, Prälat Leicht, am 3. 11.

im RT, der mit dem Austritt seiner Partei und des Zentrums aus der Regierung drohte, erfolgte am 5.11. der Rückzug der Zentrumsmitglieder aus dem Rechtsausschuß. Am 8.11. wurde der Aufschub der Reform beschlossen (vgl. Peter Maslowski: Ehescheidungsreform im Reichstag, WB 4.3.1930, I, 347–351).

hier hast du 'ne Adresse] Anspielung auf Schwangerschaftsabbrüche, die verboten waren und folglich häufig von medizinisch nicht geschulten Privatpersonen durchgeführt wurden (zum geltenden Recht s. [150]).

Landesverrat] s. [73], *266*. Die Strafrechtsreform sah eine Verschärfung des Landesverratsparagraphen vor (vgl. näher A[rnold] Freymuth: Der Landesverrat im neuen Strafgesetzentwurf, Die Menschheit Jg. 15, Nr. 47, 25.11.1928, 1–2). Im Verlauf des Jahres 1929 wurde im Strafrechtsausschuß des RT mehrfach über den Paragraphen verhandelt, zu einer endgültigen Beschlußfassung kam es nicht.

f *Zehntausend … Zellen*] Vgl. ‹Gebet für die Gefangenen›, Bd. 12, 25–26; ‹Die Gefangenen›, Bd. 14 [44].

135

«Eins – zwei – drei – hopp!»

V: Peter Panter
D^1: Vossische Zeitung Nr. 239, 6.10.1929, Post-Ausg.; Unterhaltungsblatt Nr. 234, [S. 2]
Bibl.: Nd s. Bonitz / Wirtz D 2298; 1 Nd; GW 7

Der Wille … Ratio] Grundgedanke in Schopenhauers philosoph. Hauptwerk ‹Die Welt als Wille und Vorstellung› (1819; 2., verm. Aufl. 1844). KT war stark beeinflußt von Schopenhauers Denken, dessen Werk war ihm seit Mitte der 10er Jahre vertraut; s. dazu ausführlicher Bd. 10 [82], *6f.*

Experiment mit der Pistole] Den Einfluß äußerer Sinnesreize auf den Traum sowie Versuche, durch Auslösung von Sinnesreizen bei Schlafenden entsprechende Träume zu erzeugen, schildert Freud im Kap. ‹Traumreize und Traumquellen› in ‹Die Traumdeutung› (1900; s. Freud 1942, II/III, 23–32).

Syndetikon] Dickflüssiger Klebstoff.

Bayer, aber ein netter] Vgl. ‹Reisende, meidet Bayern!›, Bd. 5 [9] und Bd. 6 [51]; ‹Der Paß und der Reisende›, Bd. 5 [25]; ‹Eins, zwei, drei – g'suffa –!›, Bd. 5 [188].

dicken Bauch] KT unterzog sich wiederholt Diätkuren (vgl. z. B. ‹Das flüsternde Sanatorium›, Bd. 10 [101]) und betrieb über viele Jahre Morgengymnastik, s. KT an MT 27.9.1919; KT an Hedwig Müller 28.1.1935 (Bd. 21 [B 13], 43 ff).

25 *Griffe zu kloppen*] Soldatensprache (nachgewiesen seit 1870): Gewehrgriffe üben; mit dem Gewehr exerzieren (Küpper 1997, 307).

69 *Schüler Freuds*] s. Freuds ‹Traumdeutung›, dort in einer Fußnote des Abschn. ‹Der Egoismus der Träume› (Freud 1942, II/III, 277). Sinngemäß auch in Freuds 1915 erstmals ersch. Schrift ‹Zeitgemäßes über Krieg und Tod› (ebd., Bd. X, 338; s. [89], *278 ff*). – Von KT bereits erwähnt in ‹Pariser Tage›, Bd. 8 [68], 90 ff.

84 f *Zur Masse … glaubt.*] Vgl. schon Bd. 7 [120], 34 f, sowie den Eintrag in KTs Notizbuch ‹Fremdes›: «Zur großen Menge gehört immer einer mehr, als jeder glaubt. untergründig!!» Die Quelle des Zitats konnte nicht ermittelt werden.

136

Die Kollektiven

V: Peter Panter
D[1]: WB Jg. 25, Nr. 41, 8.10.1929, II, S. 551–555
Bibl.: Bonitz / Wirtz D 2299; GW 7

Vermutl. war die UA von Walter Mehrings Stück ‹Der Kaufmann von Berlin› am 6.9.1929 an der Piscator-Bühne am Nollendorfplatz der Schreibanlaß für vorliegenden Text. Die Inszenierung Piscators, der das Stück erheblich und zum großen Teil willkürlich umgearbeitet hatte, erregte großes Aufsehen und führte in der Presse zu einer kontroversen Debatte. CvO sprach in seiner vernichtenden Kritik von einer «groteske[n] Verstümmelung des Originals, zugerichtet als Objekt für den unerbittlichen Maschinenfanatismus des Regisseurs» (s. ‹Die Kaufleute von Berlin›, WB 17.9.1929, II, 437–443, in: Ossietzky 1994, Bd. V, 189–197, s. dort auch K). Mehring hatte sich bei KT über Piscators Umgang mit dem Stück beklagt (s. Mehring an KT, nach dem 17.9.1929; DLA); s. dazu Meyer / Bonitz 1990, 519–523. – Vgl. auch [66] sowie ‹Der Mittler›, Bd. 13 [168].

1 *freue mich auf Berlin*] Am 4.10.1929 kam KT von seinem Sommeraufenthalt in Schweden (s. [53], *1*) zurück nach Deutschland und unternahm zunächst mit seinen Freunden Danehl und Fritsch eine einwöchige Mosel-

reise (s. Bd. 13 [6]). Ab dem 15.10. hielt er sich in Berlin auf, bevor er zu einer großen Lesereise durch Deutschland (s. [166], *0*) aufbrach.
Mälarsee] s. [53], *1*.
Berlin O] Der ärmere Ostteil der Stadt.
f *ich bin vom Land ein dralles Kind*] Beginn des Volksliedes ‹Die Dorfmusik›.
Mariefred] Kleine Stadt am Mälarsee nahe Läggesta mit Schloß Gripsholm.
«Bio»] (schwed.) Kino.
Dänen] Zu KTs Dänemark-Aufenthalt 1927 s. Bd. 9 [72]; [74]; [75]; [76]; [79]; [81]; [96]; [104].
«Kollektivismus»] Prägnantestes Beispiel für eine kollektivistische Theaterästhetik im Berlin der 20er Jahre war das Theater des kommunistischen Regisseurs Erwin Piscator, mit dem KT zwar polit. sympathisierte, dessen ästhetisches Konzept er allerdings nicht überzeugend fand (vgl. u.a. KT an Felix Gasbarra 14.3.1928, sowie [66]).
Vacat] Nicht vorhanden.
«spezifisch Pappigen des Schauspieler-Esprits»] Nicht ermittelt.
Unterpacht] Weiterverpachtung eines gepachteten Betriebes. Bis in die 20er Jahre hinein verpachteten die meisten Kommunen ihre Theater und überließen das finanzielle Risiko vollständig dem Pächter, der somit wirtschaftliche über künstlerische Interessen zu stellen gezwungen war. Allerdings wurden 1929 schon knapp zwei Drittel der deutschen Theater subventioniert.
den Russen abgeguckt] Wohl das nach der Oktoberrevolution in Rußland entst. Agitproptheater, ein lehrhaftes, polit. propagandistisches Laientheater, das in Deutschland zunächst von kommunist. Sprechchorgruppen adaptiert wurde und dessen Mittel auch z.B. im polit. Theater Piscators Verwendung fanden, vgl. Bd. 12, *177*, *1f*.
f *«Wissen ... Regie –!»*] Piscator war ein wegen seiner Eingriffe in den Dramentext gefürchteter Regisseur (s.o. *0*; s. auch [66], *169*).
Piscator rühmt sich] Vgl. Piscators Bericht zur Eröffnung der Piscatorbühne am Nollendorfplatz mit Tollers Stück ‹Hoppla, wir leben!› am 3.9.1927 in ‹Das politische Theater›, Berlin 1929, 155. Zum Einsatz technischer Mittel auf der Piscator-Bühne s. [66], *153f* und *155*.
jede Kritik als «Verrat»] KT bezieht sich hier wohl auf die seit 1928 andauernde Kontroverse zwischen der WB und Piscator, die vor allem von den Theaterkritikern Harry Kahn und Arthur Eloesser (s. [66], *155*) sowie CvO geführt wurde. Den Höhepunkt der Auseinandersetzung bildete ein Brief Piscators an die WB, den CvO in der Rubrik «Antworten» ab-

druckte und kommentierte. Auf Piscators Vorwurf des polit. Verrats entgegnete CvO: «Begeisterung für ihre Leistungen, Vorzugsbehandlung – nein, das können Sie nicht schlankweg dekretieren. [...] Hauen Sie die Bürger ruhig in die Pfanne, provozieren Sie Ihr Parkett, daß es heulend sein Geld zurückverlangt, aber lassen Sie das durch einen Dichter besorgen, nicht durch Maschinerie und Parteiphrase. Die Maschinerie wird als Sensation begrüßt, die Jesinnung sanft begrinst. Sie haben uns revolutionäre Taten versprochen und herausgekommen ist eine berliner Sehenswürdigkeit» (WB 6.3.1928, I, 387f; in: Ossietzky 1994, Bd. IV, 326–331, hier: 330f). In seinem Artikel ‹«Weltbühne», Piscator und Arbeiterbewegung› (RF 23.3.1928) nahm «Peter» auf die Auseinandersetzung Bezug und bezeichnete CvO als «literarische[s] Lümpchen». – Zu KTs Reaktion auf die kommunist. Kritik an den linksbürgerlichen Intellektuellen vgl. [109] sowie ‹Gebrauchslyrik›, Bd. 10 [193].

137 f *entfesselte Schauspieler*] Evtl. Anspielung auf Alexander Tairoffs programmatische Schrift ‹Das entfesselte Theater: Aufzeichnungen eines Regisseurs›. Potsdam 1923.

138 *Das Theater dem Theater*] Vermutl. Abgrenzung gegen Reinhardts mehrfach formulierte Maxime, nach der das Theater dem Schauspieler gehöre. Vgl. etwa den Eingangssatz «Dem Schauspieler gehört das Theater und sonst niemandem» aus: Max Reinhardt: Der Schauspieler, in: Der Querschnitt Jg. 9, H. 9, 609–611, hier: 609. KT hat diese Position wiederholt kritisch oder ablehnend kommentiert, s. z.B. [177], 29ff; Bd. 13 [168], 34ff; ‹«Kulissen»› (WB 14.6.1932, I, 891–894; D 2739).

155 f *Shylock? ... Bergner.*] Kortner war in der Rolle des Shylock, der Hauptfigur in Shakespeares Komödie ‹Der Kaufmann von Venedig›, im Mai/ Juni 1924 im Wiener Theater in der Josefstadt in einer Inszenierung von Max Reinhardt zu sehen. Elisabeth Bergner spielte die Julia in Shakespeares Tragödie ‹Romeo und Julia› im Okt. bis Dez. 1928 unter der Regie Reinhardts am Berliner Theater.

168 *Feerien*] Szenische Aufführung einer Feengeschichte mit großem Ausstattungsaufwand.

168 ff *Schanzer ... er liefert*] Schanzer und Welisch waren als Operetten- und Revuetexterteam äußerst erfolgreich. Wiederholt arbeiteten sie mit Eric Charell zusammen, der seit 1924 künstlerischer Leiter des Großen Schauspielhauses Berlin und als Mitautor, Regisseur und Darsteller an zahlr. Ausstattungsrevuen und Operetten beteiligt war, die im Berlin der 20er Jahre zu Publikumsmagneten avancierten. Weihnachten 1927 etwa brachte Charell Leo Falls Operette ‹Madame Pompadour› auf die Bühne des Großen Schauspielhauses (Text: Schanzer und Welisch), Weihnachten 1928

Franz Lehárs ‹Lustige Witwe› ins Berliner Metropol-Theater, nachdem Schanzer und Welisch das ursprüngl. Libretto stark überarbeitet hatten. Der Star beider Revue-Operetten war Fritzi Massary.
f *Herrschaft der Stars*] Vgl. Bd. 12, 192.
gegen die entfesselten] s. o. *137f.*
Jahrmarkts der Eitelkeiten] Sprichwörtlich nach dem dt. Titel des Romans ‹Vanity Fair› (1847 / 48) von William Makepeace Thackeray.

137

Unerledigte Konten

V: Theobald Tiger
D^1: WB Jg. 25, Nr. 41, 8. 10. 1929, II, S. 562
Bibl.: Nd s. Bonitz / Wirtz D 2300; 3 Nd; GW 7

Überlieferung
D^1 – ZA: 1 Bl., aufgeklebt auf Durchschlagpapier, 225 x 285 mm; hs. Korr. mit Bleistift. (DLA)

Lesarten
Die Lesarten sind nach ZA verzeichnet
11 hab] *korr. zu* habe **32** an –] *korr. zu* an … **42** doch] *dahinter Einfügungszeichen, arR* nur **42** gescheit:] *korr. zu* gescheit **43** Gib] *gestr., alR korr. zu* und gib

Tante Jenny] Anspielung auf KTs Tante Jenny Wiener, geb. Tucholski, eine ältere Schwester von KTs Mutter.
Fritz und Ellen] Fritz und Ellen waren die beiden jüngeren Geschwister KTs.
Ich hätte sollen] Von KT sehr oft zit. Wendung aus einer Glosse von Alexander Moszkowski, s. ‹Wir hätten sollen …›, Bd. 3 [152].
Neu-Globsow] Ort in Brandenburg am Stechlinsee, nördl. von Berlin.
vor Jahren in Moabit] 1922 mußte sich KT wegen Beleidigung der Reichswehr in Moabit vor Gericht verantworten (s. Bd. 5 [130], *0*). In ‹Erinnerung› beschrieb KT den vorsitzenden Richter wie folgt: «[…] Dieser Richter redete ohne Aufhören anderthalb Stunden. Ich hatte so etwas noch nie in Moabit gesehen; ich kannte den ironischen Richter, den bösen Richter, den gleichgültigen Richter (dieser kam am häufigsten vor), den

gereizten Richter, den ritterlichen Richter (dieser am seltensten) – hier war der redende Richter. Er redete, redete und redete. [...] An dem Vormittag muß er sich einen Wolf geredet haben» (Bd. 7 [93], 49 ff).

138

I a

V: Ignaz Wrobel
D[1]: WB Jg. 25, Nr. 41, 8. 10. 1929, II, S. 567–568 [Rubrik:] Bemerkungen
Bibl.: Nd s. Bonitz / Wirtz D 2301; 1 Nd; GW 7

KTs Artikel folgte u. d. T. ‹I b› die Meldung: «Das Landesjugendamt der Provinz Brandenburg hat in seiner nächsten Sitzung Stellung zu nehmen zu dem Antrage des städtischen Jugendamtes Siegen, Westfalen, Ernst Glaesers Buch ‹Jahrgang 1902› als Schund- und Schmutzschrift zu erklären. Wann endlich wird man einsehen, daß ein ernsthafter Schriftsteller, was er auch schreibe, eo ipso kein Objekt für den Kammerjäger ist.» (WB 8. 10. 1929, II, 568)

1 *Neulich*] s. [117]. Zum «Schund- und Schmutz-Gesetz» s. [47], *32*.

5 *Psch 5410/266*] Abgedr. z. B. in dem Artikel ‹Abgewiesene Kläger als Richter. Die Dirne Elisa zum dritte Male›, in: Die Stimme der Freiheit. Unabhängige Monatsschrift gegen geistige und wirtschaftliche Reaktion. Organ der Aktionsgemeinschaft für Geistige Freiheit. Hg. von Franz Paul de Rosta, Berlin, Jg. 1, Nr. 10, Okt. 1929, 170 f; s. dazu auch Albert Hellwig: Können Kunstwerke Schmutzschriften sein?, ebd. Nr. 11, Nov. 1929, 191 f.

8 *auf die Liste*] Edmond de Goncourt: Die Dirne Elisa. Dt. Übertragung von Rudolf Brettschneider. Wien: Schneider & Co. 1925 (Orig.: ‹La fille Elisa›). Der Antrag vom 1. 6. 1929 begründete die Forderung nach Indizierung mit der durch die Übers. bewirkten «Vergröberung des Originals» und einer «Hinabziehung ins Gewöhnliche und Lüsterne», während es dem Dichter doch primär um die Schilderung der Gefängnisverhältnisse seiner Zeit gegangen und das Dirnenleben seiner Gefangenen lediglich als «Vorstufe zu diesem Hauptzwecke» anzusehen sei (abgedr. in: Die Stimme der Freiheit 1, Nr. 9, Sept. 1929, 151). – Das Landesjugendamt mit Sitz in Düsseldorf war für die unverhältnismäßige Anzahl von Verbotsanträgen bekannt; vgl. ‹Die Keuschheitsgürteltiere›, Bd. 13 [42], sowie ‹Schmutz bzw. Schund bzw. Geldverknappung›, Bd. 13 [68].

Adriani] Adriani trat zum 1.9.1929 von seinem Amt zurück, um sich «ganz der Leitung der im Polizeipräsidium bestehenden Theaterabteilung widmen zu können»; s. ‹Wechsel in der Leitung der Schund- und Schmutzprüfstelle Berlin›, in: Die Stimme der Freiheit Jg. 1, Nr. 8, Aug. 1929, 133.
unsern Leuten] Vertreter aus dem Bereich Kunst und Literatur. Der Prüfstelle gehörten weiterhin Personen an aus den Bereichen Buch- und Kunsthandel, Jugendwohlfahrt, Jugendorganisationen, Lehrerschaft, Volksbildung. Die personelle Zusammensetzung der Prüfstelle Berlin und der Oberprüfstelle Leipzig in: Kurt Richter: Der Kampf gegen Schund- und Schmutzschriften in Preußen auf Grund des Gesetzes zur Bewahrung der Jugend vor Schund- und Schmutzschriften vom 18.12.1926. 2., erw. und neubearb. Aufl. Berlin 1931, 133–141.
«Die Prüfstelle ... ist.»] s.o. *5*. Schlußabsatz der Begründung.
Psch 5410/204] Abdr. der Entscheidung in ‹Eine bemerkenswerte Entscheidung der Prüfstelle Berlin›, in: Die Stimme der Freiheit Jg. 1, Nr. 1, Jan. 1929, 1–3. Im folgenden daraus zit.
‹Das Magazin›] Der Düsseldorfer Antrag bezog sich auf das Heft Nr. 44 vom April 1928.
Geschichte von Dekobra] Dekobras Erzählung ‹Jacqueline macht Geschichten!›, in der ein Ehemann seine Frau absichtlich der Versuchung aussetzt, ihn mit seinem eigenen Freund zu betrügen.
Tiller-Girls] Berühmteste der zahlreichen amer. Revuetruppen, die ab 1922 in den westeurop. Großstädten gastierten.
Buch von Hirschfeld] s. [117], 158ff, *158ff*. Um welches Buch es sich handelt, konnte nicht ermittelt werden.
Arsène Lupin] s. [117], *201*. Mit der Entscheidung der Prüfstelle Berlin vom 6.8.1929 freigesprochen; s. Nachrichtendienst zur Bekämpfung von Schund- und Schmutzschriften Jg. 1, Nr. 2, Okt. 1929, 30.
‹Kriminal-Magazin›] s. [117], 212f, *212f*. Über den Freispruch konnte nichts ermittelt werden.
Vorschlagslisten] In Nr. 2 des ‹Nachrichtendienstes› (Okt. 1929, 32) wird darauf hingewiesen, daß der in Nr. 1 begonnene Abdruck der Listen der «vorgeprüften und der einer Vorprüfung unterliegenden Schriften» vorläufig unterbleibe, «weil von maßgeblicher Stelle erhebliche Bedenken dagegen geltend gemacht worden sind». Ein Abdruck an anderer Stelle konnte nicht nachgewiesen werden.
Jagow – Keudell – Loebell – Mumm] Zu Jagow s. [86], *94*. Der dt.-nat. Politiker Walter Keudell hatte als Reichsinnenmin. 1927 einen Reichsschulgesetzentwurf vorgelegt, der die Bekenntnisschule als Regelschule vorsah; der ehem. königl. preuß. Innenminister Friedrich Wilhelm von

Loebell hatte eine Union bürgerl. Kreise gegr., die 1925 die Kandidatur Hindenburgs zum Reichspräs. unterstützte; der Theologe und christlichsoziale DNVP-Politiker Reinhard Mumm war seit 1921 Vors. des RT-Ausschusses für Bildungswesen.

139

Tommys Abschied

V: Theobald Tiger
D[1]: AIZ Jg. 8 (1929), Nr. 42, S. 8
Bibl.: Nd s. Bonitz / Wirtz D 2173; 1 NdzL, 1 Nd
Mit einer Photographie

Datierung
9. 10. 1929; zur Datierung der AIZ-Texte s. [1], *0*

Am 14. 9. 1929 begann die Räumung der brit. Zone des aufgrund des Versailler Vertrages seit 1920 von den Alliierten besetzten Rheinlandes. Der Abzug der brit. Soldaten begann am 4. 10. 1929 und war am 13. 12. 1929 abgeschlossen.

0 *Tommys*] Spitzname für engl. Soldaten.
17 *Genfer Bureau*] s. [8], *84*.

140

Die Tagung

V: Theobald Tiger
D[1]: Simplicissimus Jg. 34 (1929/30), Nr. 29, 14. 10. 1929, S. 355
Bibl.: Nd s. Bonitz / Wirtz D 2302; 7 Nd; GW 7

Zum ‹Simplicissimus› s. [82], *31*.

141

Auf dem Nachttisch

V: Peter Panter
D[1]: WB Jg. 25, Nr. 42, 15.10.1929, II, S. 593–598
Bibl.: Bonitz/Wirtz D 2303; GW 7
Sammelrez.: Sozialismus aus dem Glauben. Verhandlungen der sozialistischen Tagung in Heppenheim a.B. Pfingstwoche 1928. Zürich: Rotapfel-Verlag 1929 – Karl Plättner: Eros im Zuchthaus. Eine Beleuchtung der Geschlechtsnot der Gefangenen, bearbeitet auf der Grundlage von Eigenerlebnissen, Beobachtungen und Mitteilungen in achtjähriger Haft. Mit einem Vorwort von Magnus Hirschfeld und Felix Abraham. Berlin: Mopr 1929 – István Hollós: Hinter der gelben Mauer. Von der Befreiung des Irren. Stuttgart: Hippokrates-Verlag 1928 – Carlton J.H. Hayes: Nationalismus. Aus dem Englischen von J.F. Friedlaender, hg. und eingeleitet von J. Goldstein. Leipzig, Berlin: Verlag «Der Neue Geist» 1929 – Arthur Garfield Hays: Laßt Freiheitsglocken läuten! Zeitbilder aus dem heutigen Amerika. Übers. von K. Wandel. Leipzig: Grethlein 1929 – Franz Hessel: Nachfeier. Berlin: Rowohlt 1929

Lesart
341 das mir bekannt ist] *emend. aus* die mir bekannt sind

«Pröhn»] Lexikographisch nicht nachweisbar. Vermutl. ist gemeint «Pröl» oder «Pröhl»: unordentliches Durcheinander, Trödelkram (s. Wossidlo-Teuchert 1996, Bd. 5, Sp. 608–609).
«Es … Entente»] Von Karl Kraus in der ‹Fackel› wiederholt (erstmals im Aug. 1916) zit. Satz aus einem Artikel Moritz Benedikts, dem Hg. und Chefred. der bürgerlich-lib. Wiener Tageszeitung ‹Neue Freie Presse›, welche Kraus lebenslang in der ‹Fackel› bekämpfte (s. ‹Die Laufkatze›, in: Die Fackel Jg. 18, Nr. 431–436, August 1916, 121).
Einberufer] In der Einladung zur Tagung hieß es, die Unterzeichner beobachteten mit Sorge «die Schwächung des Vertrauens in die Lebenskraft des sozialistischen Gedankens in unserer Zeit». Der Hauptgrund wurde in der Reduktion des Sozialismus auf das Ökonomische gesehen, die die Erneuerung des ganzen Menschen außer acht lasse (‹Sozialismus aus dem Glauben›, [7]). Initiatoren waren Georg Beyer, Emil Fuchs, Hendrik de Man, Karl Mennicke, Gustav Radbruch, André Philip, Leonhard Ragaz, August Rathmann, Wilhelm Sollmann, Hugo Sinzheimer (ebd., 243 f).
besten Referate] De Man hielt das Referat zum ersten Tagesordnungs-

punkt ‹Die Begründung des Sozialismus› (ebd., 13–63), Roland-Holst war Hauptreferentin zum Schwerpunkt ‹Sozialismus und persönliche Lebensgestaltung› (ebd., 152–177).

31 *deutschen Sozialisten*] Zu KTs Kritik an der SPD s. [4], *61;* [67], *29*; [125].

47 *Unterhaltungen*] Den Referaten und Koreferaten zu den zwei themat. Schwerpunkten (s. o. *23*) folgten jeweils eine Aussprache und verschiedene Schlußworte, die in dem Band ebenfalls abgedruckt waren.

52 f *Psychoanalytiker … gar nicht*] Vgl. [89], 304 ff, *307*; [97], 175 ff.

57 *Reinhold Sputh*] In der ersten Aussprache redete Sputh «vom Standpunkt des Proletariers aus» über das Verhältnis des Proletariats zum Sozialismus. Er forderte die Verbesserung der Lebensbedingungen und Gleichberechtigung. Große Teile der Arbeiterschaft suchten nach geeigneten Führern, die die Frage lösten, wie den Arbeitern als Trägern des Sozialismus aus ihrer Lage herauszuhelfen sei und sie in ökonomischen Dingen aufklärten. Zudem sei das Verhältnis des Arbeiters zum Intellektuellen durch Minderwertigkeitsgefühle gekennzeichnet. Sputh erhoffte sich eine Diskussion über die Stellung der Intellektuellen zum Proletariat, über die Gefahr der Verbürgerlichung des Arbeiters durch die Reduktion auf ökonomische Fragen und schnitt die Frage eines religiösen Sozialismus an (‹Sozialismus aus dem Glauben›, 115–117).

62 *Buber*] In Auseinandersetzung mit de Mans Referat wandte sich Buber gegen das Bestreben nach einer sittl. Begründung des Sozialismus um einer Steigerung der Stoßkraft des sozialist. Gedankens willen und stellte statt dessen die Frage nach dem Ursprung des echten Sozialismus. Zudem wandte er sich gegen die von de Man behauptete Tendenz zur Universalität des Sozialismus, die zu sehr von der institutionellen Ordnung her gedacht werde und das wirkliche Zusammenleben der Menschen sowie deren Verhältnis zur Arbeit nicht angemessen berücksichtige (ebd., 90–94). In seinem zweiten Beitrag wandte sich Buber gegen die verschiedentlich erhobene Forderung, «den Arbeitern eine Parole zu geben» (ebd., 217–219).

68 *Schmöcke*] s. [8], *207*.

69 *Radbruch*] KT hatte dem Juraprofessor, SPD-Politiker und ehem. Reichsjustizminister wiederholt Zagheit und Versagen vorgeworfen (s. Bd. 9 [52], 50 ff, sowie in diesem Bd. [99], 39 f). Radbruch war nicht unter den Rednern, aber als Mitinitiator der Tagung anwesend.

75 *Vulgär-Katholizismus*] Vermutl. Analogiebildung zu «Vulgärmarxismus», s. Hendrik de Man: Zur Psychologie des Sozialismus. Neue umgearb. Aufl. Jena 1927, 325 (4. Teil, 15. Kap.: Edelmarxismus und Vulgärmarxismus). KTs Lektüre dieses Buches ist durch zwei Notate in seinem Notizbuch ‹Fremdes› (DLA) belegt, s. Bd. 15.

theosophisch] s. [97], *27f.*
Weißenberg] s. [97], *26.*
akkordieren] Einen Lohnvertrag übernehmen.
f *Sprach ich schon*] Am 6.8.1929 hatte KT in der WB die Lektüre von Karl Plättners Buch empfohlen (s. [96], 30f), auf das zuvor schon die WB durch den Abdruck eines Auszuges aufmerksam gemacht hatte (Karl Plättner: Sexualnot der Gefangenen, WB 12.3.1929, I, 407–410).
f *«Fremdwörterverzeichnis»*] Plättner 1929, 224–226.
wandervogel-lyrische] Der Wandervogel war der Beginn der dt. Jugendbewegung. Die neoromantische Bewegung hatte einen explizit anti-bürgerl. Impetus und propagierte im Gegensatz zur urbanen Industriegesellschaft romantisierte natürliche Lebenszusammenhänge und die Autonomie der Jugend gegenüber der Erwachsenenwelt, vgl. [131], *9.*
erlitten] Der kommunist. Aktivist Plättner war Anführer der sog. «Plättnerbande», die 1920/21 in Mitteldeutschland eine Reihe von Bank- und Zechenüberfällen beging. Die Beute der Gruppe, deren Mitglieder meist der KAPD angehörten und mit Plättners Programm des «organisierten Bandenkampfs» sympathisierten, sollte zu polit. Zwecken verwandt werden. 1922 wurde Plättner verhaftet und 1923 zu 10 Jahren Zuchthaus verurteilt. KPD und DLfM setzten sich für eine Amnestierung der Plättner-Gruppe ein, im Juli 1928 wurde Plättner im Rahmen einer Amnestie, die auch polit. Gefangene einschloß, aus der Haft entlassen. – Bereits Ende 1928 war im Auftrag der RHD eine von Plättner bearb. Dokumentation erschienen, die sich auf Interviews mit ehem. Gefangenen stützte; s. ‹Gefangen. Dreißig politische Juli-Amnestierte berichten über ihre Erlebnisse in deutschen Zuchthäusern›. Hg. vom Zentralvorstand der Roten Hilfe Deutschlands. Berlin: Mopr-Verlag. Im Vorwort hatte Plättner bereits die hier bespr. Studie angekündigt (ebd., 10), die große Beachtung fand und 1930 in der 2. Aufl. erschien. Der Film ‹Geschlecht in Fesseln› (s. [171], *14*) basiert z.T. auf dem Material dieses Buches. – Zur Biographie Plättners s. Volker Ullrich: Der ruhelose Rebell. Karl Plättner 1893–1945. München 2000.
quaerentes quam devorant] (lat.) suchend, welche sie verschlingen. Abgewandeltes Bibelzitat: «sobrii estote vigilate, quia adversarius vester diabolus tamquam leo rugiens circuit quaerens quem devoret.» (Der erste Brief des Petrus 5, 8 nach der Vulgata; dt.: «Seid nüchern und wacht; denn euer Widersacher, der Teufel, geht umher wie ein brüllender Löwe und sucht, wen er verschlinge.»)
«Schatten»] Die Figur des Schattens bezeichnet bei Jung einen «negativen» Teil der Persönlichkeit, der die versteckten, unvorteilhaften Eigen-

schaften, die mangelhaft entwickelten Funktionen und Inhalte des persönlichen Unbewußten umfaßt (vgl. etwa die Charakterisierung des «extravertierten Mannes» in ‹Psychologische Typen›. Zürich, Leipzig, Stuttgart 1921, 233 ff, Kap.: ‹Das Typenproblem in der Menschenkenntnis›).

142 *Fürsorgeanstalten*] s. [37], 211 ff.

143 *Theateraufführungen*] Vermutl. spielt KT auf das Schauspiel ‹Amnestie› (Berlin 1929) des Strafvollzugspräsidenten Karl Maria Finkelnburg an, das die Volksbühne im September 1929 zur UA angenommen hatte. Das BT druckte daraus einen Auszug, ohne den Verfasser zu nennen, gab aber den Hinweis, daß es sich um einen hohen Justizbeamten handele. Die UA fand nicht, wie im BT angekündigt, im November statt, sondern erst am 19. 1. 1930 (Regie: Günther Stark); s. ‹… hinter Zuchthausmauern›, BT 8. 9. 1929, M; vgl. auch CvO: Bronnen-Premiere, in: Ossietzky 1994, Bd. V, 294–296.

159 f *«Wir … Vorbildung»*] s. den Schwank ‹Psychiatrie›, in: Roda Roda: 500 Schwänke. 19.–24. Aufl. Berlin 1922, 176 (1. Aufl. 1912).

162 f *«Der geheilte … Sterbliche.»*] Hollós 1928, 41.

164 *Unabsetzbaren*] s. [7], *98*.

165 ff *«Ich … geworden …»*] Hollós 1928, 43; im Orig.: «Wenn ich endlich frei gehen und kommen kann, tun und lassen [weiter wie hier zit.], dann werde ich endgültig nach Hause gehen.»

178 ff *«Dann war nicht … war.»*] ebd., 63.

200 ff *«Massen … aussah.»*] Hayes 1929, 67.

215 f *«hat den … mitgemacht.»*] ebd., IX, zit. aus der Einführung von Julius Goldstein.

222 *Walther von Hollander*] ‹Kulisierung Europas! Oder …?›, WB 27. 8. 1929, II, 315.

227 *Jurop*] Phonetisch für engl. Europe.

227 ff *Freiheit … Meinung*] So lauten die Kapitelüberschriften bei Hays.

229 *(die Neger!)*] Zusatz von KT. Hays (ebd., 167–196) schildert in dem Kapitel an einem exemplarischen Fall die rassistisch motivierten Übergriffe gegen Schwarze in von Weißen dominierten Wohngebieten, die ungeachtet der verfassungsmäßig festgeschriebenen Freiheit der Wahl des Wohnsitzes an der Tagesordnung waren.

237 ff *«Die Polizei … aufrechtzuerhalten.»*] ebd., 120.

243 f *Italiener an die Fascisten*] Über die Auslieferung eines ital. Antifaschisten durch die US-Behörden berichtet Hays in der Einleitung; s. ebd., 5.

244 f *gegen die Protestler*] s. Hays 1929, 102, 106 ff (im Kap. ‹Freiheit der Rede und der Versammlung›).

245 *Fall Sacco-Vanzetti*] Die beiden amer. Anarchisten ital. Herkunft waren

nach umstrittenen Indizienbeweisen 1921 wegen Raubmordes zum Tode verurteilt worden. Obwohl seit 1925 ein Geständnis des wirklichen Täters vorlag, lehnte der Oberste Gerichtshof 1927 eine Wiederaufnahme des Falles ab. Noch im selben Jahr wurden Sacco und Vanzetti hingerichtet. KT gedachte der Justizopfer in dem Gedicht ‹7, 7› (s. Bd. 9 [114]), zuvor hatte er sich bereits für die Begnadigung eingesetzt (s. ‹[Sacco und Vanzetti]›, Bd. 9 [57]). Der Fall Sacco und Vanzetti hatte weltweit für Empörung gesorgt und eine anti-amer. Protestwelle ausgelöst, die ihren Niederschlag auch in Literatur und Kunst gefunden hat. – Hays, Mitglied des Verteidigungskomitees, widmet dem Fall das Kap. ‹Freiheit der Meinung› (ebd., 215–264).

ff *«Man … gerufen wird.»*] Hays 1929, 229.

Roman Upton Sinclairs] Sinclairs dokumentarischer Erfolgsroman ‹Boston›, der 1928 in den USA und 1929 in gekürzter Fassung in Deutschland erschien (zu Sinclair s. auch [123], *19*).

ff *«Um elf … August.»*] Hays 1929, 245; im Orig. «nachmittags» statt «nachts».

Fragebogen] Mit der Einführung der National Origins Act (auch: Immigration Act) vom Mai 1924 wurden Einwanderungsvisa eingeführt, die bereits in den Heimatländern bei der zuständigen konsularischen Vertretung der USA beantragt werden mußten. Dabei wurde eine Fülle von Auskünften gefordert: neben allg. Personendaten mußten u.a. Fragen beantwortet werden nach: Rasse, Beruf, Aussehen, Sprach-, Lese- und Schreibfähigkeiten, Name und Adresse der Eltern, Ankunfts- und Zielort in den USA, Fahrkartenbesitz, Grund der Einwanderung, geplante Dauer des Aufenthalts, vergangene Gefängnis- oder Armenhausaufenthalte, Aufenthalte der Eltern in einer Irrenanstalt. – Zudem waren im März 1929 die jährlichen Quoten von dt. Einwanderern von der amer. Regierung erheblich herabgesetzt worden (s. ‹Die Einwanderungs-Sperre›, BT 23.3.1929, A).

f *«… deutlich … erinnern.»*] Hessel 1929, 118 (in: ‹Vorschule des Journalismus›, s.u. *303*). Im Orig. «langvergangnes» statt «langvergangenes» und «verschlafnen» statt «verschlafenen».

f *Da ist … gehn.»*] Hessel 1929, 61 (in: ‹Leichtes Berliner Frühlingsfieber›, ebd., 60–67). Im Orig. «wohlgemerkt» statt «wohl gemerkt» und «Bahnen» statt «Bahn».

‹Teigwaren leicht gefärbt›] Hessel: Teigwaren, leicht gefärbt. Berlin: Rowohlt 1926; vgl. KTs Rez. in Bd. 10 [65], 70ff.

«Une … pisse»] Hessel 1929, 130 (in: ‹Vorschule des Journalismus›, s.u. *303*). Dt.: «Eine Frau, die heult wie sie pißt.»

f *«Gott … lieben Gott.»*] ebd., 137.

303 *Schilderung von Paris*] ‹Vorschule des Journalismus. Ein Pariser Tagebuch›, Hessel 1929, 98–176.

305 ff *«Dürfen … Leere?»*] ebd., 151.

322 *Kreis gekannt*] Nicht ermittelt.

339 *Oscar A. H. Schmitz*] In seiner Autobiographie (Teil 2: ‹Dämon Welt. Jahre der Entwicklung›. München 1926; Teil 3: ‹Ergo sum. Jahre des Reifens›, München 1927) charakterisiert Schmitz seinen Freund Hessel als «Reinprodukt der impressionistischen Zeit» (Schmitz 1926, 355 ff, hier: 355). Die Wiederbegegnung mit Hessel 1913 in Paris beschreibt Schmitz wie folgt: «Der Franzl kam mir wie ein Kind vor, das nicht begreift, wie jemand in dieser Welt nicht glücklich ist, wo es doch so viele Zuckerln gibt und das Weinen selbst seinen Reiz hat. Natürlich ist Franz Hessels gleichfalls zwiespältiges Wesen nicht annähernd erschöpft mit der Erwähnung dieser Seite, die er meiner Melancholie in jenen Tagen mit tröstender Absicht immer wieder zukehrte» (Schmitz 1927, 186 f).

349 *Karl Bröger*] Der sozialdemokrat. Schriftsteller und Journalist war im Weltkrieg mit seiner einen proletar. Nationalismus propagierenden Kriegslyrik bekannt geworden (‹Aus meiner Kriegszeit›, Nürnberg 1915; ‹Kamerad als wir marschierten›, Jena 1916; ‹Soldaten der Erde›, Jena 1918). Vgl. Bd. 13 [159], 205 ff. 1929 publizierte Bröger die in ca. 800 000 Exemplaren v. a. an die oberen Schulklassen verteilte Broschüre ‹Versailles! Eine Schrift für die Schuljugend. Im Benehmen mit dem Arbeitsausschuß Deutscher Verbände› (Berlin), in der er Deutschland als gedemütigtes Opfer der Siegermächte darstellte. Zwar setzten sich auch die Parteien der Linken für eine Revision des Versailler Vertrages ein, in dem im Titel genannten ‹Arbeitsausschuß Deutscher Verbände› (ADV), einer der beiden vom AA finanzierten Spitzenorganisationen der dt. Revisionsbewegung (s. Bd. 10 [65], *257*), arbeiteten aufgrund seiner rechten Ausrichtung jedoch nur vereinzelt Sozialdemokraten mit; s. Ulrich Heinemann: Die verdrängte Niederlage. Politische Öffentlichkeit und Kriegsschuldfrage in der Weimarer Republik. Göttingen 1983, 136–151.

142

Trunkenes Lied

V: Theobald Tiger
D[1]: WB Jg. 25, Nr. 42, 15. 10. 1929, II, S. 602
Bibl.: Nd s. Bonitz / Wirtz D 2304; 6 Nd; Ackermann: 1 NdzL; GW 7

acheln] (jidd.) Essen.
bedrippt] Niedergeschlagen, betreten.
in Gruppen] s. [163], *0*.
Unsern täglichen Verband gib uns heute!] s. [37], *248f*.

143

Handelsteil

V: Ignaz Wrobel
D^{1}: WB Jg. 25, Nr. 42, 15.10.1929, II, S. 603–604 [Rubrik:] Bemerkungen
Bibl.: Nd s. Bonitz / Wirtz D 2305; 4 Nd; GW 7

Da lesen wir nun] Solche Meldungen über Kursstürze an den Börsen häuften sich vor dem größten Kurszusammenbruch in der Börsengeschichte am 25.10.1929 (sog. Schwarzer Freitag), der die Weltwirtschaftskrise auslösen sollte, von der Deutschland besonders betroffen war; s. z.B. ‹Internationale Krisenstimmung›, Voss 5.10.1929; ‹Schwarzer Dienstag an der Börse›, 8-Uhr-Abendblatt 22.10.1929.
k.v.] Abkürzung für «kriegsverwendungsfähig».
f «*Wenn … verantwortlich.*»] Nicht ermittelt.
f «*Das Gesetz … schlafen*»] Zitat aus Anatole Frances Roman ‹Die rote Lilie› (‹Le Lys rouge›, 1894). Im 7. Kap. heißt es: «Den Armen liegt es ob, die Reichen in ihrer Macht und ihrem Müßiggang zu erhalten. Dafür dürfen sie arbeiten unter der majestätischen Gleichheit des Gesetzes, das Reichen wie Armen verbietet, unter den Brücken zu schlafen, auf den Straßen zu betteln und Brot zu stehlen» (Übers. von Franziska Gräfin zu Reventlow. Leipzig [1928], 94).

144

Lottchen besucht einen tragischen Film

V: Peter Panter (D^{1}); Kurt Tucholsky (D^{2})
D^{1}: Vossische Zeitung Nr. 251, 20.10.1929, Post-Ausg.; Unterhaltungsblatt Nr. 246, [S. 3–4]
D^{2}: Lerne lachen ohne zu weinen 1931, u.d.T.: Das Lottchen. 5. Das Lottchen besucht einen tragischen Film, S. 316–321
Bibl.: Nd s. Bonitz / Wirtz D 2306; 3 NdzL, 15 Nd; Ackermann: 1 NdzL; GW 7

Varianten

Die Varianten sind nach D^2 verzeichnet

2 was –] was **4** so –] so, **6** sag] sage **6** is] ist **6** wie'n] wien **7** netter.] *folgt Absatz* **8** so viel] soviel **8** Feuerwehren, was] Feuerwehren? Was **9** schon] son **9** Möbeltransport –] Möbeltransport … **12** auf!] *folgt Absatz* **12** na] Na **13** ich] Ich **14** Nö] Nee **17** warn] waren **17** Pfennig.] *folgt Absatz* **18** könntest] könntst **19** wird's] wirds **20** da] *fehlt* **22** 'n] n **22** heller] heller, **25** Ochse …] Ochse, **26ff** Ist … Jahr.] *fehlt* **31** Nu] *davor Absatz* **31** wird's] wirds **31** dunkel –] dunkel … **31** wird's] wirds **32** so viel] soviel **37** n'] n **38** geht's] gehts **40** Böses] böses **41** Person!] *folgt Absatz* **45** is] ist **47** Nachmittag –] Nachmittag, **47** eine!] *folgt Absatz* **49** keine!] keine. **50** man.] *folgt* Ich sag immer: **55** aus …] aus. *folgt Absatz* **57** war …] war – **59** interessant –] interessant, **61** sein.] *folgt Absatz* **61** Typ!] Typ, *(vermutlich Druckfehler)* **64** Bauch –] Bauch, **64f** weg …] weg. *folgt Absatz* **67** Vorkriegsguthaben] Kriegsguthaben **68** die] *fehlt* **71** auslösen!] *folgt Absatz* **74** mal –] mal, **78** ein …] *folgt Absatz* **78** lachst – ich] lachst! Ich **80** nicht.] nicht, **80** Wieso nicht] Nicht **82** behandelst.] *folgt Absatz* **84** überhaupt,] überhaupt **85** Allmächtiger!] Allmächtiger, **88** Kino …] Kino! *folgt Absatz* **88** immer] bloß immer **89** sind … man] sind! Man **90** was? –] was? **90** find'st] findest **94** Beine!] *folgt Absatz* **97f** sie –] sie; **98** is] ist **103** schmeckt] *fehlt* **104** Krebssuppe …] Krebssuppe **105** geseh'n] gesehn **106** geseh'n] gesehn **108** da,] da **110** Waschseide.] *folgt Absatz* **111** mal – –] mal – **113** möcht] möchte **114** sehen] sehn **114** ner andern Frau] andern Frauen **118** Weller] Willer **122** tausche,] tausche **123** Rommel] Romel **124** Wohnung.] *folgt Absatz* **124** Jott] Gott **125** kenn] kenne **126** verstehen] verstehn **126** verstehen] verstehn **131** ‹Die] Die **131** Orleans] Orleans –

Unter gleichem Titel produzierte der Südwestdeutsche Rundfunk eine halbstündige «Szene nach einer Kurzgeschichte von Kurt Tucholsky», für den Rundfunk bearb. von Karl Köstlin, die am 7.11.1930 abends vom SWR wie auch vom Südfunk ausgestrahlt wurde: «Es hieße der Arbeit Tucholskys, der einer der besten Zeit- und Gesellschaftskritiker ist, ihren größten Reiz nehmen, wollte man auf den tatsächlichen Inhalt dieses sauber gefeilten Dialogs eingehen. Nur so viel sei verraten, daß diese selbe kleine Geschichte schon jedem von uns passiert ist, wenn er im Kino war. Es muß ja nicht gerade die eigene Begleiterin sein, die mit so viel Aufmerksamkeit den spannenden Vorgängen auf der Leinwand folgt, daß das halbe Theater daran Anteil nehmen muß und kann.» (Südwestdeutsche Rundfunk-Zeitung Jg. 6, Nr. 44, 2.11.1930, 2, 12)

Zur Figur des «Lottchens» s. [36], *49*. Lisa Matthias fühlte sich in diesem Feuilleton gut getroffen. Die Vorstellung der verfilmten ‹Dreigroschenoper›, die sie zusammen mit KT besucht hatte, habe sie langweilig gefunden und deshalb leise vor sich «hingebrabbelt, Kommentare gegeben und ständig gefragt ‹Verstehst du das? ich nicht …›» (s. Matthias 1962, 99).

Wochenschau] Im Beiprogramm der Filmtheater gezeigte Zusammenstellung von Kurzfilmen, v.a. über aktuelle Ereignisse. Die ersten dt. Wochenschauen wurden 1914 gezeigt. Ende der 20er Jahre hatte die Ufa auf dem Sektor der Wochenschauen eine dominierende Position inne.

Käte] Die Ärztin Käte Jessel, von Lisa Matthias «mein Freund Käte» genannt (s. Matthias 1962, 155).

Daddy] Lisa Matthias nannte KT von Beginn ihrer Freundschaft an wegen seines «onkelhaften Aussehens» Daddy (vgl. Matthias 1962, 44).

Pudowkin] Der russ. Regisseur und Schauspieler hatte in der Rolle des Fedja Protassow in dem dt.-sowjet. Film ‹Der lebende Leichnam› (Regie: Fedor Ozep; UA: 14.2.1929 in Berlin) nach dem gleichnamigen Drama Tolstois seinen größten schauspielerischen Erfolg gefeiert.

fürs Auto] Lisa Matthias war passionierte Autofahrerin, vgl. die erste Lottchen-Geschichte ‹Ankunft›, Bd. 10 [126], sowie Matthias' Artikel ‹Autofahren in Deutschland›, WB 23.7.1929, II, 134–136. Die Widmung «Für IA 47 407» in KTs ‹Schloß Gripsholm› gab das amtliche Kennzeichen von Lisa Matthias' Wagen wieder (s. Bd. 14 [51], *7*, *7*).

f *Lieber arm … alt.*] Diese Variante der Wendung «Lieber arm und jung als alt und reich» hat KT in sein Notizbuch ‹Unreines›, sein «Sudelbuch», notiert (Nr. 94).

Bürgerkrieg] Seit 1925 andauernder Bürgerkrieg, in dem z.T. von Japan und den Westmächten unterstützte Bürgerkriegsgeneräle der mittel- und nordchines. Provinzen sowohl gegeneinander um die Übernahme der «Zentralregierung» in Peking als auch gemeinsam gegen die sog. «Südarmee», die nat.-rev. Truppen der Einheitsfront aus Kommunisten und Kuomintang-Partei, später gegen die Kuomintangregierung kämpften (vgl. Bd. 9 [56], *22*, *29*; [63], *26*; [86], *14*).

Tilden] Der amer. Tennisstar William Tilden, auch «Big Bill» genannt.

Reichsentschädigungsamt] Das Reichsentschädigungsamt für Kriegsschäden zahlte Härtebeihilfe u.a. für deutschstämmige Staatenlose, Reichsdeutsche aus Kongreß-Polen (verdrängte Optanten), die durch Liquidationen geschädigt worden waren.

Peter] Lisa Matthias' Sohn Peter Sternberg.

80 *Karlchen*] KTs Freund Erich Danehl, s. [83], *13*. Matthias führte seit 1928 einen Briefwechsel mit Danehl, s. Matthias 1962, 106.

84 *Jakopp*] KTs Freund Hans Fritsch, s. [83], *13*.

96 *Musch*] s. [36], *48*.

99 f *«TRETEN ... WEG!»*] Vgl. ‹Der Lese-Film›, Bd. 9 [64].

107 *Krenek*] s. [105], *22*.

116 *Augsburger Straße*] Straße südlich der Gedächtniskirche in Berlin.

131 *‹Die Jungfrau von Orleans›*] Vermutl. ‹La passion de Jeanne d'Arc›, Frankreich 1928; Regie: Carl Theodor Dreyer (dt. Verleihtitel u. a.: Johanna von Orleans).

145

Die Herren Wahrnehmer

V: Peter Panter
D[1]: WB Jg. 25, Nr. 43, 22. 10. 1929, II, S. 623–626
Bibl.: Bonitz / Wirtz D 2307; DT

Wirkung
Im Januar-Heft von ‹Muttersprache›, der Zeitschrift des Deutschen Sprachvereins, kommentiert der Hg. Oskar Streicher in der «Zeitungsschau» KTs Artikel: «P. P., oder Ignaz Wrobel, oder Kaspar Hauser, oder Theobald Tiger, oder Karl Tucholski, oder wie er sich sonst noch zu nennen mag, glaubt geistreich zu sein und quält sich vier Druckseiten lang, es seinen Lesern zu zeigen. Schimpfen dagegen fällt ihm leicht, vom gelegentlichen Schmutz gar nicht zu reden [...]. Nun, P. P. wird schwerlich erwarten, daß ihn jemand ernst nimmt und seinen albernen Reden einen Wert beilegt. Ob er wohl jeweils eine ‹Publikation› des Sprachvereins gelesen hat? Mit dem Vorgang, der den Zorn des Mannes veranlaßt, hat der Sprachverein selbst nichts zu tun. Was darüber alles in der ‹Weltbühne› steht, ist freie Erfindung eines Fabelgeistes. Das Tatsächliche läßt sich kurz berichten: Ein Berliner Arzt, Ludwig Paneth, hatte in der ‹Deutschen Medizinischen Wochenschrift› geäußert, daß die deutsche Sprache für gewisse, besondersvhoheitsvolle Gedanken kaum ausreichende Worte habe. Diese Äußerung hat einige Leser befremdet, und das Befremden ist nicht etwa öffentlich ausgesprochen, aber irgendwie der ‹Weltbühne› zugetragen worden.» (Jg. 45, H. 1, Sp. 23 f)

blaue Mauritius] Brit. Kolonialpostwertzeichen von 1847. Die Fehldrucke der ersten Auflage gehören zu den seltensten und wertvollsten Briefmarken der Welt.
posito gesetzt den Fall] Sprichwörtl. nach den Worten des Maurerpoliers Kluck in Angelys ‹Fest der Handwerker› (1828): «Positus, ich setz' den Fall».
DFUTSCHES REICH] Der infolge eines Plattenfehlers entstandene Fehldruck der erstmals am 1.4.1902 hg. Marke der Germania-Serie kam jeweils zweimal pro Bogen (à 100 Stück) vor.
Senfs Katalog] Das Weltverzeichnis ‹Gebrüder Senfs illustrierter Briefmarken-Katalog› (Leipzig), ersch. seit 1892.
f *«mit … Selbstbewußtsein»*] Nicht ermittelt.
Arbeitslosigkeit] Die Zahl der gemeldeten Arbeitslosen im Jahr 1929 hatte mit 3,1 Mio. im Februar ihren höchsten Stand erreicht, sie sank im Juli auf 1,4 Mio. und stieg bis zum Jahresende wieder auf 2,9 Mio. an.
Ludwig Paneth] Vgl. KTs Rez. von Paneths Schrift ‹Gesunde und kranke Nerven›, Bd. 13 [150].
f *Gesellschaft für … Forschung*] Nicht ermittelt.
Sonderabdruck] In: Deutsche Medizinische Wochenschrift Jg. 55, Nr. 18, 3.5.1929, 736–739.
Jung] KTs Rezeption von Schriften C.G. Jungs läßt sich 1929/30 belegen; s. [141], 124ff; [163], 177ff; Bd. 13 [150], 13ff; [151], 34ff. Vgl. auch die Briefe an Hedwig Müller 1934: Bd. 20 [B 89], 26f; [B 95], 40ff; [B 139], 17ff (der Brief vom 7.3.1934 beinhaltet KTs endgültige Distanzierung von Jung); 1935: Bd. 21 [B 38Q], 37, *37*.
Keyserling] Jung gehörte zum Wirkungskreis der von Keyserling gegr. «Schule der Weisheit» in Darmstadt; s. [77], *90*.
«Materialismus überwinden»] Vgl. [89], 306ff, *307*.
«Freidenker»] (In Deutschland zunächst auch: «Freigeister».) Auf die engl. und frz. Aufklärung zurückgehende Bewegung, die ein von allen Dogmen befreites Christentum forderte. Im 19. Jh. gewann die monistische Richtung der Freidenkerbewegung Einfluß im lib. Bürgertum (s. [97], *78*). Die marxist. orientierte sozialrevolutionäre Richtung des Freidenkertums schloß sich 1905 im «Verein der Freidenker für Feuerbestattung», 1908 im «Zentralverband der proletarischen Freidenker Deutschlands» zusammen.
Katholizismus] Vgl. KTs Auseinandersetzung mit dem Katholizmus in seinen zwischen 1929 und 1931 entst. ‹Briefen an eine Katholikin› (Buchausg. Reinbek 1970) an die kath. Publizistin Marierose Fuchs (Bd. 13 [16]).
Vulgär-Katholizismus] s. [141], *75*.

95 f *das ist ein weites Feld*] s. [36], *70*.

101 *Soziologie Simmels*] Vermutl. ist folgende Passage gemeint: «Wir alle sind Fragmente, nicht nur des allgemeinen Menschen, sondern auch unser selbst. Wir sind Ansätze nicht nur zu dem Typus Mensch überhaupt [...], sondern wir sind auch Ansätze zu der – prinzipiell nicht mehr benennbaren – Individualität und Einzigkeit unser selbst, die wie mit ideellen Linien gezeichnet unsre wahrnehmbare Wirklichkeit umgibt.» (Georg Simmel: Soziologie. Untersuchungen über die Formen der Vergesellschaftung. Leipzig 1908, 624; Kap. 9: Exkurs über die soziale Begrenzung.) KT hat sich die Passage in sein Notizbuch ‹Fremdes› notiert – Simmels ‹Soziologie› hatte er offenbar Anfang der 20er Jahre im Zusammenhang mit seiner geplanten gruppensoziolog. Studie (s. [163], *0*) studiert (s. KT an MT 18.11.1922).

105 *«rasch hingemachte Männerchen»*] Die von KT schon zuvor gebrauchte Wendung (s. Bd. 5 [161], 27ff) findet sich mehrfach in den ‹Denkwürdigkeiten eines Nervenkranken› des ehem. Senatspräsidenten beim Oberlandesgericht in Dresden Daniel Paul Schreber (Leipzig 1903, dort: «flüchtig hingemachte Männer»), die Freud in den ‹Psychoanalytischen Bemerkungen über einen autobiographisch beschriebenen Fall von Paranoia (Dementia paranoides)› (in: Jahrbuch für psychoanalytische und psychopathologische Forschungen, Bd. III. Leipzig, Wien 1911) aufgriff und die auch von Jung in ‹Wandlungen und Symbole der Libido› (1911/12; 2. Ausg. Leipzig, Wien 1925, passim) herangezogen wurden. KT besaß Schrebers Buch und hatte auch Kenntnis zumindest der Freudschen Schrift (s. ‹Französische Frauen›, Bd. 8 [99]), in der diese Formulierung ebenfalls zitiert wird (s. Freud 1943, Bd. 8, 253).

114 ff *«Sehr ... darstellbar.»*] Paneth 1929, 73, mit leichten Abweichungen zit.

117 ff *«Ist es ... auszudrücken.»*] ebd., 737.

124 *Reden Buddhas*] KT waren ‹Die Reden Gotamo Buddhos› in der Übers. von Karl Eugen Neumann (München 1911; 2. Aufl. 1921) bekannt; s. z.B. Bd. 9 [1], 829ff, *831*; Bd. 21 [B 49Q], 41ff, *43*.

128 *Tao*] Begriff des Taoismus, einer religiös-philosoph. Richtung in China, als deren Begründer Laotse gilt. Metaphysik und Ethik des Taoismus basieren auf den Begriffen Tao (dem Anfang, dem Absoluten, das alle Dinge der Welt hervorbringt) und Te (dem Wirken des Tao in der Welt der Hervorbringung und die Erhaltung des Universums in vollkommener Güte).

128 *Dvandva*] Sanskrit: Gegensatzpaar, Paar (Mann und Frau), Streit, Zweikampf Zweifel. Im Brahamismus wird nirdvandva, die Freiheit von bzw. Gleichgültigkeit gegen die Gegensätze angestrebt; vgl. dazu die Ausführungen in C.G. Jung: Psychologische Typen. Leipzig, Stuttgart 1921,

277–280 (Abschnitt: Die brahmanistische Auffassung des Gegensatzproblems), die KT bekannt waren (s. [141], *131*; [163], *177ff*).
Erklärung] In: Deutsche Medizinische Wochenschrift Jg. 55, Nr. 25, 21.6.1929, 1057f (Rubrik: Korrespondenzen); Zitat Z. 149ff: ebd., 1058.
f *Deutsche Sprachverein*] Der 1885 gegr. und sich rasch in zahlreichen Zweigvereinen ausbreitende Allg. Dt. Sprachverein strebte eine Normbildung für Reinheit, Richtigkeit und Schönheit der dt. Sprache an. KT verspottete den Verein in ‹Ein Pyrenäenbuch›, s. Bd. 9 [1], 5261ff. Vgl. auch seine Kritik am Sprachpurismus in ‹Die hochtrabenden Fremdwörter›, Bd. 13 [59].
Leserbriefe] Vgl. ‹Zuschriften aus dem Publikum›, Bd. 10 [56].
Publikationen] Der Deutsche Sprachverein gab seit 1886 u.a. die ‹Zeitschrift des Deutschen Sprachvereins› (seit 1925 u.d.T. ‹Muttersprache›) heraus. Bereits 1918 hatte KT ein vom Deutschen Sprachverein hg. Fremdwörterlexikon beiläufig kritisiert und dem Verein mangelndes Sprachgefühl vorgeworfen, s. ‹Neudeutsch›, Bd. 2 [179].
Nationalverband Deutscher Offiziere] s. [60], *114*.
f *Fechter*] Der wegen seiner völk. Literaturbetrachtung und -bewertung umstrittene Kritiker und Schriftsteller Paul Fechter war 1918–1933 Feuilletonchef der DAZ, s. [34], *43*.

146

Die fünfte Jahreszeit

V: Kaspar Hauser
D[1]: WB Jg. 25, Nr. 43, 22.10.1929, II, S. 631–632
Bibl.: Nd s. Bonitz/Wirtz D 2308; 32 Nd; GW 7

Überlieferung
KTs Handex. der WB (KTF): D mit hs. Bleistiftkorr.

Lesarten
3 Frühling] *davor* Der **12** Der Frühling –?] *gestr., arR* Das ist der Frühling. **13** Sommer] *davor* Der **25** der] *gestr., arR* Das ist der **25** Sommer –?] *korr. zu* Sommer **26** Herbst] *davor* Der **35** der Herbst –?] *gestr., arR* Das ist der Herbst **36** Winter] *davor üdZ* der **37** sofort] *davor udZ eingefügt* mit Recht **37** auflöst] *gestr., üdZ* verwandelt **43** kalt] *korr zu* Kalt **44** der Winter –?] *gestr., arR* dies ist der Winter **49** fünfte. –] *korr. zu* fünfte **55** an andern Tagen] *gestr.* **55f** atmet sie] *durch Umstellungszeichen korr. zu* sie

atmet **62 f** im Licht … Töne] *gestr.* **68** Tage –] *korr. zu* Tage **69** geht was vor] *gestr., arR* geschieht etwas **76** nun] gestr. **76** ist alles] *durch Umstellungszeichen korr. zu* alles ist **79** Das] *davor Absatzmarkierung eingefügt* **79 f** Wunder] *dahinter Einweisungszeichen, arR* des Spätsommers **84** Spätsommer] *davor* Nach **84** Frühherbst] *davor Einweisungszeichen, arR* und **84** und] *gestr.*

Bereits am 21.8.1918 hat KT seiner Freundin Mary Gerold geschrieben: «Dafür ist zur Entschädigung Herbst. Es ist ja nicht der richtige Herbst […] Aber es ist doch wenigstens angedeuteter Herbst und meine glücklichste Jahreszeit. Wenn mir etwas Gescheites einfällt, dann ist es bestimmt im Herbst; alles ist so klar und blau und von gar keinem andern Zweck erfüllt als nur da zu sein und sich bunt zu freuen. Der Frühling ist ein lilaner Kitschlümmel – außerdem erscheint er mir immer als Kulisse für das zukünftige Zeugungsgeschäft der Natur, ich mag ihn nicht. Aber der Herbst –! Da will die Natur gar nichts mehr; es ist, als ob sie sich nach all dem Gebären und nach aller Arbeit noch einmal ausruhte. […] Und alles strahlt und ist so blank und absichtslos und so vergänglich, jede Stunde nimmt von dem Glück – – In ‹Schluck und Jau› steht das schöne Wort ‹schlafbesoffen› – ich möchte sagen: ich bin herbstbetrunken. Und wenn wir einmal (19…) heiraten: dann soll es im Herbst sein.»

3 *Frühling … Lümmel*] Vgl. ‹Pfingsten›, Bd. 2 [121], 2.

5 f *präraffaelitisch*] Nach Art der Präraffaeliten, einer 1848 gegr. engl. Künstlervereinigung, deren Mitglieder symbolistisch und dekorativ malten.

33 *Stirnhöhlen*] KT litt seit Jahren an einer chronischen Entzündung der Nasennebenhöhlen; s. dazu Bd. 20 [B 1], *9*.

35 *Abbazia*] Ital. Name für das kroatische Opatija, am Golf von Rijeka, in den 20er Jahren ein Seebad und klimatischer Kurort.

82 *Johannistrieb*] Das zweite Austreiben mancher Holzgewächse im Juni/Juli; daher scherzhafte Bezeichnung für ein gesteigertes Bedürfnis nach sexuellen Beziehungen bei älteren Männern.

147

Fiat

V: Ignaz Wrobel
D^{1}: WB Jg. 25, Nr. 43, 22.10.1929, II, S. 640 [Rubrik:] Bemerkungen
Bibl.: Bonitz / Wirtz D 2309; DT

Boykott] Nicht ermittelt. Die ital. Regierung strebte die Nationalisierung der Industrie an und erschwerte den Import von Waren z.B. durch Zollschranken zum Schutz der heimischen Unternehmen (s. z.B. ‹Italiens Außenhandel›, Vorwärts 19.9.1929, M).
Hispano] Die spanische Firma Hispano Suiza produzierte zwischen 1904 und 1924 verschiedene Luxuswagen.
Maybach] Automobil der Luxusklasse der 1909 von den Brüdern Karl und Wilhelm Maybach gegr. Firma Maybach Motorenbau GmbH.
Fiat-Werke] 1899 gegr. ital. Konzern der Metall-, insbes. der Automobilindustrie mit Sitz in Turin (Fabbrica Italiana Automobili Torino).
«Was … vernünftig»] Hegel in der Vorrede zu ‹Grundlinien der Philosophie des Rechts› (1821): «Was vernünftig ist, das ist wirklich; und was wirklich ist, das ist vernünftig.» (G.W.F. Hegel: Werke. Auf der Grundlage der Werke von 1832–1845 neu edierte Ausg. Redaktion Eva Moldenhauer und Karl Markus Michel. Frankfurt/M. 1979, Bd. 7, 24)

148

Was dem Lakaien seine Livree ist der Republik ihre Sieges-Allee

V: Theobald Tiger
D[1]: AIZ Jg. 8 (1929), Nr. 44, S. 3
Bibl.: Nd s. Bonitz/Wirtz D 2174; 1 NdzL, 2 Nd; GW 7
Mit Photographien von Walter Nettelbeck

Datierung
23.10.1929; zur Datierung der AIZ-Texte s. [1], *0*

Die dem Text beigegebenen Photographien von Nettelbeck bilden zur Siegesallee gehörige Standbilder ab: Markgraf Otto I. (oben, ausgeführt von Max Unger), Bischof Otto von Bamberg (Mitte, ausgeführt von Walther Schott), Gerhard Leberecht von Blücher (unten links), Bischof Wigger von Brandenburg (unten rechts, ausgeführt von Walther Schott).

Sieges-Allee] Die Marmorstatuen von 32 brandenburg.-preuß. Herrschern säumten die Siegesallee (im Volksmund auch «Puppenallee») genannte, am 18.12.1901 von Wilhelm II. eingeweihte breite Promenade durch den Tiergarten in Berlin. Sie führte vom südlich gelegenen Kamperplatz zum Königsplatz, auf dem in unmittelbarer Nachbarschaft des RT bis 1938 auch die Siegessäule stand.

12 *machte ... Kippe*] Kippe machen: mit jemandem redlich teilen bzw. betrügerisch zum Schaden eines Dritten gemeinschaftliche Sache machen (Küpper 1997, 413). – Wohl Anspielung auf die den Kurs der Regierung stützende Haltung der Landeskirche während des Weltkrieges, s. [42], 131ff; zur wilhelmin. Ausrichtung der ev. Kirche noch während der WR s. ‹Fest sei der Bund!›, Bd. 12, 205–206 und K.

18 *In diesem Zeichen wollen wir siegen!*] In Anlehnung an die meist im religiösen Kontext gebrauchte Wendung «In diesem Zeichen wirst du siegen!» («In hoc signo vinces!»), sprichwörtl. nach Eusebius Pamphili: Vier Bücher über das Leben des Kaisers Konstantin, 1. Buch, 28. Kap.; Inschrift eines Kreuzes, das Konstantin dem Großen vor der Entscheidungsschlacht gegen Maxentius im Jahr 312 erschien.

149

Hej –!

V: Theobald Tiger
D[1]: WB Jg. 25, Nr. 44, 29.10.1929, II, S. 664–667
Bibl.: Nd s. Bonitz / Wirtz D 2310; 7 Nd; GW 7

32 *IHN*] Gott, dessen Name und ihn bezeichnende Pronomen in der christlichen Literatur in Majuskeln geschrieben werden.

45 *Gas*] s. [13], *67*.

53 *so liebt ihn die Frau*] Vgl. ‹Der Krieg und die deutsche Frau›, Bd. 9 [97]; Bd. 12, 212.

58 *Zeugung und beim Mord*] Vgl. [71], 177ff.

64 *Polaritätsphilosophie*] Philosophische Strömung, die die Polarität als ontologische Struktur einer in sich gegensätzlichen Wirklichkeit versteht. Vertreten u.a. von Schelling, Hegel, Schleiermacher.

82 *Pojaz*] Possenreißer, Hanswurst.

93 *Lenin*] Vgl. [4], *61*.

95 *verkappte Schwäche*] Zur kommunist. Kritik an KT und anderen linksbürgerl. Schriftstellern und Intellektuellen s. [109].

103 *Konzessionen*] Bereits 1927 hatte die amer. Standard Oil Company mit dem russ. Öltrust Naphta Absatzverträge geschlossen; s. Alfons Goldschmidt: Oil-Imperialismus, WB 2.8.1927, II, 163–165. Ende Febr. 1929 schlossen die Anglo-American-Oil-Company (eine Tochtergesellschaft der Standard Oil of New Jersey) mit einem Vertriebsunternehmen der Naphta, Russian Oil Products, einen Handelsvertrag auf drei Jahre, der

den Vertrieb russ. Ölprodukte auf dem engl. Markt sicherte (s. ‹Wirklich Ölfriede mit den Russen?›, DAZ 1.3.1929, A).

Zurück zur Natur] Schlagwort, das Jean-Jacques Rousseau zugeschrieben wird als Schlußfolgerung aus seiner Zivilisationskritik v.a. in der Abhandlung über die Frage: «Hat die Wiederherstellung der Wissenschaften und der Künste zur Läuterung der Sitten beigetragen?» (1750).

150

Die Tabellenzeitung

V: Kaspar Hauser
D[1]: WB Jg. 25, Nr. 44, 29.10.1929, II, S. 675–676
Bibl.: Bonitz/Wirtz D 2311; GW 7

Paschitsch] Der serb. Politiker Nikola P. Pašić, zwischen 1891 und 1926 mit Unterbrechungen mehrfach Ministerpräs. Serbiens (bis 1918), danach Jugoslawiens.

Zeppelinlandungen] s. [132], *7*.

Krach auf der Probe bei Brecht] s. [127], *11*.

Anschluß] Der Anschluß Österreichs an das dt. Reich, nach den Friedensverträgen ausdrücklich verboten, war ein polit. Dauerthema der Zeit mit Befürwortern auch in den Reihen der Linken. So war z.B. Reichstagspräsident Löbe Vorsitzender des 1920 gegr. Österr.-Deutschen Volksbundes, der den Anschluß auf dem Abstimmungsweg und mit Zustimmung des Völkerbundes anstrebte, s. Bd. 12, *208, 17*.

Bayern] s. [42], *182*.

China] Vgl. [144], *58*.

Litauen] Innenpolit. war das diktatorisch geführte Land nach 1926 großen Unruhen und heftigen Parteikämpfen ausgesetzt. Die Verfolgung und Massenverhaftung von Regimekritikern verschärfte sich nach dem Attentat auf den litauischen Ministerpräs. Woldemaras am 7.5.1929. Kommunist. Oppositionelle wurden zum Tode verurteilt und hingerichtet (s. ‹Scharfer Kurs in Litauen›, BVZ 14.5.1929, M; ‹Henkerjustiz in Litauen›, Berlin am Morgen 13.8.1929).

Neukölln] Arbeiterbezirk im Südosten Berlins.

Rede Briands] Vermutl. ist die Rede vor der Völkerbundversammlung in Genf am 5.9.1929 gemeint, in welcher der frz. Ministerpräs. seine Idee von einem vereinten Europa entwickelte, dessen Notwendigkeit er v.a. wirtschaftlich begründet sah.

Abtreibung] Die die Abtreibung betreffenden §§ 218–220 StGB, die Stra-

fen bis zu 10 Jahren Zuchthaus vorsahen, waren unverändert aus dem StGB von 1871 in die WRV übernommen worden. 1926 war eine Teilreform des §218 StGB erreicht worden, die u.a. Abtreibung nicht mehr als Verbrechen, sondern nur noch als Vergehen ansah, das mit Gefängnis bestraft wurde. Eine weitere Gesetzesänderung erfolgte 1927 nach einer Entscheidung des Reichsgerichts, wonach die medizin. Indikation keine strafbare Handlung mehr darstellte. Weitergehende Reformbemühungen wie die Einführung der Fristenregelung oder der sozialen Indikation, für die sich vor allem die KPD und ihr nahestehende Organisationen einsetzten, scheiterten. Der 1927 vorgelegte Strafgesetz-Entwurf enthielt die Abtreibungsparagraphen weiterhin, die diesbezügl. Beratungen wurden 1932 unterbrochen. Vgl. von KT ‹Die Leibesfrucht›, Bd. 10 [84]; ‹Die Leibesfrucht spricht:›, Bd. 13 [10].
Proteste Hugenbergs] Alfred Hugenberg, Adolf Hitler, Franz Seldte und Heinrich Claß hatten am 9.7.1929 als Führer der sog. Nationalen Opposition einen Reichsausschuß für das dt. Volksbegehren gegen den Young-Plan konstituiert (zum Young-Plan vgl. [37], *148f*). Das Volksbegehren, welches in den folgenden Monaten kontrovers diskutiert wurde, erreichte bis zum 29.10. die erforderliche Zahl der Eintragungen, so daß der vom Reichsausschuß erarbeitete Gesetzentwurf gegen den Young-Plan dem RT vorgelegt werden mußte. Am 30.11. sollte der RT den Gesetzentwurf in zweiter Lesung ablehnen. Schließlich sollte auch der Volksentscheid am 22.12.1929 scheitern.
öffentlicher Häuser] Bordelle.

151

Was tun die Birken?

V: Peter Panter
D[1]: WB Jg. 25, Nr. 44, 29.10.1929, II, S. 680 [Rubrik:] Bemerkungen
Bibl.: Nd s. Bonitz / Wirtz D 2312; 1 Nd; GW 7

1 *neulich hier gefragt*] s. [123].
7 f *Der Birke … Tag …*] Zitat aus dem Gedicht ‹Liebesnacht› (2. Strophe, Verse 2, 3, in umgekehrter Reihenfolge), in: Liliencron: Adjutantenritte und andere Gedichte. Leipzig 1883, 95. Ein Brief Georg Hermanns ist nicht überliefert.
11 *Liliencron*] KT war ein Bewunderer Liliencrons (s. [82], 51 f; Bd. 2 [F 20]) und zitierte häufig aus dessen Werk.

Neulich hat Franz Blei] ‹Liliencron›, im «Kalendarium» der ‹Literarischen Welt› (Jg. 5, Nr. 30, 26.7.1929, 4).
‹Literarischen Welt›] s. [70], *0*.
f *lese Franz Blei*] KT rezensierte Franz Bleis ‹Landfahrer und Abenteurer›, Bd. 2 [10], und ‹Unsittliche Literatur und die deutsche Republik›, Bd. 5 [74].

152

Auf einen großen Komiker

V: Theobald Tiger
D^1: Die Frechheit Jg. 5 (1929), H. 11, November 1929, S. 6
Bibl.: Nd s. Bonitz / Wirtz D 2313; 1 Nd

KT war stets ein großer Bewunderer Karl Valentins, dem er mehrere Texte widmete (s. ‹Der Linksdenker›, Bd. 6 [138]; ‹Abstecher nach München›, Bd. 8 [130]; ‹Zwecks Lachung›, WB 3.5.1932, I, 683–684; D 2728).
‹Die Frechheit. Ein Magazin des Humors› war das 1925 gegr. Programmheft des Kabaretts der Komiker. Aus Anlaß eines Berliner Gastspiels von Valentin im Nov. 1929 hatte ‹Die Frechheit› mehrere Prominente um Grußadressen gebeten. Neben KT antworteten: Heinrich Mann, Max Halbe, Carl Zuckmayer, Paul Morgan, Fred A. Angermeyer, Max Herrmann-Neisse, Kurt Pinthus, Roda Roda und Egon Erwin Kisch.

Willkommen in Berlin –!] Das Gastspiel Valentins und seiner Partnerin Lisl Karlstadt im Kabarett der Komiker begann am 1.11.1929.

153

Auf dem Nachttisch

V: Peter Panter
D^1: WB Jg. 25, Nr. 45, 5.11.1929, II, S. 701–705
Bibl.: Nd s. Bonitz / Wirtz D 2314; 1 Nd; GW 7
Sammelrez.: Der Briefwechsel von Theodor Fontane und Paul Heyse. 1850–1897. Hg. von Erich Petzet. Berlin: Verlagsgesellschaft der Weltgeist-Bücher 1929 – Klassischer Journalismus. Die Meisterwerke der Zeitung. Ges. und hg. von Egon Erwin Kisch. Berlin: Kaemmerer 1923 – Bernard

Grasset: Die Angelegenheit der Literatur. Einzig autoris. Übers. von Ernst Gieser. Berlin-Zehlendorf: Editeufra 1929. (Editeufra-Bücher. Bd. 3) – Afrika singt. Eine Auslese neuer afro-amerikanischer Lyrik. Hg. von Anna Nußbaum. Wien, Leipzig: F.G. Speidel'sche Verlagshandlung [1928] – Roland Dorgelès: Les Croix de bois. 277. Tsd. Paris: Michel 1929 – Der Krieg. Das erste Volksbuch vom großen Krieg. Hg. von Kurt Kläber. Berlin: Internationaler Arbeiter-Verlag 1929

6 *Pedd di ... uppn Slips!*] (Niederdt.) «Tritt dir nur nicht auf den Schlips».

13 *falschen Galsworthys*] 1928 bekannte KT, die Bücher des v.a. durch den Romanzyklus ‹The Forsyte Saga› (1906–1921; dt. 1925) bekannt gewordenen Romanciers und Dramatikers nicht zu lesen (s. Bd. 10 [22], 113f). Seine Abneigung begründete er im Brief an Hedwig Müller vom 29.9. 1935: «Galsworthy zu lesen halte ich für eine graue Zeitverschwendung. Wozu? Das kann doch jede Maschine herstellen, das sollen auch Maschinen lesen. Oder die englische Mittelklasse» (Bd. 21 [B 117], 42ff).

26 f *Blüh auf, mein Herz!*] Vermutl. in Anlehnung an das Gedicht ‹In meines Vaters Garten› von Otto Erich Hartleben, in dem es jeweils im 2. Vers jeder Strophe heißt: «blühe, mein Herz, blüh' auf!» Das Lied wurde um 1900 von Alma Mahler-Werfel vertont (in: Fünf Lieder, op. 2, 1910).

34 *das ist nun zum Entzücken gar!*] Goethe: Faust I, Vers 2618.

38 f *«Ich bin ... kommt.»*] Fontane/Heyse 1929, 66f (Brief Nr. 50 vom 28.11.1859). Dort «freier Schriftsteller» in Anführungszeichen.

46 *geölte Friseurkopf*] Vgl. KTs Kritik an Heyse im Brief an Mary Gerold vom 5.10.1919: «Heyse –? ein alter, guter, etwas geleckter Herr. Man muß ihn aus seiner Zeit heraus verstehen. Er fand einen ziemlich verlodderten Garten der Kunst vor – und brachte etwas mit, das man damals ‹Formgewandtheit› nannte, das er oft genug auf Kosten eines tieferen Sinnes spielen ließ. Er sagte es hübsch. [...] Er war in dem alten München eine Modegottheit und ein – für mein Gefühl etwas süßlicher – homme à femmes.»

47 *Heyse-Archiv*] Der Bibliothekar und Literaturhistoriker Erich Petzet, nach Heyses Tod 1914 dessen Nachlaßverwalter, richtete das Heyse-Archiv in der Bayerischen Staatsbibliothek München ein. Die ersten Stücke wurden dem Archiv 1909/10 noch von Heyse selbst übergeben, 1928–30 kam der Hauptnachlaß durch Schenkung bzw. testamentar. Verfügung der Witwe in die Bibliothek. In den Anm. zum Briefwechsel nennt der Hg. als Aufbewahrungsort der Handschriften das «Paul-Heyse-Archiv von Frau Anna von Heyse in München» (Fontane/Heyse 1929, 225).

48 *Nobelpreis*] 1910 hatte der 80jährige Heyse als erster dt. Dichter den Lite-

ratur-Nobelpreis erhalten. Kritiker warfen der Schwed. Akademie vor, sie zeichne nur «erhabene Greise» aus und das Gremium der Preisrichter sei selbst überaltert. Im Gutachten des Komitees wurde die Entscheidung u.a. damit begründet, die Lektüre von Heyses seit den 50er Jahren des 19. Jh. erschienenen Novellen sei eine Wiederbegegnung mit der Jugendlektüre der Komiteemitglieder (s. Gunnar Ahlström: Kleine Geschichte der Zuerkennung des Nobelpreises an Paul Heyse. In: Nobelpreis für Literatur. 1908–1911. Lachen am Zürichsee 1995, 7–19).

‹Maria Magdalena›] Paul Heyse: Maria von Magdala. Drama in fünf Akten (Berlin 1899); UA 1902 in Bremen. Die Auff. am Berliner Lessingtheater war im Okt. 1902 vom Berliner Polizeipräsidium verboten worden. Nachdem der Bezirksausschuß die Verfügung zunächst verworfen hatte, sprach das Oberverwaltungsgericht am 19.1.1903 abermals ein Aufführungsverbot aus, da das Stück einen «Angriff auf die Religion» darstelle (s. ‹Heyses ‹Maria von Magdala› abermals verboten›, BT 20.1.1903, M).

Übersetzungen] Z.B. ‹Italienisches Liederbuch› (Berlin 1860); ‹Giuseppe Giusti, sein Leben und seine Dichtung› (Berlin 1875); Giacomo Leopardi: Werke. 2 Theile (Berlin 1878); ‹Italienische Dichter seit der Mitte des 18. Jahrhunderts›. 5 Bde (1889–1905). – Vgl. KT an MT 5.10.1919: «Aber er hat vieles aus dem Italienischen sehr gut und glatt übersetzt.»

Meistersingerhaftes] Der Meistersang war im 15. und 16. Jh. eine zunftmäßig betriebene Liedkunst. Die Meistersinger waren meist in Städten seßhafte Dichter-Handwerker, die in Singschulen organisiert waren.

Märkers] Bezeichnung für die Bewohner der ehem. Mark Brandenburg. Mit seinen ‹Wanderungen durch die Mark Brandenburg› (4 Bde, 1862–1882) hatte der in der Mark aufgewachsene Fontane einen erfolgreichen literar. Reiseführer durch seine Heimat vorgelegt.

«Ich finde ... läßt.»] Fontane/Heyse 1929, 83 (Brief Nr. 38 vom 13.3.1860).

böhmische Fremdenführer] Anspielung auf Max Reinhardts 1901 im Cabaret «Schall und Rauch» aufgeführte Szene ‹Ein böhmischer Fremdenführer›, worin die von KT zit. Wendung mehrmals variiert wird (in: Schall und Rauch. Bd. 1. Berlin, Leipzig 1901, 215–235).

«Jetzt ... tot!»] Nach «Laßt uns essen und trinken; denn morgen sind wir tot» (1. Kor. 15, 32).

Aufsatz von Börne] Ludwig Börne: Über Goethes ‹Tag- und Jahres-Hefte› von 1789–1806 (Kisch 1923, 712–724) aus Börnes ‹Briefe aus Paris›. 3. Teil, 51. Brief (1833).

Johann Wolfgang ... Weimar] Eine Ähnlichkeit Goethes mit dem für seine Eitelkeit und Pathetik bekannten Schauspieler und Theaterdirektor Ernst von Possart behauptete KT wiederholt, vgl. z.B. Bd. 5 [167], 2f; Bd. 8 [59], 40f; Bd. 9 [42], 69ff.

92 f *Helferich Peter Sturz*] Sturz ist mit den 1768 im ‹Deutschen Museum› ersch. Artikeln ‹Modebericht› (Kisch 1923, 355–360), ‹Über Linguets Verteidigung der Todesstrafen› (ebd., 447–453) und ‹Interview mit Ben Johnson› (ebd., 695–700) vertreten.

93 *Ernst Moritz Arndt*] Kisch hat von Arndt den Text ‹Wird der Herrscher der Insel Elba noch einmal Europa beherrschen?›, 1815 in der von Arndt hg. Zeitschrift ‹Der Wächter› erschienen, in seine Sammlung aufgenommen (Kisch 1923, 107–119).

94 *guten deutschen Patrioten*] Arndt war v.a. durch seine aggressive antifrz. Lyrik und polit. Publizistik aus der Zeit der Befreiungskriege berühmt (z.B. das Gedicht ‹Der Gott, der Eisen wachsen ließ›). Seine Forderungen nach polit. Einheit der dt. Staaten und nach einer liberalen, auf einer ständischen Verfassung und gesicherten Freiheitsrechten basierenden Monarchie, die ihm nach dem Erlaß der Karlsbader Beschlüsse 1819 polit. Verfolgung wegen demagogischer Umtriebe und die Dienstenthebung als Prof. in Bonn eintrugen, sowie seine Vorbildfunktion für die Dichter des Vormärz gerieten darüber in den Hintergrund.

100 *Editeufra*] Die Editio Teuto-Franka, verlegt von Ernst Gieser, sollte einen «aktiven Schritt auf dem Wege der geistigen Verständigung (entente spirituelle) zwischen Frankreich und Deutschland […] tun» (Vorbemerkung des Verlegers in Grasset 1929; s.u. *107*).

101 *‹Tagebuch eines Dobermanns›*] [Ernst Gieser:] Aus dem Tagebuch eines Dobermanns. Von Guy. Berlin-Zehlendorf: Editeufra 1929 (Editeufra-Bücher Bd. 4).

101 f *‹Bemerkungen über die Tat›*] Bernhard Grasset: Bemerkungen über die Tat nebst einigen Betrachtungen über den schöpferischen Trieb und die verschiedenen Schöpfungen des Geistes. Autorisierte Übers. von Ernst Gieser. Berlin-Zehlendorf: Editeufra 1928 (Editeufra-Bücher Bd. 2).

106 *schwedischen Nachttisch*] s. [53], *1*.

107 *«L'Affaire de la Littérature»*] Bernard Grasset: La chose littéraire. Paris: Gallimard 1929.

109 *«Publizität»*] Z.B. Grasset 1929, 21: «Und so gelangen in fünf Linien oder zwei Spalten durch Artikel und Interviews zu dem großen Publikum die Nachrichten aus der literarischen Welt, die wahren und die falschen, gratis und bezahlt, denn über das gesagte hinaus gibt es noch eine Publizität dieser verdammten Verleger, die sich überall eindrängt, alle Formen annimmt, sodaß sie nicht mehr zu erkennen ist und daß man nichts mehr zu glauben wagt.»

Plötz] Karl Julius Ploetz, der weitverbreitete Lehrbücher für den Französisch-Unterricht verfaßte.

ff *«Wenn … Betrachtung.»*] Grasset 1929, 35; statt «Einzelheiten» im Orig. «Details»; statt «Ihnen zu nachdenklicher Betrachtung» im Orig.: «daher Ihren nachdenklichen Betrachtungen».

Papa Radiguets] Grasset verlegte in den 20er Jahren insbes. jüngere Autoren, darunter Werke von Maurois, Morand, Radiguet.

ff *«Ein besonderes … nimmt.»*] Grasset 1929, 89. Statt «kennen:» im Orig. «kennen,».; «Sache, die man nimmt» im Orig. gesperrt.

f *«Dirnen und Burschen»*] Claude Mc Kay: Harlem Tänzerin (‹Afrika singt›, 97).

Songs] s. [66], *65*.

Schnadasongs] Kontamination von Schnadahüpferl (Schnittertanz; im österr. und bayr. Alpengebiet Bezeichnung für ein vierzeiliges Scherz- oder Spottlied, meist aus dem Stegreif im Wechselgesang auf Ländlermelodien gesungen) und dem v.a. durch Brecht und Weill in Deutschland popularisierten modernen amer. «song» (s. [66], *65*).

Langston Hughes] Der Dichter ist in dem Band mit 37 Gedichten der am breitesten vertretene Autor. Er wird im Vorwort als Erneuerer des Blues und Anreger einer «moderne[n] Dialektschule» in der afro-amer. Lyrik vorgestellt (‹Afrika singt›, 10).

f *‹Deine Hände›*] Verfaßt von Angelina Weld Grimké (ebd., 121).

Sacco und Vanzetti] s. [141], *245*.

Weißer … sagen?] Verfasser: Joseph S. Cotter jr. (‹Afrika singt›, 84).

über Remarque] Remarques Bestseller ‹Im Westen nichts Neues› (s. [68]). Am 26.5.1929 hatte KT an MT geschrieben: «‹Croix de Bois› für meinen Geschmack viel stärker als der Remarque – ist leider unübersetzbar. Wenn Du es nicht mehr liest: kannst Du es mir mal leihen? Ich schicke es Dir *zurück*. Es schadet aber nichts, wenn das nicht geht – dann lasse ich es mir aus Paris kommen. Man müßte ja doch mal darüber schreiben.» Am 16.6.1929 bedankte er sich bei MT für die Übersendung des Buches und schrieb: «Es ist sehr, sehr schwer, darüber zu schreiben; wie man das einem deutschen Publikum begreiflich machen soll … ‹Na ja›, werden sie sagen, ‹na und …?›»

seit Jahren] Der Roman war erstmals 1919 erschienen. Bei KT 1925 erstmals erwähnt, s. Bd. 7 [51], 9ff.

unübertragbar] 1930 urteilte KT über die dt. Übers. ‹Die hölzernen Kreuze› von Tony Kellen und Erhard Wittek (Luzern [1930]): «Die sehr schwierige Übertragungsaufgabe ist nicht schlecht gelöst» (s. ‹Auf dem Nachttisch›, Bd. 13 [159], 196ff).

193 ff *«In dieser ... zog.»*] Dorgelès 1929, 8; KTs Übersetzung; im Orig.: «Les fleurs, à cette époque de l'année, étaient déjà rares; pourtant on en avait trouvé pour décorer tous les fusiles du renfort et la clique en tête, entre deux haies muettes de curieux, le bataillon, fleuri comme un grand cimetière, avait traversé la ville à la débandade.»

202 f *«Schon ... Glücks.»*] ebd., 14. Im Orig.: «Rien que les noms que je prononçais me faisaient revivre un instant tout ce bonheur perdu.»

205 *«adjudant»*] Kellen und Wittek (s.o. *186*) wie auch neuere Lexika übers. ebenfalls «Feldwebel». Sachs-Villatte. Enzyclopädisches Wörterbuch der französischen und deutschen Sprache (2 Teile). Berlin 1888, gibt für «Feldwebel» die Übers. «sergeant-major» (in der Infanterie) und «maréchal des logis» (in der Artillerie). Die Übers. von «adjudant» lautet «Adjutant, Gehülfe».

205 ff *Der Feldwebel ... eingerechnet»*] Dorgelès 1929, 16. Im Orig.: «L'adjudant Morache, qui aimait nous gâter de ces sortes de promesses, avait tout de suite annoncé douze balles dans la peau pour le contrevenant, sans compter le coup de grâce.»

208 ff *«Ja ... haben ...»*] ebd., 199. Im Orig.: «Oui, c'était un gars de Cotteville. Il avait deux gosses. [Absatz] Deux gosses; grands comme son poteau ...»

213 *Schlacht an der Marne*] Für die Anfangsphase des 1. Weltkriegs und v.a. für den Übergang vom Bewegungs- zum verlustreichen Stellungskrieg entscheidende Schlacht in Nordfrankreich vom 5. bis 9.9.1914 (s.a. [68], *65*).

213 f *pour une bataille c'était une bataille*] Etwa: Was für eine Schlacht / War das eine Schlacht.

214 f *«Weißt ... Tilloy ...»*] Dorgelès 1929, 21. Im Orig.: «Tu t'souviens des petits melons de Tilloy ...»

215 f *«In Gueux ... voll –!»*] ebd. Im Orig.: «Eh bien, et les seaux de pinard, quand on est entré dans Gueux.»

219 ff *«Komm ... über :»*] ebd., 123. Im Orig.: «Viens vite voir, avait-il braillé à sa bourgeoise. Dépêche, il ne va plus en rester. – Je peux pas laisser le lait, avait-elle répondu d'en bas, il va se sauver.»

226 ff *«sie denkt ... zupfte.»*] ebd., 137. Im Orig.: «Elle pense à nous, lorsque le régiment est aux tranchées. Et quand le canon tonne dur, elle compte candidement chaque coup ... ‹Un peu ... Beaucoup ... Passionnément ...› comme si elle effeuillait la marguerite.»

231 *hier einmal veröffentlicht*] In der WB vom 1.2.1927 hatte KT die Übertr. einer Passage aus dem Buch u.d.T. ‹Wann? Heute!› veröffentlicht (s. Bd. 9 [185*]).

233 ff *«Ja ... dann – –»*] Vgl. Dorgelès 1929, 130 f (Orig. in Bd. 9 [185*], *0*).

244 *«Est-ce ... mot ...»*] ebd., 309; Übers. von Kellen und Wittek (Dorgelès

[1930], 291; s.o. *186*): «Ist das nicht verrückt, was, wegen eines Wortes, seine Haut aufs Spiel zu setzen …»
Tommys] s. [139], *0*.
f *«Seulement … causer.»*] Dorgelès 1929, 321. Übers.: «Allerdings, das eine haben wir für uns, wir können reden.» (Dorgelès [1930], 304)
f *«die sie … haben …»*] ebd., 122; im Orig.: «Les Allemands riaient, et jetaient aux enfants des poignées de bonbons, qu'ils avaient volés dans Reims.»
Sappe] Im Stellungskrieg ein aus der vordersten Linie vorgetriebener kurzer Stichgraben mit einem Horchposten. Vgl. Kap. XI.: ‹Victoire›, ebd., 225–262.
f *Internationalen Arbeiter-Verlag*] 1927 gegr. zentraler Parteiverlag der KPD.
Wir sind alle drin] Die Anthologie enthält Beiträge von meist zeitgenöss. Schriftstellern unterschiedlichster polit. Herkunft, u.a. von Remarque, Ringelnatz, Dos Passos, Becher, Brecht, Mehring, Renn, Kisch, Mühsam, Glaeser, Weinert, Lask, Hasenclever, Rolland, Sinclair, Jünger, von der Vring, Barbusse, Weiskopf, Schauwecker, France, Scharrer, L. Frank. Tucholsky ist mit den Gedichten ‹Die rote Melodie› (Bd. 4 [264], Kläber 1929, 101), ‹Drei Minuten Gehör!› (Bd. 5 [203], Kläber 1929, 89–91) und ‹Der Graben› (Bd. 6 [105], Kläber 1929, 106f) vertreten.
Sclutius damals] s. [68], *0*.

154

Ideal und Wirklichkeit

V: Theobald Tiger (D^1); Kurt Tucholsky (D^2)
D^1: WB Jg. 25, Nr. 45, 5.11.1929, II, S. 710
D^2: Lerne lachen ohne zu weinen 1931, S. 394–395
Bibl.: Nd s. Bonitz/Wirtz D 2315; 2 NdzL, 35 Nd; GW 7

Varianten
Die Varianten sind nach D^2 verzeichnet
3 knistern …] knistern. **9** Ssälawih –!] C'est la vie –! **11** biegen …] biegen, **12** mager …] mager, **15** Phantasie …] Phantasie. **24** Republik –] Republik … **24** die –!] die!

große Lange] Lisa Matthias zufolge war das Vorbild der «großen Langen» eine Frau namens Charlotte, Tochter eines Ullstein- oder Mosseredakteurs. KT habe sie später in Erika umgetauft, ihr 1931 das Feuilleton ‹Ich gehe mit einer langen Frau› (s. Bd. 14 [73]) gewidmet und sei Ende des selben Jahres mit ihr an die Riviera gereist (Matthias 1962, 174).

9 *Ssälawih*] Phonetisch für frz. «C'est la vie» (So ist das Leben).

155

Reinigung – aber womit?

V: Ignaz Wrobel
D^1: WB Jg. 25, Nr. 45, 5.11.1929, II, S. 711 [Rubrik:] Bemerkungen
Bibl.: Bonitz / Wirtz D 2316; DT

156

Die Macht der Wissenschaft

V: Kaspar Hauser
D^1: WB Jg. 25, Nr. 45, 5.11.1929, II, S. 713 [Rubrik:] Bemerkungen
Bibl.: Nd s. Bonitz / Wirtz D 2317; 6 Nd; GW 7

1 *Freie Deutsche Schule*] ‹Die Freie Deutsche Schule› (Vorgänger: ‹Freie bayerische Schulzeitung›), Würzburg 1919–1938. Hg. von Jakob Beyhl. Halbmtl. ersch. Lehrerzeitschrift.

5 ff *«Wenn … Ordnung.»*] ‹Altöttinger Liebfrauenbote. Sonntagsblatt für das katholische Volk› (Neuötting 1894/95–1936). Das Zitat findet sich in der Rubrik «Plauderstunde», Jg. 35, Nr. 10, 10.3.1929, 203.

8 *Hier in Schweden*] s. [53], *1*.

11 *Senta*] s. [65], *7*.

22 *3 mal 23 … näher.*] Anspielung auf eine als «69» bekannte Position beim Geschlechtsverkehr.

157

Die «dummen» Schweden

V: Peter Panter
D^1: Vossische Zeitung Nr. 266, 7.11.1929, Post-Ausg.; Unterhaltungsblatt Nr. 261, [S. 1]
Bibl.: Nd s. Bonitz / Wirtz D 2318; 1 NdzL, 2 Nd; GW 7

Wirkung

Am 10.11.1929 erschien in der Voss ein Leserbrief von A.F. Cohn, der die Herkunft des Ausdrucks auf wohl nicht ganz ernstzunehmende Weise zu klären versuchte: «Peter Panter wird es mir nicht glauben: aber die Redensart von den ‹dummen Schweden› ist eine Verwechslung mit den ‹dummen Dänen›, und auch diese ist ein Mißverständnis. Die Schuld daran trägt der dänische Nationalheilige Grundtvig, der in seinen ‹Dänischen Sprichwörtern› (2. Ausgabe 1875) dieses anführt: ‹Die dummen Dänen sagt der Deutsche.› ‹Der Deutsche› ist aber in Wirklichkeit eine dänische Bühnenfigur, ein hergelaufener Bursche namens Spazier in P.A. Helbergs ‹Der Virtuos Nr. 2› (1793), der nach Entdeckung seiner üblen Streiche ungestraft mit der höhnischen Genugtuung entläuft: ‹Ha, ha, ha! die dummen Dänen!› (so auf deutsch.) P.A. Helberg hat selbst bemerkt, daß diese Worte noch niemals verfehlt hätten, den lauten Beifall des Publikums zu erwecken. Die Redensart ist in Dänemark durchaus im Schwange, auch im Druck und ich selbst habe sie oft gehört; aber niemand scheint den Ursprung zu kennen und führt sie auf eine vermeintliche, noch heute geltende Mißachtung des Dänen durch die Deutschen zurück [...].» – Cohn vermutet weiter, der Ausdruck sei durch Handelsreisende nach Schweden gelangt.

«dummen» Schweden] s.o. *Wirkung*.
Hier oben in Schweden] s. [53], *1*.
«alter ... Kerl»] In dem von KT wiederholt zit. Wörterbuch von Daniel Sanders: Wörterbuch der deutschen Sprache. Bd. 2/2. Leipzig 1876, 1041. Das Geflügelte Wort geht nach Heinrich von Treitschke (Vorlesung über die Geschichte des preußischen Staates, Sommer 1879) auf Kurfürst Friedrich Wilhelm von Brandenburg zurück, der alte schwed. Soldaten zum Drillen der Rekruten in seine Dienste nahm.
Streichhölzer] Der schwed. Industrielle Ivar Kreuger hatte seit 1913 einen Finanz- und Zündholzkonzern aufgebaut, der nach dem 1. Weltkrieg rund dreiviertel des Weltmarktes für Zündwaren beherrschte. Vgl. KT in ‹Schloß Gripsholm›: «‹Es ist doch merkwürdig›, sagte ich. ‹Wenn die Leute in Deutschland an Schweden denken, dann denken sie: Schwedenpunsch, furchtbar kalt, Ivar Kreuger, Zündhölzer, furchtbar kalt, blonde Frauen und furchtbar kalt. So kalt ist es gar nicht.›» (s. Bd. 14 [51], 173ff)
Schwedenpunsch] s. [66], *196*.
tennisspielenden König] Der tennisbegeisterte, 71jährige Gustav V. von Schweden nahm noch aktiv an Tennisturnieren teil.
für Deutschland getan] Schweden bewahrte im Krieg Neutralität, die Re-

gierung agierte jedoch, wegen eines befürchteten Angriffs Rußlands, durchaus deutschfreundlich. Auch die bestehenden intensiven Handelsbeziehungen existierten weiter. Der uneingeschränkte U-Bootkrieg und der Eintritt der USA setzte die Regierung wegen ihrer Deutschlandpolitik zunehmend unter Druck und zwang sie zum engeren Anschluß an die Entente.

33 *deutsche Kinder unterstützt*] Auf Initiative des Internationalen Roten Kreuzes (s. [13], *51f*) führten zahlr. Länder Anfang Dez. 1923 eine Hilfsaktion für die notleidende dt. Bevölkerung durch. Beteiligt waren neben den nat. Rotkreuzgesellschaften versch. staatl. und kirchl. Stellen sowie private Verbände und Wohltätigkeitsorganisationen. Das schwedische Rote Kreuz stellte 60000 Kronen zur Verfügung, richtete z.B. Kinderspeisungen ein und ermöglichte Tausenden dt. Kindern die Unterbringung in Schweden (s. ‹Das mitleidige Schweden›, Voss 6.12.1929, M).

158

Berliner Theater

V: Peter Panter
D^{1}: WB Jg. 25, Nr. 46, 12.11.1929, II, S. 738–744
Bibl.: Nd s. Bonitz/Wirtz D 2319; 1 Nd; GW 7
Bespr.: ‹Die Unüberwindlichen. Nachkriegsdrama in 4 Akten› von Karl Kraus. Auff. im Studio der Berliner Volksbühne im Theater am Bülowplatz; Premiere: 20.10.1929; Regie: Heinz Dieter Kenter; Darsteller: Peter Lorre, Hans Peppler, Kurt Gerron, Paul Nikolaus, Josef Almas, Armin Schweizer – ‹Don Carlos› von Friedrich Schiller im Staatlichen Schauspielhaus; Premiere: 3.11.1929; Regie: Leopold Jeßner; Darsteller: Fritz Kortner, Lothar Müthel, Eleonora von Mendelssohn, Fritz Reiff, Arthur Kraußneck, Sybille Binder, Paul Bildt, Max Pohl – ‹Seltsames Zwischenspiel› von Eugene O'Neill im Deutschen Künstlertheater; dt. EA: 4.11.1929; Regie: Heinz Hilpert; Darsteller: Elisabeth Bergner, Theodor Loos, Erwin Faber, Helene Fehdmer, Rudolf Forster, Mathias Wiemann

Wirkung
KTs Theaterbespr. kommentierte Kraus: «Aber der Herr Tucholsky, der sich ganz gut auskennt, will ja nur der Volksbühne [...] das Argument von der Ungemäßheit der ‹Unüberwindlichen› für Berlin zubereiten helfen. ‹Nein, hier gibt es wohl keine Bekessys›. Selbst wenn es wahr und er-

heblich wäre, bliebe doch noch immer die trostlose Erkenntnis, was es alles dort wirklich gibt: Bekessys geistigen Nachwuchs, der es im Handumdrehn fertig kriegt, geistige Sachverhalte umzubiegen. Denn so dumm kann doch diese Kritik nicht sein, selber zu glauben, daß der Inhalt der ‹Unüberwindlichen› Entrüstung über journalistische Käuflichkeit sei und nicht vielmehr ein Gelächter über die Hörigkeit der Autorität und die Hinfälligkeit aller Realität vor dem entehrten Wort» (Die Fackel Jg. 31, Nr. 827–833, Anfang Febr. 1930, 74–77 und 90–92, hier: 92).

Da streiten sich die Leut herum] Zitat aus dem ‹Hobellied› in Ferdinand Raimunds Zaubermärchen ‹Der Verschwender› (1834).
bescheidener Mann, der Autor] Zu KTs Kritik am Umgang des Theaterbetriebs mit seinen Autoren vgl. [136].
Bearbeiter der Übersetzung] Anspielung auf die Plagiatsaffäre um Brechts ‹Dreigroschenoper› (s. [58], *91*).
f *berliner Volksbühne*] s. [63], *0*.
‹Unüberwindlichen›] Kraus schildert in dem kaum verhüllten Schlüsseldrama u. a. das Verhalten des Wiener Polizeipräs. Schober während der Wiener Arbeiterdemonstration im Juli 1927, bei der 84 Demonstranten und Unbeteiligte sowie 5 Polizisten ums Leben gekommen waren. Infolgedessen wurde die Auff. des Stücks in Österreich verboten, die UA fand am 5. 5. 1929 im Residenztheater Dresden (Regie: Paul Verhoeven) statt. Der ebenfalls im Stück dargestellte Kriegsgewinnler und Millionär Camillo Castiglioni erwirkte kurz vor der UA per einstweiliger Verfügung ein Verbot des 3. Aktes. In der Premiere wurde statt dessen eine Inhaltsangabe verlesen. Die UA war von Zuschauertumulten begleitet, das Presseecho geteilt. – Die hier besprochene Berliner Auff. wurde vermutl. von Schober, mittlerweile österr. Bundeskanzler und Außenminister, hintertrieben. Eine Wiederholung der Auff. am 3. 11. wurde wohl auf Intervention der österr. Gesandtschaft abgesagt (offziell aus technischen Gründen), eine Übernahme in den Abendspielplan verweigert. Wie die UA so kam auch die Berliner Auff. nicht über die Premiere (jeweils in einer Sonntagsmatinee) hinaus. Zur Entstehung und den Inszenierungen s. Kraus 1986 ff, 362 ff.
japanischen Schauspiele] Wohl das im 14. Jh. entstandene Nō-Theater.
‹Fackel›] Die 1899 von Kraus gegr. und seit 1912 ausschließlich von ihm geschriebene Zeitschrift ‹Die Fackel› führte einen sprachkritischen Kampf vor allem gegen das Wiener Pressewesen, dem er Sittenlosigkeit und Korruption vorwarf. Vgl. ‹Der zwanzigjährigen ‹Fackel››, Bd. 3 [54].
Bekessy] Der Wiener Journalist und Hg. mehrerer Boulevardblätter Imre Bekessy war von Kraus zwischen März 1925 bis Aug. 1926 in der ‹Fackel›

mehrfach wegen seiner erpresserischen Methoden angegriffen worden und entzog sich der anschließenden Verfolgung durch die Justiz ins Ausland. Als er 1927 versuchte, von Budapest aus seine Auslieferung an die Wiener Gerichte zu verhindern, indem er sich um die Annullierung seiner Staatsbürgerschaft bemühte, rief Kraus die Justiz auf, die Ausbürgerung zu verhindern (s. ‹Warnung in letzter Stunde. Der Schuft, den ich aus Wien verjagt habe›, in: Die Fackel Jg. 29, Nr. 759–765, Juni 1927, 117–120).

33 *Schober*] Der Wiener Polizeipräsident Johann Schober (s. o. *23*) war das Modell der Figur Wacker in den ‹Unüberwindlichen›.

38 *Was ist uns Bekessy?*] In Anlehnung an das sprichwörtliche «Was ist ihm Hekuba?» aus Shakespeares ‹Hamlet› II, 2, i. S. v. «jemandem gleichgültig sein».

45 *Dahlem*] Villengegend im Berliner Bezirk Zehlendorf.

47 *Literarische Welt*] s. [70], *0*.

47 f *Langer*] Felix Langer, Schriftsteller und Mitarb. des BT (s. [111], *131*).

48 *Sochaczewer*] Der Schriftsteller und Literaturkritiker Hans Sochaczewer publizierte u. a. in der Voss.

48 *Stefan Zweig*] Zweig schrieb Literaturkritiken für zahlr. deutschsprachige Zeitungen und Zeitschriften, so etwa BBC, BT, FZ, Die Literarische Welt, Münchner Neueste Nachrichten, Neue Freie Presse, Die neue Rundschau, Prager Tagblatt, TB.

50 *Lobst du … Juden*] In Abwandlung des im 19. Jh. verbreiteten Sprichwortes «Haust du meinen Juden, hau ich deinen Juden», das auf Hebels Geschichte ‹Die zwei Postillone› aus dem ‹Rheinländischen Hausfreund› (1811) zurückgeht, wo es heißt: «du sollst meinen Passagier nicht hauen, er ist mir anvertraut, und zahlt honett, oder ich hau' den deinigen auch.»

51 *französischen Presseschieber*] KT hatte sich wiederholt mit Korruptionsfällen in der frz. Presse auseinandergesetzt; s. z. B. [27]; [89], 249 ff; ‹40 Prozent – ziehen auch in Frankreich›, Bd. 10 [210]; s. ferner die Artikelserie über die ‹Pariser Presse› von Simson Carasco in WB 23. 4. 1929, I, 626–629; 7. 5. 1929, I, 699–702; 14. 5. 1929, I, 741–744; 4.6.1929, I, 849–852; 2. 7. 1929, II, 9–12; 27. 8. 1929, II, 310–313.

53 *Weekend*] s. [97], *130*.

60 *Castiglioni*] s. o. *23*.

63 f *hie Welf, hie Waiblingen*] Angeblich Parteiruf des Welfenherzogs Heinrich des Stolzen und des Hohenstauferkönigs Konrad III. im Jahre 1140 in der Schlacht bei Weinsberg.

66 f *Scherz, Satire und Selbstironie*] Nach dem Titel von Grabbes Literaturkomödie ‹Scherz, Satire, Ironie und tiefere Bedeutung› (entst. 1822, ED: 1827, UA: 1876).

ff *«Kommt … zu!»*] Grabbe: Scherz, Satire, Ironie und tiefere Bedeutung, III, 6.

seit Barlach] Vermutl. Anspielung auf das 6. Bild des Stücks ‹Der arme Vetter› (1918; UA 1921), das KT 1931 so beschrieb: «Jürgen Fehling hat einmal in einem Stück Barlachs so eine Szene aufgebaut: das Liebespaar saß inmitten einer Horde saufender Spießer am Tisch und sah sich an. Und die Trinkenden und Prostenden wurden immer stiller und stiller, schließlich erstarrten sie zu Wachsfiguren, nur die Liebenden sprachen noch und waren lebendig» (‹Liebespaar in London›, s. Bd. 14 [68], 84 ff, *84*).

f *Konzeptsbeamten*] Kraus: Die Unüberwindlichen, Szene im IV. Akt, in dem die Konzeptsbeamten während eines weihnachtlichen Festaktes im Polizeipräsidium aus ihrer opportunist. Rolle fallen und über das brutale Vorgehen der Polizisten bei der Demonstration berichten.

«Erster Mai!»] s. [64].

Staatstheaters] Das Staatliche Schauspielhaus am Gendarmenmarkt in Berlin, dessen Intendant war von 1919 bis 1930 Leopold Jeßner.

f *‹Der Kaufmann von Madrid›*] Anspielung auf Shakespeares Komödie ‹Der Kaufmann von Venedig› und Walter Mehrings Schauspiel ‹Der Kaufmann von Berlin› (vgl. [73], *0*; [136], *0*). Schillers Drama spielt z.T. am spanischen Königshof in Madrid.

Berlin W 50] s. [60], *145*.

dritte Inszenierung] Jeßner hatte das Stück 1915 am Neuen Schauspielhaus Königsberg, das er 1915–1919 leitete, danach noch einmal 1922 am Staatlichen Schauspielhaus Berlin inszeniert.

Wendriner] Zu der Figur des «Wendriner» s. [66], *284*.

Holländer] Felix Hollaender, der Theaterkritiker des ‹8-Uhr-Abendblattes›.

f *Welch Winter seines Mißvergnügens!*] Nach Shakespeares Königsdrama ‹Richard III.›, I, 1: «der Winter unsers Mißvergnügens» (Vers 1).

Mandel] Altes Zählmaß (= 15 Stück).

Versatzstücke] Die beweglichen Teile der Bühnenausstattung.

Angriffe] Schon seit Beginn seiner Berliner Intendanz 1919 wurde der Jude und Sozialdemokrat Jeßner wegen seines zeitgemäßen polit. Theaters von antisemit. und rechtskonserv. Kreisen angegriffen (zum Skandal um seine ‹Hamlet›-Inszenierung 1926 s. Bd. 8 [A 2], 1–24 und K). Einen Verriß der ‹Don-Carlos›-Inszenierung lieferte Arnolt Bronnen mit ‹Der Generalintendant›, in: Der Montag 4. 11. 1929, 2. Ausg.; s. dazu die «Antwort» ‹Generalintendant›, WB 12. 1. 1929, II, 753.

nicht weiß, wo Gott wohnt] Redensart; i. S. v. dumm sein (s. Röhrich 1994, Bd. 2, 569).

155 *Packard*] Automobil der amer. Firma Packard Motorcar Comp.

172 f *«märkischen Kommandostimmen»*] Fontane war 1870–1889 Theaterkritiker der ‹Vossischen Zeitung› für das Kgl. Schauspielhaus. Sein angestammter Parkettplatz trug die Nr. 23. – Die Wendung konnte als wörtl. Zitat nicht nachgewiesen werden. Möglicherweise bezieht sich KT auf Fontanes Kritik an den «Provinzial- und Regierungsbezirksdialekte[n]» auf der Bühne, die er exemplarisch am 24. 3. 1881 im Porträt des Schauspielers Alexander Mügge formulierte. Dieser spreche «aufs vollkommenste, gleichviel ob aus Natur oder Aneignung, das in die militärische Verklärung erhobene reine Deutsch des Regierungsbezirks Potsdam. Es sind das dünne, beinahe fistulöse Töne, die [...] in ihrer scharfen Trockenheit etwas Krähernes und Blechernes, unter allen Umständen aber etwas unsagbar Prosaisches aufweisen. Und um dieses unsagbar Prosaischen willen werd' ich mich mit diesem Tone – wenn es nicht zufällig die Darstellung einer typisch märkischen Figur gilt – auf unserer Bühne nie aussöhnen können.» (Th. Fontane: Causerien über das Theater. Hg. von Paul Schlenther. 2. Aufl. Berlin 1905, 387)

177 f *«Der Ihnen ... Mutter.»*] Schiller: Don Carlos, I, 5 (Verse 675–677).

188 *«Der König hat geweint»*] ebd., VI, 24 (Vers 4463 f).

195 *gemauschelt*] (jidd.-hebr.) jiddisch sprechen; auch pejorativ für «unverständlich bzw. Jargon sprechen» und «betrügen» gebraucht.

206 *«jewish science»*] Die Psychoanalyse war in konserv.-antisemit. Kreisen aufgrund der hohen Zahl jüd.-stämmiger Analytiker und ihres aufklärerischen Gehalts als «jüdische Wissenschaft» verschrien.

207 *«Ich hasse meine Mutter»*] Eugene O'Neill: Seltsames Zwischenspiel. Drama in neun Akten. Übertr. von Marianne Wentzel. Emsdetten 1957, 159 (7. Akt: «Gordon [...] *(denkt rachsüchtig)* Ich hasse sie genau so, wenn sie seine Partei nimmt! ... ganz egal, ob es meine Mutter ist!! ... sie ist nicht im Recht! ...»).

222 *Schaumgeborene*] Beiname der griech. Liebesgöttin Aphrodite.

224 *«innern Monologe»*] Epische Darstellungstechnik, die geistige und psychische Vorgänge wiedergibt. Nach Édouard Dujardin (‹Le monologue intérieur›, 1931) unterscheidet sich der Innere Monolog vom gewöhnlichen Theatermonolog, da dieser sich – als gesprochene Redeform – noch an ein Publikum wende. KT hatte sich 1927 kritisch mit dem Inneren Monolog auseinandergesetzt (s. ‹Der innere Monolog›, Bd. 9 [68], sowie KTs Rez. des Romans ‹Ulysses› von James Joyce, Bd. 9 [156], 193 ff).

226 f *«Er soll ... reden»*] Vermutl. bezogen auf den Monolog der Nina im 1. Akt, in dem sie «in müder Verachtung» dem Vortrag ihres Vaters zuhört: «Der Professor der toten Sprachen hält einen Vortrag ... ein Toter predigt

über die Vergangenheit Lebender […] tote Worte immer weiter …» (O'Neill 1957, wie oben *207*, 26f).

f *Galerie im Parkett*] Auf der Galerie befanden sich die billigen Sitz- und Stehplätze, die teuren Parkettplätze wurden von Kritikern und betuchten Publikumskreisen belegt.

‹*B. Z.* ›] Die 1904 gegr. ‹B.Z. am Mittag› erschien im Ullstein-Verlag und war die erste dt. Boulevard-Zeitung im Straßenverkauf.

Arnheim] Vermutl. bezogen auf eine Passage in Arnheims Artikel ‹Haeusser-Versammlung› (WB 16.3.1926, I, 430f) über die Rede des Sektenführers Haeusser vor Berliner Publikum: «Denn er erwies sich als ein überraschend geschickter Redner, wenn auch nach dem uralten Rezept: bühnenreifes Pathos und Gassenhauerjargon abwechselnd. Kaum hatte er ein Bibelwort herausgeschmettert, so tadelte er schon wieder die kleingläubigen, die da ‹den janzen Laden laufen lassen, wie er läuft›, und jeder kalte Schauer, den die drohend geschüttelten Manschetten hervorgerufen hatten, wurde durch eine lokal gefärbte Pointe belohnt.»

«Wie geht … Schraube!»] Kein Zitat aus O'Neills Stück, sondern Verdeutlichung der im Stück durchgängig sichtbar gemachten Diskrepanz des Gesagten und des «beiseite» gesprochenen Gedachten.

Joyce] s.o. *224*.

in Paris] Zu KTs häufig geäußerter Kritik am Pariser Theater vgl. z.B. ‹Gespräche über Pariser Theater›, Bd. 7 [29]; ‹Chevalier, Rip und die Andern›, Bd. 8 [18], 1ff; ‹Tote und lebendige Bühne in Paris›, Bd. 8 [111]; ‹Pariser Theater›, Bd. 8 [189]; ‹Pariser Abend›, Bd. 10 [99], 59ff; ‹Pariser Publikum›, Bd. 10 [149].

159

Mieter und Vermieter

V: Peter Panter
D[1]: Vossische Zeitung Nr. 274, 16.11.1929, Post-Ausg.; Unterhaltungsblatt Nr. 269, [S. 1]
Bibl.: Nd s. Bonitz/Wirtz D 2320; 5 NdzL, 5 Nd; Ackermann/Nickel: 1 NdzL; GW 7

f *ideologischen Überbau*] Vgl. [89], *307*.

Merk –:] Mit diesem Wort leitete Johann Peter Hebel häufig am Ende seiner Erzählungen im ‹Schatzkästlein des Rheinischen Hausfreundes› die Moral der Geschichte ein (vgl. ‹Unanständige Bilder›, Bd. 13 [101], 114ff).

160

Henri Barbusse und die Platte ‹Lord help me –!›

V: Ignaz Wrobel
D[1]: WB Jg. 25, Nr. 47, 19.11.1929, II, S. 763–768
Bibl.: Nd s. Bonitz / Wirtz D 2321; 1 Nd; GW 7
Rez.: Henri Barbusse: Faits divers. Paris: Flammarion 1928. Dt.: Tatsachen. Aus dem Französischen von Otto Flechsig. Berlin: Neuer Deutscher Verlag 1929

KT kam mehrfach in Artikeln und Briefen auf Barbusses Erfolgsroman ‹Le feu› (1916) zu sprechen (s. u.a. KT an MT 24.5.1918). Am 24.3.1929 hatte Henri Barbusse neben Friedrich Hollaender, Ernst Busch, Rosa Valetti u.a. an einer Tucholsky-Matinee des Neuen Deutschen Verlages in der Piscator-Bühne am Nollendorfplatz in Berlin teilgenommen.
Wirkung
s. [89], *307*.

1 ff *Jack … Glückspilz! –*] Frank Wedekind: Die Büchse der Pandora. Tragödie in drei Aufzügen mit einem Prolog (1913), III. Aufzug, Schlußszene (Jack nach dem Mord an Lulu).

6 *Dorotheenstraße*] In der parallel zu Unter den Linden verlaufenden Dorotheenstraße lag 1899–1906 die Wohnung der Tucholskys, nahe dem Französischen Gymnasium, das KT 1899–1903 besuchte.

8 *Schulfreund*] Nicht ermittelt.

25 *neben der Wollust*] Vgl. [89], 275 ff.

35 f *«Ich werde … lebe.»*] Philippe Monnier: Blaise, der Gymnasiast. Einzig berechtigte Übers. aus dem Frz. von Rudolph Engel und Marie Doederlein. München 1911, 212: «Ich werde mich an dieses Klopfen erinnern, solange ich lebe». KT hatte das Buch 1914 rezensiert (‹Blaise, der Gymnasiast›, Bd. 2 [74]) und später wiederholt von seinem «Lieblingsbuch» gesprochen (s. u.a. ‹Ein Kind aus meiner Klasse›, Bd. 7 [39]).

41 *Neuen Deutschen Verlag*] s. [126], *1*.

52 *Björnson*] Der norw. Schriftsteller Bjørnstjerne Bjørnson hatte jahrelang im Ausland gelebt (Deutschland, Italien, USA, Frankreich). In Norwegen trat er für die Demokratie und die Freiheit des Individuums und der kleinen Völker ein, insbes. für die nat. Selbständigkeit Norwegens und eine kulturelle Ausrichtung an Deutschland. Als Dramatiker bemühte er sich um eine eigenständige norweg. Theaterkultur, er engagierte sich zudem für die Volkshochschulbewegung.

Nansen] Nach dem 1. Weltkrieg hatte Nansen die Heimführung der Kriegsgefangenen aus Sowjetrußland geleitet und als Hochkommissar des Völkerbundes 1921–1923 Hilfsaktionen für das hungernde Sowjetrußland organisiert. 1922 erhielt er den Friedensnobelpreis. Im Juli 1922 wurde in Genf der auf seine Initiative geschaffene Nansenpaß intern. anerkannt. Dieser war zunächst Reisedokument für staatenlose russ. Flüchtlinge, in der Folge aber auch für Arme (1924) sowie assyr. und türk. Flüchtlinge (1928).

‹*Der Krieg*›] ‹La Guerre›, Barbusse 1928, 11–112. Dt.: ‹Geschichten vom Krieg›, Barbusse 1929, 21–105.

Hugengebirgen] s. [54], *59*.

«*Rouspéter*»] Vermutl. indirekte Bezugnahme auf die erste Geschichte ‹Jean qui pleure et Jean qui rit›, Barbusse 1928, 11–22; dt. Ausg.: ‹Bruder Lustig›, Barbusse 1929, 21–31.

«*dienstlich*»] Vgl. ‹«Dienstlich»›, Bd. 1 [180].

f *Köbes und Reichpietsch*] Der Heizer Albin Köbis [!] und der Matrose Max Reichpietsch waren 1917 an der dt. Marinemeuterei beteiligt gewesen. Sie wurden von einem Kriegsgericht zum Tode verurteilt und am 5.9.1917 hingerichtet. Zu den jurist. umstrittenen Urteilen vgl. Bd. 10 [152].

Dobring] Alfred Dobring, in den 20er Jahren Landgerichtsrat in Berlin, war einer der mit der Untersuchung der Meuterei beauftragten Kriegsgerichtsräte, die aus den Unruhen einen polit. motivierten Aufstand konstruierten. Untersuchung wie Verhandlungsführung Dobrings zeichneten sich durch Faktenmanipulationen und besonders scharfe Pressionen bis hin zu Todesdrohungen gegenüber den Angeklagten aus; s. Bd. 10 [152], 114 ff, sowie ‹Ein republikanischer Richter›, WB 19.4.1927, I, 643.

französische Liga für Menschenrechte] Die «Ligue des Droits de l'Homme» wurde 1898 gegr. im Kampf um die Revision des Dreyfus-Prozesses. Sie hatte großen innenpolit. Einfluß, da ihr zahlr. bekannte Intellektuelle und Politiker angehörten. Präsident der FLfM war von 1914 bis 1926 der radikalsozialist. Politiker Ferdinand Buisson, sein Nachfolger wurde Victor Basch. Auf dessen Aufforderung hin hielt KT einige Vorträge vor der FLfM. Zu KTs Kontakten zur frz. Liga s. Bd. 6 [63], *104 f*, *149*.

«*conseils de guerre*»] Kriegsgerichte. – Die frz. Kriegsverbrechen behandelte das 1925 ersch. Buch ‹Les Crimes des Conseiles de Guerre› von R.-G. Réau, zu dem der Generalsekretär der FLfM, Henri Guernut, ein Vorwort beisteuerte. In Frankreich entbrannte daraufhin eine heftige Auseinandersetzung um dieses Thema; s. ‹Die Verbrechen der Kriegsgerichte (Der Fall Herduin und Milan in Frankreich)›, in: Die Menschenrechte Jg. 4, Nr. 4/5, 20.4.1929, 8–12.

111 *«Sechs … Wand!»*] Vgl. ‹Le fusillé vivant›, Barbusse 1928, 59–70, hier: 62–67; dt. Ausg.: ‹Der erschossene Soldat›, Barbusse 1929, 63–71, hier: 66–69. Hier wie im folgenden KTs eigene Übersetzung.

116 *Französischen Straße*] Am 11.3.1919 hatte der Oberleutnant Otto Marloh ohne ersichtlichen Grund 29 Mitglieder der Volksmarinedivision in Hof und Keller des Hauses Französische Str. 32 in Berlin-Mitte erschießen lassen. Hugo Levin überlebte das Massaker und sagte als Zeuge im Prozeß gegen Marloh aus, der am 3.12.1919 vor einem Kriegsgericht begann. KT hat das Verfahren beobachtet und als absolut unzulänglich kritisiert (s. ‹Im Saal›, Bd. 3 [217], sowie ‹Prozeß Marloh›, Bd. 3 [232]).

118 f *«Zweihundert … übrigen …»*] Vgl. ‹Un assassin? Non, mille›, Barbusse 1928, 71–76; dt. Ausg.: ‹Es war nicht ein Meuchelmord, es waren tausend!›, Barbusse 1929, 72–76.

122 f *grauenerregende Geschichte*] ‹Le vengeance d'en haut›, Barbusse 1928, 85–90; dt. Ausg.: ‹Die Rache›, Barbusse 1929, 82–86.

138 *Olivier Bonnoron*] ‹Les deux récits›, Barbusse 1928, 51–58; dt. Ausg.: ‹Zwei Berichte›, Barbusse 1929, 56–62.

139 *nach Marokko*] 1921 bis 1926 kämpfte der Stamm der Rif-Kabylen unter Abd el-Krim im Sultanat Marokko gegen die frz. und span. Kolonialherrschaft. Der Befreiungskampf endete mit der Kapitulation der Aufständischen.

147 f *Paul-Prudent Painlevé*] Painlevé war bis zum Sturz des Kabinetts Briand am 22.10.1928 Kriegsminister, sein Nachfolger im Anfang Nov. 1929 gebildeten Kabinett Tardieu wurde André Maginot. – Painlevés zweiter Vorname Prudent bedeutet im Frz.: klug, verständig, um –, vorsichtig, vorausschauend.

150 f *«Que … l'administra-a-ation!»*] «Was wollen Sie! Man muß mit den Behörden auf gutem Fuß stehen!»

153 *Zweites Kapitel*] ‹La terreur blanche›, Barbusse 1928, 113–195; dt. Ausg.: ‹Terror›, Barbusse 1929, 109–171.

154 f *‹Was man aus Georgien gemacht hat›*] ‹Voici ce qu'on a fait de la Géorgie›. Paris 1929. In dt. Übers. als selbständige Publikation nicht nachgewiesen. In gekürzter Fassung u.d.T. ‹Georgien› in Barbusse: 150 Millionen bauen eine neue Welt. Berlin 1930, 101–338.

156 f *Rumäne Boujor*] ‹L'indomptable›, Barbusse 1928, 113–119; dt. Ausg.: ‹G. Boujor›, Barbusse 1929, 109–114.

161 f *«Sind die … Macht?»*] ebd., 113, hinter «Bolschewisten» folgt im Orig. «in Russland».

164 *rumänischen Emigranten*] ‹Quel est le pire supplice?›, Barbusse 1928, 143–158; dt. Ausg.: ‹Die schlimmste Strafe›, Barbusse 1929, 130–142.

f *Ferdinand von Rumänien*] ‹Ferdinand›, Barbusse 1928, 137–141; dt. Ausg.: ‹Prinz Ferdinand›, Barbusse 1929, 126–129.

eigner Anschauung] Im Mai 1918 war KT zur dt. Feldpolizei nach Rumänien versetzt worden. Mit Kriegsende im Nov. 1918 verließ er, zum Vizefeldwebel und Feldpolizeikommissar befördert, das Land. In zahlreichen Briefen hatte sich KT über Korruption und zivilisatorische Rückständigkeit in Rumänien beschwert (s. u. a. KT an MT 20.5.1918; KT an Blaich 21.5.1918). Noch in den 20er Jahren demonstrieren z.B. das Gedicht ‹Wenn Einer eine Reise tut …› (s. Bd. 8 [201]) sowie der Artikel ‹Rumänien, die «Schande Europas»!› (s. Bd. 10 [18]) KTs Aversion gegen das Land.

‹Et le Reste.›] Barbusse 1928, 197–282; dt. Ausg.: ‹Und Anderem›, Barbusse 1929, 173–244.

f *erschütterndsten Abschnitte*] ‹Le cheval de mine›, Barbusse 1928, 275–282; dt. Ausg.: ‹Das Bergwerkspferd›, ebd. 1929, 238–244.

bei Zola] Gemeint ist Zolas realist. Bergwerksroman ‹Germinal› (1885).

Unterlassungssünde] s. dazu und zum folgenden [89], 304 ff, *307*.

ff *«Ich sah … sagte er.»*] ‹Ensemble›, Barbusse 1928, 179–187, hier: 185 f; dt. Ausg.: Barbusse 1929, 164 f (in ‹Zusammengekettet›, 159–165).

f *Lustmord*] Zum Zusammenhang zwischen Grausamkeit und Sexualität s. auch [71], 179 f; [73], 165 f.

Wille zur Macht] Populärer, oft mißverstandener Begriff aus der Philosophie Friedrich Nietzsches. Titel einer postum von Nietzsches Schwester Elisabeth Förster-Nietzsche hg. Auswahl von Schriften Nietzsches aus dem Nachlaß (1901; 2., stark veränderte und erw. Fassung 1906), deren editorische Unhaltbarkeit und sachliche Ungemäßheit später nachgewiesen wurde.

«I will … sins!»] Reverend J.C. Burnett: Lord Help Me/The Gospel Train Is Leaving, 1926 (CBS 14180).

161

Die Besetzung

V: Theobald Tiger
D^{1}: WB Jg. 25, Nr. 47, 19.11.1929, II, S. 777
Bibl.: Nd s. Bonitz/Wirtz D 2322; 1 NdzL, 1 Nd; GW 7

Bergner] s. [158], 217 ff, sowie ‹Bergner! Bergner!›, Bd. 6 [16].
Graetz] s. [66], *54*.

14 *Veidt*] s. in DD ‹Der Clown Grock und Conrad Veidt›, Bd. 12, 189–190.

16 *Liedtke*] s. in DD ‹Porträt Harry Liedtke›, Bd. 12, 185.

32 *sag: Frankreich*] Anspielung auf die von dt. Seite als überhöht kritisierten Reparationsforderungen Frankreichs nach dem 1. Weltkrieg.

162

Einfachheit

V: Peter Panter
D[1]: WB Jg. 25, Nr. 47, 19. 11. 1929, II, S. 787–788 [Rubrik:] Bemerkungen
Bibl.: Bonitz / Wirtz D 2323; DT

22 *«Ignoramus»*] «Wir wissen es nicht», s. [97], *92*.

28 f *Der Kaiser hat ja keine Kleider*] Anspielung auf das Märchen ‹Des Kaisers neue Kleider› von Hans Christian Andersen.

29 *tombacknen*] Tombak ist eine goldfarbige Legierung aus Kupfer und Zink.

163

Die Anstalt

V: Ignaz Wrobel
D[1]: WB Jg. 25, Nr. 48, 26. 11. 1929, II, S. 798–805
Bibl.: Nd s. Bonitz / Wirtz D 2324; 3 Nd; GW 7

Schon 1924 hatte KT geplant, ein gruppensoziolog. Buch zu schreiben (s. SJ an KT 29. 7. 1924, in: Jacobsohn 1989, 205), das aber nicht zustande kam. Seine diesbezügl. Studien (vgl. z. B. [145], *101*) gingen statt dessen ein in mehrere Aufsätze, in denen er, wie auch in diesem Text, Porträts verschiedener gesellschaftl. Gruppen entwirft; vgl. z. B. ‹Deutsche Richter›, Bd. 9 [52], [55], [59]; ‹Die Beamtenpest›, Bd. 10 [162], [166].

0 *Anstalt*] KT hat sich immer wieder mit dem Thema Strafvollzug, dem System und den Zuständen in Straf- oder Erziehungsanstalten beschäftigt und in diesem Zusammenhang mehrere Bücher rezensiert; s. ‹Berliner Gefängnisse›, Bd. 4 [156]; ‹Gib ihm Saures – er kann sich nicht wehren!›, Bd. 5 [81]; ‹Ein Schädling der Kriminalistik›, Bd. 10 [100], [102]; ‹Die Siche-

rungsverwahrung›, Bd. 10 [199]; ‹Wir Zuchthäusler›, Bd. 14 [66]; s.a. die literar. Verarbeitung in ‹Schloß Gripsholm›, Bd. 14 [51]. Vgl. in diesem Bd. [37], 211 ff; [71], 222 ff; [141], 87 ff; [171].

f *Psychologie der Massen*] Auch Titel einer 1895 ersch. Studie vom Nestor der Massenpsychologie Gustave Le Bon, die KT ebenso wie Freuds ‹Massenpsychologie und Ich-Analyse› (1921) im Zusammenhang mit seinen Studien zu einer gruppensoziolog. Arbeit gelesen hatte. Diese Studien gingen auch ein in das Lourdes-Kapitel ‹Der Sardellenkopf› von KTs ‹Pyrenäenbuch› (s. Bd. 9 [1], 3217 ff); vgl. auch [80].

Arbeitshäuser] Korrektions- und Strafanstalten, in die sog. «liederliche» oder «arbeitsscheue» Personen (Bettler, Vagabunden, Prostituierte, Zuhälter) nach Verbüßung ihrer Strafe durch die Landespolizeibehörden bis zur Dauer von zwei Jahren eingewiesen werden konnten. Zur gesetzl. Regelung der Sicherheitsverwahrung von Gewohnheitsverbrechern in Arbeitshäusern s. Bd. 10 [100], 42 ff, *42*, *45*. – Eine Reform der Arbeitshäuser forderte Kurt Grossmann, der Sekretär der DLfM, in ‹Zwangsarbeiter›, TB 31.8.1929, II, 1432 f.

«der Mensch als Schauspieler»] Zentrale, zumeist negativ gewertete Problematik in der Philosophie Nietzsches. Möglicherweise spielt KT an auf eine Passage aus ‹Die fröhliche Wissenschaft› (in der 2. Ausg. von 1882), in welcher Nietzsche für die Zukunft ein Zeitalter des schauspielernden Menschen prophezeit. Auf die Griechen zurückblickend, klagt Nietzsche: «Aber was ich fürchte, was man heute schon mit Händen greift, falls man Lust hätte, darnach zu greifen, wir modernen Menschen sind ganz schon auf dem gleichen Wege; und jedes Mal, wenn der Mensch anfängt zu entdecken, inwiefern er eine Rolle spielt und inwieweit er Schauspieler sein *kann*, *wird* er Schauspieler … Damit kommt dann eine neue Flora und Fauna von Menschen herauf, die in festeren, beschränkteren Zeitaltern nicht wachsen können […], es kommen damit jedes Mal die interessantesten und tollsten Zeitalter der Geschichte herauf, in denen die ‹Schauspieler›, *alle* Arten Schauspieler, die eigentlichen Herren sind.» (5. Buch: Wir Furchtlosen, Aphorismus 356; Nietzsche 1968 ff, Abt. 5, Bd. 2, 278).

ehemalige deutsche Kaiser] Wilhelm II.

f *«eine einsame Insel … erlaubt»*] C. G. Jung: Psychologische Typen. Leipzig, Stuttgart 1921, 544, zum Ideal der Objektbeziehung des introvertierten Typus.

Leitende Frauen] s. [117], *44*.

164

Der verrutschte Hut

V: Theobald Tiger
D^1: WB Jg. 25, Nr. 48, 26. 11. 1929, II, S. 813
Bibl.: Nd s. Bonitz / Wirtz D 2325; 3 Nd; GW 7

1 ff *«Wenn eine … zuzuschreiben.»*] Nicht ermittelt.
12 *die Frauen haben das gern*] Mögl. Anspielung auf das Marsch-Intermezzo ‹Das haben die Mädchen so gerne› aus der Posse ‹Autoliebchen› (1912) von Jean Gilbert (Musik) und Alfred Schönfeld (Gesangstexte) nach einer Idee von Jean Kren.
19 f *Es erben … fort.*] Goethe: Faust I, Vers 1972 f.
30 *apart*] Getrennt.

165

Korresspongdanx

V: Peter Panter (D^1); Kurt Tucholsky (D^2)
D^1: WB Jg. 25, Nr. 48, 26. 11. 1929, II, S. 818 – 819 [Rubrik:] Bemerkungen
D^2: Lerne lachen ohne zu weinen 1931, u. d. T.: Korrespongdanx, S. 261–263
Bibl.: Nd s. Bonitz / Wirtz D 2326; 3 Nd; GW 7

Varianten
Die Varianten sind nach D^2 verzeichnet
1 schwedische] *fehlt* **2** (sonst nur abends)] *fehlt* **5** erzählen –] erzählen, **8** muß …] muß. **13** – für sich –] für sich **16** solche] *fehlt* **24** Junge] Junge flitzte **27** Tisch …] Tisch. **42** entstehen] entstehn **43** «Leckage»] Leckage **46 f** gewöhnen …] gewöhnen. **49** nur mit einem n hinten] hinten immer mit einem n **50** Sanctus] Sancte

1 f *schwedische Schreibtisch*] s. [53], *1*.
18 ff *«Wichtige Information … Fritz!»*] Nicht ermittelt.
50 f *Sanctus Epistola*] Anrufung des fiktiven Schutzpatrons des Briefes.

166

[Berichtigung]

V: Dr. Kurt Tucholsky
D[1]: Mainzer Journal Jg. 82, Nr. 276, 27.11.1929 [Rubrik:] Mainzer Stadtzeitung

s. auch [167].

KT hatte vom 18.11. bis 2.12.1929 eine Vortragsreise durch Deutschland unternommen. Er folgte damit Einladungen von literar. Gesellschaften, Kunstvereinen und Künstleragenturen. Stationen der Tournee waren Köln (18.11.), Frankfurt/Main (19.11.), Mannheim (22.11.), Wiesbaden (23.11.), Darmstadt (25.11.), Mainz (26.11.), Dresden (28.11.), Leipzig (29.11.), Breslau (30.11.) und Hamburg (2.12.). Er las dort aus seinen Sammelbänden ‹Mit 5 PS› und ‹Das Lächeln der Mona Lisa›, sprach jedoch auch über Frankreich oder über die anstehende Strafrechtsreform.
KT reagierte mit dieser Gegendarstellung auf die Zuschrift ‹Warnung vor Tucholsky› von Karl Goldbach, die am 25.11.1929 im ‹Mainzer Journal› erschienen war. Goldbach hatte darin über KTs Lesung in Wiesbaden berichtet, die untervPolizeischutz stattgefunden hatte und in deren Anschluß Walter B. Meyer, ein unbeteiligter Passant, von Nationalsozialisten verprügelt worden war, weil man ihn für KT gehalten hatte (s. KT an Meyer 27.11.1929; KT an MT 27.11.1929; Meyers Antwortbrief in der Rubrik «Antworten», ‹Wiesbaden›, WB 17.12.1929, II, 929f). Bereits während der Lesung war es zu Störungen im Publikum gekommen, als KT sein Gedicht ‹Der Graben› (Bd. 6 [105]) und den Text ‹Der letzte Ruf› (Bd. 10 [87]) vortrug, in dem es heißt: «Es gibt bekanntlich drei wahrhaft internationale Mächte: die katholische Kirche, die Homosexuellen und Standard Oil» und in dem von der «wasserspülenden Rolle des Staates» sowie von den «Kriegshämmeln» die Rede war (s. z.B. ‹Unter dem Schutz des Polizeiknüppels›, Westfälische Landeszeitung 27.11.1929). Der in der regionalen und überregionalen Presse kommentierte «Tucholsky-Skandal» hatte die öffentl. Entschuldigung des Vorstandes der veranstaltenden Literarischen Gesellschaft Wiesbadens und endlich dessen Rücktritt zur Folge (s. die Erklärung ‹Der Vorstand der Literarischen Gesellschaft›, Wiesbadener Tagblatt 29.11.1929; ‹Die Folgen des Tucholsky-Skandals›, Neue Wiesbadener Zeitung 3.12.1929; ‹Der Tucholsky-Zwischenfall endgültig begraben!›, Neue Wiesbadener Zeitung 19.12.1929; die Pressereaktionen dokumentiert ausführlich KTs ZAS, DLA).
Im ‹Mainzer Journal› hieß es: «Dr. Karl Goldbach schreibt uns: Die ‹lite-

rarische› Gesellschaft Wiesbaden hatte den sogenannten Journalisten Kurt Tucholsky, alias Ignaz Wrobel, alias Peter Panter, alias Kaspar Hauser zu einem Vortragsabend verpflichtet, obwohl doch dessen, nur auf Zersetzung eingestellten Geistesprodukte absolut nichts mit Literatur zu tun haben. [...] Gleich zu Beginn, als dieser Literat in unflätigster Weise das Christentum überhaupt und die katholische Kirche im besonderen beschimpfte (er nannte u.a. als die einzigen drei internationalen Großmächte: Die katholische Kirche, die Homosexuellen und die Standard-Oil – und verglich den Katholizismus mit einem Klosett mit Wasserspülung), machte sich lebhafte Unruhe im Saal bemerkbar und als er dann in einem Schmähgedicht unsere Frontkämpfer und gefallenen Helden – er nannte sie Kriegshämmel usw. – gerade am Vorabend des Totensonntags beschimpfte, da brach der offene Skandal aus und der anständige größere Teil des Publikums verließ ebenso wie die Vertreter der bürgerlichen Presse unter schärfstem Protest den Saal. Erst nach halbstündiger Pause konnte dann der Psychopath und Sexualpathologe Tucholsky im engsten Kreise seiner Gesinnungs-Genossen seinen Vortrag beenden. (Da Tucholsky morgen auch in Mainz sprechen soll, seien unsre Leser gewarnt).»
KTs Berichtigung (von KT aufbewahrt im ZAS, DLA) war im Anschluß an den Bericht über die Mainzer Veranstaltung im Konzerthaus der Mainzer Liedertafel gedruckt, in dem es hieß: «Der Wanderredner Dr. Tucholsky hat gestern seinen Vortrag über ‹Justiz und Sittlichkeit› im kleinen Saal der ‹Liedertafel› gehalten. Zuerst hat er abgestritten, die Äußerungen, die das Mainzer Journal mitteilte, in Wiesbaden getan zu haben. Namentlich habe er sich nicht so beleidigend gegen die katholische Kirche ausgedrückt. Selbstverständlich greife er das Zentrum mit seiner ‹weltfremden Auffassung› an. Die Kirche müsse genau so kritisiert werden, wie eine Partei. – Sodann fiel er über die Justiz und Polizei her, nannte die Richter nur Automaten und die Polizei eine Einrichtung der Willkür. Weiterhin streifte er das Sexualleben und die Bestrafungen wegen des Vergehens gegen § 218 usw. Einige Kriminalbeamten waren anwesend. Der Vortrag verlief ohne Zwischenfälle.» – Im Anschluß an die Berichtigung hieß es: «Was er in Wiesbaden gesagt hat, sagt Dr. Tucholsky aber nicht.»
Vgl. 1930 den ‹Brief an eine Katholikin›, Bd. 13 [16], 193 ff, in dem KT auf Goldbachs Angriffe zurückkommt. – Weiterhin s. KTs Berichtigung zur Lesung in Breslau in der ‹Linkskurve›, mit der er auf einen Bericht in dem Organ des BPRS reagierte, in dem behauptet worden war, Arbeiter hätten infolge überhöhter Eintrittspreise nicht an der Lesung teilnehmen können, die von einer Modenschau begleitet worden sei; s. Bd. 13 [14].

167

[Berichtigung]

V: Dr. Kurt Tucholsky
D[1]: Rheinische Volkszeitung (Wiesbaden), Jg. 47, Nr. 280, 2.12.1929

Vgl. [166].
KT reagierte mit dieser Gegendarstellung auf den Artikel ‹Kurt Tucholsky spricht unter dem Schutze des Polizeiknüppels› von Karl Goldbach in der ‹Rheinischen Volkszeitung› vom 23.11.1929, in dem es hieß: «Gleich zu Beginn des Vortrags erging sich dann Tucholsky in den wüstesten Schmähungen von Religion und Christentum und suchte alles, was uns heilig ist (ganz gleich, ob Katholiken oder Protestanten) in den Schmutz zu ziehen. Er entblödete sich nicht, [...] den Katholizismus mit einem Klosett mit Wasserspülung zu vergleichen [...]. Dieser Sexualpathologe und Psychopath Tucholsky fühlte sich dann so recht wohl in der Beschimpfung von Vaterland – das er nicht kennt –, von Staat – der ihn leider duldet –, von Justiz – die ihn noch nicht unschädlich gemacht hat. Das ist der typische zersetzende – nur zersetzende – Nihilist, der alles niederreißt». Des weiteren bezeichnete Goldbach KT als «Drückeberger und Landesverräter», der es gewagt habe, «am Vorabend des Totensonntags schwerste Beschimpfungen gegen die Gefallenen des Weltkrieges auszustoßen», und schloß seinen Artikel mit der Invektive: «Einen Fehlgriff der berechtigten Empörung des Publikums möchten wir aber doch erwähnen. Die Kampfparole gegen diesen anrüchigen ‹Literaten› lautete: ‹Schweinehund›. Dadurch wurde aber sowohl die Gattung Schwein als auch die Gattung Hund beleidigt. Und das war ungerecht. Tucholsky ist etwas, was weder unter Menschen noch unter Viecher gehört, Tucholsky ist Unkraut.»
KTs Richtigstellung wurde von der Redaktion mit der Feststellung eingeleitet: «Nachstehende Berichtigung geben wir der Schreibweise wegen wieder, nicht weil wir darin eine Richtigstellung sehen.» Und im Anschluß an diese hieß es: «Unser Referent teilt dazu mit: Sowohl ich als auch Dritte haben die fragliche Äußerung während des Vortrages unabhängig voneinander schriftlich niedergelegt. Angeblich waren in den Texten Streichungen vorgenommen. Tucholsky scheint sie im Eifer doch übersehen zu haben. Als Psychopath wird er das jetzt kaum noch wissen. Wir haben unser Urteil in keiner Weise zu revidieren.»

168

Weil wir grade

V: Peter Panter
D^1: WB Jg. 25, Nr. 49, 3.12.1929, II, S. 853–854 [Rubrik:] Bemerkungen
Bibl.: Bonitz / Wirtz D 2327; DT

2 *Reisen*] Vermutl. bezogen auf KTs Lesereise durch Deutschland, s. [166], *0*.
3 f *Welschen*] Althochdt., ursprüngl. german. Bezeichnung für die keltischen Nachbarn; roman. Länder wie Italien und Frankreich wurden als Welschland bezeichnet, die französischsprachige Schweiz als «welsche Schweiz».
5 *Bidet*] Vgl. [60], 14.
10 f *«Geigenkasten auf Beinen»*] s. Multatuli: Tabu! In: Multatuli: Auswahl aus seinen Werken. Übers. und eingel. von Wilhelm Spohr. Minden 1922, 308. Dort heißt es: «Violinkasten auf Füßen».
13 *Berlin eine Weltstadt*] s. [103], *163f*.
18 *französischen Eisenbahnwagen*] Vgl. Bd. 10 [32].
22 *Ich weiß … Sorgen*] Mögl. Anspielung auf Kritik von Seiten der Kommunisten; vgl. ‹Das Elend mit der Speisekarte›, Bd. 10 [132], und die Reaktion von Eisler in der RF (s. Bd. 10 [132], *0*).

169

Küche in der Hochsaison

V: Peter Panter
D^1: Vossische Zeitung Nr. 290, 5.12.1929, Post-Ausg.; Unterhaltungsblatt Nr. 284, [S. 1]
Bibl.: Nd s. Bonitz / Wirtz D 2328; 2 NdzL; DT

1 *Musch*] s. [36], *48*.
48 *Pikkolo*] Kellnerlehrling.

170

Die Panne

V: Peter Panter
D^1: Vossische Zeitung Nr. 293, 8.12.1929, Post-Ausg.; Unterhaltungsblatt Nr. 287, [S. 4]
Bibl.: Nd s. Bonitz / Wirtz D 2329; 1 NdzL; DT

Irony begins at home] Ironie beginnt zu Hause. Abwandlung des engl. Sprichwortes: «Charity begins at home» (sinngemäß: «jeder ist sich selbst der nächste»; charity: Nächstenliebe, Mildtätigkeit). Vgl. auch ‹Liberty begins at home›, Bd. 9 [56].
Senta] s. [65], *7*.
Gottes Wege sind wunderbar] Abwandlung des Sprichwortes «Gottes Wege sind unerforschlich» nach Römer 11, 33 («Wie gar unbegreiflich sind seine Gerichte und unerforschlich seine Wege!»).
Merk:] s. [159], *51*.

171

8 Uhr abends – Licht aus!

V: Ignaz Wrobel (D^1); Kurt Tucholsky (D^2)
D^1: WB Jg. 25, Nr. 50, 10. 12. 1929, II, S. 866–871
D^2: Lerne lachen ohne zu weinen 1931, S. 93–102
Bibl.: Nd s. Bonitz / Wirtz D 2330; 5 Nd; GW 7
Rez.: Werner Gentz: Das Sexualproblem im Strafvollzuge, in: Zeitschrift für die gesamte Strafrechtswissenschaft. Bd. 50. Berlin, Leipzig 1930, 406–427

Varianten
Die Varianten sind nach D^2 verzeichnet
6 Nächte – –] Nächte – **8** verfehlt] verfehlt, **9** anderen] andern **12** ein] ein kleiner **13** «offiziellen»] offiziellen **14** die] Die **15** es] es, **16** immer] wie stets, **17** ist –] ist, **18** Prügelstrafe –] Prügelstrafe, **29** «liberal»] liberal **29** ist –] ist; **31** Aber doch …] *fehlt* **31** lasset] Lasset **39** 10 bis 20] 10 – 20 **56** es] *fehlt* **58** ist; «der] ist. «Der **60** eine] jene **60** daß] nach der **63** Das ist nicht richtig.] Sie ist aber irreführend. **65 f** Anschauung] Anschauungen **66** ist] sind **71 f** im Charakterologischen liege] in der Veranlagung stecke **78** Weg:] Weg, *folgt* müßte man denken **80** Sicherheit …] Sicherheit. **80** müßte man denken.] *fehlt* **87** haben,] haben – **102** Sicherheit.] Sicherheit? **102** Das ist richtig] Sie kann bedroht sein **106** Gedanke.] Gedanke? **114** schlimm –] schlimm. **114 ff** und gleich … Gemeinschaft?] *fehlt* **124** denn … legitimiert] zu deren Aufstellung sie niemand legitimiert hat **127 f** deutschen Volksgenossen] Deutschen **134** Vielleicht ist das] Denn die ist **143** unsere] unsre **143** Generationen] ganze Generationen hindurch **144** neue] bis **144 f** Geschlechter … Erlösung] Geschlechter sich bis zur Erlösung fortentwickeln **145** Alten] alten **146** Weiter.] *fehlt* **146** Wer] wer aber **146**

solcher] der **149** möge; so] möge. so **152f** Also ... stattfinden.] *fehlt* **160** stehen] stehn **169** unsere] unsre **177** Mann ...] Mann. **177f** Geschlechtsverkehr ... grinst.] *fehlt* **181** beides] dieses beides **181** spielend] *fehlt* **185f** vor ... Gebäuden] in kleinen Gebäuden vor sich gehen **187f** etwa solchergestalt vorbereiteten] *fehlt* **198** anzusehen ...] anzusehn, **204** herunter] hinunter **205** «Äußerlichkeiten»] Äußerlichkeiten **208** funktioniert es;] klappt auf einmal alles **208f** macht sich breit] wirkt sich aus **223** aufspielt,] aufspielt. **223** ohne es jemals gewesen zu sein.] *fehlt* **231** Wir aber wollen es.] *fehlt* **232** Wir] Wir aber **233** «Erziehung»] Erziehung **234** erzieht –: der] erzieht. Der **237** nämlich] also nur **237** Fast alles andere] Alles andre **238** nur] *fehlt* **239** dem] von dem **239** nachgibt,] diktiert wird. **239f** der denkbar ist] *fehlt* **240** Ich stehle – und falle damit] Jeder Dieb fällt **241** irgend eines] irgendeines **241** mir] ihm **242** Mich] Ihn **242** nichts –] nichts ... **245** Positionen] Betätigungen **246** einen] ihren **247** finden ...] finden. **260** haben ... Leute] haben.» Und: «Leute **266** erwerben.»] erwerben ...»

1 ff *Ein Gefangener ... habe.*] Plättner: Eros im Zuchthaus. Berlin 1929, 113; s.a. [141], 87ff.

5 f *«Die Arbeit ... Nächte – –»*] Vgl. den Eintrag Nr. 86 im Notizbuch ‹Unreines› («Sudelbuch»). Quelle nicht ermittelt.

8 *Veröffentlichungen*] KT hatte die Zuchthauserinnerungen von Max Hölz (s. [71], 189ff) und Karl Plättner (s. [141], 87ff, *103*) sowie die von Lampel hg. Berichte von Fürsorgezöglingen (s. [37], 211ff) rezensiert.

14 *Filmdarstellungen*] Hier vermutl. gemeint: ‹Geschlecht in Fesseln – Die Sexualnot der Strafgefangenen›; Deutschland 1928; Regie: Wilhelm Dieterle; Buch: Herbert Juttke und Georg C. Klaren, nach einer Arbeit von Franz Höllering mit Material von Karl Plättner; Kamera: Walter Robert Lach; Darsteller: Wilhelm Dieterle, Mary Johnson, Gunnar Tolnaes, Carl Goetz, Paul Henckels, Hans Heinrich von Twardowski, Hugo Werner-Kahle; UA 24.10.1928 im Tauentzienpalast, Berlin. Der Film wurde häufig im Rahmen von Veranstaltungen zur Reform des Strafvollzugs gezeigt, in denen auch Plättner zum Thema sprach; s. [141], *103*, sowie Ullrich 2000, 194.

17 f *Aufhebung der Prügelstrafe*] s. [69], *12f.*

35 ff *Nach den ... befriedigen.*] Gentz 1930, 406. Auslassung von zwei Sätzen hinter «Verkehr»; hinter «mehrmals» folgt im Orig. «selbst».

46 *Minusauslese*] ebd., 409.

58 f *«der Gefangene ... gelebt.»*] ebd., 411.

68 f *Solche ... beeinträchtigen.*] ebd., 412.

70 *Päderastie*] Hier: «passive Päderasten», d.h. junge Männer, die durch sexu-

ellen Umgang mit älteren Mithäftlingen, die nur aus Not homosexuell agierten, zu «echten Homosexuellen» werden könnten (s. ebd., 413).

f *«in so … gegeben werden»*] ebd., 416.

f *«systematische … Verhalten»*] ebd.

Plötzensee] Strafanstalt in Berlin-Spandau. Vgl. ‹Plötzensee›, Bd. 4 [84].

«Dreistufen-System»] Vergünstigungen im Strafvollzug wurden nach Aufenthaltsdauer und Anpassungsfähigkeit bzw. -bereitschaft der Häftlinge schrittweise gewährt, waren aber auch von der Willkür der Vollzugsbeamten abhängig; vgl. das Kap. ‹Das Stufensystem› in Max Hölz: Vom «Weißen Kreuz» zur Roten Fahne. Berlin 1929, 346; s. [71], 189ff.

ff *«Es kann … ermöglichen.»*] Gentz 1930, 416.

rasse-hygienische Gedanke] ebd., 106: «Nicht zuletzt spricht auch der rasse-hygienische Gedanke dagegen, schwachsinnigen, hysterischen, alkoholgefährdeten oder sonst minderwertig veranlagten Menschen die Fortpflanzung zu erleichtern.»

§ 218 ins neue Strafrecht] s. [150], *Tabelle.*

Ad maiorem ecclesiae gloriam] Zum größeren Ruhm der Kirche. Abwandlung von sprichwörtl. «ad maiorem dei gloriam» (Zum größeren Ruhme Gottes), einer zuerst bei Papst Gregor dem Großen (‹Dialogi›, 1, 2; später häufig in ‹Canones et decreta oecumenici concilii Tridentini›, 1542–1560) belegten Wendung.

f *«Untunlich … beurlauben.»*] Gentz 1930, 417.

f *Sehr bedenklich … Sittengesetze ist.*] ebd., 417.

reich dotierten Reichswehr] Vgl. [86], *57.*

f *Sexualakte … scheut.*] Gentz 1930, 418.

f *Zudem würde … Erörterung.*] ebd.

f *Es dürfte … machen.*] ebd., 422.

f *praeceptor Germaniae*] Lehrmeister Deutschlands (Beiname für Hrabanus Maurus und später v. a. für Melanchthon).

sonstigen Meinungen] Gentz, Befürworter eines erzieherischen, resozialisierenden Strafvollzuges, war maßgeblich an der Konzeption einer Strafvollzugsreform beteiligt. Anfang Aug. 1929 wurde vom preuß. Justizminister eine Verordnung über den Strafvollzug in Stufen erlassen, an der Gentz mitgearbeitet hatte. Sie sah ein in drei Stufen differenziertes, je nach Resozialisierungsphase gestaffeltes Strafanstaltssystem vor, das in der bisherigen Praxis nur unvollständig angewandt worden war (vgl. oben *91*); s. ‹Die Strafvollzugsreform›, Vorwärts 6. 8. 1929, M.

f *«Auch als … erfüllen.»*] Gentz 1930, 422.

Vergeltung] s. [1], 6.

f *«Grade … erwerben.»*] Nicht ermittelt.

172

Die Nachfolgerin

V: Theobald Tiger (D^1); Kurt Tucholsky (D^2)
D^1: WB Jg. 25, Nr. 50, 10.12.1929, II, S. 880
D^2: Lerne lachen ohne zu weinen 1931, u.d.T.: Die Frau spricht. 3. Die Nachfolgerin, S. 377
Bibl.: Nd s. Bonitz/Wirtz D 2331; 1 NdzL, 16 Nd; GW 9 u.d.T.: Die Frau spricht. 3. Die Nachfolgerin

Varianten
Die Varianten sind nach D^2 verzeichnet
15 Frau … wie] Frau. Wie **19** ihn?] ihn …? **26** Der] Und der **27** Liebe] *davor Leerzeile*

3 *Indanthren*] Warenzeichen für licht- und waschechte Farbstoffe.
12 *Languettenhemd*] Languette (frz: Zünglein) bzw. Langette: die in Schlingstich ausgeführten Abschlußbogen oder Zacken in der Weißstickerei.

173

Cabaret-Kritik

V: Peter Panter
D^1: WB Jg. 25, Nr. 50, 10.12.1929, II, S. 889–890 [Rubrik:] Bemerkungen
Bibl.: Bonitz/Wirtz D 2332; DT

KT hat zahlreiche Couplets verfaßt (s. [66], *0*) und sich auch in mehreren Artikeln mit der Kunst des Couplets auseinandergesetzt (vgl. ‹Politische Couplets›, Bd. 3 [74]; ‹Die Kunst des Couplets›, Bd. 3 [200]; ‹Das Couplet›, Bd. 4 [63]; ‹Politik im Cabaret›, Bd. 4 [108]; ‹Das neue Lied›, Bd. 4 [242]; ‹Aus dem Ärmel geschüttelt›, Bd. 5 [55]; ‹Coupletvortrag›, Bd. 10 [213]). Insbes. die unangemessene Interpretation seiner Texte gab ihm, der seine Couplets möglichst direkt für ausgewählte Interpreten schrieb und sie zudem mit genauen Anweisungen für den Vortrag versah, mehrfach Anlaß zur Klage (vgl. z.B. KT an Kate Kühl 16.9.1929, sowie ‹Theobald Tiger spricht›, Bd. 14 [56]).
2 *ich verkaufe*] So berichtete KT z.B. über die Verkaufsverhandlungen mit dem «Kabarett der Komiker» über drei Couplets für Trude Hesterberg, s.

Briefe an MT vom 9. 8., 16. 8. und 29. 8. 1928; s. a. KT an Kate Kühl am 17. 12. 1928 und an MT am 13. 5. 1929 über den Verkauf eines Couplets an Rudolf Nelson.

Bötzowbrauerei] 1864 von Julius Bötzow gegr. Brauerei mit großem Ausschanklokal auf dem an der Prenzlauer Allee gelegenen Windmühlenberg in Berlin.

f *englischen und amerikanischen Platten*] KT war ein begeisterter Hörer amer. und engl. Unterhaltungsmusik, insbes. des Jazz. Mehrfach finden bei ihm Plattenaufnahmen versch. Interpreten Erwähnung, z. B. Jack Smith, Bd. 9 [22], Bd. 10 [101]; Jack Hylton, Bd. 10 [101], 15; Sophie Tucker, Bd. 10 [213], 22 ff; The Revellers, Bd. 10 [212], in diesem Bd. [3]. Eine Zusammenstellung bietet ‹Theobald Tigers Trichter›, s. [105], *22*.

In Paris] Vgl. z. B. ‹Pariser Chansonniers›, Bd. 8 [167].

Klabund] Vgl. [82], 76 ff, *76 f*, *78 f*.

Kästner] s. u. a. [66], *85*.

«Ich habe … Frau –»] Titel eines von Fritz Rotter komponierten Schlagers, den der bekannte Operettentenor Richard Tauber 1929 auf Schallplatte sang (Odeon O-4956 b).

174

Eine Frau denkt

V: Theobald Tiger (D^1); Kurt Tucholsky (D^2)
D^1: WB Jg. 25, Nr. 51, 17. 12. 1929, II, S. 920
D^2: Lerne lachen ohne zu weinen 1931, u. d. T.: Die Frau spricht. 2. Eine Frau denkt, S. 375–376
Bibl.: Nd s. Bonitz / Wirtz D 2333; 3 NdzL, 14 Nd; GW 9 u. d. T.: Die Frau spricht. 2. Eine Frau denkt

Varianten
Die Varianten sind nach D^2 verzeichnet
3 … ich] … Ich **12** Liebhaber …] Liebhaber; **22** nie …] nie. **27** verzittert …] verzittert, **32** ein …] ein, **33** Zigarre …] Zigarre.

Symphonie mit dem Paukenschlag] Joseph Haydns 94. Symphonie in G-Dur, so genannt wegen eines überraschenden Fortissimo-Paukenschlags im zweiten Satz.

175

Zeitungsdeutsch und Briefstil

V: Peter Panter (D^1); Kurt Tucholsky (D^2)
D^1: WB Jg. 25, Nr. 51, 17.12.1929, II, S. 921 [Rubrik:] Bemerkungen
D^2: Lerne lachen ohne zu weinen 1931, S. 199–201
Bibl.: Nd s. Bonitz / Wirtz D 2334; 12 Nd; GW 7

Varianten
Die Varianten sind nach D^2 verzeichnet
9 Das ist] Das wäre **17** ist] sei **27** eines] eins **27** gehauen] gehaun

8 *Fachadverbium*] s. ‹Das Fach-Adverbium›, Bd. 7 [106].
21 f *unter seinen Beamten leidet*] s. ‹Die Beamtenpest›, Bd. 10 [162], [166].
35 *Mansfeld-Siebigerode*] Mansfeld: Kreisstadt des Mansfelder Gebirgskreises, des preuß. Regierungsbezirks Merseburg (Provinz: Sachsen) im östl. Harz. Siebigerode: Gemeinde im Landkreis Mansfelder Land.
49 *Gambrinus*] Angebl. Erfinder des Bieres; Schutzherr der Bierbrauer.
54 *«An einer … arbeiten …»*] s. [45], *8f.*

176

Die zweite Tür

V: Peter Panter
D^1: Vossische Zeitung Nr. 301, 18.12.1929, Post-Ausg.; Unterhaltungsblatt Nr. 295, [S. 1]
Bibl.: Nd s. Bonitz / Wirtz D 2335; 2 NdzL; DT

18 *Spitzen der Behörden*] s. ‹Die Spitzen der Behörden›, Bd. 10 [111], auch in DD, s. Bd. 12, 147 f.
28 *Weisen von Zion*] Anspielung auf die ‹Protokolle der Weisen von Zion›, angebliche Niederschriften einer jüd. Geheimtagung, die Pläne für die Errichtung einer jüd. Weltherrschaft enthalten. Erstmals 1905 in Rußland veröffentlicht (dt. 1919), als antisemitische Fälschung 1921 u. ö. entlarvt, gewannen sie dennoch großen Einfluß auf den europ. Antisemitismus.
37 *der Apparat*] s. ‹Der Apparat›, Bd. 2 [171].
42 *aus betriebstechnischen Gründen*] Vgl. ‹Das Fach-Adverbium›, Bd. 7 [106].
44 f *Berliner Staatsbibliothek*] s. [92], *62.*
56 *Edgar Wallace*] s. [69].

Yeh Ling] Figur aus Wallace's Krimi ‹Das Geheimnis der Stecknadel› (1923; dt. 1928).
die berühmten Vier] Wahrsch. Anspielung auf Wallace's Kriminalroman ‹Die vier Gerechten› (1905; dt. Berlin 1928).
Hyde-Park] Große Parkanlage im westlichen Zentrum von London.
Verleger von Wallace] s. [69], *25*.

177

Kritik aus der Erinnerung

V: Peter Panter
D^{1}: WB Jg. 25, Nr. 52, 24.12.1929, II, S. 945–950
Bibl.: Nd s. Bonitz / Wirtz D 2336; 1 NdzL; GW 7
Bespr.: ‹Vom Teufel geholt›, Schauspiel in vier Akten von Knut Hamsun; Premiere: 11.11.1929 in der Komödie Berlin. Regie: Max Reinhardt; Bühne: Caspar Neher; Darsteller: Julius Falkenstein, Paul Graetz, Wladimir Sokoloff, Oskar Homolka, Eugen Klöpfer, Richard Romanowsky, Grete Mosheim, Lucie Höflich – ‹Frau Feldwebel›, Posse von Erich Carow an der Lach-Bühne am Weinbergsweg

Tante Friedeberg in Stettin] Zur Person konnte nichts ermittelt werden. KT war drei Jahre alt gewesen, als seine Familie nach Stettin übergesiedelt war. 1899 kehrte Familie Tucholsky nach Berlin zurück.
das Entzücken groß] s. z.B. jeweils u.d.T. ‹Vom Teufel geholt› die Rez. von Herbert Ihering, BBC 12.11.1929, A; Alfred Kerr, BT 12.11.1929, A; Arthur Eloesser, Voss 13.11.1929.
Tantiemen] Vgl. zum Umgang des Theaterbetriebs mit seinen Autoren [136].
«Das Theater … Schauspieler.»] s. [136], *138*.
Gordon Craig] Der engl. Theaterreformer und theoret. Begr. des modernen Regietheaters forderte ein Theater in der Art eines Gesamtkunstwerks, in dem alle genuin theatral. Elemente wie Schauspiel, Bewegung, Licht vom literar. Text emanzipiert sind. Der Bühnenkünstler sollte nicht mehr Handlanger des Dichters, sondern selbst Schöpfer sein (s. z.B. Edward Gordon Craig: Die Kunst des Theaters. Berlin, Leipzig 1905).
So ähnlich … Worten] Vgl. Goethe: Faust I, Vers 3460f: «Ungefähr sagt das der Pfarrer auch, / Nur mit ein bißchen andern Worten.»
«Ich kann … loslassen!»] ‹Vom Teufel geholt›, III. Akt (Hamsun: Vom Teufel geholt. Schauspiel in vier Akten. Autorisierte Übers. von Carl

Morburger. München o.J., 199). Dort sagt Julianne Gihle: «Ich will nicht loslassen! Niemals!»

49 f *fröhlichen Weinbergbesitzer*] Anspielung auf Zuckmayers Erfolgskomödie ‹Der fröhliche Weinberg› (1925) und dessen Hauptfigur, den derb-vitalen Weingutbesitzer Gunderloch.

59 f *«Herr ... Ingenieur.»*] In Goetz' Einakter ‹Die tote Tante. Eine erbauliche Begebenheit› (1923) heißt es zur Charakterisierung der Figur Heinrich Krafft: «Er spricht jenes schwebende Sächsisch, welches die Sachsen sprechen, wenn sie hochdeutsch sprechen. (Der Darsteller dieser Rolle hüte sich vor Übertreibungen, Herr Krafft ist seines Zeichens *nicht* jugendlicher Komiker, sondern Ingenieur! [...].)»

62 *mit vier Rs*] Vgl. den Verweis auf Klöpfers Sprechweise in [66], 214 ff.

78 *Biensfeldt*] Reinhardt hatte das Stück bereits am 6.3.1914 an den Kammerspielen des Dt. Theaters in Berlin zur dt. Erstauff. gebracht. Biensfeldt hatte die Rolle des Leutnants Lynum gespielt.

110 *Onkel Theodor*] Die Rolle des Theodor spielte Herbert Paulmüller.

115 *Spittelmarkt*] s. [111], *38*.

116 *Chaplin*] s. [11], *51*; vgl. auch ‹Naturalismus? Naturalismus!›, Bd. 7 [161], 38 ff.

117 *Holz*] Gemeint ist der Schriftsteller und Theoretiker des literar. Naturalismus Arno Holz.

118 *naturalistische Theater*] s.o. *116*.

137 *Pallenberg*] s. [66], *54*.

141 *Bürgertheater von 1890*] Die Ära des naturalist. Theaters, wie sie insbes. durch die 1889 gegr., von Otto Brahm geleitete Freie Bühne mit ihren Inszenierungen von Stücken Ibsens oder Hauptmanns repräsentiert wurde.

146 *Maschinen*] Anspielung auf die Bühnenästhetik Piscators, der sich bei seinen Inszenierungen technischer Apparaturen bediente (s.a. [66], *153 f*, *155*; [136], *127*).

149 *Bühnenklub*] s. [66], *250 f*.

156 *Abschied von Berlin*] KT hatte vom 15.10. bis zum 16.11. bei Lisa Matthias in Berlin gewohnt.

157 *Weinbergsweg*] Straße im überwiegend von Arbeitern bewohnten Nordosten Berlins. «Carows Lach-Bühne» wurde 1927 im Biertunnel des Walhalla-Theaters eröffnet.

159 *Jannings sei mit uns*] Das Schauspielerehepaar Emil Jannings und Gussy Holl war mit KT befreundet. Jannings, der von 1926 bis 1929 in Hollywood gearbeitet hatte, war ein intern. anerkannter Filmstar. Im Mai 1929 war er bei der ersten Oscar-Verleihung für seine Rolle in ‹The Way of All Flesh› (1927) als bester Hauptdarsteller ausgezeichnet worden. Das Auf-

kommen des Tonfilms und die damit verbundenen sprachl. Barrieren zwangen Jannings 1929 zur Rückkehr nach Berlin.
Die Mitternacht zieht näher schon] Heinrich Heines Romanze ‹Belsatzar› (ED 1822 in der Sammlung ‹Gedichte›, 1827 im ‹Buch der Lieder›) beginnt: «Die Mitternacht zog näher schon; / In stummer Ruh lag Babylon.»
Orchestermitglied] Valentins Rolle als erster Geiger in seinem Stück ‹Theater in der Vorstadt›, das KT 1924 besprochen hatte (s. ‹Der Linksdenker›, Bd. 6 [138]). Zu Valentin s. a. [152].
«jeknillt»] Berlin. Aussprache von «geknillt» oder «geknüllt» i. S. v. «etwas schlagen oder stoßen, daß es knallt» (s. Grimms Deutsches Wörterbuch Bd. 11, Sp. 1411, Sp. 1517). Hier ist wohl das militär. Zusammenschlagen der Hacken gemeint.
wie sie Trier] s. z. B. Fred A. Colman und Walter Trier: Artisten. Dresden 1928, Vorsatzblatt, 116 f.
Schweijk] s. [7], *147*.
f *Gülstorff ... Pallenberg*] Die Figur des Zavadil in Gustav Kadelburgs Schwank ‹Familie Schimek› war die Paraderolle des jungen Max Pallenberg. In der Inszenierung von Emil Jannings am Dt. Theater, Berlin (Premiere: 2. 6. 1916) hatte Max Gülstorff die Rolle des Weigel gespielt. Vgl. KTs Bespr. in ‹Briefbeilagen›, Bd. 2 [148], sowie ‹[Antwort]›, Bd. 2 [119].
f *Ernst Jünger*] Jünger galt seit der erfolgreichen Veröffentlichung seiner Fronterlebnisse ‹In Stahlgewittern› (1920) als Repräsentant einer heroisch-soldatischen Lebensauffassung.
reisigen] Berittenen.

178

Hat Mynona wirklich gelebt?

V: Ignaz Wrobel
D[1]: WB Jg. 26 (1930), Nr. 1, 31. 12. 1929, I, S. 15–19
Bibl.: Nd s. Bonitz / Wirtz D 2337; 2 NdzL, 1 Nd; GW 7
Rez.: Mynona [d. i. Salomo Friedlaender]: Hat Erich Maria Remarque wirklich gelebt? Der Mann, das Werk, der Genius. 1000 Worte Remarque. Berlin: Steegemann 1929; auf dem Schutzumschlag der Untertitel: ‹Eine Denkmalsenthüllung›

KTs Rez. steht im Kontext der Kontroverse um Remarques Erfolgsroman ‹Im Westen nichts Neues› (s. a. [12], *19f*, sowie v. a. [68]). Vgl. zu KTs Auseinandersetzung mit Mynona Meyer / Bonitz 1990, 583–603.

Wirkung

Bereits am 1.1.1930 reagierte Friedlaender mit einem Brief an KT: «Gestatten Sie mir, auf Ihren Artikel ‹Hat Mynona wirklich gelebt?› eine möglichst kurzgefaßte Entgegnung? Ausreden zur Ablehnung gibt es Billionen – Oder sind Sie *zu* – anständig dazu? Alsdann würde ich mir erlauben, diese Art Anständigkeit für der Tapferkeit beßres Teil zu halten ...» (DLA; Faks. s. Meyer/Bonitz 1990, 597). KT antwortete am 5.1.1930: «Sie haben der Öffentlichkeit ein Buch vorgelegt. Ich habe dazu Stellung genommen und ein Werturteil über Ihre öffentliche Tätigkeit als Schriftsteller abgegeben. Das halte ich für erlaubt. [...] Mir gibt der ungehörige Ton Ihres Briefes einen Vorgeschmack, was von solcher Polemik in der Weltbühne zu erwarten wäre. Sie bitten um eine Gefälligkeit und fügen – für den Fall der Ablehnung – gleich eine Beschimpfung hinzu. Ich möchte unter diesen Umständen davon absehen, Ihre Erwiderung unsern Lesern zu unterbreiten.» Friedlaender antwortete am 8.1.1930: «Bitte nennen Sie es zu Ihrem Trost auch weiterhin Neid, wenn ich die ohnmächtige Überlegenheit gegen die Triumphe der Mittelmäßigkeit in Schutz nehme ... Ich hatte Sie nebst Ihrer Weltbühne überschätzt und rechne Sie und sie von jetzt an grade zu den Wespennestern, in die ich stechen wollte. Hätten Sie sich übrigens bei Bewertung meines Buches auf *literarische* Kategorien eingeschränkt, so hätt' es mir nicht gelohnt, über ein ebenso scharfes wie flaches Verständnis meines Buches ein Wort zu verlieren. Jedoch Ihr: ‹Mynona hat eine Unanständigkeit begangen› überspringt diese gebotene Schranke, die ich Remarque gegenüber wohlweislich respektiert hatte: ich habe R.'s Privatleben keineswegs moralisch, sondern *biographisch*-satirisch perlustriert [öster.: genau durchsuchen]. Ein satirischer Biograph hatte die Pflicht, um ‹in Dichters Lande zu gehen›, alle diese Details passieren zu lassen. Ich habe ein literarisches Pamphlet, aber keine moralische Ehrabschneiderei verfaßt. Von jener Ihrer moralischen Bewertung fühlte ich mich wie mit dreckigem Finger berührt. Wie gern hätte ich mein motiviertes Pfui *öffentlich* in Ihr Gesicht gesagt! Aber offenbar sind Sie nicht mutig genug fürs ‹et altera pars audiatur!› [«es möge auch die Gegenpartei angehört werden»; antike Rechtsregel, die sich schon bei Euripides findet] He? [...] Ihr Vorwurf meiner Unanständigkeit ist ein grober Klotz, aber den groben Keil kassieren Sie mir klüglich, bevor ich ihn noch gebrauche? Warten Sie's doch ab! Immer *noch* finden Sie mich bereit, mich Ihnen öffentlich zu stellen. Oder sind Sie geistig nicht satisfaktionsfähig???» (DLA). KT notierte für die Red. der WB auf dem Brief: «Unbeantwortet – Bitte zurück». Auf die Rückseite schrieb er: «Als er aber ein Gutachten gegen die Beschlagnahme

seiner Bücher brauchte, kam er an.» (Letzteres bezieht sich wohl auf Steegemann, s. u. *70*.)
In der WB-Rubrik «Antworten» kam die Kontroverse zwischen KT und Mynona noch einmal zur Sprache: Der Verf. – vermutl. CvO – berichtete von einem gegen KT gerichteten Buch, das Friedlaender und sein Verleger Steegemann planten (s. ‹M. H., Berlin-Charlottenburg›, WB 4. 3. 1930, I, 373). 1931 erschien Mynonas Broschüre ‹Der Holzweg zurück oder Knackes Umgang mit Flöhen› – den Titel des Remarque-Romans ‹Der Weg zurück› (1931) verballhornend – mit dem Aufdruck auf grüner Banderole: «Gegen Kurt Tucholsky» (Abb. s. Meyer / Bonitz 1990, 591). – In seiner 1936 verf. autobiograph. Skizze ‹Ich (1871 – 1936)› (aus dem Nachlaß hg. von Hartmut Geerken. Bielefeld 2003, 90 f) schrieb Mynona rückblickend über die Auseinandersetzung: «Selbstverständlich hatte ich dadurch [durch seine Polemik gegen Remarque] ‹viel Ehr'›, nämlich ‹viel Feind›. Ein damals berühmter Journalist, der später durch Selbstmord endete, mordete mich in seiner ‹Weltbühne›. Wie die gebildete Welt nun einmal ist, gab sie mich ihm preis.»

gelacht haben] KT hatte 1913 bzw. 1917 zwei Prosabände Mynonas positiv besprochen (s. ‹Die schöne Schutzmannsfrau›, Bd. 1 [229]; ‹Die Sekt-Eule›, Bd. 2 [109]).
f *runde Würfel … Gummi*] Offenbar fingierte Motive.
Bank der Spötter] Anspielung auf Mynonas ‹Die Bank der Spötter. Ein Unroman› (München 1919); die Wendung geht zurück auf Psalm 1,1.
Külz] Anspielung auf die Rolle des Reichsinnenministers Külz bei der Debatte um das sog. Schund- und Schmutzgesetz (vgl. [117], 57 ff, *58 ff*).
Monokel] s. u. *134*.
neues Hunderttausend] Ende Jan. 1930 erschien das 950. Tsd. von Remarques Erfolgsroman ‹Im Westen nichts Neues›, s. [68], *0*.
f *Einwände von Sclutius*] s. [68], *0*.
nächsten Buch] 1931 publizierte Remarque u. d. T. ‹Der Weg zurück› eine Fortsetzung von ‹Im Westen nichts Neues›, s. ‹Der neue Remarque›, Bd. 14 [57].
edel, hilfreich und gut] In Anlehnung an die Anfangszeilen von Goethes Gedicht ‹Das Göttliche›: «Edel sei der Mensch, hilfreich und gut!» (WA I, Bd. 2, 83).
Takt und Reserve] Bereits am 26. 5. 1929 hatte KT an MT geschrieben: «Remarque hat also bald 600 000 – er benimmt sich tadellos und muckt nicht. Ein seltener Fall.»
Paul Steegemann] 1920, und später wohl noch mehrmals, stand KT in

Kontakt mit Steegemann wegen ihres gemeinsamen Kampfes gegen Zensurmaßnahmen des ‹Börsenblattes› (s. Brief an Steegemann 21.6.1920; zum ‹Börsenblatt› s. [41], *39*). Vgl. KTs Rez. einer bei Steegemann ersch. Verlaine-Übersetzung, in der er auch den Verlag vorstellt, ‹Die Sittlichen›, Bd. 4 [173]. Zu Steegemanns Auseinandersetzung mit Börsenverein und Staatsanwaltschaft s. Jochen Meyer: Paul Steegemann Verlag. Hannover 1994, 60–73.

73 *Reklameverse*] Remarque hatte nach dem Krieg vorübergehend als Werbetexter bei den Continental-Gummiwerken in Hannover gearbeitet. Vgl. Mynona 1929, 25 ff.

74 *Man hat neulich*] Das Londoner Warenhaus Harrods hatte die Schriftsteller Arnold Bennett, H.G. Wells und Bernard Shaw gebeten, gegen gute Bezahlung Reklame für die Firma zu machen und mit Zustimmung der drei Autoren deren Ablehnungsbriefe zusammen mit photographischen Portraits in jeweils ganzseitigen Inseraten in der ‹New York Times› veröffentlicht (s. Walter A. Reiss: Die Reklame aus dem «Nein», in: Die Literarische Welt Jg. 5, Nr. 18, 3.5.1929, 3).

82 f *Antrag bekommen*] Nicht ermittelt.

89 *alte Romane Remarques*] Mit dem Hinweis auf Remarques von der Kritik unbeachtet gebliebenen Bohèmien-Roman ‹Die Traumbude› (Dresden 1920) stellte Mynona die Naivität des Autors heraus (Mynona 1929, 14 sowie 56 ff). Remarques opportunistische Mimikry an die jeweilige literar. Konjunktur suchte Mynona am Beispiel von dessen zweiten, im mondänen Milieu angesiedelten Roman ‹Station am Horizont› (ersch. 1927/28 in der Zeitschrift ‹Sport im Bild›), zu belegen (ebd., 54 f, 87); auch polemisierte er gegen die 1924 publizierten Essays ‹Leitfaden der Décadence› und ‹Über das Mixen kostbarer Schnäpse› (ebd., 90 ff). Mynona zitiert in seinem Buch immer wieder in polemischer Absicht aus Remarques Schriften.

95 ff *«Faites … übt!»*] Nicht ermittelt.

98 *Romanen*] Zolas erster, autobiographisch gefärbter Roman ‹Le Confession de Claude› (1865; dt. ‹Die Beichte eines Knaben›, 1887 anonym ersch.) wurde v.a. durch den Vorwurf der Immoralität bekannt. Mit ‹Thérèse Raquin› (1867) vollzog der junge, romantisch geprägte Autor die Hinwendung zum Naturalismus.

105 *Breitscheid und Hilferding*] Zu Breitscheid s. [13], *34*. Zu Hilferding s. [86], *53*, *57*.

108 *Anathema sit.*] Er sei verflucht. Zitat aus dem NT (1. Korinther 16, 22).

109 *Schieber*] Während des 1. Weltkriegs als Bezeichnung für Personen, die mit Schleichhandel, Preistreiberei u.a. gegen die Wirtschaftsgesetze verstießen.

Remark] s. [68], *12*. Vgl. Mynona 1929, 15f u.ö.
Kant studiert] Mynona hatte 1902 mit einer Arbeit über Schopenhauers Stellung zur Erkenntniskritik in Kants ‹Kritik der reinen Vernunft› promoviert und war stark vom Neukantianismus beeinflußt. 1924 folgten der Band ‹Wie durch ein Prisma. Gedanken und Einblicke im Zeichen Kants› (Frankfurt/M.) und ‹Kant für Kinder. Fragelehrbuch zum sittlichen Unterricht› (Hannover). Vgl. auch Mynona 1929, 9, worin er Kant als «Genie der Vernunft», als «obersten Lehrmeister der Menschheit» der «[m]oderne[n] Mittelmäßigkeit» entgegensetzt.
kategorischen Imperativ] Von Kant aufgestelltes Prinzip zur Begründung des moral. Handelns, dem die Autorität eines unbedingt gültigen sittlichen Gebots zukommt: «Handle so, daß die Maxime deines Willens jederzeit zugleich als Prinzip einer allgemeinen Gesetzgebung gelten könne» (Kant: Kritik der praktischen Vernunft, 1. Teil, 1. Buch, 1. Hauptstück, §7).
enthüllt] In einem ‹Dokumentarische[n] Anhang für Skeptiker› waren u.a. die Geburtsurkunden des Großvaters und des Vaters abgedruckt; s. Mynona 1929, 252–254.
Infanterie-Regiment 91] Die aus einem Artikel der ‹Hannoverschen Landeszeitung› entnommene Behauptung wurde durch eine Werbeanzeige am 21.5.1929 im ‹Börsenblatt für den Deutschen Buchhandel› verbreitet (Jg. 96, Nr. 114, S. 3991); am 9.6.1929 wurde sie vom Verlag in der Voss dementiert; vgl. Mynona 1929, 34 und 253 (dort die Aussage des Potsdamer Reichsarchivs, in den Akten des Regiments sei der Name Remark nicht zu ermitteln).
Leutnantsuniform und Orden] Im Anhang (s.o. *118*) war eine entsprechende mündliche Aussage eines Bekannten gegenüber dem Verf. abgedruckt; ebd., 253. Vgl. den ersten Hinweis auf diese Behauptung ebd., 35. Der Bericht des Jugendfreundes und späteren Biographen Hanns-Gerd Rabe bestätigt diese Aussage (s. Rabe: Remarque in Osnabrück, in: Osnabrücker Mitteilungen 77 [1970], 196–246).
falschen Baronstitel] Remarque, der seit 1925 als Redakteur in Berlin lebte, kleidete sich elegant, trug ein Monokel, das sein Markenzeichen wurde, und legte sich einen Freiherrntitel zu, den er für einige hundert Mark einem verarmten Baron abgekauft hatte (s. Wilhelm von Sternburg: «Als wäre es das letzte Mal». Erich Maria Remarque. Köln 1998, 141).
schlechter ... Soldat gewesen] Vgl. [68], *6*.
zwanzigsten Auflage] Bereits Ende Februar war von dem im Januar ersch. Buch das erste Hunderttausend erreicht, danach wurden wochen- und monatsweise neue Auflagen gedruckt. Am 18. Dezember 1929 waren be-

reits 910 000 Exemplare verkauft, bis Ende des Jahres war das Buch in alle europ. Sprachen übersetzt und erreichte auch im Ausland z.T. hohe Auflagen.

156 *an die Konjunktur anhängt*] Vgl. die gleichlautende Kritik von Robert Neumann: Die Meute hinter Remarque, in: Die Literatur Jg. 32, 1929/30, H. 3, Dez. 1929, 199f: «Steegemann versäumt es grundsätzlich nie, an fremdem Feuer sich sein Hähnchen zu braten. Sein Lieferant Reimann war gerade mit Wallace beschäftigt: so suchte man einen andern. Und fand in Friedlaender-Mynona einen, dem ein Buch wider den literarischen Zeitgeist oder Zeitungeist unter den Nägeln brannte. Diese Absicht also wurde eingeschränkt, verbogen, umgebogen zu einer Spezialattacke. Mynona meint die Zeit – und nennt sie Remarque.» Vgl. dazu Meyer 1994 (s.o. *70*), 52–57. – Bereits in der «Antwort» ‹Herren Mynona und Requark›, WB 15.10.1929, II, 608, waren die Parodisten Remarques als Konjunkturschreiber, als «humoristisch aufgetakelte Nachzügler beneideter Erfolge» kritisiert worden.

164 *‹Gentlemen prefer Blonds›*] s. [120], *43*.

171 *«Ullstein dieses Buch gemacht»*] Der Propyläen-Verlag des Ullstein-Konzerns vermarktete das Buch als autobiographische, in wenigen Wochen von der Seele geschriebene Geschichte eines einfachen Soldaten und literar. Anfängers (s. Ankündigung des Fortsetzungsdrucks in ‹Nichts Neues im Westen›, Voss 8.11.1928). Diese auch durch den Autor unterstützte Legendenbildung wurde schnell durchschaut, den Gegnern des Romans war damit ein Vorwand geliefert, in zahlr. «Enthüllungen» mit dem Autor zugleich sein Werk zu diskreditieren. Auch bei Mynona gilt der zentrale Vorwurf der Werbestrategie Ullsteins und der Unterstützung des Romans durch den Feuilletonchef der Voss, Monty Jacobs.

172 *Entstehungsgeschichte*] Remarque hatte vergeblich versucht, das Buch beim S. Fischer Verlag unterzubringen. Da der Roman bereits als Nachzügler einer Welle neuerer (Anti-)Kriegsliteratur galt (z.B. Glaesers ‹Jahrgang 1902›, A. Zweigs ‹Streit um den Sergeanten Grischa›, Georg von der Vrings ‹Soldat Suhren›, Renns ‹Krieg›; auf der nationalist. Seite Kriegsbücher von Beumelburg, Jünger, Schauwecker, Dwinger), wurde Remarque vom Propyläen-Verlag vertraglich verpflichtet, im Falle eines Mißerfolges den Honorarvorschuß durch andere Leistungen auszugleichen. Auch mit dem Fortsetzungsdruck in der Voss im Nov./Dez. 1928 sollte zunächst das Leserinteresse getestet werden. Die Auflage der Voss stieg sprunghaft an, der enorme Publikumszuspruch führte dazu, daß der Verlag noch im Dez. 1928 einen unkorrigierten Vorabdruck auf den Markt brachte.

Monty Jacobs] s. den Leitartikel ‹Märchen um Remarque›, Voss 25.5.1929.

f *Vorabdruck des Romans*] s.o. *172*.

bis nach Paris] Frz. Rez. des Romans sind ab Mitte 1929 belegt, s. André Levinson: ‹A l'Ouest rien de nouveau. Menaces à l'Est›, Nouvelles Littéraires 8.6.1929, 6; Benjamin Crémieux: ‹A l'Ouest rien de nouveau›, Annuales Politiques et Littéraire 1.7.1929, 14; Clement Vautel: ‹Le Feldgrau à la mode›, Comœdia 21.11.1929 (Erich Maria Remarque. Bibliographie. Quellen. Materialien. Dokumente. 2. Bde. Hg. von Tilman Westphalen u.a. Bd. 2., Osnabrück 1988, 196). Vgl. auch [114].

‹*Jettchen Gebert*›] Der erfolgreiche Roman Georg Hermanns war vom 7.6.–9.9.1906 ebenfalls in der Voss vorabgedruckt worden.

ff *mit Voltaire ... Provinz*] Mynona antwortete auf KTs Kritik am Verlagsprospekt erst 1931 in seiner Schrift ‹Der Holzweg zurück oder Knackes Umgang mit Flöhen› (s.o. *0*): «Er sucht mich durch den Prospekt Paul Steegemanns, der mich in die Nähe der Voltaire, Lichtenberg, Heine rückt, lächerlich zu machen. [...] Na, warum sollten wir die Ahnen nicht nennen und kultivieren, denen wir uns verdanken? Verlagspropaganda tragisch zu nehmen, ist Wrobels Kriegslist. Immerhin steht mir die Steegemannsche höher als die ullsteinerne: diese managet, jene kritisiert die modernen Lieblinge» (ebd., 43). Ein Exemplar des Verlagsprospekts konnte nicht nachgewiesen werden. – Zu Steegemanns Werbemethoden s. Hans Reimann: Steegemann, WB 26.10.1922, II, 455–457, sowie ‹König contra Reimann›, Bd. 6 [57], 29ff.

in Hannover] Paul Steegemann war in Hannover aufgewachsen. Er selbst hatte darüber in einem Artikel für die WB berichtet (‹Kuriose Jugend›, 28.6.1927, I, 1030–1034). Auch sein Verlag war seit der Gründung im Jahre 1919 bis zur Übersiedlung nach Berlin 1927 in Hannover ansässig gewesen, s. dazu Reimann(s.o. *191ff*).

f *«ganze ... demaskieren»*] So auch die im Vorwort mehrfach formulierte Absicht Mynonas, z.B.: «Ich will ins Wespennest der triumphierenden Mittelmäßigkeit stechen» (Mynona 1929, 7).

Übersicht über Tucholskys Tätigkeit für Publikationsorgane 1929

Arbeiter Illustrierte Zeitung aller Länder (AIZ), Berlin: Neuer Deutscher Verlag 1925 – 1933 (hervorgegangen aus dem Presseorgan der IAH ‹Sowjet-Rußland im Bild›; erschien 1933–1938 in Prag, ab 1936 u.d.T. ‹Volks-Illustrierte›); seit 1926 Wochenblatt; gegr. und hg. von Willi Münzenberg; bekannteste proletarische Massenillustrierte der Weimarer Republik. KT veröffentlichte zwischen 1928 und 1930 zahlreiche Gedichte.

Tempo, Berlin: Ullstein 19128–1933; illustrierte Tageszeitung, Boulevardblatt nach amer. Vorbild; Chefred. Gustaf Kauder, Ernst Wallenberg. KT veröffentlichte von 1928 bis 1930 zahlreiche Texte.

Vossische Zeitung, Berlin 1910/11–1934, verschiedene Vorgänger seit 1619. Seit 1914 im Ullstein-Verlag und eine der führenden lib.-demokr. Tageszeitungen Deutschlands. 1920–1930 von Georg Bernhard geleitet, danach von Julius Elbau. KT ging als Korrespondent für Ullstein (und die WB) 1924 nach Paris, die meisten seiner Feuilletons veröffentlichte er als Peter Panter in der Voss. Nach verschiedenen Konflikten seit 1928 wegen seiner Mitarbeit an Blättern des KPD-nahen Münzenberg-Konzerns verließ er Ullstein im Oktober 1931.

Die Weltbühne (WB). Wochenschrift für Politik, Kunst, Wirtschaft. Berlin 1918–1933. 1905 von Siegfried Jacobsohn (SJ) als Theaterzeitschrift *Die Schaubühne* gegründet; nach dessen Tod 1926/27 von KT als Chefredakteur geleitet, danach von CvO. KT war seit 1913 regelmäßiger Mitarbeiter; er schrieb meist unter den Pseudonymen Peter Panter, Theobald Tiger, Kaspar Hauser und Ignaz Wrobel, verfaßte aber auch zahlreiche der ungezeichneten *Antworten*, *Splitter*, *Liebe Weltbühne* und einige Dialoge.

Zeitungen und Zeitschriften, in denen KT nur sporadisch veröffentlichte, sind im jeweiligen Kommentar beschrieben.

Literaturverzeichnis

Nur einmal zitierte Werke sind hier nicht aufgeführt, sie werden jeweils in den Kommentaren genannt.

Ackermann, Gregor: Nachtrag zur Tucholsky-Bibliographie. 2. erw. Ausg. In: Tucholsky-Blätter Jg. 6, Dossier 1, Dez. 1995

Ackermann, Gregor: Nachtrag zur Tucholsky-Bibliographie. Erscheint in: Tucholsky-Blätter, im Druck (zit.: Ackermann II)

Ackermann, Gregor/Nickel, Gunther: «Frostigkeit im Bibliographischen». In: Tucholsky-Blätter Jg. 8, H. 18, Juni 1997, 1–13

Bemmann, Helga: In mein' Verein bin ich hineingetreten. Kurt Tucholsky als Chanson- und Liederdichter. Berlin 1989

Bonitz, Antje/Wirtz, Thomas: Kurt Tucholsky. Ein Verzeichnis seiner Schriften. 3 Bde. Marbach 1991

Brecht, Bertolt: Werke. Große kommentierte Berliner und Frankfurter Ausgabe. Hg. von Werner Hecht, Jan Knopf, Werner Mittenzwei, Klaus-Detlef Müller. Berlin, Weimar, Frankfurt/M. 1988 ff. Zit.: BFA

Freud, Sigmund: Gesammelte Werke. 18 Bde und ein Nachtragsbd. Hg. von Anna Freud u.a. London 1940 ff

Goethe, Johann Wolfgang von: Werke. Hg. im Auftrag der Großherzogin Sophie von Sachsen. Abt. I–IV. Weimar 1887–1919 (Weimarer Ausgabe). Zit.: Goethe: WA

Hepp, Michael: Kurt Tucholsky. Biographische Annäherungen. Reinbek 1993

Huber, Ernst Rudolf: Deutsche Verfassungsgeschichte seit 1789. 8 Bde. Stuttgart, Berlin, Köln, Mainz 1960 ff

Jacobsohn, Siegfried: Briefe an Kurt Tucholsky, 1915–1926. Hg. von R. von Soldenhoff. München, Hamburg 1989

Kraus, Karl: Schriften. Hg. von Christian Wagenknecht. Frankfurt/M. 1986 ff

Küpper, Heinz: Wörterbuch der deutschen Umgangssprache. 1. Auflage, 6. Nachdruck. Stuttgart, München, Düsseldorf, Leipzig 1997

Lichtenberg, Georg Christoph: Schriften und Briefe. 6 Bde. Hg. von Wolfgang Promies. München 1967 ff

Matthias, Lisa: Ich war Tucholskys Lottchen. Hamburg 1962
Meyer, Jochen / Bonitz, Antje: «Entlaufene Bürger». Kurt Tucholsky und die Seinen. Ausstellung und Katalog Jochen Meyer in Zusammenarbeit mit Antje Bonitz. Marbach 1990

Nietzsche, Friedrich: Werke. Kritische Gesamtausgabe. Hg. von Giorgio Colli und Mazzino Montinari. Berlin 1968 ff

Ossietzky, Carl von: Sämtliche Schriften. Hg. von Werner Boldt, Dirk Grathoff, Gerhard Kraiker, Elke Suhr. 8 Bde. Reinbek 1994

Polgar, Alfred: Kleine Schriften. 6 Bde. Hg. von Marcel Reich-Ranicki in Zusammenarbeit mit Ulrich Weinzierl. Reinbek 1982 ff

Röhrich, Lutz: Lexikon der sprichwörtlichen Redensarten. 5 Bde. Freiburg, Basel, Wien 1994

Sanders, Daniel: Wörterbuch der deutschen Sprache. 3 Bde. Leipzig 1876
Soldenhoff, Richard von: Kurt Tucholsky 1890–1935. Ein Lebensbild. «Erlebnis und Schreiben waren ja – wie immer – zweierlei». Weinheim, Berlin 1987

Valentin, Karl: Sämtliche Werke in acht Bänden. Hg. von Helmut Bachmaier und Manfred Faust. Bd. 5: Stücke. Hg. von Manfred Faust und Stefan Henze in Zusammenarbeit mit Andreas Hohenadl. München 1997
Verhandlungen des Reichstags. Stenographische Berichte. Berlin 1871 ff

Wander, Karl Friedrich Wilhelm (Hg.): Deutsches Sprichwörter-Lexikon. Ein Hausschatz für das deutsche Volk. 5 Bde. Leipzig 1867–1880
Wossidlo-Teuchert: Mecklenburgisches Wörterbuch. Hg. von der Sächsischen Akademie der Wissenschaften zu Leipzig. Nachdr. der Ausg. von 1937–1992. 7 Bde. Neumünster 1996

Verzeichnis der rezensierten Bücher

Die Nummer des Textes, in dem das hier verzeichnete Buch rezensiert ist, findet sich am Ende der bibliographischen Angabe in eckigen Klammern.

Afrika singt. Eine Auslese neuer afro-amerikanischer Lyrik. Hg. von Anna Nußbaum. Wien, Leipzig: Speidel'sche Verlagshandlung [1928] [153]

Alexander, Franz und Staub, Hugo: Der Verbrecher und seine Richter. Ein psychoanalytischer Einblick in die Welt der Paragraphen. Wien: Internationaler Psychoanalytischer Verlag 1929 [71]

Ashe, K[atharine]: Neues Taschen-Wörterbuch. Deutsch-Französisch und Französisch-Deutsch. Paris: T. Nelson [1915] [91]

Bänkelbuch. Hg. von Erich Singer. 12.–15. Tsd. Wien: Tal 1929 [82]

Barbusse, Henri: Faits divers. Paris: Flammarion 1928 [160]

Bedel, Maurice: Molinoff, Indre-et-Loire. Paris: Gallimard 1928 [120]

Beradt, Martin: Leidenschaft und List. Berlin: Rowohlt 1928 [37]

Berendsohn, Walter A[rthur]: Knut Hamsun. Das unbändige Ich und die menschliche Gemeinschaft. München: Langen 1929 [97]

Bronnen, Arnolt: O.S. Berlin: Rowohlt 1929 [73]

Der Briefwechsel von Theodor Fontane und Paul Heyse. 1850–1897. Hg. von Erich Petzet. Berlin: Verlagsgesellschaft der Weltgeist-Bücher 1929 [153]

Der große Brockhaus. Bd. 1: A–Ast. Leipzig: Brockhaus 1928 [71]

Der Krieg. Das erste Volksbuch vom großen Krieg. Hg. von Kurt Kläber. Berlin: Internationaler Arbeiter-Verlag 1929 [153]

Die Polizei in Einzeldarstellungen. Hg. von Wilhelm Abegg. Berlin: Gersbach. Bd. 3: Bernhard Weiß: Polizei und Politik. 1928. Bd. 4: Robert Heindl: Polizei und Verbrechen. 1926. Bd. 9: Albert Moll: Polizei und Sitte. 1926 [43]

Dorgelès, Roland: Les Croix de bois. 277. Tsd. Paris: Michel 1929 [153]

Doyle, Arthur Conan: Das Rätsel der Thor-Brücke und andere Abenteuer von Sherlock Holmes. Berlin: Hugo Wille 1928 (Willes Illustrierte Kriminal-Bücherei. Bd. 35) [37]

Felsart, Adolf und Phönix, C[arl]: Das «A-B-C» des Angeklagten. Berlin-Pankow: Linser 1928 [7]

Gentz, Werner: Das Sexualproblem im Strafvollzuge, in: Zeitschrift für die gesamte Strafrechtswissenschaft. Bd. 50. Berlin, Leipzig 1930, 406–427 [171]

Georges-Anquetil: Ehen zu dritt. Das Recht auf die Geliebte. Übers. von L. Steinfeld. Berlin: Man-Verlag 1928 [27]

Goldschmidt, Alfons: Deutschland heute. Berlin: Rowohlt 1928 [37]

Grasset, Bernard: Die Angelegenheit der Literatur. Übers. von Ernst Gieser. Berlin-Zehlendorf: Editeufra 1929. (Editeufra-Bücher. Bd. 3) [153]

Handbuch des öffentlichen Lebens. Staat, Politik, Wirtschaft, Verkehr, Kirche, Presse, Bildungswesen, Gemeindewesen, Verbände, Ausland, Statistik. Hg. von Maximilian Müller-Jabusch. 5. Ausg. des Politischen Almanachs. Leipzig: Koehler 1929 [102]

Hayes, Carlton J.H.: Nationalismus. Übers. von J.F. Friedlaender, hg. und eingel. von J. Goldstein. Leipzig, Berlin: Verlag «Der Neue Geist» 1929 [141]

Hays, Arthur Garfield: Laßt Freiheitsglocken läuten! Zeitbilder aus dem heutigen Amerika. Übers. von K. Wandel. Leipzig: Grethlein 1929 [141]

Hessel, Franz: Nachfeier. Berlin: Rowohlt 1929 [141]

Hollós, István: Hinter der gelben Mauer. Von der Befreiung des Irren. Stuttgart: Hippokrates-Verlag 1928 [141]

Hölz, Max: Vom «Weißen Kreuz» zur Roten Fahne. Jugend-, Kampf- und Zuchthauserlebnisse. Berlin: Malik-Verlag 1929 [71]

Jungen in Not. Berichte von Fürsorgezöglingen. Hg. von Peter Martin Lampel. Berlin: J.M. Spaeth 1928 [37]

Kafka, Franz: Amerika. München: Wolff 1927 [37]

Klassischer Journalismus. Die Meisterwerke der Zeitung. Hg. von Egon Erwin Kisch. Berlin: Kaemmerer 1923 [153]

Lewin, Louis: Phantastica. Die betäubenden und erregenden Genußmittel. Berlin: Stilke 1924; 2. Aufl. 1927 [97]

Ludendorff, Margarethe: Als ich Ludendorff's Frau war. Hg. von Walther Ziersch. München: Drei-Masken-Verlag 1929 [94]

Ludwig, Emil: Juli 14. Berlin: Rowohlt 1929 [89]

Mehring, Walter: Die Gedichte, Lieder und Chansons des Walter Mehring. Berlin: S. Fischer 1929 [71]

Mowrer, Edgar Ansel: Amerika, Vorbild und Warnung. Übers. von Annemarie Horschitz. Berlin: Rowohlt 1928 [37]

Mynona: Hat Erich Maria Remarque wirklich gelebt? Der Mann, das Werk, der Genius. 1000 Worte Remarque. Berlin: Steegemann 1929 [178]

Nachrichtendienst zur Bekämpfung von Schund- und Schmutzschriften. Hg. vom Preußischen Ministerium für Volkswohlfahrt Jg. 1, Nr. 1 [117]

Plättner, Karl: Eros im Zuchthaus. Eine Beleuchtung der Geschlechtsnot der Gefangenen. Mit einem Vorwort von Magnus Hirschfeld und Felix Abraham. Berlin: Mopr 1929 [141]

Polgar, Alfred: Schwarz auf Weiß. Berlin: Rowohlt 1929 [45]

Redner der Revolution. Bd. 1 ff. Berlin: Neuer Deutscher Verlag – u.a. Bändchen mit ausgewählten Reden von Rosa Luxemburg (Bd. 1), Robbespierre, Saint-Just, Wilhelm und Karl Liebknecht [37]

Rode, Walther: Justiz. Fragmente. Berlin: Rowohlt 1928 [71]

Schlözer, Kurd von: Römische Briefe. 1864–1869. Hg. von Karl von Schlözer. 9. und 10. Aufl. Stuttgart, Berlin: Deutsche Verlags-Anstalt 1920 [62]

Schulze-Maizier, Friedrich: Die Osterinsel. Leipzig: Insel-Verlag [1926] [97]

Sheridan, Clare: Ich, meine Kinder und die Großmächte der Welt. Ein Lebensbuch unserer Zeit. Deutsch von Hans Reisiger. Leipzig: List [1928] [8]

Siemsen, Anna: Daheim ist Europa. Unliterarische Streifzüge. Jena: Urania-Verlags-Gesellschaft 1928 [37]

Sozialismus aus dem Glauben. Verhandlungen der sozialistischen Tagung in Heppenheim a.B. Pfingstwoche 1928. [Erlenbach bei] Zürich: Rotapfel-Verlag 1929 [141]

Strobl, Karl Hans: K.P.Qu. Geschichten und Bilder aus dem österreichischen Kriegspressequartier. Reichenberg: Verlag der Heimatsöhne 1928 [12]

Verzeichnis der besprochenen Aufführungen und Filme

Personen- und Werkregister

Verwiesen wird auf Textnummern und Zeilenzähler. Geradegestellte Zeilenzahlen verweisen auf Textstellen, in runde Klammern gesetzte Zeilenzahlen auf indirekte Nennungen, kursiv gesetzte Zeilenzahlen auf Kommentarstellen.

Alphabetisches Titelverzeichnis

Die Nummern der Texte in diesem Band sind in eckige Klammern hinter die Titel gesetzt

Chronologisches Titelverzeichnis / Inhalt

Abbildungsnachweis

Deutsches Literaturarchiv, Marbach S. 532f
Carl von Ossietzky Universität S. 14, 46, 88, 200, 220, 388, 417, 423, 425

Bereits erschienene Bände

Band	Inhalt
1	Texte 1907–1913
2	Texte 1914–1918
3	Texte 1919
4	Texte 1920
5	Texte 1921–1922
6	Texte 1923–1924
7	Texte 1925
9	Texte 1927
10	Texte 1928
11	Texte 1929
12	Deutschland, Deutschland über alles (1929)
13	Texte 1930
14	Texte 1931
20	Briefe 1933–1934
21	Briefe 1935